水利国际招标工程概算
参考资料

主编单位　水利部水利建设经济定额站

黄河水利出版社

图书在版编目(CIP)数据

水利国际招标工程概算参考资料/水利部水利建设经济定额站主编.—郑州:黄河水利出版社,2005.8
ISBN 7-80621-913-7

Ⅰ.水… Ⅱ.水… Ⅲ.水利工程－招标－概算定额－参考资料 Ⅳ.TV512

中国版本图书馆 CIP 数据核字(2005)第 037702 号

出　版　社:黄河水利出版社
　　　　　　地址:河南省郑州市金水路 11 号　　邮政编码:450003
发行单位:黄河水利出版社
　　　　　　发行部电话:0371-66026940　　传真:0371-66022620
　　　　　　E-mail:yrcp@public.zz.ha.cn
承印单位:河南省瑞光印务股份有限公司
开本:787 mm×1 092 mm　　1/16
印张:53.75
字数:1239 千字　　　　　　　　印数:1—1 000
版次:2005 年 8 月第 1 版　　　　印次:2005 年 8 月第 1 次印刷

书号:ISBN 7-80621-913-7/TV·402　　定价:380.00 元

水 利 部
水利水电规划设计总院文件

水总造[2004]1号

关于印发水利国际招标工程概算编制方法指南及
水利国际招标工程概算参考资料的通知

各有关单位:

为满足水利工程利用外资实行国际招标项目概算报告的编制,规范水利国际招标工程概算编制方法,合理确定水利国际招标工程投资,水利部水利建设经济定额站编制完成了《水利国际招标工程概算编制方法指南》及典型工程编制外资概算参考资料,可请各设计单位及有关部门在工作中参考。在使用过程中若有修改建议和需要解释的内容,请与水利部水利建设经济定额站联系。

联系地址:北京市西城区六铺炕北小街2-1号

联 系 人:程瓦

电 话:62033377-4182

附 件:水利国际招标工程概算编制方法指南

水利部水利水电规划设计总院

2004 年 4 月 29 日

主题词:水利工程 概算 编制 办法 通知

一、混凝土重力坝工程

主编单位:水利部水利建设经济定额站
　　　　　水利部天津水利水电勘测设计研究院
主　审:宋崇丽　马毓淦　章景安　韩增芬　胡玉强
主　编:田　伟
编　写:李学启　吴云凤　谭志勇　李天骄　陈洪蛟

二、土心墙堆石坝工程

(一)坝高50m土心墙堆石坝工程

主编单位:水利部水利建设经济定额站
　　　　　水利部黄委会勘测规划设计研究院
主　审:宋崇丽　马毓淦　章景安　韩增芬
主　编:刘贻笔　尹　赜
编　写:毛立伟　尹德文　李惠安　程翠林

(二)坝高100m土心墙堆石坝工程

主编单位:水利部水利建设经济定额站
　　　　　水利部黄委会勘测规划设计研究院
主　审:宋崇丽　马毓淦　章景安　韩增芬
主　编:刘贻笔　尹德文
编　写:毛立伟　程翠林　牛广尧　尹　赜

三、钢筋混凝土面板堆石坝工程

(一)坝高100m钢筋混凝土面板堆石坝工程

主编单位:水利部水利建设经济定额站
　　　　　水利部黄委会勘测规划设计研究院
主　审:宋崇丽　马毓淦　章景安　韩增芬

主　　编:刘贻笔　尹德文

编　　写:毛立伟　程翠林　牛广尧　尹　赜

(二)坝高150m钢筋混凝土面板堆石坝工程

主编单位:水利部水利建设经济定额站

水利部黄委会勘测规划设计研究院

主　　审:宋崇丽　马毓淦　章景安　韩增芬

主　　编:刘贻笔　尹德文

编　　写:毛立伟　尹　赜　李惠安　程翠林

四、地下厂房工程

(一)装机2×30万kW机组地下厂房工程(25m跨度)

主编单位:水利部水利建设经济定额站

水利部黄委会勘测规划设计研究院

主　　审:宋崇丽　马毓淦　章景安　韩增芬

主　　编:刘贻笔　程翠林

编　　写:毛立伟　尹德文　牛广尧　何春华

(二)装机4×15万kW机组地下厂房工程(17.5m跨度)

主编单位:水利部水利建设经济定额站

水利部黄委会勘测规划设计研究院

主　　审:宋崇丽　马毓淦　章景安　韩增芬

主　　编:刘贻笔　程翠林

编　　写:毛立伟　尹德文　牛广尧

五、隧洞工程

(一)大型隧洞工程

主编单位:水利部水利建设经济定额站

水利部黄委会勘测规划设计研究院

主　　审:宋崇丽　马毓淦　章景安　韩增芬

主　　编：刘贻笔　程翠林

编　　写：尹德文　毛立伟　李惠安

（二）中型隧洞工程

主编单位：水利部水利建设经济定额站

　　　　　水利部黄委会勘测规划设计研究院

主　　审：宋崇丽　马毓淦　章景安　韩增芬

主　　编：刘贻笔　程翠林

编　　写：尹德文　毛立伟　吴　健

（三）小型隧洞工程

主编单位：水利部水利建设经济定额站

　　　　　水利部黄委会勘测规划设计研究院

主　　审：宋崇丽　马毓淦　章景安　韩增芬

主　　编：刘贻笔　程翠林

编　　写：毛立伟　尹德文　李惠安　尹　赜

六、水闸工程

主编单位：水利部水利建设经济定额站

　　　　　水利部河北水利水电勘测设计研究院

主　　审：宋崇丽　马毓淦　章景安　韩增芬　胡玉强

主　　编：李继东

编　　写：张文友　孙继江　王　彬　李少苏　徐汉俊

　　　　　程福荣

七、土石料场开采工程

主编单位：水利部水利建设经济定额站

　　　　　水利部黄委会勘测规划设计研究院

主　　审：宋崇丽　马毓淦　章景安　韩增芬

主　　编：刘贻笔　尹德文

编　　写：毛立伟　尹　赜　牛广尧

八、坝基开挖工程

主编单位：水利部水利建设经济定额站

水利部黄委会勘测规划设计研究院

主　审：宋崇丽　马毓淦　章景安　韩增芬

主　编：刘贻笔　尹　赜

编　写：尹德文　毛立伟

目　录

一、混凝土重力坝工程

二、土心墙堆石坝工程

（一）坝高 50m 土心墙堆石坝工程

(二)坝高 100m 土心墙堆石坝工程

三、钢筋混凝土面板堆石坝工程

(一)坝高 100m 钢筋混凝土面板堆石坝工程

四、地下厂房工程

(一)装机 2×30 万 kW 机组地下厂房工程(25m 跨度)

(二)装机 4×15 万 kW 机组地下厂房工程(17.5m 跨度)

五、隧洞工程

(一)大型隧洞工程

六、水闸工程

七、土石料场开采工程

(一)土料开采及运输

(二)石料开采及运输

八、坝基开挖工程

八、地基开挖工程

总　说　明

1.本参考资料是在参考我国几个国际招标工程内外资概算文件及小浪底工程标底概算编制方法的基础上,参考国内在建和已建工程的设计参数,本着简化工程条件拟定本参考资料的工程模型,选用合适的施工方法编制而成的。

2.本参考资料的施工方法仅简要说明各项目的主要施工过程及工序,次要的施工过程及工序和必要的辅助工作虽然未列出,但其需要的人工、设备、材料消耗已包含在"台时、人时、材料用量"表中,所需的施工时间也已包含在"施工循环时间、工期计算"表中。

3.本参考资料引入两个工程量,即"设计工程量"和"施工工程量"。"设计工程量"是以工程设计几何轮廓尺寸计算的工程量为计量单位;"施工工程量"是在"设计工程量"的基础上增加施工过程中容许发生的合理的施工附加量,比如一定的超挖量、混凝土超填量、施工操作损耗等,是为计算设备台时、人时和材料需用量而引入的。

4.本参考资料的施工机械设备生产率是依据施工机械的技术性能、工程的施工条件,通过计算求得的。施工人员是按工程施工的特点与工人的技术水平(不熟练工即一级工、半熟练工即二级、熟练工即三级工、高级熟练工即四级工),按照定岗定员的原则配置的,在使用时应根据工程的具体条件进行计算和调整。

5.本参考资料中的劳力和机械设备的用量,劳力以"人时"计,机械设备以"台时"计。"人时"包括基本工作、辅助工作、作业班内的准备与结束、不可避免的中断、必要的休息、工程检查、交接班、施工干扰、夜间工效影响,以及常用的工具和机械小修、保养、加油、加水等全部时间。"台时"只包括机械的运转时间及必要的辅助时间。

6.本参考资料的"台时、人时、材料用量"表中所列的机械台时和材料用量是指主要机械和主要材料用量,对于辅助机械和辅助材料则以其他费用的形式计取。本表中的"工程量"是指设计工程量。

7.本参考资料在计算工期和平均生产率时引入的"长期工作影响系数"是根据工程施工的复杂和难易程度而定的,其值可在0.6~0.85之间选取。

8.本参考资料是按中外联营体组成的施工管理机构,施工队伍以中国工人为主;大型施工机械设备,如挖掘机、装载机、重型自卸汽车、推土机、液压钻孔机械从国外进口,而中小型施工机械设备以国产为主,设备生产率属中等偏上水平。

9.本参考资料的施工工期计算,只是从单项工程按设定的工作面计算工期,在实际工程中工期受整个水利枢纽工期限制,应视工程情况,适当调整单项工程的工期,以满足枢纽总工期和资源平衡的要求。

一、混凝土重力坝工程

1 模拟设计条件

模拟设计的目的是为《水利国际招标工程概算》提供混凝土重力坝工程施工参考资料。

模拟混凝土重力坝的坝型为半整体式直线实体重力坝。

2 模拟施工条件

2.1 工程条件

2.1.1 地形地貌

模拟设计的工程坝址处,河谷呈"U"形,两岸陡峭直立,河谷宽约420m。坝址处河谷顺直,河床地势较平坦,河床底部高程为897m左右。河床及两岸岩石为灰岩,坚硬完整。

枯水期一般水位为898.5~901m,水深2~3.5m,水面宽约300m;5~10年一遇洪水期水位为901~903m,水深4.5~6m,水面宽350m。

2.1.2 工程总布置及主要建筑物

2.1.2.1 工程等别和标准

模拟工程最大坝高90m,总库容8.96亿m^3,装机6台,总容量1 080MW,枢纽工程属一等工程。枢纽的主要建筑物拦河大坝按一级建筑物设计,其洪水标准按千年一遇洪水16 500m^3/s设计,万年一遇洪水21 200m^3/s校核。

2.1.2.2 枢纽总布置

模拟工程的坝型为半整体式直线实体重力坝,坝顶全长438m,共分为22个坝段,坝段从左至右依次为1~3号左岸挡水坝段、4号表孔坝段、5~8号底孔坝段、9~10号中孔坝段、11号隔墩坝段、12~17号电站坝段、18~22号右岸挡水坝段。

电站厂房为坝后式,布置于河床右侧。

枢纽布置参阅附图1。

2.1.2.3 坝体断面设计

模拟工程混凝土重力坝坝高90m,坝底高程892.00m,坝顶高程982.00m。大坝上游面上部为垂直,下部坝坡1:0.15,起坡点高程932.00m,下游面坝坡1:0.7。坝顶宽21m。坝基岩石开挖深度为5m。

2.1.2.4 主要工程量汇总

主要工程量汇总见表2-1。

2.2 施工条件

2.2.1 大坝混凝土浇筑有效工作天数分析

在模拟工程设计中,假定大坝混凝土施工气象条件是正常施工条件,根据坝址处的气温和降水统计资料,对大坝混凝土浇筑的有效工作天数分析如下。

2.2.1.1 本工程设计中的规定

在分析全年各月可能的工作天数时,作如下规定:

(1)对法定的节假日,应计入当月停工天数;对公休日,按1/2计算停工天数。

(2)日降水量大于20mm时停止混凝土浇筑。

表 2-1　大坝工程主要工程量汇总

序号	坝段名称	大坝混凝土浇筑（万 m³）	钢筋制安（t）	接缝灌浆	
				横缝（万 m²）	纵缝（万 m²）
1	底孔坝段	25.48	3 287	0.60	1.02
2	中孔坝段	13.63	954	0.29	0.49
3	表孔坝段	6.49	325	0.14	0.26
4	电站坝段	57.34	5 315	1.31	1.95
5	隔墩坝段	5.01	200	0.40	0.19
6	挡水坝段	41.63	1 524	0.83	1.35
	合　计	149.58	11 605	3.57	5.26

（3）最低气温稳定在 -3℃ 以下时，应按低温季节进行混凝土施工；日平均气温低于 -5℃ 时，必须在暖棚内浇筑混凝土。

2.2.1.2　混凝土浇筑有效工作天数分析

模拟工程所在地年平均气温 7℃ 左右，绝对最高气温 38.1℃，绝对最低气温 -31℃，月平均最高气温 29.7℃，月平均最低气温 -17.2℃。

根据气温统计资料，按照前述规定直接计算停工天数。年内各月工作天数见表 2-2。

表 2-2　混凝土浇筑有效工作天数分析

项目		月　份												全年
		1	2	3	4	5	6	7	8	9	10	11	12	
日历天数		31	28	31	30	31	30	31	31	30	31	30	31	365
停工日	法定节日	1	3			3					3			10
	公休	4	4	5	4	4	5	4	5	4	4	5	4	52
	雨日							1	2					3
	冬日	10	5										8	23
停工天数		15	12	5	4	7	5	5	7	4	7	5	12	88
工作天数		16	16	26	26	24	25	26	24	26	24	25	19	277

2.2.2　施工导流特性

2.2.2.1　导流标准

模拟工程属一等大（1）型工程，其主要建筑物为Ⅰ级，施工临时建筑物等级应为Ⅳ级。模拟工程采用的导流标准及相应设计流量见表 2-3。

表 2-3 导流标准及相应设计流量

导流分期		挡水建筑物	导流时段	标准 P(%)	相应设计流量(m³/s)
一期导流	低堰	一期低堰	第一年 11 月～第二年 6 月	5	3 600
	高堰	一期高堰	第二年 7～10 月	5	8 350
二期导流		二期高堰	第二年 11 月～第四年 6 月	5	8 350
坝体度汛	前期	坝体	第四年 7 月～第五年 6 月	2	10 300
	后期	坝体	第五年 7～10 月	1	11 700

2.2.2.2 导流方式及导流程序

(1)导流方式。根据模拟工程枢纽布置和具体施工条件,确定采用分期导流方式。

(2)导流工程施工程序。采取先围左岸泄水建筑物坝段,河水由右岸束窄河床下泄,即第一期先修建泄水建筑物坝段并预留临时导流缺口及临时导流底孔;第二期围右岸厂房坝段,河水改由左岸泄水坝段的临时导流缺口及临时导流底孔宣泄,使右岸的厂房坝段从主体工程施工的第二年直到最后机组安装发电为止均可连续施工。坝体挡水度汛后,河水由临时导流底孔和永久底孔联合泄流。

2.2.2.3 导流工程特性

施工导流工程布置见附图 4,主要特性见表 2-4。

表 2-4 施工导流主要特性

导流分期		项目	单位	数 量
一期导流	低围堰导流	泄水建筑物		右岸束窄河床(宽 100m)
		设计水位	m	上游:905.0;下游:901.8
		堰顶高程	m	上游:906.0;下游:903.0
	高围堰导流	泄水建筑物		右岸束窄河床(宽 140m)
		设计水位	m	上游:908.3;下游:904.2
		堰顶高程	m	上游:909.0;下游:905.2
二期导流		泄水建筑物		5 个导流底孔,38m 宽缺口,8 个永久底孔
		设计水位	m	上游:921.6;下游:904.2
		堰顶高程	m	上游:922.6;下游:905.2
坝体临时度汛	坝体前期度汛	泄水建筑物		5 个导流底孔,8 个永久底孔
		设计水位	m	上游:927.8;下游:904.6
		坝顶高程	m	上游:930.0;下游:905.2
	坝体后期度汛	泄水建筑物		2 个导流底孔,8 个永久底孔
		设计水位	m	上游:944.6;下游:904.6
		坝顶高程	m	上游:950.0;下游:905.2

注:导流底孔底高程其中 4 个为 899m,另 1 个为 900m;永久底孔底高程为 915m。

3 主体工程施工模拟

3.1 施工总进度计划

模拟工程是一座大型的水利枢纽工程,枢纽工程施工总工期为6年半,工程施工工期见表3-1及附图6。

表 3-1 枢纽工程施工工期

(单位:年)

施工准备工期	主体工程工期	工程完建期	总工期
1	4	1.5	6.5

3.2 大坝混凝土浇筑

3.2.1 大坝施工形象面貌

大坝施工形象面貌见表3-2及附图5。

表 3-2 大坝施工形象面貌

混凝土浇筑时段	浇筑部位	浇筑高程 (m)	浇筑量 (万 m³)	浇筑强度 (万 m³/月)	导流方式
第二年4~10月	左岸挡水坝段 左岸泄水坝段 隔墩坝段	920 910~920 923	24.50	3.4	一期低、高围堰挡水,右岸河床泄流
第二年11月~第三年5月	左岸挡水坝段 左岸泄水坝段	942 930~942	11.87	4.1	二期围堰挡水,导流底孔、缺口联合泄水
第三年6月~第四年6月	左岸挡水坝段 左岸泄水坝段 隔墩坝段 电站坝段 右岸挡水坝段	951 930~942 935 932 932	59.90	5.5	二期围堰挡水,导流底孔、永久底孔联合泄流
第四年7月~第五年6月	左岸挡水坝段 左岸泄水坝段 隔墩坝段 电站坝段 右岸挡水坝段	975 970~972 975 969 969	41.57	4.6	坝体挡水,导流底孔、永久底孔联合泄流
第五年7~10月	所有坝段	982	11.74	3.8	
合计			149.58		

3.2.2 大坝混凝土浇筑方案及施工布置

3.2.2.1 大坝混凝土浇筑方案

本工程为半整体式混凝土直线重力坝,最大坝高90m,坝顶长438m,坝体共分为22个坝段,最大坝底宽度为83.5m。大坝采用纵缝1~3条,纵缝间距最小为15.0m,最大为33.0m。

根据大坝分段、设置纵缝的特点和采用分期导流的方式,大坝混凝土浇筑选择分坝段、跳块、缆机浇筑的施工方案。模板、钢筋、金属结构也采用缆机吊运。

缆机机身置于坝体之外,其基础和安装工作不占用混凝土施工工期,可在浇筑前安装完毕;混凝土供料线布置在左坝头坝顶高程以上,不与坝面工作发生干扰,一直使用到工程完工。

大坝混凝土总量为149.58万 m^3,高峰时段月平均浇筑强度5.5万 m^3/月,月高峰浇筑强度6.9万 m^3/月。

月高峰浇筑强度发生在大坝混凝土浇筑的第三期,缆机要承担钢管、模板、钢筋及金属结构吊运等辅助工作。缆机台数采用经验数据估算,目前国内水电工程缆机台月生产率为1.6万~2.2万 m^3,估算时取台月生产率为1.8万 m^3,则需缆机 $5.5 \div 1.8 = 3.06$ 台,取为4台。4台缆机工作任务分配见表3-3。

表 3-3 缆机工作任务分配

缆机序号	工作内容	混凝土浇筑高峰时段月平均强度(万 m^3/月)	辅助工作量
1 号	甲、乙块混凝土浇筑,甲、乙块钢筋模板吊装及部分金属结构吊装	1.7	占钢筋、模板总量的25%;占金属结构量的10%
2 号	丙、丁块混凝土浇筑,乙、丙、丁块钢筋、模板吊装及部分金属结构吊装	1.5	占钢筋、模板总量的35%;占金属结构量的30%
3 号	同1号缆机	1.7	同1号缆机
4 号	丙、丁块、护坦等混凝土浇筑,丙、丁块钢筋、模板吊装及部分金属结构吊装	1.0	占钢筋、模板总量的15%;占金属结构量的50%

3.2.2.2 施工布置

1)垂直方向的布置

为保证施工调度的灵活性,上、下层缆机互为备用,采用高、低平台错开布置,高层缆机空钩工作状态能跨越低层缆机。高、低平台各布置两台缆机。

(1)低层缆机布置:低层缆机为3号、4号缆机。进料线高程986m(坝顶高程982m),放罐平台高程982m。根据料罐起吊点高程,考虑缆索垂度及缆索至罐底的高度,左岸主索支点高程为1 024m,塔高17m,平台高程1 007m;右岸主索支点比左岸低6m,高程1 018m,塔高17m,平台高程1 001m。主索跨距600m,左岸主索支点距进料线60m。缆机垂度4%。

(2)高层缆机布置:高层缆机为1号、2号缆机。按空钩工作状态能跨越低层缆机考虑,左岸主索支点高程为1 050m,塔高17m,平台高程1 033m;右岸主索支点比左岸低6m,高程1 044m,塔高17m,平台高程1 027m。主索跨距700m,左岸主索支点距进料线96m。缆机垂度4%。

2)平面布置

低层缆机考虑控制坝体(包括导流底孔封堵工作平台)和护坦等,上、下游工作范围为桩号上0-025至桩号下0+136;高层缆机只控制坝体部分,上、下游工作范围为桩号上0-029至桩号下0+093。

3.2.2.3　进料线高程及运输线路

进料线布置在左岸坝坡上,其高程为986m,放罐平台高程982m。

混凝土水平运输采用准轨内燃机车牵引拖行式侧卸混凝土运输车,布置一重一轻两股道,线路间距5m。施工设备及材料在缆机起吊点由缆机吊运至工作面。混凝土拌和系统布置在坝轴线下游,两座拌和楼分别距坝轴线165m和180m,出料高程986m。

大坝混凝土入仓采用4台20t平移式缆机吊6m³液压自动蓄能吊罐不摘钩快速运输混凝土,其布置见附图1及附图2,1号和3号缆机参与坝体甲、乙块的浇筑,2号和4号缆机参与坝体丙、丁块的浇筑。

牵引机车主要技术性能如下:

柴油机型号	6135G-14
额定功率(HP)	150
额定转速(r/min)	1 500
空压机型号	3Z-0.5/8
空压机排量(m³/min)	0.466
牵引速度(km/h)	15
轨距(mm)	1 435
自重(t)	18
外形尺寸(长×宽×高)(mm)	6 491×2 520×2 947

侧卸罐车主要技术性能如下:

罐体容积(设计/有效)(m³)	7.5/6
轨距(mm)	1 435
进料口尺寸(长×宽)(mm)	2 972×2 200
卸料口尺寸(长×宽)(mm)	1 000×530
进料口高度(mm)	3 842
卸料倾角	50°
控制方式	电—气控制
重量(t)	13

6m³液压自动蓄能吊罐主要技术性能如下:

罐体容积(设计/有效)(m³)	7.5/6

蓄能油压(空载/满载)(MPa)	1/8
一次蓄能后弧门开闭次数(次)	3~5
自重(t)	4.2
操作方式	手动换向阀绳索
外型尺寸(长×宽×高)(mm)	2 300×2 300×3 200

缆机技术性能如下:

起重量(t)	20
跨距(m)	低缆600,高缆700
垂度(m)	4%跨距
起升速度(空载/满载)(m/min)	185/120
下降速度(空载/满载)(m/min)	185/160
小车牵引速度(m/min)	450
大车行走速度(m/min)	11.9
移动距离(设计/实际)(m)	200/150
主索直径(mm)	65
轨距(m)	12
尺寸(高×宽)(m)	17×22
总功率(kW)	1 307

3.3 混凝土施工程序与施工方法

3.3.1 混凝土施工程序与工艺流程

第一期先修建左岸泄水建筑物坝段并预留临时导流缺口及临时导流底孔,河水由右岸束窄河床宣泄;第二期修建右岸厂房坝段,河水改由左岸泄水坝段的临时导流缺口及导流底孔宣泄。

大坝混凝土浇筑分以下程序及流程施工。

(1)施工程序:

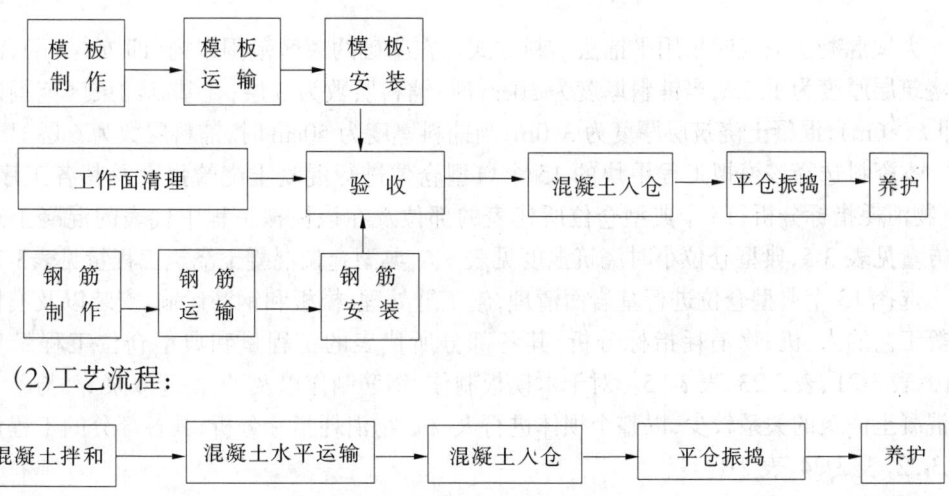

(2)工艺流程:

混凝土拌和 → 混凝土水平运输 → 混凝土入仓 → 平仓振捣 → 养护

同一浇筑仓位的各个工序按流水作业法施工,不同浇筑仓位的工作面清理、模板安装、钢筋安装、混凝土入仓、平仓振捣等工序与前面的浇筑仓位的工序平行作业。

3.3.2 施工方法

大坝混凝土浇筑采用柱状法施工

坝体采用纵缝分缝。左岸挡水坝段设 1～2 条纵缝,右岸挡水坝段设 2～3 条纵缝,隔墩坝段设 2 条纵缝,其余坝段设 3 条纵缝。从上游至下游把坝体分别成甲、乙、丙 3 个及甲、乙、丙、丁 4 个浇筑块,间距见表 3-4。最大仓面面积为 576m²。混凝土浇筑块厚度在基础以上 6m 范围以内为 1.5m,6m 范围以外为 3m。间歇期为 5～7 天。

表 3-4　各坝段纵缝间距

序号	项目		坝段										
			1 号	2 号	3 号	4 号	5～8 号	9、10 号	11 号	12～17 号	18、19 号	20、21 号	22 号
1	坝段宽度(m)		19	19	19	19	19	19	11	24	18	19	19
2	坝底宽度(m)		40	64	71.1	74	74	74	75	83.5	83.5	74	50
3	纵缝条数(条)		1	2	2	3	3	3	2	3	3	3	2
4	浇筑块长度(m)	甲块	24	24	24	24	24	24	24	24	24	24	24
5		乙块	16	18	18	18	18	18	18	24	18	18	18
6		丙块		22	29.1	17	17	17	33	20.5	17	17	8
7		丁块				15	15	15		15	24.5	15	
8	甲块最大面积(m²)		456	456	456	456	456	456	264	576	432	456	456

大坝混凝土浇筑时采用平铺法铺料方式。在基础约束区范围以内(即 $h \leqslant 6m$),混凝土浇筑层厚度为 1.5m,当铺料厚度为 50cm 时,铺料层数为 3 层;在基础约束区范围以外(即 $h > 6m$),混凝土浇筑层厚度为 3.0m,当铺料厚度为 50cm 时,铺料层数为 6 层。

本资料选择该模拟工程甲块的 15 个典型仓位进行混凝土浇筑强度及其各工序人、机、物消耗指标分析,15 个典型仓位所代表的部位及在该模拟工程中代表的混凝土总浇筑方量见表 3-5,典型仓位小时浇筑强度见表 3-6,典型仓位混凝土浇筑工程量见表 3-7。

选择 15 个典型仓位进行基岩面清理,施工缝处理,模板和钢筋运输、安装以及模板拆除等工艺的人、机、物消耗指标分析,其各部分所代表的工程量和典型仓位工程量见表 3-19、表 3-21、表 3-23、表 3-25。对于木模板制作、钢筋制作以及纵、横缝灌浆等,与单一仓面混凝土浇筑的关系较少,以整个坝体进行人、机、物消耗指标分析,其各部分的工程量见表 3-22、表 3-24、表 2-1。

表 3-5 典型仓位代表部位及代表总方量

仓位编号	仓位面积（m²）	仓位混凝土浇筑量（m³）	仓位代表部位	代表总方量（万 m³）
1	456	718.2	左岸挡水坝段坝高 0~1.5m 部位	0.50
2	456	718.2	左岸挡水坝段坝高 1.5~6m 部位	1.50
3	456	1 436.4	左岸挡水坝段坝高 6~40m 部位	6.27
4	342	1 077.3	左岸挡水坝段坝高 40~70m 部位	3.98
5	521	1 641.2	左岸挡水坝段坝高 70~90m 部位	2.64
6	576	907.2	电站坝段坝高 0~1.5m 部位	0.90
7	576	907.2	电站坝段坝高 1.5~6m 部位	2.70
8	576	1 814.4	电站坝段坝高 6~40m 部位	28.58
9	399	1 256.9	电站坝段坝高 40~70m 部位	17.81
10	304	957.6	电站坝段坝高 70~90m 部位	7.35
11	432	680.4	右岸挡水坝段坝高 0~1.5m 部位	1.02
12	432	680.4	右岸挡水坝段坝高 1.5~6m 部位	3.06
13	432	1 360.8	右岸挡水坝段坝高 6~40m 部位	12.20
14	324	1 020.6	右岸挡水坝段坝高 40~70m 部位	6.63
15	288	907.2	右岸挡水坝段坝高 70~90m 部位	3.83

表 3-6 典型仓位小时浇筑强度

仓位编号	仓位面积（m²）	浇筑层厚（m）	铺筑方法	铺料厚度（cm）	铺筑层数（层）	铺料间隔（h）	混凝土浇筑方量（m³）	浇筑强度（m³/h）
1	456	1.5	平铺	50	3	2.5	718.2	91.2
2	456	1.5	平铺	50	3	2.5	718.2	91.2
3	456	3.0	平铺	50	6	2.5	1 436.4	91.2
4	342	3.0	平铺	50	6	2.5	1 077.3	68.4
5	521	3.0	平铺	50	6	2.5	1 641.2	104.2
6	576	1.5	平铺	50	3	2.5	907.2	115.2
7	576	1.5	平铺	50	3	2.5	907.2	115.2
8	576	3.0	平铺	50	6	2.5	1 814.4	115.2
9	399	3.0	平铺	50	6	2.5	1 256.9	79.8
10	304	3.0	平铺	50	6	2.5	957.6	60.8
11	432	1.5	平铺	50	3	2.5	680.4	86.4
12	432	1.5	平铺	50	3	2.5	680.4	86.4
13	432	3.0	平铺	50	6	2.5	1 360.8	86.4
14	324	3.0	平铺	50	6	2.5	1 020.6	64.8
15	288	3.0	平铺	50	6	2.5	907.2	57.6

表 3-7　混凝土重力坝典型仓位浇筑工程量

仓位编号	仓位面积 (m²)	混凝土浇筑层厚 (m)	混凝土浇筑方量 (m³)	立模面积 (m²)	钢筋安装 (t)
1	456	1.5	718.2	117.8	2.657
2	456	1.5	718.2	117.8	2.657
3	456	3.0	1 436.4	210.8	5.315
4	342	3.0	1 077.3	190.4	3.986
5	521	3.0	1 641.2	222.7	6.072
6	576	1.5	907.2	136.8	8.437
7	576	1.5	907.2	136.8	8.437
8	576	3.0	1 814.4	508.0	16.874
9	399	3.0	1 256.9	301.6	11.689
10	304	3.0	957.6	201.1	8.906
11	432	1.5	680.4	114.0	2.517
12	432	1.5	680.4	114.0	2.517
13	432	3.0	1 360.8	204.0	5.035
14	324	3.0	1 020.6	183.6	3.776
15	288	3.0	907.2	176.8	3.357

注：1. 浇筑基础部位第一层混凝土时基岩面清理面积与仓位面积相等。

2. 浇筑其他部位混凝土时施工缝处理面积与仓位面积相等。

3. 基础约束范围以内($h \leqslant 6m$)混凝土浇筑层厚为 1.5m；基础约束范围以外($h > 6m$)，混凝土浇筑层厚为 3.0m。

4. 混凝土铺料方法为平铺法，铺料层厚为 50cm。

5. 混凝土浇筑甲块立模面积为甲块上游面(迎水面)、下游面(纵缝)和一个侧面(左侧或右侧)的立模面积之和。

6. 甲块上游面(迎水面)模板为平面钢模板；下游面(纵缝)模板为键槽钢模板；侧面模板与该部位横缝是否需要接缝灌浆有关，有接缝要求时采用键槽钢模板，无接缝要求时采用平面钢模板。

平铺法小时浇筑强度计算公式为

$$q = \frac{\delta F}{t}$$

式中　q——小时浇筑强度，m³/h；

　　　F——仓位面积，m²；

　　　t——允许间隔时间；

　　　δ——铺料厚度，$\delta = 0.5m$。

各工序的施工方法如下：

(1)工作面清理。在基岩面上新浇混凝土之前需人工进行基岩面清理。混凝土施工缝处理采用 HCM－M_1 型高压水冲毛机。

(2)模板安装。模板主要使用拼装式悬臂钢模，部分使用木模。廊道使用钢筋混凝土预制模板。模板用载重汽车运输，缆机吊入，仓面吊就位。

(3)钢筋安装。钢筋在加工厂加工后用载重汽车运至现场。缆机吊入仓内，人工搬运、安装。

(4)混凝土浇筑。混凝土水平运输采用 110kW 准轨内燃机车，牵引两台 6m³ 拖行式侧卸罐车,运混凝土至缆机起吊点,混凝土卸入 6m³ 蓄能式吊罐中。大坝混凝土入仓采用 20t 平移式缆机,吊 6m³ 立罐不脱钩连续作业。平仓振捣采用 PCY－50 型平仓振捣机,另外配备手持插入式振捣器,以便对仓内边角部位进行补振。

3.4 混凝土施工设备配套生产率的计算

3.4.1 混凝土入仓设备

混凝土入仓采用 20t 平移式缆机吊 6m³ 混凝土立罐不摘钩运转。

(1)技术生产率计算:

$$Q_j = nq$$

式中 Q_j——技术生产率,m³/h;

q——吊罐有效容积,6m³;

n——小时吊运罐数,$n = \dfrac{3\,600}{T_1}$,其中 T_1 见附表3。

1 号仓位 $Q_{j1} = nq = \dfrac{3\,600}{204} \times 6 = 105.9(\text{m}^3/\text{h})$

2 号仓位 $Q_{j2} = nq = \dfrac{3\,600}{204} \times 6 = 105.9(\text{m}^3/\text{h})$

3 号仓位 $Q_{j3} = nq = \dfrac{3\,600}{195} \times 6 = 110.8(\text{m}^3/\text{h})$

4 号仓位 $Q_{j4} = nq = \dfrac{3\,600}{171} \times 6 = 126.3(\text{m}^3/\text{h})$

5 号仓位 $Q_{j5} = nq = \dfrac{3\,600}{152} \times 6 = 142.1(\text{m}^3/\text{h})$

6 号仓位 $Q_{j6} = nq = \dfrac{3\,600}{268} \times 6 = 80.6(\text{m}^3/\text{h})$

7 号仓位 $Q_{j7} = nq = \dfrac{3\,600}{268} \times 6 = 80.6(\text{m}^3/\text{h})$

8 号仓位 $Q_{j8} = nq = \dfrac{3\,600}{259} \times 6 = 83.4(\text{m}^3/\text{h})$

9 号仓位 $Q_{j9} = nq = \dfrac{3\,600}{235} \times 6 = 91.9(\text{m}^3/\text{h})$

10 号仓位 $Q_{j10} = nq = \dfrac{3\,600}{216} \times 6 = 100.0(\text{m}^3/\text{h})$

11 号仓位 $Q_{j11} = nq = \dfrac{3\,600}{298} \times 6 = 72.5(\text{m}^3/\text{h})$

12 号仓位 $Q_{j12} = nq = \dfrac{3\,600}{298} \times 6 = 72.5(\text{m}^3/\text{h})$

13 号仓位 $Q_{j13} = nq = \dfrac{3\,600}{289} \times 6 = 74.7(\text{m}^3/\text{h})$

14 号仓位 $Q_{j14} = nq = \dfrac{3\,600}{265} \times 6 = 81.5(\text{m}^3/\text{h})$

15 号仓位 $Q_{j15} = nq = \dfrac{3\,600}{246} \times 6 = 87.8(\text{m}^3/\text{h})$

(2)设备生产率计算:

$$Q_m = Q_j k_1 k_2 k_3$$

式中　Q_m——缆机设备生产率,m^3/h;

　　　k_1——吊罐容积系数,取 0.98;

　　　k_2——时间利用系数,取 0.8;

　　　k_3——综合利用系数,由于该模拟工程利用缆机吊运模板和钢筋,其综合占用缆机
　　　　　时间分别为 15%和 0.5%,考虑其他工作也占用缆机,在浇筑 1~5 号仓位、
　　　　　9~15 号仓位时其浇筑强度不高,缆机可有较多时间做辅助工作,因此 1~5
　　　　　号仓位、9~15 号仓位 k_3 取为 0.8,由于 6 号、7 号、8 号仓位混凝土浇筑强
　　　　　度较高,浇筑时缆机主要工作为浇筑混凝土,因此 k_3 取为 0.95。

1 号仓位及 2 号仓位　$Q_{m1}(Q_{m2})=105.9\times0.98\times0.8\times0.8=66.4(m^3/h)$

3 号仓位　$Q_{m3}=110.8\times0.98\times0.8\times0.8=69.5(m^3/h)$

4 号仓位　$Q_{m4}=126.3\times0.98\times0.8\times0.8=79.2(m^3/h)$

5 号仓位　$Q_{m5}=142.1\times0.98\times0.8\times0.8=89.1(m^3/h)$

6 号仓位及 7 号仓位　$Q_{m6}(Q_{m7})=80.6\times0.98\times0.8\times0.95=60.0(m^3/h)$

8 号仓位　$Q_{m8}=83.4\times0.98\times0.8\times0.95=62.1(m^3/h)$

9 号仓位　$Q_{m9}=91.9\times0.98\times0.8\times0.8=57.6(m^3/h)$

10 号仓位　$Q_{m10}=100.0\times0.98\times0.8\times0.8=62.7(m^3/h)$

11 号仓位及 12 号仓位　$Q_{m11}(Q_{m12})=72.5\times0.98\times0.8\times0.8=45.5(m^3/h)$

13 号仓位　$Q_{m13}=74.7\times0.98\times0.8\times0.8=46.9(m^3/h)$

14 号仓位　$Q_{m14}=81.5\times0.98\times0.8\times0.8=51.1(m^3/h)$

15 号仓位　$Q_{m15}=87.8\times0.98\times0.8\times0.8=55.1(m^3/h)$

采用平铺法铺料方式,一个仓位最多需要 2 台缆机即可满足混凝土浇筑强度的要求。

3.4.2　混凝土水平运输设备

混凝土水平运输采用 110kW 准轨内燃机车,牵引 2 台 $6m^3$ 拖行式侧卸混凝土罐车。
混凝土运输设备运输能力应与 2 台缆机的吊运能力相适应。

拌和楼至缆机吊罐受料点约 250m。

用机车运输混凝土的生产效率取决于每列机车牵引混凝土罐车的数量和机车运输循
环的时间。

(1)循环时间计算:

$$T_2 = t_1 + t_2 + t_3 + t_4 + t_5$$

式中　T_2——机车往返循环时间,min;

　　　t_1——在混凝土拌和楼下装料时间,与机车所牵引的罐车数量有关,罐车数量为 2
　　　　　台,t_1 取 1.0min;

　　　t_2——机车往返途中的时间,按车速 15km/h、往返运距 500m 计算,t_2 取 2.0min;

　　　t_3——机车在混凝土卸料站卸料的时间,与罐车数量有关,罐车数量为 2 台,t_3 取

1.0min;

t_4——调车时间，t_4 取 0.5min；

t_5——由于组织和技术上的原因可能发生的无法估计的停车时间，一般可取 $t_1 \sim$

   t_4 之和的 $5\% \sim 10\%$，t_5 取 0.5min。

则机车牵引罐车数量为 2 台时：

$$T_2 = t_1 + t_2 + t_3 + t_4 + t_5$$
$$= 1.0 + 2.0 + 1.0 + 0.5 + 0.5$$
$$= 5.0(\text{min})$$

机车小时运输次数为 $60 \div 5 = 12$（次）。

(2)机车小时运输生产率计算：

机车运输生产率＝机车小时运输次数×侧卸罐车总容量＝$12 \times 12 = 144(\text{m}^3/\text{h})$

3.4.3 混凝土平仓振捣设备

混凝土平仓振捣采用 PCY-50 型平仓振捣机，辅以 Z_2D-100 型振捣器。

(1)PCY-50 型平仓振捣机性能参数：

发动机功率(HP)	50
行走速度(前进/后退)(km/h)	0.95~9.32/1.0~4.6
轨距(mm)	1 300
轴距(mm)	1 691
履带宽度(mm)	460
最小离地间距(mm)	325
最小转弯半径(m)	1.7~2.0
最小爬坡角度	25°~30°
平均接地压力(kg/cm²)	0.347
推铲尺寸(宽×高)(mm)	2 200×550
振捣器	
型号	CY-152
台数	3
总重(kg)	5 400
外形(长×宽×高)(mm)	4 120×2 200×2 413

(2)Z_2D-100 型振捣器性能参数：

外径(mm)	100
工作部分长度(mm)	508
振幅(mm)	1.6
电动机功率(kW)	1.5
电压(V)	42
振动力(kg)	1 300
总重(kg)	22

(3)PCY－50型平仓振捣机生产率：

技术生产率　　　　　　　60m³/(台·h)

设备生产率　　　　　　　当时间利用系数取 0.8 时,设备生产率为
　　　　　　　　　　　　　　$60 \times 0.8 = 48(\text{m}^3/(\text{台·h}))$

(4)$Z_2D－100$ 型振捣器生产率：

技术生产率　　　　　　　18m³/(台·h)

设备生产率　　　　　　　当时间利用系数取 0.8 时,设备生产率为
　　　　　　　　　　　　　　$18 \times 0.8 = 14.4(\text{m}^3/(\text{台·h}))$

3.4.4 混凝土冲毛设备

混凝土冲毛采用 $HCM－M_1$ 型冲毛机。

(1)$HCM－M_1$ 型冲毛机技术参数：

额定压力(kg/cm²)	320
额定流量(L/min)	90
喷枪数(支)	3
喷嘴	瓷质、扇形
冲毛效率(m²/(台·h))	300～500
冲毛时混凝土强度(kg/cm²)	40～70
电动机功率(kW)	55
每把枪的反座力(kg)	<12
自重(kg)	2 250

(2)$HCM－M_1$ 型冲毛机(每个仓面配备 1 台)生产率：

技术生产率　　　　　　　250m²/(台·h)

设备生产率　　　　　　　当时间利用系数取 0.8 时,设备生产率为
　　　　　　　　　　　　　　$250 \times 0.8 = 200(\text{m}^2/(\text{台·h}))$

混凝土重力坝(最大一个仓位)混凝土浇筑主要设备汇总、钢筋加工设备汇总、木模板加工设备汇总见表 3-8、表 3-9、表 3-10。

表 3-8　混凝土重力坝(最大一个仓位)混凝土浇筑主要设备汇总

序号	设备名称	型号	单位	数量	设备生产率
一	工作面清理机械				
1	高压水枪		台	3	90m²/h
2	高压水冲毛机	HCM－M₁	台	1	200m²/h
二	混凝土水平运输机械				
3	内燃机车	110kW	台	1	144m³/h
4	混凝土侧卸罐车	6m³	台	2	
三	混凝土入仓机械				
5	平移式缆机	20t	台	2	45～90m³/h
6	蓄能式立罐	6m³	个	2	

序号	设备名称	型　号	单　位	数　量	设备生产率
四	混凝土平仓振捣机				
7	平仓振捣机	PCY－50	台	3	48m³/h
8	插入式振捣器	Z₂D－100	台	5	14.4m³/h
五	模板架立机械				
9	仓面吊	5t	台	1	
10	载重汽车	10t	辆	2	
六	钢筋安装机械				
11	电焊机		台	2	
12	载重汽车	10t	辆	1	
七	接缝灌浆				
13	圆筒式拌浆机	0.5m³	台	1	
14	灌浆泵	TBW－200/40	台	1	90m³/h
15	水泵	3′	台	3	35m³/h

表 3-9　混凝土重力坝(最大一个仓位)钢筋加工设备汇总

序号	设备名称	型号	单　位	数　量	设备生产率
1	运料车		台	1	8t/h
2	钢筋调直机	GTJ₄－4/10	台	1	2t/h
3	钢筋除锈机		台	1	8t/h
4	钢筋切断机	GJ－540	台	1	2.4t/h
5	钢筋弯曲机	GJ7－40	台	2	1t/h
6	镦头机		台		36t/h
7	对焊机	UN₁－25	台	2	
8	点焊机	DN₁－75	台	2	
	合计		台	11	

表 3-10　混凝土重力坝(最大一个仓位)木模板加工设备汇总

序号	设备名称	型号	单　位	数　量	设备生产率
1	汽车吊	5t	台	1	
2	圆锯机	MJ106	台	1	8～10m²/h
3	带锯	MJ328	台	1	8～10m²/h
4	平刨	MJ504	台	1	10～15m²/h
5	压刨	MB106	台	1	10～15m²/h
6	开榫机	MX362	台	1	30～40m²/h
7	圆截锯	MJ217	台	1	10～20m²/h
8	电焊机	BX₃－120	台	1	
	合计		台	8	

3.5　混凝土施工工作组划分

劳力安排原则:分工作面定岗定员配备各工种劳力,同一工种劳力划分成 4 个等级,即一级工、二级工、三级工、四级工。根据需要配备不同级别的各工种劳力,并配备工长。

根据概算项目划分的特点,按以下项目分别安排劳力:①工作面清理工作组;②木模板制作工作组;③模板运输、安装与拆除工作组;④钢筋加工工作组;⑤钢筋运输与安装工作组;⑥混凝土浇筑工作组。

3.5.1 工作面清理工作组

工作面清理工作组负责混凝土浇筑前的基岩面清理或施工缝处理以及清仓等工作。工作中又分为基岩面清理组和施工缝处理组。基岩面清理组主要采用高压水枪及人工撬挖、抹干等方式清理基岩面,施工缝处理组主要采用高压水冲毛机进行施工缝冲毛。工作组人员配备分别见表3-11、表3-12。

表 3-11　基岩面清理工作组人员配备

序号	工种名称	工长	一级工	二级工	三级工	四级工
1	水枪操作工			3	1	
2	普工		8			
合计	12		8	3	1	

表 3-12　施工缝处理工作组人员配备

序号	工种名称	工长	一级工	二级工	三级工	四级工
1	冲毛机操作工			2	1	
2	普工		3			
合计	6		3	2	1	

3.5.2 木模板制作工作组

木模板制作工作组负责木模板的制作。工作组人员配备见表3-13。

表 3-13　木模板制作工作组人员配备

序号	工种名称	工长	一级工	二级工	三级工	四级工
1	工长	1				
2	圆锯机操作工			1	1	
3	带锯操作工			1	1	
4	平刨操作工			1	1	1
5	压刨操作工			1	1	1
6	开榫机操作工			1	1	
7	圆截锯操作工			1	1	
8	电焊工			1	1	
9	起重工				1	
10	普工		2			
合计	20	1	2	7	8	2

3.5.3 模板运输、安装与拆除工作组

模板运输、安装与拆除工作组负责木模板、钢模板、钢筋混凝土预制模板的运输、安

装,以及木模板、钢模板的拆除。工作组人员配备见表 3-14。

表 3-14　模板运输、安装与拆除工作组人员配备

序号	工种名称	工长	一级工	二级工	三级工	四级工
1	工长	1				
2	司机				1	
3	起重工				1	
4	木工			1		1
5	电焊工				1	1
6	普工		1			
合计		8	1	1	1	3	2

3.5.4　钢筋加工工作组

钢筋加工工作组负责钢筋的加工。工作组人员配备见表 3-15。

表 3-15　钢筋加工工作组人员配备

序号	工种名称	工长	一级工	二级工	三级工	四级工
1	工长	1				
2	钢筋调直机操作工			1	1	
3	钢筋除锈机操作工			1	1	
4	钢筋切断机操作工			1	1	
5	钢筋弯曲机操作工			1	1	
6	运料车操作工			1	1	
7	镦头机操作工				1	1
8	电焊工			2	3	1
9	普工		6			
合计		25	1	6	7	9	2

3.5.5　钢筋运输与安装工作组

钢筋运输与安装工作组负责钢筋的运输和安装。工作组人员配备见表 3-16。

表 3-16　钢筋运输与安装工作组人员配备

序号	工种名称	工长	一级工	二级工	三级工	四级工
1	工长	1				
2	司机				1	
3	起重工				1	
4	钢筋工			1		1
5	电焊工				1	1
6	普工		2			
合计		9	1	2	1	3	2

3.5.6　混凝土浇筑工作组

混凝土浇筑工作组负责混凝土从拌和楼到浇筑仓面的水平运输和垂直运输、入仓后

的平仓振捣以及坝内冷却钢管的埋设等工作。工作组人员配备见表3-17。

表 3-17 混凝土浇筑工作组人员配备

序号	工种名称	工长	一级工	二级工	三级工	四级工
1	工长	1				
2	机车司机			1	1	
3	缆机司机			2	2	
4	起重工				2	
5	混凝土下料工				2	
6	混凝土工			5	2	3
7	其他		4		5	
合计	30	1	4	8	14	3

3.6 混凝土施工工作量统计

3.6.1 基岩面清理工作量

基岩面清理是指在浇筑混凝土之前对建基面岩石的清理。其工作量见表3-18,共32 785.9m²。典型仓位基岩面清理工作量见表3-19。

表 3-18 大坝工程各坝段基岩面清理工作量

坝段名称	坝体 坝段号	坝段长 (m)	甲块 (m²)	乙块 (m²)	丙块 (m²)	丁块 (m²)	合计 (m²)
左岸挡水坝段	1 号	19	456	304			760
	2 号	19	456	342	418		1 216
	3 号	19	456	342	552.9		1 350.9
	∑	57					3 326.9
表孔坝段	4 号	19	456	342	323	285	1 406
	∑	19					1 406
底孔坝段	5 号	19	456	342	323	285	1 406
	6 号	19	456	342	323	285	1 406
	7 号	19	456	342	323	285	1 406
	8 号	19	456	342	323	285	1 406
	∑	76					5 624
中孔坝段	9 号	19	456	342	323	285	1 406
	10 号	19	456	342	323	285	1 406
	∑	38					2 812
隔墩坝段	11 号	11	264	198	363		825
	∑	11					825
电站坝段	12 号	24	576	576	492	360	2 004
	13 号	24	576	576	492	360	2 004
	14 号	24	576	576	492	360	2 004
	15 号	24	576	576	492	360	2 004

坝体			甲块 (m²)	乙块 (m²)	丙块 (m²)	丁块 (m²)	合计 (m²)
坝段名称	坝段号	坝段长 (m)					
电站坝段	16 号	24	576	576	492	360	2 004
	17 号	24	576	576	492	360	2 004
	Σ	144					12 024
右岸挡水坝段	18 号	18	432	324	306	441	1 503
	19 号	18	432	324	306	441	1 503
	20 号	19	456	342	323	285	1 406
	21 号	19	456	342	323	285	1 406
	22 号	19	456	342	152		950
	Σ	93					6 768

表 3-19   典型仓位基岩面清理工作量

仓位编号	1	6	11
基岩面清理工作量(m²)	456	576	432

3.6.2 施工缝处理工作量

本工程施工缝面处理采用高压水冲毛机冲毛处理方式。其指标及工作量见表 3-20。典型仓位施工缝面处理工作量见表 3-21。

表 3-20   施工缝面处理指标及工作量

大坝混凝土浇筑总方量 (万 m³)	缝面处理指标 (m²/m³)	施工缝面处理总工作量 (万 m²)
149.58	0.594 3	88.90

表 3-21   典型仓位施工缝面处理工作量

仓位编号	2	3	4	5	7	8	9	10	12	13	14	15
施工缝处理(m²)	426.8	853.6	640.2	975.3	539.1	1 078.3	747.0	569.1	404.4	808.7	606.5	539.1

3.6.3 模板制安工作量

本工程模板以钢模为主,木模为辅,其中钢模占模板总量的 90%,木模点 9%,预制钢筋混凝土模板占 1%。模板的水平运输采用 10t 载重汽车,入仓运输利用缆机,安装采用 5t 仓面吊吊装就位。缆机吊运模板次数为 48 000 次,占缆机工作量的 15%。

本工程的模板主要有用于坝体混凝土浇筑施工的悬臂模板、溢流面拉模、闸门槽的提升滑模等。廊道部分则采用预制钢筋混凝土模板。

悬臂模板根据坝体混凝土浇筑分层高度 1.5~3.0m 及坝下游 1:0.7 坡比进行设计,采用两种规格的钢模板:一种是 1.5m 钢模,其模板平面尺寸(宽×高)为 3.0m×1.9m;另一种为 3.0m 钢模,其模板平面尺寸(宽×高)为 3.0m×3.4m。

本工程各型模板安装量以及典型仓位模板安拆工程量分别见表3-22、表3-23。

表 3-22　各型模板安装量　　　　　　　　（单位：m²）

项目	钢模板	木模板	预制钢筋混凝土模板	合计
安装量	431 900	43 200	4 800	479 900
周转次数	50	6	1	
购买、制作量	8 638	7 200	4 800	20 638

表 3-23　典型仓位模板安拆工程量

仓位编号	1	2	3	4	5	6	7	8	9	10	11	12	13	14	15
模板安拆量（m²）	117.8	117.8	210.8	190.4	222.7	136.8	136.8	508.0	301.6	201.1	114.0	114.0	204.0	183.6	176.8

在模板工作组中，设置模板制作与模板运输、安装、拆除两组人员。其分工如下：模板制作工作组，负责木模板制作；模板运输、安装、拆除工作组，负责模板运输安装、仓内检修以及模板拆除。

本工程木模板制作的生产规模为 7.5m²/h，主要生产设备有 MJ106 圆锯机等，详见表3-10。木模板制作工作组人员配备详见表3-13。木模板制作人时、台时、材料用量见附表1。

本工程大坝施工采用的钢模板主要为拼装式悬臂钢模板，由以 P_{3015} 为主的标准钢模板拼合，钢板与 Γ_{20} 型槽钢组合，每块重 1.5～2.0t，缆机吊运入仓，用仓面吊吊装就位。

本工程现场组装的小型标准木模板为 100cm×150cm 木模板。木模板面板厚2.5～3.0cm，重 50kg，用缆机成捆吊运到工作面，人工搬运安装。

本工程预制钢筋混凝土模板用缆机吊运到工作面，仓面吊就位。

在本工程施工中，运输、安装、拆除一个仓位的全部模板共需 8 人，详见表3-14。

3.6.4　钢筋制安工作量

本工程主体工程钢筋用量为 11 605t。

各坝段钢筋用量及平均含筋率以及典型仓位钢筋安装工程量分别见表3-24、表3-25。

表 3-24　各坝段钢筋用量及平均含筋率

序号	部位	钢筋用量(t)	混凝土量(万 m³)	平均含筋率(kg/m³)
1	底孔坝段	3 287	25.48	12.9
2	中孔坝段	954	13.63	7.0
3	表孔坝段	325	6.49	5.0
4	电站坝段	5 315	57.34	9.3
5	隔墩坝段	200	5.01	4.0
6	挡水坝段	1 524	41.63	3.7
	合计	11 605	149.58	7.8

表 3-25　典型仓位钢筋安装工程量

仓位编号	1	2	3	4	5	6	7	8	9	10	11	12	13	14	15
钢筋量(t)	2.657	2.657	5.315	3.986	6.072	8.437	8.437	16.874	11.689	8.906	2.517	2.517	5.035	3.776	3.357

本工程钢筋制作在加工厂内完成。钢筋加工厂为每天两班制生产。成品由载重汽车运至现场,用缆机吊入仓内,人工进行绑扎、焊接。缆机吊运钢筋次数为 1 450 次,占缆机工作量的 0.5%。

本工程主体工程的钢筋含量平均为 7.8kg/m³。钢筋安装量集中于电站坝段、底孔坝段等部位,这些部位钢筋安装强度是不均匀的,具有阶段性与突击性。进度要求加工强度为 480t/月,即 25t/天。

钢筋加工设备见表 3-9,加工能力为 15t/班。

钢筋加工工作组人员配备见表 3-15。

钢筋制作人时、台时、材料用量见附表 2。

钢筋运输与安装工作组人员配备见表 3-16。

3.6.5　大坝冷却水管及工作量

基础约束区冷却水管间距为 1.5m×1.5m,上部为 2.0m×2.0m。

本工程坝内预埋的冷却水管为钢管,管径 25mm。冷却水管采用坝外组装,缆机吊入仓内,人工埋设。支管重约 862.579t,干管重 345.032t,干支管总重 1 207.611t,单位混凝土钢管预埋量为 0.375m/m³。大坝冷却水管工程量见表 3-26。

表 3-26　大坝冷却水管工程量

序号	坝段部位	支管重(kg)	干管重(kg)	干、支管总重(kg)
1	底孔坝段	141 258	56 503	197 761
2	中孔坝段	73 945	29 577	103 522
3	表孔坝段	35 178	14 071	49 249
4	电站坝段	26 878	10 751	37 629
5	隔墩坝段	378 043	151 217	529 260
6	挡水坝段	207 277	82 913	290 190
	合　计	862 579	345 032	1 207 611

3.6.6　大坝接缝灌浆及工作量

本模拟工程的坝型为半整体式直线混凝土重力坝,纵、横缝接缝灌浆的面积分别为 5.26 万 m² 和 3.31 万 m²。

大坝接缝灌浆时,对于纵缝,要从上至下全部灌死;对于横缝,要灌至设计要求的高程,各坝段横缝接缝灌浆设计高程见表 3-27。

表 3-27 大坝横缝接缝灌浆设计高程

坝 段	1～2 号	2～3 号	3～20 号	20～21 号	21～22 号
横缝接缝灌浆 设计高程(m)	948	935	915	935	948

本工程大坝分缝与灌浆分区见表 3-28。

表 3-28 大坝分缝与灌浆分区

项目	单位	纵缝	横缝
分缝间距	m	17、18、20.5、24	11、18、19、24
最大高度	m	14.5	16
最大面积	m²	300	300

3.6.6.1 接缝灌浆管路系统布置

本模拟工程的接缝灌浆管路系统的布置,采用传统的钢管盒式灌浆管路系统。系统由进浆干管、回浆干管、出浆盒、排气槽及排气管等组成,周围用止浆片分隔成灌浆区。

纵缝接缝灌浆采用双回路卧式管路布置,横缝接缝灌浆采用双回路立式管路布置。

3.6.6.2 接缝灌浆温度及灌浆时间

本模拟工程接缝灌浆温度为坝体分区稳定温度,一般为 8～12.5℃。接缝灌浆时间根据施工导流和坝体拦洪度汛的要求,坝块混凝土一边浇筑上升,一边对下部的接缝进行灌浆。进行下部接缝灌浆时,上部必须有一定厚度的混凝土并控制其温度。

3.6.6.3 接缝灌浆的原则

(1)防止恶化坝块施工期应力。

(2)防止已灌浆接缝拉裂或剪切破坏。

(3)满足初期蓄水高程的要求。

3.6.6.4 接缝灌浆顺序及间歇时间

(1)横缝灌浆,采取从大坝中部向两岸推进的方式,纵缝灌浆,采取先灌上游第一道纵缝后,再从下游向上游顺次灌浆的方式。

(2)同高程各相邻灌区应尽可能采用多缝同时灌浆。

(3)同一坝缝,先自基础层开始顺次向上灌浆,即先灌下层,灌浆结束 14 天后,始灌上层。

(4)同高程纵缝先灌时,灌浆结束 14 天后,可灌横缝。横缝先灌时,灌浆结束 7 天后,可灌纵缝。

3.6.6.5 灌浆设备

本模拟工程,选用 TBW - 200/40 双缸卧式泥浆泵进行纵、横缝接缝灌浆,其主要性能见表 3-29。

3.6.6.6 接缝灌浆工作组工作内容及人员配备

(1)工作内容:负责制浆、灌浆。

(2)人员配备:见表 3-30。

表 3-29 TBW-200/40 泥浆泵性能

项目	压力 (kg·f/cm²)	排水量 (L/min)	水灰比	功率 (kW)	重量 (kg)	尺寸(mm)
参数	40	200	0.6~1.0	18	680	1 670×890×1 550

注：每台灌浆机配 0.5m³ 圆筒拌浆机 1 台，其功率为 5.5kW。

表 3-30 大坝接缝灌浆工作组人员配备

序号	工种名称	工长	一级工	二级工	三级工	四级工
1	工长	1				
2	制浆		1	4	2	
3	灌浆		2	2	6	
4	普工		8			
合计	26	1	11	6	8	

大坝接缝灌浆主要材料消耗指标见表 3-31。

大坝横、纵缝接缝灌浆台时、人时、材料用量见附表 8、附表 9。

表 3-31 大坝接缝灌浆主要材料消耗指标

序号	项 目	单位	横缝	纵缝	合计
1	水泥(525#)	t	331	526	857
2	水	万 m³	6.62	10.52	17.14
3	灌浆盒	个	6 951	11 046	17 997
4	镀锌钢管(∅ 40mm)	m	48 657	77 322	125 979
5	管件	个	18 867	29 982	48 849

3.7 典型仓位混凝土浇筑工期统计

典型仓位混凝土浇筑工期见表 3-32。

表 3-32 典型仓位混凝土浇筑工期 (单位:h)

序号	仓 位	模板安装、拆除	钢筋安装	清仓	混凝土浇筑	小计
1	左岸挡水坝段坝高 0~1.5m	19.6	22.1	1.5	7.9	51.1
2	左岸挡水坝段坝高 1.5~6.0m	19.6	22.1	1.5	7.9	51.1
3	左岸挡水坝段坝高 6.0~40m	35.1	44.3	1.5	15.8	96.7
4	左岸挡水坝段坝高 40~70m	31.7	33.2	1.5	15.8	82.2
5	左岸挡水坝段坝高 70~90m	37.1	50.6	1.5	15.8	105.0
6	电站坝段坝高 0~1.5m	22.8	70.3	1.5	7.9	102.5

序号	仓 位	模板安装、拆除	钢筋安装	清仓	混凝土浇筑	小计
7	电站坝段坝高 1.5~6.0m	22.8	70.3	1.5	7.9	102.5
8	电站坝段坝高 6.0~40m	84.7	140.6	1.5	15.8	242.6
9	电站坝段坝高 40~70m	50.3	97.4	1.5	15.8	165.0
10	电站坝段坝高 70~90m	33.5	74.2	1.5	15.8	125.0
11	右岸挡水坝段坝高 0~1.5m	19.0	21.0	1.5	7.9	49.4
12	右岸挡水坝段坝高 1.5~6.0m	19.0	21.0	1.5	7.9	49.4
13	右岸挡水坝段坝高 6.0~40m	34.0	42.0	1.5	15.8	93.3
14	右岸挡水坝段坝高 40~70m	30.6	31.5	1.5	15.8	79.4
15	右岸挡水坝段坝高 70~90m	29.5	28.0	1.5	15.8	74.8

3.8 大坝混凝土浇筑施工行政管理人员

大坝混凝土浇筑施工行政管理人员数量见表 3-33。

表 3-33 大坝混凝土浇筑施工行政管理人员数量　　　　　　(单位:人)

序号	名 称	数 量	备 注
1	经理	3	一正二副
2	技术人员	9	包括总工程师
3	采购人员	3	
4	测量人员	5	
5	试验人员	7	
6	炊事人员	4	
7	仓管人员	8	
8	司机	5	
9	行政人员	3	
10	财会人员	3	
	合 计	50	

4 导流工程

4.1 导流工程条件

模拟工程为混凝土重力坝,坝高 90m,坝顶长 438m,坝顶高程 982.0m,永久泄水建筑物有 8 个 4m×6m 底孔,4 个 4m×8m 中孔,1 个 14m×10m 表孔。右岸厂房尺寸为

196.5m×27m×57.6m,设 6 台 180MW 机组。水利枢纽工程详见附图 1。

坝址处河床呈"U"形,两岸陡直,谷宽 420m 左右,岸坡脚有崩坍堆积物呈 30°～40°角,河道比降约 1/800。枯水期水位 898.5～901.0m,水深 2.0～3.5m,水面宽约 300m;5～10 年一遇洪水期水位 901～903m,水面宽约 350m。

本河道无通航、过木等要求。

4.2 导流工程标准与导流方式

导流工程标准:模拟工程设定为大(1)型工程,主要建筑物为Ⅰ级,临时建筑物为Ⅳ级。

导流方式:根据有关规范规定,并结合工程具体施工条件确定采用分期导流方式。

坝址区施工时段划分,据洪水特性划分为汛期(7～10 月)、非汛期(11～6 月)以及凌汛期(3～4 月)。通过水文分析、计算,各种频率洪峰流量、非汛期各施工时段频率流量见表 4-1、表 4-2。

表 4-1 各种频率洪峰流量

$P(\%)$	0.01	0.1	1	2	5	10
$Q(\text{m}^3/\text{s})$	21 200	16 500	11 700	10 300	8 350	6 900

表 4-2 非汛期逐月不同频率最大流量 （单位:m^3/s)

项 目	$P(\%)$			
	2	5	10	20
11～6 月最大流量	4 000	3 600	3 200	2 810
11 月最大流量		2 500	2 100	1 660
12 月最大流量		1 110	990	851
1 月最大流量		770	680	590
2 月最大流量		810	700	572
3 月最大流量		3 400	3 030	2 610
4 月最大流量		2 800	2 200	1 580
5 月最大流量		2 100	1 620	1 180
6 月最大流量		2 100	1 700	1 330

本区域河床封冻一般初冰在 11 月上旬,终涨在 3 月下旬,有流冰流凌,形成涨坎现象,涨块平均厚度河中心为 0.7m、岸坡为 0.8m。

模拟工程采用的导流标准、设计流量及导流时段见表 2-3。

4.3 导流方案

按工程施工条件分析,确定采用分期导流方式,并结合工程布置比较先施工左岸溢流坝段还是先施工右岸电站坝段的分期导流方案。本模拟工程最终根据施工条件与工程布置,确定采用一期施工左岸溢流坝段的分期导流方案(导流分期为两期)。该方案的主要优点是施工方便、工程措施可靠易行、施工费用低。

4.4 导流工程布置与安排

混凝土重力坝全长 438m,导流分期以隔墩坝段与中孔坝段分界。左岸侧以溢流坝段与岸边挡水坝段构成一期,本段全长 202m;右岸侧以电站坝段与岸边挡水坝段构成二期,本段全长 236m。

一期导流工程先施工左岸,在分界处结合永久工程导墙适当加高、加长作为混凝土纵向围堰,同时施工 5 个 9.5m×9.0m 导流临时底孔,为二期导流创造泄洪条件;二期施工右岸电站坝段厂房及挡水坝段,以形成由二期围堰挡水到坝体直接挡水的过渡,完成二期导流任务。

一期导流又划分为两个阶段,即枯水期低围堰阶段与汛期高围堰阶段。

一期枯水期低围堰:施工重点为混凝土纵向围堰及临时导流底孔,确保上述工程于当年汛前完工并于汛期投入使用;同时在枯水期低围堰保护下完成汛期高围堰的施工任务,以便在汛期能正常运用。

一期汛期高围堰:利用已建混凝土纵向围堰,做上、下游横向围堰,以保证主体工程汛期安全施工。

一期导流由束窄河床泄洪。枯水期低围堰河床泄洪宽度为 100m,汛期高围堰河床泄洪宽度为 140m。

二期导流工程:结合已做混凝土纵向围堰做右岸的上、下游高围堰,导流洪水通过临时导流底孔及坝上缺口泄水,以确保电站坝段及岸边挡水坝段的全年安全施工。

导流工程布置见附图 4。

导流工程施工运行见图 4-1。

项目	第一年	第二年	第三年	第四年	第五年	第六年
一期低围堰 Q_p—3 600(5%)	11 月—— 6 月 上堰高程▽906.0m(河床泄水,宽 100m)					
一期高围堰 Q_p—8 350(5%)	7 月 - 10 月 上堰高程▽909.0m(河床泄水,宽 140m)					
二期高围堰 Q_p—8 350(5%)	11 月————6 月 上堰高程▽922.6m(导流孔、缺口、永久底孔)					
坝体临时挡水 前期 10 300(2%) 后期 11 700(1%)	7 月————10 月蓄水 ≥▽930m 前期 第四年 7 月~第五年 6 月(导流孔,永久底孔泄水) ≥▽950m 后期 第五年 7~10 月(2 个导流孔,永久底孔泄水)					

图 4-1 导流工程施工运行图

4.5 施工导流水力学计算

本模拟工程拟定分期导流方式,第一期采用束窄河床导流方式,第二期采用坝内预留临时导流底孔与缺口的导流方式。各期导流水力学计算如下。

4.5.1 一期施工导流

由于工程施工的需要和围堰结构型式的约束,一期分为两种围堰形式,即一期低围堰和一期高围堰,并选定不同的导流时段和导流标准。根据规范要求,一期导流标准采用 20 年一遇洪水重现期,最大洪峰流量分别为 3 600、8 350m³/s。

4.5.1.1 一期低围堰导流

一期低围堰束窄河床度为 67%,过水宽 100m,围堰纵向长 520m。本期导流水力学计算,依据河床及围堰布置情况,简化为:对于束窄河床段采用明渠均匀流计算其沿纵向围堰的水位—流量关系;对于束窄河床泄流及上游水位按宽顶堰流计算,即以束窄的水深作为堰流计算的下游淹没水深。

明渠水力计算公式:

$$Q = AC\sqrt{Ri}$$

其中:$i = 1/800$(河床水力坡度)。过水宽度:100m;$n = 0.032$(糙率)。两边坡坡度:
$1:1.5$、$1:2.0$。

宽顶堰流水力计算公式:

$$Q = mB\varepsilon\sigma\sqrt{2g}H^{1.5}$$

不考虑行进水头,取 $\varepsilon = 0.8\sim0.9$(考虑到侧收缩对水位影响较大)。

计算结果如表 4-3 所示。

表 4-3

$H_{上}$	Q	$H_{上}$	Q
1.0	70	8.0	2 180
2.0	230	9.0	2 600
3.0	450	10.0	3 040
4.0	720	11.0	3 510
5.0	1 040	12.0	4 000
6.0	1 410	13.0	4 510
7.0	1 780	14.0	5 050

注:$H_{上}$ 为上游围堰水位,m;Q 为计算流量,m³/s;水位—流量关系曲线见附图7。

4.5.1.2 一期高围堰导流

一期高围堰过水断面加大,过水宽度 140m,围堰纵向长度 460m,两边坡坡度 $1:2.0$、$1:0.7$,水力学计算与一期低围堰坝水力学计算的简化方式相同。

不考虑行进水头,取侧收缩系数 $\varepsilon = 0.9$。

计算结果如表 4-4 所示。

表 4-4

$H_{上}$	Q	$H_{上}$	Q
1.0	160	8.0	4 610
2.0	480	9.0	5 510
3.0	950	10.0	6 450
4.0	1 530	11.0	7 440
5.0	2 230	12.0	8 480
6.0	3 000	13.0	9 560
7.0	3 780	14.0	10 690

注:$H_{上}$ 为上游围堰水位,m;Q 为计算流量,m³/s;水位—流量关系曲线见附图8。

4.5.2 二期施工导流

二期导流,采用在坝内设 5 个 9.5m×9.0m 导流底孔和在 ▽910.0m 预留 38.0m 宽的缺口泄流。本期导流采用全年 20 年一遇洪水标准,最大流量为 8 350m³/s。

本期水力学计算:导流底孔按坝前水位,按明流、半有压流和压力流三种不同计算公式;缺口采用宽顶堰流计算公式,不考虑缺口泄水与导流底孔泄水的相互影响。由于小流量时不影响导流建筑的结构设计,因此对于导流底孔明流按宽顶堰计算。

导流底孔水力学计算公式:

$$Q = mB\varepsilon\sigma\sqrt{2g}H^{1.5}（明流状态）$$

$$Q = \mu'A\sqrt{2gZ}（半有压流）$$

$$Q = \mu A\sqrt{2gZ}（有压流）$$

其中:$\mu' = 0.62$,$\mu = 0.72$。

计算结果如表 4-5 所示。

表 4-5

$H_上$	Q	$H_上$	Q
1.0	60	15.0	3 890
3.0	370	17.0	4 590
5.0	830	19.0	5 280
7.0	1 400	21.0	5 990
9.0	2 050	23.0	6 700
11.0	2 650	25.0	7 420
13.0	3 280	27.0	8 160

水位—流量关系曲线见附图 9。

5 附表

附表说明(适用于附表 1～附表 9):

(1)人时 =(施工工程量/平均生产率)×人数。

(2)台时 =(施工工程量/小时生产率)×设备数量×设备利用率,或台时 = 施工工程量/设备生产率。其中小时生产率为该模拟工程需达到的生产率;设备生产率为多项工程统计值。

(3)设备利用率 = 小时生产率/(设备生产率×设备数量)。

(4)平均生产率 = 小时生产率×长期工作系数。

附表 1　木模板制作台时、人时、材料用量

序号	项　目	单位	数量	人时	台时	材料	设备生产率或利用率	备注
1	混凝土总方量	万 m³	149.58					
2	施工工程量	m²	7 200					
3	小时生产率	m²/h	7.5					
4	长期工作系数		0.8					
5	平均生产率	m²/h	6.0					
	劳力资源							
6	工长	人	1	1 200				
7	四级平刨操作工	人	1	1 200				
8	四级压刨操作工	人	1	1 200				
9	三级圆锯机操作工	人	1	1 200				
10	三级带锯操作工	人	1	1 200				
11	三级平刨操作工	人	1	1 200				
12	三级压刨操作工	人	1	1 200				
13	三级开榫机操作工	人	1	1 200				
14	三级圆截锯操作工	人	1	1 200				
15	三级起重工	人	1	1 200				
16	三级电焊工	人	1	1 200				
17	二级圆锯机操作工	人	1	1 200				
18	二级带锯操作工	人	1	1 200				
19	二级平刨操作工	人	1	1 200				
20	二级压刨操作工	人	1	1 200				
21	二级开榫机操作工	人	1	1 200				
22	二级圆截锯操作工	人	1	1 200				
23	二级电焊工	人	1	1 200				
24	一级普工	人	2	2 400				
	Σ	人	20					
	设备资源							
25	圆锯机	台	1		800		利用率 83%	
26	带锯机	台	1		800		利用率 83%	
27	平刨机	台	1		576		利用率 60%	
28	压刨	台	1		576		利用率 60%	
29	开榫机	台	1		206		利用率 21%	
30	圆截锯	台	1		480		利用率 50%	
31	电焊机	台	1		144		利用率 15%	
32	汽车起重机 5t	台	1		336		利用率 35%	
	Σ	台	8					
	材料资源							
33	木材	m³/m²	0.1			720m³		
34	铁件	kg/m²	1.24			8 928kg		

附表2 钢筋制作台时、人时、材料用量

序号	项目	单位	数量	人时	台时	材料	设备生产率或利用率	备注
1	混凝土总方量	万 m³	149.58					
2	施工工程量	t	11 605					
3	小时生产率	t/h	1.8					
4	长期工作系数		0.8					
5	平均生产率	t/h	1.4					
	劳力资源							
6	工长	人	1	8 289.3				
7	四级镦头机操作工	人	1	8 289.3				
8	四级电焊工	人	1	8 289.3				
9	三级钢筋调直机操作工	人	1	8 289.3				
10	三级钢筋除锈机操作工	人	1	8 289.3				
11	三级钢筋切断机操作工	人	1	8 289.3				
12	三级钢筋弯曲机操作工	人	1	8 289.3				
13	三级运料车操作工	人	1	8 289.3				
14	三级镦头机操作工	人	1	8 289.3				
15	三级电焊工	人	3	24 867.9				
16	二级钢筋调直机操作工	人	1	8 289.3				
17	二级钢筋除锈机操作工	人	1	8 289.3				
18	二级钢筋切断机操作工	人	1	8 289.3				
19	二级钢筋弯曲机操作工	人	1	8 289.3				
20	二级运料车操作工	人	1	8 289.3				
21	二级电焊工	人	2	16 578.6				
22	一级普工	人	6	49 735.8				
	Σ	人	25					
	设备资源							
23	运料车	台	1		1 451		利用率22.5%	
24	钢筋调直机	台	1		5 803		利用率90%	
25	钢筋除锈机	台	1		1 451		利用率22.5%	
26	钢筋切断机	台	1		4 835		利用率75%	
27	钢筋弯曲机	台	2		11 605		利用率90%	
28	镦头机	台	1		322		利用率5%	
29	对焊机	台	2		1 934		利用率15%	
30	点焊机	台	2		644		利用率5%	
	Σ	台	11					
	材料资源							
31	钢筋	t/t	1.02			11 837t		

序号	项　目	符号	数　量	单位
一	1号仓位及2号仓位			
1	$6m^3$立罐装料时间	t_1	50	s
2	$6m^3$立罐满载上升高度	h_2	9	m
	$6m^3$立罐满载上升时间	t_2	$(9/120)\times60=5$	s
3	小车满载水平运输距离	L_3	58	m
	小车满载水平运输时间	t_3	$(58/450)\times60=8$	s
4	$6m^3$立罐满载下降高度	h_4	95	m
	$6m^3$立罐满载下降时间	t_4	$(95/160)\times60=35$	s
5	$6m^3$立罐卸料时间	t_5	30	s
6	$6m^3$立罐空载上升高度	h_6	95	m
	$6m^3$立罐空载上升时间	t_6	$(95/185)\times60=30$	s
7	小车空载水平运输距离	L_7	58	m
	小车空载水平运输时间	t_7	$(58/450)\times60=8$	s
8	$6m^3$立罐空载下降高度	h_8	15	m
	$6m^3$立罐空载下降时间	t_8	$(15/185)\times60=5$	s
9	$6m^3$立罐等候时间	t_9	18	s
10	缆机启动制动消耗时间	t_{10}	15	s
11	循环时间	T_1	204	s
三	3号仓位			
1	$6m^3$立罐装料时间	t_1	50	s
2	$6m^3$立罐满载上升高度	h_2	9	m
	$6m^3$立罐满载上升时间	t_2	$(9/120)\times60=5$	s
3	小车满载水平运输距离	L_3	58	m
	小车满载水平运输时间	t_3	$(58/450)\times60=8$	s
4	$6m^3$立罐满载下降高度	h_4	80	m
	$6m^3$立罐满载下降时间	t_4	$(80/160)\times60=30$	s
5	$6m^3$立罐卸料时间	t_5	30	s
6	$6m^3$立罐空载上升高度	h_6	80	m
	$6m^3$立罐空载上升时间	t_6	$(80/185)\times60=26$	s
7	小车空载水平运输距离	L_7	58	m
	小车空载水平运输时间	t_7	$(58/450)\times60=8$	s
8	$6m^3$立罐空载下降高度	h_8	15	m
	$6m^3$立罐空载下降时间	t_8	$(15/185)\times60=5$	s
9	$6m^3$立罐等候时间	t_9	18	s
10	缆机启动制动消耗时间	t_{10}	15	s
11	循环时间	T_1	195	s
四	4号仓位			
1	$6m^3$立罐装料时间	t_1	50	s
2	$6m^3$立罐满载上升高度	h_2	9	m
	$6m^3$立罐满载上升时间	t_2	$(9/120)\times60=5$	s

续附表 3

序号	项 目	符号	数 量	单位
3	小车满载水平运输距离	L_3	58	m
	小车满载水平运输时间	t_3	$(58/450)\times60=8$	s
4	6m³立罐满载下降高度	h_4	46	m
	6m³立罐满载下降时间	t_4	$(46/160)\times60=17$	s
5	6m³立罐卸料时间	t_5	30	s
6	6m³立罐空载上升高度	h_6	46	m
	6m³立罐空载上升时间	t_6	$(46/185)\times60=15$	s
7	小车空载水平运输距离	L_7	58	m
	小车空载水平运输时间	t_7	$(58/450)\times60=8$	s
8	6m³立罐空载下降高度	h_8	15	m
	6m³立罐空载下降时间	t_8	$(15/185)\times60=5$	s
9	6m³立罐等候时间	t_9	18	s
10	缆机启动制动消耗时间	t_{10}	15	s
11	循环时间	T_1	171	s
五	5号仓位			
1	6m³立罐装料时间	t_1	50	s
2	6m³立罐满载上升高度	h_2	9	m
	6m³立罐满载上升时间	t_2	$(9/120)\times60=5$	s
3	小车满载水平运输距离	L_3	58	m
	小车满载水平运输时间	t_3	$(58/450)\times60=8$	s
4	6m³立罐满载下降高度	h_4	19	m
	6m³立罐满载下降时间	t_4	$(19/160)\times60=7$	s
5	6m³立罐卸料时间	t_5	30	s
6	6m³立罐空载上升高度	h_6	19	m
	6m³立罐空载上升时间	t_6	$(19/185)\times60=6$	s
7	小车空载水平运输距离	L_7	58	m
	小车空载水平运输时间	t_7	$(58/450)\times60=8$	s
8	6m³立罐空载下降高度	h_8	15	m
	6m³立罐空载下降时间	t_8	$(15/185)\times60=5$	s
9	6m³立罐等候时间	t_9	18	s
10	缆机启动制动消耗时间	t_{10}	15	s
11	循环时间	T_1	152	s
六	6号仓位及7号仓位			
1	6m³立罐装料时间	t_1	50	s
2	6m³立罐满载上升高度	h_2	9	m
	6m³立罐满载上升时间	t_2	$(9/120)\times60=5$	s
3	小车满载水平运输距离	L_3	302	m
	小车满载水平运输时间	t_3	$(302/450)\times60=40$	s

序号	项 目	符号	数 量	单位
4	6m³ 立罐满载下降高度	h_4	95	m
	6m³ 立罐满载下降时间	t_4	$(95/160) \times 60 = 35$	s
5	6m³ 立罐卸料时间	t_5	30	s
6	6m³ 立罐空载上升高度	h_6	95	m
	6m³ 立罐空载上升时间	t_6	$(95/185) \times 60 = 30$	s
7	小车空载水平运输距离	L_7	302	m
	小车空载水平运输时间	t_7	$(302/450) \times 60 = 40$	s
8	6m³ 立罐空载下降高度	h_8	15	m
	6m³ 立罐空载下降时间	t_8	$(15/185) \times 60 = 5$	s
9	6m³ 立罐等候时间	t_9	18	s
10	缆机启动制动消耗时间	t_{10}	15	s
11	循环时间	T_1	268	s
八	8 号仓位			
1	6m³ 立罐装料时间	t_1	50	s
2	6m³ 立罐满载上升高度	h_2	9	m
	6m³ 立罐满载上升时间	t_2	$(9/120) \times 60 = 5$	s
3	小车满载水平运输距离	L_3	302	m
	小车满载水平运输时间	t_3	$(302/450) \times 60 = 40$	s
4	6m³ 立罐满载下降高度	h_4	80	m
	6m³ 立罐满载下降时间	t_4	$(80/160) \times 60 = 30$	s
5	6m³ 立罐卸料时间	t_5	30	s
6	6m³ 立罐空载上升高度	h_6	80	m
	6m³ 立罐空载上升时间	t_6	$(80/185) \times 60 = 26$	s
7	小车空载水平运输距离	L_7	302	m
	小车空载水平运输时间	t_7	$(302/450) \times 60 = 40$	s
8	6m³ 立罐空载下降高度	h_8	15	m
	6m³ 立罐空载下降时间	t_8	$(15/185) \times 60 = 5$	s
9	6m³ 立罐等候时间	t_9	18	s
10	缆机启动制动消耗时间	t_{10}	15	s
11	循环时间	T_1	259	s
九	9 号仓位			
1	6m³ 立罐装料时间	t_1	50	s
2	6m³ 立罐满载上升高度	h_2	9	m
	6m³ 立罐满载上升时间	t_2	$(9/120) \times 60 = 5$	s
3	小车满载水平运输距离	L_3	302	m
	小车满载水平运输时间	t_3	$(302/450) \times 60 = 40$	s
4	6m³ 立罐满载下降高度	h_4	46	m
	6m³ 立罐满载下降时间	t_4	$(46/160) \times 60 = 17$	s
5	6m³ 立罐卸料时间	t_5	30	s

序号	项　目	符号	数　量	单位
6	6m³ 立罐空载上升高度	h_6	46	m
	6m³ 立罐空载上升时间	t_6	$(46/185)\times60=15$	s
7	小车空载水平运输距离	L_7	302	m
	小车空载水平运输时间	t_7	$(302/450)\times60=40$	s
8	6m³ 立罐空载下降高度	h_8	15	m
	6m³ 立罐空载下降时间	t_8	$(15/185)\times60=5$	s
9	6m³ 立罐等候时间	t_9	18	s
10	缆机启动制动消耗时间	t_{10}	15	s
11	循环时间	T_1	235	s
十	10 号仓位			
1	6m³ 立罐装料时间	t_1	50	s
2	6m³ 立罐满载上升高度	h_2	9	m
	6m³ 立罐满载上升时间	t_2	$(9/120)\times60=5$	s
3	小车满载水平运输距离	L_3	302	m
	小车满载水平运输时间	t_3	$(302/450)\times60=40$	s
4	6m³ 立罐满载下降高度	h_4	19	m
	6m³ 立罐满载下降时间	t_4	$(19/160)\times60=7$	s
5	6m³ 立罐卸料时间	t_5	30	s
6	6m³ 立罐空载上升高度	h_6	19	m
	6m³ 立罐空载上升时间	t_6	$(19/185)\times60=6$	s
7	小车空载水平运输距离	L_7	302	m
	小车空载水平运输时间	t_7	$(302/450)\times60=40$	s
8	6m³ 立罐空载下降高度	h_8	15	m
	6m³ 立罐空载下降时间	t_8	$(15/185)\times60=5$	s
9	6m³ 立罐等候时间	t_9	18	s
10	缆机启动制动消耗时间	t_{10}	15	s
11	循环时间	T_1	216	s
十一	11 号仓位及 12 号仓位			
1	6m³ 立罐装料时间	t_1	50	s
2	6m³ 立罐满载上升高度	h_2	9	m
	6m³ 立罐满载上升时间	t_2	$(9/120)\times60=5$	s
3	小车满载水平运输距离	L_3	410	m
	小车满载水平运输时间	t_3	$(410/450)\times60=55$	s
4	6m³ 立罐满载下降高度	h_4	95	m
	6m³ 立罐满载下降时间	t_4	$(95/160)\times60=35$	s
5	6m³ 立罐卸料时间	t_5	30	s
6	6m³ 立罐空载上升高度	h_6	95	m
	6m³ 立罐空载上升时间	t_6	$(95/185)\times60=30$	s
7	小车空载水平运输距离	L_7	410	m
	小车空载水平运输时间	t_7	$(410/450)\times60=55$	s

序号	项 目	符号	数 量	单位
8	$6m^3$ 立罐空载下降高度	h_8	15	m
	$6m^3$ 立罐空载下降时间	t_8	$(15/185) \times 60 = 5$	s
9	$6m^3$ 立罐等候时间	t_9	18	s
10	缆机启动制动消耗时间	t_{10}	15	s
11	循环时间	T_1	298	s
十三	13 号仓位			
1	$6m^3$ 立罐装料时间	t_1	50	s
2	$6m^3$ 立罐满载上升高度	h_2	9	m
	$6m^3$ 立罐满载上升时间	t_2	$(9/120) \times 60 = 5$	s
3	小车满载水平运输距离	L_3	410	m
	小车满载水平运输时间	t_3	$(410/450) \times 60 = 55$	s
4	$6m^3$ 立罐满载下降高度	h_4	80	m
	$6m^3$ 立罐满载下降时间	t_4	$(80/160) \times 60 = 30$	s
5	$6m^3$ 立罐卸料时间	t_5	30	s
6	$6m^3$ 立罐空载上升高度	h_6	80	m
	$6m^3$ 立罐空载上升时间	t_6	$(80/185) \times 60 = 26$	s
7	小车空载水平运输距离	L_7	410	m
	小车空载水平运输时间	t_7	$(410/450) \times 60 = 55$	s
8	$6m^3$ 立罐空载下降高度	h_8	15	m
	$6m^3$ 立罐空载下降时间	t_8	$(15/185) \times 60 = 5$	s
9	$6m^3$ 立罐等候时间	t_9	18	s
10	缆机启动制动消耗时间	t_{10}	15	s
11	循环时间	T_1	289	s
十四	14 号仓位			
1	$6m^3$ 立罐装料时间	t_1	50	s
2	$6m^3$ 立罐满载上升高度	h_2	9	m
	$6m^3$ 立罐满载上升时间	t_2	$(9/120) \times 60 = 5$	s
3	小车满载水平运输距离	L_3	410	m
	小车满载水平运输时间	t_3	$(410/450) \times 60 = 55$	s
4	$6m^3$ 立罐满载下降高度	h_4	46	m
	$6m^3$ 立罐满载下降时间	t_4	$(46/160) \times 60 = 17$	s

序号	项 目	符号	数 量	单位
5	6m³ 立罐卸料时间	t_5	30	s
6	6m³ 立罐空载上升高度	h_6	46	m
	6m³ 立罐空载上升时间	t_6	$(46/185) \times 60 = 15$	s
7	小车空载水平运输距离	L_7	410	m
	小车空载水平运输时间	t_7	$(410/450) \times 60 = 55$	s
8	6m³ 立罐空载下降高度	h_8	15	m
	6m³ 立罐空载下降时间	t_8	$(15/185) \times 60 = 5$	s
9	6m³ 立罐等候时间	t_9	18	s
10	缆机启动制动消耗时间	t_{10}	15	s
11	循环时间	T_1	265	s
十五	15 号仓位			
1	6m³ 立罐装料时间	t_1	50	s
2	6m³ 立罐满载上升高度	h_2	9	m
	6m³ 立罐满载上升时间	t_2	$(9/120) \times 60 = 5$	s
3	小车满载水平运输距离	L_3	410	m
	小车满载水平运输时间	t_3	$(410/450) \times 60 = 55$	s
4	6m³ 立罐满载下降高度	h_4	19	m
	6m³ 立罐满载下降时间	t_4	$(19/160) \times 60 = 7$	s
5	6m³ 立罐卸料时间	t_5	30	s
6	6m³ 立罐空载上升高度	h_6	19	m
	6m³ 立罐空载上升时间	t_6	$(19/185) \times 60 = 6$	s
7	小车空载水平运输距离	L_7	410	m
	小车空载水平运输时间	t_7	$(410/450) \times 60 = 55$	s
8	6m³ 立罐空载下降高度	h_8	15	m
	6m³ 立罐空载下降时间	t_8	$(15/185) \times 60 = 5$	s
9	6m³ 立罐等候时间	t_9	18	s
10	缆机启动制动消耗时间	t_{10}	15	s
11	循环时间	T_1	246	s

附表 4　工作面清理台时、人时、材料用量

序号	项　目	单位	数量	人时	台时	材料	设备生产率或利用率	备注
一	1 号仓位基岩面							
1	仓位混凝土工程量	m³	718.2					
2	施工工程量	m²	456.0					
3	小时生产率	m²/h	90					
4	长期工作系数							
5	平均生产率	m²/h	90					
	劳力资源							
6	工长	人						
7	三级水枪操作工	人	1	5.1				
8	二级水枪操作工	人	3	15.3				
9	一级普工	人	8	40.8				
	Σ	人	12					
	设备资源							
10	高压水枪	台	3		5.1		利用率 33%	
11	空压机	台	1		1.7		利用率 33%	
	Σ	台	4					
二	2 号仓位施工缝							
1	仓位混凝土工程量	m³	718.2					
2	施工工程量	m²	426.8					
3	小时生产率	m²/h	200					
4	长期工作系数							
5	平均生产率	m²/h	200					
	劳力资源							
6	工长	人						
7	三级冲毛机操作工	人	1	2.1				
8	二级冲毛机操作工	人	2	4.2				
9	一级普工	人	3	6.3				
	Σ	人	6					
	设备资源							
10	高压水冲毛机	台	1		2.1		生产率 200m²/h	
	Σ	台	1					
三	3 号仓位施工缝							
1	仓位混凝土工程量	m³	1 436.4					
2	施工工程量	m²	853.6					
3	小时生产率	m²/h	200					
4	长期工作系数							

序号	项 目	单位	数量	人时	台时	材料	设备生产率或利用率	备注
5	平均生产率	m²/h	200					
	劳力资源							
6	工长	人						
7	三级冲毛机操作工	人	1	4.3				
8	二级冲毛机操作工	人	2	8.6				
9	一级普工	人	3	12.9				
	Σ	人	6					
	设备资源							
10	高压水冲毛机	台	1		4.3		生产率200m²/h	
	Σ	台	1					
四	4号仓位施工缝							
1	仓位混凝土工程量	m³	1 077.3					
2	施工工程量	m²	640.2					
3	小时生产率	m²/h	200					
4	长期工作系数							
5	平均生产率	m²/h	200					
	劳力资源							
6	工长	人						
7	三级冲毛机操作工	人	1	3.2				
8	二级冲毛机操作工	人	2	6.4				
9	一级普工	人	3	9.6				
	Σ	人	6					
	设备资源							
10	高压水冲毛机	台	1		3.2		生产率200m²/h	
	Σ	台	1					
五	5号仓位施工缝							
1	仓位混凝土工程量	m³	1 641.2					
2	施工工程量	m²	975.3					
3	小时生产率	m²/h	200					
4	长期工作系数							
5	平均生产率	m²/h	200					
	劳力资源							

序号	项　目	单位	数量	人时	台时	材料	设备生产率或利用率	备注
6	工长	人						
7	三级冲毛机操作工	人	1	4.9				
8	二级冲毛机操作工	人	2	9.8				
9	一级普工	人	3	14.7				
	Σ	人	6					
	设备资源							
10	高压水冲毛机	台	1		4.9		生产率 200m²/h	
	Σ	台	1					
六	6号仓位基岩面							
1	仓位混凝土工程量	m³	907.2					
2	施工工程量	m²	576.0					
3	小时生产率	m²/h	90					
4	长期工作系数							
5	平均生产率	m²/h	90					
	劳力资源							
6	工长	人						
7	三级冲毛机操作工	人	1	6.4				
8	二级冲毛机操作工	人	3	19.2				
9	一级普工	人	8	51.2				
	Σ	人	12					
	设备资源							
10	高压水枪	台	3		6.4		利用率 33%	
11	空压机	台	1		2.1		利用率 33%	
	Σ	台	4					
七	7号仓位施工缝							
1	仓位混凝土工程量	m³	907.2					
2	施工工程量	m²	539.1					
3	小时生产率	m²/h	200					
4	长期工作系数							
5	平均生产率	m²/h	200					
	劳力资源							
6	工长	人						

序号	项　目	单位	数量	人时	台时	材料	设备生产率或利用率	备注
7	三级冲毛机操作工	人	1	2.7				
8	二级冲毛机操作工	人	2	5.4				
9	一级普工	人	3	8.1				
	Σ	人	6					
	设备资源							
10	高压水冲毛机	台	1		2.7		生产率 200m²/h	
	Σ	台	1					
八	8号仓位施工缝							
1	仓位混凝土工程量	m³	1 814.4					
2	施工工程量	m²	1 078.3					
3	小时生产率	m²/h	200					
4	长期工作系数							
5	平均生产率	m²/h	200					
	劳力资源							
6	工长	人						
7	三级冲毛机操作工	人	1	5.4				
8	二级冲毛机操作工	人	2	10.8				
9	一级普工	人	3	16.2				
	Σ	人	6					
	设备资源							
10	高压水冲毛机	台	1		5.4		生产率 200m²/h	
	Σ	台	1					
九	9号仓位施工缝							
1	仓位混凝土工程量	m³	1 256.9					
2	施工工程量	m²	747.0					
3	小时生产率	m²/h	200					
4	长期工作系数							
5	平均生产率	m²/h	200					
	劳力资源							
6	工长	人						

序号	项 目	单位	数量	人时	台时	材料	设备生产率或利用率	备注
7	三级冲毛机操作工	人	1	3.7				
8	二级冲毛机操作工	人	2	7.4				
9	一级普工	人	3	11.1				
	Σ	人	6					
	设备资源							
10	高压水冲毛机	台	1		3.7		生产率 200m²/h	
	Σ	台	1					
十	10号仓位施工缝							
1	仓位混凝土工程量	m³	957.6					
2	施工工程量	m²	569.1					
3	小时生产率	m²/h	200					
4	长期工作系数							
5	平均生产率	m²/h	200					
	劳力资源							
6	工长	人						
7	三级冲毛机操作工	人	1	2.8				
8	二级冲毛机操作工	人	2	5.6				
9	一级普工	人	3	8.4				
	Σ	人	6					
	设备资源							
10	高压水冲毛机	台	1		2.8		生产率 200m²/h	
	Σ	台	1					
十一	11号仓位基岩面							
1	仓位混凝土工程量	m³	680.4					
2	施工工程量	m²	432.0					
3	小时生产率	m²/h	90					
4	长期工作系数							
5	平均生产率	m²/h	90					
	劳力资源							
6	工长	人						
7	三级冲毛机操作工	人	1	4.8				

序号	项 目	单位	数量	人时	台时	材料	设备生产率或利用率	备注
8	二级冲毛机操作工	人	3	14.4				
9	一级普工	人	8	38.4				
	Σ	人	12					
	设备资源							
10	高压水枪	台	3		4.8		利用率33%	
11	空压机	台	1		1.6		利用率33%	
	Σ	台	4					
十二	12号仓位施工缝							
1	仓位混凝土工程量	m³	680.4					
2	施工工程量	m²	404.4					
3	小时生产率	m²/h	200					
4	长期工作系数							
5	平均生产率	m²/h	200					
	劳力资源							
6	工长	人						
7	三级冲毛机操作工	人	1	2.0				
8	二级冲毛机操作工	人	2	4.0				
9	一级普工	人	3	6.0				
	Σ	人	6					
	设备资源							
10	高压水冲毛机	台	1		2.0		生产率200m²/h	
	Σ	台	1					
十三	13号仓位施工缝							
1	仓位混凝土工程量	m³	1 360.8					
2	施工工程量	m²	808.7					
3	小时生产率	m²/h	200					
4	长期工作系数							
5	平均生产率	m²/h	200					
	劳力资源							
6	工长	人						
7	三级冲毛机操作工	人	1	4.0				
8	二级冲毛机操作工	人	2	8.0				

序号	项 目	单位	数量	人时	台时	材料	设备生产率或利用率	备注
9	一级普工	人	3	12.0				
	Σ	人	6					
	设备资源							
10	高压水冲毛机	台	1		4.0		生产率 200m²/h	
	Σ	台	1					
十四	14 号仓位施工缝							
1	仓位混凝土工程量	m³	1 020.6					
2	施工工程量	m²	606.5					
3	小时生产率	m²/h	200					
4	长期工作系数							
5	平均生产率	m²/h	200					
	劳力资源							
6	工长	人						
7	三级冲毛机操作工	人	1	3.0				
8	二级冲毛机操作工	人	2	6.0				
9	一级普工	人	3	9.0				
	Σ	人	6					
	设备资源							
10	高压水冲毛机	台	1		3.0		生产率 200m²/h	
	Σ	台	1					
十五	15 号仓位施工缝							
1	仓位混凝土工程量	m³	907.2					
2	施工工程量	m²	539.1					
3	小时生产率	m²/h	200					
4	长期工作系数							
5	平均生产率	m²/h	200					
	劳力资源							
6	工长	人						
7	三级冲毛机操作工	人	1	2.7				
8	二级冲毛机操作工	人	2	5.4				
9	一级普工	人	3	8.1				
	Σ	人	6					
	设备资源							
10	高压水冲毛机	台	1		2.7		生产率 200m²/h	
	Σ	台	1					

附表5 模板运输、安装、拆除台时、人时、材料用量

序号	项　目	单位	数量	人时	台时	材料	设备生产率或利用率	备注
一	1号仓位及2号仓位							
1	仓位混凝土工程量	m³	718.2					
2	施工工程量	m²	117.8					
3	小时生产率	m²/h	7.5					
4	长期工作系数		0.8					
5	平均生产率	m²/h	6.0					
	劳力资源							
6	工长	人	1	19.6				
7	四级木工	人	1	19.6				
8	四级电焊工	人	1	19.6				
9	三级司机	人	1	19.6				
10	三级起重工	人	1	19.6				
11	三级电焊工	人	1	19.6				
12	二级木工	人	1	19.6				
13	一级普工	人	1	19.6				
	Σ	人	8					
	设备资源							
14	电焊机	台	1		2.4		利用率15%	
15	载重汽车	辆	2		3.1		利用率10%	
16	仓面吊	台	1		5.2		利用率33%	
	Σ	台	4					
	材料资源							
17	钢模板	kg/m²	4.65			0.55t		
18	铁件	kg/m²	2.34			0.28t		
二	3号仓位							
1	仓位混凝土工程量	m³	1 436.4					
2	施工工程量	m²	210.8					
3	小时生产率	m²/h	7.5					
4	长期工作系数		0.8					
5	平均生产率	m²/h	6.0					
	劳力资源							
6	工长	人	1	35.1				
7	四级木工	人	1	35.1				
8	四级电焊工	人	1	35.1				
9	三级司机	人	1	35.1				
10	三级起重工	人	1	35.1				
11	三级电焊工	人	1	35.1				

序号	项 目	单位	数量	人时	台时	材料	设备生产率或利用率	备注
12	二级木工	人	1	35.1				
13	一级普工	人	1	35.1				
	Σ	人	8					
	设备资源							
14	电焊机	台	1		4.2		利用率15%	
15	载重汽车	辆	2		5.6		利用率10%	
16	仓面吊	台	1		9.3		利用率33%	
	Σ	台	4					
	材料资源							
17	钢模板	kg/m²	4.65			0.98t		
18	铁件	kg/m²	2.34			0.49t		
三	4号仓位							
1	仓位混凝土工程量	m³	1 077.3					
2	施工工程量	m²	190.4					
3	小时生产率	m²/h	7.5					
4	长期工作系数		0.8					
5	平均生产率	m²/h	6.0					
	劳力资源							
6	工长	人	1	31.7				
7	四级木工	人	1	31.7				
8	四级电焊工	人	1	31.7				
9	三级司机	人	1	31.7				
10	三级起重工	人	1	31.7				
11	三级电焊工	人	1	31.7				
12	二级木工	人	1	31.7				
13	一级普工	人	1	31.7				
	Σ	人	8					
	设备资源							
14	电焊机	台	1		3.8		利用率15%	
15	载重汽车	辆	2		5.1		利用率10%	
16	仓面吊	台	1		8.4		利用率33%	
	Σ	台	4					
	材料资源							
17	钢模板	kg/m²	4.65			0.89t		

序号	项　目	单位	数量	人时	台时	材料	设备生产率或利用率	备注
18	铁件	kg/m²	2.34			0.45t		
四	5号仓位							
1	仓位混凝土工程量	m³	1 641.2					
2	施工工程量	m²	222.7					
3	小时生产率	m²/h	7.5					
4	长期工作系数		0.8					
5	平均生产率	m²/h	6.0					
	劳力资源							
6	工长	人	1	37.1				
7	四级木工	人	1	37.1				
8	四级电焊工	人	1	37.1				
9	三级司机	人	1	37.1				
10	三级起重工	人	1	37.1				
11	三级电焊工	人	1	37.1				
12	二级木工	人	1	37.1				
13	一级普工	人	1	37.1				
	Σ	人	8					
	设备资源							
14	电焊机	台	1		4.5		利用率15%	
15	载重汽车	辆	2		5.9		利用率10%	
16	仓面吊	台	1		9.8		利用率33%	
	Σ	台	4					
	材料资源							
17	钢模板	kg/m²	4.65			1.04t		
18	铁件	kg/m²	2.34			0.52t		
五	6号仓位及7号仓位							
1	仓位混凝土工程量	m³	907.2					
2	施工工程量	m²	136.8					
3	小时生产率	m²/h	7.5					
4	长期工作系数		0.8					
5	平均生产率	m²/h	6.0					
	劳力资源							
6	工长	人	1	22.8				
7	四级木工	人	1	22.8				
8	四级电焊工	人	1	22.8				
9	三级司机	人	1	22.8				

序号	项 目	单位	数量	人时	台时	材料	设备生产率或利用率	备注
10	三级起重工	人	1	22.8				
11	三级电焊工	人	1	22.8				
12	二级木工	人	1	22.8				
13	一级普工	人	1	22.8				
	Σ	人	8					
	设备资源							
14	电焊机	台	1		2.7		利用率15%	
15	载重汽车	辆	2		3.6		利用率10%	
16	仓面吊	台	1		6.0		利用率33%	
	Σ	台	4					
	材料资源							
17	钢模板	kg/m²	4.65			0.64t		
18	铁件	kg/m²	2.34			0.32t		
六	8号仓位							
1	仓位混凝土工程量	m³	1 814.4					
2	施工工程量	m²	508.0					
3	小时生产率	m²/h	7.5					
4	长期工作系数		0.8					
5	平均生产率	m²/h	6.0					
	劳力资源							
6	工长	人	1	84.7				
7	四级木工	人	1	84.7				
8	四级电焊工	人	1	84.7				
9	三级司机	人	1	84.7				
10	三级起重工	人	1	84.7				
11	三级电焊工	人	1	84.7				
12	二级木工	人	1	84.7				
13	一级普工	人	1	84.7				
	Σ	人	8					
	设备资源							
14	电焊机	台	1		10.2		利用率15%	
15	载重汽车	辆	2		13.5		利用率10%	
16	仓面吊	台	1		22.4		利用率33%	
	Σ	台	4					
	材料资源							
17	钢模板	kg/m²	4.65			2.36t		
18	铁件	kg/m²	2.34			1.19t		

序号	项　目	单位	数量	人时	台时	材料	设备生产率或利用率	备注
七	9 号仓位							
1	仓位混凝土工程量	m³	1 256.9					
2	施工工程量	m²	301.6					
3	小时生产率	m²/h	7.5					
4	长期工作系数		0.8					
5	平均生产率	m²/h	6.0					
	劳力资源							
6	工长	人	1	50.3				
7	四级木工	人	1	50.3				
8	四级电焊工	人	1	50.3				
9	三级司机	人	1	50.3				
10	三级起重工	人	1	50.3				
11	三级电焊工	人	1	50.3				
12	二级木工	人	1	50.3				
13	一级普工	人	1	50.3				
	Σ	人	8					
	设备资源							
14	电焊机	台	1		6.0		利用率 15%	
15	载重汽车	辆	2		8.0		利用率 10%	
16	仓面吊	台	1		13.3		利用率 33%	
	Σ	台	4					
	材料资源							
17	钢模板	kg/m²	4.65			1.40t		
18	铁件	kg/m²	2.34			0.71t		
八	10 号仓位							
1	仓位混凝土工程量	m³	957.6					
2	施工工程量	m²	201.1					
3	小时生产率	m²/h	7.5					
4	长期工作系数		0.8					
5	平均生产率	m²/h	6.0					
	劳力资源							
6	工长	人	1	33.5				
7	四级木工	人	1	33.5				
8	四级电焊工	人	1	33.5				
9	三级司机	人	1	33.5				
10	三级起重工	人	1	33.5				

序号	项 目	单位	数量	人时	台时	材料	设备生产率或利用率	备注
11	三级电焊工	人	1	33.5				
12	二级木工	人	1	33.5				
13	一级普工	人	1	33.5				
	Σ	人	8					
	设备资源							
14	电焊机	台	1		4.0		利用率15%	
15	载重汽车	辆	2		5.4		利用率10%	
16	仓面吊	台	1		8.8		利用率33%	
	Σ	台	4					
	材料资源							
17	钢模板	kg/m²	4.65			0.94t		
18	铁件	kg/m²	2.34			0.47t		
九	11号仓位及12号仓位							
1	仓位混凝土工程量	m³	680.4					
2	施工工程量	m²	114.0					
3	小时生产率	m²/h	7.5					
4	长期工作系数		0.8					
5	平均生产率	m²/h	6.0					
	劳力资源							
6	工长	人	1	19.0				
7	四级木工	人	1	19.0				
8	四级电焊工	人	1	19.0				
9	三级司机	人	1	19.0				
10	三级起重工	人	1	19.0				
11	三级电焊工	人	1	19.0				
12	二级木工	人	1	19.0				
13	一级普工	人	1	19.0				
	Σ	人	8					
	设备资源							
14	电焊机	台	1		2.3		利用率15%	
15	载重汽车	辆	2		3.0		利用率10%	
16	仓面吊	台	1		5.0		利用率33%	
	Σ	台	4					
	材料资源							
17	钢模板	kg/m²	4.65			0.53t		
18	铁件	kg/m²	2.34			0.27t		

序号	项　目	单位	数量	人时	台时	材料用量	设备生产率或利用率	备注
十	13 号仓位							
1	仓位混凝土工程量	m³	1 360.8					
2	施工工程量	m²	204.0					
3	小时生产率	m²/h	7.5					
4	长期工作系数		0.8					
5	平均生产率	m²/h	6.0					
	劳力资源							
6	工长	人	1	34.0				
7	四级木工	人	1	34.0				
8	四级电焊工	人	1	34.0				
9	三级司机	人	1	34.0				
10	三级起重工	人	1	34.0				
11	三级电焊工	人	1	34.0				
12	二级木工	人	1	34.0				
13	一级普工	人	1	34.0				
	Σ	人	8					
	设备资源							
14	电焊机	台	1		4.1		利用率 15%	
15	载重汽车	辆	2		5.4		利用率 10%	
16	仓面吊	台	1		9.0		利用率 33%	
	Σ	台	4					
	材料资源							
17	钢模板	kg/m²	4.65			0.95t		
18	铁件	kg/m²	2.34			0.48t		
十一	14 号仓位							
1	仓位混凝土工程量	m³	1 020.6					
2	施工工程量	m²	183.6					
3	小时生产率	m²/h	7.5					
4	长期工作系数		0.8					
5	平均生产率	m²/h	6.0					
	劳力资源							
6	工长	人	1	30.6				
7	四级木工	人	1	30.6				
8	四级电焊工	人	1	30.6				
9	三级司机	人	1	30.6				
10	三级起重工	人	1	30.6				
11	三级电焊工	人	1	30.6				

序号	项　目	单位	数量	人时	台时	材料	设备生产率或利用率	备注
12	二级木工	人	1	30.6				
13	一级普工	人	1	30.6				
	Σ	人	8					
	设备资源							
14	电焊机	台	1		3.7		利用率 15%	
15	载重汽车	辆	2		4.9		利用率 10%	
16	仓面吊	台	1		8.1		利用率 33%	
	Σ	台	4					
	材料资源							
17	钢模板	kg/m²	4.65			0.85t		
18	铁件	kg/m²	2.34			0.43t		
十二	15 号仓位							
1	仓位混凝土工程量	m³	907.2					
2	施工工程量	m²	176.8					
3	小时生产率	m²/h	7.5					
4	长期工作系数		0.8					
5	平均生产率	m²/h	6.0					
	劳力资源							
6	工长	人	1	29.5				
7	四级木工	人	1	29.5				
8	四级电焊工	人	1	29.5				
9	三级司机	人	1	29.5				
10	三级起重工	人	1	29.5				
11	三级电焊工	人	1	29.5				
12	二级木工	人	1	29.5				
13	一级普工	人	1	29.5				
	Σ	人	8					
	设备资源							
14	电焊机	台	1		3.5		利用率 15%	
15	载重汽车	辆	2		4.7		利用率 10%	
16	仓面吊	台	1		7.8		利用率 33%	
	Σ	台	4					
	材料资源							
17	钢模板	kg/m²	4.65			0.82t		
18	铁件	kg/m²	2.34			0.41t		

附表6　钢筋运输、安装台时、人时、材料用量

序号	项　目	单位	数量	人时	台时	材料	设备生产率或利用率	备注
一	1号仓位及2号仓位							
1	仓位混凝土工程量	m³	718.2					
2	施工工程量	t	2.657					
3	小时生产率	t/h	0.15					
4	长期工作系数		0.8					
5	平均生产率	t/h	0.12					
	劳力资源							
6	工长	人	1	22.1				
7	四级钢筋工	人	1	22.1				
8	四级电焊工	人	1	22.1				
9	三级司机	人	1	22.1				
10	三级起重工	人	1	22.1				
11	三级电焊工	人	1	22.1				
12	二级钢筋工	人	1	22.1				
13	一级普工	人	2	44.2				
	Σ	人	9					
	设备资源							
14	电焊机	台	2		24.8		利用率70%	
15	弧焊机	台	1		2.7		利用率15%	
16	载重汽车	辆	1		1.8		利用率10%	
17	起重机	台	1		0.9		利用率5%	
	Σ	台	5					
	材料资源							
18	铁丝	kg/t	4.0			10.6kg		
19	焊条	kg/t	7.22			19.2kg		
二	3号仓位							
1	仓位混凝土工程量	m³	1 436.4					
2	施工工程量	t	5.315					
3	小时生产率	t/h	0.15					
4	长期工作系数		0.8					
5	平均生产率	t/h	0.12					
	劳力资源							
6	工长	人	1	44.3				
7	四级钢筋工	人	1	44.3				
8	四级电焊工	人	1	44.3				
9	三级司机	人	1	44.3				
10	三级起重工	人	1	44.3				

序号	项 目	单位	数量	人时	台时	材料	设备生产率或利用率	备注
11	三级电焊工	人	1	44.3				
12	二级钢筋工	人	1	44.3				
13	一级普工	人	2	88.6				
	Σ	人	9					
	设备资源							
14	电焊机	台	2		49.6		利用率70%	
15	弧焊机	台	1		5.3		利用率15%	
16	载重汽车	辆	1		3.5		利用率10%	
17	起重机	台	1		1.8		利用率5%	
	Σ	台	5					
	材料资源							
18	铁丝	kg/t	4.0			21.3kg		
19	焊条	kg/t	7.22			38.4kg		
三	4号仓位							
1	仓位混凝土工程量	m³	1 077.3					
2	施工工程量	t	3.986					
3	小时生产率	t/h	0.15					
4	长期工作系数		0.8					
5	平均生产率	t/h	0.12					
	劳力资源							
6	工长	人	1	33.2				
7	四级钢筋工	人	1	33.2				
8	四级电焊工	人	1	33.2				
9	三级司机	人	1	33.2				
10	三级起重工	人	1	33.2				
11	三级电焊工	人	1	33.2				
12	二级钢筋工	人	1	33.2				
13	一级普工	人	2	66.4				
	Σ	人	9					
	设备资源							
14	电焊机	台	2		37.2		利用率70%	
15	弧焊机	台	1		4.0		利用率15%	
16	载重汽车	辆	1		2.7		利用率10%	
17	起重机	台	1		1.3		利用率5%	
	Σ	台	5					
	材料资源							
18	铁丝	kg/t	4.0			15.9kg		

序号	项 目	单位	数量	人时	台时	材料	设备生产率或利用率	备注
19	焊条	kg/t	7.22			28.8kg		
四	5号仓位							
1	仓位混凝土工程量	m³	1 641.2					
2	施工工程量	t	6.072					
3	小时生产率	t/h	0.15					
4	长期工作系数		0.8					
5	平均生产率	t/h	0.12					
	劳力资源							
6	工长	人	1	50.6				
7	四级钢筋工	人	1	50.6				
8	四级电焊工	人	1	50.6				
9	三级司机	人	1	50.6				
10	三级起重工	人	1	50.6				
11	三级电焊工	人	1	50.6				
12	二级钢筋工	人	1	50.6				
13	一级普工	人	2	101.2				
	Σ	人	9					
	设备资源							
14	电焊机	台	2		56.7		利用率70%	
15	弧焊机	台	1		6.1		利用率15%	
16	载重汽车	辆	1		4.0		利用率10%	
17	起重机	台	1		2.0		利用率5%	
	Σ	台	5					
	材料资源							
18	铁丝	kg/t	4.0			24.3kg		
19	焊条	kg/t	7.22			43.8kg		
五	6号仓位及7号仓位							
1	仓位混凝土工程量	m³	907.2					
2	施工工程量	t	8.437					
3	小时生产率	t/h	0.15					
4	长期工作系数		0.8					
5	平均生产率	t/h	0.12					
	劳力资源							
6	工长	人	1	70.3				
7	四级钢筋工	人	1	70.3				
8	四级电焊工	人	1	70.3				
9	三级司机	人	1	70.3				
10	三级起重工	人	1	70.3				

序号	项 目	单位	数量	人时	台时	材料	设备生产率或利用率	备注
11	三级电焊工	人	1	70.3				
12	二级钢筋工	人	1	70.3				
13	一级普工	人	2	140.6				
	Σ	人	9					
	设备资源							
14	电焊机	台	2		78.7		利用率70%	
15	弧焊机	台	1		8.4		利用率15%	
16	载重汽车	辆	1		5.6		利用率10%	
17	起重机	台	1		2.8		利用率5%	
	Σ	台	5					
	材料资源							
18	铁丝	kg/t	4.0			33.7kg		
19	焊条	kg/t	7.22			60.9kg		
六	8号仓位							
1	仓位混凝土工程量	m³	1 814.4					
2	施工工程量	t	16.874					
3	小时生产率	t/h	0.15					
4	长期工作系数		0.8					
5	平均生产率	t/h	0.12					
	劳力资源							
6	工长	人	1	140.6				
7	四级钢筋工	人	1	140.6				
8	四级电焊工	人	1	140.6				
9	三级司机	人	1	140.6				
10	三级起重工	人	1	140.6				
11	三级电焊工	人	1	140.6				
12	二级钢筋工	人	1	140.6				
13	一级普工	人	2	281.2				
	Σ	人	9					
	设备资源							
14	电焊机	台	2		157.5		利用率70%	
15	弧焊机	台	1		16.9		利用率15%	
16	载重汽车	辆	1		11.2		利用率10%	
17	起重机	台	1		5.6		利用率5%	
	Σ	台	5					
	材料资源							
18	铁丝	kg/t	4.0			67.5kg		

序号	项　目	单位	数量	人时	台时	材料	设备生产率或利用率	备注
19	焊条	kg/t	7.22			121.8kg		
七	9号仓位							
1	仓位混凝土工程量	m³	1 256.9					
2	施工工程量	t	11.689					
3	小时生产率	t/h	0.15					
4	长期工作系数		0.8					
5	平均生产率	t/h	0.12					
	劳力资源							
6	工长	人	1	97.4				
7	四级钢筋工	人	1	97.4				
8	四级电焊工	人	1	97.4				
9	三级司机	人	1	97.4				
10	三级起重工	人	1	97.4				
11	三级电焊工	人	1	97.4				
12	二级钢筋工	人	1	97.4				
13	一级普工	人	2	194.8				
	Σ	人	9					
	设备资源							
14	电焊机	台	2		109.1		利用率70%	
15	弧焊机	台	1		11.7		利用率15%	
16	载重汽车	辆	1		7.8		利用率10%	
17	起重机	台	1		3.9		利用率5%	
	Σ	台	5					
	材料资源							
18	铁丝	kg/t	4.0			46.8kg		
19	焊条	kg/t	7.22			84.4kg		
八	10号仓位							
1	仓位混凝土工程量	m³	957.6					
2	施工工程量	t	8.906					
3	小时生产率	t/h	0.15					
4	长期工作系数		0.8					
5	平均生产率	t/h	0.12					
	劳力资源							
6	工长	人	1	74.2				
7	四级钢筋工	人	1	74.2				
8	四级电焊工	人	1	74.2				
9	三级司机	人	1	74.2				
10	三级起重工	人	1	74.2				

序号	项 目	单位	数量	人时	台时	材料	设备生产率或利用率	备注
11	三级电焊工	人	1	74.2				
12	二级钢筋工	人	1	74.2				
13	一级普工	人	2	148.4				
	Σ	人	9					
	设备资源							
14	电焊机	台	2		83.1		利用率70%	
15	弧焊机	台	1		8.9		利用率15%	
16	载重汽车	辆	1		5.9		利用率10%	
17	起重机	台	1		3.0		利用率5%	
	Σ	台	5					
	材料资源							
18	铁丝	kg/t	4.0			35.6kg		
19	焊条	kg/t	7.22			64.3kg		
九	11号仓位及12号仓位							
1	仓位混凝土工程量	m³	680.4					
2	施工工程量	t	2.517					
3	小时生产率	t/h	0.15					
4	长期工作系数		0.8					
5	平均生产率	t/h	0.12					
	劳力资源							
6	工长	人	1	21.0				
7	四级钢筋工	人	1	21.0				
8	四级电焊工	人	1	21.0				
9	三级司机	人	1	21.0				
10	三级起重工	人	1	21.0				
11	三级电焊工	人	1	21.0				
12	二级钢筋工	人	1	21.0				
13	一级普工	人	2	42.0				
	Σ	人	9					
	设备资源							
14	电焊机	台	2		23.5		利用率70%	
15	弧焊机	台	1		2.5		利用率15%	
16	载重汽车	辆	1		1.7		利用率10%	
17	起重机	台	1		0.8		利用率5%	
	Σ	台	5					
	材料资源							
18	铁丝	kg/t	4.0			10.1kg		
19	焊条	kg/t	7.22			18.2kg		

序号	项 目	单位	数量	人时	台时	材料	设备生产率或利用率	备注
十	13 号仓位							
1	仓位混凝土工程量	m³	1 360.8					
2	施工工程量	t	5.035					
3	小时生产率	t/h	0.15					
4	长期工作系数		0.8					
5	平均生产率	t/h	0.12					
	劳力资源							
6	工长	人	1	42.0				
7	四级钢筋工	人	1	42.0				
8	四级电焊工	人	1	42.0				
9	三级司机	人	1	42.0				
10	三级起重工	人	1	42.0				
11	三级电焊工	人	1	42.0				
12	二级钢筋工	人	1	42.0				
13	一级普工	人	2	84.0				
	Σ	人	9					
	设备资源							
14	电焊机	台	2		47.0		利用率 70%	
15	弧焊机	台	1		5.0		利用率 15%	
16	载重汽车	辆	1		3.4		利用率 10%	
17	起重机	台	1		1.7		利用率 5%	
	Σ	台	5					
	材料资源							
18	铁丝	kg/t	4.0			20.1kg		
19	焊条	kg/t	7.22			36.4kg		
十一	14 号仓位							
1	仓位混凝土工程量	m³	1 020.6					
2	施工工程量	t	3.776					
3	小时生产率	t/h	0.15					
4	长期工作系数		0.8					
5	平均生产率	t/h	0.12					
	劳力资源							
6	工长	人	1	31.5				
7	四级钢筋工	人	1	31.5				
8	四级电焊工	人	1	31.5				
9	三级司机	人	1	31.5				
10	三级起重工	人	1	31.5				
11	三级电焊工	人	1	31.5				
12	二级钢筋工	人	1	31.5				

序号	项　目	单位	数量	人时	台时	材料	设备生产率或利用率	备注
13	一级普工	人	2	63.0				
	Σ	人	9					
	设备资源							
14	电焊机	台	2		35.2		利用率70%	
15	弧焊机	台	1		3.8		利用率15%	
16	载重汽车	辆	1		2.5		利用率10%	
17	起重机	台	1		1.3		利用率5%	
	Σ	台	5					
	材料资源							
18	铁丝	kg/t	4.0			15.1kg		
19	焊条	kg/t	7.22			27.3kg		
十二	15号仓位							
1	仓位混凝土工程量	m³	907.2					
2	施工工程量	t	3.357					
3	小时生产率	t/h	0.15					
4	长期工作系数		0.8					
5	平均生产率	t/h	0.12					
	劳力资源							
6	工长	人	1	28.0				
7	四级钢筋工	人	1	28.0				
8	四级电焊工	人	1	28.0				
9	三级司机	人	1	28.0				
10	三级起重工	人	1	28.0				
11	二级电焊工	人	1	28.0				
12	二级钢筋工	人	1	28.0				
13	一级普工	人	2	56.0				
	Σ	人	9					
	设备资源							
14	电焊机	台	2		31.3		利用率70%	
15	弧焊机	台	1		3.4		利用率15%	
16	载重汽车	辆	1		2.2		利用率10%	
17	起重机	台	1		1.1		利用率5%	
	Σ	台	5					
	材料资源							
18	铁丝	kg/t	4.0			13.4kg		
19	焊条	kg/t	7.22			24.2kg		

序号	项目	单位	数量	人时	台时	材料	设备生产率或利用率	备注
一	1号仓位及2号仓位							
1	仓位混凝土工程量	m³	718.2					
2	施工工程量	m³	718.2					
3	小时生产率	m³/h	91.2					
4	长期工作系数							
5	平均生产率	m³/h	91.2					
	劳力资源							
6	工长	人	1	7.9				
7	四级混凝土工	人	3	23.7				
8	三级机车司机	人	1	7.9				
9	三级缆机司机	人	2	15.8				
10	三级起重工	人	2	15.8				
11	三级混凝土下料工	人	2	15.8				
12	三级混凝土工	人	2	15.8				
13	三级其他工	人	5	39.5				
14	二级机车司机	人	1	7.9				
15	二级缆机司机	人	2	15.8				
16	二级混凝土工	人	5	39.5				
17	一级其他工（普工）	人	4	31.6				
	Σ	人	30					
	设备资源							
18	内燃机车	台	1		5.0		利用率63%	
19	平移式缆机	台	2		10.9		利用率69%	
20	平仓振捣机	台	3		12.0		利用率51%	振捣80%混凝土
21	插入式振捣器	台	5		10.0		利用率25%	振捣20%混凝土
22	6m³混凝土吊罐	台	2		10.9			与缆机配套使用
23	6m³侧卸罐车	台	2		10.0			与机车配套使用
	Σ	台	15					
	材料资源							
24	成品混凝土	m³/m³	1.04			746.9m³		
25	水	m³/m³	1.0			718.2m³		
二	3号仓位							
1	仓位混凝土工程量	m³	1 436.4					
2	施工工程量	m³	1 436.4					
3	小时生产率	m³/h	91.2					
4	长期工作系数							
5	平均生产率	m³/h	91.2					

序号	项 目	单位	数量	人时	台时	材料	设备生产率或利用率	备注
	劳力资源							
6	工长	人	1	15.8				
7	四级混凝土工	人	3	47.4				
8	三级机车司机	人	1	15.8				
9	三级缆机司机	人	2	31.6				
10	三级起重工	人	2	31.6				
11	三级混凝土下料工	人	2	31.6				
12	三级混凝土工	人	2	31.6				
13	三级其他工	人	5	79.0				
14	二级机车司机	人	1	15.8				
15	二级缆机司机	人	2	31.6				
16	二级混凝土工	人	5	79.0				
17	一级其他工（普工）	人	4	63.2				
	Σ	人	30					
	设备资源							
18	内燃机车	台	1		10.0		利用率63%	
19	平移式缆机	台	2		20.7		利用率66%	
20	平仓振捣机	台	3		23.9		利用率51%	振捣80%混凝土
21	插入式振捣器	台	5		20.0		利用率25%	振捣20%混凝土
22	6m³混凝土吊罐	台	2		20.7			与缆机配套使用
23	6m³侧卸罐车	台	2		20.0			与机车配套使用
	Σ	台	15					
	材料资源							
24	成品混凝土	m³/m³	1.04			1 493.9m³		
25	水	m³/m³	1.0			1 436.4m³		
三	4号仓位							
1	仓位混凝土工程量	m³	1 077.3					
2	施工工程量	m³	1 077.3					
3	小时生产率	m³/h	68.4					
4	长期工作系数							
5	平均生产率	m³/h	68.4					
	劳力资源							
6	工长	人	1	15.8				
7	四级混凝土工	人	3	47.4				
8	三级机车司机	人	1	15.8				
9	三级缆机司机	人	2	31.6				
10	三级起重工	人	2	31.6				

序号	项 目	单位	数量	人时	台时	材料	设备生产率或利用率	备注
11	三级混凝土下料工	人	2	31.6				
12	三级混凝土工	人	2	31.6				
13	三级其他工	人	5	79.0				
14	二级机车司机	人	1	15.8				
15	二级缆机司机	人	2	31.6				
16	二级混凝土工	人	5	79.0				
17	一级其他工(普工)	人	4	63.2				
∑		人	30					
	设备资源							
18	内燃机车	台	1		7.5		利用率48%	
19	平移式缆机	台	2		13.6		利用率43%	
20	平仓振捣机	台	3		18.0		利用率38%	振捣80%混凝土
21	插入式振捣器	台	5		15.0		利用率19%	振捣20%混凝土
22	6m³混凝土吊罐	台	2		13.6			与缆机配套使用
23	6m³侧卸罐车	台	2		15.0			与机车配套使用
∑		台	15					
	材料资源							
24	成品混凝土	m³/m³	1.04			1 120.4m³		
25	水	m³/m³	1.0			1 077.3m³		
四	5号仓位							
1	仓位混凝土工程量	m³	1 641.2					
2	施工工程量	m³	1 641.2					
3	小时生产率	m³/h	104.2					
4	长期工作系数							
5	平均生产率	m³/h	104.2					
	劳力资源							
6	工长	人	1	15.8				
7	四级混凝土工	人	3	47.4				
8	三级机车司机	人	1	15.8				
9	三级缆机司机	人	2	31.6				
10	三级起重工	人	2	31.6				
11	三级混凝土下料工	人	2	31.6				
12	三级混凝土工	人	2	31.6				
13	三级其他工	人	5	79.0				
14	二级机车司机	人	1	15.8				
15	二级缆机司机	人	2	31.6				
16	二级混凝土工	人	5	79.0				

序号	项 目	单位	数量	人时	台时	材料	设备生产率或利用率	备注
17	一级其他工(普工)	人	4	63.2				
	Σ	人	30					
	设备资源							
18	内燃机车	台	1		11.4		利用率 72%	
19	平移式缆机	台	2		18.4		利用率 58%	
20	平仓振捣机	台	3		27.4		利用率 58%	振捣 80% 混凝土
21	插入式振捣器	台	5		22.8		利用率 29%	振捣 20% 混凝土
22	6m³ 混凝土吊罐	台	2		18.4			与缆机配套使用
23	6m³ 侧卸罐车	台	2		22.8			与机车配套使用
	Σ	台	15					
	材料资源							
24	成品混凝土	m³/m³	1.04			1 706.8m³		
25	水	m³/m³	1.0			1 641.2m³		
五	6 号仓位及 7 号仓位							
1	仓位混凝土工程量	m³	907.2					
2	施工工程量	m³	907.2					
3	小时生产率	m³/h	115.2					
4	长期工作系数							
5	平均生产率	m³/h	115.2					
	劳力资源							
6	工长	人	1	7.9				
7	四级混凝土工	人	3	23.7				
8	三级机车司机	人	1	7.9				
9	三级缆机司机	人	2	15.8				
10	三级起重工	人	2	15.8				
11	三级混凝土下料工	人	2	15.8				
12	三级混凝土工	人	2	15.8				
13	三级其他工	人	5	39.5				
14	二级机车司机	人	1	7.9				
15	二级缆机司机	人	2	15.8				
16	二级混凝土工	人	5	39.5				
17	一级其他工(普工)	人	4	31.6				
	Σ	人	30					
	设备资源							
18	内燃机车	台	1		6.3		利用率 80%	
19	平移式缆机	台	2		15.1		利用率 96%	
20	平仓振捣机	台	3		15.1		利用率 64%	振捣 80% 混凝土

序号	项 目	单位	数量	人时	台时	材料	设备生产率或利用率	备 注
21	插入式振捣器	台	5		12.6		利用率 32%	振捣 20%混凝土
22	6m³ 混凝土吊罐	台	2		15.1			与缆机配套使用
23	6m³ 侧卸罐车	台	2		12.6			与机车配套使用
	Σ	台	15					
	材料资源							
24	成品混凝土	m³/m³	1.04			943.5m³		
25	水	m³/m³	1.0			907.2m³		
六	8号仓位							
1	仓位混凝土工程量	m³	1 814.4					
2	施工工程量	m³	1 814.4					
3	小时生产率	m³/h	115.2					
4	长期工作系数							
5	平均生产率	m³/h	115.2					
	劳力资源							
6	工长	人	1	15.8				
7	四级混凝土工	人	3	47.4				
8	三级机车司机	人	1	15.8				
9	三级缆机司机	人	2	31.6				
10	三级起重工	人	2	31.6				
11	三级混凝土下料工	人	2	31.6				
12	三级混凝土工	人	2	31.6				
13	三级其他工	人	5	79.0				
14	二级机车司机	人	1	15.8				
15	二级缆机司机	人	2	31.6				
16	二级混凝土工	人	5	79.0				
17	一级其他工(普工)	人	4	63.2				
	Σ	人	30					
	设备资源							
18	内燃机车	台	1		12.6		利用率 80%	
19	平移式缆机	台	2		29.3		利用率 93%	
20	平仓振捣机	台	3		30.2		利用率 64%	振捣 80%混凝土
21	插入式振捣器	台	5		25.2		利用率 32%	振捣 20%混凝土
22	6m³ 混凝土吊罐	台	2		29.3			与缆机配套使用
23	6m³ 侧卸罐车	台	2		25.2			与机车配套使用
	Σ	台	15					
	材料资源							
24	成品混凝土	m³/m³	1.04			1 887m³		
25	水	m³/m³	1.0			1 814.4m³		

序号	项 目	单位	数量	人时	台时	材料	设备生产率或利用率	备注
七	9号仓位							
1	仓位混凝土工程量	m³	1 256.9					
2	施工工程量	m³	1 256.9					
3	小时生产率	m³/h	79.8					
4	长期工作系数							
5	平均生产率	m³/h	79.8					
	劳力资源							
6	工长	人	1	15.8				
7	四级混凝土工	人	3	47.4				
8	三级机车司机	人	1	15.8				
9	三级缆机司机	人	2	31.6				
10	三级起重工	人	2	31.6				
11	三级混凝土下料工	人	2	31.6				
12	三级混凝土工	人	2	31.6				
13	三级其他工	人	5	79.0				
14	二级机车司机	人	1	15.8				
15	二级缆机司机	人	2	31.6				
16	二级混凝土工	人	5	79.0				
17	一级其他工(普工)	人	4	63.2				
	∑	人	30					
	设备资源							
18	内燃机车	台	1		8.7		利用率55%	
19	平移式缆机	台	2		21.7		利用率69%	
20	平仓振捣机	台	3		20.9		利用率44%	振捣80%混凝土
21	插入式振捣器	台	5		17.5		利用率22%	振捣20%混凝土
22	6m³混凝土吊罐	台	2		21.7			与缆机配套使用
23	6m³侧卸罐车	台	2		17.4			与机车配套使用
	∑	台	15					
	材料资源							
24	成品混凝土	m³/m³	1.04			1 307.2m³		
25	水	m³/m³	1.0			1 256.9m³		
八	10号仓位							
1	仓位混凝土工程量	m³	957.6					
2	施工工程量	m³	957.6					
3	小时生产率	m³/h	60.8					
4	长期工作系数							
5	平均生产率	m³/h	60.8					

序号	项目	单位	数量	人时	台时	材料	设备生产率或利用率	备注
	劳力资源							
6	工长	人	1	15.8				
7	四级混凝土工	人	3	47.4				
8	三级机车司机	人	1	15.8				
9	三级缆机司机	人	2	31.6				
10	三级起重工	人	2	31.6				
11	三级混凝土下料工	人	2	31.6				
12	三级混凝土工	人	2	31.6				
13	三级其他工	人	5	79.0				
14	二级机车司机	人	1	15.8				
15	二级缆机司机	人	2	31.6				
16	二级混凝土工	人	5	79.0				
17	一级其他工(普工)	人	4	63.2				
	∑	人	30					
	设备资源							
18	内燃机车	台	1		6.6		利用率 42%	
19	平移式缆机	台	2		15.1		利用率 48%	
20	平仓振捣机	台	3		16.0		利用率 34%	振捣 80% 混凝土
21	插入式振捣器	台	5		13.3		利用率 17%	振捣 20% 混凝土
22	6m³ 混凝土吊罐	台	2		15.1			与缆机配套使用
23	6m³ 侧卸罐车	台	2		13.2			与机车配套使用
	∑	台	15					
	材料资源							
24	成品混凝土	m³/m³	1.04			995.9m³		
25	水	m³/m³	1.0			957.6m³		
九	11 号仓位及 12 号仓位							
1	仓位混凝土工程量	m³	680.4					
2	施工工程量	m³	680.4					
3	小时生产率	m³/h	86.4					
4	长期工作系数							
5	平均生产率	m³/h	86.4					
	劳力资源							
6	工长	人	1	7.9				
7	四级混凝土工	人	3	23.7				
8	三级机车司机	人	1	7.9				
9	三级缆机司机	人	2	15.8				
10	三级起重工	人	2	15.8				
11	三级混凝土下料工	人	2	15.8				
12	三级混凝土工	人	2	15.8				

序号	项 目	单位	数量	人时	台时	材料	设备生产率或利用率	备注
13	三级其他工	人	5	39.5				
14	二级机车司机	人	1	7.9				
15	二级缆机司机	人	2	15.8				
16	二级混凝土工	人	5	39.5				
17	一级其他工(普工)	人	4	31.6				
	Σ	人	30					
	设备资源							
18	内燃机车	台	1		4.7		利用率60%	
19	平移式缆机	台	2		15.0		利用率95%	
20	平仓振捣机	台	3		11.3		利用率48%	振捣80%混凝土
21	插入式振捣器	台	5		9.5		利用率24%	振捣20%混凝土
22	6m³混凝土吊罐	台	2		15.0			与缆机配套使用
23	6m³侧卸罐车	台	2		9.4			与机车配套使用
	Σ	台	15					
	材料资源							
24	成品混凝土	m³/m³	1.04			707.6m³		
25	水	m³/m³	1.0			680.4m³		
十	13号仓位							
1	仓位混凝土工程量	m³	1 360.8					
2	施工工程量	m³	1 360.8					
3	小时生产率	m³/h	86.4					
4	长期工作系数							
5	平均生产率	m³/h	86.4					
	劳力资源							
6	工长	人	1	15.8				
7	四级混凝土工	人	3	47.4				
8	三级机车司机	人	1	15.8				
9	三级缆机司机	人	2	31.6				
10	三级起重工	人	2	31.6				
11	三级混凝土下料工	人	2	31.6				
12	三级混凝土工	人	2	31.6				
13	三级其他工	人	5	79.0				
14	二级机车司机	人	1	15.8				
15	二级缆机司机	人	2	31.6				
16	二级混凝土工	人	5	79.0				
17	一级其他工(普工)	人	4	63.2				
	Σ	人	30					
	设备资源							
18	内燃机车	台	1		9.5		利用率60%	

序号	项 目	单位	数量	人时	台时	材料	设备生产率或利用率	备注
19	平移式缆机	台	2		29.0		利用率 92%	
20	平仓振捣机	台	3		22.7		利用率 48%	振捣 80% 混凝土
21	插入式振捣器	台	5		18.9		利用率 24%	振捣 20% 混凝土
22	6m³ 混凝土吊罐	台	2		29.0			与缆机配套使用
23	6m³ 侧卸罐车	台	2		19.0			与机车配套使用
	Σ	台	15					
	材料资源							
24	成品混凝土	m³/m³	1.04			1 415.2m³		
25	水	m³/m³	1.0			1 360.8m³		
十一	14 号仓位							
1	仓位混凝土工程量	m³	1 020.6					
2	施工工程量	m³	1 020.6					
3	小时生产率	m³/h	64.8					
4	长期工作系数							
5	平均生产率	m³/h	64.8					
	劳力资源							
6	工长	人	1	15.8				
7	四级混凝土工	人	3	47.4				
8	三级机车司机	人	1	15.8				
9	三级缆机司机	人	2	31.6				
10	三级起重工	人	2	31.6				
11	三级混凝土下料工	人	2	31.6				
12	三级混凝土工	人	2	31.6				
13	三级其他工	人	5	79.0				
14	二级机车司机	人	1	15.8				
15	二级缆机司机	人	2	31.6				
16	二级混凝土工	人	5	79.0				
17	一级其他工(普工)	人	4	63.2				
	Σ	人	30					
	设备资源							
18	内燃机车	台	1		7.1		利用率 45%	
19	平移式缆机	台	2		20.0		利用率 63%	
20	平仓振捣机	台	3		17.0		利用率 36%	振捣 80% 混凝土
21	插入式振捣器	台	5		14.2		利用率 18%	振捣 20% 混凝土
22	6m³ 混凝土吊罐	台	2		20.0			与缆机配套使用
23	6m³ 侧卸罐车	台	2		14.2			与机车配套使用
	Σ	台	15					
	材料资源							
24	成品混凝土	m³/m³	1.04			1 061.4m³		

序号	项 目	单位	数量	人时	台时	材料	设备生产率或利用率	备注
25	水	m^3/m^3	1.0			1 020.6m^3		
十二	15 号仓位							
1	仓位混凝土工程量	m^3	907.2					
2	施工工程量	m^3	907.2					
3	小时生产率	m^3/h	57.6					
4	长期工作系数							
5	平均生产率	m^3/h	57.6					
	劳力资源							
6	工长	人	1	15.8				
7	四级混凝土工	人	3	47.4				
8	三级机车司机	人	1	15.8				
9	三级缆机司机	人	2	31.6				
10	三级起重工	人	2	31.6				
11	三级混凝土下料工	人	2	31.6				
12	三级混凝土工	人	2	31.6				
13	三级其他工	人	5	79.0				
14	二级机车司机	人	1	15.8				
15	二级缆机司机	人	2	31.6				
16	二级混凝土工	人	5	79.0				
17	一级其他工(普工)	人	4	63.2				
	Σ	人	30					
	设备资源							
18	内燃机车	台	1		6.3		利用率 40%	
19	平移式缆机	台	2		16.5		利用率 53%	
20	平仓振捣机	台	3		15.1		利用率 32%	振捣 80%混凝土
21	插入式振捣器	台	5		12.6		利用率 16%	振捣 20%混凝土
22	6m^3混凝土吊罐	台	2		16.5			与缆机配套使用
23	6m^3侧卸罐车	台	2		12.6			与机车配套使用
	Σ	台	15					
	材料资源							
24	成品混凝土	m^3/m^3	1.04			943.5m^3		
25	水	m^3/m^3	1.0			907.2m^3		

附表 8　大坝横缝接缝灌浆台时、人时、材料用量

序号	项　目	单位	数量	人时	台时	材料	设备生产率或利用率	备注
1	混凝土总方量	万 m³	149.58					
2	施工工程量	m²	33 100					
3	小时生产率	m²/h	40.0					
4	长期工作系数		0.8					
5	平均生产率	m²/h	32.0					
	劳力资源							
6	工长	人	1	1 034				
7	三级制浆工	人	2	2 068				
8	三级灌浆工	人	6	6 204				
9	二级制浆工	人	4	4 136				
10	二级灌浆工	人	2	2 068				
11	一级制浆工	人	1	1 034				
12	一级灌浆工	人	2	2 068				
13	一级普工	人	8	8 272				
	Σ	人	26					
	设备资源							
14	灌浆泵	台	1		368		利用率 44.4%	
15	灰浆搅拌机	台	1		368		利用率 44.4%	
16	水泵(3′)	台	3		946		利用率 38.1%	
	Σ	台	5					
	材料资源							
17	水泥	t/100m²	1.0			331t		
18	水	m³/100m²	200			66 200m³		
19	灌浆盒	个/100m²	21.0			6 951 个		
20	镀锌钢管Φ40	m/100m²	147.0			48 657m		
21	管件	个/100m²	57			18 867 个		

附表 9　大坝纵缝接缝灌浆台时、人时、材料用量

序号	项　目	单位	数量	人时	台时	材料	设备生产率或利用率	备注
1	混凝土总方量	万 m³	149.58					
2	施工工程量	m²	52 600					
3	小时生产率	m²/h	40.0					
4	长期工作系数		0.8					
5	平均生产率	m²/h	32.0					
	劳力资源							
6	工长	人	1	1 644				
7	三级制浆工	人	2	3 288				
8	三级灌浆工	人	6	9 864				
9	二级制浆工	人	4	6 576				
10	二级灌浆工	人	2	3 288				
11	一级制浆工	人	1	1 644				
12	一级灌浆工	人	2	3 288				
13	一级普工	人	8	13 152				
	Σ	人	26					
	设备资源							
14	灌浆泵	台	1		584		利用率 44.4%	
15	灰浆搅拌机	台	1		584		利用率 44.4%	
16	水泵(3′)	台	3		1 503		利用率 38.1%	
	Σ	台	5					
	材料资源							
17	水泥	t/100m²	1.0			526t		
18	水	m³/100m²	200			105 200m³		
19	灌浆盒	个/100m²	21.0			11 046 个		
20	镀锌钢管Φ40	m/100m²	147.0			77 322m		
21	管件	个/100m²	57			29 982 个		

附表 10　混凝土重力坝大坝各典型仓位混凝土浇筑工期计算

工作程序	单位	工程量	(h)	时间(h)
一、1号仓位				
基岩面清理	m²	456	5.1	
模板安装、拆除	m²	117.8	19.6	
钢筋安装	t	2.657	22.1	
清仓			1.5	
混凝土浇筑	m³	718.2	7.9	
混凝土养护			48	
小计			51.1	
二、2号仓位				
施工缝处理	m²	426.8	2.1	
模板安装、拆除	m²	117.8	19.6	
钢筋安装	t	2.657	22.1	
清仓			1.5	
混凝土浇筑	m³	718.2	7.9	
混凝土养护			48	
小计			51.1	
三、3号仓位				
施工缝处理	m²	853.6	4.3	

(时间(h) 刻度：0　20　40　60　80　100　120　140　160　180　200　220　240　260)

续附表 10

时间(h)

工作程序	单位	工程量	(h)	0	20	40	60	80	100	120	140	160	180	200	220	240	260
模板安装、拆除	m²	210.8	35.1														
钢筋安装	t	5.315	44.3														
清仓			1.5														
混凝土浇筑	m³	1 436.4	15.8														
混凝土养护			48														
小计			96.7														
四、4号仓位																	
施工缝处理	m²	640.2	3.2														
模板安装、拆除	m²	190.4	31.7														
钢筋安装	t	3.986	33.2														
清仓			1.5														
混凝土浇筑	m³	1 077.3	15.8														
混凝土养护			48														
小计			82.2														
五、5号仓位																	
施工缝处理	m²	975.3	4.9														

续附表 10

工作程序	单位	工程量	(h)	时间(h) 0~260
模板安装、拆除	m²	222.7	37.1	
钢筋安装	t	6.072	50.6	
清仓		1.5		
混凝土浇筑	m³	1 641.2	15.8	
混凝土养护			48	
小计			105.0	
六、6号仓位				
基岩面清理	m²	576	6.4	
模板安装、拆除	m²	136.8	22.8	
钢筋安装	t	8.437	70.3	
清仓		1.5		
混凝土浇筑	m³	907.2	7.9	
混凝土养护			48	
小计			102.5	
七、7号仓位				
施工缝处理	m²	539.1	2.7	

时间(h)：0　20　40　60　80　100　120　140　160　180　200　220　240　260

续附表 10

工作程序	单位	工程量	时间 (h)
模板安装、拆除	m²	136.8	22.8
钢筋安装	t	8.437	70.3
清仓			1.5
混凝土浇筑	m³	907.2	7.9
混凝土养护			48
小计			102.5
八、8号仓位			
施工缝处理	m²	1 078.3	5.4
模板安装、拆除	m²	508	84.7
钢筋安装	t	16.874	140.6
清仓			1.5
混凝土浇筑	m³	1 814.4	15.8
混凝土养护			48
小计			242.6
九、9号仓位			
施工缝处理	m²	747	3.7

时间 (h): 0 20 40 60 80 100 120 140 160 180 200 220 240 260 280 300 320 340 360

续附表 10

工作程序	单位	工程量	(h)	时间(h)
模板安装、拆除	m²	301.6	50.3	
钢筋安装	t	11.689	97.4	
清仓			1.5	
混凝土浇筑	m³	1 256.9	15.8	
混凝土养护			48	
小计			165.0	
十、10号仓位				
施工缝处理	m²	569.1	2.8	
模板安装、拆除	m²	201.1	33.5	
钢筋安装	t	8.906	74.2	
清仓			1.5	
混凝土浇筑	m³	957.6	15.8	
混凝土养护			48	
小计			125.0	
十一、11号仓位				
基岩面处理	m²	432	4.8	
模板安装、拆除	m²	114.0	19.0	
钢筋安装	t	2.517	21.0	

· 80 ·

工作程序	单位	工程量	(h)	(h)	时间 (h)
清仓				1.5	
混凝土浇筑	m³	680.4		7.9	
混凝土养护			48		
小计				49.4	
十二、12号仓位					
施工缝处理	m²	404.4	2.0		
模板安装、拆除	m²	114.0		19.0	
钢筋安装	t	2.517		21.0	
清仓				1.5	
混凝土浇筑	m³	680.4		7.9	
混凝土养护			48		
小计				49.4	
十三、13号仓位					
施工缝处理	m²	808.7	4.0		
模板安装、拆除	m²	204.0		34.0	
钢筋安装	t	5.035		42.0	
清仓				1.5	
混凝土浇筑	m³	1 360.8		15.8	

时间(h): 0 20 40 60 80 100 120 140 160 180 200 220 240 260

续附表 10

工作程序	单位	工程量	(h)	(h)	时间(h) 0	20	40	60	80	100	120	140	160	180	200	220	240	260
混凝土养护			48															
小计				93.3														
十四、14号仓位																		
施工缝处理	m²	606.5	3.0	30.6														
模板安装、拆除	m²	183.6		31.5														
钢筋安装	t	3.776																
清仓				1.5														
混凝土浇筑	m³	1 020.6		15.8														
混凝土养护			48															
小计				79.4														
十五、15号仓位																		
施工缝处理	m²	539.1	2.7	29.5														
模板安装、拆除	m²	176.8		28.0														
钢筋安装	t	3.357																
清仓				1.5														
混凝土浇筑	m³	907.2		15.8														
混凝土养护			48															
小计				74.8														

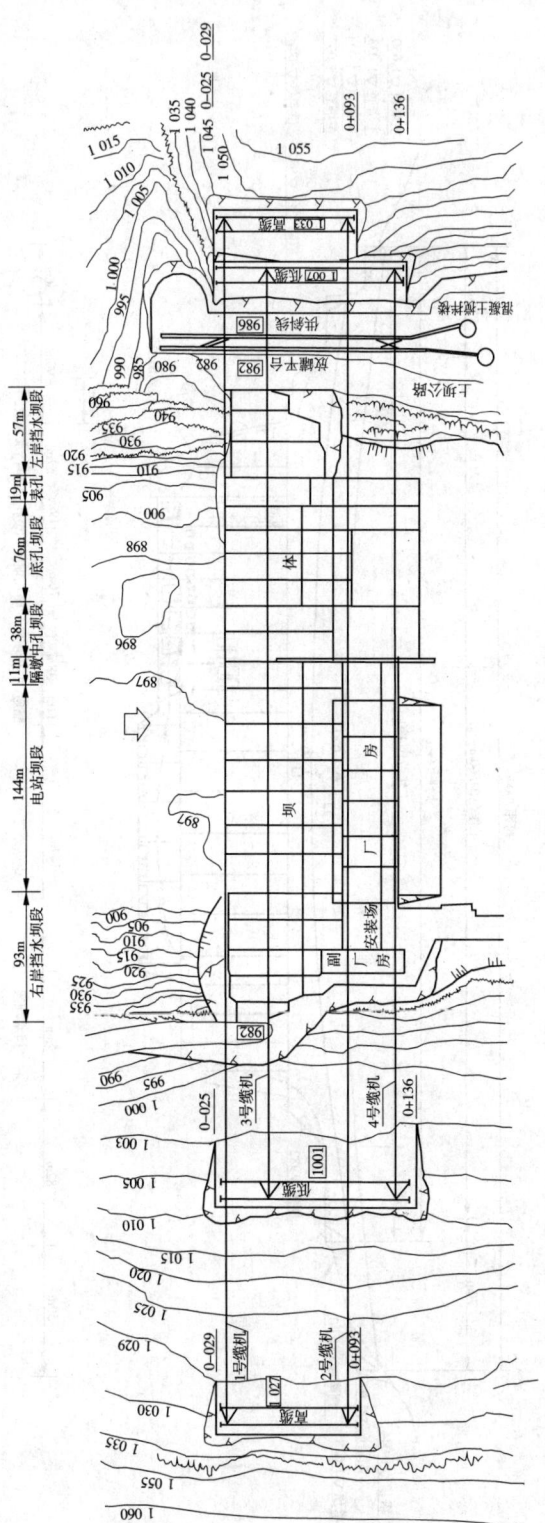

附图 1 枢纽平面布置图

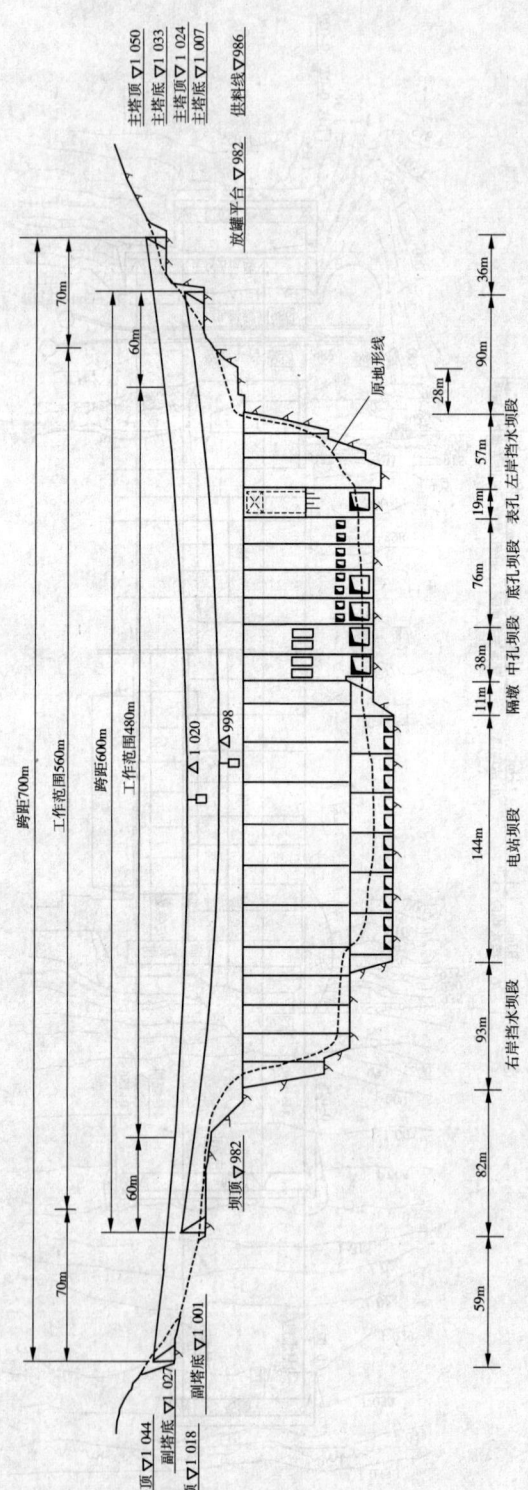

附图 2　缆机布置下游立视图

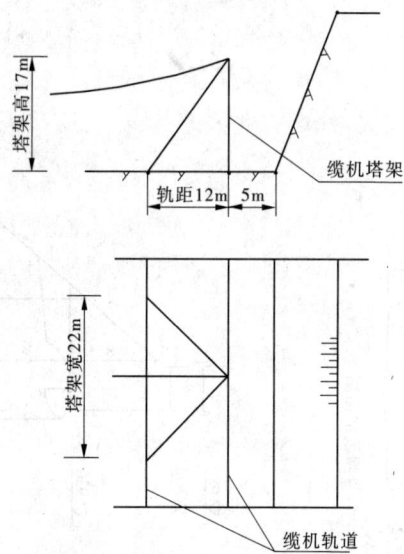

塔架高17m

轨距12m 5m

缆机塔架

塔架宽22m

缆机轨道

附图3 缆机平台布置示意图

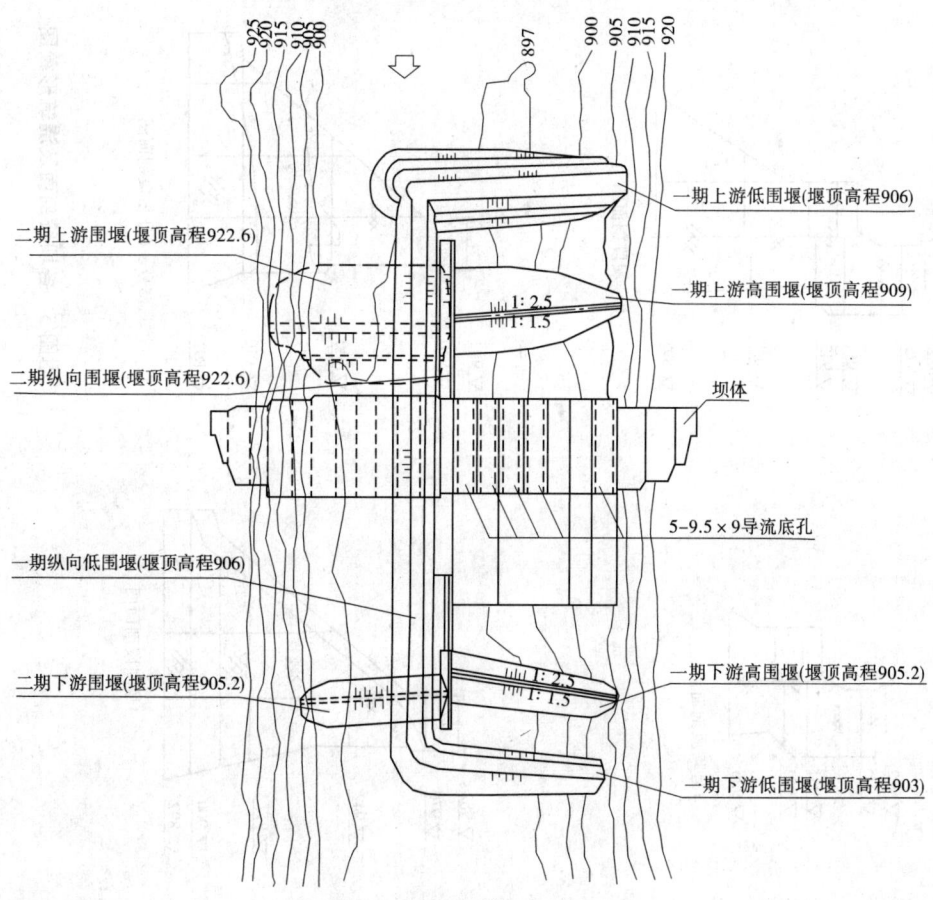

925
920
915
910
905
900

897 900 905 910 915 920

二期上游围堰(堰顶高程922.6)

一期上游低围堰(堰顶高程906)

一期上游高围堰(堰顶高程909)

1:2.5
1:1.5

二期纵向围堰(堰顶高程922.6)

坝体

一期纵向低围堰(堰顶高程906)

5-9.5×9导流底孔

二期下游围堰(堰顶高程905.2)

1:2.5
1:1.5

一期下游高围堰(堰顶高程905.2)

一期下游低围堰(堰顶高程903)

附图4 施工导流平面布置图

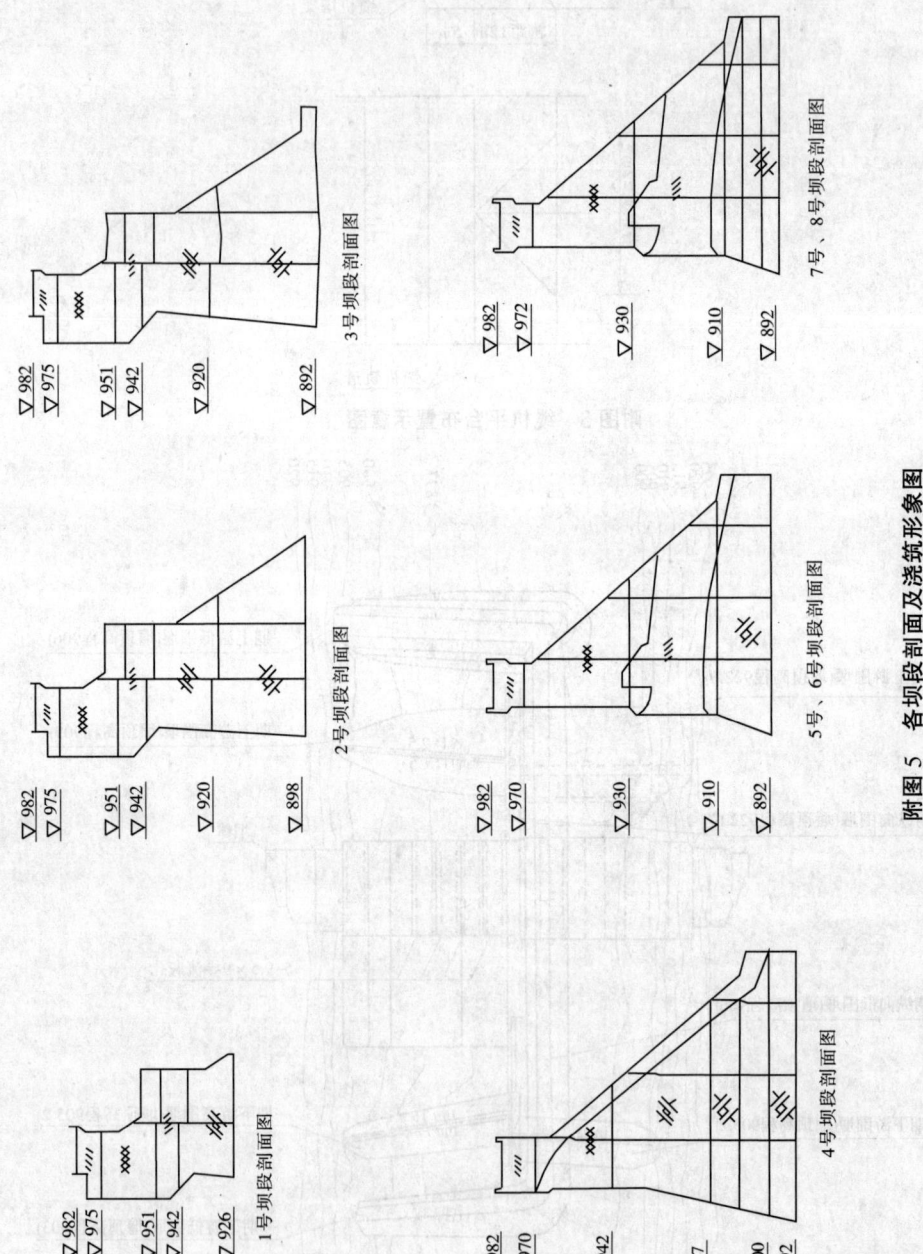

附图 5　各坝段剖面及浇筑形象图

3号坝段剖面图

∇ 982
∇ 975
∇ 951
∇ 942
∇ 920
∇ 892

2号坝段剖面图

∇ 982
∇ 975
∇ 951
∇ 942
∇ 920
∇ 898

1号坝段剖面图

∇ 982
∇ 975
∇ 951
∇ 942
∇ 926

7号、8号坝段剖面图

∇ 982
∇ 972
∇ 930
∇ 910
∇ 892

5号、6号坝段剖面图

∇ 982
∇ 970
∇ 930
∇ 910
∇ 892

4号坝段剖面图

∇ 982
∇ 970
∇ 942
∇ 917
∇ 900
∇ 892

▽982
▽969
▽932
▽892

12~17号坝段剖面图

▽909.52
▽876.16

▽982
▽969

▽932
▽926

22号坝段剖面图

▽982
▽975
▽935
▽923
▽892

11号坝段剖面图

▽982
▽969
▽932
▽898

▽909.52

20号、21号坝段剖面图

▽982
▽972
▽930
▽920
▽892

9号、10号坝段剖面图

▽982
▽969
▽932
▽892

▽909.52

18号、19号坝段剖面图

图例：　　卆 第二年4~10月浇筑　　//// 第二年11月~第三年5月浇筑
　　　　　\\\\ 第三年6月~第四年6月浇筑　　xxxx 第四年7月~第五年6月浇筑
　　　　　//// 第五年7~10月浇筑

续附图 5

附图 6　施工总进度图

序号	工程项目	单位	工程量	第一年				第二年				第三年				第四年				第五年				第六年				第七年				备注
				1	2	3	4	1	2	3	4	1	2	3	4	1	2	3	4	1	2	3	4	1	2	3	4	1	2	3	4	
一	施工准备工程																															
1	道路、风、水、电系统	项	1																											
2	房建	项	1																											
3	砂石料及混凝土拌和系统	项	1																											
4	缆机系统	项	1																											
二	导流工程																															
1	一期围堰填筑	万m³	26.33																											
2	二期围堰填筑	万m³	46.51																											
3	封堵围堰填筑	万m³	1.78																											
4	围堰拆除	项	1																											
三	主体工程																															
1	两岸坝肩开挖	万m³	36.31						0.6	0.7		0.7	1.0 ▽0.3					0.5			0.4	0.1											
2	左岸基坑开挖	万m³	8.99						0.3	0.4		0.3	0.3 △942				0.2	0.2			0.2												
3	右岸基坑开挖	万m³	36.27						0.5	0.8 ▽910						0.3	0.8	0.4 △930		0.3	0.3	0.4											
4	1号、2号、3号坝段混凝土浇筑	万m³	14.89						0.5	0.6		0.5	0.6 △930				0.3	0.3			0.3												
5	4号坝段混凝土浇筑	万m³	6.49						0.5	0.6		0.6	0.5 △930				0.4	0.4			0.4												
6	5号、6号坝段混凝土浇筑	万m³	13.15						0.5	0.6		0.5	0.6 △930				0.3	0.4			0.4												
7	7号、8号坝段混凝土浇筑	万m³	12.33						0.5	0.6		0.6	0.5 △930				0.3	0.3			0.3												
8	9号、10号坝段混凝土浇筑	万m³	13.63						0.2	0.3		0.3	0.4 △942				0.4	0.3			0.4												
9	11号坝段混凝土浇筑	万m³	5.01														0.1	0.1			0.1												
10	12~17号坝段混凝土浇筑	万m³	57.34									1.5	2.7	2.5		3.0	1.2			1.4	1.1												

序号	工程项目	单位	工程量	第一年				第二年				第三年				第四年				第五年				第六年				第七年				备注
				1	2	3	4	1	2	3	4	1	2	3	4	1	2	3	4	1	2	3	4	1	2	3	4	1	2	3	4	
11	18-22号坝段混凝土浇筑	万m³	26.74										1.7	1.3	0.6	1.0 930▽	1.5			0.7	0.7											
12	厂房混凝土浇筑	万m³	18.65										0.4	0.7		1.0	0.7			0.6												
13	护坦及隔墙混凝土浇筑	万m³	7.09								0.8											0.1											
14	取水口混凝土浇筑	万m³	1.49							0.1																							
15	坝体固结灌浆	万m	4.22																													
16	坝体帷幕灌浆	万m	1.28																													
17	坝体排水孔	万m	1.33																													
18	坝体纵缝灌浆	万m²	5.26																													
19	坝体横缝灌浆	万m²	3.31																													
20	金属结构安装	项	1																					▽								
21	机组安装	台	6																						▽	▽		▽	▽	▽		
22	开关站工程	项	1																												
23	其他工程	项	1																												

全年浇筑混凝土月平均强度（万m³/月）

续附图 6

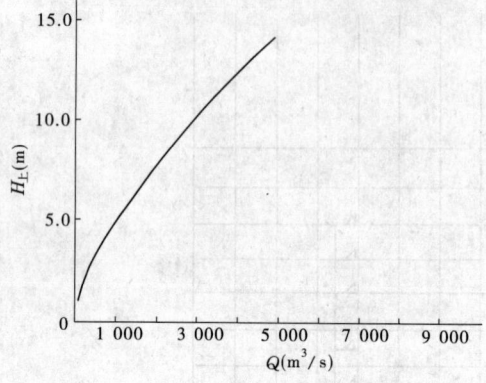

附图7 一期低围堰导流水位—流量关系曲线

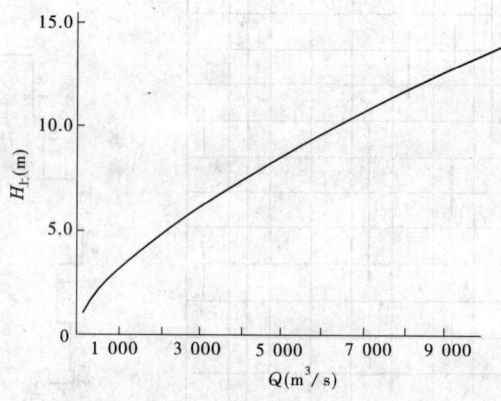

附图8 一期高围堰导流水位—流量关系曲线

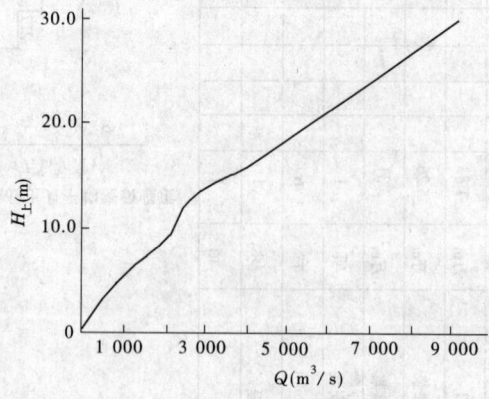

附图9 二期导流水位—流量关系曲线

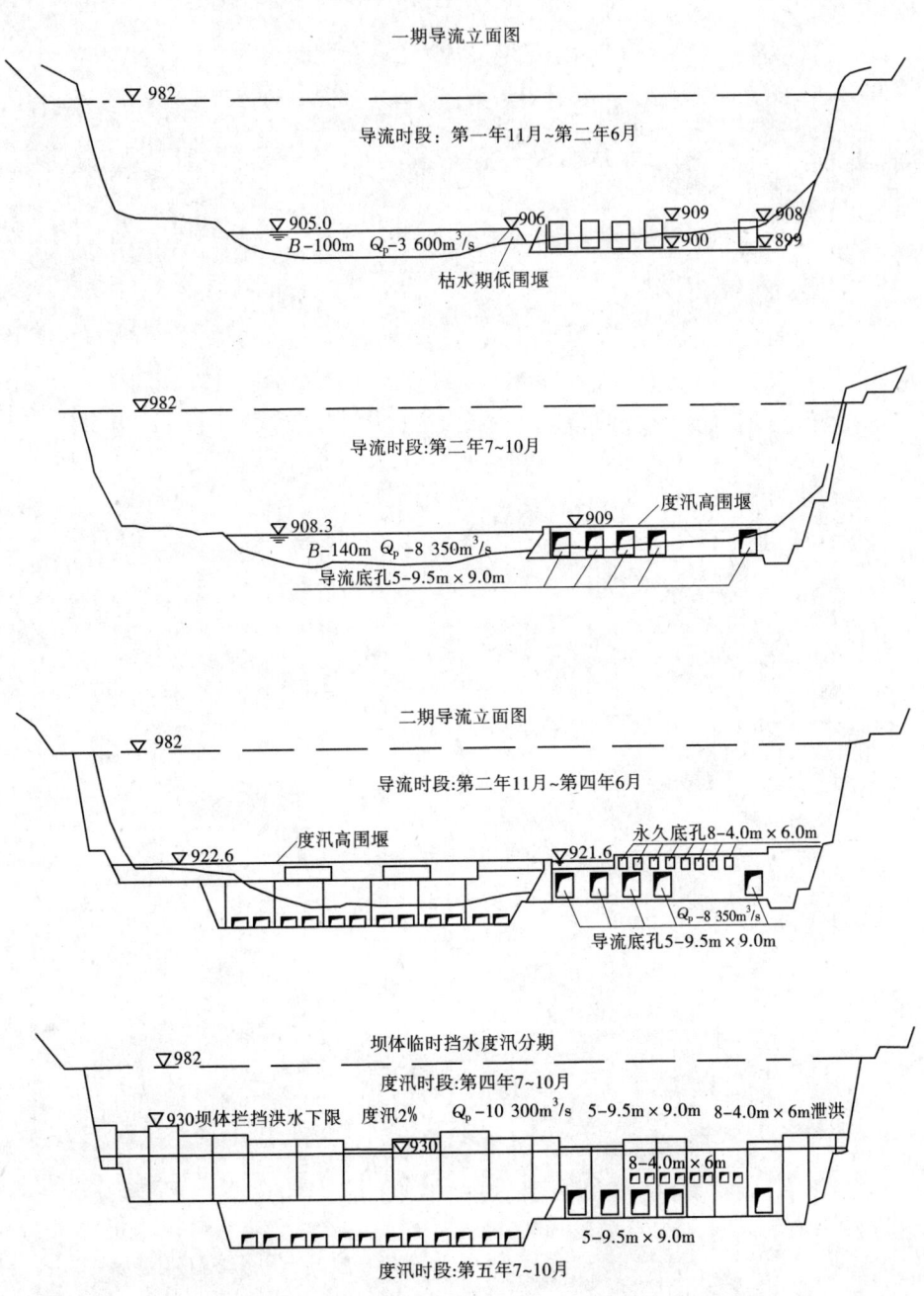

附图10 施工导流分期形象图

二、土心墙堆石坝工程

(一)坝高 50m 土心墙堆石坝工程

1 坝体模拟设计

1.1 模拟方法

采用统计、分析、综合的方法模拟堆石坝纵横断面及平面布置图。假定坝址位于地形相对平整、地质构造相对稳定、无大断层破碎带的区域。基岩的岩性较均一,风化层较浅,且透水性较小,坝基不作固结灌浆。

1.2 模拟参数

模拟参数见表 1-1。

表 1-1　模拟参数

坝高	坝顶宽	坝顶长	上游坡	下游平均坡	岸坡	履盖层厚	河床宽
50m	10.0m	448m	1:2	1:1.7	30°	5m	150m

1.3 模拟土正心墙堆石坝纵断面、横断面及平面布置图

模拟的土正心墙堆石坝纵、横断面及平面布置见附图 1、附图 2。

1.4 工程量计算

1.4.1 设计工程量计算

1.4.1.1 不同高程各填筑料填筑面积计算

模拟的坝高 50m 土正心墙堆石坝不同高程各填筑料填筑面积计算见表 1-2。

不同高程坝面面积曲线见图 1-1。

1.4.1.2 不同高程各填筑料累计设计工程量计算

按照模拟工程尺寸计算理论工程量,并考虑沉陷量得设计工程量。沉陷系数取值如下:

土　料　　　　2%

反滤料　　　　1%

堆石料　　　　0.6%

计算结果见表 1-3。

不同高程累计设计工程量曲线见图 1-2。

1.4.2 施工工程量计算

施工工程量是在设计工程量的基础上并考虑材料在装车、运输、坝面施工等过程中的损耗量,调整系数取值如下:

土　料　　　　4%

反滤料　　　　4%

堆石料　　　　2%

计算结果见表 1-4。

表 1-2　坝高 50m 土正心墙堆石坝不同高程各填料填筑面积计算

高程(m)	断面宽度(m)								坝面长(m)	断面面积(m²)							备注
	坝宽度	心墙料	反滤料(上下游)	过渡料(上下游)	上游堆石	下游堆石	上游护坡	下游护坡		心墙料	反滤料(上下游)	过渡料(上下游)	上游堆石	下游堆石	上游护坡	下游护坡	
50	10.00			2.88					448.00			2 576			1 004	900	
49	13.74	6.00	0.80	0.95					440.06	2 640	704	832			986	885	
45	28.70	7.60	1.40	1.75	5.80	4.76	2.24	2.01	408.28	3 103	1 143	1 425	2 368	1 943	915	821	
40	47.40	9.60	2.15	2.75	13.05	10.71	2.24	2.01	368.55	3 538	1 585	2 023	4 810	3 947	826	741	
37	58.62	10.80	2.60	3.35	17.40	14.28	2.24	2.01	344.72	3 723	1 793	2 306	5 998	4 923	772	693	
34	69.84	12.00	3.05	3.95	21.75	17.85	2.24	2.01	326.00	3 912	1 989	2 572	7 090	5 819	730	655	
30	84.80	13.60	3.65	4.75	27.55	22.61	2.24	2.01	312.12	4 245	2 278	2 962	8 599	7 057	699	627	
25	103.50	15.60	4.40	5.75	34.80	28.56	2.24	2.01	294.77	4 598	2 594	3 387	10 258	8 418	660	592	
20	122.20	17.60	5.15	6.75	42.05	34.51	2.24	2.01	277.42	4 883	2 857	3 742	11 665	9 574	621	558	
15	140.90	19.60	5.90	7.75	49.30	40.46	2.24	2.01	260.07	5 097	3 069	4 028	12 821	10 522	583	523	
10	159.60	21.60	6.65	8.75	56.55	46.41	2.24	2.01	242.72	5 243	3 228	4 245	13 726	11 264	544	488	
5	178.30	23.60	7.40	9.75	63.80	52.36	2.24	2.01	187.87	4 434	2 780	3 661	11 986	9 837	421	378	
3	185.78	24.40	7.70	10.15	66.70	54.74	2.24	2.01	165.93	4 049	2 555	3 367	11 067	9 083	372	334	
0	197.00	25.60	8.15	10.75	71.05	58.31	2.24	2.01	151.38	3 875	2 467	3 253	10 755	8 827	339	304	
-5	31.60	27.60	2.00						127.13	3 509	509						

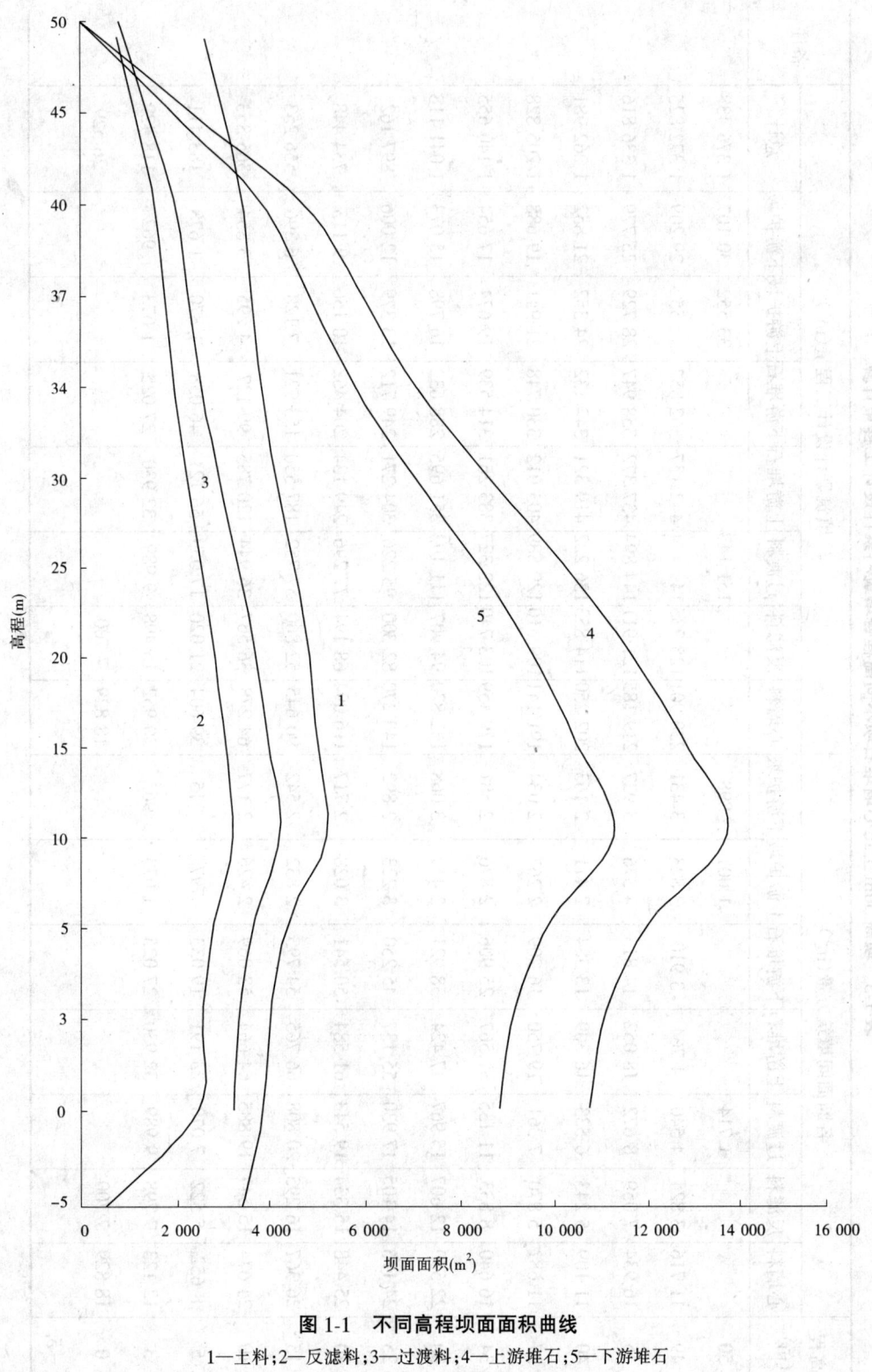

图 1-1　不同高程坝面面积曲线

1—土料；2—反滤料；3—过渡料；4—上游堆石；5—下游堆石

表 1-3　坝高 50m 土正心墙堆石坝不同高程各填筑料累计设计工程量计算

高程(m)	各断面间填筑方量(m³)							填筑累计设计工程量(m³)								备注
	心墙料	反滤料	过渡料	上游堆石	下游堆石	上游护坡	下游护坡	心墙料	反滤料	过渡料	上游堆石	下游堆石	上游护坡	下游护坡	总计	
50			1 714			1 001	898			151 148			33 552	30 107	1 376 438	
49	11 716	3 824	4 540	4 764	3 910	3 823	3 431	230 901	125 735	149 434	442 137	362 857	32 552	29 209	1 372 825	
45	16 934	7 059	8 672	18 052	14 815	4 376	3 927	219 185	121 911	144 894	437 372	358 947	28 729	25 779	1 336 816	
40	11 109	5 243	6 533	16 309	13 384	2 411	2 163	202 250	114 853	136 222	419 321	344 132	24 352	21 852	1 262 981	
37	11 681	5 870	7 361	19 750	16 209	2 267	2 034	191 141	109 610	129 689	403 012	330 748	21 941	19 688	1 205 828	
34	16 640	8 833	11 135	31 567	25 906	2 876	2 581	179 459	103 740	122 327	383 261	314 539	19 674	17 654	1 140 655	
30	22 550	12 607	15 967	47 424	38 921	3 419	3 068	162 820	94 907	111 193	351 695	288 632	16 798	15 073	1 041 118	
25	24 176	14 105	17 930	55 137	45 250	3 223	2 892	140 270	82 300	95 226	304 271	249 712	13 379	12 006	897 162	
20	25 448	15 334	19 543	61 584	50 541	3 028	2 717	116 094	68 194	77 296	249 134	204 462	10 156	9 113	734 448	
15	26 367	16 293	20 808	66 765	54 793	2 832	2 542	90 645	52 860	57 752	187 550	153 921	7 128	6 396	556 253	
10	24 674	15 547	19 885	64 664	53 069	2 426	2 177	64 278	36 567	36 944	120 785	99 127	4 295	3 854	365 853	
5	8 652	5 522	7 070	23 191	19 033	797	715	39 604	21 020	17 059	56 121	46 058	1 870	1 678	183 411	
3	12 123	7 798	9 989	32 930	27 025	1 073	962	30 952	15 498	9 989	32 930	27 025	1 073	962	118 429	
0	18 829	7 700						18 829	7 700	9 989					26 529	
-5																

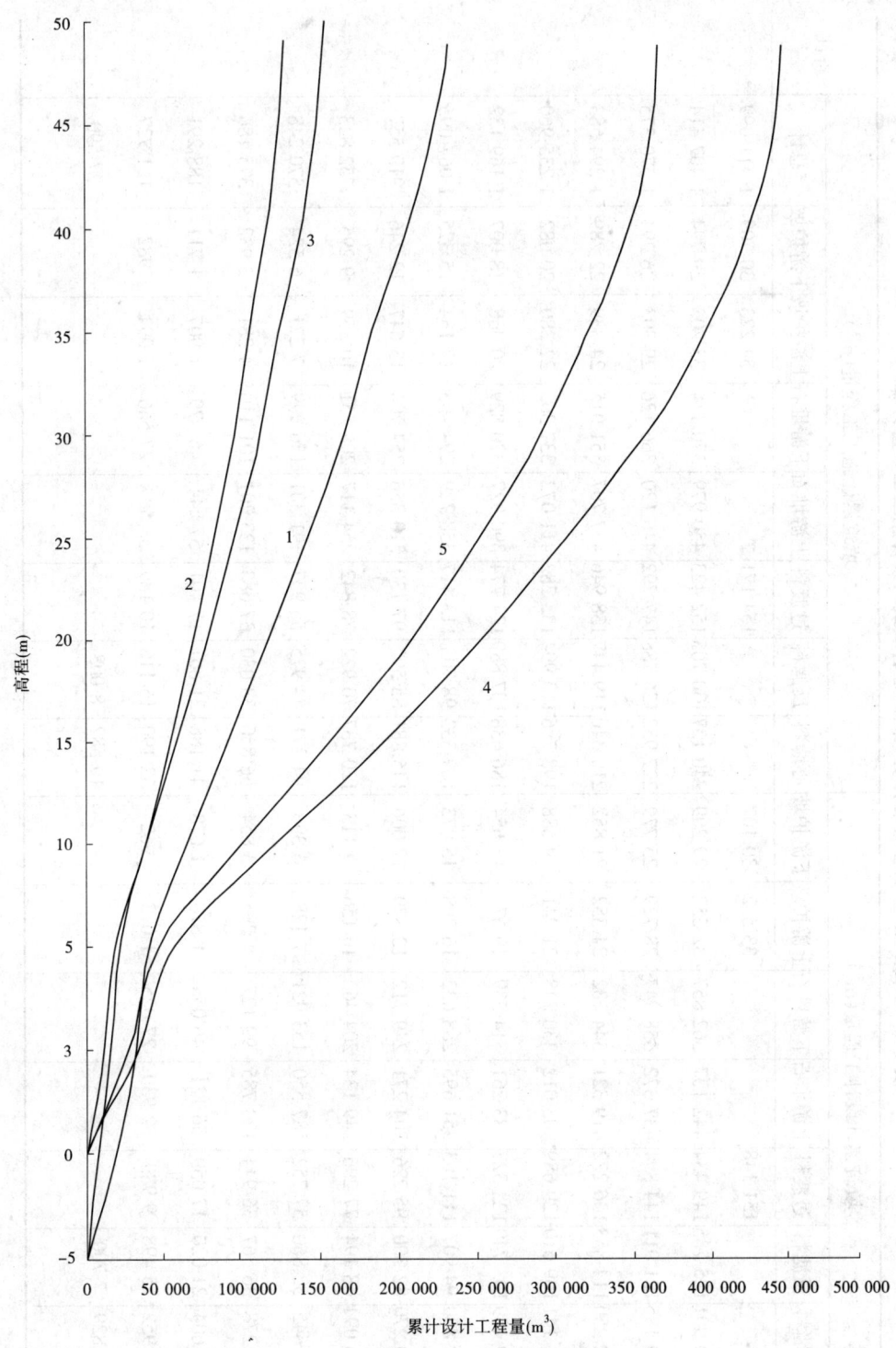

图 1-2 不同高程累计设计工程量曲线

1—土料;2—反滤料;3—过渡料;4—上游堆石;5—下游堆石

表 1-4 坝高 50m 土正心墙堆石坝不同高程各填筑料累计施工工程量计算

高程 (m)	填筑累计设计工程量 (m³)							填筑累计施工工程量 (m³)								备注
	心墙料	反滤料	过渡料	上游堆石	下游堆石	上游护坡	下游护坡	心墙料	反滤料	过渡料	上游堆石	下游堆石	上游护坡	下游护坡	总计	
50			151 148	442 137	362 857	33 552	30 107			154 171	450 979	370 114	34 223	30 709	1 411 099	
49	230 901	125 735	149 434	437 372	358 947	32 552	29 209	240 137	130 765	152 423	446 120	366 126	33 203	29 794	1 407 414	
45	219 185	121 911	144 894	419 321	344 132	28 729	25 779	227 952	126 788	147 792	427 707	351 015	29 303	26 294	1 370 375	
40	202 250	114 853	136 222	403 012	330 748	24 352	21 852	210 340	119 447	138 946	411 072	337 363	24 839	22 289	1 294 583	
37	191 141	109 610	129 689	383 261	314 539	21 941	19 688	198 786	113 994	132 282	390 927	320 829	22 380	20 082	1 235 960	
34	179 459	103 740	122 327	351 695	288 632	19 674	17 654	186 638	107 889	124 774	358 729	294 405	20 068	18 007	1 169 132	
30	162 820	94 907	111 193	304 271	249 712	16 798	15 073	169 333	98 703	113 417	310 356	254 706	17 134	15 375	1 067 095	
25	140 270	82 300	95 226	249 134	204 462	13 379	12 006	145 881	85 592	97 130	254 117	208 551	13 647	12 246	919 557	
20	116 094	68 194	77 296	187 550	153 921	10 156	9 113	120 737	70 922	78 842	191 301	156 999	10 359	9 295	752 823	
15	90 645	52 860	57 752	120 785	99 127	7 128	6 396	94 271	54 975	58 907	123 201	101 110	7 271	6 524	570 248	
10	64 278	36 567	36 944	56 121	46 058	4 295	3 854	66 850	38 030	37 683	57 244	46 979	4 381	3 932	375 186	
5	39 604	21 020	17 059	32 930	27 025	1 870	1 678	41 188	21 861	17 401	33 589	27 566	1 907	1 711	188 291	
3	30 952	15 498	9 989			1 073	962	32 190	16 118	10 189			1 094	982	121 727	
0	18 829	7 700						19 582	8 008						27 590	
−5																

2 模拟工程施工组织设计

2.1 施工布置和施工方法

因本专题的重点是土正心墙堆石坝的坝面填筑施工,而施工导流、坝基开挖和料场开采另有专题研究,故本工程的施工布置和施工方法仅重点对坝面施工进行论述。

2.1.1 料场布置与开采

筑坝材料,只考虑坝下游来料,平均运距 5.5km。详见"料场开采专题"。

2.1.2 上坝道路布置

假定土石料场均位于坝下游左岸。根据上坝运输强度和运输机械设备选型。沿左岸修筑一条至坝顶的运输主干线,路宽 10.0m。于左岸 EL.25.00m 处修筑一条同干线道路连接的上坝支线道路,路宽 10.0m。其布置形式见附图 2。

2.1.3 坝面施工布置

考虑到大坝填筑工程量较大,施工场地狭窄,为减少施工干扰,坝面上不设供水管线,土料和石料加水由 12m³ 洒水车完成,坝面采用分区流水作业施工。土料含水量按接近最优含水量考虑,只需在温度较高时少量加水,每立方米加水量为 20kg。因此,土料填筑拟定为 4 个工序,即铺土、平土洒水、碾压和质检。石料采用进占法铺筑,也分为铺料、平料洒水、碾压和质检 4 个工序。

根据所选机械经济作业要求,每一施工工序最小宽度为 35m,最小长度为 60m,各工序流水分段均平行坝轴线布置,采用进退法压实。坝面施工布置见附图 3。

2.1.4 施工方法

2.1.4.1 土料施工方法

土料填筑采用 3m³ 液压挖掘机从土料场挖装 20t 自卸汽车运输上坝,215HP 推土机坝面初步平料,再由 Cat120G 型平地机刮平,控制铺土厚度为 30cm。当气温较高时,由 12.0m³ 洒水车坝面洒水。土料碾压采用 10t 凸块振动碾,碾压 8 遍,压实厚度 20cm。土料与岩石岸坡结合处的 1.5~2.0m 范围内采用蛙式打夯机压实。

2.1.4.2 反滤料施工方法

反滤料采用土砂松坡接触平起法施工,填筑采用 3m³ 轮式装载机装 20t 自卸汽车运输上坝,215HP 推土机坝面平料,铺料厚度 0.5m。10t 振动平碾碾压,碾压 6 遍,压实厚度 0.4m。

2.1.4.3 过渡料施工方法

过渡料填筑采用 3m³ 轮式装载机于石料场装 20t 自卸汽车运输上坝,215HP 推土机坝面平料,铺料厚度 0.5m。10t 振动平碾碾压,碾压 6 遍,压实厚度 0.4m。

2.1.4.4 石料施工方法

石料填筑采用 3m³ 轮式装载机于石料场装 20t 自卸汽车运输上坝,215HP 推土机坝面平料,铺料厚度 1.0m。10t 振动平碾碾压,碾压 8 遍,压实厚度 0.8m。坝面超径石最大允许粒径为铺料层厚 1m 的 1/2~2/3。大于 0.8m 的石块应尽可能在料场处理,运到坝面的个别超径石采用液压锤破碎再作填料。

2.1.4.5 护坡堆石施工方法

上下游护坡块石设计厚 1.0m,护坡块石铺筑与上下游堆石填筑作业平行进行,同步上升。护坡料由 20t 自卸汽车运至上下游坡面边缘,由 1.0m³ 液压反铲挖掘机调整到位,辅以人工撬码整齐,并以块石垫塞嵌合牢固。

2.2 施工机械选型配套及生产率计算

按照拟定施工方法及施工机械选型配套,计算所选机械小时生产率。

2.2.1 挖装机械生产率计算

(1)正铲挖掘机:用于开挖停机坪以上的物料,其生产率高,目前土石坝施工多采用液压挖掘机。斗容有 0.5、1、1.5、2、2.5、3、4、5.5、8、10m³ 多种型号。

(2)反铲挖掘机:用于开挖停机坪以下的土方,可就地甩土或装车。其在岸坡及土料场开挖中应用较为广泛,斗容也有多种规格。

(3)装载机:适用于松散、易挖的材料等装车和短距离搬运,一般靠推土机集料。

2.2.1.1 液压挖掘机生产率计算

采用以下公式计算不同工况下各种斗容液压挖掘机的小时生产率:

$$m_g = 3\,600 E_k K_h K_t K_p / T$$

式中 m_g——挖掘机小时生产率,m³/h,自然方;

       E_k——铲斗几何斗容,m³;

       K_h——铲斗充盈系数,见表 2-1、表 2-2;

       T——挖装一次的工作循环时间,一般取 25~35s(斗容小取小值,斗容大则取大值);

       K_p——物料松散系数,见表 2-3;

       K_t——时间利用系数,取 0.75~0.85。

<table>
<tr><td colspan="2">表 2-1 液压反铲充盈系数</td><td colspan="2">表 2-2 液压正铲充盈系数</td></tr>
<tr><td>物料</td><td>充盈系数(%)</td><td>物料</td><td>充盈系数(%)</td></tr>
<tr><td>天然壤土或砂黏土</td><td>100~110</td><td>土</td><td>100~105</td></tr>
<tr><td>砂卵石</td><td>95~110</td><td>土石混合物</td><td>100~105</td></tr>
<tr><td>爆破良好岩石</td><td>60~75</td><td>爆破良好岩石</td><td>95~105</td></tr>
<tr><td>爆破较差岩石</td><td>45~50</td><td>爆破较差岩石</td><td>85~95</td></tr>
</table>

表 2-3 土石可松性系数

土壤的种类	可松性系数 K_p	土壤的种类	可松性系数 K_p
黏土	0.76~0.79	砂砾石	0.89~0.91
砾质土	0.85	爆破良好块石	0.67
壤土	0.78~0.81	页岩与软岩	0.75
砾石土	0.85~0.88	固结砾石	0.70
砂	0.88~0.89	砂卵石	0.70~0.85

公式中的参数取值:

$K_t = 0.8$;

$T = 25 \sim 35\text{s}$；

$K_h = 1.1(\text{土料}), 0.95(\text{砂砾料}), 0.78(\text{石渣})$；

$K_p = 0.75 \sim 0.9(\text{土料}), 0.89 \sim 0.91(\text{砂砾料}), 0.65 \sim 0.75(\text{石渣})$。

不同斗容在不同工况下的生产率见表2-4。

表2-4　挖掘机生产率 　　　　　　　　　　　　（单位：L.m³/h）

斗容(m³)	土料	砂砾料	石渣
1	126～90	109～78	90～64
3	370～271	320～230	460～260

注：L.m³表示松方，后同。

2.2.1.2　装载机生产率计算

采用以下公式计算不同工况下各种斗容装载机的生产率：

$$P = 3\,600 V K_h K_t / T$$

式中　P——装载机小时生产率，L.m³/h；

　　　V——铲斗容积，m³；

　　　K_h——铲斗充盈系数，一般土料取0.85～1，石料取0.6～0.8，见表2-5；

　　　K_t——时间利用系数，一般取0.75～0.85；

　　　T——挖装一次循环时间，按照设备的基本工作循环时间及受影响因素的影响时间确定，机械基本工作循环时间见表2-6。

表2-5　铲斗充盈系数

物　　料		充盈系数(%)
松散料	混合湿润骨料	95～100
	粒径≤3mm	95～100
	粒径3～9mm	90～95
	粒径12～20mm	85～90
	粒径≥24mm	85～90
爆破料	爆破良好	80～95
	爆破一般	75～90
	爆破较差	60～75
杂项	岩石杂物	100～120
	湿润壤土	100～110
	土、卵石及树根	80～100
	粉状材料	85～95

表2-6　设备的基本工作循环时间

设备型号	斗容(m³)	基本循环时间(min)
910F～960F	1～3.3	0.45～0.50
966F-Ⅱ～980F	3.7～5	0.50～0.55
988F～990	6～8.4	0.55～0.60
992D～994	10.7～18	0.60～0.70

循环时间影响因素见表2-7。

表 2-7　循环时间影响因素

影响因素		影响时间(min)
(1)设备	带材料处理耙	-0.05
(2)材料	混合料	0.02
	粒径≤3mm	0.02
	粒径3～20mm	-0.02
	粒径20～150mm	0.00
	粒径≥150mm	0.03
	天然土或爆破渣料	0.04
(3)堆料情况	推土机集料,料堆高度>3m	0.00
	推土机集料,料堆高度<3m	0.01
	汽车卸料	0.02
(4)其他	专用装载运输队	-0.04
	独立运输队	0.04
	固定操作司机	-0.04
	不固定操作司机	0.04
	小批量装运	0.04
	碎散料装运	0.05

公式中的参数取值：

$K_t = 0.8$;

$T = 30 \sim 42s$;

$K_h = 1$(土料)$,0.9 \sim 0.95$(反滤料)$,0.75$(石渣)。

不同斗容在不同工况下的生产率见表2-8。

表 2-8　轮式装载机生产效率　　　　　(单位:L.m³/h)

斗容(m³)	土料	反滤料	石渣
3	205～287	184～258	154～216

2.2.2　运输机械生产率计算

本模拟工程施工运输机械只考虑自卸汽车(型号参照 Caterpillar 机械性能手册)。重型汽车均有自己的性能特性曲线,对路面,厂家也有自己的明确要求。根据不同路面的摩阻和不同的路段坡度计算各路段的行车车速,然后计算其不同运距的重、轻车平均行车车速。本参考资料参照小浪底、水口等大型水利工程施工汽车行车情况计算选取车速,结果见表2-9。

表 2-9　自卸汽车平均行车车速　　　　　(单位:km/h)

车型	重车平均行车车速	轻车平均行车车速	平均行车车速	备注
20～50t	28	32	30	运距在1km以内,表中数值乘以0.8

2.2.2.1 汽车与挖装设备的配套

自卸汽车的容量(或载重吨位)应与挖装机械相匹配。自卸汽车容量一般应为挖装机械铲斗容量的3~6倍。按施工经验,自卸汽车容量为挖装机械铲斗容量的5倍时最为经济。如果挖装斗容不变,汽车容量太大,则汽车生产能力下降,反之则挖装机械生产率降低。

按照上述原则,汽车同挖装机械的配套见表2-10、表2-11。

表2-10　挖掘机与自卸汽车配套

挖掘机斗容(m³)	配套汽车吨位(t)	备注
3	20	

表2-11　轮式装载机与自卸汽车配套

装载机斗容(m³)	配套汽车吨位(t)	备注
3	20	

2.2.2.2 汽车生产率计算

汽车生产率计算公式为

$$Q = 60qK_{ch}K_t/T$$

式中　Q——自卸汽车小时生产率,L.m^3/h;

　　　q——每车运载量,一般以车厢堆装容量计,m^3,但实际载重不能超过汽车额定载重量;

　　　K_{ch}——汽车装满系数,与挖装机械装满一车厢的铲装次数有关;

　　　K_t——时间利用系数,取0.75~0.85;

　　　T——汽车运载一次循环时间,min,$T = t_1 + t_2 + t_3 + t_4 + t_5$;

　　　t_1——装车时间,min,$t_1 = nT_{装}$;

　　　$T_{装}$——挖装机械挖装一斗的工作循环时间(3m^3装载机取40s,3m^3液压挖掘机取30s);

　　　n——装满一车厢的铲装次数(取整数);

　　　t_2——重车运行时间,min,$t_2 = 60L/v_1$;

　　　L——运输距离,km;

　　　v_1——重车行车速度,km/h,见表2-9;

　　　t_3——卸车时间,一般为1.5~2.5min;

　　　t_4——空车返回时间,min,$t_4 = 60L/v_e$;

　　　v_e——轻车行车速度,km/h,见表2-9。

　　　t_5——调车、等车及其他因素停车时间,一般为1~2.5min。

为了简化计算,不同吨位汽车,不同运距时运输各类料的计算参数取值如下:

$K_t = 0.85$;

$t_3 = 1.5\text{min}$;

$t_5 = 2.5\text{min}$;

$L = 5, 5.5, 6\text{km}$;

$v_1 = 28\text{km/h}(20\sim50\text{t 汽车})$;

$v_e = 32\text{km/h}(20\sim50\text{t 汽车})$。

不同吨位汽车与不同类型挖装机械配套,在不同运距条件下,运输各类物料的生产率计算结果见表2-12。

表 2-12　汽车生产率计算

序号	汽车吨位 (t)	挖掘机斗容 (m³)	装载机斗容 (m³)	材料	运距 (km)	汽车生产率 (L.m³/h)	汽车生产率 (C.m³/h)
1		3		土料	5.0	23	15
2	20	3		土料	5.5	21	14
3					6.0	20	13
4			3	反滤料	5.0	24	22
5	20		3	反滤料	5.5	22	20
6					6.0	21	19
7			3	过渡料	5.0	19	16
8	20		3	过渡料	5.5	18	15
9					6.0	16	14
10			3	石料	5.0	19	16
11	20		3	石料	5.5	18	15
12					6.0	16	14

注:C.m³ 表示坝上方,后同。

2.2.3　坝面施工机械生产率计算

2.2.3.1　碾压机械生产率计算

采用公式法计算,碾压方式采用前进倒退法:

$$P = 1\,000 BhvK_t / n$$

式中　P——碾压设备小时生产率,m³/h(压实方或坝上方);

　　　B——有效压实宽度,m,等于碾宽减去搭接宽度(约0.20m),10t凸块振动碾及10t振动平碾的有效压实宽度 B 均为1.8m;

　　　v——压实作业速度,一般取3~3.5km/h;

　　　K_t——时间利用系数,施工条件较好时取0.75~0.83,施工条件较差时取0.6~0.75;

　　　h——填料压实厚度,应通过碾压试验确定,当无试验资料时可参照实际工程施工经验,石料取0.8m,土料取0.2m,反滤料取0.4m,过渡料取0.4m;

　　　n——压实遍数,应通过碾压试验确定,当无试验资料时,可参照实际工程资料分析确定,石料取8遍,土料取8遍,反滤料取6遍,过渡料取6遍。

由以上公式计算得不同碾压机械的生产率见表2-13。

表 2-13　振动碾生产率计算

振动碾类型	坝体材料	压实厚度 （m）	碾压遍数 （遍）	压实作业速度 （km/h）	小时生产率 （C.m³/h）
10t 振动平碾	石料	0.8	8	3.5	450
	过渡料	0.4	6	3.5	315
	反滤料	0.4	6	3.5	315
10t 凸块振动碾	土料	0.2	8	3.5	110

2.2.3.2 平料机械生产率计算

土石坝工程施工中，土料填筑多采用履带式推土机初平，然后由平地机刮平，这样能有效地控制铺土厚度；石料多采用大功率履带式推土机平料，施工操作简单，效率高。本工程筑坝平料机械只考虑推土机和平地机两种施工机械。

1）推土机生产率计算

推土机的配备以其小时生产能力为标准。生产率采用如下公式计算：

$$P = 3\,600QFEKG/C_m$$

式中　P——推土机小时生产率，L.m³/h；

　　　Q——铲刀容量，m³，$Q = 1/2h^2\cot\phi L$；

　　　ϕ——铲刀前土的自然倾角，黏土为 35°～40°，壤土为 30°～40°，砂为 25°～35°，砂砾石为 35°～40°；

　　　h——铲刀高度，m；

　　　L——铲刀宽度，m；

　　　F——物料可松性系数；

　　　E——时间利用系数，0.75～0.83；

　　　K——铲刀充盈系数，见表 2-14；

　　　G——坡度变化影响系数，见表 2-15；

　　　C_m——每推运一次循环时间，s，C_m＝固定时间（即换排挡时间，普通每次 10s）+变动时间（即推土及卸土时间＋回程时间）。

推土机行驶速度：前进取 3.5～14km/h；后退取 3～12km/h。一般推运取 3.5～5km/h 或 0.9～1.4m/s；一般回程取 5～10km/h 或 1.6～2.7m/s。

表 2-14　铲刀充盈系数

土壤种类	充盈系数	土壤种类	充盈系数
普通土	1.0	页岩	0.6
硬黏土	0.8	卵石及已爆石渣	0.5

表 2-15　坡度变化影响系数

坡度	上坡 5%～10%	水平 0	下坡 5%～10%	下坡 15%～20%
G	0.6～0.8	1.0	1.3～1.9	1.9～2.7

上述公式计算比较繁杂,且影响因素较多。为简化计算推土机推运物料的生产能力,可采用 Caterpillar 机械性能手册推荐的计算方法计算其小时生产率。计算公式为

$$P = P' \times 工作条件调整系数$$

式中　P'——推土机理论生产率,根据工况在 Caterpillar 机械性能手册中查得,$L \cdot m^3$;

工作条件调整系数 = 调整系数表中 7 项系数的乘积(调整系数见表 2-16)。

表 2-16　调整系数

序号	条 件	分 类	调整系数
1	操作工熟练程度	熟练	1.0
		一般	0.75
		不熟练	0.6
2	材料	散料	1.2
		难铲或冻结	0.7~0.8
		难推移或胶结	0.6
		爆破或经裂土器裂松岩石	0.6~0.8
3	集料方式	槽推法	1.2
		并排法推土	1.15~1.25
4	能见度	雨、雪、大雾及黑天	0.8
5	时间利用率		0.75~0.83
6	直接传动		0.8
7	坡度	上坡 0°~10°	1~0.8
		上坡 10°~20°	0.8~0.55
		上坡 20°~30°	0.55~0.3
		下坡 0°~-10°	1.0~1.2
		下坡 -10°~-20°	1.2~1.4
		下坡 -20°~-30°	1.4~1.6

本参考资料推土机的生产率采用 Caterpillar 法计算,推土机的型号选用 D7HXR (215HP)。

设备工作条件调整系数:$K_石 = 0.42$,$K_土 = 0.6$。

查设备生产率曲线得:215HP 推土机生产率为 570L. m^3/h。

215HP 推土机实际生产率:

土料　　　　　　　$570 \times 0.6 = 342 (L. m^3/h)$

反滤料　　　　　　$570 \times 0.6 = 342 (L. m^3/h)$

过渡料　　　　　　$570 \times 0.42 = 239 (L. m^3/h)$

石料　　　　　　　$570 \times 0.42 = 239 (L. m^3/h)$

2)平地机平土生产率计算

平地机平土生产率采用如下公式计算:

$$P = [3\,600L(B\sin\alpha - b)K_t]H/[n(L/v + t)]$$

式中　P——平地机生产率,$L. m^3/h$;

L——平料长度,m,按照经验取 60m;

B——刮刀宽度,选用 Cat120G(120HP)平地机,$B = 3.66\text{m}$;

n——平整次数,取 $n = 1.2$ 次;

v——平整作业速度,m/s,一般取 $3 \sim 3.5\text{km/h}$ 或 $0.8 \sim 0.97\text{m/s}$;

K_t——时间利用系数,取 $0.75 \sim 0.85$;

b——相邻平整带之间的搭接宽度,一般取 $b = 0.3\text{m}$;

H——铺土厚度,$H = 0.35\text{m}$;

α——刮刀轴线与平地机纵轴线之间的夹角,一般为 $72°$;

t——平地机调头时间,一般取 $t = 180\text{s}$。

则平地机平整土料生产率为

$$P = [3\,600 \times 60 \times 0.75 \times 0.35 \times (3.66\sin72° - 0.3)]$$
$$\div [1.2 \times (60 \div 0.8 + 180)] = 580(\text{L. m}^3/\text{h})$$

折合坝上方:$580 \times 0.88/1.33 = 383(\text{C. m}^3/\text{h})$,取 $380\text{C. m}^3/\text{h}$。

平料机械生产率汇总见表 2-17。

表 2-17　平料机械生产率汇总

机械类型	坝体材料	铺料厚度(m)	平料遍数(遍)	压实作业速度(km/h)	小时生产率(L. m³/h)	小时生产率(C. m³/h)
215HP 推土机	石料	1	1.2	3.5	239	203
215HP 推土机	过渡料	0.5	1.2	3.5	239	203
215HP 推土机	反滤料	0.5	1.2	3.5	342	310
215HP 推土机	土料	0.5	1.2	3.5	342	230
120HP 平地机	土料	0.5	1.2	3.0	580	380

2.2.3.3　洒水车生产率计算

坝面洒水采用 12m^3 洒水车,假定取水距离为 2km。其小时生产率计算公式为

$$P = 60V/T$$

式中　P——洒水车生产率,m³/h;

V——洒水车容积,取 12m^3;

T——洒水循环时间,$T = t_1 + t_2 + t_3$;

t_1——注水时间,6min;

t_2——洒水时间,12min;

t_3——行车时间,等于重车行车时间+轻车行车时间。

重车行车速度取为 25km/h,轻车行车速度取为 30km/h,则

$$t_3 = (2/25 + 2/30) \times 60 = 8.8(\text{min})$$

洒水循环时间:

$$T = 6 + 12 + 8.8 = 26.8(\text{min})$$

12m^3 洒水车小时生产率:

$$P = 60 \times 12/26.8 = 26.9(\text{m}^3/\text{h})$$

2.2.4　选用机械生产率

选用机械生产率见表 2-18。

表 2-18　选用机械生产率汇总

序号	设备名称	土料 (C.m³/h)	反滤料 (C.m³/h)	过渡料 (C.m³/h)	石料 (C.m³/h)	水 (m³/h)	备注
1	3m³ 液压挖掘机	198					
2	1m³ 液压反铲				49		松方
3	3m³ 轮式装载机		182	153	153		
4	20t 自卸汽车						见表 2-12
5	215HP 推土机	230	310	203	203		
6	120HP 平地机	380					
7	10t 凸块振动碾	110					
8	10t 振动平碾		315	315	450		
9	12m³ 洒水车					26.9	2km

2.2.5　机械选型配套

按照选用机械设备的小时生产率,配备各种施工机械设备,见表 2-19。

表 2-19　机械选型配套

坝料	装运	平料	洒水	碾压	备注
土料	3m³ 液压挖掘机配 20t 自卸汽车	215HP 推土机初平,Cat120G 平地机刮平	12m³ 洒水车	10t 凸块振动碾	
反滤料	3m³ 装载机配 20t 自卸汽车	215HP 推土机平料	12m³ 洒水车	10t 振动平碾	
过渡料	3m³ 装载机配 20t 自卸汽车	215HP 推土机平料	12m³ 洒水车	10t 振动平碾	
堆石	3m³ 装载机配 20t 自卸汽车	215HP 推土机平料	12m³ 洒水车	10t 振动平碾	

2.3　施工工期及施工强度计算

2.3.1　分析、确定有效施工天数

2.3.1.1　施工天数分析依据

(1)《水利水电工程施工组织设计规范》(试行)SDJ338—89。

(2)星期日停工 1 天。

(3)法定节日停工:春节 3 天,元旦 1 天,五一节 1 天,国庆节 2 天,共 7 天。

(4)以中原地区某工程气象资料作为模拟工程的气象资料。

2.3.1.2　停工标准

(1)土料填筑施工停工标准:日降雨<1.0mm,照常施工;日降雨 1~10mm,雨日停工;日降雨 10~20mm,雨日停工,雨后停工 1 天;日降雨 20~50mm,雨日停工,雨后停工两天;日最低气温低于 -10℃时停工;发生 8 级大风时停工。

(2)石料填筑施工停工标准:日降雨≤15mm,照常施工;日降雨>15mm,雨日停工;日降雨>30mm,雨日停工,雨后停工半天;当低气温填筑石料时,采用薄层不加水;发生 8 级大风时停工。

2.3.1.3 有效施工天数

根据气象资料和停工标准,分析确定土料填筑施工天数如表 2-20 所示,石料填筑施工天数如表 2-21 所示。

表 2-20 土料填筑施工天数

项目	月 份												全年
	1	2	3	4	5	6	7	8	9	10	11	12	
日历天数	31	28	31	30	31	30	31	31	30	31	30	31	365
节日停工	1	3		1						2			7
星期日停工	5	4	4	4	5	4	4	5	4	5	4	4	52
降雨停工	2	3	4	7	6	8	15	10	9	7	4	1	76
低气温停工	2	1									1	1	4
大风停工		2	2	2		2	1			1	2	2	15
停工重合天数	1	1	1	1	1	1	3	2	1	2	1		15
施工天数	22	16	22	18	19	17	14	18	18	18	21	23	226

表 2-21 石料填筑施工天数

项目	月 份												全年
	1	2	3	4	5	6	7	8	9	10	11	12	
日历天数	31	28	31	30	31	30	31	31	30	31	30	31	365
节日停工	1	3		1						2			7
星期日停工	5	4	4	4	5	4	4	5	4	5	4	4	52
降雨停工			1	2	1	2	6	4	3	2	1		22
低气温停工													
大风停工		2	2	2	1	2	1			1	2	2	15
停工重合天数							1			1			2
施工天数	25	19	24	22	23	22	21	22	23	22	23	25	271

2.3.2 上坝填筑强度分析及施工机械配备

为了便于分析上坝填筑强度,根据模拟坝体断面形式,将坝体沿高程每 10m 分为一个填筑层。

由于心墙料填筑场面狭窄,工序较多,压实困难,上升速度较慢,从而影响坝体的填筑强度,即黏土心墙的填筑控制着上坝填筑强度。根据心墙不同填筑层的平均面积,布置凸块振动碾的数量,依据凸块振动碾的生产效率和施工导截流要求的各时段心墙填筑工程量,并考虑到反滤料、过渡料、上下游堆石填筑对土料填筑的影响,以及上坝道路运输条件的限制,分析确定心墙土料的填筑强度及配套机械数量,按照均衡上升的原则,由心墙的填筑强度相应推算其他各类填筑料的填筑强度和配套机械数量,再由不同高程各类填筑料的填筑强度最终分析确定上坝的总填筑强度。不同填筑料各填筑层的填筑强度分析结果及工期见表 2-22~表 2-26。大坝填筑各项施工技术指标见表 2-27。

表 2-22   土料填筑分高程施工强度及工期

填筑部位	施工工程量 （万 m³）	平均填筑 面积 （m²）	填筑工期 （月）	有效填筑 工期 （日）	日上升 速度 （m/日）	日填筑 强度 （万 m³/日）
EL. −5.00～0.00m	1.95	3 705	2.1	39	0.13	0.05
EL. 0.00～10.00m	4.73	4 652	3.2	59	0.17	0.08
EL. 10.00～20.00m	5.39	5 098	2.4	45	0.22	0.12
EL. 20.00～30.00m	4.86	4 598	2.2	41	0.24	0.12
EL. 30.00～40.00m	4.10	3 950	2.8	51	0.20	0.08
EL. 40.00～49.00m	2.98	3 154	2.0	37	0.24	0.08
合　计	24.01		14.7	272		

表 2-23   反滤料填筑分高程施工强度及工期

填筑部位	施工 工程量 （万 m³）	填筑工期 （月）	有效填筑 工期 （日）	日上升速度 （m/日）	日填筑 强度 （万 m³/日）
EL. −5.00～0.00m	0.80	2.1	39	0.13	0.02
EL. 0.00～10.00m	3.00	3.2	59	0.17	0.05
EL. 10.00～20.00m	3.29	2.4	44	0.23	0.07
EL. 20.00～30.00m	2.78	2.2	41	0.24	0.07
EL. 30.00～40.00m	2.07	2.8	52	0.19	0.04
EL. 40.00～49.00m	1.13	2.0	37	0.24	0.03
合　计	13.07	14.7	272		

表 2-24   过渡料填筑分高程施工强度及工期

填筑部位	施工 工程量 （万 m³）	填筑工期 （月）	有效填筑 工期 （日）	日上升速度 （m/日）	日填筑 强度 （万 m³/日）
EL. 0.00～10.00m	3.76	3.2	72	0.14	0.05
EL. 10.00～20.00m	4.11	2.4	54	0.19	0.08
EL. 20.00～30.00m	3.46	2.2	50	0.20	0.07
EL. 30.00～40.00m	2.55	2.8	63	0.16	0.04
EL. 40.00～49.00m	1.52	2.0	45	0.20	0.03
合　计	15.40	12.6	284		

表 2-25 堆石料填筑分高程施工强度及工期

填筑部位	施工工程量 （万 m³）	填筑工期 （月）	有效填筑工期 （日）	日上升速度 （m/日）	日填筑强度 （万 m³/日）
EL.0.00~10.00m	22.43	3.2	72	0.14	0.31
EL.10.00~20.00m	23.84	2.4	54	0.19	0.44
EL.20.00~30.00m	19.05	2.2	50	0.20	0.38
EL.30.00~40.00m	12.56	2.8	63	0.16	0.20
EL.40.00~49.00m	4.24	2.0	45	0.20	0.09
合　计	82.12	12.6	284		

表 2-26 护坡堆石填筑分高程施工强度及工期

填筑部位	施工工程量 （万 m³）	填筑工期 （月）	有效填筑工期 （日）	日上升速度 （m/日）	日填筑强度 （万 m³/日）
EL.0.00~10.00m	0.83	3.2	72	0.14	0.01
EL.10.00~20.00m	1.14	2.4	54	0.19	0.02
EL.20.00~30.00m	1.29	2.2	50	0.20	0.03
EL.30.00~40.00m	1.45	2.8	63	0.16	0.02
EL.40.00~49.00m	1.59	2.0	41	0.22	0.04
EL.49.00~50.00m	0.19	0.2	5	0.20	0.04
合　计	6.49	12.8	285		

表 2-27 大坝填筑施工技术指标

填筑部位	施工工程量(万 m³)						填筑 工期 （月）	平均 月强度 （万 m³/月）	高峰 月均强度 （万 m³/月）	高峰 日强度 （万 m³/日）	坝体平 均上升 速度 （m/月）
	土料	堆石料	反滤 料	过渡 料	护坡 堆石	总计					
EL.−5.00 ~0.00m	1.95	0	0.80	0	0	2.75	2.1				2.38
EL.0.00 ~10.00m	4.73	22.43	3.00	3.76	0.83	34.75	3.2				3.13
EL.10.00 ~20.00m	5.39	23.84	3.29	4.11	1.14	37.77	2.4				4.17
EL.20.00 ~30.00m	4.86	19.05	2.78	3.46	1.29	31.44	2.2				4.55
EL.30.00 ~40.00m	4.10	12.56	2.07	2.55	1.45	22.73	2.8				3.57
EL.40.00 ~49.00m	2.98	4.24	1.13	1.52	1.59	11.46	2.0				4.50
EL.49.00 ~50.00m					0.19	0.19	0.2				5.00
合　计	24.01	82.12	13.07	15.40	6.49	141.09	14.9	9.47	16.75	0.67	3.36

2.3.3 坝体填筑进度计划

土石坝的施工受水文、气象条件的直接影响，汛期往往受到洪水的威胁，因此土石坝的施工进度和施工导流方式以及施工期历年度汛方案有着密切的关系。不同的导流方案有不同的施工程序。本模拟工程采用一次拦断河流、围堰挡水、隧洞导流方案。枢纽工程施工安排应先完成导流隧洞工程施工，且在完成导流隧洞工程施工的同时，进行两岸岸坡的开挖。在导流洞具备过水条件后的枯水期进行河床截流，随即修建上下游围堰，同时进行基坑抽水、坝基开挖和基础处理，然后进行坝体土石方的填筑。根据截流后各年汛期的度汛要求，确定坝体各期填筑上升高程。由施工导流设计专题提供的导流设计资料知，该工程计划于10月中旬开始截流；截流后第一年汛期由导流隧洞泄洪，上下游围堰挡水，上游围堰堰顶高程为15.00m；截流后第二年汛期由坝体和下游围堰挡水，导流隧洞泄洪。主要施工机械设备汇总见表2-28。

表2-28　主要施工机械设备汇总

序号	设备名称	型号	规格	单位	数量	备　注
1	推土机	D7HXR	215HP	台	5	
2	平地机		120HP	台	1	
3	液压挖掘机		3m³	台	1	
4	轮式装载机		3m³	台	3	
5	液压反铲	WY100型	1m³	台	1	铺反滤料层料
6	液压反铲	WY100型	1m³	台	1	上下游护坡块石砌筑
7	自卸汽车		20t	辆	28	
8	振动碾	YZ10GD	10t	台	2	
9	凸块振动碾	YZK10GD	10t	台	1	
10	液压破碎器		110HP	台	1	
11	蛙式打夯机		2.2kW	台	4	
12	洒水车		12m³	辆	6	

由于本专题仅涉及坝体填筑工程，而施工导流、坝基开挖、基础处理和料场开采等项工程由另外的专题完成，故本施工进度有关截流闭气、基坑抽水、上下游围堰填筑、坝基开挖和基础处理等项工程的施工工期只是根据工程的规模估列，仅着重对坝体填筑的施工进度进行分析。依据不同高程各类填筑料的填筑强度和填筑工程量，计算确定填筑工期，同时考虑各类填筑料的均衡上升和拦洪度汛要求，分析安排各类填筑料的填筑进度计划，分析结果见表2-29。

在安排施工进度计划时考虑每天工作两班，每班工作10h。

表 2-29 坝高 50m 土正心墙堆石坝填筑施工进度计划

序号	项 目	工程量(万m³)	工期(月)	施工进度（横道线上为填筑强度，万m³/月；横道线下为填筑工期，月）
1	准备工程		8.0	第一年 5~12月 8.0
2	岸坡土石方开挖		4.0	第一年 9月起 4.0
3	截流闭气及上下游围堰填筑		3.0	第一年 11月 P，3.0
4	基坑抽水		0.3	第一年 11月 0.3
5	河床砂卵石开挖		2.0	第一年 11月起 2.0
6	心墙齿槽开挖		1.2	第二年 2月 1.2
7	心墙土料填筑	24.01	14.3	1.10/1.0 1.52/1.0 1.36/1.0 1.12/1.0 1.44/0.5 2.16/2.5 2.52/1.0 2.76/1.0 1.76/1.0 1.28/1.0 1.50/1.4 合计 6.00
8	反滤料填筑	13.07	14.4	0.40/2.0 0.86/3.5 1.32/2.5 1.46/1.9 0.80/2.6 0.60/1.9
9	过渡料填筑	15.40	12.4	1.08/3.5 1.64/2.5 1.82/1.9 0.98/2.6 0.80/1.9
10	堆石料填筑	82.12	12.4	6.41/3.5 9.54/2.5 10.03/1.9 4.83/2.6 2.23/1.9 49.00
11	护坡料填筑	6.49	12.6	0.24/3.5 0.46/2.5 0.68/1.9 0.56/2.6 0.85/2.1 50.00
12	合 计			

注：1. 横道线上为填筑强度，单位为万 m³/月。
2. 横道线下为填筑工期，单位为月。
3. "P"表示截流闭气。

· 115 ·

3 坝体填筑资源计算

3.1 设备台时耗量计算

按照坝体每种填筑料不同高程施工强度分析表综合分析出各种填料施工小时强度、主要机械设备配备数量、运输距离不同的填筑区域及区域工程量,计算该区域内小时施工强度,再按照各施工机械设备的小时生产率配备各种施工机械设备,据此计算其利用系数,计算每种设备的台时耗量。

$$设备小时利用系数 = \frac{该工作小时生产率}{该设备小时生产率}$$

$$设备台时 = \frac{该工作施工工程量}{该工作小时生产率} \times 设备数量 \times 该设备利用系数$$

为简化计算,将坝体每种填筑料按高程分成几段,并计算其平均施工强度,详见表3-1~表3-5。

表3-1　心墙土料不同区域填筑小时生产率

填筑部位	施工工程量 (m^3)	有效填筑工期 (天)	平均生产率 (m^3/h)	小时生产率 (m^3/h)	运距 (km)	备注
EL. −5~10m	66 850	98.1	34.1	43	5.0	
EL.10~30m	102 483	85.4	60.0	75	5.0	
EL.30~49m	70 804	88.6	40.0	50	5.5	

表3-2　反滤料不同区域填筑小时生产率

填筑部位	施工工程量 (m^3)	有效填筑工期 (天)	平均生产率 (m^3/h)	小时生产率 (m^3/h)	运距 (km)	备注
EL. −5~10m	38 030	98.1	19.4	26	5.0	
EL.10~30m	60 673	85.4	35.5	50	5.0	
EL.30~49m	32 062	88.5	18.1	31	5.5	

表3-3　过渡料不同区域填筑小时生产率

填筑部位	施工工程量 (m^3)	有效填筑工期 (天)	平均生产率 (m^3/h)	小时生产率 (m^3/h)	运距 (km)	备注
EL.0~10m	37 683	71.3	26.4	33	5.0	
EL.10~30m	75 734	102.9	36.8	46	5.0	
EL.30~49m	40 754	106.5	19.2	24	5.5	

表3-4　堆石料不同区域填筑小时生产率

填筑部位	施工工程量 (m^3)	有效填筑工期 (天)	平均生产率 (m^3/h)	小时生产率 (m^3/h)	运距 (km)	备注
EL.0~10m	224 311	71.3	157.6	197	5.0	
EL.10~30m	428 823	102.9	208.8	261	5.0	
EL.30~40m	125 588	61.7	101.6	127	5.5	
EL.40~49m	42 371	44.8	47.2	59	5.5	

表 3-5　堆石护坡不同区域填筑小时生产率

填筑部位	施工工程量 （m³）	有效填筑工期 （天）	平均生产率 （m³/h）	小时生产率 （m³/h）	运距 （km）	备注
EL.0~30m	32 509	174.2	9.6	12	5.0	
EL.30~50m	32 423	106.6	15.2	19	5.5	

表 3-1~表 3-5 中：

平均生产率 = 施工工程量 ÷ 有效填筑工期(天) ÷ 20(h/天)

小时生产率 = 平均生产率 ÷ 长期工作影响系数

3.2 人时用量计算

3.2.1 劳动力配备原则

按土石方不同的施工工作面定岗定员配备工长及各不同工种的劳动力,同一工种劳动力分 4 个等级:一级工(不熟练工)、二级工(半熟练工)、三级工(熟练工)、四级工(高级熟练工)。根据土正心墙堆石坝坝体填料类别和施工特点配备各种专业组及人员,据此拟划分如下工作组。

3.2.1.1 坝体填料装运工作组

坝体填料装运工作组负责完成坝体填料从料场至坝面的装车、运输、卸料等工作。

主要施工人员安排原则:

工长:1 人;

挖掘机司机:每台配三级工 1 人;

装载机司机:每台配三级工 1 人;

自卸汽车司机:每台配三级工 1 人;

推土机司机:每台配三级工 1 人;

小型工具车司机:每台配二级工 1 人;

料场普工:一级工 2 人。

工作组人员安排见表 3-6。

表 3-6　坝体填料装运工作组　　　　　　　　　　(单位:人)

序号	工　种	数　量				
		工长	一级工	二级工	三级工	四级工
1	工长	1				
2	装载机司机				1	
3	挖掘机司机				1	
4	自卸汽车司机				1	
5	推土机司机				1	
6	小型工具车司机			1		
7	普工		2			

注:土料场增加电工 2 人(其中二级工 1 人,三级工 1 人),一级工 2 人。

3.2.1.2 土料坝面施工工作组

土料坝面施工工作组负责完成坝体心墙土料的坝面铺料、平料洒水、碾压等工作。

主要施工人员安排原则：

工长：1人（负责坝体两种填料的坝面工作）；

推土机司机：每台配三级工1人；

平地机司机：每台配三级工1人；

蛙式夯操作工：每台配二级工2人；

振动碾司机：每台配三级工1人；

洒水车司机：每台配三级工1人；

坝面辅助工：一级工6人（负责坝体两种填料的坝面辅助施工工作）；

电工：2人，其中二级工1人，三级工1人（负责坝体四种填料的坝面辅助施工工作）；

小型工具车司机：每台配二级工1人。

工作组人员安排见表3-7。

表3-7　土料坝面施工工作组　　　　　　　　　　　　　（单位：人）

序号	工　种	数　量				
		工长	一级工	二级工	三级工	四级工
1	工长	1				
2	推土机司机				1	
3	平地机司机				1	
4	振动碾司机				1	
5	洒水车司机				1	
6	小型工具车司机			1		
7	电工			1	1	
8	蛙式夯操作工			2		
9	普工		6			

3.2.1.3 反滤料坝面施工工作组

反滤料坝面施工工作组负责完成坝体反滤料坝面铺料、平料洒水、碾压等工作。

主要施工人员安排原则：

工长：1人（负责坝体两种填料的坝面工作）；

推土机司机：每台配三级工1人；

振动碾司机：每台配三级工1人；

洒水车司机：每台配三级工1人；

坝面辅助工：一级工6人（负责坝体两种填料的坝面辅助施工工作）；

电工：2人，其中二级工1人，三级工1人（负责坝体四种填料的坝面辅助施工工作）；

小型工具车司机：每台配二级工1人。

工作组人员安排详见表3-8。

表 3-8　反滤料坝面施工工作组　　　　　　　　　　（单位:人）

序号	工　种	数　量				
		工长	一级工	二级工	三级工	四级工
1	工长	1				
2	推土机司机				1	
3	振动碾司机				1	
4	洒水车司机				1	
5	小型工具车司机			1		
6	电工			1	1	
7	普工		6			

3.2.1.4　过渡料坝面施工工作组

过渡料坝面施工工作组负责完成坝体过渡料的铺料、平料洒水、碾压工作。

主要施工人员安排原则:

工长:1人(负责坝体两种填料的坝面工作);

推土机司机:每台配三级工1人;

振动碾司机:每台配三级工1人;

反铲操作工:每台配三级工1人;

洒水车司机:每台配三级工1人;

坝面辅助工:一级工6人(负责坝体两种填料的坝面辅助施工工作);

电工:2人,其中二级工1人,三级工1人(负责坝体四种填料的坝面辅助施工工作);

小型工具车司机:每台配二级工1人。

工作组人员安排详见表3-9。

表 3-9　过渡料坝面施工工作组　　　　　　　　　　（单位:人）

序号	工　种	数　量				
		工长	一级工	二级工	三级工	四级工
1	工长	1				
2	推土机司机				1	
3	振动碾司机				1	
4	洒水车司机				1	
5	反铲操作工				1	
6	小型工具车司机			1		
7	电工			1	1	
8	普工		6			

3.2.1.5　坝面石料施工工作组

坝面石料施工工作组负责完成坝体石料的铺料、平料、洒水、碾压,以及超径石的二次破碎处理等工作。

主要施工人员安排原则:

工长:1人(负责坝体两种填料的坝面工作);

推土机司机:每台配三级工1人;

振动碾司机:每台配三级工1人;

反铲操作工:每台配三级工1人;

破碎器操作工:每台配二级工1人;

洒水车司机:每台配三级工1人;

坝面辅助工:一级工6人(负责坝体两种填料的坝面辅助施工工作);

电工:2人,其中二级工1人,三级工1人(负责坝体四种填料的坝面辅助施工工作);

小型工具车司机:每台配二级工1人。

工作组人员安排详见表3-10。

表3-10 石料施工工作组 （单位:人）

序号	工 种	数 量				
		工长	一级工	二级工	三级工	四级工
1	工长	1				
2	推土机司机				1	
3	振动碾司机				1	
4	洒水车司机				1	
5	反铲操作工				1	
6	破碎器操作工			1		
7	小型工具车司机			1		
8	电工			1	1	
9	普工		6			

3.2.1.6 块石护坡施工工作组

块石护坡施工工作组负责完成大坝上下游块石护坡的填筑及修坡等工作。

主要施工人员安排原则:

工长:1人(负责坝体两种填料的坝面工作);

推土机司机:每台配三级工1人;

反铲操作工:每台配三级工1人;

坝面辅助工:一级工15人(负责坝体两种填料的坝面辅助施工工作);

电工:2人,其中二级工1人,三级工1人(负责坝体四种填料的坝面辅助施工工作);

小型工具车司机:每台配二级工1人。

工作组人员安排见表3-11。

表3-11 护坡施工工作组 （单位:人）

序号	工 种	数 量				
		工长	一级工	二级工	三级工	四级工
1	工长	1				
2	推土机司机				1	
3	反铲操作工				1	
4	小型工具车司机			1		
5	电工			1	1	
6	普工		15			

3.2.2 人时用量计算

按照每个工作面的施工强度及配备的各种施工机械设备的数量及 3.2.1 劳动力安排原则配备工长及各工种不同级别的劳动力,再按照每个工作面的具体工作时间计算人时。

$$人时 = 施工工程量/平均生产率 × 人数 × 利用系数$$

3.3 材料用量计算

采用统计、分析、比较等方法计算。本工程计算材料主要为坝面洒水。根据《施工组织设计手册》土石坝碾压洒水的要求和小浪底、天生桥工程的土石方碾压洒水情况,选定单位洒水量如下:土料 20kg/m³;反滤料 200kg/m³;过渡料 250kg/m³;堆石料 250kg/m³。

$$材料用量 = 施工工程量 × 材料单位用量$$

3.4 施工机械台时、人时和材料用量

施工机械台时、人时和材料用量见表 3-12～表 3-21。

表 3-12 心墙土料装运施工机械台时、人时、材料用量

序号	项目	单位	数量	人时	台时	材料	利用系数	备注
	EL.－5～10m							
1	设计工程量	m³	64 278					
2	施工工程量	m³	66 850					
3	小时生产率	m³/h	43					
4	长期工作影响系数		0.8					
5	平均生产率	m³/h	34.4					
	劳力资源							
6	工长	人	1	1 943			1	
7	三级推土机司机	人	1	1 943			1	
8	三级挖掘机操作工	人	1	1 943			1	
9	三级自卸汽车司机	人	3	5 830			1	
10	二级小型工具车司机	人	1	1 943			1	
11	二级电工	人	1	1 943			1	
12	三级电工	人	1	1 943			1	
13	一级普工	人	2	3 887			1	
	设备资源							
14	小型工具车	台	1		389		0.25	
15	3m³ 液压挖掘机	台	1		342		0.22	
16	20t 自卸汽车	台	3		4 477		0.96	运距 5km
17	215HP 推土机	台	1		171		0.11	
	材料							
18	其他							
	EL.10～30m							
1	设计工程量	m³	98 542					
2	施工工程量	m³	102 483					
3	小时生产率	m³/h	75					

序号	项目	单位	数量	人时	台时	材料	利用系数	备注
4	长期工作影响系数		0.8					
5	平均生产率	m³/h	60					
	劳力资源							
6	工长	人	1	1 708			1	
7	三级推土机司机	人	1	1 708			1	
8	三级挖掘机操作工	人	1	1 708			1	
9	三级自卸汽车司机	人	5	8 540			1	
10	二级小型工具车司机	人	1	1 708			1	
11	二级电工	人	1	1 708			1	
12	三级电工	人	1	1 708			1	
13	一级普工	人	2	3 416			1	
	设备资源							
14	小型工具车	台	1		342		0.25	
15	3m³ 液压挖掘机	台	1		519		0.38	
16	20t 自卸汽车	台	5		6 832		1.00	运距 5km
17	215HP 推土机	台	1		260		0.19	
	材料							
18	其他							
	EL. 30~49m							
1	设计工程量	m³	68 081					
2	施工工程量	m³	70 804					
3	小时生产率	m³/h	50					
4	长期工作影响系数		0.8					
5	平均生产率	m³/h	40					
	劳力资源							
6	工长	人	1	1 770			1	
7	三级推土机司机	人	1	1 770			1	
8	三级挖掘机操作工	人	1	1 770			1	
9	三级自卸汽车司机	人	4	7 080			1	
10	二级小型工具车司机	人	1	1 770			1	
11	二级电工	人	1	1 770			1	
12	三级电工	人	1	1 770			1	
13	一级普工	人	2	3 540			1	
	设备资源							
14	小型工具车	台	1		354		0.25	
15	3m³ 液压挖掘机	台	1		354		0.25	
16	20t 自卸汽车	台	4		5 041		0.89	运距 5.5km
17	215HP 推土机	台	1		184		0.13	
	材料							
18	其他							

表 3-13　心墙土料坝面施工机械台时、人时、材料用量

序号	项目	单位	数量	人时	台时	材料	利用系数	备注
	EL. $-5 \sim 10$m							
1	设计工程量	m³	64 278					
2	施工工程量	m³	66 850					
3	小时生产率	m³/h	43					
4	长期工作影响系数		0.8					
5	平均生产率	m³/h	34.4					
	劳力资源							
6	工长	人	1	972			0.5	
7	三级推土机司机	人	1	1 943			1	
8	三级平地机司机	人	1	1 943			1	
9	三级振动碾操作工	人	1	1 943			1	
10	三级洒水车司机	人	1	972			0.5	
11	二级蛙式振动夯操作工	人	6	11 660			1	
12	二级小型工具车司机	人	1	972			0.5	
13	二级电工	人	1	486			0.25	
14	三级电工	人	1	486			0.25	
15	一级普工	人	6	5 830			0.5	
	设备资源							
16	215HP 推土机	台	1		295		0.19	
17	120HP 平地机	台	1		171		0.11	
18	10t 凸块振动平碾	台	1		606		0.39	
19	2.2kW 蛙式振动夯	台	3		3 265		0.7	
20	12m³ 洒水车	台	1		47		0.03	
21	小型工具车	台	1		311		0.2	
	材料		(单位耗量)					
22	水	m³	0.02			1 337		
23	其他							
	EL.10 $\sim$ 30m							
1	设计工程量	m³	98 542					
2	施工工程量	m³	102 483					
3	小时生产率	m³/h	75					
4	长期工作影响系数		0.8					
5	平均生产率	m³/h	60					
	劳力资源							
6	工长	人	1	854			0.5	
7	三级推土机司机	人	1	1 708			1	
8	三级平地机司机	人	1	1 708			1	
9	三级振动碾操作工	人	1	1 708			1	
10	三级洒水车司机	人	1	854			0.5	
11	二级蛙式振动夯操作工	人	8	13 664			1	

序号	项目	单位	数量	人时	台时	材料	利用系数	备注
12	二级小型工具车司机	人	1	854			0.5	
13	二级电工	人	1	427			0.25	
14	三级电工	人	1	427			0.25	
15	一级普工	人	6	5 124			0.5	
	设备资源							
16	215HP 推土机	台	1		451		0.33	
17	120HP 平地机	台	1		273		0.2	
18	10t 凸块振动平碾	台	1		929		0.68	
19	2.2kW 蛙式振动夯	台	4		3 826		0.7	
20	12m³ 洒水车	台	1		82		0.06	
21	小型工具车	台	1		342		0.25	
	材料		(单位耗量)					
22	水	m³	0.02			2 050		
23	其他							
	EL. 30～49m							
1	设计工程量	m³	68 081					
2	施工工程量	m³	70 804					
3	小时生产率	m³/h	50					
4	长期工作影响系数		0.8					
5	平均生产率	m³/h	40.0					
	劳力资源							
6	工长	人	1	885			0.5	
7	三级推土机司机	人	1	1 770			1	
8	三级平地机司机	人	1	1 770			1	
9	三级振动碾操作工	人	1	1 770			1	
10	三级洒水车司机	人	1	885			0.5	
11	二级蛙式振动夯操作工	人	8	14 161			1	
12	二级小型工具车司机	人	1	885			0.5	
13	二级电工	人	1	443			0.25	
14	三级电工	人	1	443			0.25	
15	一级普工	人	6	5 310			0.5	
	设备资源							
16	215HP 推土机	台	1		312		0.22	
17	120HP 平地机	台	1		184		0.13	
18	10t 凸块振动平碾	台	1		637		0.45	
19	2.2kW 蛙式振动夯	台	4		3 965		0.7	
20	12m³ 洒水车	台	1		57		0.04	
21	小型工具车	台	1		354		0.25	
	材料		(单位耗量)					
22	水	m³	0.02			1 416		
23	其他							

表 3-14 反滤料装运施工机械台时、人时、材料用量

序号	项目	单位	数量	人时	台时	材料	利用系数	备注
	EL.−5～10m							
1	设计工程量	m³	36 567					
2	施工工程量	m³	38 030					
3	小时生产率	m³/h	24.2					
4	长期工作影响系数		0.8					
5	平均生产率	m³/h	19.4					
	劳力资源							
6	工长	人	1	1 964			1	
7	三级推土机司机	人	1	1 964			1	
8	三级装载机操作工	人	1	1 964			1	
9	三级自卸汽车司机	人	2	3 929			1	
10	二级小型工具车司机	人	1	1 964			1	
11	一级普工	人	2	3 929			1	
	设备资源							
12	小型工具车	台	1		393		0.25	
13	3m³ 轮式装载机	台	1		204		0.13	
14	20t 自卸汽车	台	2		1 729		0.55	运距 5km
15	215HP 推土机	台	1		110		0.07	
	材料							
16	其他							
	EL.10～30m							
1	设计工程量	m³	58 340					
2	施工工程量	m³	60 673					
3	小时生产率	m³/h	44.4					
4	长期工作影响系数		0.8					
5	平均生产率	m³/h	35.5					
	劳力资源							
6	工长	人	1	1 708			1	
7	三级推土机司机	人	1	1 708			1	
8	三级装载机操作工	人	1	1 708			1	

序号	项目	单位	数量	人时	台时	材料	利用系数	备注
9	三级自卸汽车司机	人	3	5 124			1	
10	二级小型工具车司机	人	1	1 708			1	
11	一级普工	人	2	3 416			1	
	设备资源							
12	小型工具车	台	1		342		0.25	
13	3m³ 轮式装载机	台	1		328		0.24	
14	20t 自卸汽车	台	3		2 747		0.67	运距 5km
15	215HP 推土机	台	1		164		0.12	
	材料							
16	其他							
	EL. 30~49m							
1	设计工程量	m³	30 828					
2	施工工程量	m³	32 062					
3	小时生产率	m³/h	23					
4	长期工作影响系数		0.8					
5	平均生产率	m³/h	18.4					
	劳力资源							
6	工长	人	1	1 743			1	
7	三级推土机司机	人	1	1 743			1	
8	三级装载机操作工	人	1	1 743			1	
9	三级自卸汽车司机	人	2	3 485			1	
10	二级小型工具车司机	人	1	1 743			1	
11	一级普工	人	2	3 485			1	
	设备资源							
12	小型工具车	台	1		349		0.25	
13	3m³ 轮式装载机	台	1		181		0.13	
14	20t 自卸汽车	台	2		1 617		0.58	运距 5.5km
15	215HP 推土机	台	1		98		0.07	
	材料							
16	其他							

表 3-15　反滤料坝面施工机械台时、人时、材料用量

序号	项目	单位	数量	人时	台时	材料	利用系数	备注
	EL. $-5\sim10$m							
1	设计工程量	m³	36 567					
2	施工工程量	m³	38 030					
3	小时生产率	m³/h	24.2					
4	长期工作影响系数		0.8					
5	平均生产率	m³/h	19.4					
	劳力资源							
6	工长	人	1	980			0.5	
7	三级推土机司机	人	1	1 960			1	
8	三级反铲操作工	人	1	980			0.5	
9	三级振动碾操作工	人	1	980			0.5	
10	三级洒水车司机	人	1	980			0.5	
11	二级小型工具车司机	人	1	980			0.5	
12	二级电工	人	1	490			0.25	
13	三级电工	人	1	490			0.25	
14	一级普工	人	6	5 881			0.5	
	设备资源							
15	215HP 推土机	台	1		126		0.08	
16	10t 振动平碾	台	1		126		0.08	
17	12m³ 洒水车	台	1		283		0.18	
18	1m³ 液压反铲	台	1		236		0.15	
19	小型工具车	台	1		314		0.2	
	材料		(单位耗量)					
20	水	m³	0.2			7 606		
21	其他							
	EL.10$\sim$30m							
1	设计工程量	m³	58 340					
2	施工工程量	m³	60 673					
3	小时生产率	m³/h	44.4					
4	长期工作影响系数		0.8					
5	平均生产率	m³/h	35.5					
	劳力资源							
6	工长	人	1	855			0.5	
7	三级推土机司机	人	1	1 709			1	
8	三级反铲操作工	人	1	855			0.5	
9	三级振动碾操作工	人	1	1 709			1	

序号	项目	单位	数量	人时	台时	材料	利用系数	备注
10	三级洒水车司机	人	1	1 709			1	
11	二级小型工具车司机	人	1	855			0.5	
12	二级电工	人	1	427			0.25	
13	三级电工	人	1	427			0.25	
14	一级普工	人	6	5 127			0.5	
	设备资源							
15	215HP 推土机	台	1		191		0.14	
16	10t 振动平碾	台	1		191		0.14	
17	12m³ 洒水车	台	1		451		0.33	
18	1m³ 液压反铲	台	1		205		0.15	
19	小型工具车	台	1		273		0.2	
	材料		(单位耗量)					
20	水	m³	0.2			12 135		
21	其他							
	EL. 30～49m							
1	设计工程量	m³	30 828					
2	施工工程量	m³	32 062					
3	小时生产率	m³/h	23					
4	长期工作影响系数		0.8					
5	平均生产率	m³/h	18.4					
	劳力资源							
6	工长	人	1	871			0.5	
7	三级推土机司机	人	1	871			0.5	
8	三级反铲操作工	人	1	871			0.5	
9	三级振动碾操作工	人	1	871			0.5	
10	三级洒水车司机	人	1	1 743			1	
11	二级小型工具车司机	人	1	871			0.5	
12	二级电工	人	1	436			0.25	
13	三级电工	人	1	436			0.25	
14	一级普工	人	6	5 228			0.5	
	设备资源							
15	215HP 推土机	台	1		98		0.07	
16	10t 振动平碾	台	1		98		0.07	
17	12m³ 洒水车	台	1		237		0.17	
18	1m³ 液压反铲	台	1		209		0.15	
19	小型工具车	台	1		279		0.2	
	材料		(单位耗量)					
20	水	m³	0.2			6 412		
21	其他							

表 3-16　过渡料装运施工机械台时、人时、材料用量

序号	项目	单位	数量	人时	台时	材料	利用系数	备注
	EL.0～10m							
1	设计工程量	m³	36 944					
2	施工工程量	m³	37 683					
3	小时生产率	m³/h	33					
4	长期工作影响系数		0.8					
5	平均生产率	m³/h	26.4					
	劳力资源							
6	工长	人	1	714			0.5	
7	三级推土机司机	人	1	714			0.5	
8	三级装载机操作工	人	1	714			0.5	
9	三级自卸汽车司机	人	3	4 282			1	
10	二级小型工具车司机	人	1	714			0.5	
11	一级普工	人	2	1 427			0.5	
	设备资源							
12	小型工具车	台	1		285		0.25	
13	3m³ 轮式装载机	台	1		251		0.22	
14	20t 自卸汽车	台	3		2 364		0.69	运距 5km
15	215HP 推土机	台	1		126		0.11	
	材料							
16	其他							
	EL.10～30m							
1	设计工程量	m³	74 249					
2	施工工程量	m³	75 734					
3	小时生产率	m³/h	46					
4	长期工作影响系数		0.8					
5	平均生产率	m³/h	36.8					
	劳力资源							
6	工长	人	1	1 029			0.5	
7	三级推土机司机	人	1	2 058			1	

序号	项目	单位	数量	人时	台时	材料	利用系数	备注
8	三级装载机操作工	人	1	1 029			0.5	
9	三级自卸汽车司机	人	4	8 232			1	
10	二级小型工具车司机	人	1	2 058			1	
11	一级普工	人	2	2 058			0.5	
	设备资源							
12	小型工具车	台	1		412		0.25	
13	3m³ 轮式装载机	台	1		494		0.3	
14	20t 自卸汽车	台	4		4 742		0.72	运距 5km
15	215HP 推土机	台	1		247		0.15	
	材料							
16	其他							
	EL.30~50m							
1	设计工程量	m³	39 955					
2	施工工程量	m³	40 754					
3	小时生产率	m³/h	24					
4	长期工作影响系数		0.8					
5	平均生产率	m³/h	19.2					
	劳力资源							
6	工长	人	1	1 061			0.5	
7	三级推土机司机	人	1	2 123			1	
8	三级装载机操作工	人	1	2 123			1	
9	三级自卸汽车司机	人	2	4 245			1	
10	二级小型工具车司机	人	1	1 061			0.5	
11	一级普工	人	2	2 123			0.5	
	设备资源							
12	小型工具车	台	1		425		0.25	
13	3m³ 轮式装载机	台	1		272		0.16	
14	20t 自卸汽车	台	2		2 717		0.8	运距 5.5km
15	215HP 推土机	台	1		136		0.08	
	材料							
16	其他							

表 3-17　过渡料坝面施工机械台时、人时、材料用量

序号	项目	单位	数量	人时	台时	材料	利用系数	备注
	EL.0～10m							
1	设计工程量	m³	36 944					
2	施工工程量	m³	37 683					
3	小时生产率	m³/h	33					
4	长期工作影响系数		0.8					
5	平均生产率	m³/h	26.4					
	劳力资源							
6	工长	人	1	714			0.5	
7	三级推土机司机	人	1	1 427			1	
8	三级反铲操作工	人	1	714			0.5	
9	三级振动碾操作工	人	1	714			0.5	
10	三级洒水车司机	人	1	1 427			1	
11	二级小型工具车司机	人	1	714			0.5	
12	二级电工	人	1	357			0.25	
13	三级电工	人	1	357			0.25	
14	一级普工	人	6	4 282			0.5	
	设备资源							
15	215HP 推土机	台	1		183		0.16	
16	1m³ 液压反铲	台	1		114		0.1	
17	10t 振动平碾	台	1		114		0.1	
18	12m³ 洒水车	台	1		354		0.31	
19	小型工具车	台	1		228		0.2	
	材料		（单位耗量）					
20	水	m³	0.25			9 421		
21	其他							
	EL.10～30m							
1	设计工程量	m³	74 249					
2	施工工程量	m³	75 734					
3	小时生产率	m³/h	46					
4	长期工作影响系数		0.8					
5	平均生产率	m³/h	36.8					
	劳力资源							
6	工长	人	1	1 029			0.5	
7	三级推土机司机	人	1	2 058			1	
8	三级反铲操作工	人	1	1 029			0.5	
9	三级振动碾操作工	人	1	1 029			0.5	

序号	项目	单位	数量	人时	台时	材料	利用系数	备注
10	三级洒水车司机	人	1	2 058			1	
11	二级小型工具车司机	人	1	1 029			0.5	
12	二级电工	人	1	514			0.25	
13	三级电工	人	1	514			0.25	
14	一级普工	人	6	6 174			0.5	
	设备资源							
15	215HP推土机	台	1		379		0.23	
16	1m³液压反铲	台	1		165		0.1	
17	10t振动平碾	台	1		247		0.15	
18	12m³洒水车	台	1		708		0.43	
19	小型工具车	台	1		329		0.2	
	材料		(单位耗量)					
20	水	m³	0.25			18 934		
21	其他							
	EL.30~49m							
1	设计工程量	m³	39 955					
2	施工工程量	m³	40 754					
3	小时生产率	m³/h	24					
4	长期工作影响系数		0.8					
5	平均生产率	m³/h	19.2					
	劳力资源							
6	工长	人	1	1 061			0.5	
7	三级推土机司机	人	1	2 123			1	
8	三级反铲操作工	人	1	1 061			0.5	
9	三级振动碾操作工	人	1	2 123			1	
10	三级洒水车司机	人	1	2 123			1	
11	二级小型工具车司机	人	1	1 061			0.5	
12	二级电工	人	1	531			0.25	
13	三级电工	人	1	531			0.25	
14	一级普工	人	6	6 368			0.5	
	设备资源							
15	215HP推土机	台	1		204		0.12	
16	1m³液压反铲	台	1		255		0.15	
17	10t振动平碾	台	1		136		0.08	
18	12m³洒水车	台	1		374		0.22	
19	小型工具车	台	1		340		0.2	
	材料		(单位耗量)					
20	水	m³	0.25			10 189		
21	其他							

表 3-18 堆石料装运施工机械台时、人时、材料用量

序号	项目	单位	数量	人时	台时	材料	利用系数	备注
	EL.0~10m							
1	设计工程量	m³	219 912					
2	施工工程量	m³	224 311					
3	小时生产率	m³/h	197					
4	长期工作影响系数		0.8					
5	平均生产率	m³/h	157.6					
	劳力资源							
6	工长	人	1	712			0.5	
7	二级小型工具车司机	人	1	712			0.5	
8	三级推土机司机	人	1	1 423			1	
9	三级装载机操作工	人	2	2 847			1	
10	三级自卸汽车司机	人	13	18 503			1	
11	一级普工	人	2	2 847			1	
	设备资源							
12	小型工具车	台	1		285		0.25	
13	3m³ 轮式装载机	台	2		1 457		0.64	
14	20t 自卸汽车	台	13		14 062		0.95	运距 5km
15	215HP 推土机	台	1		729		0.64	
	材料							
16	其他							
	EL.10~30m							
1	设计工程量	m³	420 415					
2	施工工程量	m³	428 823					
3	小时生产率	m³/h	261					
4	长期工作影响系数		0.8					
5	平均生产率	m³/h	208.8					
	劳力资源							
6	工长	人	1	1 027			0.5	
7	二级小型工具车司机	人	1	1 027			0.5	
8	三级推土机司机	人	1	6 161			3	
9	三级装载机操作工	人	2	4 108			1	
10	三级自卸汽车司机	人	17	34 914			1	
11	一级普工	人	2	4 108			1	
	设备资源							
12	小型工具车	台	1		493		0.3	
13	3m³ 轮式装载机	台	2		2 793		0.85	

序号	项目	单位	数量	人时	台时	材料	利用系数	备注
14	20t 自卸汽车	台	17		26 814		0.96	运距 5km
15	215HP 推土机	台	1		1 397		0.85	
	材料							
16	其他							
	EL.30～40m							
1	设计工程量	m³	123 126					
2	施工工程量	m³	125 588					
3	小时生产率	m³/h	127					
4	长期工作影响系数		0.8					
5	平均生产率	m³/h	101.6					
	劳力资源							
6	工长	人	1	618			0.5	
7	二级小型工具车司机	人	1	618			0.5	
8	三级推土机司机	人	1	1 236			1	
9	三级装载机操作工	人	1	1 236			1	
10	三级自卸汽车司机	人	9	11 125			1	
11	一级普工	人	2	2 472			1	
	设备资源							
12	小型工具车	台	1		346		0.35	
13	3m³ 轮式装载机	台	1		821		0.83	
14	20t 自卸汽车	台	9		8 366		0.94	运距 5.5km
15	215HP 推土机	台	1		415		0.42	
	材料							
16	其他							
	EL.40～49m							
1	设计工程量	m³	41 541					
2	施工工程量	m³	42 371					
3	小时生产率	m³/h	59					
4	长期工作影响系数		0.8					
5	平均生产率	m³/h	47.2					
	劳力资源							
6	工长	人	1	449			0.5	
7	二级小型工具车司机	人	1	449			0.5	
8	三级推土机司机	人	1	898			1	
9	三级装载机操作工	人	1	898			1	
10	三级自卸汽车司机	人	4	3 591			1	

序号	项目	单位	数量	人时	台时	材料	利用系数	备注
11	三级自卸汽车司机	人	2	1 795			1	
	设备资源							
12	小型工具车	台	1		251		0.35	
13	3m³ 轮式装载机	台	1		280		0.39	
14	20t 自卸汽车	台	4		2 815		0.98	运距 5.5km
15	215HP 推土机	台	1		144		0.2	
	材料							
16	其他							

表 3-19 堆石料坝面施工机械台时、人时、材料用量

序号	项目	单位	数量	人时	台时	材料	利用系数	备注
	EL.0~10m							
1	设计工程量	m³	219 912					
2	施工工程量	m³	224 311					
3	小时生产率	m³/h	197					
4	长期工作影响系数		0.8					
5	平均生产率	m³/h	157.6					
	劳力资源							
6	工长	人	1	712			0.5	
7	三级推土机司机	人	1	1 423			1	
8	三级反铲操作工	人	1	712			0.5	
9	三级振动碾操作工	人	1	1 423			1	
10	三级洒水车司机	人	2	2 847			1	
11	三级破碎器操作工	人	1	1 423			1	
12	二级小型工具车司机	人	1	712			0.5	
13	二级电工	人	1	356			0.25	
14	三级电工	人	1	356			0.25	
15	一级普工	人	6	4 270			0.5	
	设备资源							
16	215HP 推土机	台	1		1 104		0.97	
17	1m³ 液压反铲	台	1		228		0.2	
18	10t 振动平碾	台	1		501		0.44	

序号	项目	单位	数量	人时	台时	材料	利用系数	备注
19	12m³ 洒水车	台	2		2 095		0.92	
20	110HP 液压破碎器	台	1		285		0.25	
21	小型工具车	台	1		399		0.35	
	材料		(单位耗量)					
22	水	m³	0.25			56 078		
23	其他							
	EL.10~30m							
1	设计工程量	m³	420 415					
2	施工工程量	m³	428 823					
3	小时生产率	m³/h	261					
4	长期工作影响系数		0.8					
5	平均生产率	m³/h	208.8					
	劳力资源							
6	工长	人	1	1 027			0.5	
7	三级推土机司机	人	2	4 108			1	
8	三级反铲操作工	人	1	1 027			0.5	
9	三级振动碾操作工	人	1	2 054			1	
10	三级洒水车司机	人	3	6 161			1	
11	三级破碎器操作工	人	1	2 054			1	
12	二级小型工具车司机	人	1	1 027			0.5	
13	三级电工	人	1	513			0.25	
14	二级电工	人	1	513			0.25	
15	一级普工	人	6	6 161			0.5	
	设备资源							
16	215HP 推土机	台	2		2 103		0.64	
17	1m³ 液压反铲	台	1		329		0.2	
18	10t 振动平碾	台	1		953		0.58	
19	110HP 液压破碎器	台	1		411		0.25	
20	12m³ 洒水车	台	3		3 992		0.81	
21	小型工具车	台	1		575		0.35	

序号	项目	单位	数量	人时	台时	材料	利用系数	备注
	材料		（单位耗量）					
22	水	m³	0.25			107 206		
23	其他							
	EL. 30～40m							
1	设计工程量	m³	123 126					
2	施工工程量	m³	125 588					
3	小时生产率	m³/h	127					
4	长期工作影响系数		0.8					
5	平均生产率	m³/h	101.6					
	劳力资源							
6	工长	人	1	618			0.5	
7	三级推土机司机	人	1	1 236			1	
8	三级反铲操作工	人	1	618			0.5	
9	三级振动碾操作工	人	1	1 236			1	
10	三级洒水车司机	人	2	2 472			1	
11	三级破碎器操作工	人	1	2 472			2	
12	二级小型工具车司机	人	1	618			0.5	
13	二级电工	人	1	309			0.25	
14	三级电工	人	1	309			0.25	
15	一级普工	人	6	3 708			0.5	
	设备资源							
16	215HP推土机	台	1		623		0.63	
17	1m³液压反铲	台	1		247		0.25	
18	10t振动平碾	台	1		277		0.28	
19	110HP液压破碎器	台	1		247		0.25	
20	12m³洒水车	台	2		1 167		0.59	
21	小型工具车	台	1		346		0.35	
	材料		（单位耗量）					
22	水	m³	0.25			31 397		
23	其他							

序号	项目	单位	数量	人时	台时	材料	利用系数	备注
	EL.40～49m							
1	设计工程量	m³	41 541					
2	施工工程量	m³	42 371					
3	小时生产率	m³/h	59					
4	长期工作影响系数		0.8					
5	平均生产率	m³/h	47.2					
	劳力资源							
6	工长	人	1	449			0.5	
7	三级推土机司机	人	2	1 795			1	
8	三级反铲操作工	人	1	449			0.5	
9	三级振动碾操作工	人	1	898			1	
10	三级洒水车司机	人	1	898			1	
11	三级破碎器操作工	人	1	898			1	
12	二级小型工具车司机	人	1	449			0.5	
13	二级电工	人	1	224			0.25	
14	三级电工	人	1	224			0.25	
15	一级普工	人	6	2 693			0.5	
	设备资源							
16	215HP 推土机	台	1		208		0.29	
17	1m³ 液压反铲	台	1		144		0.2	
18	10t 振动平碾	台	1		93		0.13	
19	110HP 液压破碎器	台	1		180		0.25	
20	12m³ 洒水车	台	1		395		0.55	
21	小型工具车	台	1		215		0.3	
	材料		(单位耗量)					
22	水	m³	0.25			10 593		
23	其他							

表 3-20　堆石护坡装运施工机械台时、人时、材料用量

序号	项目	单位	数量	人时	台时	材料	利用系数	备注
	EL.0~30m							
1	设计工程量	m³	31 871					
2	施工工程量	m³	32 509					
3	小时生产率	m³/h	12					
4	长期工作影响系数		0.8					
5	平均生产率	m³/h	9.6					
	劳力资源							
6	工长	人	1	1 693			0.5	
7	二级小型工具车司机	人	1	1 693	·		0.5	
8	三级推土机司机	人	1	1 693			0.5	
9	三级装载机操作工	人	1	1 693			0.5	
10	三级自卸汽车司机	人	1	3 386			1	
11	一级普工	人	2	3 386			0.5	
	设备资源							
12	小型工具车	台	1		542		0.2	
13	3m³ 轮式装载机	台	1		217		0.08	
14	20t 自卸汽车	台	1		2 032		0.75	运距 5km
15	215HP 推土机	台	1		108		0.04	
	材料							
16	其他							
	EL.30~50m							
1	设计工程量	m³	31 788					
2	施工工程量	m³	32 423					
3	小时生产率	m³/h	19					
4	长期工作影响系数		0.8					
5	平均生产率	m³/h	15.2					
	劳力资源							
6	工长	人	1	1 067			0.5	
7	二级小型工具车司机	人	1	1 067			0.5	
8	三级推土机司机	人	1	1 067			0.5	
9	三级装载机操作工	人	1	1 067			0.5	
10	三级自卸汽车司机	人	2	4 266			1	
11	一级普工	人	2	2 133			0.5	
	设备资源							
12	小型工具车	台	1		341		0.2	
13	3m³ 轮式装载机	台	1		205		0.12	
14	20t 自卸汽车	台	2		2 150		0.63	运距 5.5km
15	215HP 推土机	台	1		102		0.06	
	材料							
16	其他							

表 3-21　堆石护坡坝面施工机械台时、人时、材料用量

序号	项目	单位	数量	人时	台时	材料	利用系数	备注
	EL.0~30m							
1	设计工程量	m³	31 871					
2	施工工程量	m³	32 509					
3	小时生产率	m³/h	12					
4	长期工作影响系数		0.8					
5	平均生产率	m³/h	9.6					
	劳力资源							
6	工长	人	1	1 693			0.5	
7	三级推土机司机	人	1	1 693			0.5	
8	三级反铲操作工	人	1	3 386			1	
9	二级小型工具车司机	人	1	1 693			0.5	
10	二级电工	人	1	847			0.25	
11	三级电工	人	1	847			0.25	
12	一级普工	人	15	50 795			1	
	设备资源							
13	215HP 推土机	台	1		163		0.06	
14	1m³ 液压反铲	台	1		1 355		0.5	
15	小型工具车	台	1		542		0.2	
	材料							
16	其他							
	EL.30~50m							
1	设计工程量	m³	31 788					
2	施工工程量	m³	32 423					
3	小时生产率	m³/h	19					
4	长期工作影响系数		0.8					
5	平均生产率	m³/h	15.2					
	劳力资源							
6	工长	人	1	1 067			0.5	
7	三级推土机司机	人	1	1 067			0.5	
8	三级反铲操作工	人	1	2 133			1	
9	二级小型工具车司机	人	1	1 067			0.5	
10	二级电工	人	1	533			0.25	
11	三级电工	人	1	533			0.25	
12	一级普工	人	15	31 996			1	
	设备资源							
13	215HP 推土机	台	1		154		0.09	
14	1m³ 液压反铲	台	1		853		0.5	
15	小型工具车	台	1		341		0.2	
	材料							
16	其他							

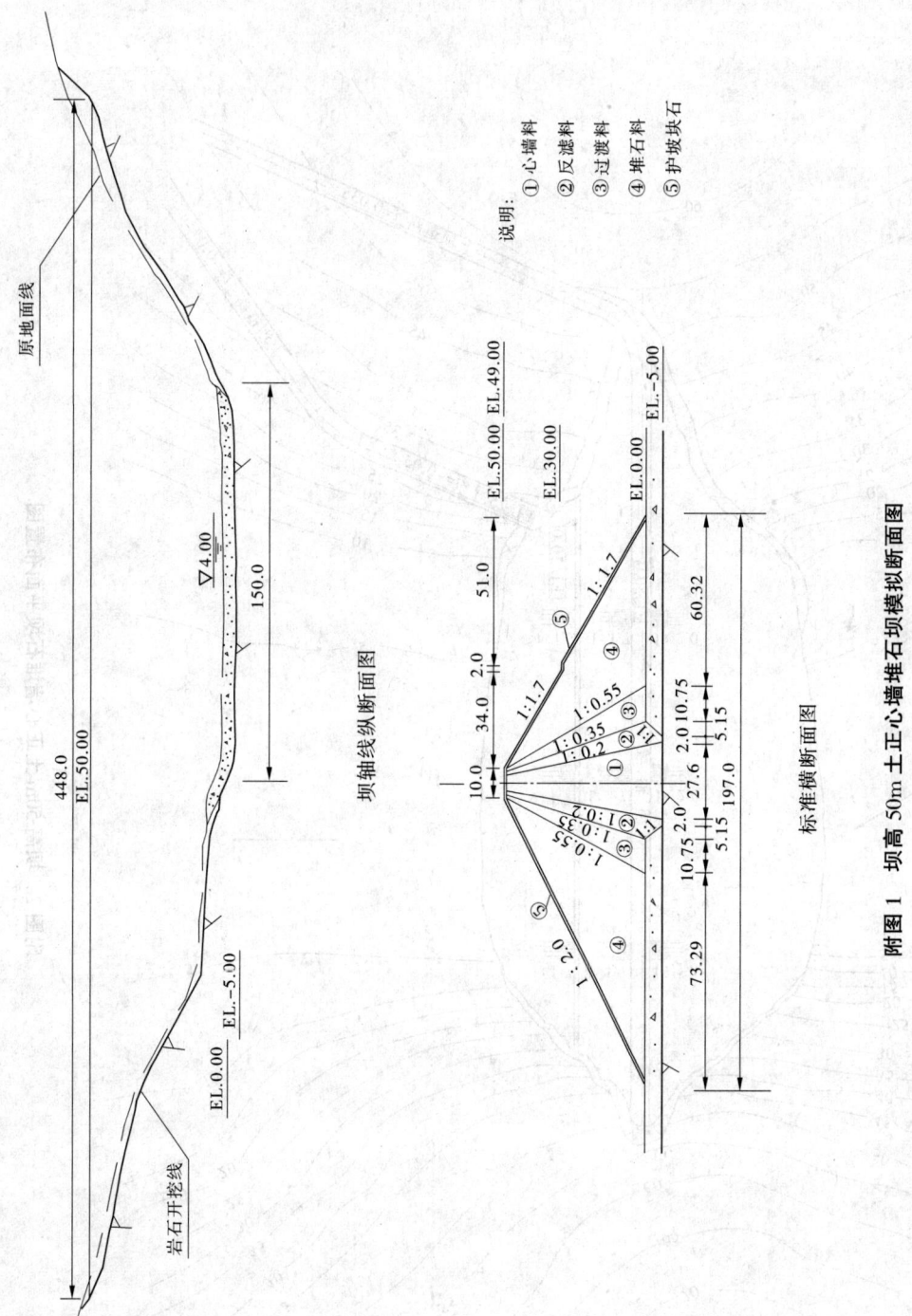

原地面线

坝轴线纵断面图

▽4.00

150.0

448.0

EL.50.00

EL.0.00 EL.-5.00

岩石开挖线

说明：

① 心墙料
② 反滤料
③ 过渡料
④ 堆石料
⑤ 护坡块石

EL.50.00 EL.49.00

EL.30.00

EL.0.00

EL.-5.00

51.0

34.0 2.0

1:1.7

1:1.7

⑤

④

1:0.55

1:0.35

1:0.2

③

②

①

10.0

1:0.55

1:0.35

2.0

③

②

⑤

④

1:2.0

60.32

10.75

5.15

2.0 10.75

5.15

197.0

27.6

5.15

10.75

2.0

73.29

标准横断面图

附图 1 坝高 50m 土正心墙堆石坝模拟断面图

· 141 ·

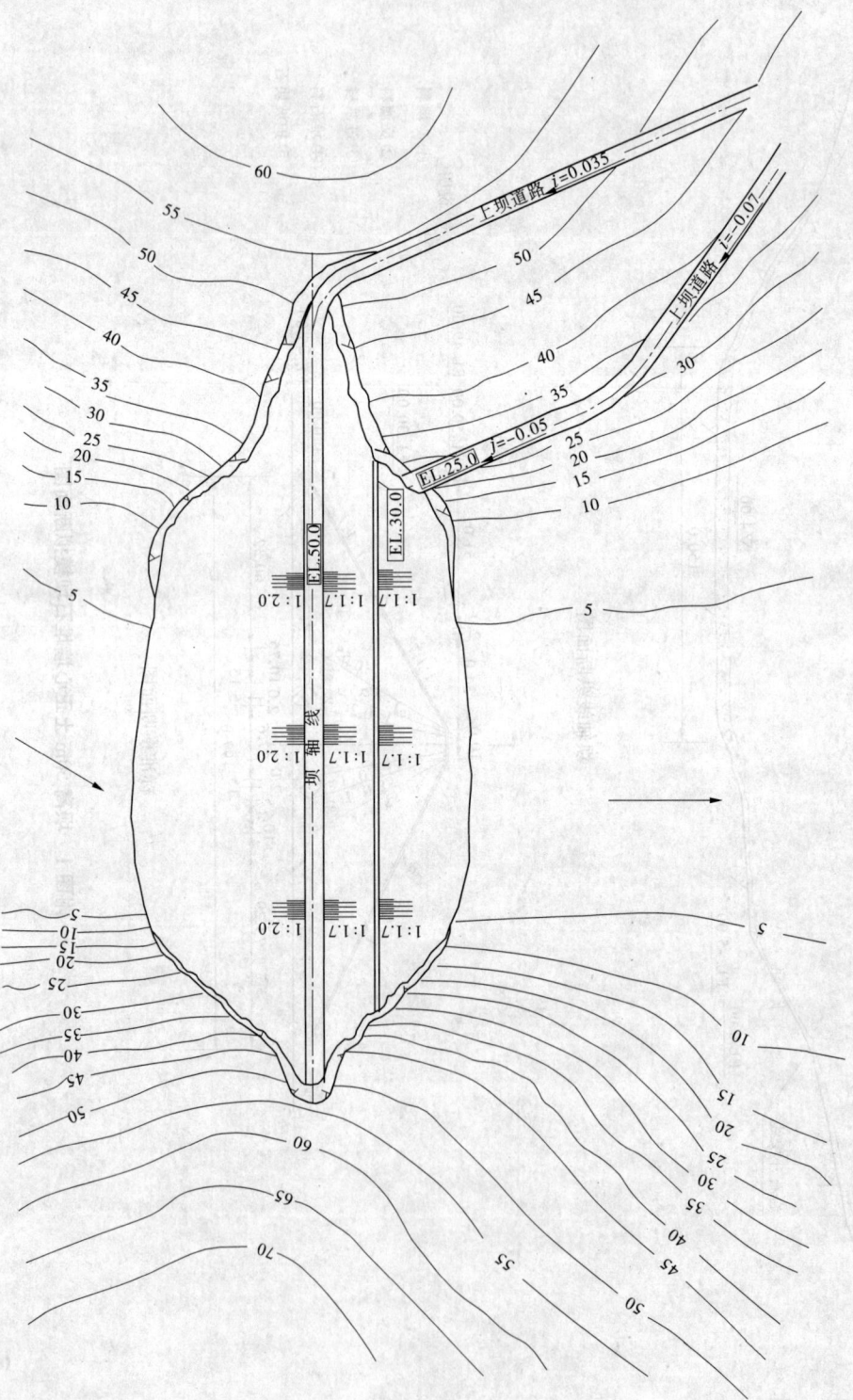

附图 2　坝高 50m 土正心墙堆石坝平面布置图

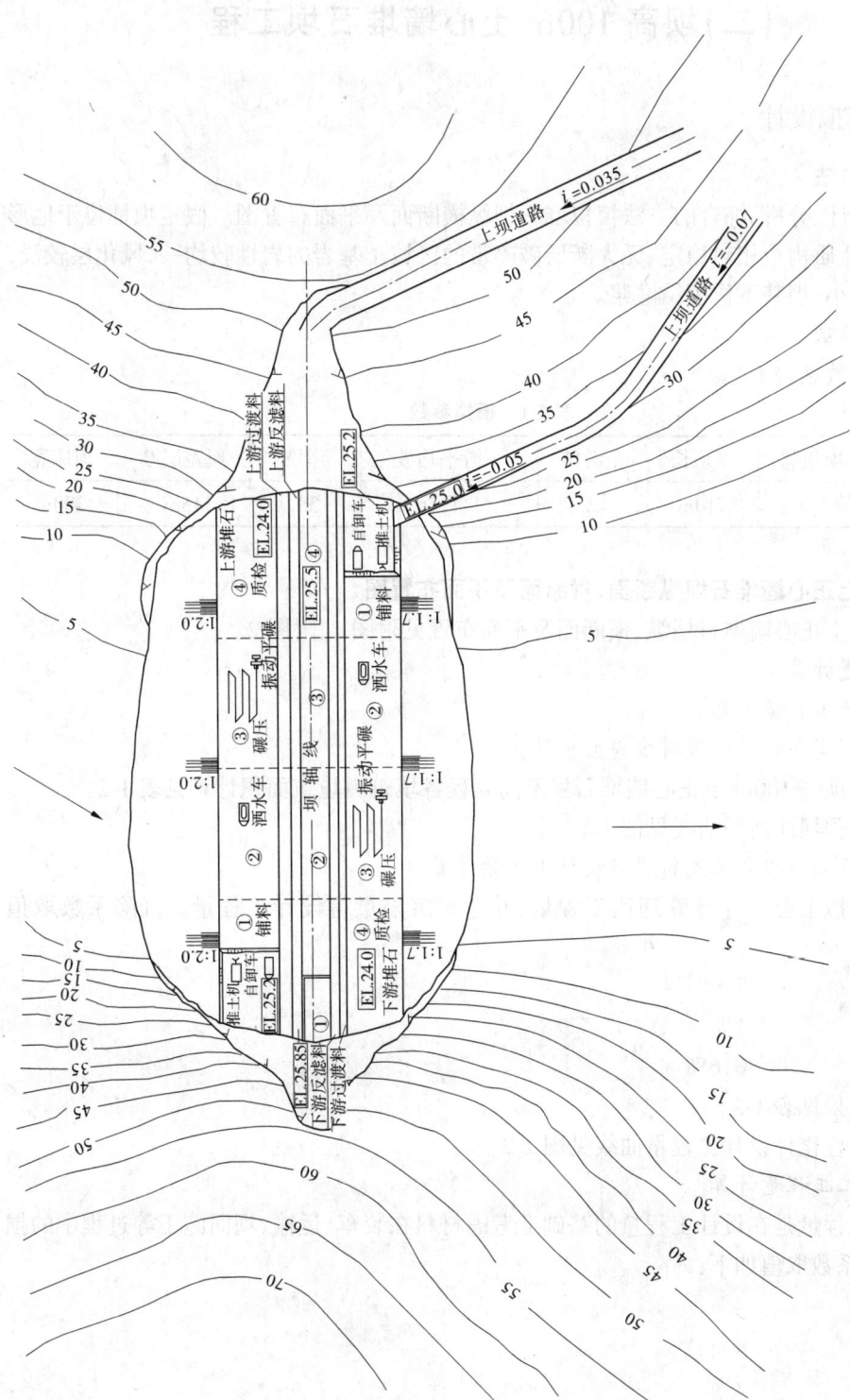

附图 3　坝高 50m 土心墙堆石坝坝面施工布置图

(二)坝高100m土心墙堆石坝工程

1 坝体模拟设计

1.1 模拟方法

采用统计、分析、综合的方法模拟堆石坝纵横断面及平面布置图。假定坝址位于地形相对平整、地质构造相对稳定、无大断层破碎带的区域。基岩的岩性较均一,风化层较浅,且透水性较小,坝基不作固结灌浆。

1.2 模拟参数

模拟参数见表1-1。

表1-1　模拟参数

坝高	坝顶宽	坝顶长	上游坡	下游平均坡	岸坡	履盖层厚	河床宽
100m	12.0m	710m	1:2.1	1:1.76	30°	15m	200m

1.3 模拟土正心墙堆石坝纵断面、横断面及平面布置图

模拟的土正心墙堆石坝纵、横断面及平面布置见附图1、附图2。

1.4 工程量计算

1.4.1 设计工程量计算

1.4.1.1 不同高程各填筑料填筑面积计算

模拟的坝高100m土正心墙堆石坝不同高程各填筑料填筑面积计算见表1-2。

不同高程坝面面积曲线见图1-1。

1.4.1.2 不同高程各填筑料累计设计工程量计算

按照模拟工程尺寸计算理论工程量,并考虑沉陷量得设计工程量。沉陷系数取值如下:

土　料　　　　2%

反滤料　　　　1%

堆石料　　　　0.6%

计算结果见表1-3。

不同高程累计设计工程量曲线见图1-2。

1.4.2 施工工程量计算

施工工程量是在设计工程量的基础上考虑材料在装车、运输、坝面施工等过程中的损耗量,调整系数取值如下:

土　料　　　　4%

反滤料　　　　4%

堆石料　　　　2%

计算结果见表1-4。

表 1-2　坝高 100m 土正心墙堆石坝不同高程各填筑料填筑面积计算

高程(m)	断面宽度(m)								坝面长(m)	断面面积(m²)							备注
	坝宽度	心墙料	反滤料(上下游)	过渡料(上下游)	上游堆石⑤区堆石	下游堆石⑤区堆石	上游护坡	下游护坡		心墙料反滤料	过渡料	上游堆石	下游堆石⑤区堆石	上游护坡	下游护坡		
100	12.00			3.83			2.32	2.02	710.00		5 439			1 647	1 434	
99	15.86			5.76			2.32	2.02	702.10		8 088			1 629	1 418	
99	15.86	8.00	0.88	0.88			2.32	2.02	702.10	5 617	1 236			1 629	1 418	
98	19.72	8.40	1.03	1.08	1.55	1.21	2.32	2.02	694.20	5 831	1 430	1 499	1 076	840	1 611	1 402	
97	23.58	8.80	1.18	1.28	3.10	2.42	2.32	2.02	686.30	6 039	1 620	1 757	2 128	1 661	1 592	1 386	
96	27.44	9.20	1.33	1.48	4.65	3.63	2.32	2.02	678.40	6 241	1 805	2 008	3 155	2 463	1 574	1 370	
95	31.30	9.60	1.48	1.68	6.20	4.84	2.32	2.02	670.50	6 437	1 985	2 253	4 157	3 245	1 556	1 354	
94	35.16	10.00	1.63	1.88	7.75	6.05	2.32	2.02	662.60	6 626	2 160	2 491	5 135	4 009	1 537	1 338	
93	39.02	10.40	1.78	2.08	9.30	7.26	2.32	2.02	654.70	6 809	2 331	2 724	6 089	4 753	1 519	1 322	
92	42.88	10.80	1.93	2.28	10.85	8.47	2.32	2.02	646.80	6 985	2 497	2 949	7 018	5 478	1 501	1 307	
91	46.74	11.20	2.08	2.48	12.40	9.68	2.32	2.02	638.90	7 156	2 658	3 169	7 922	6 185	1 482	1 291	
90	50.60	11.60	2.23	2.68	13.95	10.89	2.32	2.02	631.00	7 320	2 814	3 382	8 802	6 872	1 464	1 275	
89	54.46	12.00	2.38	2.88	15.50	12.10	2.32	2.02	623.10	7 477	2 966	3 589	9 658	7 540	1 446	1 259	
88	58.32	12.40	2.53	3.08	17.05	13.31	2.32	2.02	615.20	7 628	3 113	3 790	10 489	8 188	1 427	1 243	
87	62.18	12.80	2.68	3.28	18.60	14.52	2.32	2.02	607.30	7 773	3 255	3 984	11 296	8 818	1 409	1 227	
86	66.04	13.20	2.83	3.48	20.15	15.73	2.32	2.02	599.40	7 912	3 393	4 172	12 078	9 429	1 391	1 211	
85	69.90	13.60	2.98	3.68	21.70	16.94	2.32	2.02	591.50	8 044	3 525	4 353	12 836	10 020	1 372	1 195	
84	73.76	14.00	3.13	3.88	23.25	18.15	2.32	2.02	583.60	8 170	3 653	4 529	13 569	10 592	1 354	1 179	
83	77.62	14.40	3.28	4.08	24.80	19.36	2.32	2.02	575.70	8 290	3 777	4 698	14 277	11 146	1 336	1 163	

续表 1-2

高程(m)	坝宽度(m)	断面宽度(m) 心墙料	反滤料(上下游)	过渡料(上下游)	上游堆石	下游堆石	⑤区堆石	上游护坡	下游护坡	坝面长(m)	断面面积(m²) 心墙料	反滤料	过渡料	上游堆石	下游堆石	⑤区堆石	上游护坡	下游护坡	备注
82	81.48	14.80	3.43	4.28	26.35	20.57		2.32	2.02	567.80	8 403	3 895	4 860	14 962	11 680		1 317	1 147	
81	85.34	15.20	3.58	4.48	27.90	21.78		2.32	2.02	559.90	8 510	4 009	5 017	15 621	12 195		1 299	1 131	
80	89.20	15.60	3.73	4.68	29.45	22.99		2.32	2.02	552.00	8 611	4 118	5 167	16 256	12 690		1 281	1 115	
79	93.06	16.00	3.88	4.88	31.00	24.20		2.32	2.02	548.54	8 777	4 257	5 354	17 005	13 275		1 273	1 108	
78	96.92	16.40	4.03	5.08	32.55	25.41		2.32	2.02	545.08	8 939	4 393	5 538	17 742	13 850		1 265	1 101	
77	100.78	16.80	4.18	5.28	34.10	26.62		2.32	2.02	541.62	9 099	4 528	5 720	18 469	14 418		1 257	1 094	
76	104.64	17.20	4.33	5.48	35.65	27.83		2.32	2.02	538.16	9 256	4 660	5 898	19 185	14 977		1 249	1 087	
75	108.50	17.60	4.48	5.68	37.20	19.04	10.00	2.32	2.02	534.70	9 411	4 791	6 074	19 891	10 181	5 347	1 241	1 080	
74	112.36	18.00	4.63	5.88	38.75	19.05	11.20	2.32	2.02	531.24	9 562	4 919	6 247	20 586	10 120	5 950	1 232	1 073	
73	116.22	18.40	4.78	6.08	40.30	19.06	12.40	2.32	2.02	527.78	9 711	5 046	6 418	21 270	10 059	6 544	1 224	1 066	
72	120.08	18.80	4.93	6.28	41.85	19.07	13.60	2.32	2.02	524.32	9 857	5 170	6 585	21 943	9 999	7 131	1 216	1 059	
71	123.94	19.20	5.08	6.48	43.40	19.08	14.80	2.32	2.02	520.86	10 001	5 292	6 750	22 605	9 938	7 709	1 208	1 052	
70	127.80	19.60	5.23	6.68	44.95	19.09	16.00	2.32	2.02	517.40	10 141	5 412	6 912	23 257	9 877	8 278	1 200	1 045	
69	131.66	20.00	5.38	6.88	46.50	19.10	17.20	2.32	2.02	513.94	10 279	5 530	7 072	23 898	9 816	8 840	1 192	1 038	
68	135.52	20.40	5.53	7.08	48.05	19.11	18.40	2.32	2.02	510.48	10 414	5 646	7 228	24 529	9 755	9 393	1 184	1 031	
67	139.38	20.80	5.68	7.28	49.60	19.12	19.60	2.32	2.02	507.02	10 546	5 760	7 382	25 148	9 694	9 938	1 176	1 024	
66	143.24	21.20	5.83	7.48	51.15	19.13	20.80	2.32	2.02	503.56	10 675	5 872	7 533	25 757	9 633	10 474	1 168	1 017	
65	147.10	21.60	5.98	7.68	52.70	19.14	22.00	2.32	2.02	500.10	10 802	5 981	7 682	26 355	9 572	11 002	1 160	1 010	

· 146 ·

续表 1-2

高程(m)	坝宽度(m)	断面宽度(m)								坝面长(m)	断面面积(m²)								备注
		心墙料	反滤料(上下游)	过渡料(上下游)	上游堆石	下游堆石⑤区堆石	⑤区堆石	上游护坡	下游护坡		心墙料	反滤料	过渡料	上游堆石	下游堆石⑤区堆石	⑤区堆石	上游护坡	下游护坡	
64	150.96	22.00	6.13	7.88	54.25	19.15	23.20	2.32	2.02	496.64	10 926	6 089	7 827	26 943	9 511	11 522	1 152	1 003	
63	154.82	22.40	6.28	8.08	55.80	19.16	24.40	2.32	2.02	493.18	11 047	6 194	7 970	27 519	9 449	12 034	1 144	996	
62	158.68	22.80	6.43	8.28	57.35	19.17	25.60	2.32	2.02	489.72	11 166	6 298	8 110	28 085	9 388	12 537	1 136	989	
61	162.54	23.20	6.58	8.48	58.90	19.18	26.80	2.32	2.02	486.26	11 281	6 399	8 247	28 641	9 326	13 032	1 128	982	
60	166.40	23.60	6.73	8.68	60.45	19.19	28.00	2.32	2.02	482.80	11 394	6 498	8 381	29 185	9 265	13 518	1 120	975	
59	170.26	24.00	6.88	8.88	62.00	19.20	29.20	2.32	2.02	479.34	11 504	6 596	8 513	29 719	9 203	13 997	1 112	968	
58	174.12	24.40	7.03	9.08	63.55	19.21	30.40	2.32	2.02	475.88	11 611	6 691	8 642	30 242	9 142	14 467	1 104	961	
57	177.98	24.80	7.18	9.28	65.10	19.22	31.60	2.32	2.02	472.42	11 716	6 784	8 768	30 755	9 080	14 928	1 096	954	
56	181.84	25.20	7.33	9.48	66.65	19.23	32.80	2.32	2.02	468.96	11 818	6 875	8 891	31 256	9 018	15 382	1 088	947	
55	185.70	25.60	7.48	9.68	68.20	19.24	34.00	2.32	2.02	465.50	11 917	6 964	9 012	31 747	8 956	15 827	1 080	940	
54	189.56	26.00	7.63	9.88	69.75	19.25	35.20	2.32	2.02	462.04	12 013	7 051	9 130	32 227	8 894	16 264	1 072	933	
53	193.42	26.40	7.78	10.08	71.30	19.26	36.40	2.32	2.02	458.58	12 107	7 136	9 245	32 697	8 832	16 692	1 064	926	
52	197.28	26.80	7.93	10.28	72.85	19.27	37.60	2.32	2.02	455.12	12 197	7 218	9 357	33 155	8 770	17 113	1 056	919	
51	201.14	27.20	8.08	10.48	74.40	19.28	38.80	2.32	2.02	451.66	12 285	7 299	9 467	33 604	8 708	17 524	1 048	912	
50	205.00	27.60	8.23	10.68	75.95	19.29	40.00	2.32	2.02	448.20	12 370	7 377	9 574	34 041	8 646	17 928	1 040	905	
49	208.86	28.00	8.38	10.88	77.50	19.30	41.20	2.32	2.02	444.74	12 453	7 454	9 678	34 467	8 583	18 323	1 032	898	
48	212.72	28.40	8.53	11.08	79.05	19.31	42.40	2.32	2.02	441.28	12 532	7 528	9 779	34 883	8 521	18 710	1 024	891	
47	216.58	28.80	8.68	11.28	80.60	19.32	43.60	2.32	2.02	437.82	12 609	7 601	9 877	35 288	8 459	19 089	1 016	884	
46	220.44	29.20	8.83	11.48	82.15	19.33	44.80	2.32	2.02	434.36	12 683	7 671	9 973	35 683	8 396	19 459	1 008	877	
45	224.30	29.60	8.98	11.68	83.70	19.34	46.00	2.32	2.02	430.90	12 755	7 739	10 066	36 066	8 334	19 821	1 000	870	
44	228.16	30.00	9.13	11.88	85.25	19.35	47.20	2.32	2.02	427.44	12 823	7 805	10 156	36 439	8 271	20 175	992	863	

续表 1-2

高程(m)	断面宽度(m)									坝面长(m)	断面面积(m²)								备注
	坝宽度	心墙料	反滤料(上下游)	过渡料(上下游)	上游堆石	下游堆石	⑤区堆石	上游护坡	下游护坡		心墙料	反滤料	过渡料	上游堆石	下游堆石	⑤区堆石	上游护坡	下游护坡	
43	232.02	30.40	9.28	12.08	86.80	19.36	48.40	2.32	2.02	423.98	12 889	7 869	10 243	36 801	8 208	20 521	984	856	
42	235.88	30.80	9.43	12.28	88.35	19.37	49.60	2.32	2.02	420.52	12 952	7 931	10 328	37 153	8 145	20 858	976	849	
41	239.74	31.20	9.58	12.48	89.90	19.38	50.80	2.32	2.02	417.06	13 012	7 991	10 410	37 494	8 083	21 187	968	842	
40	243.60	31.60	9.73	12.68	91.45	19.39	52.00	2.32	2.02	413.60	13 070	8 049	10 489	37 824	8 020	21 507	960	835	
39	247.46	32.00	9.88	12.88	93.00	19.40	53.20	2.32	2.02	410.14	13 124	8 104	10 565	38 143	7 957	21 819	952	828	
38	251.32	32.40	10.03	13.08	94.55	19.41	54.40	2.32	2.02	406.68	13 176	8 158	10 639	38 452	7 894	22 123	943	821	
37	255.18	32.80	10.18	13.28	96.10	19.42	55.60	2.32	2.02	403.22	13 226	8 210	10 710	38 749	7 831	22 419	935	815	
36	259.04	33.20	10.33	13.48	97.65	19.43	56.80	2.32	2.02	399.76	13 272	8 259	10 778	39 037	7 767	22 706	927	808	
35	262.90	33.60	10.48	13.68	99.20	19.44	58.00	2.32	2.02	396.30	13 316	8 306	10 843	39 313	7 704	22 985	919	801	
34	266.76	34.00	10.63	13.88	100.75	78.65		2.32	2.02	392.84	13 357	8 352	10 905	39 579	30 897		911	794	
33	270.62	34.40	10.78	14.08	102.30	79.86		2.32	2.02	389.38	13 395	8 395	10 965	39 834	31 096		903	787	
32	274.48	34.80	10.93	14.28	103.85	81.07		2.32	2.02	385.92	13 430	8 436	11 022	40 078	31 287		895	780	
31	278.34	35.20	11.08	14.48	105.40	82.28		2.32	2.02	382.46	13 463	8 475	11 076	40 311	31 469		887	773	
30	282.20	35.60	11.23	14.68	106.95	83.49		2.32	2.02	379.00	13 492	8 512	11 127	40 534	31 643		879	766	
29	286.06	36.00	11.38	14.88	108.50	84.70		2.32	2.02	375.54	13 519	8 547	11 176	40 746	31 808		871	759	
28	289.92	36.40	11.53	15.08	110.05	85.91		2.32	2.02	372.08	13 544	8 580	11 222	40 947	31 965		863	752	
27	293.78	36.80	11.68	15.28	111.60	87.12		2.32	2.02	368.62	13 565	8 611	11 265	41 138	32 114		855	745	
26	297.64	37.20	11.83	15.48	113.15	88.33		2.32	2.02	365.16	13 584	8 640	11 305	41 318	32 255		847	738	
25	301.50	37.60	11.98	15.68	114.70	89.54		2.32	2.02	361.70	13 600	8 666	11 343	41 487	32 387		839	731	
24	305.36	38.00	12.13	15.88	116.25	90.75		2.32	2.02	358.24	13 613	8 691	11 378	41 645	32 510		831	724	
23	309.22	38.40	12.28	16.08	117.80	91.96		2.32	2.02	354.78	13 624	8 713	11 410	41 793	32 626		823	717	

续表 1-2

高程 (m)	断面宽度 (m)								坝面长 (m)	断面面积 (m²)							备注
	坝宽度	心墙料	反滤料(上下游)	过渡料(上下游)	上游堆石	下游堆石⑤区堆石	上游护坡	下游护坡		心墙料	反滤料	过渡料	上游堆石	下游堆石⑤区堆石	上游护坡	下游护坡	
22	313.08	38.80	12.43	16.28	119.35	93.17	2.32	2.02	351.32	13 631	8 734	11 439	41 930	32 732	815	710	
21	316.94	39.20	12.58	16.48	120.90	94.38	2.32	2.02	347.86	13 636	8 752	11 465	42 056	32 831	807	703	
20	320.80	39.60	12.73	16.68	122.45	95.59	2.32	2.02	344.40	13 638	8 768	11 489	42 172	32 921	799	696	
19	324.66	40.00	12.88	16.88	124.00	96.80	2.32	2.02	340.94	13 638	8 783	11 510	42 277	33 003	791	689	
18	328.52	40.40	13.03	17.08	125.55	98.01	2.32	2.02	337.48	13 634	8 795	11 528	42 371	33 076	783	682	
17	332.38	40.80	13.18	17.28	127.10	99.22	2.32	2.02	334.02	13 628	8 805	11 544	42 454	33 141	775	675	
16	336.24	41.20	13.33	17.48	128.65	100.43	2.32	2.02	330.56	13 619	8 813	11 556	42 527	33 198	767	668	
15	340.10	41.60	13.48	17.68	130.20	101.64	2.32	2.02	318.86	13 265	8 596	11 275	41 516	32 409	740	644	
14	343.96	42.00	13.63	17.88	131.75	102.85	2.32	2.02	307.16	12 901	8 373	10 984	40 468	31 591	713	620	
13	347.82	42.40	13.78	18.08	133.30	104.06	2.32	2.02	295.46	12 528	8 143	10 684	39 385	30 746	685	597	
12	351.68	42.80	13.93	18.28	134.85	105.27	2.32	2.02	283.76	12 145	7 906	10 374	38 265	29 871	658	573	
11	355.54	43.20	14.08	18.48	136.40	106.48	2.32	2.02	272.06	11 753	7 661	10 055	37 109	28 969	631	550	
10	359.40	43.60	14.23	18.68	137.95	107.69	2.32	2.02	260.36	11 352	7 410	9 727	35 917	28 038	604	526	
9	363.26	44.00	14.38	18.88	139.50	108.90	2.32	2.02	248.66	10 941	7 151	9 389	34 688	27 079	577	502	
8	367.12	44.40	14.53	19.08	141.05	110.11	2.32	2.02	236.96	10 521	6 886	9 042	33 423	26 092	550	479	
7	370.98	44.80	14.68	19.28	142.60	111.32	2.32	2.02	225.26	10 092	6 614	8 686	32 122	25 076	523	455	
6	374.84	45.20	14.83	19.48	144.15	112.53	2.32	2.02	213.56	9 653	6 334	8 320	30 785	24 032	495	431	
5	378.70	45.60	14.98	19.68	145.70	113.74	2.32	2.02	200.00	9 120	5 992	7 872	29 140	22 748	464	404	
4	382.56	46.00	15.13	19.88	147.25	114.95	2.32	2.02	196.80	9 053	5 955	7 825	28 979	22 622	457	398	
3	386.42	46.40	15.28	20.08	148.80	116.16	2.32	2.02	193.60	8 983	5 916	7 775	28 808	22 489	449	391	
2	390.28	46.80	15.43	20.28	150.35	117.37	2.32	2.02	190.40	8 911	5 876	7 723	28 627	22 347	422	385	

续表 1-2

高程 (m)	断面宽度 (m)								坝面长 (m)	断面面积 (m²)							备注
	坝宽度	心墙料	反滤料(上、下游)	过渡料(上、下游)	上游堆石⑤区堆石	下游堆石⑤区堆石	上游护坡	下游护坡		心墙料	反滤料	过渡料	上游堆石	下游堆石⑤区堆石	上游护坡	下游护坡	
1	394.14	47.20	15.58	20.48	151.90	118.58	2.32	2.02	187.20	8 836	5 833	7 668	28 436	22 198	434	378	
0	398.00	47.60	15.73	20.68	153.45	119.79	2.32	2.02	184.00	8 758	5 789	7 610	28 235	22 041	427	372	
0	104.60	47.60	28.50						184.00	8 758	10 488						
−1	101.60	48.00	26.80						180.80	8 678	9 691						
−2	98.60	48.40	25.10						177.60	8 596	8 916						
−3	95.60	48.80	23.40						174.40	8 511	8 162						
−4	92.60	49.20	21.70						171.20	8 423	7 430						
−5	89.60	49.60	20.00						168.00	8 333	6 720						
−6	86.60	50.00	18.30						164.80	8 240	6 032						
−7	83.60	50.40	16.60						161.60	8 145	5 365						
−8	80.60	50.80	14.90						158.40	8 047	4 720						
−9	77.60	51.20	13.20						155.20	7 946	4 097						
−10	74.60	51.60	11.50						152.00	7 843	3 496						
−11	71.60	52.00	9.80						148.80	7 738	2 916						
−12	68.60	52.40	8.10						145.60	7 629	2 359						
−13	65.60	52.80	6.40						142.40	7 519	1 823						
−14	62.60	53.20	4.70						139.20	7 405	1 308						
−15	59.60	53.60	3.00						136.00	7 290	816						

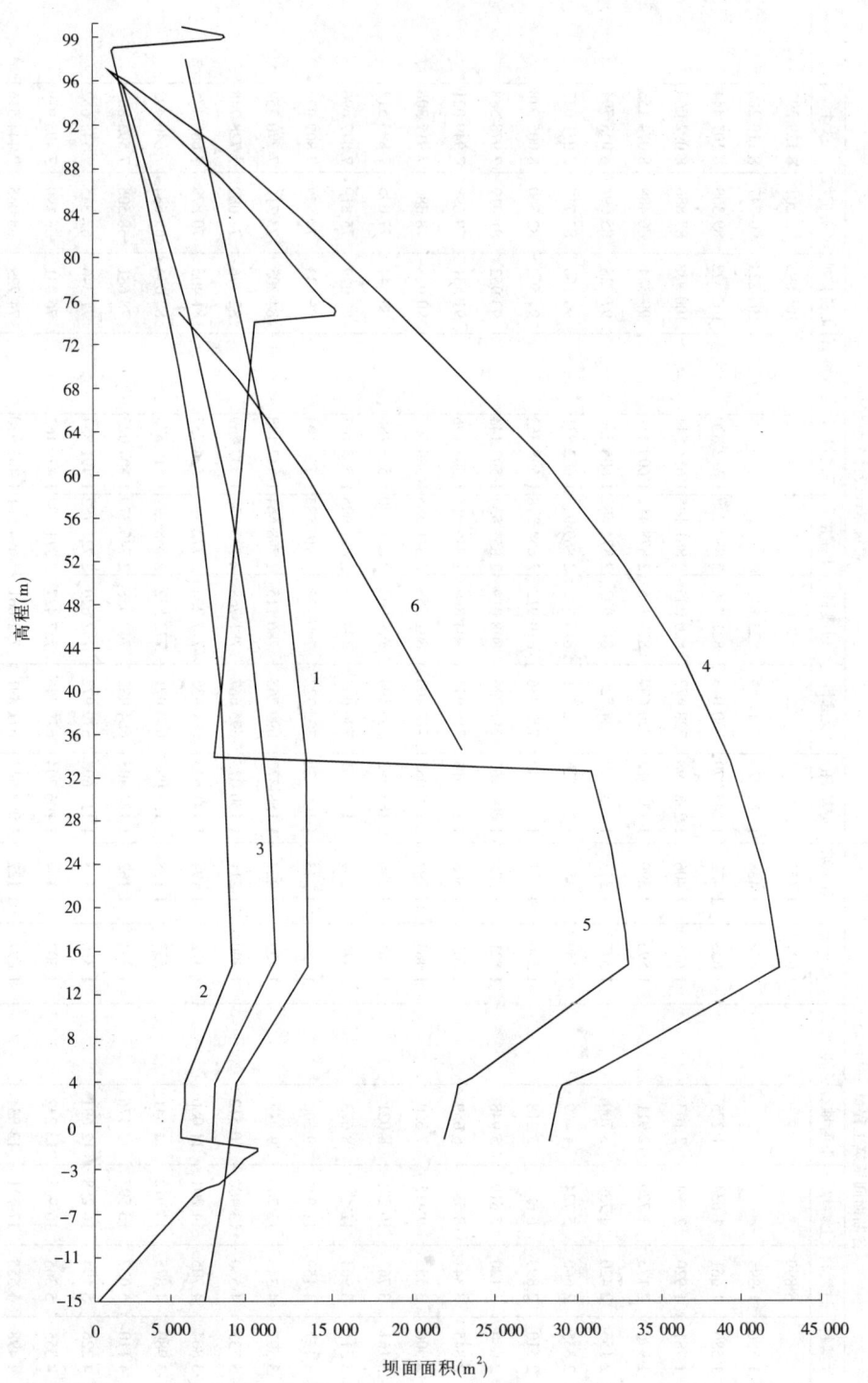

图 1-1 不同高程坝面面积曲线

1—心墙料;2—反滤料;3—过渡料;4—上游堆石;5—下游堆石;6—⑤区堆石

表 1-3　坝高 100m 土正心墙堆石坝不同高程各填料累计设计工程量计算

高程(m)	各断面间填筑工程量(m³)							填筑累计设计工程量(m³)									备注
(m)	心墙料	反滤料	过渡料	⑤区堆石 上游堆石	⑤区堆石 下游堆石	上游护坡	下游护坡	心墙料	反滤料	过渡料	上游堆石	下游堆石	⑤区堆石	上游护坡	下游护坡	总计	
100			6 899			1 671	1 455			830 039				105 895	92 201	8 129 293	
99	5 953	1 386	1 395			1 652	1 438	1 251 023	731 449	823 141				104 224	90 747	8 119 268	
98	6 173	1 586	1 661	1 634	1 275	1 633	1 422	1 245 070	730 063	821 746	2 882 738	1 612 820		102 572	89 308	8 107 444	
97	6 386	1 781	1 920	2 694	2 103	1 615	1 406	1 238 898	728 477	820 085	2 881 105	1 611 544		100 938	87 886	8 092 060	
96	6 593	1 970	2 173	3 729	2 911	1 596	1 390	1 232 512	726 697	818 165	2 878 411	1 609 441		99 324	86 480	8 074 155	
95	6 793	2 155	2 420	4 739	3 700	1 577	1 373	1 225 919	724 726	815 992	2 874 682	1 606 530		97 728	85 091	8 053 794	
94	6 986	2 335	2 660	5 724	4 469	1 559	1 357	1 219 126	722 571	813 572	2 869 943	1 602 831		96 150	83 717	8 031 037	
93	7 173	2 510	2 893	6 684	5 218	1 540	1 341	1 212 140	720 236	810 912	2 864 218	1 598 362		94 592	82 360	8 005 948	
92	7 353	2 680	3 120	7 619	5 948	1 521	1 325	1 204 967	717 726	808 019	2 857 534	1 593 144		93 052	81 019	7 978 588	
91	7 527	2 845	3 341	8 530	6 659	1 503	1 308	1 197 614	715 045	804 899	2 849 915	1 587 196		91 531	79 695	7 949 021	
90	7 694	3 006	3 555	9 415	7 350	1 484	1 292	1 190 087	712 200	801 558	2 841 385	1 580 537		90 028	78 386	7 917 308	
89	7 855	3 161	3 763	10 275	8 021	1 465	1 276	1 182 392	709 194	798 002	2 831 970	1 573 188		88 544	77 095	7 883 512	
88	8 009	3 311	3 964	11 110	8 673	1 446	1 259	1 174 537	706 033	794 239	2 821 695	1 565 167		87 079	75 819	7 847 696	
87	8 156	3 457	4 159	11 921	9 306	1 428	1 243	1 166 528	702 722	790 275	2 810 585	1 556 493		85 633	74 559	7 809 922	
86	8 297	3 597	4 348	12 706	9 919	1 409	1 227	1 158 372	699 265	786 115	2 798 664	1 547 188		84 205	73 316	7 770 252	
85	8 432	3 733	4 530	13 466	10 512	1 390	1 211	1 150 075	695 667	781 768	2 785 958	1 537 269		82 796	72 089	7 728 748	
84	8 559	3 864	4 705	14 201	11 086	1 372	1 194	1 141 643	691 935	777 238	2 772 492	1 526 757		81 405	70 879	7 685 475	
83	8 681	3 989	4 875	14 912	11 641	1 353	1 178	1 133 083	688 071	772 532	2 758 291	1 515 670		80 034	69 684	7 640 492	
82	8 795	4 110	5 037	15 597	12 176	1 334	1 162	1 124 403	684 082	767 658	2 743 379	1 504 029		78 681	68 506	7 593 864	
81	8 903	4 226	5 194	16 258	12 691	1 316	1 145	1 115 608	679 972	762 620	2 727 782	1 491 854		77 346	67 345	7 545 652	
80	9 042	4 355	5 365	16 963	13 242	1 302	1 134	1 106 704	675 746	757 427	2 711 524	1 479 162		76 031	66 199	7 495 919	
79	9 212	4 498	5 555	17 721	13 834	1 294	1 127	1 097 663	671 391	752 061	2 694 561	1 465 920		74 729	65 065	7 444 516	
78	9 380	4 639	5 741	18 468	14 417	1 286	1 120	1 088 450	666 893	746 506	2 676 840	1 452 086		73 435	63 939	7 391 276	

续表 1-3

高程 (m)	各断面间填筑工程量 (m³)								填筑累计设计工程量 (m³)									备注
	心墙料	反滤料	过渡料	上游堆石	下游堆石	⑤区堆石	上游护坡	下游护坡	心墙料	反滤料	过渡料	上游堆石	下游堆石	⑤区堆石	上游护坡	下游护坡	总计	
77	9 545	4 778	5 925	19 204	14 991		1 278	1 112	1 079 070	662 254	740 765	2 658 327	1 437 669		72 149	62 819	7 336 225	
76	9 707	4 915	6 106	19 929	12 830		1 269	1 105	1 069 525	657 476	734 840	2 639 168	1 422 678		70 871	61 707	7 279 392	
75	9 866	5 049	6 284	20 643	10 353	5 761	1 261	1 098	1 059 819	652 561	728 734	2 619 239	1 409 847	623 126	69 602	60 602	7 223 530	
74	10 022	5 182	6 459	21 346	10 292	6 372	1 253	1 091	1 049 953	647 512	722 450	2 589 596	1 399 494	617 365	68 341	59 503	7 163 214	
73	10 176	5 312	6 632	22 038	10 230	6 974	1 245	1 084	1 039 930	642 330	715 991	2 577 250	1 389 202	610 993	67 088	58 412	7 101 197	
72	10 326	5 440	6 801	22 720	10 168	7 568	1 237	1 077	1 029 755	637 018	709 359	2 555 212	1 378 973	604 019	65 843	57 329	7 037 507	
71	10 474	5 566	6 968	23 390	10 106	8 153	1 228	1 070	1 019 429	631 578	702 558	2 532 492	1 368 805	596 450	64 606	56 252	6 972 170	
70	10 618	5 690	7 132	24 049	10 044	8 730	1 220	1 062	1 008 955	626 012	695 590	2 509 102	1 358 699	588 297	63 378	55 182	6 905 216	
69	10 760	5 811	7 293	24 698	9 981	9 299	1 212	1 055	998 337	620 322	688 458	2 485 053	1 348 656	579 567	62 157	54 120	6 836 670	
68	10 899	5 931	7 451	25 335	9 919	9 859	1 204	1 048	987 577	614 511	681 165	2 460 356	1 338 674	570 268	60 945	53 064	6 766 560	
67	11 035	6 048	7 607	25 962	9 857	10 410	1 196	1 041	976 678	608 580	673 713	2 435 020	1 328 755	560 410	59 741	52 016	6 694 913	
66	11 168	6 163	7 760	26 577	9 795	10 953	1 188	1 034	965 642	602 531	666 107	2 409 059	1 318 898	550 000	58 546	50 975	6 621 757	
65	11 299	6 276	7 909	27 182	9 732	11 487	1 179	1 027	954 474	596 368	658 347	2 382 481	1 309 103	539 047	57 358	49 941	6 547 120	
64	11 426	6 387	8 056	27 776	9 670	12 013	1 171	1 020	943 175	590 092	650 438	2 355 299	1 299 371	527 559	56 179	48 914	6 471 028	
63	11 551	6 496	8 201	28 358	9 607	12 531	1 163	1 013	931 749	583 704	642 381	2 327 524	1 289 702	515 546	55 008	47 895	6 393 508	
62	11 672	6 602	8 342	28 930	9 544	13 040	1 155	1 005	920 199	577 209	634 181	2 299 165	1 280 095	503 015	53 845	46 882	6 314 589	
61	11 791	6 707	8 480	29 491	9 482	13 541	1 147	998	908 526	570 606	625 839	2 270 235	1 270 550	489 975	52 690	45 877	6 234 298	
60	11 907	6 809	8 616	30 041	9 419	14 033	1 138	991	896 735	563 899	617 358	2 240 744	1 261 069	476 435	51 543	44 878	6 152 661	
59	12 020	6 909	8 749	30 580	9 356	14 516	1 130	984	884 828	557 090	608 742	2 210 702	1 251 650	462 402	50 405	43 887	6 069 706	
58	12 130	7 007	8 879	31 108	9 293	14 992	1 122	977	872 808	550 181	599 993	2 180 122	1 242 294	447 885	49 275	42 903	5 985 461	
57	12 238	7 103	9 006	31 625	9 230	15 458	1 114	970	860 678	543 174	591 114	2 149 014	1 233 001	432 894	48 153	41 926	5 899 953	
56	12 342	7 196	9 131	32 132	9 167	15 917	1 106	963	848 440	536 072	582 107	2 117 388	1 223 771	417 436	47 039	40 956	5 813 209	
55	12 444	7 288	9 252	32 627	9 104	16 366	1 097	956	836 098	528 876	572 977	2 085 257	1 214 604	401 519	45 933	39 993	5 725 257	

续表 1-3

高程(m)	各断面间填筑工程量(m³)								填筑累计设计工程量(m³)									备注
	心墙料	反滤料	过渡料	上游堆石	下游堆石	⑤区堆石	上游护坡	下游护坡	心墙料	反滤料	过渡料	上游堆石	下游堆石	⑤区堆石	上游护坡	下游护坡	总计	
54	12 542	7 377	9 371	33 111	9 041	16 808	1 089	848	923 654	521 588	563 724	2 052 630	1 205 500	385 153	44 836	39 038	5 636 123	
53	12 638	7 464	9 487	33 585	8 977	17 240	1 081	941	811 112	514 211	554 353	2 019 519	1 196 460	368 345	43 746	38 090	5 545 836	
52	12 731	7 549	9 600	34 047	8 914	17 665	1 073	934	798 474	506 747	544 866	1 985 934	1 187 482	351 105	42 665	37 148	5 454 422	
51	12 821	7 632	9 711	34 499	8 850	18 081	1 065	927	785 744	499 198	535 266	1 951 887	1 178 569	333 440	41 592	36 214	5 361 909	
50	12 908	7 712	9 818	34 939	8 787	18 488	1 057	920	772 923	491 567	525 555	1 917 388	1 169 718	315 359	40 528	35 287	5 268 325	
49	12 992	7 791	9 923	35 369	8 723	18 887	1 048	913	760 015	483 854	515 737	1 882 449	1 160 931	296 871	39 471	34 367	5 173 696	
48	13 074	7 867	10 025	35 787	8 660	19 278	1 040	906	747 022	476 064	505 814	1 847 080	1 152 208	277 984	38 423	33 454	5 078 050	
47	13 152	7 941	10 124	36 195	8 596	19 660	1 032	899	733 949	468 197	495 790	1 811 293	1 143 548	258 706	37 383	32 549	4 981 414	
46	13 228	8 013	10 220	36 592	8 532	20 033	1 024	891	720 797	460 256	485 666	1 775 098	1 134 952	239 047	36 351	31 650	4 883 816	
45	13 300	8 083	10 313	36 978	8 468	20 398	1 016	884	707 569	452 243	475 446	1 738 506	1 126 420	219 013	35 327	30 759	4 785 283	
44	13 370	8 151	10 404	37 353	8 404	20 755	1 007	877	694 269	444 160	465 133	1 701 528	1 117 952	198 615	34 311	29 875	4 685 842	
43	13 437	8 216	10 491	37 717	8 340	21 103	999	870	680 898	436 009	454 730	1 664 175	1 109 547	177 860	33 304	28 997	4 585 521	
42	13 501	8 279	10 576	38 070	8 276	21 443	991	863	667 461	427 793	444 238	1 626 458	1 101 207	156 757	32 305	28 127	4 484 347	
41	13 563	8 341	10 658	38 412	8 212	21 774	983	856	653 959	419 514	433 662	1 588 389	1 092 931	135 315	31 314	27 265	4 382 347	
40	13 621	8 400	10 738	38 743	8 148	22 097	975	849	640 397	411 173	423 004	1 549 977	1 084 718	113 541	30 331	26 409	4 279 549	
39	13 676	8 456	10 814	39 063	8 084	22 411	966	841	626 776	402 774	412 266	1 511 234	1 076 570	91 444	29 356	25 560	4 175 980	
38	13 729	8 511	10 888	39 373	8 019	22 717	958	834	613 099	394 317	401 452	1 472 170	1 068 487	69 033	28 390	24 719	4 071 667	
37	13 779	8 564	10 958	39 671	7 955	23 014	950	827	599 370	385 806	390 564	1 432 798	1 060 467	46 317	27 431	23 884	3 966 639	
36	13 826	8 614	11 026	39 958	7 890	23 303	942	820	585 591	377 242	379 606	1 393 127	1 052 512	23 303	26 481	23 057	3 860 921	
35	13 870	8 662	11 091	40 235	19 686		934	813	571 766	368 628	368 580	1 353 169	1 044 622		25 539	22 237	3 754 541	
34	13 911	8 708	11 154	40 500	31 616		926	806	557 896	359 966	357 488	1 312 934	1 024 936		24 606	21 424	3 659 250	
33	13 949	8 752	11 213	40 755	31 815		917	799	543 986	351 258	346 334	1 272 434	993 319		23 680	20 618	3 551 629	
32	13 984	8 794	11 270	40 998	32 005		909	792	530 037	342 505	335 121	1 231 679	961 504		22 763	19 819	3 443 429	

续表 1-3

高程(m)	各断面间填筑工程量(m³)								填筑累计设计工程量(m³)									备注
	心墙料	反滤料	过渡料	上游堆石	下游堆石	⑤区堆石	上游护坡	下游护坡	心墙料	反滤料	过渡料	上游堆石	下游堆石	⑤区堆石	上游护坡	下游护坡	总计	
31	14 017	8 834	11 324	41 231	32 187		901	784	516 053	333 712	323 851	1 190 681	929 499		21 854	19 028	3 334 677	
30	14 046	8 871	11 375	41 453	32 360		893	777	502 036	324 878	312 527	1 149 449	897 312		20 953	18 243	3 225 399	
29	14 073	8 906	11 423	41 664	32 525		885	770	487 990	316 007	301 153	1 107 997	864 952		20 060	17 466	3 115 624	
28	14 097	8 939	11 468	41 864	32 681		876	763	473 917	307 101	289 730	1 066 333	832 428		19 175	16 696	3 005 379	
27	14 118	8 970	11 511	42 052	32 828		868	756	459 820	298 161	278 261	1 024 469	799 747		18 299	15 933	2 894 691	
26	14 136	8 999	11 551	42 230	32 967		860	749	445 703	289 191	266 750	982 417	766 919		17 431	15 177	2 783 588	
25	14 151	9 026	11 588	42 398	33 097		852	742	431 567	280 192	255 200	940 186	733 952		16 571	14 428	2 672 096	
24	14 163	9 050	11 622	42 554	33 219		844	735	417 416	271 166	243 612	897 789	700 855		15 719	13 686	2 560 244	
23	14 172	9 073	11 653	42 699	33 333		835	727	403 253	262 116	231 991	855 235	667 635		14 875	12 952	2 448 057	
22	14 179	9 093	11 681	42 833	33 437		827	720	389 081	253 043	220 338	812 536	634 303		14 040	12 224	2 335 565	
21	14 183	9 111	11 707	42 956	33 534		819	713	374 902	243 951	208 657	769 703	600 865		13 213	11 504	2 222 794	
20	14 183	9 127	11 730	43 069	33 621		811	706	360 719	234 840	196 950	726 747	567 332		12 394	10 791	2 109 772	
19	14 181	9 140	11 750	43 170	33 700		803	699	346 536	225 713	185 220	683 678	533 710		11 583	10 085	1 996 525	
18	14 176	9 152	11 767	43 261	33 771		795	692	332 354	216 573	173 470	640 508	500 010		10 780	9 386	1 883 082	
17	14 168	9 161	11 781	43 340	33 833		786	685	318 178	207 421	161 704	597 248	466 239		9 985	8 694	1 769 469	
16	13 979	9 053	11 644	42 861	33 460		768	669	304 010	198 260	149 923	553 908	432 405		9 199	8 010	1 655 714	
15	13 606	8 824	11 352	41 812	32 640		741	645	290 030	189 207	138 279	511 046	398 946		8 431	7 341	1 543 280	
14	13 223	8 588	11 051	40 725	31 792		713	621	276 424	180 383	126 927	469 235	366 306		7 690	6 696	1 433 660	
13	12 830	8 345	10 740	39 601	30 915		685	597	263 202	171 795	115 876	428 509	334 514		6 977	6 075	1 326 947	
12	12 427	8 095	10 419	38 441	30 009		658	573	250 372	163 450	105 136	388 908	303 599		6 292	5 478	1 223 235	
11	12 014	7 837	10 089	37 243	29 074		630	548	237 945	155 355	94 717	350 467	273 591		5 634	4 905	1 122 615	
10	11 592	7 572	9 749	36 008	28 110		602	524	225 931	147 518	84 628	313 224	244 517		5 004	4 357	1 025 197	
9	11 160	7 300	9 400	34 737	27 117		575	500	214 338	139 946	74 879	277 216	216 407		4 402	3 833	931 021	

续表 1-3

高程 (m)	各断面间填筑工程量(m³) 心墙料	反滤料	过渡料	⑤区堆石 上游堆石	下游堆石	上游护坡	下游护坡	填筑累计设计工程量(m³) 心墙料	反滤料	过渡料	⑤区堆石 上游堆石	下游堆石	上游护坡	下游护坡	总计	备注
8	10 719	7 020	9 041	33 428	26 095	547	476	203 178	132 647	65 479	242 479	189 290	3 827	3 332	840 232	
7	10 267	6 733	8 673	32 082	25 045	519	452	192 459	125 627	56 437	209 051	163 195	3 280	2 856	752 905	
6	9 762	6 410	8 258	30 562	23 858	489	426	182 192	118 894	47 764	176 969	138 150	2 761	2 404	669 133	
5	9 450	6 213	8 005	29 641	23 139	469	409	172 430	112 484	39 506	146 407	114 292	2 272	1 978	589 369	
4	9 379	6 173	7 956	29 471	23 006	462	402	162 980	106 272	31 500	116 766	91 153	1 802	1 569	512 044	
3	9 305	6 132	7 904	29 292	22 866	454	396	153 602	100 099	23 545	87 295	68 147	1 340	1 167	435 194	
2	9 228	6 089	7 849	29 102	22 718	447	389	144 297	93 967	15 641	58 004	45 280	886	771	358 846	
1	9 149	6 043	7 792	28 902	22 562	439	382	135 069	87 878	7 792	28 902	22 562	439	382	283 024	
0	9 067	10 493	—	—				125 920	81 835						207 755	
−1	8 983	9 675						116 853	71 342						188 194	
−2	8 895	8 880						107 870	61 666						169 536	
−3	8 806	8 108						98 975	52 786						151 761	
−4	8 713	7 358						90 169	44 678						134 847	
−5	8 618	6 631						81 456	37 320						118 776	
−6	8 520	5 926						72 838	30 689						103 528	
−7	8 420	5 244						64 318	24 763						89 081	
−8	8 316	4 585						55 899	19 519						75 417	
−9	8 211	3 949						47 582	14 933						62 516	
−10	8 102	3 334						39 372	10 985						50 357	
−11	7 991	2 743						31 270	7 650						38 920	
−12	7 877	2 174						23 279	4 907						28 186	
−13	7 761	1 628						15 402	2 733						18 135	
−14	7 641	1 105						7 641	1 105						8 746	
−15	—	—														

· 156 ·

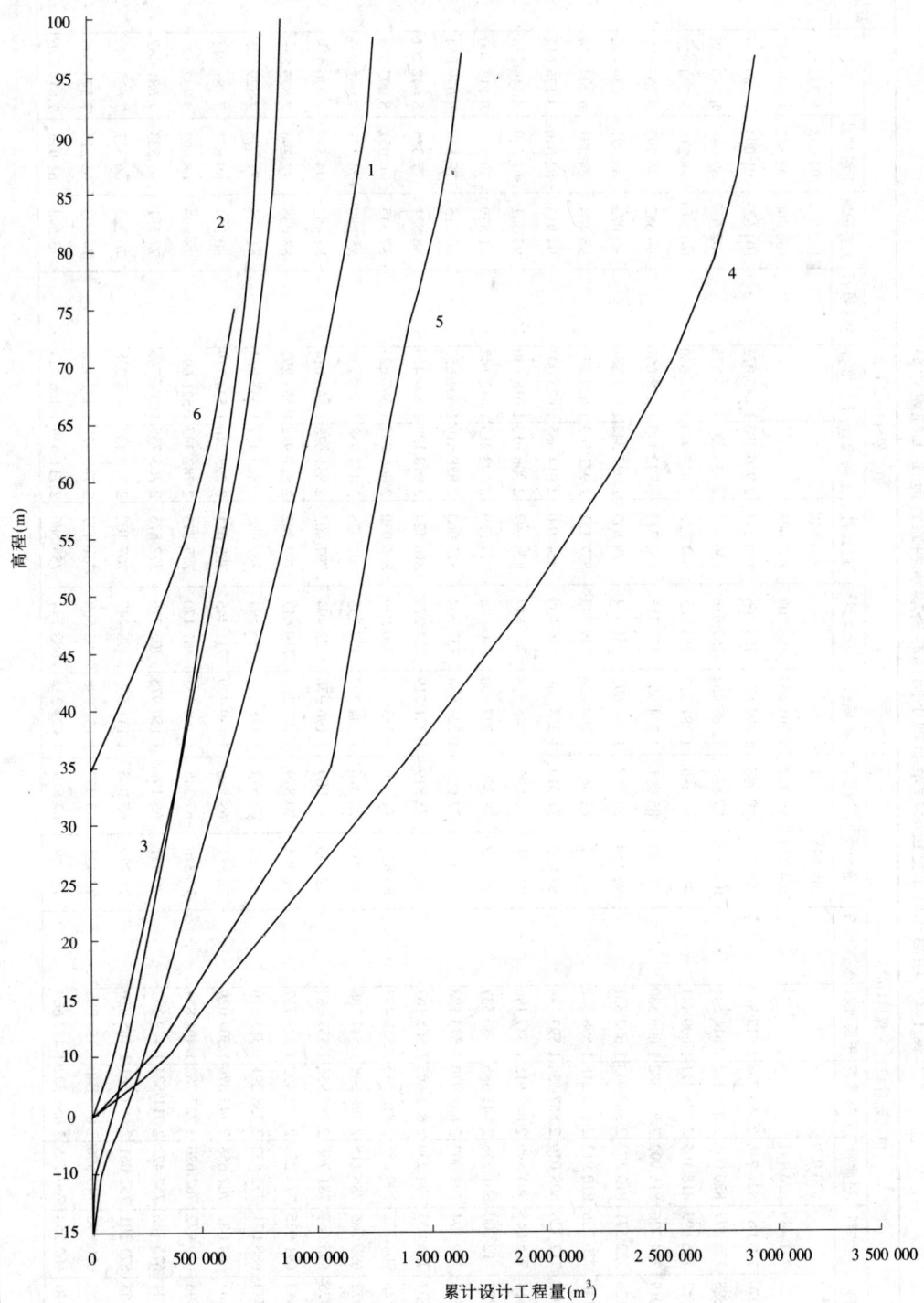

图 1-2　不同高程累计设计工程量曲线

1—心墙料;2—反滤料;3—过渡料;4—上游堆石;5—下游堆石;6—⑤区堆石

表 1-4 坝高100m 土工心墙堆石坝不同高程各填筑料累计施工工程量计算

高程(m)	填筑累计设计工程量(m³)								填筑累计施工工程量(m³)									备注
	心墙料	反滤料	过渡料	上游堆石	下游堆石	⑤区堆石	上游护坡	下游护坡	心墙料	反滤料	过渡料	上游堆石	下游堆石	⑤区堆石	上游护坡	下游护坡	总计	
100			830 039				105 895	92 201			846 640				108 013	94 045	8 331 528	
99	1 251 023	731 449	823 141				104 224	90 747	1 301 064	760 707	839 603				106 308	92 562	8 321 303	
98	1 245 070	730 063	821 746	2 882 738	1 612 820		102 572	89 308	1 294 873	759 266	838 181	2 940 393	1 645 076		104 623	91 094	8 309 095	
97	1 238 898	728 477	820 085	2 881 105	1 611 544		100 938	87 886	1 288 454	757 616	836 487	2 938 727	1 643 775		102 957	89 644	8 293 248	
96	1 232 512	726 697	818 165	2 878 411	1 609 441		99 324	86 480	1 281 812	755 765	834 528	2 935 979	1 641 630		101 310	88 210	8 274 823	
95	1 225 919	724 726	815 992	2 874 682	1 606 530		97 728	85 091	1 274 956	753 715	832 311	2 932 175	1 638 661		99 682	86 792	8 253 883	
94	1 219 126	722 571	813 572	2 869 943	1 602 831		96 150	83 717	1 267 892	751 474	829 843	2 927 342	1 634 887		98 073	85 391	8 230 492	
93	1 212 140	720 236	810 912	2 864 218	1 598 362		94 592	82 360	1 260 626	749 045	827 131	2 921 503	1 630 330		96 484	84 007	8 204 714	
92	1 204 967	717 726	808 019	2 857 534	1 593 144		93 052	81 019	1 253 166	746 435	824 180	2 914 685	1 625 007		94 913	82 640	8 176 614	
91	1 197 614	715 045	804 899	2 849 915	1 587 196		91 531	79 695	1 245 518	743 647	820 997	2 906 913	1 618 940		93 361	81 289	8 146 254	
90	1 190 087	712 200	801 558	2 841 385	1 580 537		90 028	78 386	1 237 690	740 688	817 589	2 898 213	1 612 148		91 829	79 954	8 113 700	
89	1 182 392	709 194	798 002	2 831 970	1 573 188		88 544	77 095	1 229 688	737 562	813 963	2 888 610	1 604 652		90 315	78 636	8 079 014	
88	1 174 537	706 033	794 239	2 821 695	1 565 167		87 079	75 819	1 221 519	734 274	810 124	2 878 129	1 596 470		88 821	77 335	8 042 261	
87	1 166 528	702 722	790 275	2 810 585	1 556 493		85 633	74 559	1 213 190	730 830	806 080	2 866 797	1 587 623		87 345	76 051	8 003 505	
86	1 158 372	699 265	786 115	2 798 664	1 547 188		84 205	73 316	1 204 707	727 235	801 838	2 854 638	1 578 131		85 889	74 783	7 962 809	
85	1 150 075	695 667	781 768	2 785 958	1 537 269		82 796	72 089	1 196 078	723 494	797 403	2 841 678	1 568 014		84 452	73 531	7 920 238	
84	1 141 643	691 935	777 238	2 772 492	1 526 757		81 405	70 879	1 187 309	719 612	792 782	2 827 942	1 557 292		83 033	72 296	7 875 856	
83	1 133 083	688 071	772 532	2 758 291	1 515 670		80 034	69 684	1 178 407	715 594	787 983	2 813 457	1 545 984		81 634	71 078	7 829 725	
82	1 124 403	684 082	767 658	2 743 379	1 504 029		78 681	68 506	1 169 379	711 445	783 011	2 798 246	1 534 110		80 254	69 877	7 781 911	
81	1 115 608	679 972	762 620	2 727 782	1 491 854		77 346	67 345	1 160 232	707 170	777 873	2 782 337	1 521 691		78 893	68 692	7 732 477	
80	1 106 704	675 746	757 427	2 711 524	1 479 162		76 031	66 199	1 150 973	702 776	772 575	2 765 755	1 508 745		77 551	67 523	7 681 487	
79	1 097 663	671 391	752 061	2 694 561	1 465 920		74 729	65 065	1 141 569	698 247	767 102	2 748 452	1 495 238		76 223	66 367	7 628 788	
78	1 088 450	666 893	746 506	2 676 840	1 452 086		73 435	63 939	1 131 988	693 569	761 437	2 730 377	1 481 128		74 903	65 218	7 574 208	
77	1 079 070	662 254	740 765	2 658 372	1 437 669		72 149	62 819	1 122 233	688 744	755 580	2 711 539	1 466 423		73 592	64 076	7 517 776	

续表 1-4

高程(m)	填筑累计设计工程量(m³)								填筑累计施工工程量(m³)									备注
	心墙料	反滤料	过渡料	上游堆石	下游堆石	⑤区堆石	上游护坡	下游护坡	心墙料	反滤料	过渡料	上游堆石	下游堆石	⑤区堆石	上游护坡	下游护坡	总计	
76	1 069 525	657 476	734 840	2 639 168	1 422 678		70 871	61 707	1 112 306	683 775	749 537	2 691 951	1 451 131		72 289	62 941	7 459 520	
75	1 059 819	652 561	728 734	2 619 239	1 409 847	623 126	69 602	60 602	1 102 211	678 664	743 309	2 671 624	1 438 044	635 589	70 994	61 814	7 402 249	
74	1 049 953	647 512	722 450	2 598 596	1 399 494	617 365	68 341	59 503	1 091 951	673 412	736 899	2 650 568	1 427 484	629 712	69 707	60 694	7 340 428	
73	1 039 930	642 330	715 991	2 577 250	1 389 202	610 993	67 088	58 412	1 081 528	668 023	730 311	2 628 795	1 416 986	623 213	68 429	59 581	7 276 866	
72	1 029 755	637 018	709 359	2 555 212	1 378 973	604 019	65 843	57 329	1 070 945	662 499	723 546	2 606 316	1 406 552	616 099	67 160	58 475	7 211 592	
71	1 019 429	631 578	702 558	2 532 492	1 368 805	596 450	64 606	56 252	1 060 206	656 841	716 609	2 583 142	1 396 181	608 379	65 898	57 377	7 144 634	
70	1 008 955	626 012	695 590	2 509 102	1 358 699	588 297	63 378	55 182	1 049 313	651 052	709 502	2 559 285	1 385 873	600 063	64 645	56 286	7 076 019	
69	998 337	620 322	688 458	2 485 053	1 348 656	579 567	62 157	54 120	1 038 270	645 135	702 227	2 534 754	1 375 629	591 158	63 401	55 202	7 005 776	
68	987 577	614 511	681 165	2 460 356	1 338 674	570 268	60 945	53 064	1 027 080	639 091	694 788	2 509 563	1 365 448	581 673	62 164	54 126	6 933 933	
67	976 678	608 580	673 713	2 435 020	1 328 755	560 410	59 741	52 016	1 015 745	632 923	687 188	2 483 721	1 355 330	571 618	60 936	53 057	6 860 517	
66	965 642	602 531	666 107	2 409 059	1 318 898	550 000	58 546	50 975	1 004 268	626 633	679 429	2 457 240	1 345 276	561 000	59 717	51 995	6 785 556	
65	954 474	596 368	658 367	2 382 481	1 309 103	539 047	57 358	49 941	992 653	620 223	671 514	2 430 131	1 335 285	549 828	58 505	50 940	6 709 079	
64	943 175	590 092	650 438	2 355 299	1 299 371	527 559	56 179	48 914	980 902	613 695	663 446	2 402 405	1 325 359	538 111	57 302	49 893	6 631 114	
63	931 749	583 704	642 381	2 327 524	1 289 702	515 546	55 008	47 895	969 019	607 053	655 229	2 374 074	1 315 496	525 857	56 108	48 852	6 551 688	
62	920 199	577 209	634 181	2 299 165	1 280 095	503 015	53 845	46 882	957 007	600 297	646 864	2 345 149	1 305 696	513 075	54 922	47 820	6 470 829	
61	908 526	570 606	625 839	2 270 235	1 270 550	489 975	52 690	45 877	944 867	593 430	638 355	2 315 640	1 295 961	499 775	53 744	46 794	6 388 566	
60	896 735	563 899	617 358	2 240 744	1 261 069	476 435	51 543	44 878	932 604	586 455	629 705	2 285 559	1 286 290	485 963	52 574	45 776	6 304 927	
59	884 828	557 090	608 742	2 210 702	1 251 650	462 402	50 405	43 887	920 221	579 374	620 917	2 254 917	1 276 683	471 650	51 413	44 765	6 219 939	
58	872 808	550 181	599 993	2 180 122	1 242 294	447 885	49 275	42 903	907 720	572 189	611 993	2 223 725	1 267 140	456 843	50 260	43 761	6 133 630	
57	860 678	543 174	591 114	2 149 014	1 233 001	432 894	48 153	41 926	895 105	564 901	602 936	2 191 994	1 257 661	441 552	49 116	42 765	6 046 029	
56	848 440	536 072	582 107	2 117 388	1 223 771	417 436	47 039	40 956	882 378	557 515	593 750	2 159 736	1 248 246	425 784	47 980	41 775	5 957 163	
55	836 098	528 876	572 977	2 085 257	1 214 604	401 519	45 933	39 993	869 542	550 031	584 436	2 126 962	1 238 896	409 549	46 852	40 793	5 867 061	
54	823 654	521 588	563 724	2 052 630	1 205 500	385 153	44 836	39 038	856 601	542 451	574 999	2 093 682	1 229 610	392 856	45 732	39 819	5 775 750	
53	811 112	514 211	554 353	2 019 519	1 196 460	368 345	43 746	38 090	843 557	534 780	565 440	2 059 909	1 220 389	375 712	44 621	38 851	5 683 259	

续表 1-4

高程 (m)	填筑累计设计工程量 (m³)								填筑累计施工工程量 (m³)								总计	备注
	心墙料	反滤料	过渡料	上游堆石	下游堆石	⑤区堆石	上游护坡	下游护坡	心墙料	反滤料	过渡料	上游堆石	下游堆石	⑤区堆石	上游护坡	下游护坡		
52	798 474	506 747	544 866	1 985 934	1 187 482	351 105	42 665	37 148	830 413	527 017	555 763	2 025 653	1 211 232	358 127	43 519	37 891	5 589 615	
51	785 744	499 198	535 266	1 951 887	1 178 569	333 440	41 592	36 214	817 173	519 166	545 971	1 990 925	1 202 140	340 109	42 424	36 938	5 494 846	
50	772 923	491 567	525 555	1 917 388	1 169 718	315 359	40 528	35 287	803 840	511 229	536 066	1 955 736	1 193 113	321 666	41 338	35 993	5 398 981	
49	760 015	483 854	515 737	1 882 449	1 160 931	296 871	39 471	34 367	790 415	503 209	526 052	1 920 098	1 184 150	302 808	40 261	35 054	5 302 047	
48	747 022	476 064	505 814	1 847 080	1 152 208	277 984	38 423	33 454	776 903	495 106	515 931	1 884 022	1 175 252	283 544	39 191	34 123	5 204 072	
47	733 949	468 197	495 790	1 811 293	1 143 548	258 706	37 383	32 549	763 307	486 925	505 705	1 847 519	1 166 419	263 880	38 130	33 200	5 105 085	
46	720 797	460 256	485 666	1 775 098	1 134 952	239 047	36 351	31 650	749 629	478 666	495 379	1 810 600	1 157 651	243 828	37 078	32 283	5 005 113	
45	707 569	452 243	475 446	1 738 506	1 126 420	219 013	35 327	30 759	735 872	470 332	484 955	1 773 276	1 148 948	223 394	36 033	31 374	4 904 185	
44	694 269	444 160	465 133	1 701 528	1 117 952	198 615	34 311	29 875	722 039	461 926	474 436	1 735 558	1 140 311	202 588	34 998	30 472	4 802 328	
43	680 898	436 009	454 730	1 664 175	1 109 547	177 860	33 304	28 997	708 134	453 450	463 824	1 697 459	1 131 738	181 418	33 970	29 577	4 699 570	
42	667 461	427 793	444 238	1 626 458	1 101 207	156 757	32 305	28 127	694 159	444 905	453 123	1 658 988	1 123 231	159 893	32 951	28 690	4 595 939	
41	653 959	419 514	433 662	1588 389	1 092 931	135 315	31 314	27 265	680 118	436 294	442 335	1 620 156	1 114 789	138 021	31 940	27 810	4 491 464	
40	640 397	411 173	423 004	1 549 977	1 084 718	113 541	30 331	26 409	666 013	427 620	431 464	1 580 976	1 106 413	115 812	30 937	26 937	4 386 172	
39	626 776	402 774	412 266	1 511 234	1 076 570	91 444	29 356	25 560	651 847	418 885	420 511	1 541 458	1 098 102	93 273	29 943	26 071	4 280 091	
38	613 099	394 317	401 452	1 472 170	1 068 487	69 033	28 390	24 719	637 623	410 090	409 481	1 501 614	1 089 856	70 414	28 958	25 213	4 173 249	
37	599 370	385 806	390 564	1 432 798	1 060 467	46 317	27 431	23 884	623 345	401 238	398 376	1 461 454	1 081 677	47 243	27 980	24 362	4 065 675	
36	585 591	377 242	379 606	1 393 127	1 052 512	23 303	26 481	23 057	609 015	392 332	387 198	1 420 990	1 073 563	23 769	27 011	23 518	3 957 396	
35	571 766	368 628	368 580	1 353 169	1 044 622		25 539	22 237	594 637	383 373	375 951	1 380 232	1 065 515		26 050	22 682	3 848 440	
34	557 896	359 966	357 488	1 312 934	1 024 936		24 606	21 424	580 212	374 365	364 638	1 339 193	1 045 434		25 098	21 852	3 750 792	
33	543 986	351 258	346 334	1 272 434	993 319		23 680	20 618	565 745	365 308	353 261	1 297 882	1 013 186		24 154	21 031	3 640 567	
32	530 037	342 505	335 121	1 231 679	961 504		22 763	19 819	551 238	356 206	341 823	1 256 313	980 734		23 218	20 216	3 529 748	
31	516 053	333 712	323 851	1 190 681	929 499		21 854	19 028	536 695	347 060	330 328	1 214 494	948 089		22 291	19 408	3 418 365	
30	502 036	324 878	312 527	1 149 449	897 312		20 953	18 243	522 118	337 873	318 778	1 172 438	915 258		21 372	18 608	3 306 445	
29	487 990	316 007	301 153	1 107 997	864 952		20 060	17 466	507 510	328 647	307 176	1 130 157	882 251		20 461	17 815	3 194 017	

续表 1-4

高程(m)	填筑累计设计工程量(m³)								填筑累计施工工程量(m³)									备注
	心墙料	反滤料	过渡料	上游堆石	下游堆石	⑤区堆石	上游护坡	下游护坡	心墙料	反滤料	过渡料	上游堆石	下游堆石	⑤区堆石	上游护坡	下游护坡	总计	
28	473 917	307 101	289 730	1 066 333	832 428		19 175	16 696	492 874	319 385	295 524	1 087 660	849 076		19 559	17 030	3 081 107	
27	459 820	298 161	278 261	1 024 469	799 747		18 299	15 933	478 213	310 088	283 826	1 044 959	815 742		18 665	16 251	2 967 745	
26	445 703	289 191	266 750	982 417	766 919		17 431	15 177	463 531	300 759	272 085	1 002 065	782 257		17 779	15 480	2 853 957	
25	431 567	280 192	255 200	940 186	733 952		16 571	14 428	448 830	291 399	260 304	958 990	748 631		16 902	14 717	2 739 773	
24	417 416	271 166	243 612	897 789	700 855		15 719	13 686	434 113	282 013	248 484	915 745	714 872		16 033	13 960	2 625 220	
23	403 253	262 116	231 991	855 235	667 635		14 875	12 952	419 384	272 600	236 630	872 340	680 988		15 173	13 211	2 510 326	
22	389 081	253 043	220 338	812 536	634 303		14 040	12 224	404 644	263 165	224 745	828 787	646 989		14 321	12 469	2 395 119	
21	374 902	243 951	208 657	769 703	600 865		13 213	11 504	389 898	253 709	212 830	785 097	612 883		13 477	11 734	2 279 627	
20	360 719	234 840	196 950	726 747	567 332		12 394	10 791	375 148	244 233	200 889	741 282	578 678		12 641	11 007	2 163 879	
19	346 536	225 713	185 220	683 678	533 710		11 583	10 085	360 397	234 742	188 924	697 352	544 384		11 814	10 287	2 047 901	
18	332 354	216 573	173 470	640 508	500 010		10 780	9 386	345 649	225 236	176 940	653 319	510 010		10 996	9 574	1 931 722	
17	318 178	207 421	161 704	597 248	466 239		9 985	8 694	330 905	215 718	164 938	609 193	475 563		10 185	8 868	1 815 371	
16	304 010	198 260	149 923	553 908	432 405		9 199	8 010	316 170	206 191	152 921	564 986	441 054		9 383	8 170	1 698 874	
15	290 030	189 207	138 279	511 046	398 946		8 431	7 341	301 631	196 776	141 044	521 267	406 925		8 599	7 487	1 583 730	
14	276 424	180 383	126 927	469 235	366 306		7 690	6 696	287 481	187 599	129 465	478 619	373 632		7 844	6 830	1 471 469	
13	263 202	171 795	115 879	428 509	334 514		6 977	6 075	273 730	178 667	118 193	437 080	341 204		7 117	6 196	1 362 186	
12	250 372	163 450	105 136	388 908	303 599		6 292	5 478	260 387	169 988	107 239	396 686	309 671		6 417	5 588	1 255 976	
11	237 945	155 355	94 717	350 467	273 591		5 634	4 905	247 463	161 569	96 612	357 477	279 062		5 747	5 004	1 152 933	
10	225 931	147 518	84 628	313 224	244 517		5 004	4 357	234 968	153 419	86 321	319 489	249 407		5 104	4 444	1 053 151	
9	214 338	139 946	74 879	277 216	216 407		4 402	3 833	222 912	145 544	76 376	282 760	220 735		4 490	3 909	956 727	
8	203 178	132 647	65 479	242 479	189 290		3 827	3 332	211 305	137 953	66 788	247 329	193 076		3 904	3 399	863 753	
7	192 459	125 627	65 437	209 051	163 195		3 280	2 856	200 158	130 652	57 566	213 232	166 459		3 346	2 913	774 325	
6	182 192	118 894	47 764	176 969	138 150		2 761	2 404	189 480	123 650	48 719	180 508	140 913		2 816	2 452	688 538	
5	172 430	112 484	39 506	146 407	114 292		2 272	1 978	179 328	116 984	40 296	149 335	116 578		2 317	2 018	606 855	

续表 1-4

高程(m)	填筑累计设计工程量(m³)							填筑累计施工工程量(m³)							总计	备注
	心墙料	反滤料	过渡料	⑤区堆石 上游堆石	⑤区堆石 下游堆石	上游护坡	下游护坡	心墙料	反滤料	过渡料	⑤区堆石 上游堆石	⑤区堆石 下游堆石	上游护坡	下游护坡		
4	162 980	106 272	31 500	116 766	91 153	1 802	1 569	169 500	110 523	32 130	119 102	92 976	1 838	1 601	527 670	
3	153 602	100 099	23 545	87 295	68 147	1 340	1 167	159 746	104 103	24 015	89 041	69 510	1 367	1 190	448 972	
2	144 297	93 967	15 641	58 004	45 280	886	771	150 069	97 725	15 954	59 164	46 186	904	787	370 788	
1	135 069	87 878	7 792	28 902	22 562	439	382	140 472	91 393	7 948	29 480	23 013	448	390	293 144	
0	125 920	81 835						130 957	85 108						216 065	
-1	116 853	71 342						121 527	74 195						195 722	
-2	107 870	61 666						112 185	64 133						176 318	
-3	98 975	52 786						102 934	54 898						157 831	
-4	90 169	44 678						93 776	46 465						140 241	
-5	81 456	37 320						84 714	38 813						123 527	
-6	72 838	30 689						75 752	31 917						107 669	
-7	64 318	24 763						66 891	25 754						92 644	
-8	55 899	19 519						58 135	20 299						78 434	
-9	47 582	14 933						49 486	15 531						65 016	
-10	39 372	10 985						40 947	11 424						52 371	
-11	31 270	7 650						32 521	7 956						40 477	
-12	23 279	4 907						24210	5 104						29 314	
-13	15 402	2 733						16 018	2 842						18 860	
-14	7 641	1 105						7 947	1 149						9 096	
-15																

2 模拟工程施工组织设计

2.1 施工布置和施工方法

因本专题的重点是土正心墙堆石坝的坝面填筑施工,而施工导流、坝基开挖和料场开采另有专题研究,故本工程的施工布置和施工方法仅重点对坝面施工进行论述。

2.1.1 料场布置与开采

筑坝材料只考虑坝下游来料,平均运距5.5km。详见"料场开采专题"。

2.1.2 上坝道路布置

假定土石料场均位于坝下游,且主料场位于左岸。根据上坝运输强度和运输机械设备选型,沿左岸修筑一条至基坑的运输主干线,路宽14.0m。考虑到两岸岸坡陡峻,沿岸坡修筑支线道路较困难,上坝支线采用坝后之字形线路和左右岸上坝支线。之字形线路于30.0m高程处同左岸下基坑支线相接,路宽度为14.0m,右岸20.0m高程支线道路路宽也为14.0m。其布置形式见附图2。

2.1.3 坝面施工布置

考虑到大坝填筑工程量较大,施工场地狭窄,为减少施工干扰,坝面上不设供水管线,土料和石料加水由12m³洒水车完成,坝面采用分区流水作业施工。土料含水量按接近最优含水量考虑,只需在温度较高时少量加水,每立方米加水量为20kg,故土料填筑拟定为4个工序,即铺土、平土洒水、碾压和质检。石料采用进占法铺筑,也分为铺料、平料洒水、碾压和质检4个工序。

根据所选机械经济作业要求,每一施工工序最小宽度为35m,最小长度为60m,各工序流水分段均平行坝轴线布置,采用进退法压实。坝面施工布置见附图3。

2.1.4 施工方法

2.1.4.1 土料施工方法

土料填筑采用5.5m³液压挖掘机从土料场挖装32t自卸汽车运输上坝,215HP推土机坝面初步平料,再由Cat120G型平地机刮平,控制铺土厚度为35cm。当气温较高时,由12.0m³洒水车坝面洒水。土料碾压采用13.5t凸块振动碾,碾压8遍,压实厚度25cm。土料与岩石岸坡结合处的1.5~2.0m范围内采用蛙式打夯机压实。

2.1.4.2 反滤料施工方法

反滤料采用土砂松坡接触平起法施工,填筑采用3m³轮式装载机装20t自卸汽车运输上坝,215HP推土机坝面平料,铺料厚度0.6m。14t振动平碾碾压,碾压6遍,压实厚度0.5m。

2.1.4.3 过渡料施工方法

过渡料填筑采用8m³轮式装载机于石料场装45t自卸汽车运输上坝,215HP推土机坝面平料,铺料厚度0.6m。14t振动平碾碾压,碾压6遍,压实厚度0.5m。

2.1.4.4 石料施工方法

石料填筑采用8m³轮式装载机于石料场装45t自卸汽车运输上坝,370HP推土机坝面平料,铺料厚度1.2m。14t振动平碾碾压,碾压8遍,压实厚度1.0m。坝面超径石最大粒径为铺料层厚1.2m的1/2~2/3。大于0.8m的石块应尽可能在料场处理,运到坝面的个别超径石采用液压锤破碎再用作填料。

2.1.4.5 护坡堆石施工方法

上下游护坡块石设计厚 1.0m,护坡块石铺筑与上下游堆石填筑作业平行进行,同步上升。铺料时用 370HP 推土机从填筑面上将较大块石推至上下游坡面边缘,由 1.0m³ 液压反铲挖掘机调整到位,辅以人工撬码整齐,并以块石垫塞嵌合牢固。

2.2 施工机械选型配套及生产率计算

按照拟定施工方法及施工机械选型配套,计算所选机械小时生产率。

2.2.1 挖装机械生产率计算

(1)正铲挖掘机。用于开挖停机坪以上的物料,其生产率高,目前土石坝施工多采用液压挖掘机。斗容有 0.5、1、1.5、2、2.5、3、4、5.5、8、10m³ 多种型号。

(2)反铲挖掘机。用于开挖停机坪以下的土方,可就地甩土或装车。其在岸坡及土料场开挖中应用较为广泛,斗容也有多种规格。

(3)装载机。适用于松散、易挖的材料等装车和短距离搬运,一般靠推土机集料。

2.2.1.1 液压挖掘机生产率计算

采用以下公式计算不同工况下各种斗容液压挖掘机的小时生产率:

$$m_g = 3\ 600 E_k K_h K_t K_p / T$$

式中 m_g——挖掘机小时生产率,m³/h,自然方;

E_k——铲斗几何斗容,m³;

K_h——铲斗充盈系数,见表 2-1、表 2-2;

T——挖装一次的工作循环时间,一般取 25~35s(斗容小取小值,斗容大则取大值);

K_p——物料松散系数,见表 2-3;

K_t——时间利用系数,取 0.75~0.85。

表 2-1 液压反铲充盈系数

物料	充盈系数(%)
天然壤土或砂黏土	100~110
砂卵石	95~110
爆破良好岩石	60~75
爆破较差岩石	45~50

表 2-2 液压正铲充盈系数

物料	充盈系数(%)
土	100~105
土石混合物	100~105
爆破良好岩石	95~105
爆破较差岩石	85~95

表 2-3 土石可松性系数

土壤的种类	可松性系数 K_p	土壤的种类	可松性系数 K_p
黏土	0.76~0.79	砂砾石	0.89~0.91
砾质土	0.85	爆破良好块石	0.67
壤土	0.78~0.81	页岩与软岩	0.75
砾石土	0.85~0.88	固结砾石	0.70
砂	0.88~0.89	砂卵石	0.70~0.85

公式中的参数取值:

$K_t = 0.8$;

$T = 25 \sim 35\mathrm{s}$;

$K_h = 1.1$(土料), 0.95(砂砾料), 0.78(石渣);

$K_p = 0.75 \sim 0.9$(土料), $0.89 \sim 0.91$(砂砾料), $0.65 \sim 0.75$(石渣)。

不同斗容的挖掘机在不同工况下的生产率见表 2-4。

表 2-4　挖掘机生产率　　　　　　　　　　（单位: L.m³/h）

斗容(m³)	土料	砂砾料	石渣
1	126~90	109~78	90~64
5.5	696~497	601~429	494~353

2.2.1.2　装载机生产率计算

采用以下公式计算不同工况下各种斗容装载机的生产率:

$$P = 3\,600 V K_h K_t / T$$

式中　P——装载机小时生产率, L.m³/h;

V——铲斗容积, m³;

K_h——铲斗充盈系数, 一般土料取 $0.85 \sim 1$, 石料取 $0.6 \sim 0.8$, 见表 2-5;

K_t——时间利用系数, 一般取 $0.75 \sim 0.85$;

T——挖装一次循环时间, 按照设备的基本工作循环时间及影响因素的影响时间确定, 设备基本工作循环时间见表 2-6, 循环时间影响因素见表 2-7。

表 2-5　铲斗充盈系数

物　料		充盈系数(%)
松散料	混合湿润骨料	95~100
	粒径≤3mm	95~100
	粒径 3~9mm	90~95
	粒径 12~20mm	85~90
	粒径≥24mm	85~90
爆破料	爆破良好	80~95
	爆破一般	75~90
	爆破较差	60~75
杂项	岩石杂物	100~120
	湿润壤土	100~110
	土、卵石及树根	80~100
	粉状材料	85~95

表 2-6　设备基本工作循环时间

设备型号	斗容(m³)	基本循环时间(min)
910F~960F	1~3.3	0.45~0.50
966F-Ⅱ~980F	3.7~5	0.50~0.55
988F~990	6~8.4	0.55~0.60
992D~994	10.7~18	0.60~0.70

表 2-7　循环时间影响因素

影响因素		影响时间(min)
(1)设备	带材料处理耙	−0.05
(2)材料	混合料	0.02
	粒径≤3mm	0.02
	粒径 3～20mm	−0.02
	粒径 20～150mm	0.00
	粒径≥150mm	0.03
	天然土或爆破渣料	0.04
(3)堆料情况	推土机集料,料堆高度＞3m	0.00
	推土机集料,料堆高度＜3m	0.01
	汽车卸料	0.02
(4)其他	专用装载运输队	−0.04
	独立运输队	0.04
	固定操作司机	−0.04
	不固定操作司机	0.04
	小批量装运	0.04
	碎散料装运	0.05

公式中的参数取值:

$K_t = 0.8$;

$T = 30 \sim 42s$;

$K_h = 1$(土料), $0.9 \sim 0.95$(反滤料), 0.75(石渣)。

不同斗容的装载机在不同工况下的生产率见表 2-8。

表 2-8　轮式装载机生产效率　　　　　　　　(单位:L.m³/h)

斗容(m³)	土料	反滤料	石渣
3	205～287	184～258	154～216
8	548～767	493～690	411～576

注:斗容≥6m³ 时,生产率宜取小值。

2.2.2　运输机械生产率计算

本模拟工程施工运输机械只考虑自卸汽车(型号参照 Caterpillar 机械性能手册)。重型汽车均有自己的性能特性曲线,对路面,厂家也有自己的明确要求。根据不同路面的摩阻和不同的路段坡度计算各路段的行车车速,然后计算其不同运距的重、轻车平均行车车速。本参考资料参照小浪底、水口等大型水利工程施工汽车行车情况计算选取车速,结果见表 2-9。

表 2-9　自卸汽车平均行车车速　　　　　　　　(单位:km/h)

车型	重车平均行车车速	轻车平均行车车速	平均行车车速	备注
20～50t	28	32	30	运距在 1km 以内,
55t 以上	22	28	25	表中数值乘以 0.8

2.2.2.1 汽车与挖装设备的配套

自卸汽车的容量(或载重吨位)应与挖装机械相匹配。自卸汽车容量一般应为挖装机械铲斗容量的3～6倍。按施工经验,自卸汽车容量为挖装机械铲斗容量的5倍时最为经济。如果挖装斗容不变,汽车容量太大,则汽车生产能力下降,反之则挖装机械生产率降低。

按照上述原则,汽车同挖装机械的配套见表2-10、表2-11。

表2-10 挖掘机与自卸汽车配套

挖掘机斗容(m³)	配套汽车吨位(t)	备注
5.5	32	

表2-11 轮式装载机与自卸汽车配套

装载机斗容(m³)	配套汽车吨位(t)	备注
3	20	
8	45	

2.2.2.2 汽车生产率计算

汽车生产率计算公式为

$$Q = 60qK_{ch}K_t/T$$

式中 Q——自卸汽车小时生产率,L.m³/h;

q——每车运载量,一般以车厢堆装容量计,m³,但实际载重不能超过汽车额定载重量;

K_{ch}——汽车装满系数,与挖装机械装满一车厢的铲装次数有关;

K_t——时间利用系数,取0.75～0.85;

T——汽车运载一次循环时间,min,$T = t_1 + t_2 + t_3 + t_4 + t_5$;

t_1——装车时间,min,$t_1 = nT_{装}$;

$T_{装}$——挖装机械挖装一斗的工作循环时间(3m³装载机取40s,8m³装载机取42s,5.5m³液压挖掘机取30s);

n——装满一车厢的铲装次数(取整数);

t_2——重车运行时间,min,$t_2 = 60L/v_1$;

L——运输距离,km;

v_1——重车行车速度,km/h,见表2-9;

t_3——卸车时间,一般为1.5～2.5min;

t_4——空车返回时间,min,$t_4 = 60L/v_e$;

v_e——轻车行车速度,km/h,见表2-9;

t_5——调车、等车及其他因素停车时间,一般为1～2.5min。

为了简化计算,不同吨位汽车,不同运距时运输各类料的计算参数取值如下:

$K_t = 0.85$;

$t_3 = 1.5 \text{min}$;

$t_5 = 2.5 \text{min}$;

$L = 5, 5.5, 6 \text{km}$;

$v_1 = 28 \text{km/h}(20 \sim 50 t \text{ 汽车})$;

$v_e = 32 \text{km/h}(20 \sim 50 t \text{ 汽车})$。

不同吨位汽车与不同类型挖装机械配套,在不同运距条件下,运输各类物料的生产率计算结果见表2-12。

表2-12　汽车生产率计算

序号	汽车吨位 (t)	挖掘机斗容 (m³)	装载机斗容 (m³)	材料	运距 (km)	汽车生产率 (L.m³/h)	汽车生产率 (C.m³/h)
1					5.0	45	27
2	32	5.5		土料	5.5	42	25
3					6.0	39	24
4					5.0	24	22
5	20		3	反滤料	5.5	22	20
6					6.0	21	19
7					5.0	48	37
8	45		8	过渡料	5.5	45	34
9					6.0	42	32
10					5.0	48	37
11	45		8	石料	5.5	45	34
12					6.0	42	32
13	45		8	回采料	3.0	68	54

2.2.3　坝面施工机械生产率计算

2.2.3.1　碾压机械生产率计算

采用公式法计算,碾压方式采用前进倒退法:

$$P = 1\,000 B h v K_t / n$$

式中　P——碾压设备小时生产率,m^3/h(坝上方);

　　　B——有效压实宽度,m,等于碾宽减去搭接宽度(约0.20m),13.5t凸块振动碾及14t振动平碾的有效压实宽度B均为2m;

　　　v——压实作业速度,一般取$3\sim3.5\text{km/h}$;

　　　K_t——时间利用系数,施工条件较好时取$0.75\sim0.83$,施工条件较差时取$0.6\sim0.75$;

　　　h——填料压实厚度,应通过碾压试验确定,当无试验资料时可参照实际工程施工经验,石料取1m,土料取0.25m,反滤料取0.5m,过渡料取0.5m;

　　　n——压实遍数,应通过碾压试验确定,当无试验资料时,可参考实际工程资料分析确定,石料取$6\sim8$遍,土料取8遍,反滤料取6遍,过渡料取6遍。

由以上公式计算得不同碾压机械的生产率见表2-13。

表 2-13　振动碾生产率计算

振动碾类型	坝体材料	压实厚度 （m）	碾压遍数 （遍）	压实作业速度 （km/h）	小时生产率 （m³/h）
14t 振动平碾	石料	1.0	8	3.5	600
	过渡料	0.5	6	3.5	430
	反滤料	0.5	6	3.5	430
13.5t 凸块振动碾	土料	0.25	8	3.5	150

2.2.3.2　平料机械生产率计算

土石坝工程施工中，土料填筑多采用履带式推土机初平，然后由平地机刮平，这样能有效地控制铺土厚度；石料多采用大功率履带式推土机平料，施工操作简单，效率高。本工程筑坝平料机械只考虑推土机和平地机两种施工机械。

1）推土机生产率计算

推土机的配备以其小时生产能力为标准。生产率采用如下公式计算：

$$P = 3\,600QFEKG/C_{m}$$

式中　P——推土机小时生产率，L.m³/h；

Q——铲刀容量，m³，$Q = 1/2h^{2}\cot\phi L$；

ϕ——铲刀前土的自然倾角，黏土为 $35°\sim40°$，壤土为 $30°\sim40°$，砂为 $25°\sim35°$，砂砾石为 $35°\sim40°$；

h——铲刀高度，m；

L——铲刀宽度，m；

F——物料可松性系数；

E——时间利用系数，$0.75\sim0.83$；

K——铲刀充盈系数，见表2-14；

G——坡度变化影响系数，详见表2-15；

C_{m}——每推运一次循环时间，s，C_{m} = 固定时间（即换排挡时间，普通每次 10s）+ 变动时间（即推土及卸土时间 + 回程时间）。

推土机行驶速度：前进取 $3.5\sim14$km/h；后退取 $3\sim12$km/h；一般推运取 $3.5\sim5$ km/h 或 $0.9\sim1.4$m/s；一般回程取 $5\sim10$km/h 或 $1.6\sim2.7$m/s。

表 2-14　铲刀充盈系数

土壤种类	充盈系数	土壤种类	充盈系数
普通土	1.0	页岩	0.6
硬黏土	0.8	卵石及已爆石渣	0.5

表 2-15　坡度变化影响系数

坡度	上坡 5%~10%	水平 0	下坡 5%~10%	下坡 15%~20%
G	0.6~0.8	1.0	1.3~1.9	1.9~2.7

上述公式计算比较繁杂,且影响因素较多。为简化计算推土机推运物料的生产能力,可采用 Caterpillar 机械性能手册推荐的计算方法计算其小时生产率。计算公式为

$$P = P' \times 工作条件调整系数$$

式中　P'——推土机理论生产率,根据工况在 Caterpillar 机械手册中查得,$L. m^3$;

工作条件调整系数 = 调整系数表中 7 项系数的乘积(调整系数见表 2-16)。

表 2-16　调整系数

序号	条件	分类	调整系数
1	操作工熟练程度	熟练	1.0
		一般	0.75
		不熟练	0.6
2	材料	散料	1.2
		难铲或冻结	0.7~0.8
		难推移或胶结	0.6
		爆破或经裂土器裂松岩石	0.6~0.8
3	集料方式	槽推法	1.2
		并排法推土	1.15~1.25
4	能见度	雨、雪、大雾及黑天	0.8
5	时间利用率		0.75~0.83
6	直接传动		0.8
7	坡度	上坡 0°~10°	1~0.8
		上坡 10°~20°	0.8~0.55
		上坡 20°~30°	0.55~0.3
		下坡 0°~−10°	1.0~1.2
		下坡 −10°~−20°	1.2~1.4
		下坡 −20°~−30°	1.4~1.6

本参考资料推土机的生产率采用 Caterpillar 法计算,推土机的型号选用 D9N(370HP)与 D7HXR(215HP)。

设备工作条件调整系数:$K_石 = 0.42$;$K_土 = 0.6$。

查设备生产率曲线得 370HP 推土机生产率为 770$L. m^3$/h,215HP 推土机生产率为 570$L. m^3$/h。

215HP 推土机实际生产率:

土料　　　　　　$570 \times 0.6 = 342(L. m^3/h)$

反滤料　　　　　$570 \times 0.6 = 342(L. m^3/h)$

过渡料　　　　　$570 \times 0.42 = 239(L. m^3/h)$

370HP 推土机实际生产率:

石料　　　　　　$770 \times 0.42 = 323(L. m^3/h)$

2)平地机平土生产率计算

平地机平土生产率采用如下公式计算:

$$P = \left[3\,600L(B\sin\alpha - b)K_t\right]H/\left[n(L/v + t)\right]$$

式中　P——平地机生产率,L.m³/h;

　　　L——平料长度,m,按照经验取60m;

　　　B——刮刀宽度,选用Cat120G(120HP)平地机,$B = 3.66$m;

　　　n——平整次数,取 $n = 1.2$ 次;

　　　v——平整作业速度,m/s,一般取 3~3.5km/h,或 0.8~0.97m/s;

　　　K_t——时间利用系数,取 0.75~0.85;

　　　b——相邻平整带之间的搭接宽度,一般取 $b = 0.3$m;

　　　H——铺土厚度,$H = 0.35$m;

　　　α——刮刀轴线与平地机纵轴线之间的夹角,一般为 72°;

　　　t——平地机调头时间,一般取 $t = 180$s。

则平地机平整土料生产率:

$$P = \left[3\,600 \times 60 \times 0.75 \times 0.35(3.66\sin72° - 0.3)\right]$$
$$\div\left[1.2 \times (60 \div 0.8 + 180)\right] = 580(\text{L.m}^3/\text{h})$$

折合坝上方:$580 \times 0.88/1.33 = 383(\text{C.m}^3/\text{h})$,取 380C.m³/h。

平料机械生产率汇总见表 2-17。

表 2-17 平料机械生产率汇总

机械类型	坝体材料	铺料厚度 (m)	平料遍数 (遍)	压实作业速度 (km/h)	小时生产率 (L.m³/h)	小时生产率 (C.m³/h)
370HP 推土机	石料	1.2	1.2	3.5	323	280
215HP 推土机	过渡料	0.6	1.2	3.5	239	203
215HP 推土机	反滤料	0.6	1.2	3.5	342	310
215HP 推土机	土料	0.35	1.2	3.5	342	230
120HP 平地机	土料	0.35	1.2	3.0	580	380

2.2.3.3　洒水车生产率计算

坝面洒水采用12m³洒水车,假定取水距离为2km。其小时生产率计算公式为

$$P = 60V/T$$

式中　P——洒水车生产率,m³/h;

　　　V——洒水车容积,取 12m³;

　　　T——洒水循环时间,$T = t_1 + t_2 + t_3$;

　　　t_1——注水时间,6min;

　　　t_2——洒水时间,12min;

　　　t_3——行车时间,等于重车行车时间+轻车行车时间。

重力行车速度取为 25km/h,轻车行车速度取为 30km/h,则

$$t_3 = (2/25 + 2/30) \times 60 = 8.8(\text{min})$$

洒水循环时间:

$$t = 6 + 12 + 8.8 = 26.8(\text{min})$$

12m^3 洒水车小时生产率：

$$P = 60 \times 12/26.8 = 26.9(\text{m}^3/\text{h})$$

2.2.4 选用机械生产率

选用机械生产率见表2-18。

表 2-18 选用机械生产率

序号	设备名称	土料 (C.m³/h)	反滤料 (C.m³/h)	过渡料 (C.m³/h)	石料 (C.m³/h)	水 (m³/h)	备注
1	5.5m³ 液压挖掘机	363					
2	1m³ 液压反铲				49		松方
3	8m³ 轮式装载机				382		
4	3m³ 轮式装载机		182	153			
5	20t 自卸汽车						见表 2-12
6	32t 自卸汽车						见表 2-12
7	45t 自卸汽车						见表 2-12
8	370HP 推土机				280		
9	215HP 推土机	230	310	203	203		
10	120HP 平土机	380					
11	13.5t 凸块振动碾	150					
12	14t 振动平碾		430	430	600		
13	12m³ 洒水车					26.9	2km

2.2.5 机械选型配套

按照选用机械设备的小时生产率,配备各种施工机械设备数量见表2-19。

表 2-19 机械选型配套

坝料	装运	平料	洒水	碾压	备注
土料	5.5m³ 液压挖掘机配 32t 自卸汽车	215HP 推土机初平, Cat120G 平地机刮平	12m³ 洒水车	13.5t 凸块振动碾	
反滤料	3m³ 装载机配 20t 自卸汽车	215HP 推土机平料	12m³ 洒水车	14t 振动平碾	
过渡料	8m³ 装载机配 45t 自卸汽车	215HP 推土机平料	12m³ 洒水车	14t 振动平碾	
堆石	8m³ 装载机配 45t 自卸汽车	370HP 推土机平料	12m³ 洒水车	14t 振动平碾	

2.3 施工工期及施工强度计算

2.3.1 分析、确定有效施工天数

2.3.1.1 施工天数分析依据

(1)《水利水电工程施工组织设计规范》(试行)SDJ338—89。

(2)星期日停工1天。

(3)法定节日停工:春节3天,元旦1天,五一节1天,国庆节2天,共7天。

(4)以中原地区某工程气象资料作为模拟工程的气象资料。

2.3.1.2　停工标准

(1)土料填筑施工停工标准:日降雨<1.0mm,照常施工;日降雨1~10mm,雨日停工;日降雨10~20mm,雨日停工,雨后停工1天;日降雨20~50mm,雨日停工,雨后停工两天;日最低气温低于-10℃时停工;发生8级大风时停工。

(2)石料填筑施工停工标准:日降雨≤15mm,照常施工;日降雨>15mm,雨日停工;日降雨>30mm,雨日停工,雨后停工半天;当低气温填筑石料时,采用薄层不加水;发生8级大风时停工。

2.3.1.3　有效施工天数

根据气象资料和停工标准,分析确定土料填筑施工天数如表2-20所示,石料填筑施工天数如表2-21所示。

表 2-20　土料填筑施工天数

项目	月　份												
	1	2	3	4	5	6	7	8	9	10	11	12	全年
日历天数	31	28	31	30	31	30	31	31	30	31	30	31	365
节日停工	1	3			1					2			7
星期日停工	5	4	4	4	5	4	4	5	4	5	4	4	52
降雨停工	2	3	4	7	6	8	15	10	9	7	4	1	76
低气温停工	2	1										1	4
大风停工		2	2	2	1	2	1			1	2	2	15
停工重合天数	1	1	1	1	1	1	3	2	1	2	1		15
施工天数	22	16	22	18	19	17	14	18	18	18	21	23	226

表 2-21　石料填筑施工天数

项目	月　份												
	1	2	3	4	5	6	7	8	9	10	11	12	全年
日历天数	31	28	31	30	31	30	31	31	30	31	30	31	365
节日停工	1	3			1					2			7
星期日停工	5	4	4	4	5	4	4	5	4	5	4	4	52
降雨停工			1	2	1	2	6	4	3	2	1		22
低气温停工													
大风停工		2	2	2	1		1			1	2	1	15
停工重合天数							1			1			2
施工天数	25	19	24	22	23	22	21	22	23	22	23	25	271

2.3.2　上坝填筑强度分析及施工机械配备

为了便于分析上坝填筑强度,根据模拟坝体断面形式,将坝体沿高程每10m分为一个填筑层。

由于心墙料填筑场面狭窄,工序较多,压实困难,上升速度较慢,从而影响坝体的填筑强度,即黏土心墙的填筑控制着上坝填筑强度。根据心墙不同填筑层的平均面积,布置凸块振动碾的数量,依据凸块振动碾的生产效率和施工导截流要求的各时段心墙填筑工程量,并考虑到反滤料、过渡料、上下游堆石填筑对土料填筑的影响,以及上坝道路运输条件的限制,分析确定心墙土料的填筑强度及配套机械数量,按照均衡上升的原则,由心墙的填筑强度相应推算其他各类填筑料的填筑强度和配套机械数量,再由不同高程各类填筑料的填筑强度最终分析确定上坝的总填筑强度。不同填筑料各填筑层的填筑强度分析结果及施工工期见表 2-22~表 2-26。大坝填筑各项施工技术指标见表 2-27。

表 2-22　土料填筑分高程施工强度及工期

填筑部位	施工工程量 (万 m³)	平均填筑 面积(m²)	填筑工期 (月)	有效填筑 工期(日)	日上升速度 (m/日)	日填筑强度 (万 m³/日)
EL. −15.00~0.00m	13.10	8 600	2.9	55	0.27	0.24
EL. 0.00~10.00m	10.40	9 746	2.3	43	0.23	0.24
EL. 10.00~20.00m	14.02	13 075	2.3	44	0.23	0.32
EL. 20.00~30.00m	14.70	13 600	2.4	46	0.22	0.32
EL. 30.00~35.00m	7.25	13 404	1.2	23	0.22	0.32
EL. 35.00~40.00m	7.14	13 193	1.2	22	0.23	0.32
EL. 40.00~50.00m	13.78	12 755	1.6	31	0.32	0.45
EL. 50.00~60.00m	12.88	11 917	1.5	29	0.34	0.45
EL. 60.00~70.00m	11.66	10 802	1.9	36	0.28	0.32
EL. 70.00~75.00m	5.29	9 776	0.9	17	0.29	0.32
EL. 75.00~80.00m	4.88	9 011	0.8	15	0.33	0.32
EL. 80.00~90.00m	8.67	8 044	1.4	27	0.37	0.32
EL. 90.00~99.00m	6.34	6 437	1.4	26	0.35	0.24
合　计	130.11		21.8	414		

表 2-23　反滤料填筑分高程施工强度及工期

填筑部位	施工工程量 (万 m³)	填筑工期 (月)	有效填筑 工期(日)	日上升速度 (m/日)	日填筑强度 (万 m³/日)
EL. −15.00~0.00m	8.51	2.9	55	0.18	0.15
EL. 0.00~10.00m	6.83	2.3	43	0.23	0.16
EL. 10.00~20.00m	9.08	2.3	43	0.23	0.21
EL. 20.00~30.00m	9.37	2.4	45	0.22	0.21
EL. 30.00~35.00m	4.55	1.2	23	0.22	0.20
EL. 35.00~40.00m	4.42	1.2	23	0.22	0.19
EL. 40.00~50.00m	8.37	1.6	30	0.33	0.28
EL. 50.00~60.00m	7.52	1.5	28	0.36	0.27
EL. 60.00~70.00m	6.46	1.9	36	0.28	0.18
EL. 70.00~75.00m	2.76	0.9	17	0.29	0.16
EL. 75.00~80.00m	2.41	0.8	15	0.33	0.16
EL. 80.00~90.00m	3.79	1.4	26	0.38	0.15
EL. 90.00~99.00m	2.00	1.4	26	0.35	0.08
合　计	76.07	21.8	410		

表 2-24 过渡料填筑分高程施工强度及工期

填筑部位	施工工程量（万 m³）	填筑工期（月）	有效填筑工期（日）	日上升速度（m/日）	日填筑强度（万 m³/日）
EL. −15.00~0.00m					
EL. 0.00~10.00m	8.63	2.3	52	0.19	0.17
EL. 10.00~20.00m	11.46	2.3	52	0.19	0.22
EL. 20.00~30.00m	11.79	2.4	54	0.19	0.22
EL. 30.00~35.00m	5.72	1.2	27	0.19	0.21
EL. 35.00~40.00m	5.55	1.2	27	0.19	0.21
EL. 40.00~50.00m	10.46	1.6	36	0.28	0.29
EL. 50.00~60.00m	9.36	1.5	33	0.30	0.28
EL. 60.00~70.00m	7.98	1.9	43	0.23	0.19
EL. 70.00~75.00m	3.38	0.9	20	0.25	0.17
EL. 75.00~80.00m	2.93	0.8	18	0.28	0.16
EL. 80.00~90.00m	4.50	1.4	32	0.32	0.14
EL. 90.00~99.00m	2.90	1.4	32	0.29	0.09
合　计	84.66	18.9	426		

表 2-25 堆石料及回采料填筑分高程施工强度及工期

填筑部位	施工工程量（万 m³）		填筑工期（月）	有效填筑工期（日）	日上升速度（m/日）	日填筑强度（万 m³/日）	
	堆石料	回采料				堆石料	回采料
EL. −15.00~0.00m							
EL. 0.00~10.00m	56.89		2.3	52	0.19	1.10	
EL. 10.00~20.00m	75.11		2.3	52	0.19	1.45	
EL. 20.00~30.00m	76.77		2.4	54	0.19	1.42	
EL. 30.00~35.00m	35.81		1.2	27	0.19	1.33	
EL. 35.00~40.00m	24.16	11.58	1.2	27	0.19	0.89	0.43
EL. 40.00~50.00m	46.15	20.59	1.6	36	0.28	1.28	0.57
EL. 50.00~60.00m	42.30	16.43	1.5	33	0.30	1.25	0.49
EL. 60.00~70.00m	37.33	11.41	1.9	43	0.23	0.87	0.27
EL. 70.00~75.00m	16.45	3.55	0.9	20	0.25	0.81	0.18
EL. 75.00~80.00m	16.48		0.8	18	0.28	0.92	
EL. 80.00~90.00m	23.59		1.4	32	0.32	0.75	
EL. 90.00~99.00m	7.51		1.4	32	0.32	0.24	
合　计	458.55	63.56	18.9	426			

2.3.3 坝体填筑进度计划

土石坝的施工受水文、气象条件的直接影响，汛期往往受到洪水的威胁，因此土石坝的施工进度和施工导流方式以及施工期历年度汛方案有着密切的关系。不同的导流方案有不同的施工程序。本模拟工程采用一次拦断河流、围堰挡水、隧洞导流方案。枢纽工程施工安排应先完成导流隧洞工程施工，且在完成导流隧洞工程施工的同时，进行两岸岸坡的开挖。在导流洞具备过水条件后的枯水期进行河床截流，随即修建上下游围堰，同时进行基坑抽水、坝基开挖和基础处理，然后进行坝体土石方的填筑；根据截流后各年汛期的度汛要求，确定坝体各期填筑上升高程。由施工导流设计专题提供的导流设计资料知，该工程计划于 10 月中旬开始截流；截流后第一年汛期由导流洞泄洪上下游围堰挡水，上游围堰堰顶高程为 EL.35.00m；截流后第二年汛期由填筑至 EL.60.00m 高程以上的坝体和下游围堰挡水，导流洞泄洪。

表 2-26　护坡块石填筑分高程施工强度及工期

填筑部位	施工工程量（万 m³）	填筑工期（月）	有效填筑工期（日）	日上升速度（m/日）	日填筑强度（万 m³/日）
EL.−15.00～0.00m					
EL.0.00～10.00m	0.95	2.3	52	0.19	0.02
EL.10.00～20.00m	1.41	2.3	52	0.19	0.03
EL.20.00～30.00m	1.63	2.4	54	0.19	0.03
EL.30.00～35.00m	0.88	1.2	27	0.19	0.03
EL.35.00～40.00m	0.91	1.2	27	0.19	0.03
EL.40.00～50.00m	1.95	1.6	36	0.28	0.05
EL.50.00～60.00m	2.10	1.5	33	0.30	0.06
EL.60.00～70.00m	2.26	1.9	43	0.23	0.05
EL.70.00～75.00m	1.19	0.9	20	0.25	0.06
EL.75.00～80.00m	1.22	0.8	18	0.28	0.07
EL.80.00～90.00m	2.67	1.4	32	0.32	0.08
EL.90.00～99.00m	2.72	1.4	32	0.29	0.09
EL.99.00～100.00m	0.32	0.2	5	0.22	0.07
合　计	20.21	19.1	431		

由于本专题仅涉及坝体填筑工程，而施工导流、坝基开挖、基础处理和料场开采等项工程由另外的专题完成，故本施工进度有关截流闭气、基坑抽水、上下游围堰填筑、坝基开挖和基础处理等项工程的施工工期只是根据工程的规模估列，仅着重对坝体填筑的施工进度进行分析。依据不同高程各类填筑料的填筑强度和填筑工程量，计算确定填筑工期，同时考虑各类填筑料的均衡上升和拦洪度汛要求，分析安排各类填筑料的填筑进度计划，分析结果见表 2-28。主要施工机械设备汇总见表 2-29。

在安排施工进度计划时考虑每天工作 2 班，每班工作 10h。

表 2-27　大坝填筑施工技术指标

填筑部位	施工工程量(万 m³)							填筑工期(月)	平均月强度(万 m³/月)	高峰强度(万 m³/月)	高峰日强度(万 m³/日)	坝体平均上升速度(m/月)
	土料	堆石料	回采料	反滤料	过渡料	护坡块石	总计					
EL. −15.00~0.00m	13.10			8.51			21.61	2.9				
EL. 0.00~10.00m	10.40	56.89		6.83	8.63	0.95	83.70	2.3				
EL. 10.00~20.00m	14.02	75.11		9.08	11.46	1.41	111.08	2.3				
EL. 20.00~30.00m	14.70	76.77		9.37	11.79	1.63	114.26	2.4				
EL. 30.00~40.00m	14.39	59.97	11.58	8.97	11.27	1.79	107.97	2.4				
EL. 40.00~50.00m	13.78	46.15	20.59	8.37	10.46	1.95	101.30	1.6				
EL. 50.00~60.00m	12.88	42.30	16.43	7.52	9.36	2.10	90.59	1.5				
EL. 60.00~70.00m	11.66	37.33	11.41	6.46	7.98	2.26	77.10	1.9				
EL. 70.00~80.00m	10.17	32.93	3.55	5.17	6.31	2.41	60.54	1.7				
EL. 80.00~90.00m	8.67	23.59		3.79	4.50	2.67	43.22	1.4				
EL. 90.00~100.00m	6.34	7.51		2.00	2.90	3.04	21.79	1.4				
合　计	130.11	458.55	63.56	76.07	84.66	20.21	833.16	21.8	38.22	62.72	2.92	5.28

表 2-28　坝高 100m 土正心墙坝

序号	项目		工程量		工期(月)	第一年			第二年											
			单位	数量		10	11	12	1	2	3	4	5	6	7	8	9	10	11	12
一	准备工程				13.0							13.0								
二	坝基开挖及基础处理工程																			
1	岸坡土石方开挖		万m³		7.0										7.0					
2	河床砂卵石开挖		万m³		4.0															
三	截流闭气及上下游围堰填筑				6.0														P	6.0
四	基坑抽水				0.5														0.5	
五	坝体填筑工程		万m³	833.16																
1	心墙土料填筑		万m³	130.11	22.2															
2	反滤料填筑		万m³	76.07	22.2															
3	过渡料填筑		万m³	84.66	19.4															
4	堆石填筑	土堆石料	万m³	458.55	19.4															
		回采料	万m³	63.56	7.6															
5	护坡块石填筑		万m³	20.21	19.6															
六	坝顶公路		m	710.00	4.1															

注：1.横道线上为填筑强度，单位为万m³/月。

2.横道线下为填筑工期，单位为月。

3.“P”表示截流闭气。

填筑进度计划

第三年												第四年												1
1	2	3	4	5	6	7	8	9	10	11	12	1	2	3	4	5	6	7	8	9	10	11	12	1

4.0

5.10　　　　　　　　　　9.90/0.6　　5.44/0.4　60.00

| | 5.28/1.0 | 4.35/2.0 | 4.08/1.0 | 3.36/1.0 | 4.20/0.5 | 5.61/2.5 | | 6.72/1.0 | 7.36/1.0 | 7.10/1.0 | 5.12/1.0 | 7.10/0.4 | 7.84/1.0 | 8.55/1.0 | 7.22/0.6 | 4.48/1.0 | | 5.65/3.0 | | 6.98/1.0 | 5.28/1.2 |

| | 3.04/2.8 | | 2.53/2.7 | | 3.63/2.5 | | 4.46/2.1 | | 3.90/2.3 | | 5.23/1.6 | 4.70/1.6 | | 2.81/2.3 | 2.87/1.8 | | 2.92/1.3 | 1.67/1.2 |

| | | 3.20/2.7 | | 4.58/2.5 | | 5.62/2.1 | | 5.20/1.1 | 4.63/1.2 | 6.54/1.6 | | 5.85/1.6 | | 3.47/2.3 | | 3.51/1.8 | 3.46/1.3 | 2.42/1.2 |

60.00

| | | 21.07/2.7 | | 30.05/2.5 | | 36.56/2.1 | | 32.56/1.1 | 20.13/1.2 | 28.84/1.6 | | 26.44/1.6 | | 16.23/2.3 | 18.29/1.8 | | 18.15/1.3 | 6.26/1.2 |

| | | | | | | | | 9.65/1.2 | 12.87/1.6 | | 10.27/1.6 | | 4.96/2.3 | 3.95/0.9 | 75.00 |

| | | 0.35/2.7 | | 0.57/2.5 | | 0.78/4.4 | | | 1.22/1.6 | 1.31/1.6 | | 0.98/2.3 | | 1.34/1.8 | 2.05/1.3 | 1.85/1.4 |

179

表 2-29 主要施工机械设备汇总

序号	设备名称	型号	规格	单位	数量	备注
1	推土机	D7HXR	215HP	台	5	
2	推土机	D9N	370HP	台	10	
3	平地机	Cat120G	120HP	台	1	
4	液压挖掘机		5.5m³	台	1	
5	液压反铲	WY100 型	1m³	台	1	上下游护坡块石砌筑
6	轮式装载机		8m³	台	5	
7	轮式装载机		3m³	台	2	
8	自卸汽车		45t	辆	37	
9	自卸汽车		32t	辆	12	
10	自卸汽车		20t	辆	10	
11	振动碾	TZ14	14t	台	5	
12	凸块振动碾		13.5t	台	2	
13	蛙式打夯机	h8－60	3kW	台	4	
14	洒水车		12m³	辆	14	
15	液压破碎器		110HP	台	1	

3 坝体填筑资源计算

3.1 设备台时耗量计算

按照坝体每种填筑料不同高程施工强度分析表综合分析出各种填筑施工小时强度、主要机械设备配备数量、运输距离不同的填筑区域及区域工程量，计算该区域内小时施工强度，再按照各施工机械设备的小时生产率配备各种施工机械设备，据此计算其利用系数，计算每种设备的台时耗量。

设备小时利用系数＝该工作小时生产率/该设备小时生产率

$$设备台时 = \frac{该工作施工工程量}{该工作小时生产率} \times 设备数量 \times 该设备利用系数$$

为简化计算将坝体每种填筑料按高程分成几个段，并计算其平均施工强度，详见表3-1～表3-6。

表 3-1 心墙土料不同区域填筑小时生产率

填筑部位	施工工程量 （m³）	有效填筑工期 （天）	平均生产率 （m³/h）	小时生产率 （m³/h）	运距 （km）	备注
EL.－15～10m	234 968	98	120.0	150	5.0	
EL.10～40m	431 045	135	160.0	200	5.0	
EL.40～60m	266 591	60	222.4	278	5.5	
EL.60～90m	305 086	95	160.8	201	6.0	
EL.90～99m	63 374	26	121.6	152	6.0	

表 3-2　反滤料不同区域填筑小时生产率

填筑部位	施工工程量（m³）	有效填筑工期（天）	平均生产率（m³/h）	小时生产率（m³/h）	运距（km）	备注
EL.−15～40m	427 620	232	92.0	115	5.0	
EL.40～60m	158 835	58	136.8	171	5.5	
EL.60～90m	154 233	94	82.4	103	6.0	
EL.90～99m	20 019	26	38.4	48	6.0	

表 3-3　过渡料不同区域填筑小时生产率

填筑部位	施工工程量（m³）	有效填筑工期（天）	平均生产率（m³/h）	小时生产率（m³/h）	运距（km）	备注
EL.0～10m	86 321	52	83.2	104	5.0	
EL.10～40m	345 143	160	108.0	135	5.0	
EL.40～60m	198 241	70	141.6	177	5.5	
EL.60～90m	187 884	113	83.2	104	6.0	
EL.90～100m	29 051	32	45.6	57	6.0	

表 3-4　堆石料不同区域填筑小时生产率

填筑部位	施工工程量（m³）	有效填筑工期（天）	平均生产率（m³/h）	小时生产率（m³/h）	运距（km）	备注
EL.0～10m	568 896	52	547.2	684	5.0	预堆石
EL.10～35m	1 876 851	133	705.6	882	5.0	
EL.35～60m	1 126 102	97	580.8	726	5.5	
EL.60～75m	537 819	63	427.2	534	6.0	
EL.75～90m	400 693	50	400.8	501	6.0	
EL.90～99m	75 108	32	117.6	147	6.0	

表 3-5　⑤区堆石料不同区域填筑小时生产率

填筑部位	施工工程量（m³）	有效填筑工期（天）	平均生产率（m³/h）	小时生产率（m³/h）	运距（km）	备注
EL.35～60m	485 963	97	250.4	313	3	预堆石
EL.60～75m	149 626	63	118.4	148	3	

表 3-6　堆石护坡不同区域填筑小时生产率

填筑部位	施工工程量（m³）	有效填筑工期（天）	平均生产率（m³/h）	小时生产率（m³/h）	运距（km）	备注
EL.0～40m	57 874	212	13.6	17	5.0	
EL.40～70m	63 057	113	28.0	35	5.5	
EL.70～100m	81 127	107	37.6	47	6.0	

表 3-1～表 3-6 中：

$$平均生产率 = 施工工程量 \div 有效填筑工期（天）\div 20（h/天）$$
$$小时生产率 = 平均生产率 \div 长期工作影响系数$$

3.2 人时用量计算

3.2.1 劳动力配备原则

按土石方不同的施工工作面定岗定员配备工长及各不同工种的劳动力，同一工种劳动力分 4 个等级：一级工（不熟练工）、二级工（半熟练工）、三级工（熟练工）、四级工（高级熟练工）。根据土正心墙堆石坝坝体填料类别和施工特点配备各种专业组及人员，据此拟划分如下工作组。

3.2.1.1 坝体填料装运工作组

负责完成坝体填料从料场至坝面的装车、运输、卸料等工作。

主要施工人员安排原则：

工人：1 人；

挖掘机司机：每台配三级工 1 人；

装载机司机：每台配三级工 1 人；

自卸汽车司机：每台配三级工 1 人；

推土机司机：每台配三级工 1 人；

小型工具车司机，每台配二级工 1 人；

料场普工：一级工 2 人。

工作组人员安排详见表 3-7。

表 3-7　坝体填料装运工作组　　　　　　　　　　　（单位：人）

序号	工种	数量				
		工长	一级工	二级工	三级工	四级工
1	工长	1				
2	装载机司机				1	
3	挖掘机司机				1	
4	自卸汽车司机				1	
5	推土机司机				1	
6	小型工具车司机			1		
7	普工		2			

注：土料场增加电工 2 人（其中二级工 1 人，三级工 1 人），一级工 2 人。

3.2.1.2 土料坝面施工工作组

负责完成坝体心墙土料的坝面铺料、平料、洒水、碾压等工作。

主要施工人员安排原则：

工长：1 人（负责坝体两种填料的坝面工作）；

推土机司机：每台配三级工 1 人；

平地机司机：每台配三级工 1 人；

蛙式夯操作工:每台配二级工2人;

振动碾司机:每台配三级工1人;

洒水车司机:每台配三级工1人;

坝面辅助工:一级工6人(负责坝体两种填料的坝面辅助施工工作);

电工:2人,其中二级工1人,三级工1人(负责坝体四种填料的坝面辅助施工工作);

小型工具车司机:每台配二级工1人。

工作组人员安排详见表3-8。

表3-8　土料坝面施工工作组　　　　　　　　　　(单位:人)

序号	工种	数 量				
		工长	一级工	二级工	三级工	四级工
1	工长	1				
2	推土机司机				1	
3	平地机司机				1	
4	振动碾司机				1	
5	洒水车司机				1	
6	小型工具车司机			1		
7	电工			1	1	
8	蛙式夯操作工			2		
9	普工		6			

3.2.1.3　反滤料坝面施工工作组

负责完成坝体反滤料坝面铺料、平料、洒水、碾压等工作。

主要施工人员安排原则:

工长:1人(负责坝体两种填料的坝面工作);

推土机司机:每台配三级工1人;

振动碾司机:每台配三级工1人;

洒水车司机:每台配三级工1人;

坝面辅助工:一级工6人(负责坝体两种填料的坝面辅助施工工作);

电工:2人,其中二级工1人,三级工1人(负责坝体四种填料的坝面辅助施工工作);

小型工具车司机:每台配二级工1人。

工作组人员安排详见表3-9。

表3-9　反滤料坝面施工工作组　　　　　　　　　　(单位:人)

序号	工种	数 量				
		工长	一级工	二级工	三级工	四级工
1	工长	1				
2	推土机司机				1	
3	振动碾司机				1	
4	洒水车司机				1	
5	小型工具车司机			1		
6	电工			1	1	
7	普工		6			

3.2.1.4　过渡料坝面施工工作组

负责完成坝体过渡料的铺料、平料、洒水、碾压工作。

主要施工人员安排原则：

工长：1 人（负责坝体两种填料的坝面工作）；

推土机司机：每台配三级工 1 人；

振动碾司机：每台配三级工 1 人；

反铲操作工：每台配三级工 1 人；

洒水车司机：每台配三级工 1 人；

坝面辅助工：一级工 6 人（负责坝体两种填料的坝面辅助施工工作）；

电工：2 人，其中二级工 1 人，三级工 1 人（负责坝体四种填料的坝面辅助施工工作）；

小型工具车司机：每台配二级工 1 人。

工作组人员安排详见表 3-10。

表 3-10　过渡料施工工作组　（单位：人）

序号	工种	数量				
		工长	一级工	二级工	三级工	四级工
1	工长	1				
2	推土机司机				1	
3	振动碾司机				1	
4	洒水车司机				1	
5	反铲操作工				1	
6	小型工具车司机			1		
7	电工			1	1	
8	普工		6			

3.2.1.5　坝面石料施工工作组

负责完成坝体石料的铺料、平料、洒水、碾压，以及超径石的二次破碎处理等工作。

主要施工人员安排原则：

工长：1 人（负责坝体两种填料的坝面工作）；

推土机司机：每台配三级工 1 人；

振动碾司机：每台配三级工 1 人；

反铲操作工：每台配三级工 1 人；

破碎器操作工：每台配二级工 1 人；

洒水车司机：每台配三级工 1 人；

坝面辅助工：一级工 6 人（负责坝体两种填料的坝面辅助施工工作）；

电工：2 人，其中二级工 1 人，三级工 1 人（负责坝体四种填料的坝面辅助施工工作）；

小型工具车司机：每台配二级工 1 人。

工作组人员安排详见表 3-11。

3.2.1.6　块石护坡施工工作组

负责完成大坝上下游块石护坡的填筑及修坡等工作。

表 3-11　石料施工工作组　　　　　　　　　　　　　　　　（单位:人）

序号	工种	数　量				
		工长	一级工	二级工	三级工	四级工
1	工长	1				
2	推土机司机					1
3	振动碾司机					1
4	洒水车司机					1
5	反铲操作工					1
6	破碎器操作工			1		
7	小型工具车司机			1		
8	电工			1	1	
9	普工		6			

主要施工人员安排原则:

工长:1 人(负责坝体两种填料的坝面工作);

推土机司机:每台配三级工 1 人;

反铲操作工:每台配三级工 1 人;

坝面辅助工:一级工 15 人(负责坝体两种填筑料的坝面辅助施工工作);

电工:2 人,其中二级工 1 人,三级工 1 人(负责坝体四种填料的坝面辅助施工工作);

小型工具车司机:每台配二级工 1 人。

工作组人员安排详见表 3-12。

表 3-12　护坡施工工作组　　　　　　　　　　　　　　　　（单位:人）

序号	工种	数　量				
		工长	一级工	二级工	三级工	四级工
1	工长	1				
2	推土机司机				1	
3	反铲操作工				1	
4	小型工具车司机			1		
5	电工			1	1	
6	普工		15			

3.2.2　人时用量计算

按照每个工作面的施工强度及配备的各种施工机械设备的数量及 3.2.1 劳动力安排原则配备工长及各工种不同级别的劳动力,再按照每个工作面的具体工作时间计算人时。

$$人时 = \frac{施工工程量}{平均生产率} \times 人数 \times 利用系数$$

3.3　材料用量计算

采用统计、分析、比较等方法计算。本工程计算材料主要为坝面洒水。根据《施工组织设计手册》土石坝碾压洒水的要求和小浪底、天生桥工程的土石方碾压洒水情况,选定单位洒水量如下:

土料　　　　　　　　$20\text{kg}/\text{m}^3$

反滤料　　　　　　200kg/m³

过渡料　　　　　　250kg/m³

堆石料　　　　　　250kg/m³

⑤区堆石料　　　　150kg/m³

$$材料用量＝施工工程量×材料单位用量$$

3.4　施工机械台时、人时和材料用量

施工机械台时、人时和材料用量详见表3-13～表3-24。

表3-13　心墙土料装运施工机械台时、人时、材料用量

序号	项目	单位	数量	人时	台时	材料	利用系数	备注
	EL.-15～10m							
1	设计工程量	m³	225 931					
2	施工工程量	m³	234 968					
3	小时生产率	m³/h	150					
4	长期工作影响系数		0.8					
5	平均生产率	m³/h	120.0					
	劳力资源							
6	工长	人	1	1 958			1	
7	三级推土机司机	人	1	1 958			1	
8	三级挖掘机司机	人	1	1 958			1	
9	三级自卸汽车司机	人	6	11 748			1	
10	二级小型工具车司机	人	1	1 958			1	
11	三级电工	人	1	1 958			1	
12	二级电工	人	1	1 958			1	
13	一级普工	人	2	3 916			1	
	设备资源							
14	小型工具车	台	1		392		0.25	
15	5.5m³ 液压挖掘机	台	1		642		0.41	
16	32t 自卸汽车	台	6		8 741		0.93	运距 5km
17	215HP 推土机	台	1		329		0.21	
	材料							
18	其他							
	EL.10～40m							
1	设计工程量	m³	414 466					
2	施工工程量	m³	431 045					
3	小时生产率	m³/h	200					
4	长期工作影响系数		0.8					
5	平均生产率	m³/h	160.0					
	劳力资源							
6	工长	人	1	2 694			1	
7	三级推土机司机	人	1	2 694			1	
8	三级挖掘机司机	人	1	2 694			1	

序号	项目	单位	数量	人时	台时	材料	利用系数	备注
9	三级自卸汽车司机	人	9	24 246			1	
10	二级小型工具车司机	人	1	2 694			1	
11	三级电工	人	1	2 694			1	
12	二级电工	人	1	2 694			1	
13	一级普工	人	2	5 388			1	
	设备资源							
14	小型工具车	台	1		539		0.25	
15	5.5m³ 液压挖掘机	台	1		1 185		0.55	
16	32t 自卸汽车	台	9		15 906		0.82	运距 5km
17	215HP 推土机	台	1		603		0.28	
	材料							
18	其他							
	EL. 40~60m							
1	设计工程量	m³	256 338					
2	施工工程量	m³	266 591					
3	小时生产率	m³/h	278					
4	长期工作影响系数		0.8					
5	平均生产率	m³/h	222.0					
	劳力资源							
6	工长	人	1	1 199			1	
7	三级推土机司机	人	1	1 199			1	
8	三级挖掘机司机	人	1	1 199			1	
9	三级自卸汽车司机	人	12	14 384			1	
10	二级小型工具车司机	人	1	1 199			1	
11	三级电工	人	1	1 199			1	
12	二级电工	人	1	1 199			1	
13	一级普工	人	2	2 397			1	
	设备资源							
14	小型工具车	台	1		240		0.25	
15	5.5m³ 液压挖掘机	台	1		738		0.77	
16	32t 自卸汽车	台	12		10 702		0.93	运距 5.5km
17	215HP 推土机	台	1		374		0.39	
	材料							
18	其他							
	EL. 60~90m							
1	设计工程量	m³	293 352					
2	施工工程量	m³	305 086					
3	小时生产率	m³/h	201					
4	长期工作影响系数		0.8					

序号	项目	单位	数量	人时	台时	材料	利用系数	备注
5	平均生产率	m³/h	161.0					
	劳力资源							
6	工长	人	1	1 897			1	
7	三级推土机司机	人	1	1 897			1	
8	三级挖掘机司机	人	1	1 897			1	
9	三级自卸汽车司机	人	9	17 076			1	
10	二级小型工具车司机	人	1	1 897			1	
11	三级电工	人	1	1 897			1	
12	二级电工	人	1	1 897			1	
13	一级普工	人	2	3 795			1	
	设备资源							
14	小型工具车	台	1		379		0.25	
15	5.5m³ 液压挖掘机	台	1		835		0.55	
16	32t 自卸汽车	台	9		12 704		0.93	运距 6km
17	215HP 推土机	台	1		425		0.28	
	材料							
18	其他							
	EL.90~99m							
1	设计工程量	m³	60 936					
2	施工工程量	m³	63 374					
3	小时生产率	m³/h	152					
4	长期工作影响系数		0.8					
5	平均生产率	m³/h	122.0					
	劳力资源							
6	工长	人	1	521			1	
7	三级推土机司机	人	1	521			1	
8	三级挖掘机司机	人	1	521			1	
9	三级自卸汽车司机	人	7	3 648			1	
10	二级小型工具车司机	人	1	521			1	
11	三级电工	人	1	521			1	
12	二级电工	人	1	521			1	
13	一级普工	人	2	1 042			1	
	设备资源							
14	小型工具车	台	1		104		0.25	
15	5.5m³ 液压挖掘机	台	1		175		0.42	
16	32t 自卸汽车	台	7		2 627		0.90	运距 6km
17	215HP 推土机	台	1		88		0.21	
	材料							
18	其他							

表 3-14　心墙土料坝面施工机械台时、人时、材料用量

序号	项目	单位	数量	人时	台时	材料	利用系数	备注
	EL. −15~10m							
1	设计工程量	m³	225 931					
2	施工工程量	m³	234 968					
3	小时生产率	m³/h	150					
4	长期工作影响系数		0.8					
5	平均生产率	m³/h	120.0					
	劳力资源							
6	工长	人	1	979			0.5	
7	三级推土机司机	人	1	1 958			1	
8	三级平地机司机	人	1	1 958			1	
9	三级振动碾司机	人	1	1 958			1	
10	三级洒水车司机	人	1	979			0.5	
11	二级蛙式振动夯操作工	人	6	11 748			1	
12	二级小型工具车司机	人	1	979			0.5	
13	二级电工	人	1	490			0.25	
14	三级电工	人	1	490			0.25	
15	一级普工	人	6	5 874			0.5	
	设备资源							
16	215HP 推土机	台	1		1 018		0.65	
17	120HP 平地机	台	1		611		0.39	
18	13.5t 凸块振动平碾	台	1		1 566		1.00	
19	2.2kW 蛙式振动夯	台	3		3 290		0.7	
20	12m³ 洒水车	台	1		172		0.11	
21	小型工具车	台	1		313		0.2	
	材料		（单位耗量）					
22	水	m³	0.02			4 699		
23	其他							
	EL. 10~40m							
1	设计工程量	m³	414 466					
2	施工工程量	m³	431 045					
3	小时生产率	m³/h	200					
4	长期工作影响系数		0.8					
5	平均生产率	m³/h	160.0					
	劳力资源							
6	工长	人	1	1 347			0.5	
7	三级推土机司机	人	1	2 694			1	
8	三级平地机司机	人	1	2 694			1	
9	三级振动碾司机	人	2	5 388			1	
10	三级洒水车司机	人	1	1 347			0.5	

序号	项目	单位	数量	人时	台时	材料	利用系数	备注
11	二级蛙式振动夯操作工	人	8	21 552			1	
12	二级小型工具车司机	人	1	1 347			0.5	
13	二级电工	人	1	674			0.25	
14	三级电工	人	1	674			0.25	
15	一级普工	人	6	8 082			0.5	
	设备资源							
16	215HP 推土机	台	1		1 875		0.87	
17	120HP 平地机	台	1		1 142		0.53	
18	13.5t 凸块振动平碾	台	2		2 888		0.67	
19	2.2kW 蛙式振动夯	台	4		6 035		0.7	
20	12m³ 洒水车	台	1		323		0.15	
21	小型工具车	台	1		539		0.25	
	材料		(单位耗量)					
22	水	m³	0.02			8 621		
23	其他							
	EL. 40～60m							
1	设计工程量	m³	256 338					
2	施工工程量	m³	266 591					
3	小时生产率	m³/h	278					
4	长期工作影响系数		0.8					
5	平均生产率	m³/h	222.4					
	劳力资源							
6	工长	人	1	599			0.5	
7	三级推土机司机	人	2	2 397			1	
8	三级平地机司机	人	1	1 199			1	
9	三级振动碾司机	人	2	2 397			1	
10	三级洒水车司机	人	1	599			0.5	
11	二级蛙式振动夯操作工	人	8	9 590			1	
12	二级小型工具车司机	人	1	599			0.5	
13	二级电工	人	1	300			0.25	
14	三级电工	人	1	300			0.25	
15	一级普工	人	6	3 596			0.5	
	设备资源							
16	215HP 推土机	台	2		1 151		0.6	
17	120HP 平地机	台	1		700		0.73	
18	13.5t 凸块振动平碾	台	2		1 784		0.93	
19	2.2kW 蛙式振动夯	台	4		2 685		0.7	
20	12m³ 洒水车	台	1		201		0.21	
21	小型工具车	台	1		240		0.25	
	材料		(单位耗量)					

続表 3-14

序号	项目	单位	数量	人时	台时	材料	利用系数	备注
23	水	m³	0.02			5 332		
24	其他							
	EL.60~90m							
1	设计工程量	m³	293 352					
2	施工工程量	m³	305 086					
3	小时生产率	m³/h	201					
4	长期工作影响系数		0.8					
5	平均生产率	m³/h	160.8					
	劳力资源							
6	工长	人	1	949			0.5	
7	三级推土机司机	人	1	1 897			1	
8	三级平地机司机	人	1	1 897			1	
9	三级振动碾司机	人	2	3 795			1	
10	三级洒水车司机	人	1	949			0.5	
11	二级蛙式振动夯操作工	人	6	11 384			1	
12	二级小型工具车司机	人	1	949			0.5	
13	二级电工	人	1	474			0.25	
14	三级电工	人	1	474			0.25	
15	一级普工	人	6	5 692			0.5	
	设备资源							
16	215HP推土机	台	1		1 321		0.87	
17	120HP平地机	台	1		804		0.53	
18	13.5t凸块振动平碾	台	2		2 034		0.67	
19	2.2kW蛙式振动夯	台	3		3 187		0.7	
20	12m³洒水车	台	1		228		0.15	
21	小型工具车	台	1		304		0.2	
	材料		(单位耗量)					
22	水	m³	0.02			6 102		
23	其他							
	EL.90~99m							
1	设计工程量	m³	60 936					
2	施工工程量	m³	63 374					
3	小时生产率	m³/h	152					
4	长期工作影响系数		0.8					
5	平均生产率	m³/h	121.6					
	劳力资源							
6	工长	人	1	261			0.5	
7	三级推土机司机	人	1	521			1	

序号	项目	单位	数量	人时	台时	材料	利用系数	备注
8	三级平地机司机	人	1	521			1	
9	三级振动碾司机	人	2	1 042			1	
10	三级洒水车司机	人	1	261			0.5	
11	二级蛙式振动夯操作工	人	6	3 127			1	
12	二级小型工具车司机	人	1	261			0.5	
13	二级电工	人	1	130			0.25	
14	三级电工	人	1	130			0.25	
15	一级普工	人	6	1 564			0.5	
	设备资源							
16	215HP 推土机	台	1		275		0.66	
17	120HP 平地机	台	1		167		0.4	
18	13.5t 凸块振动平碾	台	2		425		0.51	
19	2.2kW 蛙式振动夯	台	3		876		0.7	
20	12m³ 洒水车	台	1		46		0.11	
21	小型工具车	台	1		83		0.2	
	材料		(单位耗量)					
22	水	m³	0.02			1 267		
23	其他							

表 3-15 反滤料装运施工机械台时、人时、材料用量

序号	项目	单位	数量	人时	台时	材料	利用系数	备注
	EL. -15~40m							
1	设计工程量	m³	411 173					
2	施工工程量	m³	427 620					
3	小时生产率	m³/h	115					
4	长期工作影响系数		0.8					
5	平均生产率	m³/h	92.0					
	劳力资源							
6	工长	人	1	4 648			1	
7	三级推土机司机	人	1	4 648			1	
8	三级装载机司机	人	1	4 648			1	
9	三级自卸汽车司机	人	6	27 888			1	
10	二级小型工具车司机	人	1	4 648			1	
11	一级普工	人	2	9 296			1	
	设备资源							
12	小型工具车	台	1		930		0.25	
13	3m³ 轮式装载机	台	1		2 343		0.63	
14	20t 自卸汽车	台	6		19 410		0.87	运距 5km
15	215HP 推土机	台	1		1 190		0.32	
	材料							

序号	项目	单位	数量	人时	台时	材料	利用系数	备注
16	其他							
	EL.40～60m							
1	设计工程量	m³	152 726					
2	施工工程量	m³	158 835					
3	小时生产率	m³/h	171					
4	长期工作影响系数		0.8					
5	平均生产率	m³/h	136.8					
	劳力资源							
6	工长	人	1	1 161			1	
7	三级推土机司机	人	1	1 161			1	
8	三级装载机司机	人	1	1 161			1	
9	三级自卸汽车司机	人	9	10 450			1	
10	二级小型工具车司机	人	1	1 161			1	
11	一级普工	人	2	2 322			1	
	设备资源							
12	小型工具车	台	1		232		0.25	
13	3m³ 轮式装载机	台	1		873		0.94	
14	20t 自卸汽车	台	9		7 942		0.95	运距5.5km
15	215HP 推土机	台	1		437		0.47	
	材料							
16	其他							
	EL.60～90m							
1	设计工程量	m³	148 301					
2	施工工程量	m³	154 233					
3	小时生产率	m³/h	103					
4	长期工作影响系数		0.8					
5	平均生产率	m³/h	82.4					
	劳力资源							
6	工长	人	1	1 872			1	
7	三级推土机司机	人	1	1 872			1	
8	三级装载机司机	人	1	1 872			1	
9	三级自卸汽车司机	人	6	11 231			1	
10	二级小型工具车司机	人	1	1 872			1	
11	一级普工	人	2	3 744			1	
	设备资源							
12	小型工具车	台	1		374		0.25	
13	3m³ 轮式装载机	台	1		854		0.57	
14	20t 自卸汽车	台	6		8 086		0.9	运距6km
15	215HP 推土机	台	1		434		0.29	

序号	项目	单位	数量	人时	台时	材料	利用系数	备注
	材料							
16	其他							
	EL.90～99m							
1	设计工程量	m³	19 249					
2	施工工程量	m³	20 019					
3	小时生产率	m³/h	48					
4	长期工作影响系数		0.8					
5	平均生产率	m³/h	38.4					
	劳力资源							
6	工长	人	1	521			1	
7	三级推土机司机	人	1	521			1	
8	三级挖掘机司机	人	1	521			1	
9	三级自卸汽车司机	人	3	1 564			1	
10	二级小型工具车司机	人	1	521			1	
11	一级普工	人	2	1 043			1	
	设备资源							
12	小型工具车	台	1		104		0.25	
13	3m³ 轮式装载机	台	1		108		0.26	
14	20t 自卸汽车	台	3		1 051		0.84	运距 6km
15	215HP 推土机	台	1		54		0.13	
	材料							
16	其他							

表 3-16　反滤料坝面施工机械台时、人时、材料用量

序号	项目	单位	数量	人时	台时	材料	利用系数	备注
	EL.−15～40m							
1	设计工程量	m³	411 173					
2	施工工程量	m³	427 620					
3	小时生产率	m³/h	115					
4	长期工作影响系数		0.8					
5	平均生产率	m³/h	92.0					
	劳力资源							
6	工长	人	1	2 324			0.5	
7	三级推土机司机	人	1	4 648			1	
8	三级反铲操作工	人	1	2 324			0.5	
9	三级振动碾司机	人	1	2 324			0.5	
10	三级洒水车司机	人	1	2 324			0.5	
11	二级小型工具车司机	人	1	2 324			0.5	
12	二级电工	人	1	1 162			0.25	

序号	项目	单位	数量	人时	台时	材料	利用系数	备注
13	三级电工	人	1	1 162			0.25	
14	一级普工	人	6	13 944			0.5	
	设备资源							
15	215HP 推土机	台	1		1 376		0.37	
16	14t 振动平碾	台	1		1 004		0.27	
17	12m³ 洒水车	台	1		3 198		0.86	
18	1m³ 液压反铲	台	1		558		0.15	
19	小型工具车	台	1		744		0.2	
	材料		(单位耗量)					
20	水	m³	0.2			85 524		
21	其他							
	EL. 40～60m							
1	设计工程量	m³	152 726					
2	施工工程量	m³	158 835					
3	小时生产率	m³/h	171					
4	长期工作影响系数		0.8					
5	平均生产率	m³/h	136.8					
	劳力资源							
6	工长	人	1	581			0.5	
7	三级推土机司机	人	1	1 161			1	
8	三级反铲操作工	人	1	581			0.5	
9	三级振动碾司机	人	1	1 161			1	
10	三级洒水车司机	人	2	2 322			1	
11	二级小型工具车司机	人	1	581			0.5	
12	二级电工	人	1	290			0.25	
13	三级电工	人	1	290			0.25	
14	一级普工	人	6	3 483			0.5	
	设备资源							
15	215HP 推土机	台	1		511		0.55	
16	14t 振动平碾	台	1		372		0.4	
17	12m³ 洒水车	台	2		1 189		0.64	
18	1m³ 液压反铲	台	1		139		0.15	
19	小型工具车	台	1		186		0.2	
	材料		(单位耗量)					
20	水	m³	0.2			31 767		
21	其他							
	EL. 60～90m							
1	设计工程量	m³	148 301					

序号	项目	单位	数量	人时	台时	材料	利用系数	备注
2	施工工程量	m³	154 233					
3	小时生产率	m³/h	103					
4	长期工作影响系数		0.8					
5	平均生产率	m³/h	82.4					
	劳力资源							
6	工长	人	1	936			0.5	
7	三级推土机司机	人	1	936			0.5	
8	三级反铲操作工	人	1	936			0.5	
9	三级振动碾司机	人	1	936			0.5	
10	三级洒水车司机	人	1	1 872			1	
11	二级小型工具车司机	人	1	936			0.5	
12	二级电工	人	1	468			0.25	
13	三级电工	人	1	468			0.25	
14	一级普工	人	6	5 615			0.5	
	设备资源							
15	215HP 推土机	台	1		494		0.33	
16	14t 振动平碾	台	1		359		0.24	
17	12m³ 洒水车	台	1		1 153		0.77	
18	1m³ 液压反铲	台	1		225		0.15	
19	小型工具车	台	1		299		0.2	
	材料		(单位耗量)					
20	水	m³	0.2			30 847		
21	其他							
	EL.90～99m							
1	设计工程量	m³	19 249					
2	施工工程量	m³	20 019					
3	小时生产率	m³/h	48					
4	长期工作影响系数		0.8					
5	平均生产率	m³/h	38.4					
	劳力资源							
6	工长	人	1	261			0.5	
7	三级推土机司机	人	1	261			0.5	
8	三级反铲操作工	人	1	261			0.5	
9	三级振动碾司机	人	1	261			0.5	
10	三级洒水车司机	人	1	521			1	
11	二级小型工具车司机	人	1	261			0.5	
12	二级电工	人	1	130			0.25	
13	三级电工	人	1	130			0.25	
14	一级普工	人	6	1 564			0.5	
	设备资源							

续表 3-16

序号	项目	单位	数量	人时	台时	材料	利用系数	备注
15	215HP 推土机	台	1		63		0.15	
16	14t 振动平碾	台	1		46		0.11	
17	12m³ 洒水车	台	1		150		0.36	
18	1m³ 液压反铲	台	1		42		0.1	
19	小型工具车	台	1		83		0.2	
	材料		(单位耗量)					
20	水	m³	0.2			4 004		
21	其他							

表 3-17　过渡料装运施工机械台时、人时、材料用量

序号	项目	单位	数量	人时	台时	材料	利用系数	备注
	EL.0~10m							
1	设计工程量	m³	84 628					
2	施工工程量	m³	86 321					
3	小时生产率	m³/h	104					
4	长期工作影响系数		0.8					
5	平均生产率	m³/h	83.2					
	劳力资源							
6	工长	人	1	519			0.5	
7	三级推土机司机	人	1	519			0.5	
8	三级装载机司机	人	1	519			0.5	
9	三级自卸汽车司机	人	3	3 113			1	
10	二级小型工具车司机	人	1	519			0.5	
11	一级普工	人	2	1 038			0.5	
	设备资源							
12	小型工具车	台	1		208		0.25	
13	8m³ 轮式装载机	台	1		224		0.27	
14	45t 自卸汽车	台	3		2 341		0.94	运距 5km
15	370HP 推土机	台	1		116		0.14	
	材料							
16	其他							
	EL.10~40m							
1	设计工程量	m³	338 376					
2	施工工程量	m³	345 143					
3	小时生产率	m³/h	135					
4	长期工作影响系数		0.8					
5	平均生产率	m³/h	108.0					
	劳力资源							
6	工长	人	1	1 598			0.5	

序号	项目	单位	数量	人时	台时	材料	利用系数	备注
7	三级推土机司机	人	1	3 196			1	
8	三级装载机司机	人	1	1 598			0.5	
9	三级自卸汽车司机	人	4	12 783			1	
10	二级小型工具车司机	人	1	3 196			1	
11	一级普工	人	2	3 196			0.5	
	设备资源							
12	小型工具车	台	1		639		0.25	
13	8m³ 轮式装载机	台	1		895		0.35	
14	45t 自卸汽车	台	4		9 306		0.91	运距 5km
15	370HP 推土机	台	1		460		0.18	
	材料							
16	其他							
	EL.40～60m							
1	设计工程量	m³	194 354					
2	施工工程量	m³	198 241					
3	小时生产率	m³/h	177					
4	长期工作影响系数		0.8					
5	平均生产率	m³/h	141.6					
	劳力资源							
6	工长	人	1	700			0.5	
7	三级推土机司机	人	1	1 400			1	
8	三级装载机司机	人	1	1 400			1	
9	三级自卸汽车司机	人	6	8 400			1	
10	二级小型工具车司机	人	1	700			0.5	
11	一级普工	人	2	1 400			0.5	
	设备资源							
12	小型工具车	台	1		280		0.25	
13	8m³ 轮式装载机	台	1		515		0.46	
14	45t 自卸汽车	台	6		5 846		0.87	运距 5.5km
15	370HP 推土机	台	1		258		0.23	
	材料							
16	其他							
	EL.60～90m							
1	设计工程量	m³	184 200					
2	施工工程量	m³	187 884					

序号	项目	单位	数量	人时	台时	材料	利用系数	备注
3	小时生产率	m³/h	104					
4	长期工作影响系数		0.8					
5	平均生产率	m³/h	83.2					
	劳力资源							
6	工长	人	1	1 129			0.5	
7	三级推土机司机	人	1	2 258			1	
8	三级装载机司机	人	1	1 129			0.5	
9	三级自卸汽车司机	人	4	9 033			1	
10	二级小型工具车司机	人	1	1 129			0.5	
11	一级普工	人	2	2 258			0.5	
	设备资源							
12	小型工具车	台	1		452		0.25	
13	8m³ 轮式装载机	台	1		488		0.27	
14	45t 自卸汽车	台	4		5 853		0.81	运距 6km
15	370HP 推土机	台	1		253		0.14	料场用
	材料							
16	其他							
	EL.90～100m							
1	设计工程量	m³	28 481					
2	施工工程量	m³	29 051					
3	小时生产率	m³/h	57					
4	长期工作影响系数		0.8					
5	平均生产率	m³/h	45.6					
	劳力资源							
6	工长	人	1	319			0.5	
7	三级推土机司机	人	1	319			0.5	
8	三级装载机司机	人	1	319			0.5	
9	三级自卸汽车司机	人	2	1 274			1	
10	二级小型工具车司机	人	1	319			0.5	
11	一级普工	人	2	637			0.5	
	设备资源							
12	小型工具车	台	1		127		0.25	
13	8m³ 轮式装载机	台	1		76		0.15	
14	45t 自卸汽车	台	2		907		0.89	运距 6km
15	370HP 推土机	台	1		41		0.08	
	材料							
16	其他							

表 3-18 过渡料坝面施工机械台时、人时、材料用量

序号	项目	单位	数量	人时	台时	材料	利用系数	备注
	EL.0~10m							
1	设计工程量	m³	84 628					
2	施工工程量	m³	86 321					
3	小时生产率	m³/h	104					
4	长期工作影响系数		0.8					
5	平均生产率	m³/h	83.2					
	劳力资源							
6	工长	人	1	519			0.5	
7	三级推土机司机	人	1	1 038			1	
8	三级反铲操作工	人	1	519			0.5	
9	三级振动碾司机	人	1	519			0.5	
10	三级洒水车司机	人	1	1 038			1	
11	二级小型工具车司机	人	1	519			0.5	
12	二级电工	人	1	259			0.25	
13	三级电工	人	1	259			0.25	
14	一级普工	人	6	3 113			0.5	
	设备资源							
15	215HP 推土机	台	1		423		0.51	
16	1m³ 液压反铲	台	1		83		0.1	
17	14t 振动平碾	台	1		199		0.24	
18	12m³ 洒水车	台	1		805		0.97	
19	小型工具车	台	1		166		0.2	
	材料		(单位耗量)					
20	水	m³	0.25			21 580		
21	其他							
	EL.10~40m							
1	设计工程量	m³	338 376					
2	施工工程量	m³	345 143					
3	小时生产率	m³/h	135					
4	长期工作影响系数		0.8					
5	平均生产率	m³/h	108.0					
	劳力资源							
6	工长	人	1	1 598			0.5	
7	三级推土机司机	人	1	3 196			1	
8	三级反铲操作工	人	1	1 598			0.5	
9	三级振动碾司机	人	1	1 598			0.5	
10	三级洒水车司机	人	2	6 392			1	
11	二级小型工具车司机	人	1	1 598			0.5	
12	二级电工	人	1	799			0.25	

续表 3-18

序号	项目	单位	数量	人时	台时	材料	利用系数	备注
13	三级电工	人	1	799			0.25	
14	一级普工	人	6	9 587			0.5	
	设备资源							
15	215HP 推土机	台	1		1 713		0.67	
16	1m³ 液压反铲	台	1		256		0.1	
17	14t 振动平碾	台	1		793		0.31	
18	12m³ 洒水车	台	2		3 221		0.63	
19	小型工具车	台	1		511		0.2	
	材料		(单位耗量)					
20	水	m³	0.25			86 286		
21	其他							
	EL. 40~60m							
1	设计工程量	m³	194 354					
2	施工工程量	m³	198 241					
3	小时生产率	m³/h	177					
4	长期工作影响系数		0.8					
5	平均生产率	m³/h	141.6					
	劳力资源							
6	工长	人	1	700			0.5	
7	三级推土机司机	人	1	1 400			1	
8	三级反铲司机	人	1	700			0.5	
9	三级振动碾司机	人	1	1 400			1	
10	三级洒水车司机	人	2	2 800			1	
11	二级小型工具车司机	人	1	700			0.5	
12	二级电工	人	1	350			0.25	
13	三级电工	人	1	350			0.25	
14	一级普工	人	6	4 200			0.5	
	设备资源							
15	215HP 推土机	台	1		974		0.87	
16	1m³ 液压反铲	台	1		168		0.15	
17	14t 振动平碾	台	1		459		0.41	
18	12m³ 洒水车	台	2		1 837		0.82	
19	小型工具车	台	1		244		0.2	
	材料		(单位耗量)					
20	水	m³	0.25			49 560		
21	其他							
	EL. 60~90m							
1	设计工程量	m³	184 200					
2	施工工程量	m³	187 884					

序号	项目	单位	数量	人时	台时	材料	利用系数	备注
3	小时生产率	m³/h	104					
4	长期工作影响系数		0.8					
5	平均生产率	m³/h	83.2					
	劳力资源							
6	工长	人	1	1 129			0.5	
7	三级推土机司机	人	1	2 258			1	
8	三级反铲操作工	人	1	1 129			0.5	
9	三级振动碾司机	人	1	1 129			0.5	
10	三级洒水车司机	人	1	2 258			1	
11	二级小型工具车司机	人	1	1 129			0.5	
11	二级电工	人	1	565			0.25	
12	三级电工	人	1	565			0.25	
13	一级普工	人	6	6 775			0.5	
	设备资源							
14	215HP 推土机	台	1		921		0.51	
15	1m³ 液压反铲	台	1		181		0.1	
16	14t 振动平碾	台	1		434		0.24	
17	12m³ 洒水车	台	1		1 752		0.97	
18	小型工具车	台	1		361		0.2	
	材料		（单位耗量）					
19	水	m³	0.25			46 971		
20	其他							
	EL.90～100m							
1	设计工程量	m³	28 481					
2	施工工程量	m³	29 051					
3	小时生产率	m³/h	57					
4	长期工作影响系数		0.8					
5	平均生产率	m³/h	45.6					
	劳力资源							
6	工长	人	1	319			0.5	
7	三级推土机司机	人	1	319			0.5	
8	三级反铲操作工	人	1	319			0.5	
9	三级振动碾司机	人	1	319			0.5	
10	三级洒水车司机	人	1	637			1	
11	二级小型工具车司机	人	1	319			0.5	
12	二级电工	人	1	159			0.25	
13	三级电工	人	1	159			0.25	
14	一级普工	人	6	1 911			0.5	
	设备资源							

序号	项目	单位	数量	人时	台时	材料	利用系数	备注
15	215HP 推土机	台	1		143		0.28	
16	1m³ 液压反铲	台	1		51		0.1	
17	14t 振动平碾	台	1		66		0.13	
18	12m³ 洒水车	台	1		270		0.53	
19	小型工具车	台	1		102		0.2	
	材料		(单位耗量)					
20	水	m³	0.25			7 263		
21	其他							

表 3-19 堆石料装运施工机械台时、人时、材料用量

序号	项目	单位	数量	人时	台时	材料	利用系数	备注
	EL.0～10m							
1	设计工程量	m³	557 741					
2	施工工程量	m³	568 896					
3	小时生产率	m³/h	684					
4	长期工作影响系数		0.8					
5	平均生产率	m³/h	547.2					
	劳力资源							
6	工长	人	1	520			0.5	
7	二级小型工具车司机	人	1	520			0.5	
8	三级推土机司机	人	1	1 040			1	
9	三级装载机司机	人	2	2 079			1	
10	三级自卸汽车司机	人	19	19 753			1	
11	一级普工	人	2	2 079			1	
	设备资源							
12	小型工具车	台	1		208		0.25	
13	8m³ 轮式装载机	台	2		1 497		0.9	
14	45t 自卸汽车	台	19		15 329		0.97	运距 5km
15	370HP 推土机	台	1		749		0.9	
	材料							
16	其他							
	EL.10～35m							
1	设计工程量	m³	1 840 050					
2	施工工程量	m³	1 876 851					
3	小时生产率	m³/h	882					
4	长期工作影响系数		0.8					
5	平均生产率	m³/h	705.6					
	劳力资源							

続表 3-19

序号	项目	单位	数量	人时	台时	材料	利用系数	备注
6	工长	人	1	1 330			0.5	
7	二级小型工具车司机	人	1	1 330			0.5	
8	三级推土机司机	人	2	5 320			1	
9	三级装载机司机	人	3	7 980			1	
10	三级自卸汽车司机	人	24	63 838			1	
11	一级普工	人	2	5 320			1	
	设备资源							
12	小型工具车	台	1		638		0.3	
13	8m³ 轮式装载机	台	3		4 916		0.77	
14	45t 自卸汽车	台	24		50 560		0.99	运距 5km
15	370HP 推土机	台	2		2 468		0.58	
	材料							
16	其他							
	EL.35~60m							
1	设计工程量	m³	1 104 022					
2	施工工程量	m³	1 126 102					
3	小时生产率	m³/h	726					
4	长期工作影响系数		0.8					
5	平均生产率	m³/h	580.8					
	劳力资源							
6	工长	人	1	969			0.5	
7	二级小型工具车司机	人	1	969			0.5	
8	三级推土机司机	人	1	1 939			1	
9	三级装载机司机	人	2	3 878			1	
10	三级自卸汽车司机	人	22	42 655			1	
11	一级普工	人	2	3 878			1	
	设备资源							
12	小型工具车	台	1		543		0.35	
13	8m³ 轮式装载机	台	2		2 947		0.95	
14	45t 自卸汽车	台	22		33 101		0.97	运距 5.5km
15	370HP 推土机	台	1		1 474		0.95	
	材料							
16	其他							
	EL.60~75m							
1	设计工程量	m³	527 273					
2	施工工程量	m³	537 819					
3	小时生产率	m³/h	534					
4	长期工作影响系数		0.8					
5	平均生产率	m³/h	427.2					

序号	项目	单位	数量	人时	台时	材料	利用系数	备注
	劳力资源							
6	工长	人	1	629			0.5	
7	二级小型工具车司机	人	1	629			0.5	
8	三级推土机司机	人	1	1 259			1	
9	三级装载机司机	人	2	2 518			1	
10	三级自卸汽车司机	人	17	21 402			1	
11	一级普工	人	2	2 518			1	
	设备资源							
12	小型工具车	台	1		302		0.3	
13	8m³ 轮式装载机	台	2		1 410		0.7	
14	45t 自卸汽车	台	17		16 779		0.98	运距 6km
15	370HP 推土机	台	1		705		0.7	
	材料							
16	其他							
	EL.75～90m							
1	设计工程量	m³	392 836					
2	施工工程量	m³	400 693					
3	小时生产率	m³/h	501					
4	长期工作影响系数		0.8					
5	平均生产率	m³/h	400.8					
	劳力资源							
6	工长	人	1	500			0.5	
7	二级小型工具车司机	人	1	500			0.5	
8	三级推土机司机	人	1	1 000			1	
9	三级装载机司机	人	2	1 999			1	
10	三级自卸汽车司机	人	16	15 996			1	
11	一级普工	人	2	1 999			1	
	设备资源							
12	小型工具车	台	1		280		0.35	
13	8m³ 轮式装载机	台	2		1 056		0.66	
14	45t 自卸汽车	台	16		12 541		0.98	运距 6km
15	370HP 推土机	台	1		528		0.66	
	材料							
16	其他							
	EL.90～99m							
1	设计工程量	m³	73 636					
2	施工工程量	m³	75 108					
3	小时生产率	m³/h	147					
4	长期工作影响系数		0.8					

序号	项目	单位	数量	人时	台时	材料	利用系数	备注
5	平均生产率	m³/h	117.6					
	劳力资源							
6	工长	人	1	319			0.5	
7	二级小型工具车司机	人	1	319			0.5	
8	三级推土机司机	人	1	639			1	
9	三级装载机司机	人	1	639			1	
10	三级自卸汽车司机	人	3	1 916			1	
11	一级普工	人	2	1 277			1	
	设备资源							
12	小型工具车	台	1		179		0.35	
13	8m³ 轮式装载机	台	1		107		0.21	
14	45t 自卸汽车	台	3		1 303		0.85	运距 6km
15	370HP 推土机	台	1		56		0.11	
	材料							
16	其他							

表 3-20　堆石料坝面施工机械台时、人时、材料用量

序号	项目	单位	数量	人时	台时	材料	利用系数	备注
	EL.0~10m							
1	设计工程量	m³	557 741					
2	施工工程量	m³	568 896					
3	小时生产率	m³/h	684					
4	长期工作影响系数		0.8					
5	平均生产率	m³/h	547.2					
	劳力资源							
6	工长	人	1	520			0.5	
7	三级推土机司机	人	3	3 119			1	
8	三级反铲操作工	人	1	520			0.5	
9	三级振动碾司机	人	2	2 079			1	
10	三级洒水车司机	人	7	7 278			1	
11	三级破碎器操作工	人	1	1 040			1	
12	二级小型工具车司机	人	1	520			0.5	
13	二级电工	人	1	260			0.25	
14	三级电工	人	1	260			0.25	
15	一级普工	人	6	3 119			0.5	
	设备资源							
16	370HP 推土机	台	3		2 021		0.81	
17	1m³ 液压反铲	台	1		166		0.2	

序号	项目	单位	数量	人时	台时	材料	利用系数	备注
18	14t 振动平碾	台	2		948		0.57	
19	12m³ 洒水车	台	7		5 298		0.91	
20	110HP 液压破碎器	台	1		208		0.25	
21	小型工具车	台	1		291		0.35	
	材料		(单位耗量)					
22	水	m³	0.25			142 224		
23	其他							
	EL. 10~35m							
1	设计工程量	m³	1 840 050					
2	施工工程量	m³	1 876 851					
3	小时生产率	m³/h	882					
4	长期工作影响系数		0.8					
5	平均生产率	m³/h	705.6					
	劳力资源							
6	工长	人	1	1 330			0.5	
7	三级推土机司机	人	4	10 640			1	
8	三级反铲操作工	人	1	1 330			0.5	
9	三级振动碾司机	人	2	5 320			1	
10	三级洒水车司机	人	9	23 939			1	
11	三级破碎器操作工	人	1	2 660			1	
12	二级小型工具车司机	人	1	1 330			0.5	
13	二级电工	人	1	665			0.25	
14	三级电工	人	1	665			0.25	
15	一级普工	人	6	7 980			0.5	
	设备资源							
16	370HP 推土机	台	4		6 724		0.79	
17	1m³ 液压反铲	台	1		426		0.2	
18	14t 振动平碾	台	2		3 149		0.74	
19	110HP 液压破碎器	台	1		532		0.25	
20	12m³ 洒水车	台	9		17 428		0.91	
21	小型工具车	台	1		745		0.35	
	材料		(单位耗量)					
22	水	m³	0.25			469 213		

序号	项目	单位	数量	人时	台时	材料	利用系数	备注
23	其他							
	EL.35～60m							
1	设计工程量	m³	1 104 022					
2	施工工程量	m³	1 126 102					
3	小时生产率	m³/h	726					
4	长期工作影响系数		0.8					
5	平均生产率	m³/h	580.8					
	劳力资源							
6	工长	人	1	969			0.5	
7	三级推土机司机	人	3	5 817			1	
8	三级反铲操作工	人	1	969			0.5	
9	三级振动碾司机	人	2	3 878			1	
10	三级洒水车司机	人	7	13 572			1	
11	三级破碎器操作工	人	1	1 939			1	
12	二级小型工具车司机	人	1	969			0.5	
13	二级电工	人	1	485			0.25	
14	三级电工	人	1	485			0.25	
15	一级普工	人	6	5 817			0.5	
	设备资源							
16	370HP 推土机	台	3		4 002		0.86	
17	1m³ 液压反铲	台	1		388		0.25	
18	14t 振动平碾	台	2		1 892		0.61	
19	110HP 液压破碎器	台	1		388		0.25	
20	12m³ 洒水车	台	7		10 423		0.96	
21	小型工具车	台	1		543		0.35	
	材料		（单位耗量）					
22	水	m³	0.25			281 526		
23	其他							
	EL.60～75m							
1	设计工程量	m³	527 273					
2	施工工程量	m³	537 819					
3	小时生产率	m³/h	534					
4	长期工作影响系数		0.8					
5	平均生产率	m³/h	427.2					
	劳力资源							

序号	项目	单位	数量	人时	台时	材料	利用系数	备注
6	工长	人	1	629			0.5	
7	三级推土机司机	人	2	2 518			1	
8	三级反铲操作工	人	1	629			0.5	
9	三级振动碾司机	人	1	1 259			1	
10	三级洒水车司机	人	5	6 295			1	
11	三级破碎器操作工	人	1	1 259			1	
12	二级小型工具车司机	人	1	629			0.5	
13	二级电工	人	1	315			0.25	
14	三级电工	人	1	315			0.25	
15	一级普工	人	6	3 777			0.5	
	设备资源							
16	370HP 推土机	台	2		1 914		0.95	
17	1m³ 液压反铲	台	1		201		0.2	
18	14t 振动平碾	台	1		896		0.89	
19	110HP 液压破碎器	台	1		252		0.25	
20	12m³ 洒水车	台	5		4 985		0.99	
21	小型工具车	台	1		302		0.3	
	材料		(单位耗量)					
22	水	m³	0.25			134 455		
23	其他							
	EL.75～90m							
1	设计工程量	m³	392 836					
2	施工工程量	m³	400 693					
3	小时生产率	m³/h	501					
4	长期工作影响系数		0.8					
5	平均生产率	m³/h	400.8					
	劳力资源							
6	工长	人	1	500			0.5	
7	三级推土机司机	人	2	1 999			1	
8	三级反铲操作工	人	1	500			0.5	
9	三级振动碾司机	人	1	1 000			1	
10	三级洒水车司机	人	5	4 999			1	
11	三级破碎器操作工	人	1	1 000			1	
12	二级小型工具车司机	人	1	500			0.5	
13	二级电工	人	1	250			0.25	
14	三级电工	人	1	250			0.25	

续表 3-20

序号	项目	单位	数量	人时	台时	材料	利用系数	备注
15	一级普工	人	6	2 999			0.5	
	设备资源							
16	370HP 推土机	台	2		1 424		0.89	
17	1m³ 液压反铲	台	1		160		0.2	
18	14t 振动平碾	台	1		672		0.84	
19	110HP 液压破碎器	台	1		160		0.2	
20	12m³ 洒水车	台	5		3 719		0.93	
21	小型工具车	台	1		80		0.1	
	材料		(单位耗量)					
22	水	m³	0.25			100 173		
23	其他							
	EL.90~99m							
1	设计工程量	m³	73 636					
2	施工工程量	m³	75 108					
3	小时生产率	m³/h	147					
4	长期工作影响系数		0.8					
5	平均生产率	m³/h	117.6					
	劳力资源							
6	工长	人	1	319			0.5	
7	三级推土机司机	人	1	319			0.5	
8	三级反铲操作工	人	1	319			0.5	
9	三级振动碾司机	人	1	639			1	
10	三级洒水车司机	人	2	1 277			1	
11	三级破碎器操作工	人	1	639			1	
12	二级小型工具车司机	人	1	319			0.5	
13	二级电工	人	1	160			0.25	
14	三级电工	人	1	160			0.25	
15	一级普工	人	6	1 916			0.5	
	设备资源							
16	370HP 推土机	台	1		271		0.53	
17	1m³ 液压反铲	台	1		51		0.1	
18	14t 振动平碾	台	1		128		0.25	
19	110HP 液压破碎器	台	1		102		0.2	
20	12m³ 洒水车	台	2		695		0.68	
21	小型工具车	台	1		51		0.1	
	材料		(单位耗量)					
22	水	m³	0.25			18 777		
23	其他							

表 3-21 ⑤区堆石料装运施工机械台时、人时、材料用量

序号	项目	单位	数量	人时	台时	材料	利用系数	备注
	EL.35~60m							
1	设计工程量	m³	476 435					回采料
2	施工工程量	m³	485 963					
3	小时生产率	m³/h	313					
4	长期工作影响系数		0.8					
5	平均生产率	m³/h	250.4					
	劳力资源							
6	工长	人	1	970			0.5	
7	二级小型工具车司机	人	1	970			0.5	
8	三级推土机司机	人	1	1 941			1	
9	三级装载机司机	人	1	1 941			1	
10	三级自卸汽车司机	人	6	11 644			1	
11	一级普工	人	2	3 881			1	
	设备资源							
12	小型工具车	台	1		311		0.2	
13	8m³ 轮式装载机	台	1		1 273		0.82	
14	45t 自卸汽车	台	6		9 036		0.97	运距 3km
15	370HP 推土机	台	1		637		0.41	
	材料							
16	其他							
	EL.60~75m							
1	设计工程量	m³	146 691					回采料
2	施工工程量	m³	149 626					
3	小时生产率	m³/h	148					
4	长期工作影响系数		0.8					
5	平均生产率	m³/h	118.4					
	劳力资源							
6	工长	人	1	632			0.5	
7	二级小型工具车司机	人	1	632			0.5	
8	三级推土机司机	人	1	1 264			1	
9	三级装载机司机	人	1	1 264			1	
10	三级自卸汽车司机	人	3	3 791			1	
11	一级普工	人	2	2 527			1	
	设备资源							
12	小型工具车	台	1		202		0.2	
13	8m³ 轮式装载机	台	1		394		0.39	
14	45t 自卸汽车	台	3		2 760		0.91	运距 3km
15	370HP 推土机	台	1		202		0.2	
	材料							
16	其他							

表 3-22　⑤区堆石料坝面施工机械台时、人时、材料用量

序号	项目	单位	数量	人时	台时	材料	利用系数
	EL.35～60m						
回采料	设计工程量	m³	476 435				
2	施工工程量	m³	485 963				
3	小时生产率	m³/h	313				
4	长期工作影响系数		0.8				
5	平均生产率	m³/h	250.4				
	劳力资源						
6	工长	人	1	970			0.5
7	三级推土机司机	人	2	3 881			1
8	三级反铲操作工	人	1	970			0.5
9	三级振动碾司机	人	1	1 941			1
10	三级洒水车司机	人	2	3 881			1
11	二级小型工具车司机	人	1	970			0.5
12	二级电工	人	1	485			0.25
13	三级电工	人	1	485			0.25
14	一级普工	人	6	5 822			0.5
	设备资源						
15	370HP 推土机	台	2		1 739		0.56
16	1m³ 液压反铲	台	1		311		0.2
17	14t 振动平碾	台	1		807		0.52
18	12m³ 洒水车	台	2		2 702		0.87
19	小型工具车	台	1		543		0.35
	材料		（单位耗量）				
20	水	m³	0.15			72 894	
21	其他						
	EL.60～75m						
回采料	设计工程量	m³	146 691				
2	施工工程量	m³	149 626				
3	小时生产率	m³/h	148				
4	长期工作影响系数		0.8				
5	平均生产率	m³/h	118.4				
	劳力资源						
6	工长	人	1	632			0.5
7	三级推土机司机	人	1	1 264			1
8	三级反铲操作工	人	1	632			0.5
9	三级振动碾司机	人	1	1 264			1

序号	项目	单位	数量	人时	台时	材料	利用系数	备注
10	三级洒水车司机	人	1	1 264			1	
11	二级小型工具车司机	人	1	632			0.5	
12	二级电工	人	1	316			0.25	
13	三级电工	人	1	316			0.25	
14	一级普工	人	6	3 791			0.5	
	设备资源							
15	370HP 推土机	台	1		536		0.53	
16	1m³ 液压反铲	台	1		303		0.3	
17	14t 振动平碾	台	1		253		0.25	
18	12m³ 洒水车	台	1		839		0.83	
19	小型工具车	台	1		202		0.2	
	材料		(单位耗量)					
20	水	m³	0.15			22 444		
21	其他							

表 3-23 堆石护坡装运施工机械台时、人时、材料用量

序号	项目	单位	数量	人时	台时	材料	利用系数	备注
	EL.0～40m							
1	设计工程量	m³	56 740					
2	施工工程量	m³	57 874					
3	小时生产率	m³/h	17					
4	长期工作影响系数		0.8					
5	平均生产率	m³/h	13.6					
	劳力资源							
6	工长	人	1	2 128			0.5	
7	二级小型工具车司机	人	1	2 128			0.5	
8	三级推土机司机	人	1	2 128			0.5	
9	三级装载机司机	人	1	2 128			0.5	
10	三级自卸汽车司机	人	1	4 255			1	
11	一级普工	人	2	4 255			0.5	
	设备资源							
12	小型工具车	台	1		681		0.2	
13	8m³ 轮式装载机	台	1		136		0.04	

序号	项目	单位	数量	人时	台时	材料	利用系数	备注
14	45t 自卸汽车	台	1		1 566		0.46	运距 5km
15	370HP 推土机	台	1		68		0.02	
	材料							
16	其他							
	EL. 40～70m							
1	设计工程量	m³	61 820					
2	施工工程量	m³	63 057					
3	小时生产率	m³/h	35					
4	长期工作影响系数		0.8					
5	平均生产率	m³/h	28.0					
	劳力资源							
6	工长	人	1	1 126			0.5	
7	三级小型工具车司机	人	1	1 126			0.5	
8	三级推土机司机	人	1	1 126			0.5	
9	三级装载机司机	人	1	1 126			0.5	
10	三级自卸汽车司机	人	2	4 504			1	
11	一级普工	人	2	2 252			0.5	
	设备资源							
12	小型工具车	台	1		360		0.2	
13	8m³ 轮式装载机	台	1		162		0.09	
14	45t 自卸汽车	台	2		1 838		0.51	运距 5.5km
15	370HP 推土机	台	1		90		0.05	
	材料							
16	其他							
	EL. 70～100m							
1	设计工程量	m³	79 536					
2	施工工程量	m³	81 127					
3	小时生产率	m³/h	47					
4	长期工作影响系数		0.8					
5	平均生产率	m³/h	37.6					
	劳力资源							
6	工长	人	1	1 079			0.5	
7	三级小型工具车司机	人	1	1 079			0.5	
8	三级推土机司机	人	1	1 079			0.5	
9	三级装载机司机	人	1	1 079			0.5	

序号	项目	单位	数量	人时	台时	材料	利用系数	备注
10	三级自卸汽车司机	人	2	4 315			1	
11	一级普工	人	2	2 158			0.5	
	设备资源							
12	小型工具车	台	1		345		0.2	
13	8m³ 轮式装载机	台	1		207		0.12	
14	45t 自卸汽车	台	2		2 520		0.73	运距6km
15	370HP 推土机	台	1		104		0.06	
	材料							
16	其他							

表 3-24　堆石护坡坝面施工机械台时、人时、材料用量

序号	项目	单位	数量	人时	台时	材料	利用系数	备注
	EL.0～40m							
1	设计工程量	m³	56 740					
2	施工工程量	m³	57 874					
3	小时生产率	m³/h	17					
4	长期工作影响系数		0.8					
5	平均生产率	m³/h	13.6					
	劳力资源							
6	工长	人	1	2 128			0.5	
7	三级推土机司机	人	1	2 128			0.5	
8	三级反铲操作工	人	1	4 255			1	
9	二级小型工具车司机	人	1	2 128			0.5	
10	二级电工	人	1	1 064			0.25	
11	三级电工	人	1	1 064			0.25	
12	一级普工	人	15	63 832			1	
	设备资源							
13	370HP 推土机	台	1		204		0.06	
14	1m³ 液压反铲	台	1		1 702		0.5	
15	小型工具车	台	1		681		0.2	
	材料							
16	其他							
	EL.40～70m							
1	设计工程量	m³	61 820					
2	施工工程量	m³	63 057					

序号	项目	单位	数量	人时	台时	材料	利用系数	备注
3	小时生产率	m³/h	35					
4	长期工作影响系数		0.8					
5	平均生产率	m³/h	28.0					
	劳力资源							
6	工长	人	1	1 126			0.5	
7	三级推土机司机	人	1	1 126			0.5	
8	三级反铲操作工	人	1	2 252			1	
9	二级小型工具车司机	人	1	1 126			0.5	
10	二级电工	人	1	563			0.25	
11	三级电工	人	1	563			0.25	
12	一级普工	人	15	33 781			1	
	设备资源							
13	370HP 推土机	台	1		234		0.13	
14	1m³ 液压反铲	台	1		901		0.5	
15	小型工具车	台	1		360		0.2	
	材料							
16	其他							
	EL.70～100m							
1	设计工程量	m³	79 536					
2	施工工程量	m³	81 127					
3	小时生产率	m³/h	47					
4	长期工作影响系数		0.8					
5	平均生产率	m³/h	37.6					
	劳力资源							
6	工长	人	1	1 079			0.5	
7	三级推土机司机	人	1	1 079			0.5	
8	三级反铲操作工	人	1	2 158			1	
9	二级小型工具车司机	人	1	1 079			0.5	
10	二级电工	人	1	539			0.25	
11	三级电工	人	1	539			0.25	
12	一级普工	人	15	32 364			1	
	设备资源							
13	370HP 推土机	台	1		293		0.17	
14	1m³ 液压反铲	台	1		863		0.5	
15	小型工具车	台	1		345		0.2	
	材料							
16	其他							

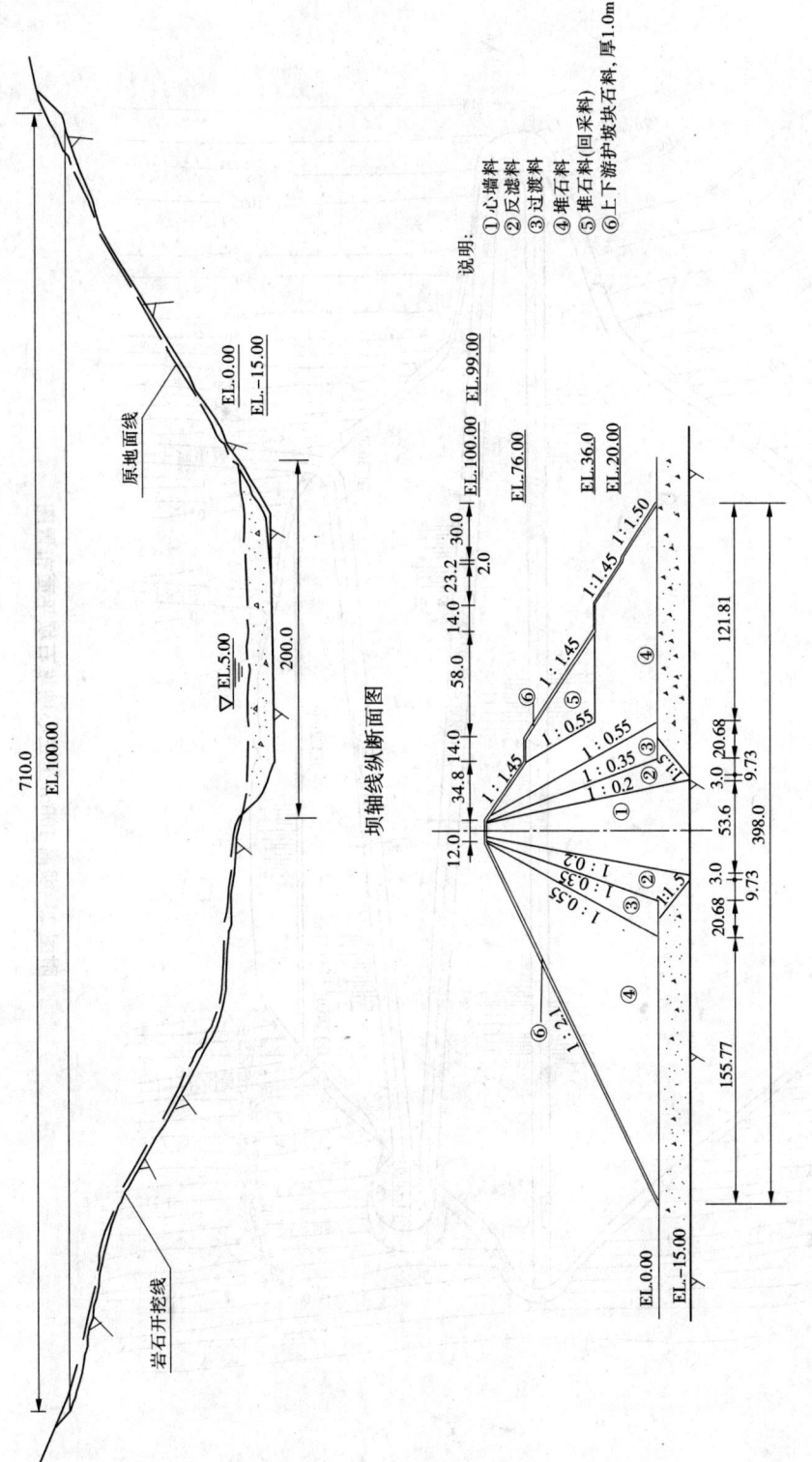

说明:
①心墙料
②反滤料
③过渡料
④堆石料
⑤堆石料(回采料)
⑥上下游护坡块石料,厚1.0m

坝轴线纵断面图

标准横断面图

附图 1 坝高 100m 土正心墙堆石坝模拟断面图

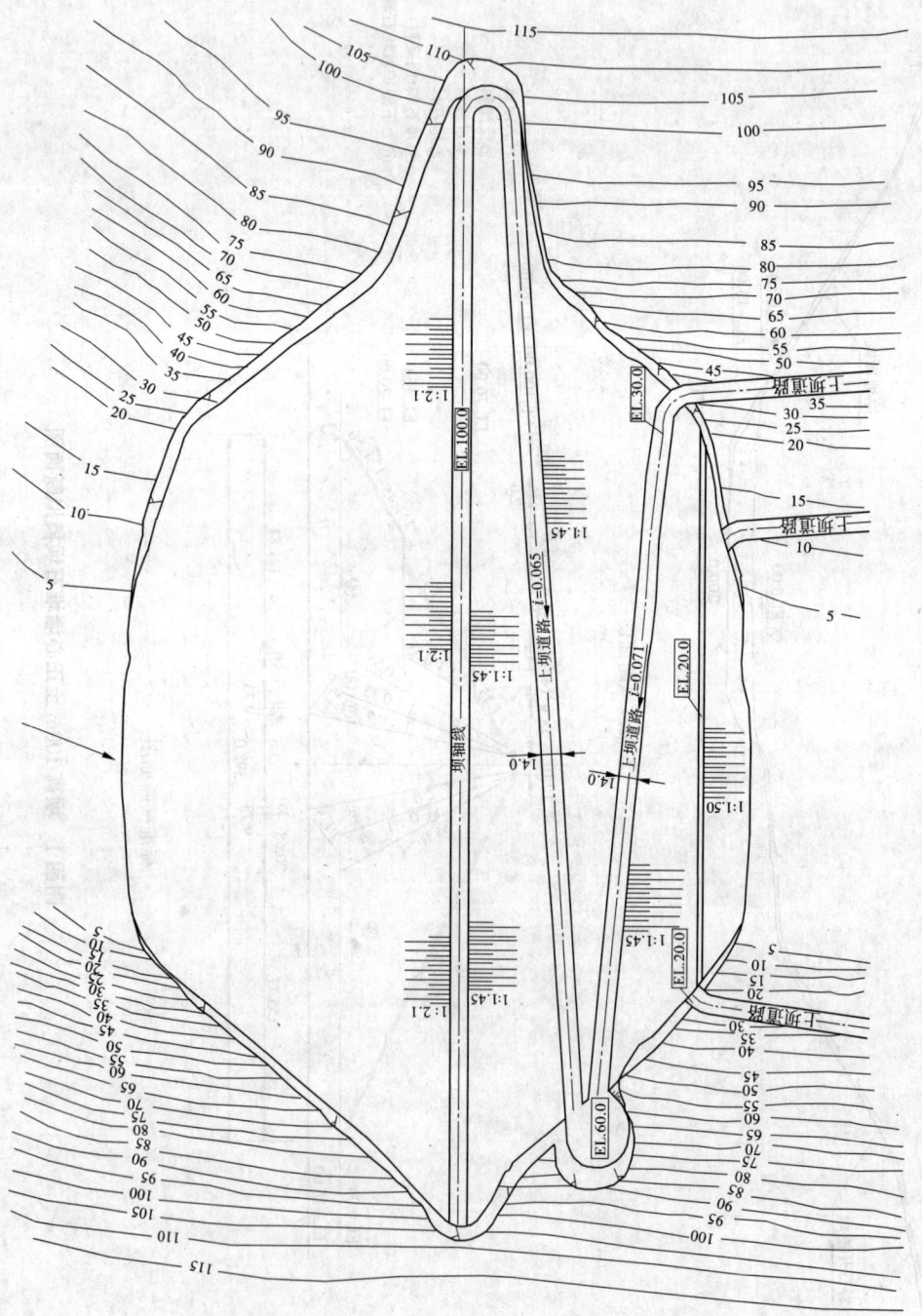

附图 2　坝高 100m 土正心墙堆石坝平面布置图

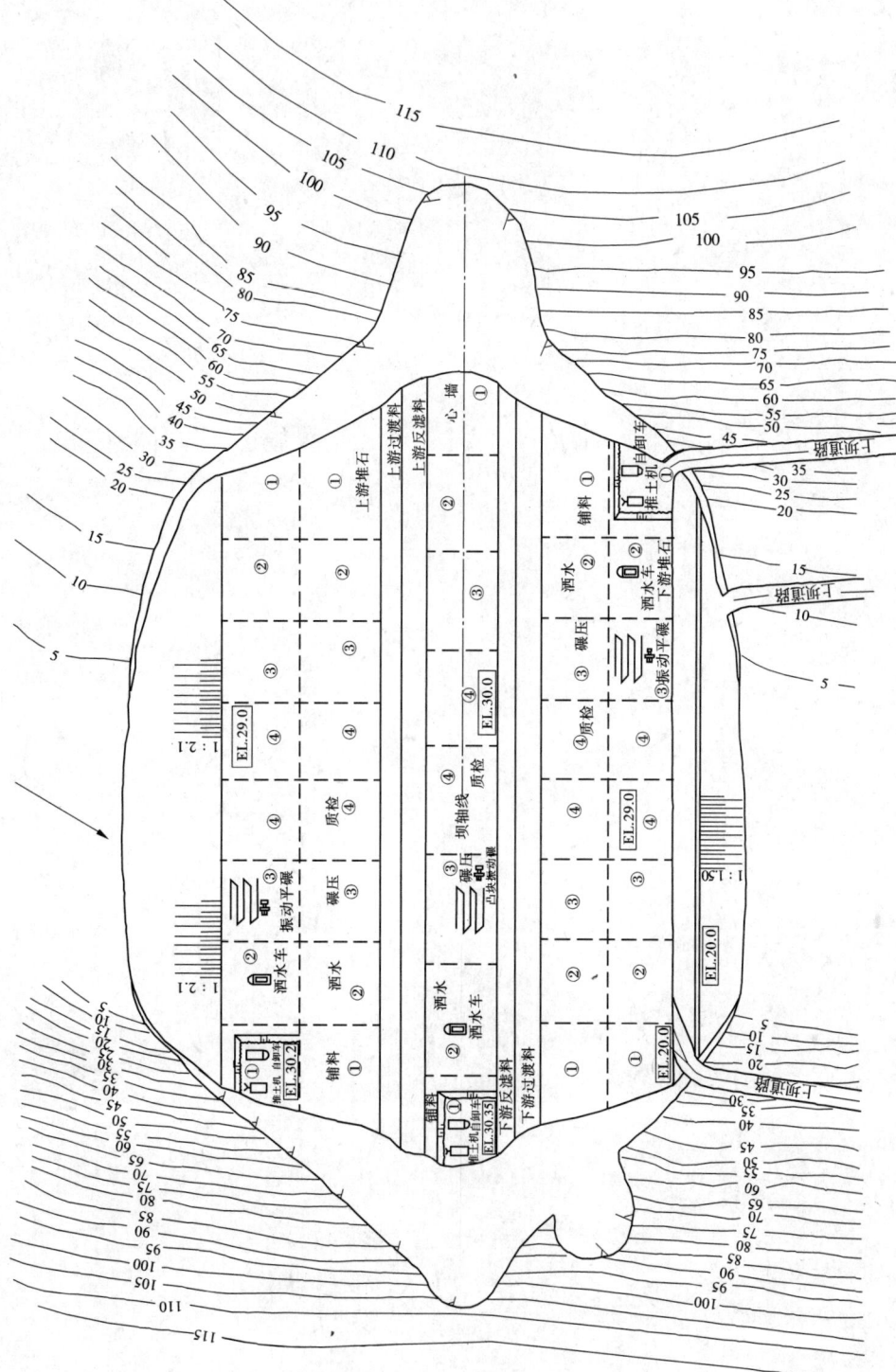

附图 3　坝高 100m 土正心墙堆石坝填筑施工布置图

三、钢筋混凝土面板堆石坝工程

（一）坝高 100m 钢筋混凝土面板堆石坝工程

1 坝体模拟设计

1.1 模拟方法

采用统计、分析、综合的方法模拟钢筋混凝土面板堆石坝纵横断面及平面布置图。假定坝址位于地形相对平整、地质构造相对稳定、无大断层破碎带的区域。基岩的岩性较均一，风化层较浅，覆盖层结构较密实，且透水性较小。坝轴线上游 1/3 坝底宽的覆盖层挖除。趾板坐落在挖除 4m 深风化层的弱风化基岩上，下设帷幕灌浆。

1.2 模拟参数

模拟参数见表 1-1。

表 1-1　模拟参数

坝高	坝顶宽	坝顶长	上游坡	下游坡	岸坡	覆盖层厚	河床宽
100m	12.0m	562m	1:1.3	1:1.4	30°	5m	150m

1.3 模拟钢筋混凝土面板堆石坝纵断面、横断面及上坝道路布置图

模拟的钢筋混凝土面板堆石坝纵、横断面及上坝道路布置详见附图 1、附图 2。

1.4 工程量计算

1.4.1 设计工程量计算

1.4.1.1 不同高程各填筑料填筑面积计算

模拟的坝高 100m 钢筋混凝土面板堆石坝不同高程各种填筑料填筑面积计算见表 1-2。

不同高程堆石面积曲线见图 1-1。

1.4.1.2 不同高程各填筑料累计设计工程量计算

按照模拟工程尺寸计算理论工程量，并考虑沉陷量得设计工程量。沉陷系数取值如下：

垫层料	0.7%	A、B 区堆石料	0.6%
过渡料	0.7%	C 区堆石料	0.6%

计算结果见表 1-3。

不同高程累计设计工程量曲线见图 1-2。

1.4.2 施工工程量计算

施工工程量是在设计工程量的基础上并考虑材料在装车、运输、坝面施工等过程中的损耗量，调整系数取值如下：

混凝土面板	3%	C 区堆石料	2%
垫层料	4%	喷混凝土	15%
过渡料	2%	钢筋	2%
A、B 区堆石料	2%		

计算结果见表 1-4。

表 1-2 坝高 100m 钢筋混凝土面板堆石坝不同高程各填筑料填筑面积计算

高程(m)	断面宽度(m)							坝长(m)	断面面积(m²)						面板面积(m²)
	坝宽度	上游面板	垫层料	过渡料	A区堆石料	B区堆石料	C区堆石料		上游面板	垫层料	过渡料	A区堆石料	B区堆石料	C区堆石料	
100	12.00		4.00	12.00				562.00			6 744.00				
97	20.14	0.50	4.00	4.00	7.64		4.00	547.90	276.14	2 191.60	2 191.60	4 185.35		2 191.60	1 782
95	25.57	0.51	4.00	4.00	13.06		4.00	538.50	276.43	2 154.00	2 154.00	7 031.82		2 154.00	4 320
90	39.14	0.54	4.00	4.00	26.61		4.00	515.00	276.38	2 060.00	2 060.00	13 702.26		2 060.00	4 127
85	52.71	0.56	4.00	4.00	40.15		4.00	491.50	275.24	1 966.00	1 966.00	19 735.94		1 966.00	3 934
80	66.29	0.58	4.00	4.00	53.70		4.00	468.00	273.00	1 872.00	1 872.00	25 132.85		1 872.00	3 767
75	79.86	0.61	4.00	4.00	67.25		4.00	450.72	273.43	1 802.86	1 802.86	30 310.96		1 802.86	3 625
70	93.43	0.63	4.00	4.00	80.80		4.00	433.43	273.06	1 733.72	1 733.72	35 020.71		1 733.72	3 484
65	107.00	0.65	4.00	4.00	94.35		4.00	416.15	271.88	1 664.58	1 664.58	39 262.10		1 664.58	3 342
60	120.57	0.68	4.00	4.00	72.60	35.30	4.00	398.86	269.90	1 595.44	1 595.44	28 955.37	14 079.76	1 595.44	3 200
55	134.14	0.70	4.00	4.00	81.64	39.80	4.00	381.58	267.10	1 526.30	1 526.30	31 153.12	15 186.69	1 526.30	3 058
50	147.72	0.72	4.00	4.00	90.69	44.30	4.00	364.29	263.50	1 457.16	1 457.16	33 038.07	16 138.05	1 457.16	2 917
45	161.29	0.75	4.00	4.00	99.74	48.80	4.00	347.01	259.10	1 388.02	1 388.02	34 610.22	16 933.84	1 388.02	2 775
40	174.86	0.77	4.00	4.00	108.79	53.30	4.00	329.72	253.88	1 318.88	1 318.88	35 869.58	17 574.08	1 318.88	2 633
35	188.43	0.79	4.00	4.00	117.84	57.80	4.00	312.44	247.87	1 249.74	1 249.74	36 816.14	18 058.74	1 249.74	2 491
30	202.00	0.82	4.00	4.00	126.88	62.30	4.00	295.15	241.04	1 180.60	1 180.60	37 449.91	18 387.85	1 180.60	2 350
25	215.57	0.84	4.00	4.00	135.93	66.80	4.00	277.87	233.41	1 111.46	1 111.46	37 770.88	18 561.38	1 111.46	2 208
20	229.14	0.86	4.00	4.00	144.98	71.30	4.00	260.58	224.97	1 042.32	1 042.32	37 779.06	18 579.35	1 042.32	2 066
15	242.72	0.89	4.00	4.00	151.53	75.15	7.15	243.30	215.72	973.18	973.18	36 866.21	18 283.62	1 739.56	1 924
10	256.29	0.91	4.00	4.00	158.08	79.00	10.30	226.01	205.67	904.04	904.04	35 726.98	17 854.79	2 327.90	1 577
5	269.86	0.93	4.00	4.00	164.63	82.85	13.45	158.51	147.94	634.04	634.04	26 094.74	13 132.55	2 131.96	1 219
0	283.43	0.96	4.00	4.00	171.17	86.70	16.60	138.76	132.75	555.04	555.04	23 752.01	12 030.49	2 303.42	1 057
-5	297.00	0.98	4.00	4.00	95.60		19.75	119.01	116.63	476.04	476.04	11 377.36		2 350.45	895
-10	9.00	1.00	8.00					99.26	99.59	794.08					

注:1. 坝宽度不包括混凝土面板的宽度。
2. 在 97~100m 坝高间仅简单地考虑为过渡料填筑，实际施工中下游边坡应砌有混凝土或浆砌石加固。

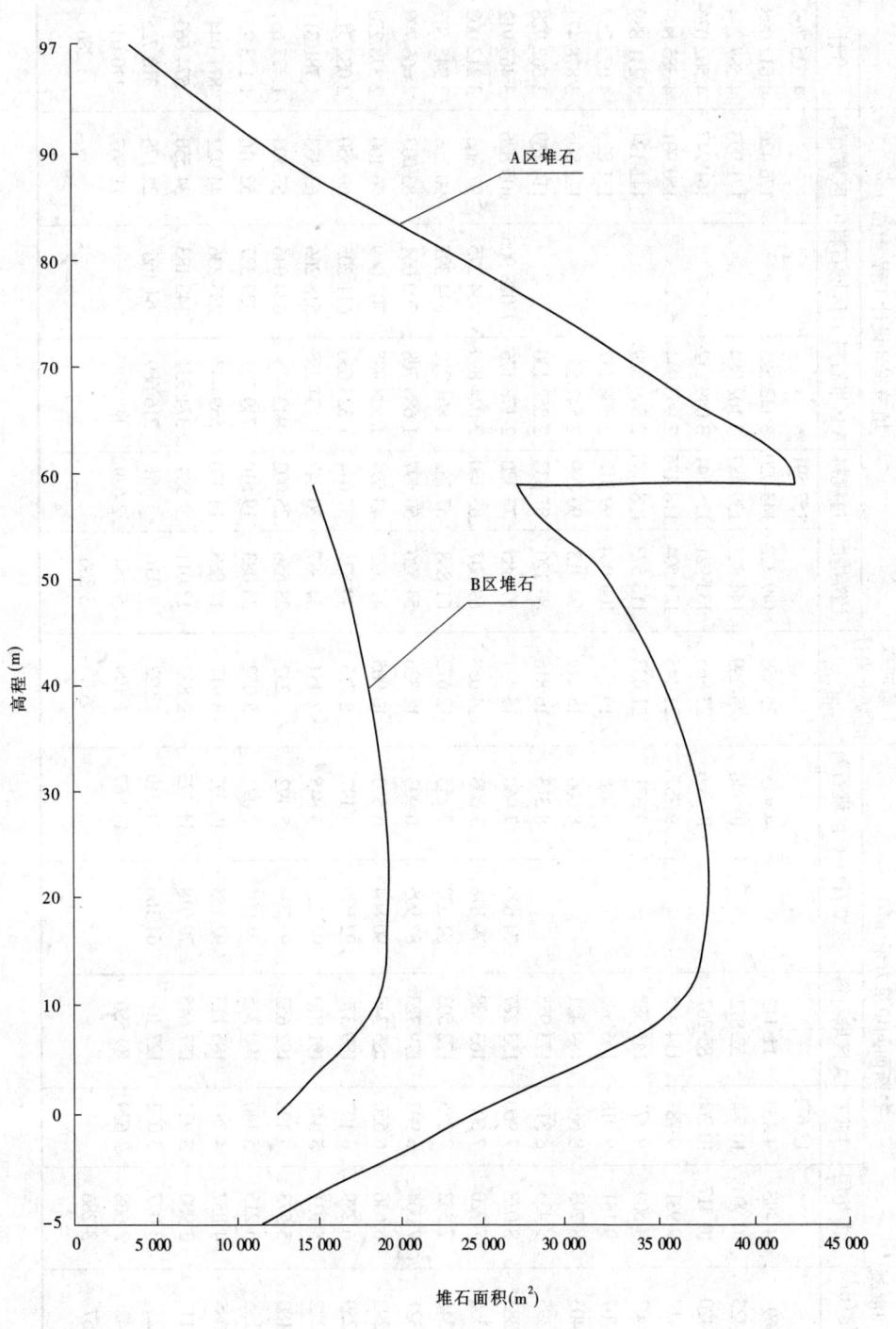

图 1-1　不同高程堆石面积曲线

表 1-3 坝高 100m 钢筋混凝土面板堆石坝不同高程各填筑料累计设计工程量计算

高程(m)	断面间混凝土土方量(m³)	各断面间填筑方量(m³)					上游面板混凝土累计方量(m³)	填筑累计设计工程量(m³)						备注
		上游垫层	过渡料	A区堆石料	B区堆石料	C区堆石料		上游垫层	过渡料	A区堆石料	B区堆石料	C区堆石料	合计	
100			13 671						157 591					
97	569	4 498	4 433	11 442		4 433	25 858	149 322	143 920	3 113 525		176 426	4 625 769	
95	1 423	10 904	10 746	52 872		10 746	25 289	144 825	139 487	3 102 084		171 993	4 612 098	
90	1 420	10 417	10 266	85 267		10 266	23 865	133 921	128 741	3 049 212		161 247	4 587 294	
85	1 412	9 931	9 787	114 415		9 787	22 445	123 504	118 475	2 963 944		150 981	4 502 026	
80	1 407	9 509	9 371	141 382		9 371	21 033	113 573	108 688	2 849 529		141 194	4 385 809	
75	1 407	9 151	9 018	166 596		9 018	19 626	104 064	99 317	2 708 147		131 823	4 241 889	
70	1 403	8 793	8 666	189 421		8 666	18 219	94 913	90 299	2 541 552		122 805	4 072 257	
65	1 395	8 435	8 313	173 955		8 313	16 816	86 120	81 633	2 352 130		114 139	3 878 474	
60	1 383	8 078	7 960	153 277	74 629	7 960	15 421	77 685	73 320	2 178 176	1 028 905	105 826	3 662 928	
55	1 366	7 720	7 608	163 688	79 878	7 608	14 038	69 607	65 360	2 024 899	954 275	97 866	3 463 912	
50	1 346	7 362	7 255	172 503	84 333	7 255	12 672	61 888	57 752	1 861 212	874 397	90 258	3 212 008	
45	1 321	7 004	6 903	179 723	87 995	6 903	11 326	54 526	50 497	1 688 708	790 064	83 003	2 945 507	
40	1 292	6 646	6 550	185 349	90 864	6 550	10 005	47 522	43 594	1 508 985	702 069	76 100	2 666 798	
35	1 259	6 289	6 197	189 378	92 939	6 197	8 713	40 875	37 044	1 323 636	611 205	69 550	2 378 270	
30	1 222	5 931	5 845	191 813	94 221	5 845	7 454	34 587	30 847	1 134 258	518 266	63 353	2 082 312	
25	1 180	5 573	5 492	192 652	94 709	5 492	6 232	28 656	25 002	942 445	424 046	57 508	1 781 311	
20	1 135	5 215	5 140	190 345	94 001	7 094	5 052	23 083	19 510	749 793	329 337	52 016	1 477 657	
15	1 085	4 857	4 787	185 113	92 153	10 372	3 917	17 868	14 370	559 447	235 336	44 922	1 173 739	
10	911	3 980	3 922	157 645	79 018	11 373	2 832	13 011	9 584	374 334	143 183	34 550	871 944	
5	723	3 077	3 032	127 109	64 166	11 310	1 922	9 031	5 661	216 689	64 166	23 178	574 663	
0	642	2 668	2 629	89 580		11 867	1 199	5 954	2 629	89 580		11 867	318 725	
-5	557	3 286					557	3 286					110 031	
-10													3 286	

226

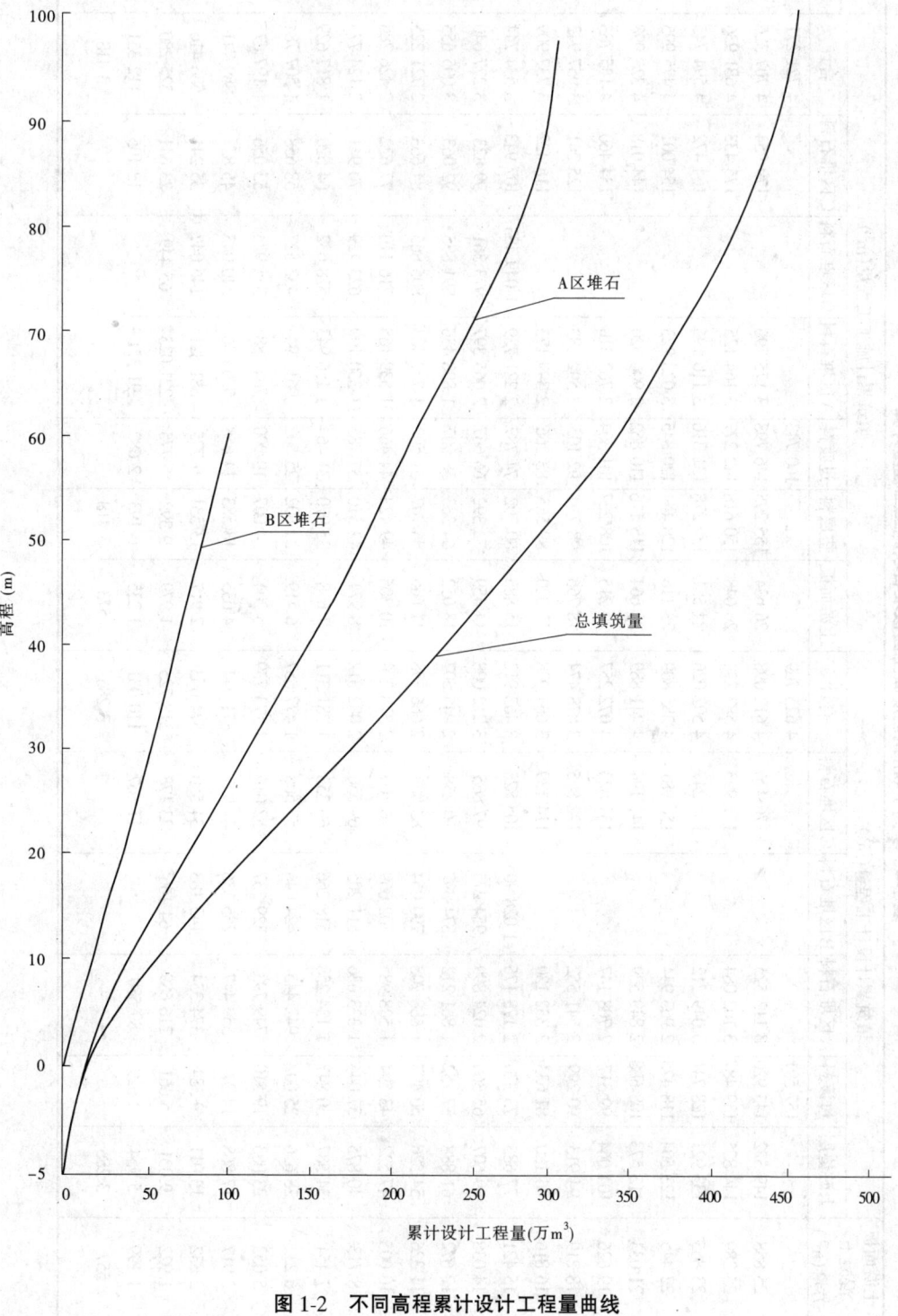

图 1-2   不同高程累计设计工程量曲线

表 1-4　坝高 100m 钢筋混凝土面板堆石坝施工工程量计算

高程 (m)	上游面板混凝土方量 (m³)	填筑累计设计工程量 (m³) 上游垫层	过渡料	A区堆石料	B区堆石料	C区堆石料	合计	填筑累计施工工程量 (m³) 上游面板	垫层料	过渡料	A区堆石料	B区堆石料	C区堆石料	合计	备注
100			157 591				4 625 769			160 743				4 721 271	
97	25 858	149 322	143 920	3 113 525		176 426	4 612 098	26 634	155 295	146 798	3 175 796		179 954	4 707 326	
95	25 289	144 825	139 487	3 102 084		171 993	4 587 294	26 048	150 618	142 277	3 164 125		175 433	4 681 936	
90	23 865	133 921	128 741	3 049 212		161 247	4 502 026	24 581	139 278	131 316	3 110 196		164 472	4 594 745	
85	22 445	123 504	118 475	2 963 944		150 981	4 385 809	23 118	128 444	120 845	3 023 223		154 001	4 475 995	
80	21 033	113 573	108 688	2 849 529		141 194	4 241 889	21 664	118 116	110 862	2 906 520		144 018	4 328 998	
75	19 626	104 064	99 317	2 708 147		131 823	4 072 257	20 215	108 227	101 304	2 762 310		134 460	4 155 783	
70	18 219	94 913	90 299	2 541 552		122 805	3 878 474	18 766	98 710	92 105	2 592 383		125 261	3 957 942	
65	16 816	86 120	81 633	2 352 130		114 139	3 662 928	17 320	89 565	83 266	2 399 173		116 422	3 737 909	
60	15 421	77 685	73 320	2 178 176	1 028 905	105 826	3 463 912	15 883	80 792	74 787	2 221 739	1 049 483	107 943	3 534 744	
55	14 038	69 607	65 360	2 024 899	954 275	97 866	3 212 008	14 459	72 392	66 667	2 065 397	973 361	99 823	3 277 640	
50	12 672	61 888	57 752	1 861 212	874 397	90 258	2 945 507	13 052	64 363	58 907	1 898 436	891 885	92 063	3 005 655	
45	11 326	54 526	50 497	1 688 708	790 064	83 003	2 666 798	11 666	56 707	51 507	1 722 483	805 865	84 663	2 721 225	
40	10 005	47 522	43 594	1 508 985	702 069	76 100	2 378 270	10 305	49 423	44 466	1 539 165	716 110	77 622	2 426 786	
35	8 713	40 875	37 044	1 323 636	611 205	69 550	2 082 312	8 974	42 510	37 785	1 350 109	623 429	70 941	2 124 775	
30	7 454	34 587	30 847	1 134 258	518 266	63 353	1 781 311	7 678	35 970	31 464	1 156 943	528 632	64 620	1 817 629	
25	6 232	28 656	25 002	942 445	424 046	57 508	1 477 657	6 419	29 802	25 502	961 294	432 527	58 658	1 507 784	
20	5 052	23 083	19 510	749 793	329 337	52 016	1 173 739	5 204	24 007	19 900	764 788	335 924	53 056	1 197 675	
15	3 917	17 868	14 370	559 447	235 336	44 922	871 944	4 035	18 583	14 658	570 636	240 043	45 821	889 741	
10	2 832	13 011	9 584	374 334	143 183	34 550	574 663	2 917	13 531	9 775	381 821	146 047	35 241	586 416	
5	1 922	9 031	5 661	216 689	64 166	23 178	318 725	1 979	9 392	5 775	221 023	65 449	23 641	325 280	
0	1 199	5 954	2 629	89 580		11 867	110 031	1 235	6 193	2 682	91 371		12 105	112 351	
-5	557	3 286					3 286	573	3 418					3 418	
-10															

1.4.3 趾板、锚筋、上游垫层坡面喷混凝土设计工程量计算

趾板由河床和岸坡两部分组成,趾板坐落在弱风化岩层上,厚 0.6m,分块长度为 12.0m。趾板由直径 $\Phi = 25mm$、长 $L = 4.0m$(深入基岩 3.5m)、间排距为 1.5m 的锚筋和基岩相联。其相关工程量见表 1-5～表 1-7。

表 1-5　趾板设计工程量

序号	项目	单位	工程量		合计	备注
			河床	岸坡		
1	轴线长度	m	215	476	691	
2	混凝土方量	m³	864	1 910	2 774	
3	钢筋	t	57.26	126.63	183.89	
4	锚筋	m	2 292	5 080	7 372	
5	立模面积	m²	363	3 337	3 700	
6	铜片止水	m	215	476	691	
7	PVC 止水	m	215	476	691	

注:锚筋单位重量 3.85kg/m,锚筋总重 28.38t。

表 1-6　面板设计工程量

序号	项目	单位	工程量	备注
1	起始板			
1.1	混凝土方量	m³	632	
1.2	钢筋	t	35.46	
1.3	立模面积	m²	1 800	
2	主板			
2.1	混凝土方量	m³	25 226	
2.2	钢筋	t	1 415.18	
2.3	立模面积	m²	2 100	
3	止水			
3.1	铜片止水	m	4 896	
3.2	PVC 止水	m	4 896	

表 1-7　上游垫层坡面喷混凝土设计工程量

序号	高程 (m)	工程量		备注
		面积(m²)	混凝土方量(m³)	
1	−10～0	1 952	101	喷混凝土厚5cm
2	0～10	2 796	144	
3	10～20	3 990	205	
4	20～30	4 558	235	
5	30～40	5 124	264	
6	40～50	5 692	293	
7	50～60	6 258	322	
8	60～70	6 826	352	
9	70～80	7 392	381	
10	80～90	8 061	415	
11	90～97	6 102	314	
	合　计	58 751	3 026	

2 模拟工程施工组织设计

2.1 施工布置与施工方法

因本专题的重点是钢筋混凝土面板堆石坝的坝体填筑及趾板、面板施工，而施工导流、坝基开挖、基础处理、料场开采和混凝土拌制等另有专题研究，故本工程的施工布置和施工方法仅重点对坝体填筑及趾板、面板施工进行论述。

2.1.1 料场布置

筑坝材料只考虑坝下游来料，平均运距按 5.5km。详见"料场开采专题"。

2.1.2 上坝道路布置

假定石料场和混凝土拌和厂均位于坝下游右岸。根据坝址两岸地形情况，考虑运输机械的性能和上坝运输强度，沿右岸修筑一条至坝顶的运输主干线，路宽14m。并分别于右岸 EL.20.00m、EL.40.00m、EL.60.00m 和 EL.80.00m 处修筑 4 条同干线道路连接的上坝支线道路，路宽也为14m。其布置形式见附图2。

2.1.3 坝面施工布置

2.1.3.1 坝面填筑施工布置

考虑到坝体堆石填筑工序多，施工场地狭窄，为了减少施工干扰，坝面上不设供水管线，坝面加水由 12m³ 洒水车来完成。坝面采用分区流水作业施工，石料填筑拟定为 4 个工序，即铺填、洒水、压实和质检。

为了在坝面进行流水作业施工，将整个坝面适当地划分为几个流水作业面，形成若干个面积大致相等的填筑块，依次完成填筑的各道工序，使各工作面上所有工序能够连续进行。填筑工作面的划分应根据坝体分区条件并随坝的填筑高程来划分。考虑所选机械的技术特性和施工条件，每一填筑工序最小宽度为35m，最小长度为60m，各工序流水分段均平行坝轴线布置，采用进退法压实。坝面施工布置详见附图3。

2.1.3.2 面板混凝土浇筑施工布置

面板混凝土施工在坝体填筑到坝顶高程以后进行，采用无轨滑模浇筑。施工时在坝顶前沿布置 20t 卷扬机 6 台，用于牵引滑模和钢筋台车，另外布设 1 辆 50t 汽车吊用于吊运滑模和卷扬机。上游斜坡面上布设 2 套滑模和 1 台钢筋台车。

2.1.4 施工方法

2.1.4.1 垫层料施工方法

垫层料设计水平宽度为4.0m，为保证垫层料的设计宽度，施工铺填时应沿迎水面超填20cm 左右。采用 3m³ 轮式装载机从垫层料场装 20t 自卸汽车运输上坝，215HP 推土机坝面平料，上游边缘部位辅以 1.0m³ 液压挖掘机和人工铺料，碾压前用 12m³ 洒水车适量洒水，冬季填筑时不加水。铺料层厚 0.6m，14t 振动平碾碾压 6 遍，压实厚度为 0.5m。

垫层料水平碾压时不能保证距边缘 1.0m 以内的部位压实，故其外缘部位由 110HP 平板压实机压实。为确保上游垫层坡面平整，避免面板产生不均匀变形，斜坡碾压前必须对上游坡面进行修整。坡面修整随坝体填筑分段利用削坡机辅以人工进行，每上升 5.0m 削坡一次。

每当坝体填筑上升 10m 以后，人工再修坡一次，坡面修整后即进行斜坡碾压。斜坡碾压采用布置在填筑顶面的20t履带吊牵引10t斜坡振动碾上下往返碾压。碾压采用静压和振动碾压相结合的方法,碾压前适量洒水,先静碾2遍,然后再静压和振动碾压各4遍,即振动碾自上而下行走时不振动,自下而上行走时振动。斜坡碾宽2m,碾压错距方法是靠履带吊在坝顶水平移动2.0m,然后将振动碾从下面斜拉到坝顶放下去,往返数次即达到错位的目的,错位时要求碾迹重叠5～10cm。

斜坡碾压后,垫层坡面进行喷混凝土保护,喷层厚5.0cm。

2.1.4.2 过渡料施工方法

过渡料设计水平宽度为4.0m,同垫层料平起施工。过渡料填筑也采用3m³轮式装载机从石料场装20t自卸汽车运输上坝,215HP推土机坝面平料,碾压前用12m³洒水车适量洒水,但冬季填筑时不加水。铺料层厚0.6m,14t振动平碾碾压6遍,压实厚度为0.5m。

2.1.4.3 A、B区堆石料施工方法

A、B区堆石料填筑采用8m³轮式装载机从石料场装45t自卸汽车运输上坝,370HP推土机坝面平料,碾压前用12m³洒水车适量洒水,但冬季填筑时不加水。铺料时粒径大于0.8m的石块用推土机推出,用做C区料,铺料厚1.2m,14t振动平碾碾压8遍,压实厚度为1.0m。

2.1.4.4 C区堆石料施工方法

C区堆石料设计为石料场开采中的超径石、大块石,施工与A、B区堆石的填筑作业平行进行,同步上升。采用8m³轮式装载机从石料场装45t自卸汽车运输上坝,370HP推土机配合1.0m³液压反铲挖掘机铺料,并逐层铺填级配料整平,由14t振动平碾碾压。下游边缘1.0m范围内作护坡处理,由1.0m³液压反铲挖掘机配合人工撬码整齐,并以块石垫塞嵌合牢固。

2.1.4.5 喷混凝土施工方法

坝体填筑每上升10.0m,即进行上游坡面修整和斜坡面碾压,斜坡面碾压完成后,开始斜坡面喷混凝土。喷混凝土采用6.0m³混凝土搅拌运输车从混凝土拌和站运料至喷混凝土坡面顶部填筑面上,卸入位于填筑面上的HP-30型混凝土喷射机,然后由站在履带吊车牵引的斜坡工作平台上的工人操作喷枪喷射混凝土。

2.1.4.6 趾板混凝土施工方法

趾板混凝土浇筑采用手风钻钻锚筋孔,人工安装锚筋、绑扎钢筋、立模。6.0m³混凝土搅拌运输车运送混凝土到浇筑仓面附近,再由混凝土泵泵送入仓,插入式振捣器振捣。

2.1.4.7 面板混凝土施工方法

面板混凝土浇筑安排在坝体填筑完成后进行。这里需说明的一点是,随着我国面板坝设计施工技术的发展,面板已不再分起始板和主面板两部分施工。鉴于以前面板施工中有分起始板和主面板两部分施工的工程实例,本参考资料仍将面板分起始板和主面板两部分施工,其中起始板采用立模浇筑,主面板采用无轨滑模浇筑。

为了给主面板滑模施工创造条件,主面板混凝土浇筑前,坝体上部堆石填筑时,即安排提前浇筑具备施工条件部位的起始板混凝土。

面板钢筋绑扎前,首先采用手风钻钻孔安设垫层坡上的架立筋,架立筋呈梅花形布

置。面板钢筋采用 2 台 20t 双筒快速卷扬机牵引一台钢筋台车将钢筋送至坡面,由人工自下而上进行架设绑扎。钢筋架立后,即安装侧面模板和止水。

面板混凝土采用 2 套由 4 台 20t 卷扬机牵引的无轨滑模从坝中条块同两边条块跳仓浇筑。混凝土由 $6.0m^3$ 混凝土搅拌运输车运至坝顶卸入集料斗,然后通过溜槽从坝顶将混凝土料送入仓内,用插入式振捣器振捣,随振捣随提升滑模。每次提升滑模间距为 $15\sim20cm$,平均滑升速度为 $2.5m/h$,滑模的最大滑升速度为 $4.0m/h$。

2.2 施工机械选型配套及生产率计算

按照拟定施工方法及施工机械选型配套,计算所选机械小时生产率。

2.2.1 装载机生产率计算

采用以下公式计算不同工况下和各种斗容装载机的生产率:

$$P = 3\,600VK_hK_t/T$$

式中 P——装载机小时生产率,$L.m^3/h$;

       V——铲斗容积,m^3;

       K_h——铲斗充盈系数,一般土料取 $0.85\sim1$,石料取 $0.6\sim0.8$,见表 2-1;

       K_t——时间利用系数,一般取 $0.75\sim0.85$;

       T——挖装一次循环时间,按照设备的基本工作循环时间及影响因素的影响时间确定,设备基本工作循环时间见表 2-2,循环时间影响因素见表 2-3。

表 2-1   充盈系数

物 料		充盈系数(%)
松散料	混合湿润骨料	95~100
	粒径≤3mm	95~100
	粒径 3~9mm	90~95
	粒径 12~20mm	85~90
	粒径≥24mm	85~90
爆破料	爆破良好	80~95
	爆破一般	75~90
	爆破较差	60~75
杂项	岩石杂物	100~120
	湿润壤土	100~110
	土、卵石及树根	80~100
	粉状材料	85~95

表 2-2   设备基本工作循环时间

设备型号	斗容(m^3)	基本循环时间(min)
910F~960F	1~3.3	0.45~0.50
966F－Ⅱ~980F	3.7~5	0.50~0.55
988F~990	6~8.4	0.55~0.60
992D~994	10.7~18	0.60~0.70

表 2-3　循环时间影响因素

	影响因素	影响时间(min)
(1)材料种类	混合料	0.02
	粒径≤3mm	0.02
	粒径 3～20mm	−0.02
	粒径 20～150mm	0
	粒径≥150mm	0.03
	天然土或爆破渣料	0.04
(2)堆料情况	推土机集料,料堆高度≥3m	0
	推土机集料,料堆高度<3m	0.01
	汽车卸料	0.02
(3)其他	专用装载运输队	−0.04
	独立运输队	0.04
	固定操作司机	−0.04
	不固定操作司机	0.04
	小批量装运	0.04
	碎散料装运	0.05

公式中的参数取值:

$K_t = 0.8$;

$T = 30 \sim 42s$;

$K_h = 1$(土料),$0.85 \sim 0.9$(垫层料),0.75(石渣)。

不同斗容的装载机在不同工况下的生产率见表 2-4。

表 2-4　轮式装载机生产率　　　　　　　　　　(单位:L.m³/h)

斗容(m³)	土料	垫层料	石渣
3	205～287	184～258	154～216
8	548～767	493～690	411～576

注:1.L.m³ 表示松方,后同。

　　2. 当斗容≥6m³ 时,生产率宜取小值。

2.2.2　运输机械生产率计算

本模拟工程施工运输机械只考虑自卸汽车(型号参照 Caterpillar 机械性能手册)。重型汽车均有自己的性能特性曲线,对路面,厂家也有自己的明确要求。根据不同路面的摩阻和不同的路段坡度计算各路段的行车车速,然后计算其不同运距的重轻车平均行车车速。本参考资料参照小浪底、水口等大型水利工程施工汽车行车情况计算选取车速,结果见表2-5。

表 2-5　自卸汽车平均行车车速　　　　　　　　(单位:km/h)

车型	重车平均行车车速	轻车平均行车车速	平均行车车速	备注
20～50t	28	32	30	运距在 1km 以内时,
55t 以上	22	28	25	表中数值乘以 0.8

2.2.2.1 汽车与装载设备的配套

自卸汽车的容量(或载重吨位)应与装载机械相匹配。自卸汽车容量一般应为挖装机械铲斗容量的3~6倍。按施工经验,自卸汽车容量为挖装机械铲斗容量的5倍时最为经济。汽车容量太大,其生产能力下降,反之则挖装机械生产率降低。

按照上述原则,汽车同装载机械的配套见表2-6。

表 2-6　轮式装载机与自卸汽车配套

装载机斗容(m^3)	配套汽车吨位(t)	备注
3	20	
8	45	

2.2.2.2 汽车生产率计算

汽车生产率计算公式为

$$Q = 60qK_{ch}K_t/T$$

式中　Q——自卸汽车小时生产率,$L.m^3/h$;

K_{ch}——汽车装满系数,与挖装机械装满一车厢的铲装次数有关;

q——每车运载量,一般以车厢堆装容量 m^3 计,但不能超过汽车额定载重量;

K_t——时间利用系数,取 0.75~0.85;

T——汽车运载一次循环时间,min,$T = t_1 + t_2 + t_3 + t_4 + t_5$;

t_1——装车时间,min,$t_1 = nT_装$;

$T_装$——挖装机械挖装一斗的工作循环时间(3m^3 装载机取 40s,8m^3 装载机取42s);

n——装满一车厢的铲装次数(取整数);

t_2——重车运行时间,min,$t_2 = 60L/v_1$;

L——运输距离,km;

v_1——重车行车速度,km/h,见表2-5;

t_3——卸车时间,一般为 1.5~2.5min;

t_4——空车返回时间,min,$t_4 = 60L/v_e$;

v_e——轻车行车速度,km/h,见表2-5;

t_5——调车、等车及其他因素停车时间,一般为 1~2.5min。

为了简化计算,不同吨位汽车,不同运距时运输各类料的计算参数取值如下:

$K_t = 0.85$;

$t_3 = 1.5$min;

$t_5 = 2.5$min;

$L = 5, 5.5, 6$km;

$v_1 = 28$km/h(20~50t 汽车);

$v_e = 32$km/h(20~50t 汽车)。

不同吨位汽车与不同类型挖装机械配套,在不同运距的条件下,运输各类物料的生产率计算结果见表 2-7。

表 2-7　汽车生产率计算

序号	汽车吨位 (t)	装载机斗容 (m³)	材料	运距 (km)	汽车生产率 (L.m³/h)	汽车生产率 (C.m³/h)
1				5.0	24	22
2	20	3	垫层料	5.5	22	20
3				6.0	21	19
4				5.0	21	17
5	20	3	过渡料	5.5	19	16
6				6.0	18	15
7				5.0	48	37
8	45	8	石料	5.5	45	34
9				6.0	42	32
10	45	8	回采料	3.0	68	54

注:C.m³ 表示坝上方,后同。

2.2.3　坝面施工机械生产率计算

2.2.3.1　碾压机械生产率计算

1)振动平碾生产率计算

碾压方式采用前进倒退法,用如下公式计算:

$$P = 1\,000BhvK_t/n$$

式中　P——碾压设备小时生产率,m³/h(压实方或坝上方);

B——有效压实宽度,m,等于碾宽减去 0.20m 搭接宽度,14t 振动平碾的有效压实宽度 B 为 2m;

v——压实作业速度,一般取 3~3.5km/h;

K_t——时间利用系数,施工条件较好时取 0.75~0.83,施工条件较差时取 0.60~0.75;

h——填料压实厚度,应通过碾压试验确定,当无试验资料时可参照实际工程施工经验,石料取 1m,垫层料取 0.5m;

n——压实遍数,应通过碾压试验确定,无试验资料时可参照实际工程资料分析确定,石料取 6~8 遍,垫层料取 6 遍。

2)斜坡振动碾生产率计算

碾压方式采用前进倒退法,用如下公式计算:

$$P = 1\,000BvK_tK_e/n$$

式中　P——碾压设备小时生产率,m²/h;

B——有效压实宽度,m,等于碾宽减去搭接宽度,约 0.20m,10t 斜坡振动平碾的有效压实宽度为 $B = 1.8 - 0.1 = 1.7(m)$;

v——压实作业速度,一般取 1.5~2km/h;

K_t——时间利用系数,施工条件较好时取 0.75~0.83,施工条件较差时取 0.6~0.75;

K_e——履带吊与振动碾协作系数,取 $K_e = 0.9$;

n——压实遍数,应通过碾压试验确定,无试验资料时可参照实际工程资料分析确定:
　　先静压2遍,然后自上而下无振碾压与自下而上振动碾压各4遍,$n = 10$遍。

斜坡振动碾生产率:

$$P = 1\,000 \times 1.7 \times (1.5 \sim 2) \times 0.75 \times 0.9/10 = 172 \sim 230(\text{m}^2/\text{h})$$

取为 $180\text{m}^2/\text{h}$。

3)平板振动压实机生产率计算

采用如下公式计算:

$$P = 3\,600 SK_t h/t$$

式中　P——压实机小时生产率,m^3/h;

S——压实板的有效压实面积,m^2,一般 $S = 1.4 \times 0.9 = 1.26\text{m}^2$;

t——每块压实面上的压实时间,一般取 60s;

K_t——时间利用系数,取 $0.75 \sim 0.83$;

h——垫层料压实厚度,$h = 0.5\text{m}$。

平板振动压实机生产率:

$$P = 3\,600 \times 1.26 \times 0.5 \times 0.75/60 = 28.4(\text{m}^3/\text{h})$$

取为 $28\text{m}^3/\text{h}$。

4)压实机械生产率统计表

压实机械生产率统计见表2-8。

表 2-8　压实机械生产率统计

振动碾类型	坝体材料	压实厚度 (m)	碾压遍数 (遍)	压实作业速度 (km/h)	小时生产率
14t 振动平碾	石料	1.0	8	3.0~3.5	$600C \cdot \text{m}^3/\text{h}$
14t 振动平碾	垫层料	0.5	6	3.0~3.5	$430C \cdot \text{m}^3/\text{h}$
14t 振动平碾	过渡料	0.5	6	3.0~3.5	$430C \cdot \text{m}^3/\text{h}$
10t 斜坡振动碾	斜坡面		10	1.5~2.0	$180\text{m}^2/\text{h}$
平板振动压实机	垫层料	0.5			$28C \cdot \text{m}^3/\text{h}$

2.2.3.2　平料机械生产率计算

土石坝工程施工中,石料多采用大功率履带式推土机平料,施工操作简单,效率高。本典型工程筑坝平料机械只考虑推土机一种施工机械。

推土机的配备以其小时生产能力为标准。生产率采用如下公式计算:

$$P = 3\,600 QFEKG/C_m$$

式中　P——推土机小时生产率,m^3/h(松方);

Q——铲刀容量,m^3,$Q = 1/2h^2 \cot\phi L$;

ϕ——铲刀前土的自然倾角,黏土为 $35° \sim 40°$,壤土为 $30° \sim 40°$,砂为 $25° \sim 35°$,砂砾石为 $35° \sim 40°$;

h——铲刀的高度,m;

L——铲刀的宽度,m;

F——物料可松性系数；

E——时间利用系数，$0.75 \sim 0.83$；

K——铲刀充盈系数，见表2-9；

G——坡度变化影响系数，见表2-10；

C_m——每推运一次循环时间，s，C_m = 固定时间（即换挡时间，普通每次 10s）+ 变动时间（即推土及卸土时间 + 回程时间）。

推土机行驶速度：前进取 $3.5 \sim 14$km/h；后退取 $3 \sim 12$km/h；一般推运取 $3.5 \sim 5$km/h或 $0.9 \sim 1.4$m/s；一般回程取 $5 \sim 10$km/h 或 $1.6 \sim 2.7$m/s。

表 2-9　铲刀充盈系数

土壤种类	充盈系数	土壤种类	充盈系数
普通土	1.0	页岩	0.6
硬黏土	0.8	卵石及已爆石渣	0.5

表 2-10　坡度变化影响系数

坡度	上坡 5%～10%	水平 0	下坡 5%～10%	下坡 15%～20%
G	0.6～0.8	1.0	1.3～1.9	1.9～2.7

上述公式计算比较繁杂，且影响因素较多，为简化计算推土机推运物料的生产能力，可采用 Caterpillar 机械性能手册推荐的计算方法计算其小时生产率。计算公式为

$$P = P' \times 工作条件调整系数$$

式中　P'——推土机理论生产率，根据工况在 Caterpillar 机械手册中查得，L·m³/h。

工作条件调整系数等于调整系数表中 7 项系数的乘积，调整系数见表2-11。

表 2-11　调整系数

序号	条件	分类	系数
1	操作工熟练程度	熟练	1.0
		一般	0.75
		不熟练	0.6
2	材料	散料	1.2
		难铲或冻结	0.7～0.8
		难推移或胶结	0.6
		爆破或经裂土器裂松岩石	0.6～0.8
3	集料方式	槽推法	1.2
		并排法推土	1.15～1.25
4	能见度	雨、雪、大雾及黑天	0.8
5	时间利用率		0.75～0.83
6	直接传动		0.8
7	坡度	上坡 0°～10°	1～0.8
		上坡 10°～20°	0.8～0.55
		上坡 20°～30°	0.55～0.3
		下坡 0°～-10°	1.0～1.2
		下坡 -10°～-20°	1.2～1.4
		下坡 -20°～-30°	1.4～1.6

本参考资料推土机的生产率采用 Caterpillar 法计算，推土机的型号选用 D9N (370HP) 与 D7HXR (215HP)。

设备工作条件调整系数：$K_石 = 0.42$；$K_垫 = 0.6$。

查设备生产率曲线得 370HP 推土机生产率为 770L·m³/h，215HP 推土机生产率为 570L·m³/h。

215HP 推土机实际生产率：

垫层料　　　$570 \times 0.6 = 342 (L·m³/h)$

石料　　　　$570 \times 0.42 = 239 (L·m³/h)$

370HP 推土机实际生产率：

石料　　　　$770 \times 0.42 = 323 (L·m³/h)$

平料机械生产率汇总见表 2-12。

表 2-12　平料机械生产率汇总

机械类型	坝体材料	铺料厚度 (m)	平料遍数 (遍)	作业速度 (km/h)	小时生产率 (L·m³/h)	小时生产率 (C·m³/h)
370HP 推土机	石料	1.2	1.2	3.5	323	280
215HP 推土机	过渡料	0.6	1.2	3.5	239	203
215HP 推土机	垫层料	0.6	1.2	3.5	342	300

2.2.3.3　洒水车生产率计算

坝面洒水采用 12m³ 洒水车，假定取水距离为 2km。其小时生产率计算公式为

$$P = 60V/T$$

式中　V——洒水车容积，取 12m³；

　　　T——洒水循环时间，$T = t_1 + t_2 + t_3$；

　　　t_1——注水时间，6min；

　　　t_2——洒水时间，12min；

　　　t_3——行车时间，等于重车行车时间 + 轻车行车时间。

重车行车速度取为 25km/h，轻车行车速度取为 30km/h，则

$$t_3 = (2/25 + 2/30) \times 60 = 8.8 (min)$$

洒水循环时间：

$$T = 6 + 12 + 8.8 = 26.8 (min)$$

12m³ 洒水车小时生产率：

$$P = 60 \times 12/26.8 = 26.9 (m³/h)$$

2.2.3.4　削坡机生产率计算

采用美国 Gradall 公司生产的 0.5m³ 履带式削坡机配合人工削坡。削坡机的削坡生产率按照天生桥一级钢筋面板堆石坝施工经验取为 60m²/h。

2.2.4　混凝土施工机械生产率计算

2.2.4.1　混凝土搅拌运输车生产率计算

混凝土搅拌运输车生产率采用如下公式计算：

$$Q = 60qK_t/T$$

式中　Q——混凝土搅拌运输车生产率，m^3/h；

q——混凝土搅拌运输车一次运载量，$q = 6m^3$；

T——混凝土运输循环时间，$T = t_1 + t_2 + t_3 + t_4$；

t_1——装车时间，$t_1 = 20s/m^3 \times 6m^3 = 120s = 2min$；

t_2——卸料时间，一般取 $3min$；

t_3——行车时间，$t_3 = 2 \times 1.5km/25km/h \times 60min/h = 7.2min$（重车和轻车的平均
行车速度取为 $25km/h$）；

t_4——调车、等车及其他因素停车时间，一般取 $2.5min$；

K_t——时间利用系数，取 $0.75 \sim 0.83$。

混凝土运输循环时间：

$$T = t_1 + t_2 + t_3 + t_4 = 2 + 3 + 7.2 + 2.5 = 14.7(min)$$

混凝土搅拌运输车生产率：

$$Q = 6 \times 60 \times 0.8/14.7 = 19.6(m^3/h)$$

2.2.4.2　混凝土泵与混凝土振捣器生产率计算

混凝土泵：选用 HB60D 型液压混凝土泵，其铭牌生产率为 $60m^3/h$，实际生产率取
$60 \times 0.7 = 42(m^3/h)$。

混凝土振捣器：选用 Z2D－100 型电动插入式振捣器，其铭牌生产率为 $15m^3/h$，实际
生产率取 $15 \times 0.7 = 10.5(m^3/h)$。

混凝土喷射机：选用 HP－30 型混凝土喷射机，其铭牌生产率为 $5m^3/h$，实际生产率
取 $5 \times 0.7 = 3.5m^3/h$。

手风钻：选用 YT－25 型手风钻，小浪底、隔河岩、水口等大型工程施工工地现场施工
资料统计分析其钻速约 $0.3m/min(f = 5 \sim 7)$，每小时钻孔时间约 $30min$，实际生产率取
$0.3 \times 30 = 9(m/h)$。

2.2.4.3　混凝土施工机械生产率统计表

混凝土施工机械生产率统计见表 2-13。

表 2-13　混凝土施工机械生产率统计

设备名称	运距(km)	小时生产率(m^3/h)
$6m^3$ 混凝土搅拌运输车	1.5	19.6
HB60 混凝土泵		42.0
振捣器		10.5
混凝土喷射机		3.5
手风钻		9.0

2.2.5　其他施工机械设备生产率计算

钢筋加工厂的钢筋加工能力一般根据钢筋总量和混凝土施工进度确定。根据其加工
能力确定各种机械设备的配置数量和人员数量，钢筋加工机械设备生产率与钢筋直径、种
类等多种因素有关，这里根据混凝土面板钢筋的特点参考有关资料选取。

钢筋调直机:选用 14kW 钢筋调直机,其生产率取 1.7t/h。

钢筋切断机:选用 20kW 钢筋切断机,其生产率取 2.5t/h。

钢筋弯曲机:选用 Φ6~40 钢筋弯曲机,其生产率取 0.9t/h。

电焊机:选用 16~30kVA 电焊机,其生产率取 0.5~0.8t/h。

2.2.6 选用机械生产率汇总表

选用机械生产率汇总见表 2-14。

表 2-14 选用机械生产率汇总

序号	设备名称	垫层料 (C.m³/h)	斜坡面 (m²/h)	过渡料 (C.m³/h)	石料 (C.m³/h)	混凝土 (m³/h)	钢筋 (t/h)	水 (m³/h)	备注
1	8m³ 轮式装载机				382				
2	3m³ 轮式装载机	182		153					
3	20t 自卸汽车	22		17					运距 L=5.0km
		20		16					运距 L=5.5km
		19		15					运距 L=6.0km
4	45t 自卸汽车				54				运距 L=3.0km
					37				运距 L=5.0km
					34				运距 L=5.5km
					32				运距 L=6.0km
5	215HP 推土机	300		203					
6	370HP 推土机				280				
7	14t 振动平碾	430		430	600				
8	10t 斜坡振动碾		180						
9	平板振动压实机	28							
10	12m³ 洒水车							26.9	2km
11	1m³ 液压反铲				49L.m³/h				
12	0.5m³ 削坡机		60						
13	6m³ 混凝土搅拌运输车					19.6			
14	混凝土泵					42			
15	振捣器					10.5			
16	混凝土喷射机					3.5			
17	手风钻				9m/h				f=5~7
18	钢筋调直机						1.0~1.7		Φ6~40
19	钢筋切断机						1.6~2.5		Φ6~40
20	钢筋弯曲机						0.6~0.9		Φ6~40
21	电焊机						0.5~0.8		Φ6~40

2.2.7 机械选型配套

按照选用机械设备的小时生产率,配备各种施工机械设备数量,见表 2-15。

2.3 施工工期及施工强度计算

2.3.1 分析确定有效施工天数

2.3.1.1 施工天数分析依据

(1)《水利水电工程施工组织设计规范》(试行)SDJ338—89。

(2)星期日停工 1 天。

(3)法定节日停工:春节 3 天,元旦 1 天,五一节 1 天,国庆节 2 天,共 7 天。

(4)采用中原地区某工程气象资料作为模拟工程的气象资料。

表 2-15　机械选型配套

坝料	装运	平料	洒水	碾压	备注
垫层料	3m³ 装载机配 20t 自卸汽车	215HP 推土机	12m³ 洒水车	14t 振动平碾	
过渡料	3m³ 装载机配 20t 自卸汽车	215HP 推土机	12m³ 洒水车	14t 振动平碾	
斜坡面			12m³ 洒水车	10t 振动平碾	20t 履带吊牵引
堆石	8m³ 装载机配 45t 自卸汽车	370HP 推土机平料	12m³ 洒水车	14t 振动平碾	
混凝土面板	6m³ 混凝土搅拌运输车运输混凝土溜槽入仓				电动插入式振捣器振捣
混凝土趾板	6m³ 混凝土搅拌运输车运输转液压混凝土泵泵送混凝土入仓				电动插入式振捣器振捣

2.3.1.2　停工标准

日降雨≤15mm,照常施工;日降雨>15mm,雨日停工;日降雨>30mm,雨日停工,雨后停工半天;当低气温填筑石料时,采用薄层不加水;发生 8 级大风时停工。

2.3.1.3　有效施工天数

根据气象资料和停工标准,石料填筑施工天数如表 2-16 所示。

表 2-16　石料填筑施工天数

项目	月　份												全年
	1	2	3	4	5	6	7	8	9	10	11	12	
日历天数	31	28	31	30	31	30	31	31	30	31	30	31	365
节日停工	1	3			1					2			7
星期日停工	5	4	4	4	5	4	4	5	4	5	4	4	52
降雨停工			1	2		6	4	3	2	4			22
低气温停工													
大风停工		2	2	2	3					1	1		15
停工重合天数							1			1			2
施工天数	25	19	24	22	23	22	21	22	23	22	23	25	271

2.3.2　施工强度分析及机械设备配套

2.3.2.1　上坝填筑强度分析及机械设备配套

为便于进行坝体填筑强度分析,根据坝体模拟断面,将坝体沿高程每 10m 分为一个填筑层,依据各填筑层的填筑工程量,分析各层的填筑强度,由填筑强度和选用机械设备的生产率,分析确定机械设备的数量。

坝体填筑工程量为 472.13 万 m³,其中堆石填筑量 440.53 万 m³,占坝体填筑量的 93.3%,故上坝填筑强度应由堆石填筑控制。根据堆石不同填筑层的平均面积和施工导截流拦洪高程要求,布置振动平碾的数量,由振动碾的生产率,并考虑以垫层料、过渡料填筑对堆石料填筑的影响,以及上坝道路运输条件的限制,分析确定堆石的填筑强度及相应的机械设备数量,按照均衡上升的原则,由堆石的填筑强度推算垫层料和过渡料的填筑强度及相应的机械设备数量。不同填筑料各填筑层的填筑强度及工期分析结果见表 2-17~表 2-21,垫层料坡面修整和表面喷混凝土施工强度及工期分析结果见表 2-22 和表 2-23,大坝填筑各项技术指标见表 2-24。

表 2-17　A区堆石填筑分高程施工强度及工期

填筑部位	施工工程量 (万 m³)	平均填筑面积 (m²)	填筑工作段数 (个)	日填筑强度 (万 m³/日)	有效填筑工期 (日)	填筑工期 (月)	日上升速度 (m/日)
EL. −10.00~−5.00m	5.84	6 784.00	1	0.16	35	1.6	0.28
EL. −5.00~0.00m	9.14	11 377.00	1	0.31	29	1.3	0.17
EL. 0.00~10.00m	23.21	19 310.00	1	0.47	50	2.2	0.20
EL. 10.00~20.00m	38.30	36 866.00	2	1.06	36	1.6	0.28
EL. 20.00~30.00m	39.22	37 771.00	2	1.41	28	1.2	0.36
EL. 30.00~40.00m	38.21	36 816.00	2	1.41	27	1.2	0.37
EL. 40.00~50.00m	35.93	34 610.00	2	0.97	37	1.6	0.27
EL. 50.00~60.00m	32.33	31 153.00	2	0.88	37	1.6	0.27
EL. 60.00~70.00m	37.06	39 262.00	2	0.88	42	1.9	0.24
EL. 70.00~80.00m	31.41	30 311.00	2	0.71	44	2.0	0.23
EL. 80.00~90.00m	20.37	19 736.00	1	0.47	44	1.9	0.23
EL. 90.00~97.00m	6.56	7 032.00	1	0.16	41	1.8	0.17
合　计	317.58				450	19.9	

表 2-18　B区次堆石填筑分高程施工强度及工期

填筑部位	施工工程量 (万 m³)	平均填筑面积 (m²)	填筑工作段数 (个)	日填筑强度 (万 m³/日)	有效填筑工期 (日)	填筑工期 (月)	日上升速度 (m/日)
EL. 0.00~10.00m	14.60	13 132.00	1	0.42	35	1.6	0.28
EL. 10.00~20.00m	18.99	18 284.00	1	0.53	36	1.6	0.28
EL. 20.00~30.00m	19.27	18 561.00	2	0.70	28	1.2	0.36
EL. 30.00~40.00m	18.75	18 059.00	1	0.69	27	1.2	0.37
EL. 40.00~50.00m	17.58	16 934.00	1	0.48	37	1.6	0.27
EL. 50.00~60.00m	15.76	15 187.00	1	0.43	37	1.6	0.27
合　计	104.95				200	8.8	

表 2-19　垫层料填筑分高程施工强度及工期

填筑部位	施工工程量 （万 m³）	填筑工期 （月）	有效填筑工期 （日）	日上升速度 （m/日）	日填筑强度 （万 m³/日）
EL. −10.00～−5.00m	0.34	1.5	34	0.15	0.01
EL. −5.00～0.00m	0.28	1.3	29	0.17	0.01
EL. 0.00～10.00m	0.73	2.1	47	0.21	0.02
EL. 10.00～20.00m	1.05	1.5	34	0.30	0.03
EL. 20.00～30.00m	1.20	1.0	23	0.44	0.05
EL. 30.00～40.00m	1.35	1.0	23	0.44	0.06
EL. 40.00～50.00m	1.49	1.4	32	0.32	0.05
EL. 50.00～60.00m	1.64	1.3	29	0.34	0.06
EL. 60.00～70.00m	1.79	1.6	36	0.28	0.05
EL. 70.00～80.00m	1.94	1.7	38	0.26	0.05
EL. 80.00～90.00m	2.12	1.6	36	0.28	0.06
EL. 90.00～97.00m	1.60	1.4	32	0.22	0.05
合　　计	15.53	17.4	393		

表 2-20　过渡料填筑分高程施工强度及工期

填筑部位	施工工程量 （万 m³）	填筑工期 （月）	有效填筑工期 （日）	日上升速度 （m/日）	日填筑强度 （万 m³/日）
EL. −5.00～0.00m	0.27	1.3	29	0.17	0.01
EL. 0.00～10.00m	0.71	2.1	47	0.21	0.02
EL. 10.00～20.00m	1.01	1.5	34	0.30	0.03
EL. 20.00～30.00m	1.16	1.0	23	0.44	0.05
EL. 30.00～40.00m	1.30	1.0	23	0.44	0.06
EL. 40.00～50.00m	1.44	1.4	32	0.32	0.05
EL. 50.00～60.00m	1.59	1.3	29	0.34	0.05
EL. 60.00～70.00m	1.73	1.6	36	0.28	0.05
EL. 70.00～80.00m	1.88	1.7	38	0.26	0.05
EL. 80.00～90.00m	2.04	1.6	36	0.28	0.06
EL. 90.00～97.00m	1.55	1.4	32	0.22	0.05
EL. 97.00～100.00m	1.39	1.5	34	0.09	0.04
合　　计	16.07	17.40	393		

表 2-21　C区堆石填筑分高程施工强度及工期

填筑部位	施工工程量 （万 m³）	填筑工期 （月）	有效填筑工期 （日）	日上升速度 （m/日）	日填筑强度 （万 m³/日）
EL. −5.00～0.00m	1.21	0.8	18	0.28	0.07
EL. 0.00～10.00m	2.30	1.6	36	0.24	0.06
EL. 10.00～20.00m	1.78	1.6	36	0.28	0.05
EL. 20.00～30.00m	1.16	1.2	27	0.37	0.04
EL. 30.00～40.00m	1.30	1.2	27	0.37	0.05

填筑部位	施工工程量 （万 m³）	填筑工期 （月）	有效填筑工期 （日）	日上升速度 （m/日）	日填筑强度 （万 m³/日）
EL. 40.00～50.00m	1.44	1.6	36	0.28	0.04
EL. 50.00～60.00m	1.59	1.6	36	0.28	0.04
EL. 60.00～70.00m	1.74	1.9	43	0.23	0.04
EL. 70.00～80.00m	1.88	2.0	45	0.22	0.04
EL. 80.00～90.00m	2.05	1.9	43	0.23	0.05
EL. 90.00～97.00m	1.55	1.8	41	0.17	0.04
合　计	18.00	17.2	388		

表 2-22　垫层斜面修整施工强度及工期

填筑部位	施工工程量 （万 m²）	日削坡强度 （m²/日）	有效削坡工期 （日）
EL. −10.00～−5.00m	895.00	1 000.00	0.90
EL. −5.00～0.00m	1 057.00	1 000.00	1.06
EL. 0.00～5.00m	1 219.00	1 000.00	1.22
EL. 5.00～10.00m	1 577.00	1 000.00	1.58
EL. 10.00～15.00m	1 924.00	1 000.00	1.92
EL. 15.00～20.00m	2 066.00	1 000.00	2.02
EL. 20.00～25.00m	2 208.00	1 000.00	2.21
EL. 25.00～30.00m	2 350.00	1 000.00	2.35
EL. 30.00～35.00m	2 491.00	1 000.00	2.49
EL. 35.00～40.00m	2 633.00	1 000.00	2.63
EL. 40.00～45.00m	2 775.00	1 000.00	2.78
EL. 45.00～50.00m	2 917.00	1 000.00	2.92
EL. 50.00～55.00m	3 058.00	1 000.00	3.06
EL. 55.00～60.00m	3 200.00	1 000.00	3.20
EL. 60.00～65.00m	3 342.00	1 000.00	3.34
EL. 65.00～70.00m	3 484.00	1 000.00	3.48
EL. 70.00～75.00m	3 625.00	1 000.00	3.63
EL. 75.00～80.00m	3 767.00	1 000.00	3.77
EL. 80.00～85.00m	3 934.00	1 000.00	3.93
EL. 85.00～90.00m	4 127.00	1 000.00	4.12
EL. 90.00～95.00m	4 320.00	1 000.00	4.32
EL. 95.00～97.00m	1 782.00	1 000.00	1.78
合　计	58 751.00		58.75

表 2-23　垫层斜坡碾压、喷混凝土施工强度和工期

施工部位	施工工程量		施工日强度		施工工期	
	斜坡面面积 (m²)	喷混凝土方量 (m³)	斜坡碾压 (m²/日)	喷混凝土 (m³/日)	斜坡碾压 (日)	喷混凝土 (日)
EL.-10.00~0.00m	1 952.00	115.61	1 000.00	59.23	2	2
EL.0.00~10.00m	2 796.00	165.59	1 000.00	59.23	3	3
EL.10.00~20.00m	3 990.00	236.31	1 000.00	59.23	4	4
EL.20.00~30.00m	4 558.00	269.95	1 000.00	59.23	5	5
EL.30.00~40.00m	5 124.00	303.47	1 000.00	59.23	5	5
EL.40.00~50.00m	5 692.00	337.11	1 000.00	59.23	6	6
EL.50.00~60.00m	6 258.00	370.63	1 000.00	59.23	6	6
EL.60.00~70.00m	6 826.00	404.27	1 000.00	59.23	7	7
EL.70.00~80.00m	7 392.00	437.79	1 000.00	59.23	7	7
EL.80.00~90.00m	8 061.00	477.41	1 000.00	59.23	8	8
EL.90.00~97.00m	6 102.00	361.39	1 000.00	59.23	6	6
合　　计	58 751.00	3 479.53			59	59

表 2-24　大坝填筑施工技术指标

填筑部位	施工工程量（万 m³)						填筑工期 (月)	平均月强度 (万 m³/月)	高峰月强度 (万 m³/月)	高峰日强度 (万 m³/日)	坝体平均上升速度 (m/月)
	A区堆石	B区堆石	垫层料	过渡料	C区堆石	总计					
EL.-10.00~-5.00m			0.34	0	0	0.34	1.5				
EL.-5.00~0.00m	9.14		0.28	0.27	1.21	10.90	1.3				
EL.0.00~10.00m	29.05	14.60	0.73	0.71	2.30	47.39	2.2				
EL.10.00~20.00m	38.30	18.99	1.05	1.01	1.78	61.13	1.5				
EL.20.00~30.00m	39.22	19.27	1.20	1.16	1.16	62.01	1.2				
EL.30.00~40.00m	38.21	18.75	1.35	1.30	1.30	60.91	1.3				
EL.40.00~50.00m	35.93	17.58	1.49	1.44	1.44	57.88	1.6				
EL.50.00~60.00m	32.33	15.76	1.64	1.59	1.59	52.91	1.6				
EL.60.00~70.00m	37.06		1.79	1.73	1.74	42.32	2.0				
EL.70.00~80.00m	31.41		1.94	1.88	1.88	37.11	2.0				
EL.80.00~90.00m	20.37		2.12	2.04	2.05	26.58	1.9				
EL.90.00~97.00m	6.56		1.60	1.55	1.55	11.26	1.8				
EL.97.00~100.00m				1.39		1.39	1.5				
合　　计	317.58	104.95	15.53	16.07	18.00	472.13	21.4	22.06	51.63	2.28	5.14

2.3.2.2 趾板混凝土浇筑强度分析及机械设备配套

趾板的最大宽度为 6.0m,厚度为 60cm,总长 690.5m,趾板混凝土施工工程量 0.29 万 m³。浇筑时将趾板分为 58 个浇筑块,每一浇筑块长 12.0m。

趾板混凝土分两期浇筑。河床常水位高程以上为一期趾板混凝土,分为 40 个浇筑块,混凝土方量为 0.20 万 m³;河床常水位高程以下为二期趾板混凝土,分为 18 个浇筑块,混凝土方量为 0.09 万 m³。为便于分析趾板混凝土各期浇筑强度,选择一典型浇筑块分析其各工序施工强度及工期,分析结果详见表 2-25、表 2-26。一期混凝土施工安排在截流前两岸削坡及岸坡趾板地基开挖到适当位置时进行,安排一个混凝土施工作业组分块立模浇筑;二期混凝土施工安排在截流后河床段趾板地基开挖后进行,也安排一个混凝土施工作业组分块立模浇筑。依据各期混凝土工程量,分析确定相应的施工强度及工期,分析结果详见表 2-25、表 2-26,相应的混凝土浇筑强度和工期详见表 2-27。

表 2-25　趾板混凝土典型浇筑块施工强度及工期计算

序号	项　　目	单位	数量	备　　注
1	设计参数			
1.1	浇筑块长	m	12.0	
1.2	浇筑块宽	m	6.0	
1.3	浇筑块厚	m	0.6	
1.4	混凝土钢筋含量	kg/m³	65.0	
1.5	仓面面积	m²	72	
1.6	浇筑块设计混凝土量	m³	48	
1.7	浇筑块设计钢筋量	kg	3 120	
1.8	立模面积	m²	58	
2	仓面清理			
2.1	清理面积	m²	72	
2.2	清理方式		高压风水枪冲洗	
2.3	作业组人数	个	10	
2.4	小时生产率	m²/h	40.0	
2.5	作业面清理时间	h	2	
3	锚筋安设			
3.1	锚筋长度	m	4.0	
3.2	锚筋间距	m	1.5	
3.3	锚筋排距	m	1.5	
3.4	锚筋根数	根	40	
3.5	锚筋总长度	m	160.0	
3.6	每根锚筋钻孔深度	m	3.5	
3.7	钻孔总深度	m	140.0	

序号	项 目	单位	数量	备 注	
3.8	钻机型号			YT-25型手风钻	
3.9	钻机生产率	m/h	9.0		
	项 目		单位时间	工程量	单项时间
3.10	钻机移动定位时间(以孔计)	min	2.0	40	80
3.11	接钻杆时间(以孔计)	min	1.0	40	40
3.12	净钻孔时间(以m计)	min	6.7	140.0	938
3.13	一个浇筑仓钻锚筋孔时间	min			1 058
3.14	钻机同时工作台数	台		$2 \times 0.9 = 1.8$	
3.15	钻孔时间	min			587.8
3.16	安装时间(以根计)	min	3.0	40	120
3.17	钻孔与安装重叠时间	min			70
3.18	锚筋安设时间	min			638
3.19	小时生产率(按50min/h)计	m/h			12.5
4	止水安装				
4.1	铜止水片长度	m	12		
4.2	PVC止水片长度	m	12		
4.3	作业组人数	个	8		
4.4	安装生产率	m/h	6.0		
4.5	铜止水片安装时间	h	2		
4.6	PVC止水片安装时间	h	2		
4.7	止水安装总时间	h	4		
5	模板架立				
5.1	立模面积	m²	58		
5.2	作业组人数	个	20		
5.3	安装生产率	m²/h	10.0		
5.4	安装时间	h	6		
6	钢筋架设				
6.1	浇筑块施工钢筋量	kg	3 182		
6.2	作业组人数	个	18		
6.3	钢筋绑扎生产率	kg/h	800		
6.4	钢筋架设时间	h	4		
7	混凝土浇筑设备参数				
7.1	混凝土入仓方式			泵送	
7.2	混凝土泵型号			HB60型	

序号	项　　目	单位	数量	备　　注
7.3	混凝土泵铭牌生产率	m³/h	60.0	
7.4	混凝土泵数量	台	1.0	
7.5	混凝土运输设备型号			6m³ 混凝土搅拌车
7.6	混凝土搅拌车额定容量	m³	6.0	
7.7	混凝土搅拌车数量	辆	2.0	
7.8	混凝土运输距离	km	1.5	
7.9	设备配套生产率	m³/h	20.0	
8	混凝土浇筑			
8.1	浇筑块设计工程量	m³	48	
8.2	浇筑块施工工程量	m³	49	
8.3	设备配套生产率	m³/h	20.0	
8.4	作业组人数	人	17.0	
8.5	混凝土浇筑前准备时间	h	1.0	
8.6	混凝土净浇筑时间	h	2.5	
8.7	混凝土浇筑施工总时间	h	4	
9	混凝土养护			
9.1	拆模前养护时间	h	48	
9.2	拆模后养护时间	天	28	
10	模板拆除			
10.1	拆模面积	m²	58	
10.2	小时生产率	m²/h	10.0	
10.3	拆模时间	h	6	

	项　　目	单位	数量	占直线工期
11	典型块混凝土施工时间	h	757	31
11.1	仓面清理	h	2	2
11.2	锚筋安设	h	13	13
11.3	止水安装	h	4	4
11.4	模板架立	h	6	6
11.5	钢筋架设	h	4	4
11.6	混凝土浇筑	h	4	4
11.7	拆模前混凝土养护	h	48	
11.8	拆模	h	6	
11.9	拆模后混凝土养护	h	672	

续表 2-25

序号	项　　目	单位	数量	备　注
12	工作计划			
12.1	每班工作时间	h	8	
12.2	每天工作班次	班/日	3	
12.3	日工作小时数	h/日	24	
12.4	月工作天数	天/月	25.5	
12.5	月工作小时数	h/月	612	
12.6	长期工作影响系数		0.65	
12.7	每一浇筑块施工工期	天	2	
12.8	一个工作面月施工块数	块	12	
13	一期混凝土施工工期计算			岸坡
13.1	混凝土设计工程量	m³	1 910	
13.2	混凝土施工工程量	m³	1 967	
13.3	轴线长(斜长)	m	476.0	
13.4	每一浇筑块长	m	12.0	
13.5	混凝土浇筑块数	块	40	
13.6	一个工作面月施工块数	块	12	
13.7	安排工作组数	个	1	
13.8	施工工期	月	3.3	
13.9	混凝土月平均浇筑强度	m³/月	596	
14	二期混凝土施工工期计算			河床
14.1	混凝土设计工程量	m³	860.0	
14.2	混凝土施工工程量	m³	886.0	
14.3	轴线长	m	215.0	
14.4	每一浇筑块长	m	12.0	
14.5	混凝土浇筑块数	块	18	
14.6	一个工作面月施工块数	块	12	
14.7	安排工作组数	个	1	
14.8	施工工期	月	1.5	
14.9	月平均浇筑强度	m³/月	591	

表2-26 趾板混凝土典型浇筑块施工进度计划

序号	仓号	项 目	工程量 单位	工程量 数量	时间 (h)	施 工 进 度
1	1	仓面清理	m²	72	2	
2		锚筋安设	根	40	11	
3		止水安装	m	24	4	
4		模板架立	m²	58	6	
5		钢筋架设	kg	3 182	4	
6		混凝土浇筑	m³	50	4	
7		混凝土养护			720	
8		模板拆除	m²	58	6	

表 2-27　趾板混凝土浇筑强度及工期

工程项目	工程量	趾板块数 （块）	一块混凝土量 （m³）	月平均强度 （m³/月）	工期 （月）
一期	0.20	40	49	579	3.4
二期	0.09	18	49	591	1.5
合计	0.29	58	49		4.9

2.3.2.3　主面板混凝土浇筑强度分析及机械设备

主面板混凝土采用 2 套无轨滑模，分块从中间条块向两边条块跳仓浇筑，条块宽度为 12.0m，共分为 44 个浇筑块，其中最长块斜面长度为 175.5m。面板浇筑面积 58 800m²，其施工工程量：混凝土方量为 25 898m³，其中主面板为 25 226m³，起始板为 632m³。

为便于分析面板混凝土浇筑强度，取 44 块面板平均工程量作为一个典型浇筑块，着重分析典型浇筑块各工序的施工强度和工期，分析结果详见表 2-28、表 2-29。面板混凝土浇筑安排 2 个作业组，依据面板混凝土施工工程量，分析确定混凝土施工强度及工期，分析结果详见表 2-28、表 2-29，相应的机械设备配套计算详见表 2-30。

表 2-28　主面板混凝土典型浇筑块施工强度及工期计算

序号	项　　目	单位	数量	备注
1	设计参数			
1.1	浇筑块长	m	106.0	
1.2	浇筑块宽	m	12.0	
1.3	浇筑块平均厚	m	0.45	
1.4	混凝土钢筋含量	kg/m³	55.0	
1.5	仓面面积	m²	1 272	
1.6	浇筑块混凝土设计工程量	m³	590	
1.7	浇筑块钢筋设计工程量	kg	32 450	
1.8	侧模立模面积	m²	98	
2	仓面清理			
2.1	清理面积	m²	1 272	
2.2	清理方式		高压风水枪冲洗	
2.3	作业组人数	个	9	
2.4	作业面清理时间	h	21	
2.5	小时生产率	m²/h	60.0	
3	止水安装			
3.1	铜止水片长度	m	212	
3.2	PVC 止水片长度	m	212	
3.3	作业组人数	个	8	
3.4	小时生产率	m/h	6.0	
3.5	铜止水安装时间	h	35.3	
3.6	PVC 止水安装时间	h	35.3	
3.7	止水安装时间	h	71	

序号	项　　目	单位	数量	备注
4	侧模安装			
4.1	立模面积	m²	98	
4.2	作业组人数	个	19	
4.3	安装生产率	m²/h	10	
4.4	安装时间	h	10	
5	钢筋架设			
5.1	浇筑块钢筋设计工程量	kg	32 450	
5.2	浇筑块钢筋施工工程量	kg	33 099	
5.3	作业组人数	个	31	
5.4	钢筋架设准备时间	h	4.0	钢筋台车吊设
5.5	钢筋绑扎生产率	kg/h	1 500.0	
5.6	钢筋绑扎时间	h	22.1	
5.7	钢筋台车吊离时间	h	1.5	
5.8	钢筋架设时间	h	27.6	
5.9	平均生产率	kg/h	1 200	
6	混凝土浇筑设备参数			
6.1	混凝土入仓方式			溜槽
6.2	溜槽数量	套	2.0	
6.3	混凝土运输设备型号			6m³ 混凝土搅拌车
6.4	混凝土搅拌车额定容量	m³	6	
6.5	混凝土搅拌车数量	辆	2	
6.6	混凝土运输距离	km	1.5	
6.7	混凝土搅拌车生产率	m³/h	19.6	
6.8	混凝土滑动模板	套	1	
6.9	滑模平均滑升速度	m/h	2.5	
6.10	设备配套生产率	m³/h	13.5	
7	混凝土浇筑			
7.1	浇筑块设计工程量	m³	590	
7.2	浇筑块施工工程量	m³	608	
7.3	设备配套生产率	m³/h	13.5	
7.4	作业组人数	个	25	
7.5	混凝土浇筑前准备时间	h	10.0	安装溜槽、吊设滑模
7.6	混凝土净浇筑时间	h	45.0	
7.7	滑模换位、吊离时间	h	1.5	
7.8	混凝土浇筑施工总时间	h	56.5	
7.9	平均生产率	m³/h	10.8	
8	混凝土养护			
8.1	侧模拆除前养护时间	h	48	
8.2	侧模拆除后养护时间			养护到蓄水

序号	项 目	单位	数量	备注
9	侧模拆除			
9.1	拆模面积	m²	98	
9.2	作业组人数	个	13	
9.3	拆模生产率	m²/h	10	
9.4	拆模时间	h	10	
	项 目	单位	数量	占直线工期
10	典型块混凝土施工时间	h	244	57
10.1	仓面清理	h	21	
10.2	止水安装	h	71	
10.3	侧模安装	h	10	
10.4	钢筋架设	h	28	
10.5	混凝土浇筑	h	57	
10.6	拆模前混凝土养护	h	48	
10.7	侧模拆除	h	10	
10.8	拆模后混凝土养护		养护到蓄水	
11	工作计划			
11.1	每班工作时间	h	8	
11.2	每天工作班次	班/日	3	
11.3	日工作小时数	h/日	24	
11.4	月工作天数	天/月	25.5	
11.5	月工作小时数	h/月	612	
11.6	长期工作影响系数		0.75	
11.7	每一浇筑块施工工期	天	3.1	
11.8	一套模板月施工块数	块	8	
12	混凝土施工工期计算			
12.1	混凝土设计工程量	m³	25 226	
12.2	混凝土施工工程量	m³	25 983	
12.3	混凝土面板面积	m²	58 800	
12.4	典型浇筑块长	m	106.0	
12.5	典型浇筑块宽	m	12.0	
12.6	浇筑块数	块	44	
12.7	一套模板月施工块数	块	8	
12.8	安排工作组数	个	2	
12.9	施工工期	月	2.8	
12.10	混凝土月平均浇筑程度	m³/月	9 280	

2.3.3 钢筋混凝土面板堆石坝施工进度计划

钢筋混凝土面板堆石坝的施工受水文、气象条件的直接影响,汛期往往受到洪水的威胁。因此,面板堆石坝的施工进度和施工导流方式以及施工期历年度汛方案有着密切的

表2-29 主面板混凝土典型浇筑块施工进度计划

仓号	序号	项目	工程量 单位	工程量 数量	时间(h)	施工进度
1	1	仓面清理	m²	1 272	21	
	2	铜止水安装	m	212	35	
	3	侧模安装	m²	98	10	
	4	钢筋架设	kg	33 099	28	
	5	混凝土浇筑	m³	608	57	
	6	混凝土养护			直到蓄水	
	7	侧模拆除	m²	98	10	
2	8	仓面清理	m²	1 272	21	
	9	铜止水安装	m	212	35	
	10	侧模安装	m²	98	10	
	11	钢筋架设	kg	33 099	28	
	12	混凝土浇筑	m³	608	57	
	13	混凝土养护			直到蓄水	
	14	侧模拆除	m²	93	10	

施工进度 (h): 20 40 60 80 100 120 140 160 180 200 220 240 260 280 300 320 360 380

表 2-30   主面板混凝土浇筑机械设备配套计算

工程项目	工程量 (m³)	典型块数 (块)	月平均强度 (m³/月)	工期 (月)	施工机械数量						
					搅拌车 (辆)	滑模 (套)	钢筋台车(台)	振捣器 (台)	卷扬机 (台)	风钻 (台)	空压机 (台)
面板混凝土	25 226	44	9 280	2.8	3	2	1	10	6	2	1

关系,不同的导流方案有不同的施工程序。本模拟工程采用一次拦断河床,第一年汛期由围堰挡水、导流隧洞泄洪的导流方案。枢纽工程施工安排应先完成导流洞施工,同时进行两岸岸坡的开挖。在导流洞具备过水条件后的枯水期,进行河床截流,随即修筑上下游围堰,同时进行基坑抽水、坝基开挖和基础处理,然后进行坝体填筑;根据截流后各年汛期的度汛要求,确定坝体各期填筑的上升高度。根据施工导流设计专题提供的导流设计资料知,该工程计划于 11 月中旬截流;截流后第一年汛期导流洞泄洪,上下游围堰挡水,上游围堰高程 EL.30.00m;截流后第二年汛期由填筑至 EL.60.00m 高程的坝体和下游围堰挡水,导流洞泄洪。

由于本专题仅涉及混凝土面板堆石坝的坝体填筑和混凝土面板的施工,而施工导流,坝基开挖、基础处理和料场开采专项工程由另外的专题完成。故本施工进度有关截流闭气、基坑抽水、上下游围堰填筑、坝基开挖、齿槽开挖和基础处理等项工程的施工工期只是根据工程的规模估列,仅着重对坝体填筑和面板混凝土浇筑施工进度进行分析,并结合施工导流方案和截流后各年汛期的拦洪要求,作详细的分析研究和安排。其具体分析如下。

2.3.3.1   趾板混凝土浇筑进度计划

根据施工导截流及总进度计划的安排,结合坝体填筑的要求,趾板混凝土安排两期浇筑。依据趾板混凝土浇筑工程量和浇筑强度,计算趾板混凝土各期的浇筑工期,分析安排趾板混凝土浇筑进度计划,分析结果见表 2-31。

2.3.3.2   面板混凝土浇筑进度计划

混凝土面板由起始面板和主面板组成。部分起始面板混凝土的浇筑安排在填筑坝体上部时平行进行,以便为开始浇筑主面板创造条件。坝体填筑至坝顶后即安排浇筑主面板混凝土,依据面板混凝土的工程量和浇筑强度,计算面板混凝土的浇筑工期,分析安排面板混凝土浇筑进度计划,分析结果见表 2-31。

2.3.3.3   坝体填筑进度计划

为尽可能减少开挖料的二次倒运和平衡截流后坝体填筑强度,在进行趾板混凝土浇筑的同时,预先填筑坝轴线下游部分堆石。预堆石填筑高程为 EL.10.00m,填筑工程量为 20.44 万 m³,其断面形式见附图 1。

坝体剩余部分填筑安排在河床趾板混凝土浇筑完成后进行,依据不同高程各类填筑料的填筑强度和填筑工程量,计算确定填筑工期,同时考虑各类填筑料的均衡上升和拦洪度汛要求,分析安排各类填筑料的填筑进度计划,分析结果见表 2-31。主要施工机械设备汇总见表 2-32。

在安排施工进度计划时坝体填筑考虑每天工作两班,每天工作 10h;混凝土施工考虑每天工作 3 班,每班工作 8h。

表 2-31 坝高 100m 钢筋混凝土

注：横道线上数字为平均填筑强度（万m³/月），横道线下数字为填筑工期（月）。

序号	项目	单位	数量	工期(月)	进度/强度标注
一	施工准备			14.0	14.0
二	岸坡土石方开挖	(万m³)		6.0	6.0
三	围堰填筑	(万m³)		7.0	7.0
四	基坑抽水	(万m³)		0.3	0.3
五	坝基土石方开挖	(万m³)			
1	河床砂卵石开挖	(万m³)		4.0	4.0
2	坝基岩石开挖	(万m³)		2.0	2.0
六	基础处理				
1	固结灌浆	(万m)		6.0	3.0
2	帷幕灌浆	(万m)		5.0	
七	坝体填筑	(万m³)	472.13		
1	垫层料 填筑	(万m³)	15.53	17.5	
	斜面修整	(万m²)	5.88		
	斜坡碾压	(万m²)	5.88	2.7	
	喷混凝土		0.35		
2	过渡料	(万m³)	16.07	17.5	
3	堆石料 A区料	(万m³)	317.58	20.0	3.65 / 1.6
	B区料	(万m³)	104.95	8.8	9.12 / 1.6
	C区料	(万m³)	18.00	17.4	1.41 / 2.5
	小计	(万m³)	440.53		
八	混凝土浇筑	(万m³)	3.24		
1	趾板	(万m³)	0.29	4.9	0.06 / 3.4 ；0.06 / 1.5
2	面板混凝土浇筑 准备			1.0	
	起始板	(万m³)	0.07		
	主面板	(万m³)	2.66	2.8	
	小计	(万m³)	2.73		
3	防浪墙混凝土	(万m³)	0.22	1.4	

注：1.横道线上为平均填筑强度，单位为万m³/月。

2.横道线下为填筑工期，单位为月。

3."⌐"表示截流闭气。

面板堆石坝施工进度计划

第 三 年							第 四 年												第 五 年											
6	7	8	9	10	11	12	1	2	3	4	5	6	7	8	9	10	11	12	1	2	3	4	5	6	7	8	9	10	11	12

3.0

5.0

60.00

| 0.22/2.8 | 0.35/2.1 | 0.75/1.4 | 1.20/1.0 | 1.23/1.1 | 1.06/1.4 | 1.26/1.3 | ▼1.05/1.7 | 1.14/1.7 | 1.33/1.6 | 1.14/1.4 |

0.1 0.1 0.2 0.2 0.2 0.3 0.3 0.3 0.3 0.4 0.3

| 0.21/1.3 | 0.34/2.1 | 0.72/1.4 | 1.16/1.0 | 1.18/1.1 | 1.03/1.4 | 1.22/1.3 | 1.02/1.7 | 1.11/1.7 | 1.28/1.6 | 1.11/1.4 |

| 7.03/1.3 | 10.55/2.2 | 24.30/0.5 | 26.15/1.0 | 33.70/1.0 | 32.00/27.76/0.5 | 22.46/1.6 | 20.20/1.6 | 18.50/2.0 | 15.70/2.0 | 10.6/1.3 | 11.02/0.6 | 3.65/1.8 |

| 12.20/0.5 | 12.90/1.0 | 16.61/1.0 | 16.22/13.30/0.5 | 11.00/1.6 | 9.85/1.6 ▼60.00 |

| 1.19/1.5 | 0.97/1.2 | 1.00/1.3 | 0.90/1.6 | 1.00/1.6 | 0.87/2.0 | 0.94/2.0 | 1.08/1.9 | 0.86/1.8 |

1.0

0.95/2.8

0.16/1.4

· 257 ·

表 2-32　主要施工机械设备汇总

序号	设备名称	型号	规格	单位	数量	备注
一	土石方机械					
1	推土机	D7HXR	215HP	台	3	
2	推土机	D9N	370HP	台	7	铺垫层料
3	液压反铲	WY100 型	1m³	台	2	下游护坡块石砌筑及铺垫层料
4	轮式装载机		8m³	台	4	
5	轮式装载机		3m³	台	2	
6	自卸汽车		45t	辆	30	
7	自卸汽车		20t	辆	5	
8	削坡机		0.5m³	台	1	上游削坡
9	平板压实机		110HP	台	1	
10	振动碾	TZ14	14t	台	4	
11	斜坡振动碾	YZT10L	10t	台	1	
12	履带吊		20t	辆	1	牵引斜坡振动碾
13	洒水车		12m³	辆	12	
二	混凝土机械					
1	钢筋台车			套	1	运送和绑扎钢筋
2	滑模		宽 13.2m	套	2	
3	双筒快速卷扬机		20t	台	2	提升钢筋台车
4	卷扬机		20t	台	4	提升滑模
5	混凝土溜槽			套	4	
6	混凝土搅拌运输车		6m³	辆	3	
7	电动振捣器	Z2D-100 型	3.5kW	台	2	
8	电动振捣器		1.5kW	台	8	
9	混凝土泵	HB60 型		台	1	浇筑趾板
10	混凝土喷射机	HP-30 型		台	1	
11	汽车吊		50t	辆	1	
12	汽车吊		20t	辆	1	
13	履带吊		20t	台	1	牵引喷混凝土工作平台
14	手风钻	YT-25 型		台	2	钻插筋和架立筋孔
15	空压机	YT-7/9 型		台	1	
16	钢筋调直机		14kW	台	2	
17	钢筋切断机		20kW	台	2	
18	钢筋弯曲机			台	3	
19	钢筋对焊机			台	1	
20	钢筋点焊机	直流 16~30kVA		台	8	
21	焊枪			把	1	
22	平板车		10t	辆	4	

3 坝体填筑资源计算

3.1 设备台时耗量计算

按照坝体每种填筑料不同高程施工强度分析表综合分析出各种填料施工小时强度、主要机械设备配备数量、运输距离不同的填筑区及其工程量,计算该区小时施工强度,再按照各施工机械设备的小时生产率配备各种施工机械设备数量,据此计算其利用系数及台时耗量。

$$设备小时利用系数 = \frac{该工作小时生产率}{该设备小时生产率}$$

$$设备台时 = \frac{该工作施工工程量}{该工作小时生产率} \times 设备数量 \times 该设备利用系数$$

坝体每种填筑料不同区域施工小时生产率,详见表 3-1～表 3-6。

表 3-1 A 区堆石料不同区域填筑小时生产率

填筑部位	施工工程量 (m³)	有效填筑工期 (天)	平均生产率 (m³/h)	小时生产率 (m³/h)	运距 (km)	备注
EL.0～10m	58 400	35	83.2	104	5.0	预堆石
EL.-5～10m	323 421	79	204.8	256	5.0	
EL.10～50m	1 516 616	128	593.6	742	5.5	
EL.50～80m	1 008 060	123	556.0	695	5.5	
EL.80～97m	269 299	75	180.0	225	6.0	

表 3-2 B 区堆石料不同区域填筑小时生产率

填筑部位	施工工程量 (m³)	有效填筑工期 (天)	平均生产率 (m³/h)	小时生产率 (m³/h)	运距 (km)	备注
EL.0～10m	146 047	35	210.4	263	3.0	预堆石
EL.10～40m	570 064	91	313.6	392	3.0	
EL.40～60m	333 373	74	226.4	283	3.0	

表 3-3 垫层料上游斜坡面修整小时生产率

填筑部位	施工工程量 (m²)	有效填筑工期 (天)	平均生产率 (m²/h)	小时生产率 (m²/h)	运距 (km)	备注
EL.-10～97m	58 749	58	48.0	60		

表 3-4 垫层料不同区域填筑小时生产率

填筑部位	施工工程量 (m³)	有效填筑工期 (天)	平均生产率 (m³/h)	小时生产率 (m³/h)	运距 (km)	备注
EL.-10～20m	24 006	144	6.2	7.7	5.0	
EL.20～70m	74 703	142	26.4	33	5.5	
EL.70～97m	56 585	97	29.6	37	6	

表 3-5 过渡料不同区域填筑小时生产率

填筑部位	施工工程量 (m³)	有效填筑工期 (天)	平均生产率 (m³/h)	小时生产率 (m³/h)	运距 (km)	备注
EL.-5~20m	19 900	77	8.8	11	5.0	
EL.20~70m	90 961	176	24.8	31	5.5	
EL.70~100m	49 881	119	31.2	39	6.0	

表 3-6 C区堆石料不同区域填筑小时生产率

填筑部位	施工工程量 (m³)	有效填筑工期 (天)	平均生产率 (m³/h)	小时生产率 (m³/h)	运距 (km)	备注
EL.-5~20m	53 056	90	29.6	37	5.0	
EL.20~70m	90 962	196	18.4	23	5.5	
EL.70~97m	35 937	119	24.0	30	6.0	

表 3-1~表 3-6 中：

平均生产率 = 施工工程量÷有效填筑工期(天)÷20(h/天)

小时生产率 = 平均生产率÷长期工作影响系数

3.2 人时用量计算

3.2.1 劳动力配备原则

按不同的工作面定岗定员配备工长及不同工种的劳动力,同一工种劳动力分 4 个等级:一级工(不熟练工)、二级工(半熟练工)、三级工(熟练工)、四级工(高级熟练工)。根据钢筋混凝土面板堆石坝坝体填料类别和施工特点配备各种专业组及人员,据此拟划分如下工作组。

3.2.1.1 坝体填料装运工作组

坝体填料装运工作组负责完成坝体填料从料场至坝面的装车、运输、卸料等工作。

主要施工人员安排原则如下:

工长:1 人;

装载机司机:每台配三级工 1 人;

自卸汽车司机:每台配三级工 1 人;

推土机司机:每台配三级工 1 人;

小型工具车司机:每台配二级工 1 人;

普工:一级工 1 人。

工作组人员安排详见表 3-7。

3.2.1.2 垫层料坝面施工工作组

垫层料坝面施工工作组负责完成上游垫层料坝面铺料、平料洒水、碾压等工作。

主要施工人员安排原则:

工长:1 人(负责坝体两种填料的坝面工作);

推土机司机:每台配三级工 1 人;

平板压实机司机:每台配三级工 1 人;

振动碾司机:每台配三级工1人;

洒水车司机:每台配三级工1人;

坝面辅助工:一级工5人(负责坝体两种填料的坝面辅助施工工作);

电工:2人,其中二级工1人,三级工1人(负责坝体四种填料的坝面辅助施工工作);

小型工具车司机:每台配二级工1人。

工作组人员安排详见表3-8。

表 3-7　坝体填料装运工作组　　　　　　　　　　　　　　　　(单位:人)

序号	工种	数　　　量				
		工长	一级工	二级工	三级工	四级工
1	工长	1				
2	装载机司机				1	
3	自卸汽车司机				1	
4	推土机司机				1	
5	小型工具车司机			1		
6	普工		1			

表 3-8　垫层料坝面施工工作组　　　　　　　　　　　　　　　　(单位:人)

序号	工种	数　　　量				
		工长	一级工	二级工	三级工	四级工
1	工长	1				
2	推土机司机				1	
3	反铲操作工				1	
4	平板压实机司机				1	
5	振动碾司机				1	
6	洒水车司机				1	
7	小型工具车司机			1		
8	电工			1	1	
9	普工		5			

3.2.1.3　上游垫层坡面施工工作组

垫层料斜坡面施工工作组负责完成上游垫层料斜坡面的坡面削坡、修整、洒水、碾压工作。

主要施工人员安排原则:

工长:1人(负责坝体两种填料的坝面工作);

削坡机司机:每台配三级工1人;

履带吊司机:每台配三级工1人;

振动碾司机:每台配三级工1人;

装载机司机:每台配三级工1人;

碾压辅助工:一级工3人;

洒水车司机:每台配三级工1人;

普工:一级工13人(负责修坡工作);

电工:2人,其中二级工1人,三级工1人(负责坝体四种填料的坝面辅助施工工作)

小型工具车司机:每台配二级工1人。

工作组人员安排详见表3-9。

表 3-9　上游垫层坡面施工工作组　　　　　　　　　　　　　　(单位:人)

序号	工种	数量				
		工长	一级工	二级工	三级工	四级工
1	工长	1				
2	削坡机司机				1	
3	履带吊司机				1	
4	振动碾司机				1	
5	装载机司机				1	
6	洒水车司机				1	
7	碾压辅助工		3			
8	小型工具车司机			1		
9	电工			1	1	
10	普工		13			

3.2.1.4　过渡料坝面施工工作组

过渡料施工工作组负责完成过渡料的铺料、平料、洒水、碾压工作。

主要施工人员安排原则:

工长:1人(负责坝体两种填料的坝面工作);

推土机司机:每台配三级工1人;

振动碾司机:每台配三级工1人;

反铲操作工:每台配三级工1人;

洒水车司机:每台配三级工1人;

坝面辅助工:一级工5人(负责坝体两种填料的坝面辅助施工工作);

电工:2人,其中二级工1人,三级工1人(负责坝体四种填料的坝面辅助施工工作);

小型工具车司机:每台配二级工1人。

工作组人员安排详见表3-10。

表 3-10　过渡料施工工作组　　　　　　　　　　　　　　(单位:人)

序号	工种	数量				
		工长	一级工	二级工	三级工	四级工
1	工长	1				
2	推土机司机				1	
3	振动碾司机				1	
4	洒水车司机				1	
5	反铲操作工				1	
6	小型工具车司机			1		
7	电工			1	1	
8	普工		5			

3.2.1.5 A、B区堆石料坝面施工工作组

A、B区堆石料施工工作组负责完成该区堆石料的铺料、平料、洒水、碾压,以及超径石的二次破碎处理等工作。

主要施工人员安排原则:

工长:1人(负责坝体两种填料的坝面工作);

推土机司机:每台配三级工1人;

振动碾司机:每台配三级工1人;

反铲操作工:每台配三级工1人;

破碎器操作工:每台配二级工1人;

洒水车司机:每台配三级工1人;

坝面辅助工:一级工5人(负责坝体两种填料的坝面辅助施工工作);

电工:2人,其中二级工1人,三级工1人(负责坝体四种填料的坝面辅助施工工作);

小型工具车司机:每台配二级工1人。

工作组人员安排详见表3-11。

表3-11 A、B区堆石料施工工作组 (单位:人)

序号	工种	数量				
		工长	一级工	二级工	三级工	四级工
1	工长	1				
2	推土机司机				1	
3	振动碾司机				1	
4	洒水车司机				1	
5	反铲操作工				1	
6	破碎器操作工			1		
7	小型工具车司机			1		
8	电工			1	1	
9	普工		5			

3.2.1.6 C区堆石料坝面施工工作组

C区堆石料施工工作组负责完成该区堆石料的铺料、平料、碾压及修坡等工作。

主要施工人员安排原则:

工长:1人(负责坝体两种填料的坝面工作);

推土机司机:每台配三级工1人;

振动碾司机:每台配三级工1人;

反铲操作工:每台配三级工1人;

坝面辅助工:一级工15人(负责坝体两种填料的坝面辅助施工工作);

电工:2人,其中二级工1人,三级工1人(负责坝体四种填料的坝面辅助施工工作);

小型工具车司机:每台配二级工1人。

工作组人员安排详见表3-12。

表 3-12　C区堆石料施工工作组　　　　　　　　　　　　　　　（单位:人）

序号	工种	数　　　量				
		工长	一级工	二级工	三级工	四级工
1	工长	1				
2	推土机司机				1	
3	振动碾司机				1	
4	反铲操作工				1	
5	小型工具车司机			1		
6	电工			1	1	
7	普工		15			

3.2.2　人时用量计算

按照每个工作面的施工强度、配备的各种施工机械设备的数量,以及3.2.1节劳动力安排原则配备工长及各工种不同级别的劳动力,依据每个工作面的实际工作时间计算人时。

$$人时 = \frac{施工工程量}{平均生产率} \times 人数 \times 利用系数$$

3.3　材料用量计算

采用统计、分析、比较等方法计算。本工程所要计算材料主要为坝面洒水。根据《施工组织设计手册》土石坝碾压洒水的要求和小浪底、天生桥工程的土石方碾压洒水情况,确定单位洒水量如下:

堆石料

A区料　　　　　$250kg/m^3$

B区料　　　　　$150kg/m^3$

过渡料　　　　　$250kg/m^3$

垫层料　　　　　$200kg/m^3$

材料用量=施工工程量×材料单位用量

3.4　施工机械设备台时、人时、材料用量

施工机械设备台时、人时、材料用量详见表3-13～表3-23。

表 3-13　垫层料装运施工机械台时、人时、材料用量

序号	项目	单位	数量	人时	台时	材料	利用系数	备注
	EL. −10～20m							
1	设计工程量	m^3	23 083					
2	施工工程量	m^3	24 006					
3	小时生产率	m^3/h	7.7					
4	长期工作影响系数		0.8					
5	平均生产率	m^3/h	6.2					
	劳力资源							
6	工长	人	1	1 936			0.5	
7	三级推土机司机	人	1	3 872			1	

序号	项目	单位	数量	人时	台时	材料	利用系数	备注
8	三级装载机司机	人	1	3 872			1	
9	三级自卸汽车司机	人	1	3 872			1	
10	二级小型工具车司机	人	1	1 936			0.5	
11	一级普工	人	1	3 872			1	
	设备资源							
12	小型工具车	台	1		312		0.1	
13	3m³ 轮式装载机	台	1		125		0.04	
14	20t 自卸汽车	台	1		1 091		0.35	运距 5km
15	215HP 推土机	台	1		62		0.02	
	材料							
16	其他							
	EL.20~70m							
1	设计工程量	m³	71 830					
2	施工工程量	m³	74 703					
3	小时生产率	m³/h	33					
4	长期工作影响系数		0.8					
5	平均生产率	m³/h	26.4					
	劳力资源							
6	工长	人	1	1 415			0.5	
7	二级小型工具车司机	人	1	1 415			0.5	
8	三级推土机司机	人	1	2 830			1	
9	三级装载机司机	人	1	2 830			1	
10	三级自卸汽车司机	人	2	5 659			1	
11	一级普工	人	1	2 830			1	
	设备资源							
12	小型工具车	台	1		226		0.1	
13	3m³ 轮式装载机	台	1		407		0.18	
14	20t 自卸汽车	台	2		3 758		0.83	运距 5.5km
15	215HP 推土机	台	1		204		0.09	
	材料							
16	其他							
	EL.70~97m							
1	设计工程量	m³	54 409					
2	施工工程量	m³	56 585					
3	小时生产率	m³/h	37					
4	长期工作影响系数		0.8					
5	平均生产率	m³/h	29.6					
	劳力资源							
6	工长	人	1	956			0.5	
7	二级小型工具车司机	人	1	956			0.5	

序号	项目	单位	数量	人时	台时	材料	利用系数	备注
8	三级推土机司机	人	1	1 912			1	
9	三级装载机司机	人	1	1 912			1	
10	三级自卸汽车司机	人	2	3 823			1	
11	一级普工	人	1	1 912			1	
	设备资源							
12	小型工具车	台	1		306		0.2	
13	3m³ 轮式装载机	台	1		306		0.2	
14	20t 自卸汽车	台	2		2 967		0.97	运距 6km
15	215HP 推土机	台	1		153		0.1	
	材料							
16	其他							

表 3-14 垫层料坝面施工机械台时、人时、材料用量

序号	项目	单位	数量	人时	台时	材料	利用系数	备注
	EL. $-10\sim20$m							
1	设计工程量	m³	23 083					
2	施工工程量	m³	24 006					
3	小时生产率	m³/h	7.7					
4	长期工作影响系数		0.8					
5	平均生产率	m³/h	6.2					
	劳力资源							
6	工长	人	1	1 936			0.5	
7	三级推土机司机	人	1	1 936			0.5	
8	三级反铲操作工	人	1	1 936			0.5	
9	三级平板压实机司机	人	1	3 872			1	
10	三级振动碾司机	人	1	1 936			0.5	
11	三级洒水车司机	人	1	1 936			0.5	
12	二级小型工具车司机	人	1	1 936			0.5	
13	二级电工	人	1	968			0.25	
14	三级电工	人	1	968			0.25	
15	一级普工	人	5	9 680			0.5	
	设备资源							
16	215HP 推土机	台	1		94		0.03	靠近上游边缘 1m 范围内,采用平板压实机压实
17	110HP 平板压实机	台	1		218		0.07	
18	14t 振动平碾	台	1		62		0.02	
19	12m³ 洒水车	台	1		187		0.06	
20	1m³ 液压反铲	台	1		94		0.03	
21	小型工具车	台	1		312		0.1	
	材料		(单位耗量)					
22	水	m³	0.2			4 801		
23	其他							

序号	项目	单位	数量	人时	台时	材料	利用系数	备注
	EL.20~70m							
1	设计工程量	m³	71 830					
2	施工工程量	m³	74 703					
3	小时生产率	m³/h	33					
4	长期工作影响系数		0.8					
5	平均生产率	m³/h	26.4					
	劳力资源							
6	工长	人	1	1 415			0.5	
7	三级推土机司机	人	1	1 415			0.5	
8	三级反铲操作工	人	1	1 415			0.5	
9	三级振动碾司机	人	1	1 415			0.5	
10	三级平板压实机司机	人	1	2 830			1	
11	三级洒水车司机	人	1	1 415			0.5	
12	三级小型工具车司机	人	1	1 415			0.5	
13	二级电工	人	1	707			0.25	
14	三级电工	人	1	707			0.25	
15	一级普工	人	5	7 074			0.5	
	设备资源							
16	215HP推土机	台	1		249		0.11	
17	110HP平板压实机	台	1		634		0.28	
18	14t振动平碾	台	1		181		0.08	
19	12m³洒水车	台	1		566		0.25	
20	1m³液压反铲	台	1		113		0.05	
21	小型工具车	台	1		226		0.1	
	材料		(单位耗量)					
22	水	m³	0.2			14 941		
23	其他							
	EL.70~97m							
1	设计工程量	m³	54 409					
2	施工工程量	m³	56 585					
3	小时生产率	m³/h	37					
4	长期工作影响系数		0.8					
5	平均生产率	m³/h	29.6					
	劳力资源							
6	工长	人	1	956			0.5	
7	三级推土机司机	人	1	956			0.5	
8	三级反铲操作工	人	1	956			0.5	
9	三级平板压实机司机	人	1	1 912			1	
10	三级振动碾司机	人	1	956			0.5	
11	三级洒水车司机	人	1	956			0.5	
12	三级小型工具车司机	人	1	956			0.5	

序号	项目	单位	数量	人时	台时	材料	利用系数	备注
13	二级电工	人	1	478			0.25	
14	三级电工	人	1	478			0.25	
15	一级普工	人	5	4 779			0.5	
	设备资源							
16	215HP 推土机	台	1		184		0.12	
17	110HP 平板压实机	台	1		474		0.31	
18	14t 振动平碾	台	1		138		0.09	
19	12m³ 洒水车	台	1		428		0.28	
20	1m³ 液压反铲	台	1		153		0.1	
21	小型工具车	台	1		306		0.2	
	材料		(单位耗量)					
22	水	m³	0.2			11 317		
23	其他							

表 3-15　上游垫层坡面施工机械台时、人时、材料用量

序号	项目	单位	数量	人时	台时	材料	利用系数	备注
	EL. -10~97m							
1	设计工程量	m²	58 749					
2	施工工程量	m²	58 749					
3	小时生产率	m²/h	60					
4	长期工作影响系数		0.8					
5	平均生产率	m²/h	48					
	劳力资源							
6	工长	人	1	612			0.5	
7	三级削坡机司机	人	1	1 224			1	
8	三级履带吊操作工	人	1	1 224			1	
9	三级振动碾司机	人	1	1 224			1	
10	三级洒水车司机	人	1	245			0.2	
11	二级小型工具车司机	人	1	612			0.5	
12	一级碾压辅助工	人	2	2 448			1	
13	二级碾压辅助工	人	1	1 224			1	
14	三级电工	人	1	306			0.25	
15	二级电工	人	1	306			0.25	
16	一级普工	人	13	15 911			1	
17	三级装载机司机	人	1	1 224			1	
	设备资源							
18	0.5m³ 削坡机	台	1		979		1	
19	20t 履带吊	台	1		323		0.33	
20	10t 斜坡振动碾	台	1		323		0.33	
21	12m³ 洒水车	台	1		20		0.02	
22	小型工具车	台	1		98		0.1	
23	3m³ 轮式装载机	台	1		98		0.1	
	材料		(单位耗量)					
24	水	m³	0.01			587		
25	其他							

表 3-16　过渡料装运施工机械台时、人时、材料用量

序号	项目	单位	数量	人时	台时	材料	利用系数	备注
	EL.−5～20m							
1	设计工程量	m³	19 510					
2	施工工程量	m³	19 900					
3	小时生产率	m³/h	11					
4	长期工作影响系数		0.8					
5	平均生产率	m³/h	8.8					
	劳力资源							
6	工长	人	1	1 131			0.5	
7	二级小型工具车司机	人	1	1 131			0.5	
8	三级推土机司机	人	1	2 261			1	
9	三级装载机司机	人	1	2 261			1	
10	三级自卸汽车司机	人	1	2 261			1	
11	一级普工	人	1	2 261			1	
	设备资源							
12	小型工具车	台	1		181		0.1	
13	3m³ 轮式装载机	台	1		127		0.07	
14	20t 自卸汽车	台	1		1 176		0.65	运距 5km
15	215HP 推土机	台	1		72		0.04	
	材料							
16	其他							
	EL.20～80m							
1	设计工程量	m³	89 178					
2	施工工程量	m³	90 962					
3	小时生产率	m³/h	31					
4	长期工作影响系数		0.8					
5	平均生产率	m³/h	24.8					
	劳力资源							
6	工长	人	1	1 834			0.5	
7	二级小型工具车司机	人	1	1 834			0.5	
8	三级推土机司机	人	1	3 668			1	

序号	项目	单位	数量	人时	台时	材料	利用系数	备注
9	三级装载机司机	人	1	3 668			1	
10	三级自卸汽车司机	人	2	7 336			1	
11	一级普工	人	1	3 668			1	
	设备资源							
12	小型工具车	台	1		293		0.1	
13	3m³ 轮式装载机	台	1		587		0.2	
14	20t 自卸汽车	台	2		5 692		0.97	运距 5.5km
15	215HP 推土机	台	1		293		0.1	料场用
	材料							
16	其他							
	EL.80~100m							
1	设计工程量	m³	48 903					
2	施工工程量	m³	49 881					
3	小时生产率	m³/h	39					
4	长期工作影响系数		0.8					
5	平均生产率	m³/h	31.2					
	劳力资源							
6	工长	人	1	799			0.5	
7	二级小型工具车司机	人	1	799			0.5	
8	三级推土机司机	人	1	1 599			1	
9	三级装载机司机	人	1	1 599			1	
10	三级自卸汽车司机	人	3	4 796			1	
11	一级普工	人	1	1 599			1	
	设备资源							
12	小型工具车	台	1		128		0.1	
13	3m³ 轮式装载机	台	1		333		0.26	
14	20t 自卸汽车	台	3		2 648		0.69	运距 6km
15	215HP 推土机	台	1		166		0.13	
	材料							
16	其他							

表 3-17 过渡料坝面施工机械台时、人时、材料用量

序号	项目	单位	数量	人时	台时	材料	利用系数	备注
	EL. -5~20m							
1	设计工程量	m³	19 510					
2	施工工程量	m³	19 900					
3	小时生产率	m³/h	11					
4	长期工作影响系数		0.8					
5	平均生产率	m³/h	8.8					
	劳力资源							
6	工长	人	1	1 131			0.5	
7	三级推土机司机	人	1	1 131			0.5	
8	三级反铲操作工	人	1	1 131			0.5	
9	三级振动碾司机	人	1	1 131			0.5	
10	三级洒水车司机	人	1	1 131			0.5	
11	三级小型工具车司机	人	1	1 131			0.5	
12	三级电工	人	1	565			0.25	
13	二级电工	人	1	565			0.25	
14	一级普工	人	5	5 653			0.5	
	设备资源							
15	215HP推土机	台	1		90		0.05	
16	1m³ 液压反铲	台	1		90		0.05	
17	14t 振动平碾	台	1		54		0.03	
18	12m³ 洒水车	台	1		181		0.10	
19	小型工具车	台	1		181		0.1	
	材料		（单位耗量）					
20	水	m³	0.25			4 975		
21	其他							
	EL. 20~80m							
1	设计工程量	m³	89 178					
2	施工工程量	m³	90 962					
3	小时生产率	m³/h	31					
4	长期工作影响系数		0.8					
5	平均生产率	m³/h	24.8					
	劳力资源							
6	工长	人	1	1 834			0.5	
7	三级推土机司机	人	1	1 834			0.5	
8	三级反铲操作工	人	1	1 834			0.5	
9	三级振动碾司机	人	1	1 834			0.5	
10	三级洒水车司机	人	1	1 834			0.5	
11	三级小型工具车司机	人	1	1 834			0.5	
12	三级电工	人	1	917			0.25	

序号	项目	单位	数量	人时	台时	材料	利用系数	备注
13	二级电工	人	1	917			0.25	
14	一级普工	人	5	9 170			0.5	
	设备资源							
15	215HP 推土机	台	1		440		0.15	
16	1m³ 液压反铲	台	1		147		0.05	
17	14t 振动平碾	台	1		205		0.07	
18	12m³ 洒水车	台	1		851		0.29	
19	小型工具车	台	1		293		0.1	
	材料		（单位耗量）					
20	水	m³	0.25			22 741		
21	其他							
	EL.80～100m							
1	设计工程量	m³	48 903					
2	施工工程量	m³	49 881					
3	小时生产率	m³/h	39					
4	长期工作影响系数		0.8					
5	平均生产率	m³/h	31.2					
	劳力资源							
6	工长	人	1	799			0.5	
7	三级推土机司机	人	1	799			0.5	
8	三级反铲操作工	人	1	799			0.5	
9	三级振动碾司机	人	1	799			0.5	
10	三级洒水车司机	人	1	799			0.5	
11	三级小型工具车司机	人	1	799			0.5	
12	三级电工	人	1	400			0.25	
13	二级电工	人	1	400			0.25	
14	一级普工	人	5	3 997			0.5	
	设备资源							
15	215HP 推土机	台	1		243		0.19	
16	1m³ 液压反铲	台	1		64		0.05	
17	14t 振动平碾	台	1		90		0.07	
18	12m³ 洒水车	台	1		460		0.36	
19	小型工具车	台	1		128		0.1	
	材料		（单位耗量）					
20	水	m³	0.25			12 470		
21	其他							

表 3-18　A 区堆石料装运施工机械台时、人时、材料用量

序号	项目	单位	数量	人时	台时	材料	利用系数	备注
	EL.0～10m(预堆石)							
1	设计工程量	m³	57 255					
2	施工工程量	m³	58 400					
3	小时生产率	m³/h	104					
4	长期工作影响系数		0.8					
5	平均生产率	m³/h	83.2					
	劳力资源							
6	工长	人	1	351			0.5	
7	二级小型工具车司机	人	1	702			1	
8	三级推土机司机	人	1	702			1	
9	三级装载机司机	人	1	702			1	
10	三级自卸汽车司机	人	3	2 106			1	
11	一级普工	人	1	702			1	
	设备资源							
12	小型工具车	台	1		140		0.25	
13	8m³ 轮式装载机	台	1		152		0.27	
14	45t 自卸汽车	台	3		1 584		0.94	运距 5km
15	370HP 推土机	台	1		79		0.14	
	材料							
16	其他							
	EL.-5～10m							
1	设计工程量	m³	317 079					
2	施工工程量	m³	323 421					
3	小时生产率	m³/h	256					
4	长期工作影响系数		0.8					
5	平均生产率	m³/h	204.8					
	劳力资源							
6	工长	人	1	790			0.5	
7	二级小型工具车司机	人	1	1 579			1	
8	三级推土机司机	人	1	1 579			1	
9	三级装载机司机	人	2	3 158			1	
10	三级自卸汽车司机	人	7	11 054			1	
11	一级普工	人	1	1 579			1	

序号	项目	单位	数量	人时	台时	材料	利用系数	备注
	设备资源							
12	小型工具车	台	1		379		0.3	
13	8m³ 轮式装载机	台	1		846		0.67	
14	45t 自卸汽车	台	7		8 755		0.99	运距 5km
15	370HP 推土机	台	1		430		0.34	
	材料							
16	其他							
	EL.10~50m							
1	设计工程量	m³	1 486 878					
2	施工工程量	m³	1 516 616					
3	小时生产率	m³/h	742					
4	长期工作影响系数		0.8					
5	平均生产率	m³/h	593.6					
	劳力资源							
6	工长	人	1	1 277			0.5	
7	二级小型工具车司机	人	1	1 277			0.5	
8	三级推土机司机	人	2	5 110			1	
9	三级装载机司机	人	2	5 110			1	
10	三级自卸汽车司机	人	22	56 209			1	
11	一级普工	人	1	2 555			1	
	设备资源							
12	小型工具车	台	1		715		0.35	
13	8m³ 轮式装载机	台	2		3 965		0.97	
14	45t 自卸汽车	台	22		44 517		0.99	运距 5.5km
15	370HP 推土机	台	1		1 983		0.97	
	材料							
16	其他							
	EL.50~80m							
1	设计工程量	m³	988 294					
2	施工工程量	m³	1 008 060					
3	小时生产率	m³/h	695					
4	长期工作影响系数		0.8					

序号	项目	单位	数量	人时	台时	材料	利用系数	备注
5	平均生产率	m³/h	556					
	劳力资源							
6	工长	人	1	907			0.5	
7	二级小型工具车司机	人	1	907			0.5	
8	三级推土机司机	人	1	1 813			1	
9	三级装载机司机	人	2	3 626			1	
10	三级自卸汽车司机	人	21	38 074			1	
11	一级普工	人	1	1 813			1	
	设备资源							
12	小型工具车	台	1		435		0.3	
13	8m³ 轮式装载机	台	2		2 640		0.91	
14	45t 自卸汽车	台	21		29 546		0.97	运距 5.5km
15	370HP 推土机	台	1		1 320		0.91	
	材料							
16	其他							
	EL.80~97m							
1	设计工程量	m³	264 019					
2	施工工程量	m³	269 299					
3	小时生产率	m³/h	225					
4	长期工作影响系数		0.8					
5	平均生产率	m³/h	180					
	劳力资源							
6	工长	人	1	748			0.5	
7	二级小型工具车司机	人	1	748			0.5	
8	三级推土机司机	人	1	1 496			1	
9	三级装载机司机	人	1	1 496			1	
10	三级自卸汽车司机	人	7	10 473			1	
11	一级普工	人	1	1 496			1	
	设备资源							
12	小型工具车	台	1		419		0.35	
13	8m³ 轮式装载机	台	1		706		0.59	
14	45t 自卸汽车	台	7		8 378		1.00	运距 6km
15	370HP 推土机	台	1		359		0.3	
	材料							
16	其他							

表 3-19 A区堆石料坝面施工机械台时、人时、材料用量

序号	项目	单位	数量	人时	台时	材料	利用系数	备注
	EL.0～10m(预堆石)							
1	设计工程量	m³	57 255					
2	施工工程量	m³	58 400					
3	小时生产率	m³/h	104					
4	长期工作影响系数		0.8					
5	平均生产率	m³/h	83.2					
	劳力资源							
6	工长	人	1	351			0.5	
7	三级推土机司机	人	1	351			0.5	
8	三级反铲操作工	人	1	351			0.5	
9	三级振动碾司机	人	1	702			1	
10	三级液压破碎器操作工	人	1	702			1	
11	三级洒水车司机	人	1	702			1	
12	二级小型工具车司机	人	1	702			1	
13	二级电工	人	1	175			0.25	
14	三级电工	人	1	175			0.25	
15	一级普工	人	5	1 755			0.5	
	设备资源							
16	370HP 推土机	台	1		208		0.37	
17	1m³ 液压反铲	台	1		56		0.1	
18	14t 振动平碾	台	1		95		0.17	
19	110HP 液压破碎器	台	1		56		0.1	
20	12m³ 洒水车	台	1		545		0.97	
21	小型工具车	台	1		140		0.25	
	材料		(单位耗量)					
22	水	m³	0.25			14 600		
23	其他							
	EL.−5～10m							
1	设计工程量	m³	317 079					
2	施工工程量	m³	323 421					
3	小时生产率	m³/h	256					
4	长期工作影响系数		0.8					
5	平均生产率	m³/h	204.8					
	劳力资源							
6	工长	人	1	790			0.5	
7	三级推土机司机	人	1	1 579			1	
8	三级反铲操作工	人	1	790			0.5	
9	三级振动碾司机	人	1	1 579			1	
10	三级液压破碎器操作工	人	1	1 579			1	
11	三级洒水车司机	人	3	4 738			1	

序号	项目	单位	数量	人时	台时	材料	利用系数	备注
12	二级小型工具车司机	人	1	1 579			1	
13	二级电工	人	1	395			0.25	
14	三级电工	人	1	395			0.25	
15	一级普工	人	5	3 948			0.5	
	设备资源							
16	370hp 推土机	台	1		1 150		0.91	
17	1m³ 液压反铲	台	1		253		0.2	
18	14t 振动平碾	台	1		543		0.43	
19	110hp 液压破碎器	台	1		253		0.2	
20	12m³ 洒水车	台	3		2 994		0.79	
21	小型工具车	台	1		379		0.3	
	材料		(单位耗量)					
22	水	m³	0.25			80 855		
23	其他							
	EL.10~50m							
1	设计工程量	m³	1 486 878					
2	施工工程量	m³	1 516 616					
3	小时生产率	m³/h	742					
4	长期工作影响系数		0.8					
5	平均生产率	m³/h	593.6					
	劳力资源							
6	工长	人	1	1 277			0.5	
7	三级推土机司机	人	3	7 665			1	
8	三级反铲操作工	人	1	1 277			0.5	
9	三级振动碾司机	人	2	5 110			1	
10	三级液压破碎器操作工	人	1	2 555			1	
11	三级洒水车司机	人	7	17 885			1	
12	二级小型工具车司机	人	1	1 277			0.5	
13	二级电工	人	1	639			0.25	
14	三级电工	人	1	639			0.25	
15	一级普工	人	5	6 387			0.5	
	设备资源							
16	370HP 推土机	台	3		5 396		0.88	
17	1m³ 液压反铲	台	1		613		0.3	
18	14t 振动平碾	台	2		2 535		0.62	
19	110HP 液压破碎器	台	1		613		0.3	
20	12m³ 洒水车	台	7		14 165		0.99	
21	小型工具车	台	1		715		0.35	
	材料		(单位耗量)					
22	水	m³	0.25			379 154		
23	其他							

序号	项目	单位	数量	人时	台时	材料	利用系数	备注
	EL.50~80m							
1	设计工程量	m³	988 294					
2	施工工程量	m³	1 008 060					
3	小时生产率	m³/h	695					
4	长期工作影响系数		0.8					
5	平均生产率	m³/h	556					
	劳力资源							
6	工长	人	1	907			0.5	
7	三级推土机司机	人	3	5 439			1	
8	三级反铲操作工	人	1	907			0.5	
9	三级振动碾司机	人	2	3 626			1	
10	三级液压破碎器操作工	人	1	1 813			1	
11	三级洒水车司机	人	7	12 691			1	
12	二级小型工具车司机	人	1	907			0.5	
13	二级电工	人	1	453			0.25	
14	三级电工	人	1	453			0.25	
15	一级普工	人	5	4 533			0.5	
	设备资源							
16	370HP 推土机	台	3		3 612		0.83	
17	1m³ 液压反铲	台	1		435		0.3	
18	14t 振动平碾	台	2		1 683		0.58	
19	110HP 液压破碎器	台	1		435		0.3	
20	12m³ 洒水车	台	7		9 341		0.92	
21	小型工具车	台	7		435		0.3	
	材料		(单位耗量)					
22	水	m³	0.25			252 015		
23	其他							
	EL.80~97m							
1	设计工程量	m³	264 019					
2	施工工程量	m³	269 299					
3	小时生产率	m³/h	225					
4	长期工作影响系数		0.8					
5	平均生产率	m³/h	180					
	劳力资源							
6	工长	人	1	748			0.5	
7	三级推土机司机	人	1	1 496			1	
8	三级反铲操作工	人	1	748			0.5	
9	三级振动碾司机	人	1	1 496			1	
10	三级液压破碎器操作工	人	1	1 496			1	
11	三级洒水车司机	人	3	4 488			1	
12	三级小型工具车司机	人	1	748			0.5	

续表 3-19

序号	项目	单位	数量	人时	台时	材料	利用系数	备注
13	三级电工	人	1	374			0.25	
14	二级电工	人	1	374			0.25	
15	一级普工	人	5	3 740			0.5	
	设备资源							
16	370HP 推土机	台	1		958		0.8	
17	1m³ 液压反铲	台	1		359		0.3	
18	14t 振动平碾	台	1		455		0.38	
19	110HP 液压破碎器	台	1		239		0.2	
20	12m³ 洒水车	台	3		2 513		0.7	
21	小型工具车	台	1		419		0.35	
	材料		(单位耗量)					
22	水	m³	0.25			67 325		
23	其他							

表 3-20 B区堆石料装运施工机械台时、人时、材料用量

序号	项目	单位	数量	人时	台时	材料	利用系数	备注
	EL.0~10m(预堆石)							
1	设计工程量	m³	143 183					回采料
2	施工工程量	m³	146 047					
3	小时生产率	m³/h	263					
4	长期工作影响系数		0.8					
5	平均生产率	m³/h	210.4					
	劳力资源							
6	工长	人	1	347			0.5	
7	二级小型工具车司机	人	1	347			0.5	
8	三级推土机司机	人	1	694			1	
9	三级装载机司机	人	1	694			1	
10	三级自卸汽车司机	人	5	3 471			1	
11	一级普工	人	1	694			1	
	设备资源							
12	小型工具车	台	1		194		0.35	
13	8m³ 轮式装载机	台	1		383		0.69	
14	45t 自卸汽车	台	5		2 693		0.97	运距 3km
15	370HP 推土机	台	1		194		0.35	
	材料							
16	其他							
	EL.10~40m							
1	设计工程量	m³	558 886					回采料
2	施工工程量	m³	570 064					
3	小时生产率	m³/h	392					

序号	项目	单位	数量	人时	台时	材料	利用系数	备注
4	长期工作影响系数		0.8					
5	平均生产率	m³/h	313.6					
	劳力资源							
6	工长	人	1	909			0.5	
7	二级小型工具车司机	人	1	909			0.5	
8	三级推土机司机	人	1	1 818			1	
9	三级装载机司机	人	2	3 636			1	
10	三级自卸汽车司机	人	8	14 542			1	
11	一级普工	人	1	1 818			1	
	设备资源							
12	小型工具车	台	1		509		0.35	
13	8m³ 轮式装载机	台	2		1 483		0.51	
14	45t 自卸汽车	台	8		10 587		0.91	运距 3km
15	370HP 推土机	台	1		742		0.51	
	材料							
16	其他							
	EL.40~60m							
1	设计工程量	m³	326 836					回采料
2	施工工程量	m³	333 373					
3	小时生产率	m³/h	283					
4	长期工作影响系数		0.8					
5	平均生产率	m³/h	226.4					
	劳力资源							
6	工长	人	1	736			0.5	
7	三级小型工具车司机	人	1	736			0.5	
8	三级推土机司机	人	1	1 472			1	
9	三级装载机司机	人	1	1 472			1	
10	三级自卸汽车司机	人	6	8 835			1	
11	一级普工	人	1	1 472			1	
	设备资源							
12	小型工具车	台	1		412		0.35	
13	8m³ 轮式装载机	台	1		872		0.74	
14	45t 自卸汽车	台	6		6 149		0.87	运距 3km
15	370HP 推土机	台	1		436		0.37	
	材料							
16	其他							

表 3-21　B 区堆石料坝面施工机械台时、人时、材料用量

序号	项目	单位	数量	人时	台时	材料	利用系数	备注
	EL.0~10m（预堆石）							
1	设计工程量	m³	143 183					回采料
2	施工工程量	m³	146 047					
3	小时生产率	m³/h	263					
4	长期工作影响系数		0.8					
5	平均生产率	m³/h	210.4					
	劳力资源							
6	工长	人	1	347			0.5	
7	三级推土机司机	人	1	694			1	
8	三级反铲操作工	人	1	347			0.5	
9	三级振动碾司机	人	1	694			1	
10	三级液压破碎器操作工	人	1	694			1	
11	三级洒水车司机	人	2	1 388			1	
12	二级小型工具车司机	人	1	347			0.5	
13	二级电工	人	1	174			0.25	
14	三级电工	人	1	174			0.25	
15	一级普工	人	5	1 735			0.5	
	设备资源							
16	370HP 推土机	台	1		522		0.94	
17	1m³ 液压反铲	台	1		167		0.3	
18	14t 振动平碾	台	1		244		0.44	
19	110HP 液压破碎器	台	1		111		0.2	
20	12m³ 洒水车	台	2		811		0.73	
21	小型工具车	台	1		194		0.35	
	材料		（单位耗量）					
22	水	m³	0.15			21 907		
23	其他							
	EL.10~40m							
1	设计工程量	m³	558 886					回采料
2	施工工程量	m³	570 064					
3	小时生产率	m³/h	392					
4	长期工作影响系数		0.8					
5	平均生产率	m³/h	313.6					
	劳力资源							
6	工长	人	1	909			0.5	
7	三级推土机司机	人	2	3 636			1	
8	三级反铲操作工	人	1	909			0.5	
9	三级振动碾司机	人	1	1 818			1	
10	三级液压破碎器操作工	人	1	1 818			1	
11	三级洒水车司机	人	3	5 453			1	

序号	项目	单位	数量	人时	台时	材料	利用系数	备注
12	二级小型工具车司机	人	1	909			0.5	
13	二级电工	人	1	454			0.25	
14	三级电工	人	1	454			0.25	
15	一级普工	人	5	4 545			0.5	
	设备资源							
16	370HP 推土机	台	2		2 036		0.7	
17	1m³ 液压反铲	台	1		436		0.3	
18	14t 振动平碾	台	1		945		0.65	
19	110HP 液压破碎器	台	1		291		0.2	
20	12m³ 洒水车	台	3		3 185		0.73	
21	小型工具车	台			509		0.35	
	材料		(单位耗量)					
22	水	m³	0.15			85 510		
23	其他							
	EL.40～60m							
1	设计工程量	m³	326 836					回采料
2	施工工程量	m³	333 373					
3	小时生产率	m³/h	283					
4	长期工作影响系数		0.8					
5	平均生产率	m³/h	226.4					
	劳力资源							
6	工长	人	1	736			0.5	
7	三级推土机司机	人	2	2 945			1	
8	三级反铲操作工	人	1	736			0.5	
9	三级振动碾司机	人	1	1 472			1	
10	三级液压破碎器操作工	人	1	1 472			1	
11	三级洒水车司机	人	2	2 945			1	
12	三级小型工具车司机	人	1	736			0.5	
13	二级电工	人	1	368			0.25	
14	三级电工	人	1	368			0.25	
15	一级普工	人	5	3 681			0.5	
	设备资源							
16	370HP 推土机	台	2		1 202		0.51	
17	1m³ 液压反铲	台	1		236		0.2	
18	14t 振动平碾	台	1		554		0.47	
19	110HP 液压破碎器	台	1		236		0.2	
20	12m³ 洒水车	台	2		1 861		0.79	
21	小型工具车	台	1		412		0.35	
	材料		(单位耗量)					
22	水	m³	0.15			50 006		
23	其他							

表 3-22　C区堆石料装运施工机械台时、人时、材料用量

序号	项目	单位	数量	人时	台时	材料	利用系数	备注
	EL. −5~20m							
1	设计工程量	m³	52 016					
2	施工工程量	m³	53 056					
3	小时生产率	m³/h	37					
4	长期工作影响系数		0.8					
5	平均生产率	m³/h	29.6					
	劳力资源							
6	工长	人	1	896			0.5	
7	二级小型工具车司机	人	1	896			0.5	
8	三级推土机司机	人	1	179			0.1	
9	三级装载机司机	人	1	179			0.1	
10	三级自卸汽车司机	人	1	1 792			1	
11	一级普工	人	1	1 792			1	
	设备资源							
12	小型工具车	台	1		287		0.2	
13	8m³ 轮式装载机	台	1		143		0.1	
14	45t 自卸汽车	台	1		1 434		1.00	运距 5km
15	370HP 推土机	台	1		72		0.05	
	材料							
16	其他							
	EL.20~80m							
1	设计工程量	m³	89 178					
2	施工工程量	m³	90 962					
3	小时生产率	m³/h	23					
4	长期工作影响系数		0.8					
5	平均生产率	m³/h	18.4					
	劳力资源							
6	工长	人	1	2 472			0.5	
7	二级小型工具车司机	人	1	2 472			0.5	
8	三级推土机司机	人	1	494			0.1	
9	三级装载机司机	人	1	494			0.1	
10	三级自卸汽车司机	人	1	4 944			1	
11	一级普工	人	1	4 944			1	
	设备资源							
12	小型工具车	台	1		791		0.2	
13	8m³ 轮式装载机	台	1		237		0.06	
14	45t 自卸汽车	台	1		2 689		0.68	运距 5.5km
15	370HP 推土机	台	1		119		0.03	
	材料							
16	其他							

序号	项目	单位	数量	人时	台时	材料	利用系数	备注
	EL.80～97m							
1	设计工程量	m³	35 232					
2	施工工程量	m³	35 937					
3	小时生产率	m³/h	30					
4	长期工作影响系数		0.8					
5	平均生产率	m³/h	24.0					
	劳力资源							
6	工长	人	1	749			0.5	
7	二级小型工具车司机	人	1	749			0.5	
8	三级推土机司机	人	1	150			0.1	
9	三级装载机司机	人	1	150			0.1	
10	三级自卸汽车司机	人	1	1 497			1	
11	一级普工	人	1	749			0.5	
	设备资源							
12	小型工具车	台	1		240		0.2	
13	8m³ 轮式装载机	台	1		96		0.08	
14	45t 自卸汽车	台	1		1 126		0.94	运距 6km
15	370HP 推土机	台	1		48		0.04	
	材料							
16	其他							

表 3-23　C 区堆石料坝面施工机械台时、人时、材料用量

序号	项目	单位	数量	人时	台时	材料	利用系数	备注
	EL.－5～20m							
1	设计工程量	m³	52 016					
2	施工工程量	m³	53 056					
3	小时生产率	m³/h	37					
4	长期工作影响系数		0.8					
5	平均生产率	m³/h	29.6					
	劳力资源							
6	工长	人	1	896			0.5	
7	三级推土机司机	人	1	358			0.2	
8	三级振动碾司机	人	1	896			0.5	
9	三级反铲操作工	人	1	1 792			1	
10	二级小型工具车司机	人	1	896			0.5	
11	二级电工	人	1	448			0.25	
12	三级电工	人	1	448			0.25	
13	一级普工	人	15	26 886			1	
	设备资源							
14	370HP 推土机	台	1		186		0.13	
15	14t 振动平碾	台	1		86		0.06	

续表 3-23

序号	项目	单位	数量	人时	台时	材料	利用系数	备注
16	1m³ 液压反铲	台	1		717		0.5	
17	小型工具车	台	1		287		0.2	
	材料							
18	其他							
	EL.20~80m							
1	设计工程量	m³	89 178					
2	施工工程量	m³	90 962					
3	小时生产率	m³/h	23					
4	长期工作影响系数		0.8					
5	平均生产率	m³/h	18.4					
	劳力资源							
6	工长	人	1	2 472			0.5	
7	三级推土机司机	人	1	989			0.2	
8	三级振动碾司机	人	1	2 472			0.5	
9	三级反铲操作工	人	1	4 944			1	
10	二级小型工具车司机	人	1	2 472			0.5	
11	二级电工	人	1	1 236			0.25	
12	三级电工	人	1	1 236			0.25	
13	一级普工	人	15	74 154			1	
	设备资源							
14	370HP 推土机	台	1		316		0.08	
15	14t 振动平碾	台	1		158		0.04	
16	1m³ 液压反铲	台	1		1 977		0.5	
17	小型工具车	台	1		791		0.2	
	材料							
18	其他							
	EL.80~97m							
1	设计工程量	m³	35 232					
2	施工工程量	m³	35 937					
3	小时生产率	m³/h	30					
4	长期工作影响系数		0.8					
5	平均生产率	m³/h	24.0					
	劳力资源							
6	工长	人	1	749			0.5	
7	三级推土机司机	人	1	299			0.2	
8	三级振动碾司机	人	2	1 497			0.5	
9	三级反铲操作工	人	1	1 497			1	
10	二级小型工具车司机	人	1	749			0.5	
11	二级电工	人	1	374			0.25	

序号	项目	单位	数量	人时	台时	材料	利用系数	备注
12	三级电工	人	1	374			0.25	
13	一级普工	人	15	22 461			1	
	设备资源							
14	370HP 推土机	台	1		132		0.11	
15	14t 振动平碾	台	1		60		0.05	
16	1m³ 液压反铲	台	1		599		0.5	
17	小型工具车	台	1		240		0.2	
	材料							
18	其他							

4 混凝土工程资源计算

按照钢筋混凝土面板堆石坝施工的特点,混凝土工程施工拟划分为如下工序:①仓面清理;②钢筋加工;③钢筋绑扎;④止水安装;⑤模板安拆;⑥混凝土浇筑及养护。

4.1 资源计算原则

4.1.1 机械设备台时用量计算原则

按照混凝土工程施工强度分析表,综合分析出不同部位混凝土工程各工序施工小时强度、主要机械设备配备数量、不同运输距离的区域工程量,计算该区域内小时施工强度,再按照各施工机械设备的小时生产率,计算其利用系数及每种设备的台时耗量。

$$设备小时利用系数 = \frac{该工作小时生产率}{该设备小时生产率}$$

$$设备台时 = \frac{该工作施工工程量}{该工作小时生产率} \times 设备数量 \times 该设备利用系数$$

4.1.2 人时用量计算原则

按照每个单项工程的施工强度及配备的各种施工机械设备的数量定员定岗配备工长及各工种不同的劳动力,同一工种劳动力分 4 个等级:一级工(不熟练工)、二级工(半熟练工)、三级工(熟练工)、四级工(高级熟练工)。根据钢筋混凝土面板堆石坝混凝土的不同部位和施工特点配备各种专业组及人员。再按照每个单项工程的具体工作时间计算人时。

$$人时 = \frac{施工工程量}{平均生产率} \times 人数 \times 利用系数$$

4.1.3 材料用量计算原则

采用统计、分析、比较等方法,确定单位工程材料用量后进行材料用量计算。

$$材料用量 = 施工工程量 \times 单位工程材料用量$$

4.2 喷混凝土资源计算

设计工程量:3 026m³。

小时施工强度:3.2m³/h。

主要机械设备：

yt－7/9 型空压机	1 台	
6m³ 混凝土搅拌运输车	1 台	
混凝土喷射机	1 台	
20t 履带吊	1 台	

劳力资源：混凝土喷射工作组负责完成混凝土的运输、斜坡面喷射、处理回弹料、养护及混凝土喷射前的准备等工作。工作组人员安排详见表 4-1。

表 4-1　混凝土喷射工作组　　　　　　　　　　　　　　　　　　　（单位：人）

序号	工　　种	数　　量				
		工长	一级工	二级工	三级工	四级工
1	工长	1				
2	混凝土搅拌运输车司机				1	
3	混凝土喷射机操作工				3	
4	空压机操作工				1	
5	履带吊操作工				1	
6	电工			1	1	
7	普工		3			

材料计算：喷混凝土材料耗量主要是混凝土与养护用水两种，单位耗量为混凝土 1.15m³/m³，水 0.2m³/m²。

喷混凝土机械设备台时、人时、材料用量详见表 4-2。

表 4-2　喷混凝土施工机械台时、人时及材料用量

序号	项　　目	单位	数量	人时	台时	材料	利用系数	备注
1	设计工程量	m³	3 026					喷混凝土厚 5cm
2	施工工程量	m³	3 479					
3	小时生产率	m³/h	3.2					
4	长期工作影响系数		0.6					
5	平均生产率	m³/h	1.92					
	劳力资源							
6	工长	人	1	906			0.5	
7	三级混凝土搅拌运输车司机	人	1	1 812			1	
8	三级混凝土喷射机操作工	人	3	5 436			1	
9	二级电工	人	1	453			0.25	
10	三级电工	人	1	453			0.25	
11	三级空压机操作工	人	1	1 812			1	
12	三级履带吊操作工	人	1	1 812			1	
13	一级普工	人	3	5 436			1	
	设备资源							
14	6m³ 混凝土搅拌运输车	台	1		174		0.16	
15	混凝土喷射机	台	1		989		0.91	
16	20t 履带吊	台	1		326		0.3	
17	yt－7/9 型空压机	台	1		989		0.91	

序号	项　　目	单位	数量	人时	台时	材料	利用系数	备注
	材料		(单位耗量)					
18	混凝土	m³				3 479		
19	水	m³	0.2m³/m²			11 750		
20	其他							

4.3　钢筋混凝土面板施工项目划分、设备配备、劳力安排

4.3.1　仓面清理

设计工程量:58 749m²。

小时施工强度:60m²/h。

主要机械设备:yt-7/9型空压机1台。

劳力资源:仓面清理工作组负责完成混凝土浇筑前仓面清理、混凝土浇筑前的准备等工作。工作组人员安排详见表 4-3。

表 4-3　仓面清理工作组　　　　　　　　　　　　（单位:人）

序号	工　种	数　　　量				
		工长	一级工	二级工	三级工	四级工
1	工长	1				
2	空压机操作工				1	
3	电工			1	1	
4	普工		4			

4.3.2　钢筋加工

钢筋加工生产拟在钢筋加工厂完成,钢筋混凝土面板堆石坝钢筋加工主要包括面板钢筋、趾板钢筋及锚筋,此三项钢筋总的设计工程量为 1 662.91t。钢筋加工厂的生产能力按照钢筋混凝土施工高峰月强度确定。经计算钢筋加工厂的生产能力为 9t/班,钢筋加工厂的主要设备劳力资源配备如下。

主要机械设备:

    钢筋调直机　　　　　2台
    钢筋切断机　　　　　2台
    钢筋弯曲机　　　　　3台
    钢筋对焊机　　　　　1台
    电焊机16~30kVA　　4台
    平板车10t　　　　　1台
    6t塔吊　　　　　　　1台
    小型工具车　　　　　1台

劳力资源:钢筋加工工作组负责完成钢筋调直、除锈、切断、加工及在加工厂的存放等工作。钢筋制作单位人时耗量与钢筋直径、形状和接头数量有关,人员数量按平均每人每小时加工 40~50kg 配备。工作组人员安排详见表 4-4。

4.3.3 钢筋安装

设计工程量:1 450.64t。

小时生产率:1.5t/h。

主要机械设备:

电焊机 16~30kVA	3台
平板车 10t	1台
20t 汽车吊	1台
钢筋台车	1台
20t 卷扬机	2台
yt-7/9 型空压机	1台
yt-25 型手风钻	2台
小型工具车	1台

劳力资源:钢筋安装工作组负责完成钢筋从加工厂到施工现场运输、现场钢筋架立等工作。人员数量按平均每人每小时安装 40~50kg 配备。工作组人员安排详见表 4-5。

表 4-4 钢筋加工工作组 (单位:人)

序号	工 种	数 量				
		工长	一级工	二级工	三级工	四级工
1	工长	1				
2	钢筋调直机操作工			4	2	
3	平板车司机				1	
4	钢筋切断机操作工			4	2	
5	钢筋弯曲机操作工			6	2	1
6	塔吊司机				1	
7	电焊工			2	6	
8	小型工具车司机			1		
9	其他二级钢筋工			6		
10	普工		5			

表 4-5 钢筋安装工作组 (单位:人)

序号	工 种	数 量				
		工长	一级工	二级工	三级工	四级工
1	工长	1				
2	平板车司机			1		
3	卷扬机操作工				2	
4	空压机操作工				1	
5	钻工			2		
6	吊车司机				1	
7	电焊工			6		
8	钢筋工		8			
9	小型工具车司机			1		
10	电工			1	1	
11	普工		8			

4.3.4 止水安装

设计工程量:4 896m。

小时生产率:6m/h。

主要机械设备:

电焊机 16～30kVA	2 台
焊枪	2 把
小型工具车	1 台

劳力资源:止水安装工作组负责完成伸缩缝铜止水、PVC 止水安装及从存放仓库到施工现场的运输等工作。工作组人员安排详见表 4-6。

表 4-6 止水安装工作组 (单位:人)

序号	工 种	数 量				
		工长	一级工	二级工	三级工	四级工
1	工长	1				
2	焊工				2	
3	平板车司机			1		
4	电工			1	1	
5	普工		2			

4.3.5 模板安拆

本工程所用模板全部采用厂家生产的定型平面钢模板。面板混凝土模板安拆主要包括面板分块的侧模与起始块混凝土模板安拆两部分。

设计工程量:3 900m²。

小时生产率:10m²/h(主面板侧模);15m²/h(起始板)。

主要机械设备:

电焊机 16～30kVA	1 台
5t 平板车	1 台
5t 汽车吊	1 台
小型工具车	1 台

劳力资源:模板安拆工作组负责完成混凝土浇筑仓位模板的架立与拆除以及模板从存放场地到施工现场运输。工作组人员安排详见表 4-7。

4.3.6 起始板混凝土浇筑

面板与基岩接触三角带混凝土(起始板混凝土)全部采用立模浇筑混凝土。

设计工程量:632m³。

小时生产率:20m³/h。

主要机械设备:

6m³ 混凝土搅拌运输车	2 台
HB60 型液压混凝土泵	1 台
1.5kW 电动插入式振捣器	1 台
小型工具车	1 台

劳力资源:起始板混凝土浇筑工作组负责完成钢筋混凝土面板三角带起始板的混凝土运输、入仓、振捣及养护工作。工作组人员安排详见表4-8。

表4-7 平面钢模板安装工作组 （单位:人）

序号	工 种	数 量				
		工长	一级工	二级工	三级工	四级工
一	主面板					
1	工长	1				
2	模板安拆工		4	2		
3	平板车司机				1	
4	吊车司机				1	
5	电焊工				2	
6	小型工具车司机			1		
7	电工			1	1	
8	普工		4			
二	起始板					
1	工长	1				
2	模板安拆工		4	2		
3	木工			2		
4	平板车司机				1	
5	吊车司机				1	
6	电焊工				2	
7	小车司机			1		
8	电工			1	1	
9	普工		4			

表4-8 起始板混凝土浇筑工作组 （单位:人）

序号	工 种	数 量				
		工长	一级工	二级工	三级工	四级工
1	工长	1				
2	混凝土搅拌运输车司机				2	
3	混凝土泵操作工				2	
4	混凝土工			2	2	
5	木工			1		
6	钢筋工			1		
7	小型工具车司机			1		
8	电工			1	1	
9	普工		6			

4.3.7 主面板混凝土浇筑

主面板混凝土浇筑强度按照已选用施工方法、施工设备确定:12m×2.5m/h×0.45m³/m² = 13.5m³/h。

设计工程量:25 822m²。

主要机械设备:

电焊机 16～30kVA	1 台
6m³ 混凝土搅拌运输车	3 台
12m 宽钢滑模	1 套
混凝土溜槽	2 套
20t 卷扬机	2 台
1.5kW 电动插入式振捣器	4 台
3.5kW 电动插入式振捣器	1 台
50t 吊车	1 台
小型工具车	1 台

劳力资源：主面板混凝土浇筑施工工作组负责完成主面板混凝土运输、入仓、振捣、滑模的滑移和调整、抹面及养护工作。工作组人员安排详见表4-9。

表 4-9　主面板混凝土浇筑施工工作组　　　　　　　　　　（单位：人）

序号	工　种	数　量				
		工长	一级工	二级工	三级工	四级工
1	工长	1				
2	混凝土搅拌运输车司机				2	
3	卷扬机操作工				2	
4	滑模操作工				2	
5	抹面工			2		
6	吊车司机				1	
7	溜槽安、拆工		2			
8	木工			1		
9	钢筋工			1		
10	混凝土工			4	1	
11	小型工具车司机			1		
12	电工			1	1	
13	普工		6			

4.3.8　材料单位用量

采用统计、分析、比较等方法计算。混凝土工程消耗材料主要为成品混凝土、钢筋、模板、止水材料以及与这几项有关的其他材料、混凝土养护洒水。根据《施工组织设计手册》有关数据和小浪底、天生桥工程此部分材料的使用情况，确定材料单位耗量见表4-10。

表 4-10　主要材料单位耗量

序号	材料名称	单位	数量	备　注
1	混凝土	m³/m³	1.03	
2	钢筋	t/t	1.02	
3	模板	kg/m²	0.5	钢材摊销量
4	钢筋制作焊条	kg/t	4.8	
5	钢筋架立焊条	kg/t	2.4	
6	水	m³/m³	0.2	混凝土养护
7	铜止水	kg/m	9.5	
8	PVC 止水	m/m	1.03	

4.3.9 施工机械设备台时、人时、材料用量

施工机械设备台时、人时、材料用量详见表 4-11～表 4-19。

表 4-11　面板仓面清理施工机械台时、人时、材料用量

序号	项　目	单位	数量	人时	台时	材料	利用系数	备注
1	设计工程量	m²	58 749					
2	施工工程量	m²	58 749					
3	小时生产率	m²/h	60					
4	长期工作影响系数		0.7					
5	平均生产率	m²/h	42.0					
	劳力资源							
6	工长	人	1	1 399			1	
7	三级空压机操作工	人	1	1 399			1	
8	二级电工	人	1	350			0.25	
9	三级电工	人	1	350			0.25	
10	一级普工	人	4	5 595			1	
	设备资源							
11	yt-7/9 型空压机	台	1		832		0.85	
	材料		(单位耗量)					
12	水	m³	0.02			1 175		
13	其他							

表 4-12　钢筋加工施工机械台时、人时、材料用量

序号	项　目	单位	数量	人时	台时	材料	利用系数	备注
1	设计工程量	t	1 662.91					
2	施工工程量	t	1 696.17					
3	小时生产率	t/h	1.5					
4	长期工作影响系数		0.8					
5	平均生产率	t/h	1.2					
	劳力资源							
6	工长	人	1	1 413			1	
7	四级钢筋弯曲机操作工	人	1	1 413			1	
8	三级钢筋弯曲机操作工	人	2	2 827			1	
9	二级钢筋弯曲机操作工	人	6	8 481			1	
10	三级钢筋切断机操作工	人	2	2 827			1	
11	二级钢筋切断机操作工	人	4	5 654			1	
12	三级钢筋调直机操作工	人	2	2 827			1	
13	二级钢筋调直机操作工	人	4	5 654			1	
14	三级塔吊操作工	人	1	1 413			1	
15	其他二级钢筋工	人	6	8 481			1	
16	三级电焊工	人	6	8 481			1	
17	二级电焊工	人	2	2 827			1	
18	一级普工	人	5	7 067			1	

序号	项　　目	单位	数量	人时	台时	材料	利用系数	备注
	设备资源							
19	钢筋调直机	台	2		995		0.44	
20	钢筋切断机	台	2		678		0.3	
21	钢筋弯曲机	台	3		1 900		0.56	
22	钢筋对焊机	台	1		531		0.47	
23	电焊机 16～30kVA	台	4		2 126		0.47	
24	平板车 10t	台	1		339		0.3	
25	6t 塔吊	台	1		339		0.3	
	材料		(单位耗量)					
26	钢筋	t	1			1 696		
27	焊条	kg	4.8			8 142		
28	铁丝	kg	2.7			4 580		
29	其他							

表 4-13　面板钢筋架立施工机械台时、人时、材料用量

序号	项　　目	单位	数量	人时	台时	材料	利用系数	备注
1	设计工程量	t	1 450.64					起始板钢筋 35.46t, 主板钢筋 1 415.18t
2	施工工程量	t	1 480					
3	小时生产率	t/h	1.5					
4	长期工作影响系数		0.8					
5	平均生产率	t/h	1.2					
	劳力资源							
6	工长	人	1	1 233			1	
7	二级平板车司机	人	1	1 233			1	
8	三级卷扬机操作工	人	2	2 467			1	
9	二级电焊工	人	6	7 400			1	
10	一级钢筋工	人	8	9 867			1	
11	二级钻工	人	2	2 467			1	
12	三级空压机操作工	人	1	1 233			1	
13	三级吊车司机	人	1	1 233			1	
14	二级小型工具车司机	人	1	1 233			1	
15	二级电工	人	1	308			0.25	
16	三级电工	人	1	308			0.25	
17	一级普工	人	8	9 867			1	
	设备资源							
18	10t 平板车	台	1		345		0.35	
19	钢筋台车	台	1		493		0.5	
20	20t 汽车吊	台	1		296		0.3	
21	20t 卷扬机	台	2		987		0.5	
22	电焊机 16～30kVA	台	4		1 855		0.47	
23	yt－25型手风钻	台	2		927		0.47	

序号	项 目	单位	数量	人时	台时	材料	利用系数	备注
24	yt－7/9 型空压机	台	1		464		0.47	
25	小型工具车	台	1		345		0.35	
	材料		（单位耗量）					
26	钢筋	t	1			1 480		
27	焊条	kg	2.4			3 552		
28	铁丝	kg	1.4			2 072		
29	其他							

表 4-14　面板铜片止水安装施工机械台时、人时、材料用量

序号	项 目	单位	数量	人时	台时	材料	利用系数	备注
1	设计工程量	m	4 896					
2	施工工程量	m	4 896					
3	小时生产率	m/h	6					
4	长期工作影响系数		0.8					
5	平均生产率	m/h	4.8					
	劳力资源							
6	工长	人	1	510			0.5	
7	三级电焊工	人	2	1 020			0.5	
8	二级小型工具车司机	人	1	510			0.5	
9	二级电工	人	1	255			0.25	
10	三级电工	人	1	255			0.25	
11	一级普工	人	2	2 040			1	
	设备资源							
12	电焊机 16～30kVA	台	1		408		0.5	
13	小型工具车	台	1		163		0.2	
	材料		（单位耗量）					
14	铜片	kg	5.33			26 096		厚 1.5mm
15	铜焊条	kg	0.03			147		
16	沥青	kg	16.1			78 826		
17	其他							

表 4-15　面板 PVC 止水施工机械台时、人时、材料用量

序号	项 目	单位	数量	人时	台时	材料	利用系数	备注
1	设计工程量	m	4 896					
2	施工工程量	m	4 896					
3	小时生产率	m/h	6					
4	长期工作影响系数		0.8					
5	平均生产率	m/h	4.8					
	劳力资源							
6	工长	人	1	510			0.5	

序号	项目	单位	数量	人时	台时	材料	利用系数	备注
7	三级焊工	人	2	1 020			0.5	
8	二级电工	人	1	255			0.25	
9	三级电工	人	1	255			0.25	
10	二级小型工具车司机	人	1	510			0.5	
11	一级普工	人	2	2 040			1	
	设备资源							
12	焊枪	把	1		490		0.6	
13	小型工具车	台	1		82		0.1	
	材料		(单位耗量)					
14	塑料止水带	kg	3.66			17 918		
15	其他							

表 4-16　面板起始板模板安装、拆除施工机械台时、人时、材料用量

序号	项目	单位	数量	人时	台时	材料	利用系数	备注
1	设计工程量	m²	1 800					
2	施工工程量	m²	1 800					
3	小时生产率	m²/h	7.5					
4	长期工作影响系数		0.6					
5	平均生产率	m²/h	4.5					
	劳力资源							
6	工长	人	1	400			1	
7	三级电焊工	人	2	800			1	
8	二级平板车司机	人	1	200			0.5	
9	二级电工	人	1	100			0.25	
10	三级电工	人	1	100			0.25	
11	二级小型工具车司机	人	1	200			0.5	
12	二级木工	人	4	1 600			1	
13	一级木工	人	4	1 600			1	
14	三级吊车司机	人	1	400			1	
15	一级普工	人	4	1 600			1	
	设备资源							
16	电焊机 16~30kVA	台	1		84		0.35	
17	5t 汽车吊	台	1		60		0.25	
18	小型工具车	台	1		72		0.3	
	材料		(单位耗量)					
19	钢材	t	0.5kg/m²			0.90		钢材摊销量
20	铁件	kg	0.75kg/m²			1 350		
21	其他							

表 4-17　面板模板安装、拆除施工机械台时、人时、材料用量

序号	项　　目	单位	数量	人时	台时	材料	利用系数	备注
1	设计工程量	m²	2 100					
2	施工工程量	m²	2 100					
3	小时生产率	m²/h	10					
4	长期工作影响系数		0.6					
5	平均生产率	m²/h	6					
	劳力资源							
6	工长	人	1	350			1	
7	三级电焊工	人	2	700			1	
8	二级平板车司机	人	1	175			0.5	
9	二级电工	人	1	88			0.25	
10	三级电工	人	1	88			0.25	
11	二级小型工具车司机	人	1	175			0.5	
12	一级木工	人	4	1 400			1	
13	二级木工	人	2	700			1	
14	三级吊车司机	人	1	350			1	
15	一级普工	人	4	1 400			1	
	设备资源							
16	电焊机 16～30kVA	台	1		63		0.3	
17	5t 汽车吊	台	1		53		0.25	
18	小型工具车	台	1		63		0.3	
	材料		(单位耗量)					
19	钢材	t	0.5kg/m²			1.1		钢材摊销量
20	铁件	kg	0.7kg/m²			1 470		
21	其他							

表 4-18　面板起始板混凝土浇筑施工机械台时、人时、材料用量

序号	项　　目	单位	数量	人时	台时	材料	利用系数	备注
1	设计工程量	m³	632					
2	施工工程量	m³	651					
3	小时生产率	m³/h	20					
4	长期工作影响系数		0.8					
5	平均生产率	m³/h	16					
	劳力资源							
6	工长	人	1	41			1	
7	三级混凝土搅拌运输车司机	人	2	81			1	
8	三级混凝土泵操作工	人	1	41			1	
9	三级混凝土工	人	2	81			1	
10	二级混凝土工	人	2	81			1	
11	三级电工	人	1	10			0.25	
12	二级电工	人	1	10			0.25	
13	二级小型工具车司机	人	1	41			1	

序号	项　目	单位	数量	人时	台时	材料	利用系数	备注
14	二级木工	人	1	41			1	
15	二级钢筋工	人	1	41			1	
16	一级普工	人	6	244			1	
	设备资源							
17	6m³ 混凝土搅拌运输车	台	2		33		0.51	
18	混凝土泵	台	1		16		0.48	
19	1.5kW 振捣器	支	4		62		0.48	
20	小型工具车	台	1		11		0.35	
	材料		（单位耗量）					
21	混凝土	m³	1			651		
22	水	m³	0.5			326		
23	其他							

表 4-19　面板混凝土浇筑施工机械台时、人时、材料用量

序号	项　目	单位	数量	人时	台时	材料	利用系数	备注
1	设计工程量	m³	25 226					
2	施工工程量	m³	25 983					
3	小时生产率	m³/h	13.5					
4	长期工作影响系数		0.8					
5	平均生产率	m³/h	10.8					
	劳动力配备							
6	工长	人	1	2 406			1	
7	三级搅拌车司机	人	2	4 812			1	
8	三级卷扬机操作工	人	2	4 812			1	
9	三级滑模操作工	人	2	4 812			1	
10	三级混凝土工	人	1	2 406			1	
11	二级混凝土工	人	4	9 623			1	
12	三级电工	人	1	2 406			1	
13	二级电工	人	1	2 406			1	
14	二级抹面工	人	2	4 812			1	
15	三级吊车司机	人	1	2 406			1	
16	二级小车司机	人	1	2 406			1	
17	二级溜槽安、拆工	人	2	4 812			1	
18	二级木工	人	1	2 406			1	
19	二级钢筋工	人	1	2 406			1	
20	一级普工	人	6	14 435			1	
	设备资源							
21	6m³ 混凝土搅拌运输车	台	2		1 309		0.34	
22	12m 滑模	套	1		1 925		1	
23	20t 卷扬机	台	2		2 310		0.6	
24	1.5kW 振捣器	台	4		2 464		0.32	

序号	项目	单位	数量	人时	台时	材料	利用系数	备注
25	3.5kW 振捣器	台	1		616		0.32	
26	小型工具车	台	1		674		0.35	
27	混凝土溜槽	套	2		2 310		0.6	
28	50t 吊车	台	1		192		0.1	
	材料		(单位耗量)					
29	混凝土	m³	1			25 983		
30	水	m³	0.5			12 992		
31	其他							

4.4 钢筋混凝土趾板施工项目划分、设备配备、劳力安排

4.4.1 仓面清理

设计工程量:5 520m²。

小时生产率:40m²/h。

主要机械设备:

yt-7/9 型空压机	1 台
风镐	1 台
风水枪	1 把

劳力资源:仓面清理工作组负责完成混凝土浇筑前仓面清理和混凝土浇筑前的准备等工作。工作组人员安排详见表 4-20。

表 4-20 仓面清理工作组 　　　　　　　　　　　　　　　　　　(单位:人)

序号	工 种	数 量				
		工长	一级工	二级工	三级工	四级工
1	工长	1				
2	空压机操作工				1	
3	风水枪操作工			1		
4	风镐操作工			1		
5	电工			1	1	
6	普工		4			

4.4.2 锚筋安设

设计工程量:7 372m。

小时生产率:12.5m/h。

主要机械设备:

yt-7/9 型空压机	1 台
yt-25 型手风钻	2 台
注浆器	1 个
5t 平板车	1 台

劳力资源:锚筋安设工作组负责完成趾板锚筋安设及从锚筋加工厂到施工现场的运输等工作。工作组人员安排详见表 4-21。

表 4-21 锚筋安设工作组 （单位:人）

序号	工 种	数 量				
		工长	一级工	二级工	三级工	四级工
1	工长	1				
2	空压机操作工				1	
3	平板车司机				1	
4	钻工			4		
5	电工			1	1	
6	普工		2			

4.4.3 钢筋安装

设计工程量:183.89t。

小时生产率:0.8t/h。

主要机械设备:

电焊机 16~30kVA	2台
5t 平板车	1台
5t 汽车吊	1台
小型工具车	1台

劳力资源:钢筋安装工作组负责完成钢筋从加工厂到施工现场运输、现场钢筋架立等工作。人员数量按每人 40~50kg/h 配备。工作组人员安排详见表 4-22。

表 4-22 钢筋安装工作组 （单位:人）

序号	工 种	数 量				
		工长	一级工	二级工	三级工	四级工
1	工长	1				
2	平板车司机				1	
3	吊车操作工				1	
4	电焊工				4	
5	钢筋工			4		
6	小型工具车司机			1		
7	电工			1	1	
8	普工		4			

4.4.4 止水安装

设计工程量:铜止水 691m,PVC 止水 691m。

小时生产率:6m/h。

主要机械设备:

电焊机 16~30kVA	1台
焊枪	1把
小型工具车	1台

劳力资源:止水安装工作组负责完成伸缩缝铜止水、PVC 止水安装及从存放仓库到施工现场的运输等工作。工作组人员安排详见表 4-23。

表 4-23　止水安装工作组　　　　　　　　　　　　（单位:人）

序号	工　种	数　　量				
		工长	一级工	二级工	三级工	四级工
1	工长	1				
2	焊工				2	
3	电工			1	1	
4	小型工具车司机			1		
5	普工		2			

4.4.5　模板安拆

本工程所用模板全部采用厂家生产的定型平面钢模板。趾板混凝土模板安拆主要包括趾板分块的侧模与岸坡趾板表面模板安拆两部分。

设计工程量:3 700m²。

小时生产率:10m²/h。

主要机械设备:

电焊机 16~30kVA　　　　　　　1台

5t 平板车　　　　　　　　　　1台

5t 汽车吊　　　　　　　　　　1台

小型工具车　　　　　　　　　1台

劳力资源:平面钢模板安拆工作组负责完成混凝土浇筑仓位模板的架立与拆除以及模板从存放场地到施工现场运输。工作组人员安排详见表 4-24。

表 4-24　平面钢模板安拆工作组　　　　　　　　　（单位:人）

序号	工　种	数　　量				
		工长	一级工	二级工	三级工	四级工
1	工长	1				
2	模板安拆工		4	2		
3	平板车司机				1	
4	吊车司机				1	
5	电焊工				2	
6	木工			2		
7	小型工具车司机				1	
8	电工			1	1	
9	普工		4			

4.4.6　混凝土浇筑

设计工程量:2 774m³。

小时生产率:20m³/h。

主要机械设备:

6m³ 混凝土搅拌运输车　　　　2台

HB60 型液压混凝土泵　　　　　1台

1.5kW 电动插入式振捣器　　　4台

小型工具车　　　　　　　　　　　　　　　1 台

劳力资源:趾板混凝土浇筑工作组负责完成趾板混凝土运输、入仓、振捣及养护工作。工作组人员安排详见表 4-25。

表 4-25　趾板混凝土浇筑工作组　　　　　　　　　　　（单位:人）

序号	工　种	数　　　量				
		工长	一级工	二级工	三级工	四级工
1	工长	1				
2	混凝土搅拌运输车司机				2	
3	混凝土泵操作工				1	
4	混凝土工		2	2		
5	小型工具车司机			1		
6	木工			1		
7	电工			1	1	
8	普工		4			

4.4.7　材料单位用量

采用统计、分析、比较等方法计算。混凝土工程消耗材料主要为成品混凝土、钢筋、模板、止水材料以及与这几项有关的其他材料、混凝土养护洒水。根据《施工组织设计手册》有关数据和小浪底、天生桥工程部分材料的使用情况,此部分材料单位用量见表 4-26。

表 4-26　主要材料单位用量

序号	材料名称	单位	数量	备　注
1	混凝土	m^3/m^3	1.03	
2	喷混凝土	m^3/m^3	1.15	
3	钢筋	t/t	1.02	
4	模板	kg/m^2	0.5	钢材摊销量
5	钢筋制作焊条	kg/t	4.8	
6	钢筋架立焊条	kg/t	2.4	
7	水	m^3/m^3	0.2	混凝土养护
8	铜止水	kg/m	9.5	
9	PVC 止水	m/m	1.03	

4.4.8　施工机械设备台时、人时、材料用量

施工机械设备台时、人时、材料用量详见表 4-27～表 4-33。

表 4-27　趾板仓面清理施工机械台时、人时、材料用量

序号	项　目	单位	数量	人时	台时	材料	利用系数	备注
1	设计工程量	m^2	5 520					
2	施工工程量	m^2	5 520					
3	小时生产率	m^2/h	40					
4	长期工作影响系数		0.7					
5	平均生产率	m^2/h	28					
	劳力资源							
6	工长	人	1	197			1	

序号	项　目	单位	数量	人时	台时	材料	利用系数	备注
7	三级空压机操作工	人	1	197			1	
8	二级风水枪操作工	人	1	197			1	
9	二级风镐操作工	人	1	197			1	
10	三级电工	人	1	49			0.25	
11	二级电工	人	1	49			0.25	
12	一级普工	人	6	1 183			1	
	设备资源							
13	yt－7/9 型空压机	台	1		69		0.5	
14	风镐	台	1		48		0.35	
15	风水枪	把	1		69		0.5	
	材料		(单位耗量)					
16	水	m³	0.02			110		
17	其他							

表 4-28　趾板锚筋安设施工机械台时、人时、材料用量

序号	项　目	单位	数量	人时	台时	材料	利用系数	备注
1	设计工程量	m	7 372					$d=25mm$, $L=4m$, 锚入基岩 3.5m
		根	1 843					
2	施工工程量	m	7 519					
3	小时生产率	m/h	24					
4	长期工作影响系数		0.8					
5	平均生产率	m/h	19.2					
	劳力资源							
6	工长	人	1	196			0.5	
7	二级钻工	人	4	1 566			1	
8	三级空压机操作工	人	1	392			1	
9	二级平板车司机	人	1	196			0.5	
10	三级电工	人	1	98			0.25	
11	二级电工	人	1	98			0.25	
12	一级普工	人	2	783			1	
	设备资源							
13	手风钻	台	4		727		0.58	
14	yt－9/7 型空压机	台	2		363		0.58	
15	注浆器	个	1		94		0.3	
16	5t 平板车	台	1		31		0.1	
	材料		(单位耗量)					
17	钢筋 $d=25mm$	t				29		
18	100# 水泥砂浆	m³				8		
19	锚杆附件	kg	1.49			2 746		
20	其他							

表 4-29 趾板钢筋架立施工机械台时、人时、材料用量

序号	项 目	单位	数量	人时	台时	材料	利用系数	备注
1	设计工程量	t	183.89					
2	施工工程量	t	187.57					
3	小时生产率	t/h	0.5					
4	长期工作影响系数		0.8					
5	平均生产率	t/h	0.4					
	劳力资源							
6	工长	人	1	469			1	
7	二级平板车司机	人	1	234			0.5	
8	三级吊车司机	人	1	234			0.5	
9	三级电焊工	人	4	1 876			1	
10	二级钢筋工	人	4	1 876			1	
11	二级小型工具车司机	人	1	234			0.5	
12	三级电工	人	1	234			0.5	
13	二级电工	人	1	234			0.5	
14	一级普工	人	4	1 876			1	
	设备资源							
15	5t 平板车	台	1		94		0.25	
16	5t 汽车吊	台	1		94		0.25	
17	电焊机 16～30kVA	台	2		233		0.31	
18	小型工具车	台	1		94		0.25	
	材料		(单位耗量)					
19	钢筋	t	1			188		
20	焊条	kg	2.4			451		
21	铁丝	kg	1.4			250		
22	其他							

表 4-30 周边缝铜片止水安装施工机械台时、人时、材料用量

序号	项 目	单位	数量	人时	台时	材料	利用系数	备注
1	设计工程量	m	691					
2	施工工程量	m	691					
3	小时生产率	m/h	6					
4	长期工作影响系数		0.8					
5	平均生产率	m/h	4.8					
	劳力资源							
6	工长	人	1	72			0.5	
7	三级电焊工	人	2	144			0.5	
8	二级小型工具车司机	人	1	36			0.25	
9	三级电工	人	1	36			0.25	
10	二级电工	人	1	36			0.25	
11	一级普工	人	2	144			0.5	

序号	项　目	单位	数量	人时	台时	材料	利用系数	备注
	设备资源							
12	电焊机 16～30kVA	台	1		58		0.5	
13	小型工具车	台	1		23		0.2	
	材料		（单位耗量）					
14	铜片	kg	5.33			3 683		
15	铜焊条	kg	0.03			21		
16	沥青	kg	16.1			11 125		
17	其他							

表 4-31　周边缝 PVC 止水施工机械台时、人时、材料用量

序号	项　目	单位	数量	人时	台时	材料	利用系数	备注
1	设计工程量	m	691					
2	施工工程量	m	691					
3	小时生产率	m/h	6					
4	长期工作影响系数		0.8					
5	平均生产率	m/h	4.8					
	劳力资源							
6	工长	人	1	72			0.5	
7	三级焊工	人	2	144			0.5	
8	三级电工	人	1	72			0.5	
9	二级电工	人	1	72			0.5	
10	二级小型工具车司机	人	1	36			0.25	
11	一级普工	人	2	144			0.5	
	设备资源							
12	焊枪	把	1		69		0.6	0.10
13	小型工具车	台	1		12		0.1	0.02
	材料		（单位耗量）					
14	塑料止水带	kg	3.66			2 529		
15	其他							

表 4-32　趾板模板安装、拆除施工机械台时、人时、材料用量

序号	项　目	单位	数量	人时	台时	材料	利用系数	备注
1	设计工程量	m²	3 700					
2	施工工程量	m²	3 700					
3	小时生产率	m²/h	10					
4	长期工作影响系数		0.6					
5	平均生产率	m²/h	6					
	劳力资源							
6	工长	人	1	617			1	
7	三级电焊工	人	2	1 233			1	
8	二级平板车司机	人	1	308			0.5	
9	二级小型工具车司机	人	1	308			0.5	
10	二级模板安拆工	人	2	1 233			1	

序号	项　　目	单位	数量	人时	台时	材料	利用系数	备注
11	一级模板工	人	4	2 467			1	
12	二级木工	人	2	1 233			1	
13	三级电工	人	1	154			0.25	
14	二级电工	人	1	154			0.25	
15	三级吊车司机	人	1	154			0.25	
16	一级普工	人	4	2 467			1	
	设备资源							
17	电焊机 16～30kVA	台	1		74		0.2	
18	5t 平板车	台	1		93		0.25	
19	5t 汽车吊	台	1		93		0.25	
20	小型工具车	台	1		111		0.3	
	材料		(单位耗量)					
21	钢材	t	0.5			1.9		钢材摊销量
22	铁件	kg	0.75			2 775		
23	其他							

表 4-33　趾板混凝土浇筑施工机械台时、人时、材料用量

序号	项　　目	单位	数量	人时	台时	材料	利用系数	备注
1	设计工程量	m³	2 774					
2	施工工程量	m³	2 857					
3	小时生产率	m³/h	20					
4	长期工作影响系数		0.8					
5	平均生产率	m³/h	16					
	劳力资源							
6	工长	人	1	179			1	
7	三级混凝土搅拌运输车司机	人	2	357			1	
8	三级混凝土泵操作工	人	1	179			1	
9	三级混凝土工	人	2	357			1	
10	二级混凝土工	人	2	357			1	
11	二级电工	人	1	45			0.25	
12	三级电工	人	1	45			0.25	
13	二级木工	人	1	179			1	
14	二级钢筋工	人	1	179			1	
15	二级小型工具车司机	人	1	89			0.5	
16	一级普工	人	4	714			1	
	设备资源							
17	6m³ 混凝土搅拌运输车	台	2		146		0.51	
18	混凝土泵	台	1		69		0.48	
19	1.5kW 振捣器	台	4		274		0.48	
20	小型工具车	台	1		50		0.35	
	材料		(单位耗量)					
21	混凝土	m³				2 857		
22	水	m³	0.5			1 429		
23	其他							

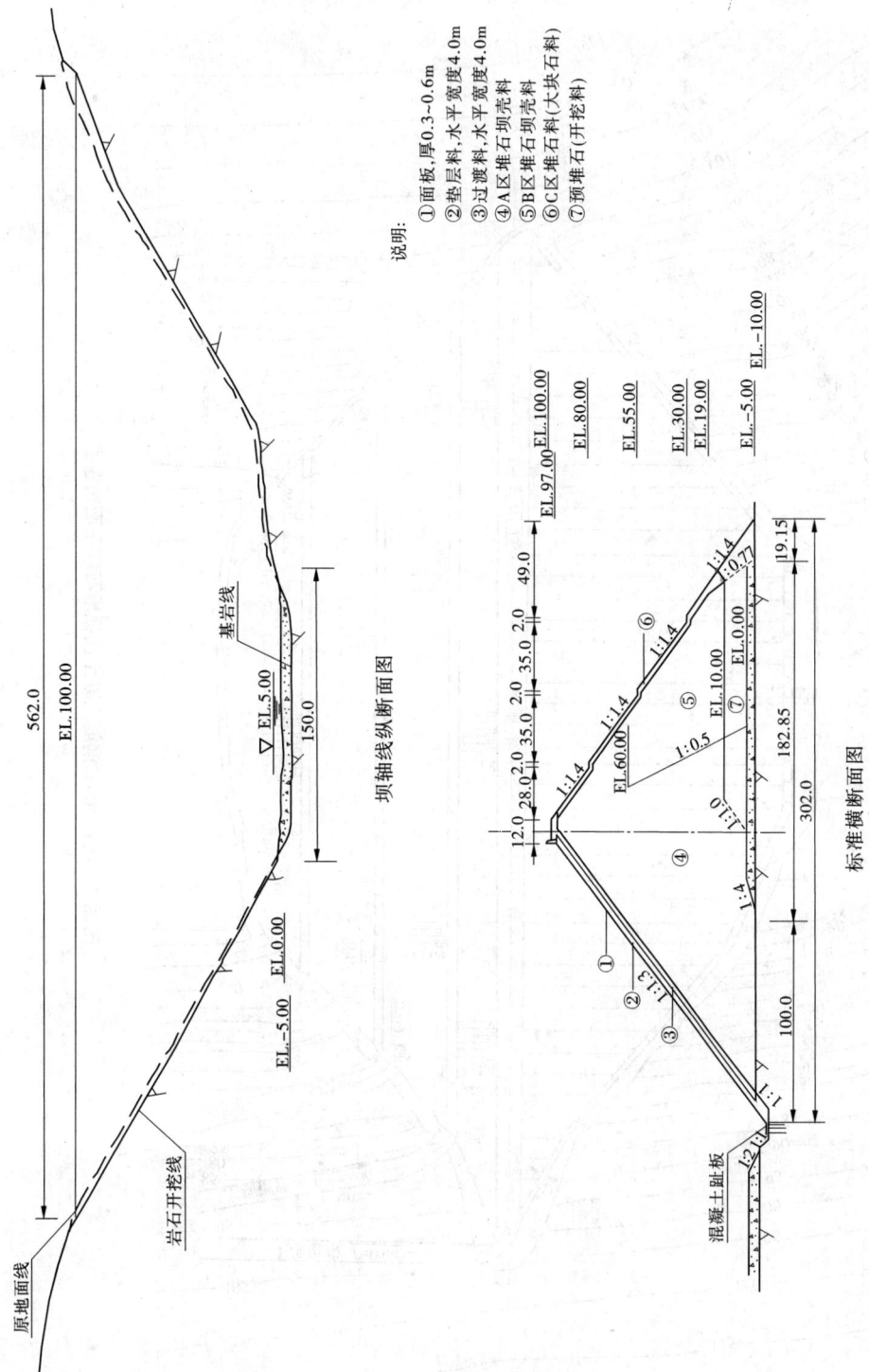

说明:
①面板,厚0.3~0.6m
②垫层料,水平宽度4.0m
③过渡料,水平宽度4.0m
④A区堆石坝壳料
⑤B区堆石坝壳料
⑥C区堆石料(大块石料)
⑦预堆石(开挖料)

坝轴线纵断面图

标准横断面图

附图1 坝高100m钢筋混凝土面板堆石坝横拟断面图

· 307 ·

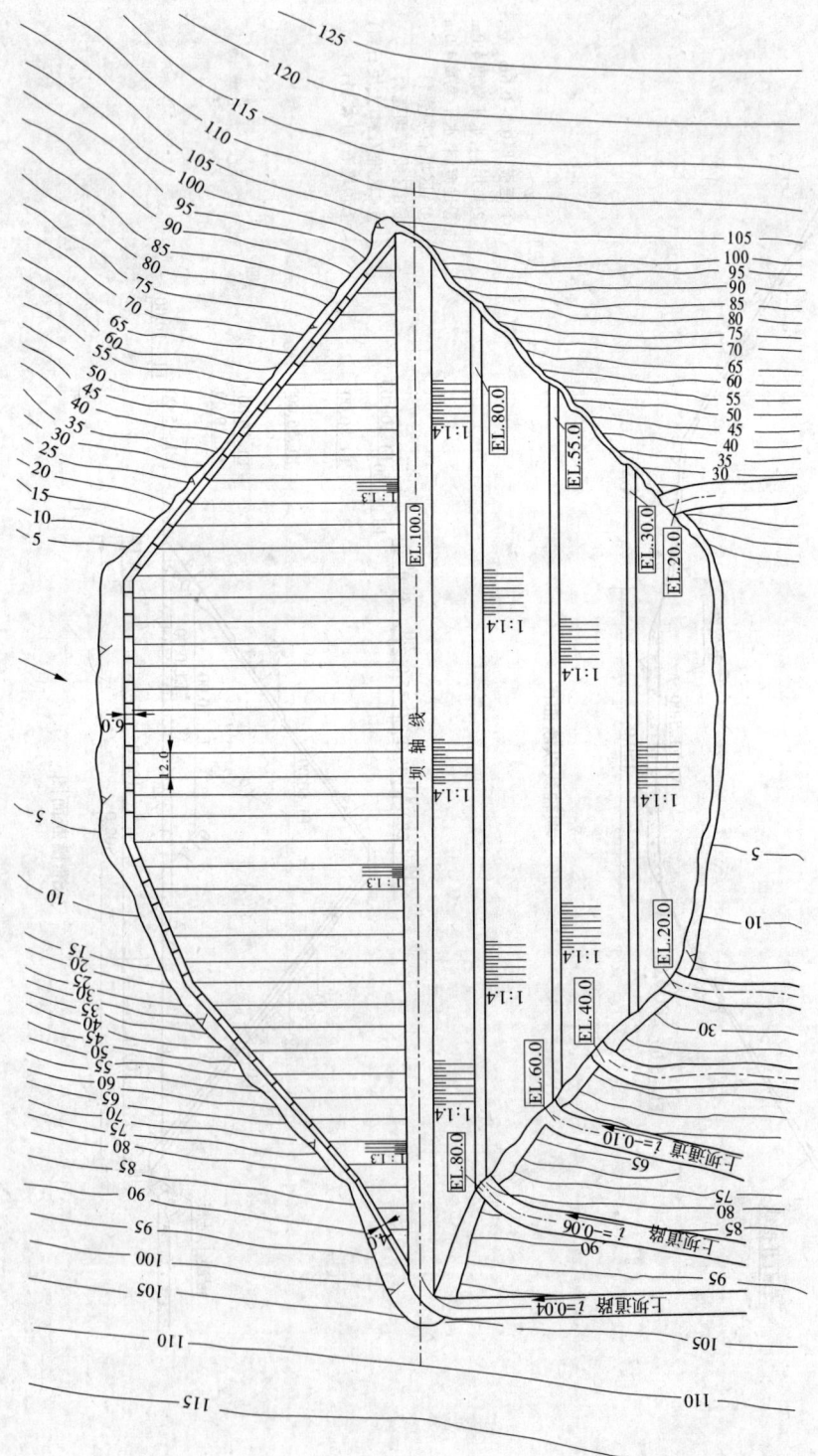

附图 2　坝高 100m 钢筋混凝土面板堆石坝平面布置图

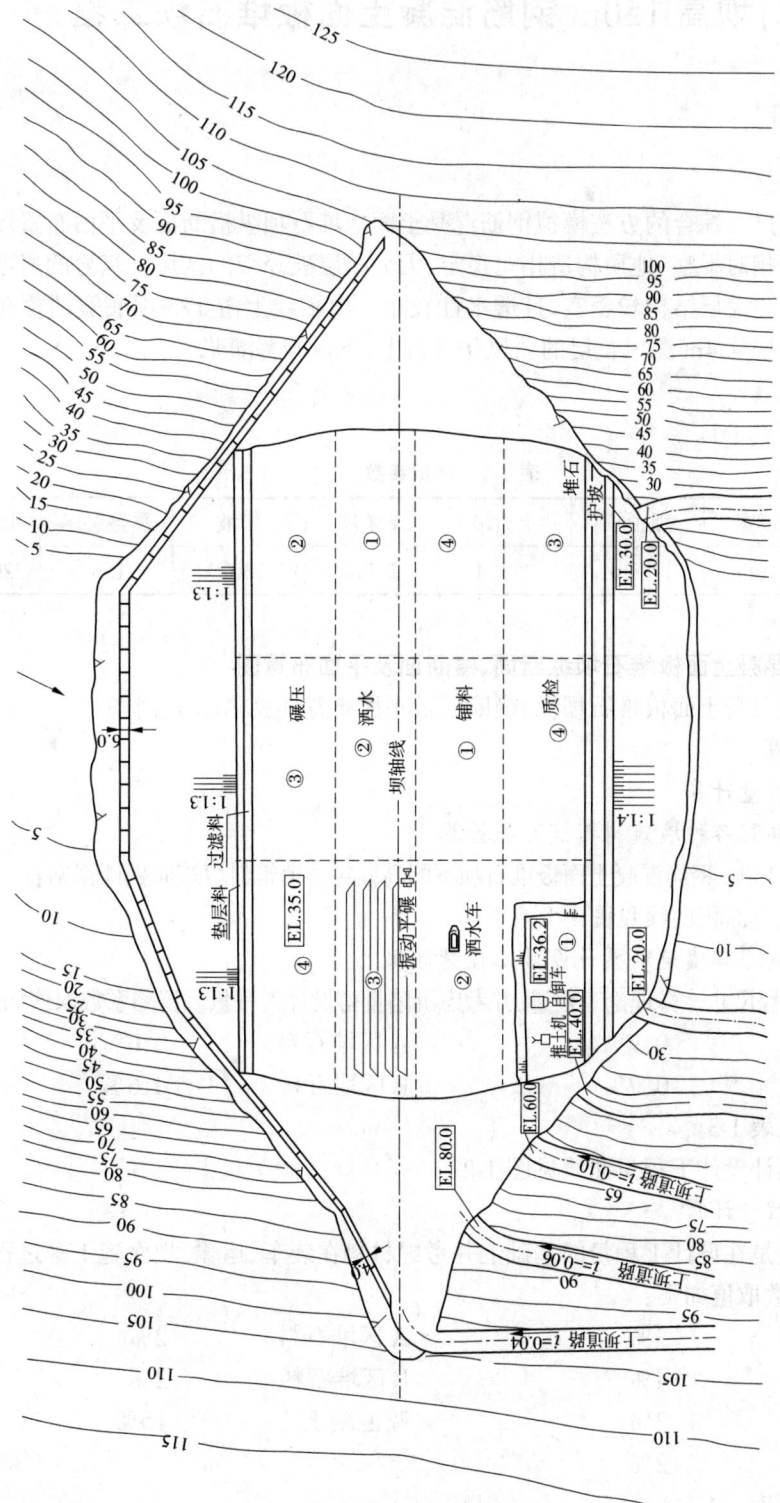

附图 3　坝高 100m 钢筋混凝土面板堆石坝填筑施工布置图

（二）坝高 150m 钢筋混凝土面板堆石坝工程

1 坝体模拟设计

1.1 模拟方法

采用统计、分析、综合的方法模拟钢筋混凝土面板堆石坝纵横断面及平面布置图。假定坝址位于地形相对平整、地质构造相对稳定、无大断层破碎带的区域。基岩的岩性较均一，风化层较浅，覆盖层结构较密实，且透水性较小。坝轴线上游 1/3 坝底宽的覆盖层挖除。趾板坐落在挖除 4m 深风化层的弱风化基岩上，下设帷幕灌浆。

1.2 模拟参数

模拟参数见表 1-1。

表 1-1　模拟参数

坝高	坝顶宽	坝顶长	上游坡	下游坡	岸坡	覆盖层厚	河床宽
150m	12.0m	780m	1∶1.4	1∶1.4	30°	15m	200m

1.3 模拟钢筋混凝土面板堆石坝纵断面、横断面及平面布置图

模拟的钢筋混凝土面板堆石坝纵、横断面及平面布置详见附图 1、附图 2。

1.4 工程量计算

1.4.1 设计工程量计算

1.4.1.1 不同高程各种填筑料填筑面积计算

模拟的坝高 150m 钢筋混凝土面板堆石坝不同高程各种填筑料填筑面积计算见表 1-2。不同高程堆石面积曲线见图 1-1。

1.4.1.2 不同高程各填筑料累计设计工程量计算

按照模拟工程尺寸计算理论工程量，并考虑沉陷量得设计工程量。沉陷系数取值如下：

垫层料	0.7%	A 区堆石料	0.6%
过渡料	0.7%	B 区堆石料	0.6%

计算结果见表 1-3。

不同高程累计设计工程量曲线见图 1-2。

1.4.2 施工工程量计算

施工工程量是在设计工程量的基础上并考虑材料在装车、运输、坝面施工等过程中的损耗量，调整系数取值如下：

混凝土面板	3%	A 区堆石料	2%
垫层料	4%	B 区堆石料	2%
过渡料	2%	喷混凝土	15%
钢筋	2%		

计算结果见表 1-4。

表 1-2 坝高 150m 钢筋混凝土面板堆石坝不同高程各填筑料填筑面积计算

高程(m)	断面宽度(m)						坝长(m)	断面面积(m²)					面板面积(m²)
	坝宽度	上游面板	上游垫层	过渡料	A区堆石料	B区堆石料		上游面板	上游垫层	过渡料	A区堆石料	B区堆石料	
150	12.00			12.00			780.00			9 360.00			
147	16.26	0.53	4.00	4.00	3.73	4.00	769.85	411.69	3 079.38	3 079.38	2 868.62	3 079.38	2 637
145	21.88	0.55	4.00	4.00	9.33	4.00	763.08	417.61	3 052.30	3 052.30	7 117.76	3 052.30	6 491
140	35.91	0.58	4.00	4.00	23.33	4.00	746.15	431.68	2 984.60	2 984.60	17 408.76	2 984.60	6 346
135	49.95	0.61	4.00	4.00	37.34	4.00	729.23	444.69	2 916.90	2 916.90	27 225.75	2 916.90	6 200
130	63.98	0.64	4.00	4.00	51.34	4.00	712.30	456.65	2 849.20	2 849.20	36 568.70	2 849.20	6 055
125	78.02	0.67	4.00	4.00	65.34	4.00	695.38	467.54	2 781.50	2 781.50	45 437.64	2 781.50	5 909
120	92.05	0.70	4.00	4.00	79.35	4.00	678.45	477.38	2 713.80	2 713.80	53 832.54	2 713.80	5 763
115	106.09	0.73	4.00	4.00	93.35	4.00	661.53	486.16	2 646.10	2 646.10	61 753.42	2 646.10	5 618
110	120.12	0.77	4.00	4.00	107.35	4.00	644.60	493.88	2 578.40	2 578.40	69 200.27	2 578.40	5 472
105	134.16	0.80	4.00	4.00	121.36	4.00	627.68	500.54	2 510.70	2 510.70	76 173.10	2 510.70	5 327
100	148.19	0.83	4.00	4.00	135.36	4.00	610.75	506.15	2 443.00	2 443.00	82 671.90	2 443.00	5 181
95	162.23	0.86	4.00	4.00	149.37	4.00	593.83	510.69	2 375.30	2 375.30	88 696.67	2 375.30	5 035
90	176.26	0.89	4.00	4.00	163.37	4.00	576.90	514.18	2 307.60	2 307.60	94 247.42	2 307.60	4 890
85	190.30	0.92	4.00	4.00	177.37	4.00	559.98	516.60	2 239.90	2 239.90	99 324.14	2 239.90	4 744
80	204.33	0.95	4.00	4.00	191.38	4.00	543.05	517.97	2 172.20	2 172.20	103 926.84	2 172.20	4 599
75	218.37	0.99	4.00	4.00	205.38	4.00	526.13	518.28	2 104.50	2 104.50	108 055.50	2 104.50	4 453
70	232.40	1.02	4.00	4.00	219.38	4.00	509.20	517.53	2 036.80	2 036.80	111 710.15	2 036.80	4 308

续表 1-2

高程 (m)	坝宽度	断面宽度(m)				坝长 (m)	上游面板	断面面积(m²)				面板面积 (m²)
		上游面板	过渡料	A区堆石料	B区堆石料			上游垫层	过渡料	A区堆石料	B区堆石料	
65	246.44	1.05	4.00	233.39	4.00	492.28	515.73	1 969.10	1 969.10	114 890.76	1 969.10	4 162
60	260.47	1.08	4.00	247.39	4.00	475.35	512.86	1 901.40	1 901.40	117 597.36	1 901.40	4 016
55	274.51	1.11	4.00	261.39	4.00	458.43	508.94	1 833.70	1 833.70	119 829.92	1 833.70	3 871
50	288.54	1.14	4.00	275.40	4.00	441.50	503.95	1 766.00	1 766.00	121 588.46	1 766.00	3 725
45	302.58	1.17	4.00	289.40	4.00	424.58	497.91	1 698.30	1 698.30	122 872.97	1 698.30	3 580
40	316.61	1.20	4.00	303.41	4.00	407.65	490.81	1 630.60	1 630.60	123 683.46	1 630.60	3 434
35	330.65	1.24	4.00	317.41	4.00	390.73	482.65	1 562.90	1 562.90	124 019.92	1 562.90	3 288
30	344.68	1.27	4.00	331.41	4.00	373.80	473.43	1 495.20	1 495.20	123 882.35	1 495.20	3 143
25	358.72	1.30	4.00	345.42	4.00	356.88	463.16	1 427.50	1 427.50	123 270.76	1 427.50	2 997
20	372.75	1.33	4.00	359.42	4.00	339.95	451.82	1 359.80	1 359.80	122 185.14	1 359.80	2 852
15	386.79	1.36	4.00	373.42	6.40	323.03	439.43	1 292.10	1 292.10	120 625.49	2 067.36	2 539
10	400.82	1.39	4.00	387.43	8.80	267.30	371.98	1 069.20	1 069.20	103 559.60	2 352.90	2 060
5	414.86	1.42	4.00	401.43	11.20	211.58	301.05	846.30	846.30	84 932.99	2 369.64	1 762
0	428.89	1.45	4.00	184.00	13.60	198.15	288.15	792.60	792.60	36 459.60	2 694.84	1 647
−5	442.93	1.49	4.00	171.00	16.00	184.73	274.40	738.90	738.90	31 587.98	2 955.60	1 531
−10	456.96	1.52	4.00	158.00	18.40	171.30	259.82	685.20	685.20	27 065.40	3 151.92	1 416
−15	471.00	1.55	4.00	145.00	20.80	157.88	244.39	631.50	631.50	22 891.88	3 283.80	0

注:1. 坝宽度不包括混凝土面板的宽度。

2. 在 147～150m 坝高间仅简单地考虑为过渡料填筑,实际施工中下游边应有混凝土或浆砌石加固。

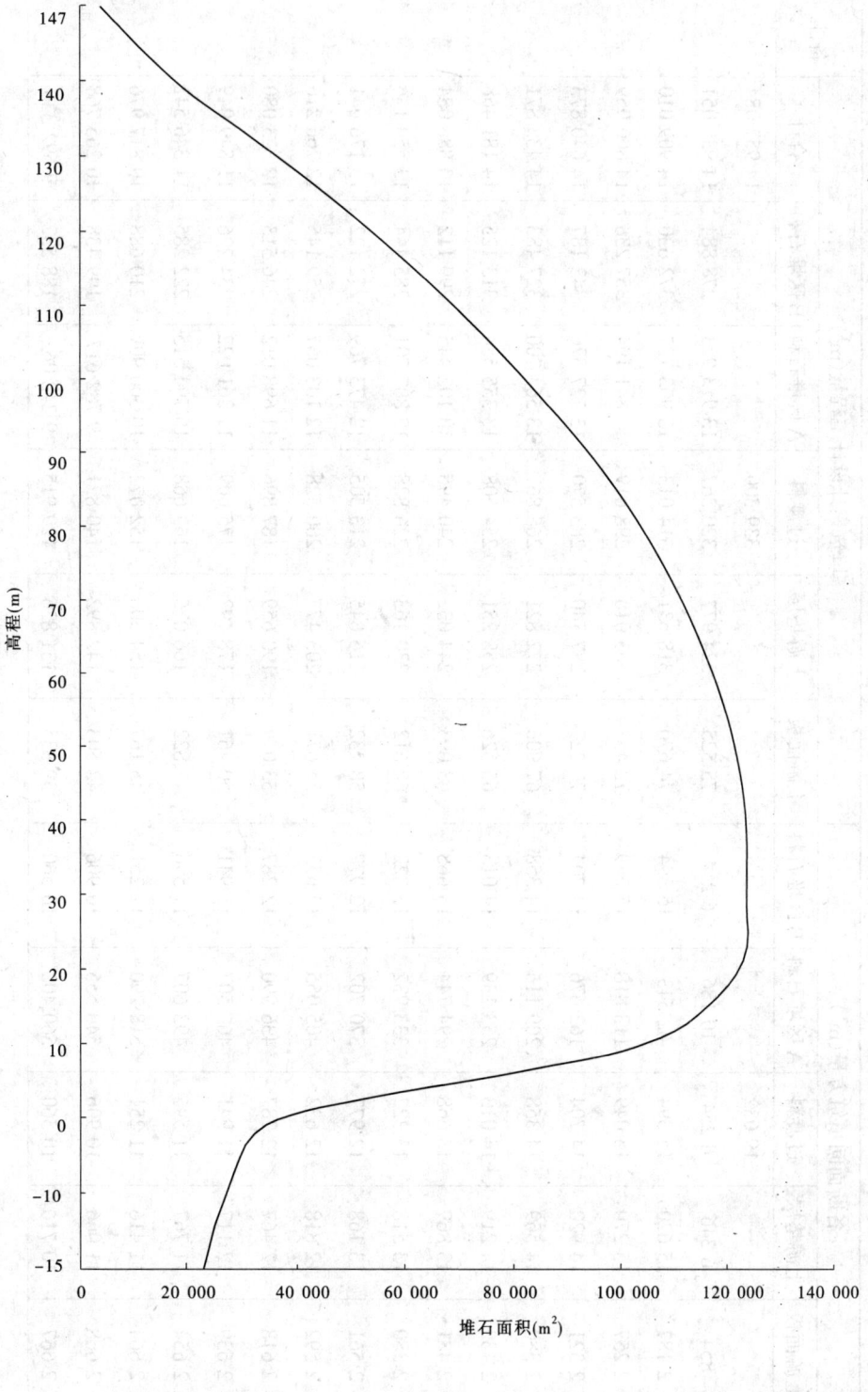

图 1-1 不同高程堆石面积曲线

表 1-3　坝高 150m 钢筋混凝土面板堆石坝不同高程各填筑料累计设计工程量计算

高程(m)	各断面间填筑方量(m³)					填筑累计设计工程量(m³)						备注
	上游面板	上游垫层	过渡料	A区堆石料	B区堆石料	上游面板	上游垫层	过渡料	A区堆石料	B区堆石料	合计	
150			19 032					339 300			14 957 084	
147	854	6 346	6 254	10 186	6 254	75 525	324 977	320 267	13 913 923	378 884	14 938 051	
145	2 187	15 620	15 394	62 543	15 394	74 670	318 631	314 013	13 903 737	372 630	14 909 010	
140	2 257	15 270	15 049	113 818	15 049	72 483	303 010	298 619	13 841 194	357 236	14 800 059	
135	2 321	14 920	14 704	162 676	14 704	70 227	287 740	283 570	13 727 376	342 187	14 640 873	
130	2 380	14 569	14 358	209 116	14 358	67 906	272 821	268 867	13 564 700	327 483	14 433 871	
125	2 433	14 219	14 013	253 139	14 013	65 526	258 251	254 508	13 355 584	313 125	14 181 468	
120	2 481	13 869	13 668	294 744	13 668	63 093	244 032	240 495	13 102 445	299 112	13 886 084	
115	2 380	13 518	13 322	333 932	13 322	60 612	230 163	226 828	12 807 701	285 444	13 550 136	
110	2 561	13 168	12 977	370 702	12 977	58 232	216 645	213 505	12 473 769	272 122	13 176 041	
105	2 592	12 818	12 632	405 055	12 632	55 671	203 477	200 528	12 103 067	259 145	12 766 216	
100	2 618	12 467	12 287	436 990	12 287	53 079	190 659	187 896	11 698 012	246 513	12 323 080	
95	2 639	12 117	11 941	466 507	11 941	50 461	178 192	175 609	11 261 022	234 226	11 849 049	
90	2 654	11 767	11 596	493 607	11 596	47 822	166 075	163 668	10 794 515	222 285	11 346 542	
85	2 664	11 416	11 251	518 290	11 251	45 167	154 308	152 072	10 300 907	210 688	10 817 976	
80	2 668	11 066	10 906	540 555	10 906	42 503	142 892	140 821	9 782 617	199 438	10 265 768	
75	2 667	10 716	10 560	560 402	10 560	39 835	131 826	129 915	9 242 062	188 532	9 692 336	

续表 1-3

高程 (m)	各断面间填筑方量 (m³)					填筑累计设计工程量 (m³)						备注
	上游面板	上游垫层	过渡料	A区堆石料	B区堆石料	上游面板	上游垫层	过渡料	A区堆石料	B区堆石料	合计	
70	2 661	10 365	10 215	577 832	10 215	37 168	121 110	119 355	8 681 660	177 972	9 100 097	
65	2 649	10 015	9 870	592 845	9 870	34 507	110 745	109 140	8 103 828	167 757	8 491 469	
60	2 631	9 665	9 525	605 440	9 525	31 859	100 730	99 270	7 510 983	157 887	7 868 870	
55	2 608	9 314	9 179	615 617	9 179	29 227	91 066	89 746	6 905 543	148 362	7 234 717	
50	2 580	8 964	8 834	623 377	8 834	26 619	81 751	80 566	6 289 927	139 183	6 591 427	
45	2 546	8 614	8 489	628 719	8 489	24 039	72 787	71 733	5 666 550	130 349	5 941 419	
40	2 507	8 263	8 143	631 644	8 143	21 494	64 174	63 244	5 037 831	121 860	5 287 109	
35	2 462	7 913	7 798	632 151	7 798	18 987	55 911	55 100	4 406 187	113 717	4 630 916	
30	2 412	7 562	7 453	630 240	7 453	16 525	47 998	47 302	3 774 037	105 919	3 975 256	
25	2 356	7 212	7 108	625 913	7 108	14 113	40 435	39 849	3 143 796	98 466	3 322 547	
20	2 295	6 862	6 762	619 167	8 739	11 757	33 223	32 742	2 517 884	91 358	2 675 207	
15	2 089	6 110	6 021	571 672	11 270	9 462	26 361	25 979	1 898 717	82 619	2 033 677	
10	1 733	4 956	4 885	480 656	12 041	7 373	20 252	19 958	1 327 045	71 349	1 438 603	
5	1 517	4 241	4 179	395 910	12 914	5 640	15 295	15 074	846 388	59 308	936 066	
0	1 449	3 963	3 905	173 521	14 409	4 122	11 055	10 894	450 478	46 394	518 821	
-5	1 376	3 685	3 631	149 566	15 574	2 674	7 092	6 989	276 957	31 985	323 023	
-10	1 298	3 407	3 358	127 391	16 411	1 298	3 407	3 358	127 391	16 411	150 567	
-15												

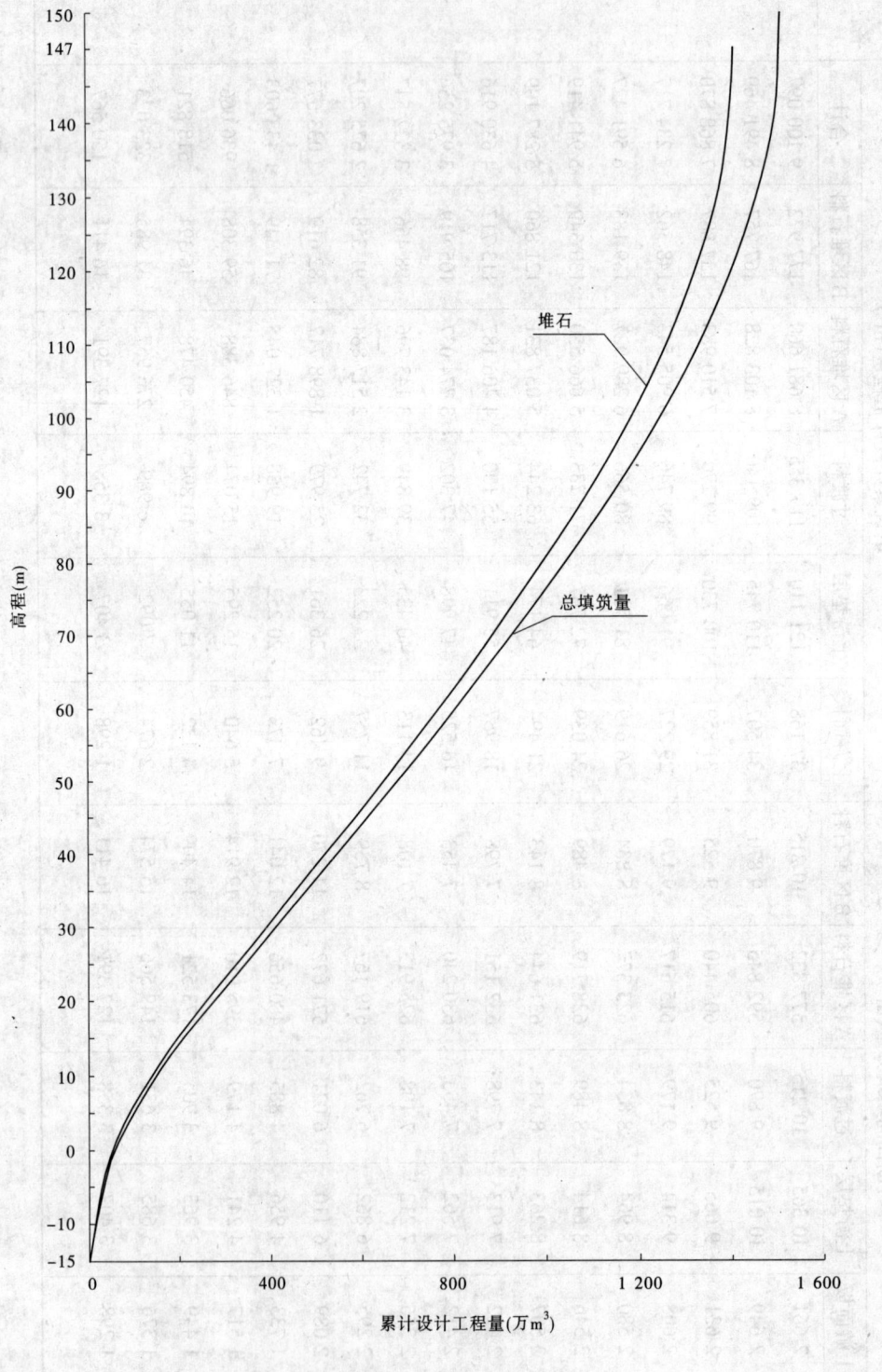

图 1-2　不同高程累计设计工程量曲线

表 1-4　坝高 150m 钢筋混凝土面板堆石坝施工工程量计算

高程(m)	填筑累计设计工程量(m³)						填筑累计施工工程量(m³)						备注
	上游面板	上游垫层	过渡料	A区堆石料	B区堆石料	合计	上游面板	上游垫层	过渡料	A区堆石料	B区堆石料	合计	
150			339 300			14 957 084			346 086			15 262 725	
147	75 525	324 977	320 267	13 913 923	378 884	14 938 051	77 790	337 976	326 673	14 192 201	386 462	15 243 312	
145	74 670	318 631	314 013	13 903 737	372 630	14 909 010	76 910	331 376	320 293	14 181 811	380 082	15 213 563	
140	72 483	303 010	298 619	13 841 194	357 236	14 800 059	74 658	315 131	304 591	14 118 018	364 380	15 102 121	
135	70 227	287 740	283 570	13 727 376	342 187	14 640 873	72 334	299 250	289 242	14 001 924	349 031	14 939 446	
130	67 906	272 821	268 867	13 564 700	327 483	14 433 871	69 943	283 733	274 244	13 835 994	334 033	14 728 004	
125	65 526	258 251	254 508	13 355 584	313 125	14 181 468	67 492	268 581	259 599	13 622 696	319 387	14 470 263	
120	63 093	244 032	240 495	13 102 445	299 112	13 886 084	64 986	253 793	245 305	13 364 494	305 094	14 168 687	
115	60 612	230 163	226 828	12 807 701	285 444	13 550 136	62 430	239 370	231 364	13 063 855	291 153	13 825 742	
110	58 232	216 645	213 505	12 473 769	272 122	13 176 041	59 979	225 311	217 775	12 723 244	277 564	13 443 894	
105	55 671	203 477	200 528	12 103 067	259 145	12 766 216	57 341	211 616	204 538	12 345 128	264 327	13 025 610	
100	53 079	190 659	187 896	11 698 012	246 513	12 323 080	54 671	198 286	191 654	11 931 972	251 443	12 573 355	
95	50 461	178 192	175 609	11 261 022	234 226	11 849 049	51 975	185 319	179 122	11 486 243	238 910	12 089 594	
90	47 822	166 075	163 668	10 794 515	222 285	11 346 542	49 256	172 718	166 941	11 010 405	226 730	11 576 794	
85	45 167	154 308	152 072	10 300 907	210 688	10 817 976	46 522	160 480	155 113	10 506 926	214 902	11 037 421	
80	42 503	143 892	140 821	9 782 617	199 438	10 265 768	43 779	148 608	143 637	9 978 270	203 426	10 473 941	
75	39 835	131 826	129 915	9 242 062	188 532	9 692 336	41 030	137 099	132 514	9 426 904	192 303	9 888 819	

续表 1-4

高程(m)	填筑累计设计工程量(m³)						填筑累计施工工程量(m³)							备注
	上游面板	上游垫层	过渡料	A区堆石料	B区堆石料	合计	上游面板	上游垫层	过渡料	A区堆石料	B区堆石料	合计	
70	37 168	121 110	119 355	8 681 660	177 972	9 100 097	38 283	125 955	121 742	8 855 293	181 531	9 284 521	
65	34 507	110 745	109 140	8 103 828	167 757	8 491 469	35 542	115 175	111 323	8 265 904	171 112	8 663 514	
60	31 859	100 730	99 270	7 510 983	157 887	7 868 870	32 814	104 759	101 256	7 661 203	161 045	8 028 262	
55	29 227	91 066	89 746	6 905 543	148 362	7 234 717	30 104	94 708	91 541	7 043 654	151 330	7 381 233	
50	26 619	81 751	80 566	6 289 927	139 183	6 591 427	27 418	85 021	82 178	6 415 725	141 967	6 724 891	
45	24 039	72 787	71 733	5 666 550	130 349	5 941 419	24 761	75 699	73 167	5 779 881	132 956	6 061 703	
40	21 494	64 174	63 244	5 037 831	121 860	5 287 109	22 138	66 741	64 509	5 138 588	124 298	5 394 135	
35	18 987	55 911	55 100	4 406 187	113 717	4 630 916	19 566	58 147	56 202	4 494 311	115 991	4 724 652	
30	16 525	47 998	47 302	3 774 037	105 919	3 975 256	17 021	49 918	48 248	3 849 517	108 037	4 055 721	
25	14 113	40 435	39 849	3 143 796	98 466	3 322 547	14 537	42 053	40 646	3 206 672	100 435	3 389 807	
20	11 757	33 223	32 742	2 517 884	91 358	2 675 207	12 110	34 552	33 397	2 568 241	93 186	2 729 376	
15	9 462	26 361	25 979	1 898 717	82 619	2 033 677	9 746	27 416	26 499	1 936 691	84 271	2 074 877	
10	7 373	20 252	19 958	1 327 045	71 349	1 438 603	7 594	21 062	20 357	1 353 585	72 776	1 467 780	
5	5 640	15 295	15 074	846 388	59 308	936 066	5 809	15 907	15 375	863 316	60 494	955 093	
0	4 122	11 055	10 894	450 478	46 394	518 821	4 246	11 497	11 112	459 488	47 322	529 419	
-5	2 674	7 092	6 989	276 957	31 985	323 023	2 754	7 375	7 129	282 496	32 625	329 626	
-10	1 298	3 407	3 358	127 391	16 411	150 567	1 337	3 543	3 425	129 939	16 739	153 646	
-15													

1.4.3 趾板、锚筋、上游垫层坡面喷混凝土设计工程量计算

趾板由河床和岸坡两部分组成,趾板坐落在弱风化岩层上,厚0.6m,分块长度为12.0m。趾板由直径25mm、长4.0m(深入基岩3.5mm)、间排距为1.5m的锚筋和基岩相联。其相关工程量见表1-5~表1-7。

表1-5 趾板设计工程量

序号	项 目	单位	工程量		合计	备注
			河床	岸坡		
1	轴线长度	m	275	745	1 020	
2	混凝土方量	m³	1 445	3 913	5 358	
3	钢筋	t	95.78	259.46	355.24	
4	锚筋	m	3 912	10 596	14 508	
5	立模面积	m²	445	7 152	7 597	
6	铜片止水	m	275	745	1 020	
7	PVC止水	m	275	745	1 020	

注:锚筋单位重量3.85kg/m,锚筋总重55.87t。

表1-6 面板设计工程量

序号	项 目	单位	工程量	备注
1	一期			
1.1	起始板			
1.1.1	混凝土方量	m³	761	
1.1.2	钢筋	t	42.69	
1.1.3	立模面积	m²	2 013	
1.2	主板			
1.2.1	混凝土方量	m³	39 074	
1.2.2	钢筋	t	1 721	
1.2.3	立模面积	m²	1 910	
1.3	止水			
1.3.1	铜片止水	m	3 399	
1.3.2	PVC止水	m	3 399	
2	二期			
2.1	起始板			
2.1.1	混凝土方量	m³	346	
2.1.2	钢筋	t	19.41	
2.1.3	立模面积	m²	915	
2.2	主板			
2.2.1	混凝土方量	m³	35 344	
2.2.2	钢筋	t	2 516	
2.2.3	立模面积	m²	2 794	
2.3	止水			
2.3.1	铜片止水	m	4 912	
2.3.2	PVC止水	m	4 912	

表 1-7　上游垫层坡面喷混凝土设计工程量

序号	高程(m)	工程量		备注
		面积(m²)	混凝土(m³)	
1	−15～5	6 356	327	
2	5～20	7 451	384	喷混凝土厚 5cm
3	20～30	6 140	316	
4	30～40	6 722	346	
5	40～50	7 305	376	
6	50～60	7 887	406	
7	60～70	8 470	436	
8	70～80	9 052	466	
9	80～90	9 634	496	
10	90～100	10 216	526	
11	100～110	10 799	556	
12	110～120	11 381	586	
13	120～130	11 964	616	
14	130～140	12 546	646	
15	140～147	9 128	470	
合计		135 051	6 953	

2　模拟工程施工组织设计

2.1　施工布置与施工方法

因本专题的重点是钢筋混凝土面板堆石坝的坝体填筑及趾板、面板施工,而施工导流、坝基开挖、基础处理、料场开采和混凝土拌制等另有专题研究,故本工程的施工布置和施工方法仅重点对坝体填筑及趾板、面板施工进行论述。

2.1.1　料场布置

筑坝材料只考虑坝下游来料,平均运距按 5.5km。详见"料场开采专题"。

2.1.2　上坝道路布置

假定石料场和混凝土拌和厂均位于坝下游左岸。根据坝址两岸地形情况,考虑运输机械的性能和上坝运输强度,沿左岸修筑一条至基坑的运输主干线,路宽 16.0m。考虑到两岸岸坡陡峻,沿岸坡修筑支线道路较困难,上坝道路采用坝后"之"字形线路和左岸EL.20.00m、右岸 EL.40.00m 处各设一上坝支线。"之"字形线路于 EL.60.0m 高程处同主干线相接,路宽度为 16.0m,左右岸支线道路路宽也为 16.0m。其布置形式见附图 2。

2.1.3　坝面施工布置

2.1.3.1　坝面填筑施工布置

考虑到坝体堆石填筑工序多,施工场地狭窄,为了减少施工干扰,坝面上不设供水管线,坝面加水由 12m³ 洒水车来完成。坝面采用分区流水作业施工,石料填筑拟定为 4 个工序,即铺填、洒水、压实和质检。

为了在坝面进行流水作业施工,将整个坝面适当地划分为几个流水作业面,形成若干个面积大致相等的填筑块,依次完成填筑的各道工序,使各工作面上所有工序能够连续进行。填筑工作面的划分应根据坝体分区条件并随坝的填筑高程来划分。考虑所选机械的技术特性和施工条件,每一填筑工序最小宽度为35m,最小长度为60m,各工序流水分段均平行坝轴线布置,采用进退法压实。坝面施工布置详见附图3。

2.1.3.2 面板混凝土浇筑施工布置

面板混凝土施工在坝体填筑到EL.80.00m临时断面和坝顶高程以后分两期进行,采用无轨滑模浇筑。施工时在坝顶前沿布置20t卷扬机6台,用于牵引滑模和钢筋台车,另外布设一辆50t汽车吊用于吊运滑模和卷扬机。上游斜坡面上布设2套滑模和1台钢筋台车。

2.1.4 钢筋混凝土面板堆石坝施工分期

2.1.4.1 坝体填筑分期

根据河道水流特性、导截流规划和工期要求,坝体堆石拟定分三期填筑。截流后第一年汛前为第一期填筑,坝体全断面填至EL.5.00m,因无水文资料和过坝有关水力学参数,仅假定一期坝体上游坡用喷混凝土,过渡料和垫层料顶面、下游坡及坡脚用1m×1m×4m的钢筋笼保护,并在汛前完成。第一年汛期坝体过水;第一年汛期过后进行护面钢筋笼的拆除,坝面清理和修补,而后进行坝体第二期临时断面的填筑,临时断面填至EL.80.00m;第二年汛期及以后时期为第三期坝体填筑。各期填筑形象见附图4。各期填筑工程量见表2-1。

表2-1 大坝分期填筑工程量

填筑分期	填筑部位	填筑工程量(万 m³)					备注
		A区堆石料	垫层料	过渡料	B区堆石料	合计	
一期	全断面:EL.5.00	86.33	1.59	1.54	6.05	95.51	第一年汛前
二期	临时断面:EL.80.00	409.06	13.28	12.84		435.18	第二年汛前
三期	全断面:EL.150.00	923.85	18.93	20.23	32.60	995.61	第二年汛期及以后
小 计		1 419.24	33.80	34.61	38.65	1 526.30	

2.1.4.2 面板混凝土浇筑分期

钢筋混凝土面板总面积约13.51m²,厚30~90cm,纵向分块宽度为16.0m,共分46块,不设永久横缝,混凝土面板最大条块长度约278.0m,混凝土浇筑方量7.78万 m³。根据坝体堆石填筑施工分期情况,拟定面板混凝土分二期浇筑,第一期面板浇至75.0m高程;75.0m高程以上为二期。各期浇筑混凝土量见表2-2。

表2-2 面板混凝土分期工程量

分期	浇筑高程(m)	面板块数(块)	浇筑工程量(万 m³)
一期	75.0	31	4.10
二期	147.0	46	3.68
合计			7.78

2.1.5　施工方法

2.1.5.1　垫层料施工方法

垫层料设计水平宽度为4.0m，为保证垫层料的设计宽度，施工铺填时，应沿迎水面超填20cm左右。采用3m³轮式装载机从垫层料场装20t自卸汽车运输上坝，215HP推土机坝面平料，上游边缘部位辅以1.0m³液压挖掘机和人工铺料，碾压前用12m³洒水车适量洒水，但冬季填筑时不加水。铺料层厚度0.6m，14t振动平碾碾压6遍，压实厚度0.5m。

垫层料水平碾压时不能保证距边缘1.0m以内的部位压实，故其外缘部位则由110HP平板压实机压实。为确保上游垫层坡面平整，避免面板产生不均匀变形，斜坡碾压前，必须对上游坡面进行修整。坡面修整随坝体填筑分段利用削坡机辅以人工进行，每上升5.0m削坡一次。

每当坝体填筑上升10m以后，人工再修坡一次，坡面修整后即进行斜坡碾压。斜坡碾压采用布置在填筑顶面的20t履带吊牵引10t斜坡振动碾上下往返碾压，碾压采用静压和振动碾压相结合的方法，碾压前适量洒水，先静碾2遍，然后再静压和振动碾压各4遍，即振动碾自上而下行走时不振动，自下而上行走时振动。斜坡碾宽2m，碾压错距方法是靠履带吊在坝顶水平移动2.0m然后将振动碾从下面斜拉到顶放下去，往返数次即达到错位的目的，错位时要求碾迹重叠5～10cm。

斜坡碾压后，垫层坡面进行喷混凝土保护，喷层厚5.0cm。

2.1.5.2　过渡料施工方法

过渡料设计水平宽度为4.0m，同垫层料平起施工。过渡料填筑也采用3m³轮式装载机从石料场装20t自卸汽车运输上坝，215HP推土机坝面平料，碾压前用12m³洒水车适量洒水，但冬季填筑时不加水。铺料层厚0.6m，14t振动平碾碾压6遍，压实厚度为0.5m。

2.1.5.3　A区堆石料施工方法

A区堆石料填筑采用10m³轮式装载机从石料场装60t自卸汽车运输上坝，370HP推土机坝面平料，碾压前用12m³洒水车适量洒水，但冬季填筑时不加水。铺料时粒径大于0.8m的石块用推土机推出，破碎后用做填料，铺料厚1.2m，17t振动平碾碾压8遍，压实厚度为1.0m。

2.1.5.4　B区堆石料施工方法

B区堆石料设计为石料场开采中的超径石、大块石，施工与A区堆石的填筑作业平行进行，同步上升。采用10m³轮式装载机从石料场装60t自卸汽车运输上坝，370HP推土机配合1.0m³液压反铲挖掘机铺料，并逐层铺填级配料整平，由17t振动平碾碾压。下游边缘1.0m范围内作护坡处理，由1.0m³液压反铲挖掘机配合人工撬码整齐，并以块石垫塞嵌合牢固。

2.1.5.5　喷混凝土施工方法

坝体填筑每上升10.0m，即进行上游坡面修整和斜坡面碾压，斜坡面碾压完成后，开始斜坡面喷混凝土。喷混凝土采用6.0m³混凝土搅拌运输车从混凝土拌和站运料至喷混凝土坡面顶部填筑面上，卸入HP-30型混凝土喷射机，然后由站在斜坡工作平台上的工人操作喷枪喷射混凝土。斜坡工作平台由履带吊车牵引运行。

2.1.5.6 趾板混凝土施工方法

趾板混凝土浇筑采用手风钻钻锚筋孔，人工安装锚筋、绑扎钢筋、立模。6.0m³混凝土搅拌运输车运送混凝土到浇筑仓面附近，再由混凝土泵泵送入仓，插入式振捣器振捣。

2.1.5.7 面板混凝土施工方法

如前所述，面板混凝土分两期施工，这里需说明的一点是随着我国面板坝设计施工技术的发展，面板已不再分起始板和主面板两部分施工。鉴于以前面板施工中有分起始板和主面板两部分施工的工程实例，本参考资料仍将面板分起始板和主面板两部分施工，其中起始板采用立模浇筑，主面板采用无轨滑模浇筑。

为了给主面板滑模施工创造条件，主面板混凝土浇筑前，坝体上部堆石填筑时，即安排提前浇筑具备施工条件部位的起始板混凝土。

面板钢筋绑扎前，首先采用手风钻钻孔安设垫层坡上的架立筋，架立筋呈梅花形布置。面板钢筋采用2台20t双筒快速卷扬机牵引一台钢筋台车将钢筋送至坡面，由人工自下而上进行架设绑扎。钢筋架立后，即安装侧面模板和止水。

面板混凝采用2套由4台20t卷扬机牵引的无轨滑模从坝中条块向两边条块跳仓浇筑。混凝土由6.0m³混凝土搅拌运输车运至坝顶卸入集料斗，然后通过溜槽从坝顶将混凝土料送入仓内，用插入式振捣器振捣，随振捣随提升滑模，每次提升滑模间距为15～20cm，平均滑升速度为2.5m/h，滑模的最大滑升速度为4.0m/h。

2.2 施工机械选型配套及生产率计算

按照拟定施工方法及施工机械选型配套，计算所选机械小时生产率。

2.2.1 装载机生产率计算

采用以下公式计算不同工况下各种斗容装载机的生产率：

$$P = 3\,600\,VK_hK_t/T$$

式中　P——装载机小时生产率，L.m³/h(松方)；

　　　V——铲斗容积，m³；

　　　K_h——铲斗充盈系数，一般土料取0.85～1，石料取0.6～0.8，详见表2-3。

表2-3　充盈系数

物　料		充盈系数（%）
松散料	混合湿润骨料	95～100
	粒径≤3mm	95～100
	粒径3～9mm	90～95
	粒径12～20mm	85～90
	粒径≥24mm	85～90
爆破料	爆破良好	80～95
	爆破一般	75～90
	爆破较差	60～75
杂项	岩石杂物	100～120
	湿润壤土	100～110
	土、卵石及树根	80～100
	粉状材料	85～95

K_t——时间利用系数,一般取 $0.75 \sim 0.85$;

T——挖装一次循环时间,按照设备的基本工作循环时间及受影响因素的影响时间确定,机械基本工作循环时间见表2-4。

循环时间影响因素见表2-5。

公式中的参数取值:

$K_t = 0.8$;

$T = 30 \sim 42s$;

$K_h = 1$(土料),$0.85 \sim 0.9$(垫层料),0.75(石渣)。

表 2-4 设备的基本工作循环时间

设备型号	斗容(m^3)	基本循环时间(min)
910F~960F	1~3.3	0.45~0.50
966F-Ⅱ~980F	3.7~5	0.50~0.55
988F~990	6~8.4	0.55~0.60
992D~994	10.7~18	0.60~0.70

表 2-5 循环时间影响因素

影响因素		影响时间(min)
(1)材料种类	混合料	0.02
	粒径≤3mm	0.02
	粒径 3~20mm	-0.02
	粒径 20~150mm	0
	粒径≥150mm	0.03
	天然土或爆破渣料	0.04
(2)堆料情况	推土机集料,料堆高度≥3m	0
	推土机集料,料堆高度<3m	0.01
	汽车卸料	0.02
(3)其他	专用装载运输队	-0.04
	独立运输队	0.04
	固定操作司机	-0.04
	不固定操作司机	0.04
	小批量装运	0.04
	碎散料装运	0.05

不同斗容在不同工况下的生产率见表2-6。

表 2-6 轮式装载机生产率　　　　　　　　　　　　（单位:$L \cdot m^3/h$）

斗容(m^3)	土料	垫层料	石渣
3	205~287	184~258	154~216
10	686~960	582~816	514~720

注:当斗容≥$6m^3$ 时,生产率宜取小值。

2.2.2 运输机械生产率计算

本模拟工程施工运输机械只考虑自卸汽车(型号参照 Caterpillar 手册)。重型汽车均有自己的性能特性曲线,对路面,厂家也有自己的明确要求。根据不同路面的摩阻和不同的路段坡度计算各路段的行车车速,然后计算其不同运距的重轻车平均行车车速。本参考资料参照小浪底、水口等大型水利工程施工汽车行车情况计算选取车速,结果见表2-7。

表 2-7　自卸汽车平均行车车速　　　　　　　　（单位:km/h）

车型	重车平均行车车速	轻车平均行车车速	平均行车车速	备注
20~50t	28	32	30	运距在 1km 以内时,表
55t 以上	22	28	25	中数值乘以 0.8

2.2.2.1　汽车与装载设备的配套

自卸汽车的容量(或载重吨位)应与装载机械相匹配。自卸汽车容量一般应为挖装机械铲斗容量的 3~6 倍。按施工经验,自卸汽车容量为挖装机械铲斗容量的 5 倍时最为经济。汽车容量太大,其生产能力下降,反之则装载机械生产率降低。

按照上述原则,汽车同挖装机械的配套见表2-8。

表 2-8　轮式装载机与自卸汽车配套

装载机斗容(m³)	配套汽车吨位(t)	备注
3	20	
10	60	

2.2.2.2　汽车生产率计算

汽车生产率计算公式为

$$Q = 60 q K_{ch} K_t / T$$

式中　Q——自卸汽车小时生产率,L.m³/h;

　　　　q——每车运载量,一般以车厢堆装容量 m³ 计,但不能超过汽车额定载重量;

　　　　K_{ch}——汽车装满系数,与挖装机械装满一车厢的铲装次数有关;

　　　　K_t——时间利用系数,取 0.75~0.85;

　　　　T——汽车运载一次循环时间,min,$T = t_1 + t_2 + t_3 + t_4 + t_5$;

　　　　t_1——装车时间,min,$t_1 = nT_{装}$;

　　　　$T_{装}$——挖装机械挖装一斗的工作循环时间(3m³ 装载机取 40s,10m³ 装载机取 42s);

　　　　n——装满一车厢的铲装次数(取整数);

　　　　t_2——重车运行时间,min,$t_2 = 60L/v_1$;

　　　　L——运输距离,km;

　　　　v_1——重车行车速度,km/h,详见表 2-7;

　　　　t_3——卸车时间,一般为 1.5~2.5min;

　　　　t_4——空车返回时间,min,$t_4 = 60L/v_e$;

　　　　v_e——轻车行车速度,km/h,详见表 2-7;

　　　　t_5——调车、等车及其他因素停车时间,一般为 1~2.5min。

为了简化计算,不同吨位汽车,不同运距时运输各类料的计算参数取值如下:

$K_t = 0.85$;

$t_3 = 1.5 \text{min}$;

$t_5 = 2.5 \text{min}$;

$L = 5, 5.5, 6 \text{km}$;

$v_1 = 22 \text{km/h}(55\text{t}$ 以上汽车$)$;

$v_e = 28 \text{km/h}(55\text{t}$ 以下汽车$)$。

不同吨位汽车与不同类型挖装机械配套,在不同运距的条件下,运输各类物料的生产率计算结果见表2-9。

表2-9 汽车生产率计算

序号	汽车吨位 (t)	装载机斗容 (m³)	材料	运距 (km)	汽车生产率 (L.m³/h)	汽车生产率 (C.m³/h)
1				5.0	24	22
2	20	3	垫层料	5.5	22	20
3				6.0	21	19
4				5.0	21	17
5	20	3	过渡料	5.5	19	-16
6				6.0	18	15
7				5.0	54	46
8	60	10	石料	5.5	45	43
9				6.0	47	40

注:C.m³ 表示坝上方,后同。

2.2.3 坝面施工机械生产率计算

2.2.3.1 碾压机械生产率计算

1)振动平碾生产率计算

碾压方式采用前进倒退法,用如下公式计算:

$$P = 1\,000 B h v K_t / n$$

式中　P——碾压设备小时生产率,m³/h(压实方或坝上方);

　　　B——有效压实宽度,m,等于碾宽减去 0.20m 搭接宽度。14t 振动平碾的有效压实宽度 B 为 2m;

　　　v——压实作业速度,一般取 3~3.5km/h;

　　　K_t——时间利用系数,施工条件较好时取 0.75~0.83,施工条件较差时取 0.6~0.75;

　　　h——填料压实厚度,应通过碾压试验确定,无试验资料时可参照实际工程施工经验,石料取 1m,垫层料取 0.5m;

　　　n——压实遍数,应通过碾压试验确定,无试验资料时可参照实际工程资料分析确定,石料取 6~8 遍,垫层料取 6 遍。

2)斜坡振动碾生产率计算

碾压方式采用前进倒退法,用如下公式计算:

$$P = 1\,000BvK_tK_e/n$$

式中　P——碾压设备小时生产率，m^2/h；

B——有效压实宽度，m，等于碾宽减去搭接宽度（约 0.20m），10t 斜坡振动平碾的有效压实宽度 $B = 1.8 - 0.1 = 1.7(m)$；

v——压实作业速度，一般取 $1.5\sim2km/h$；

K_t——时间利用系数，施工条件较好取 $0.75\sim0.83$，施工条件较差取 $0.6\sim0.75$；

K_e——履带吊与振动碾协作系数，取 $K_e = 0.9$；

n——压实遍数，应通过碾压试验确定，无试验资料时可参照实际工程资料分析确定：先静压 2 遍，然后自上而下无振碾压与自下而上振动碾压各 4 遍，$n = 10$ 遍。

斜坡振动碾生产率为

$$P = 1\,000 \times 1.7 \times (1.5 \sim 2) \times 0.75 \times 0.9/10 = 172 \sim 230(m^2/h)$$

3）平板振动压实机生产率计算

采用如下公式计算：

$$P = 3\,600SK_th/t$$

式中　P——压实机小时生产率，m^3/h；

S——压实板的有效压实面积，m^2，一般 $S = 1.4 \times 0.9 = 1.26m^2$；

t——每块压实面上的压实时间，一般取 60s；

K_t——时间利用系数，取 $0.75\sim0.83$；

h——垫层料压实厚度，$h = 0.5m$。

平板振动压实机生产率：

$$P = 3\,600 \times 1.26 \times 0.5 \times 0.75/60 = 28.4(m^3/h)$$

取为 $28m^3/h$。

4）压实机械生产率统计表

压实机械生产率统计见表 2-10。

表 2-10　压实机械生产率统计

振动碾类型	坝体材料	压实厚度（m）	碾压遍数（遍）	压实作业速度（km/h）	小时生产率
17t 振动平碾	石料	1	8	3.0~3.5	650C. m³/h
14t 振动平碾	垫层料	0.5	6	3.0~3.5	430C. m³/h
14t 振动平碾	过渡料	0.5	6	3.0~3.5	430C. m³/h
10t 斜坡振动碾	斜坡面		10	1.5~2.0	180C. m³/h
平板振动压实机	垫层料	0.5			28C. m³/h

2.2.3.2　平料机械生产率计算

土石坝工程施工中，石料多采用大功率履带式推土机平料，施工操作简单，效率高。本典型工程筑坝平料机械只考虑推土机一种施工机械。

推土机的配备是以其小时生产能力为标准。生产率采用如下公式计算：

$$P = 3\,600QFEKG/C_m$$

式中　P——推土机小时生产率，m^3/h(松方)；

　　　Q——铲刀容量，m^3，$Q = 1/2h^2\cot\phi L$；

　　　ϕ——铲刀前土的自然倾角，黏土为 35°～40°，壤土为 30°～40°，砂为 25°～35°，砂砾石为 35°～40°；

　　　h——铲刀的高度，m；

　　　L——铲刀的宽度，m；

　　　F——物料可松性系数；

　　　E——时间利用系数，0.75～0.83；

　　　K——铲刀充盈系数，见表 2-11；

　　　G——坡度变化影响系数，详见表 2-12；

　　　C_m——每推运一次循环时间，s，C_m = 固定时间(即换排挡时间，普通每次 10s) + 变动时间(即推土及卸土时间 + 回程时间)。

推土机行驶速度：前进取 3.5～14km/h；后退取 3～12km/h；一般推运取 3.5～5km/h 或 0.9～1.4m/s；一般回程取 5～10km/h 或 1.6～2.7m/s。

表 2-11　铲刀充盈系数

土壤种类	充盈系数	土壤种类	充盈系数
普通土	1.0	页岩	0.6
硬黏土	0.8	卵石及爆破石渣	0.5

表 2-12　坡度变化影响系数

坡度	上坡 5%～10%	水平 0	下坡 5%～10%	下坡 15%～20%
G	0.6～0.8	1.0	1.3～1.9	1.9～2.7

上述公式计算比较繁杂，且影响因素较多，为简化计算推土机推运物料的生产能力，可采用 Caterpillar 机械性能手册推荐的计算方法计算其小时生产率。计算公式为

$$P = P' \times 工作条件调整系数$$

式中　P'——推土机理论生产率，根据工况在 Caterpillar 机械手册中查得，$L.m^3$/h；

工作条件调整系数等于调整系数表中 7 项系数的乘积(调整系数见表 2-13)。

本参考资料推土机的生产率采用 Caterpillar 法计算，推土机的型号选用 D9N(370HP)与 D7HXR(215HP)。

设备工作条件调整系数：$K_石 = 0.42$；$K_垫 = 0.6$。

查设备生产率曲线得 370HP 推土机生产率为 770$L.m^3$/h，215HP 推土机生产率为 570$L.m^3$/h。

215HP 推土机实际生产率：

垫层料　　　　　　　　　　$570 \times 0.6 = 342(L.m^3/h)$

石料　　　　　　　　　　　$570 \times 0.42 = 239(L.m^3/h)$

370HP 推土机实际生产率：

石料　　　　　　　$770 \times 0.42 = 323(\mathrm{L.m}^3/\mathrm{h})$

表 2-13　调整系数表

序号	条件	分类	系数
1	操作工熟练程度	熟练 一般 不熟练	1.0 0.75 0.6
2	材料	散料 难铲或冻结 难推移或胶结 爆破或经裂土器裂松岩石	1.2 0.7~0.8 0.6 0.6~0.8
3	集料方式	槽推法 并排法推土	1.2 1.15~1.25
4	能见度	雨、雪、大雾及黑天	0.8
5	时间利用率		0.75~0.83
6	直接传动		0.8
7	坡度	上坡 0°~10° 上坡 10°~20° 上坡 20°~30° 下坡 0°~-10° 下坡 -10°~-20° 下坡 -20°~-30°	1~0.8 0.8~0.55 0.55~0.3 1.0~1.2 1.2~1.4 1.4~1.6

平料机械生产率汇总见表 2-14。

表 2-14　平料机械生产率汇总

机械类型	坝体材料	铺料厚度 （m）	平料遍数 （遍）	作业速度 （km/h）	小时生产率 （L.m³/h）	小时生产率 （C.m³/h）
370HP 推土机	石料	1.2	1.2	3.5	323	280
215HP 推土机	过渡料	0.6	1.2	3.5	239	203
215HP 推土机	垫层料	0.6	1.2	3.5	342	300

注：推土机平料生产率参考上表集料生产率取用。

2.2.3.3　洒水车生产率计算

坝面洒水采用 12m³ 洒水车，假定取水距离为 2km。其小时生产率计算公式为

$$P = 60V/T$$

式中　V——洒水车容积，取 12m³；

　　　T——洒水循环时间，$T = t_1 + t_2 + t_3$；

　　　t_1——注水时间，6min；

　　　t_2——洒水时间，12min；

　　　t_3——行车时间：重车行车时间 + 轻车行车时间。

重车行车速度取为 25km/h,轻车行车速度取为 30km/h,则
$$t_3 = (2/25 + 2/30) \times 60 = 8.8(\text{min})$$

洒水循环时间:
$$T = 6 + 12 + 8.8 = 26.8(\text{min})$$

12m^3 洒水车小时生产率:
$$P = 60 \times 12/26.8 = 26.9(\text{m}^3/\text{h})$$

2.2.3.4 削坡机生产率计算

采用美国 Gradall 公司生产的 0.5m^3 履带式削坡机配合人工削坡。削坡机的削坡生产率按照天生桥一级钢筋混凝土面板堆石坝施工经验取为 $60\text{m}^2/\text{h}$。

2.2.4 混凝土施工机械生产率计算

2.2.4.1 混凝土搅拌运输车生产率计算

混凝土搅拌运输车生产率采用如下公式计算:
$$Q = 60qK_t/T$$

式中　Q——混凝土搅拌运输车生产率,m^3/h;

q——混凝土搅拌运输车一次运载量,$q = 6\text{m}^3$;

T——混凝土运输循环时间,$T = t_1 + t_2 + t_3 + t_4$;

t_1——装车时间,$t_1 = 20\text{s}/\text{m}^3 \times 6\text{m}^3 = 120\text{s} = 2\text{min}$;

t_2——卸料时间,一般取 3min;

t_3——行车时间,$t_3 = 2 \times 1.5\text{km}/25\text{km}/\text{h} \times 60\text{min}/\text{h} = 7.2\text{min}$(重车和轻车的平均行车速度取为 25km/h);

t_4——调车、等车及其他因素停车时间,一般取 2.5min;

K_t——时间利用系数,取 $0.75 \sim 0.83$。

混凝土运输循环时间:
$$T = t_1 + t_2 + t_3 + t_4 = 2 + 3 + 7.2 + 2.5 = 14.7(\text{min})$$

混凝土搅拌运输车生产率:
$$Q = 6 \times 60 \times 0.8/14.7 = 19.6(\text{m}^3/\text{h})$$

2.2.4.2 混凝土泵与混凝土振捣器生产率计算

混凝土泵:选用 HB60D 型液压混凝土泵,其铭牌生产率为 $60\text{m}^3/\text{h}$,实际生产率取 $60 \times 0.7 = 42\text{m}^3/\text{h}$。

混凝土振捣器:选用 Z2D-100 型电动插入式振捣器,其铭牌生产率为 $15\text{m}^3/\text{h}$,实际生产率取 $15 \times 0.7 = 10.5(\text{m}^3/\text{h})$。

混凝土喷射机:选用 HP-30 型混凝土喷射机,其铭牌生产率为 $5\text{m}^3/\text{h}$,实际生产率取 $5 \times 0.7 = 3.5\text{m}^3/\text{h}$。

手风钻:选用 YT-25 型手风钻,小浪底、隔河岩、水口等大型工程施工工地现场施工资料统计分析其钻速约 $0.3\text{m}/\text{min}(f = 5 \sim 7)$,每小时钻孔时间约 30min,实际生产率取 $0.3 \times 30 = 9\text{m}/\text{h}$。

2.2.4.3 混凝土施工机械生产率统计表

混凝土施工机械生产率见表 2-15。

表 2-15　混凝土施工机械生产率

设备名称	运距(km)	小时生产率(m^3/h)
$6m^3$ 混凝土搅拌运输车	1.5	19.6
HB60 混凝土泵		42
振捣器		10.5
混凝土喷射机		3.5
手风钻		9

2.2.5　其他施工机械设备生产率计算

钢筋加工厂的钢筋加工能力一般根据钢筋总量和混凝土施工进度确定。根据其加工能力确定各种机械设备的配置数量和人员数量,钢筋加工机械设备生产率与钢筋直径、种类等多种因素有关,这里根据混凝土面板钢筋的特点参考有关资料选取。

钢筋调直机:选用 14kW 钢筋调直机,其生产率取 1.7t/h。

钢筋切断机:选用 20kW 钢筋切断机,其生产率取 2.5t/h。

钢筋弯曲机:选用 Φ6～40mm 钢筋弯曲机,其生产率取 0.9t/h。

电焊机:选用 16～30kVA 电焊机,其生产率取 0.5～0.8t/h。

2.2.6　选用机械生产率汇总表

选用机械生产率汇总见表 2-16。

表 2-16　选用机械生产率汇总

序号	设备名称	垫层料 (C.m^3/h)	斜坡面 (m^2/h)	过渡料 (C.m^3/h)	石料 (C.m^3/h)	混凝土 (m^3/h)	钢筋 (t/h)	水 (m^3/h)	备注
1	$10m^3$ 轮式装载机				500				
2	$3m^3$ 轮式装载机	182		153					
3	20t 自卸汽车	22		17					运距 $L=5.0$km
		20		16					运距 $L=5.5$km
		19		15					运距 $L=6.0$km
4	60t 自卸汽车				46				运距 $L=5.0$km
					43				运距 $L=5.5$km
					40				运距 $L=6.0$km
5	215HP 推土机	300		203					
6	370HP 推土机				280				
7	17t 振动平碾				650				
8	14t 振动平碾	430		430					
9	10t 斜坡振动碾		180						
10	平板振动压实机	28							
11	$12m^3$ 洒水车							26.9	2km
12	$1m^3$ 液压反铲				49 L.m^3/h				

続表 2-16

序号	设备名称	垫层料(C.m³/h)	斜坡面(m³/h)	过渡料(C.m³/h)	石料(C.m³/h)	混凝土(m³/h)	钢筋(t/h)	水(m³/h)	备注
13	0.5m³削坡机		60						
14	6m³混凝土搅拌运输车					19.6			
15	混凝土泵					42			
16	振捣器					10.5			
17	混凝土喷射机					3.5			
18	手风钻				9m/h				$f=5\sim7$
19	钢筋调直机						1.0~1.7		Φ6~40
20	钢筋切断机						1.6~2.5		Φ6~40
21	钢筋弯曲机						0.6~0.9		Φ6~40
22	电焊机						0.5~0.8		Φ6~40

2.2.7 机械选型配套

按照选用机械设备的小时生产率,配备各种施工机械设备,见表 2-17。

表 2-17　机械选型配套

坝料	装运	平料	洒水	碾压	备注
垫层料	3m³装载机配20t自卸汽车	215HP推土机	12m³洒水车	14t振动平碾	
过渡料	3m³装载机配20t自卸汽车	215HP推土机	12m³洒水车	14t振动平碾	
斜坡面			12m³洒水车	10t振动平碾	20t履带吊牵引
堆石	10m³装载机配60t自卸汽车	370HP推土机平料	12m³洒水车	17t振动平碾	
混凝土面板	6m³混凝土搅拌运输车运输混凝土转溜槽入仓				电动插入式振捣器振捣
混凝土趾板	6m³混凝土搅拌运输车运输转液压混凝土泵泵送混凝土入仓				电动插入式振捣器振捣

2.3　施工工期及施工强度计算

2.3.1　分析确定有效施工天数

2.3.1.1　施工天数分析依据

(1)《水利水电工程施工组织设计规范》(试行)SDJ338—89。

(2)星期日停工。

(3)法定节日停工:春节 3 天,元旦 1 天,五一节 1 天,国庆节 2 天,共 7 天。

(4)采用中原地区某工程气象资料作为模拟工程的气象资料。

2.3.1.2 停工标准

日降雨≤15mm,照常施工;日降雨>15mm,雨日停工;日降雨>30mm,雨日停工,雨后停工半天;当低气温填筑石料时,采用薄层不加水;发生 8 级大风时停工。

2.3.1.3 有效施工天数

根据气象资料和停工标准,石料填筑施工天数如表 2-18。

表 2-18　石料填筑施工天数

项目	月　份												全年
	1	2	3	4	5	6	7	8	9	10	11	12	
日历天数	31	28	31	30	31	30	31	31	30	31	30	31	365
节日停工	1	3		1						2			7
星期日停工	5	4	4	4	5	4	4	5	4	5	4	4	52
降雨停工			1	2	1	2	6	4	3	2	1		22
低气温停工													
大风停工		2	2	2	2					1	2	2	15
停工重合天数							1			1			2
施工天数	25	19	24	22	23	22	21	22	23	22	23	25	271

2.3.2 施工强度分析及机械设备配套

2.3.2.1 上坝填筑强度分析及机械设备配套

为便于进行坝体填筑强度分析,根据坝体模拟面,将坝体沿高程每 10m 分为一个填筑层,依据各填筑层填筑工程量,分析各层的填筑强度,由填筑强度和选用机械设备的生产率,分析确定机械设备的数量。

坝体填筑工程量为 1 526.28 万 m³,其中堆石填筑量 1 457.87m³,占坝体填筑量的 95.5%,故上坝填筑强度应由堆石填筑控制。根据堆石不同填筑层的平均面积和施工导截流拦洪高程要求,布置振动平碾的数量,由振动碾的生产率,并考虑到垫层料、过渡料填筑对堆石料填筑的影响,以及上坝道路运输条件的限制,分析确定堆石的填筑强度相应的机械设备数量,按照均衡上升的原则,由堆石的填筑强度推算垫层料和过渡料的填筑强度及相应的机械设备数量。不同填筑料各填筑层的填筑强度及工期分析结果见表 2-19～表 2-29,垫层料坡面修整和表面喷混凝土施工强度及工期分析结果见表 2-30 和表 2-35,大坝填筑各项技术指标见表 2-36。

表 2-19　一期 A 区堆石料填筑分高程施工强度及工期

填筑部位	施工工程量 (万 m³)	平均填筑面积 (m²)	填筑工作段数 (个)	有效填筑工期 (日)	填筑工期 (月)	日上升速度 (m/日)	日填筑强度 (万 m³/日)
EL. -15.00～-5.00m	28.25	27 240	1	25	1.1	0.40	1.15
EL. -5.00～5.00m	58.08	58 260	2	23	1.0	0.43	2.50
合　计	86.33			48	2.1		

表 2-20　一期垫层料填筑分高程施工强度及工期

填筑部位	施工工程量 （万 m³）	填筑工期 （月）	有效填筑工期 （日）	日上升速度 （m/日）	日填筑强度 （万 m³/日）
EL. -15.00~-5.00m	0.74	1.1	25	0.40	0.03
EL. -5.00~5.00m	0.85	0.8	18	0.56	0.05
合　计	1.59	1.9	43		

表 2-21　一期过渡料填筑分高程施工强度及工期

填筑部位	施工工程量 （万 m³）	填筑工期 （月）	有效填筑工期 （日）	日上升速度 （m/日）	日填筑强度 （万 m³/日）
EL. -15.00~-5.00m	0.71	1.1	25	0.20	0.03
EL. -5.00~5.00m	0.82	0.8	18	0.56	0.05
合　计	1.53	1.9	43		

表 2-22　一期 B 区堆石料填筑分高程施工强度及工期

填筑部位	施工工程量 （万 m³）	填筑工期 （月）	有效填筑工期 （日）	日上升速度 （m/日）	日填筑强度 （万 m³/日）
EL. -15.00~-5.00m	3.26	1.1	25	0.40	0.13
EL. -5.00~5.00m	2.79	1.0	23	0.43	0.12
合　计	6.05	2.1	48		

表 2-23　二期 A 区堆石料填筑分高程施工强度及工期

填筑部位	施工 工程量 （万 m³）	平均填筑 面积 （m²）	填筑工作 段数 （个）	日填筑 强度 （万 m³/日）	有效填筑 工期 （日）	填筑工期 （月）	日上升 速度 （m/日）
EL.5.00~10.00m	30.71	59 860	2	2.50	12	0.5	0.42
EL.10.00~20.00m	73.50	73 974	3	2.50	29	1.3	0.34
EL.20.00~30.00m	73.54	71 733	3	2.50	29	1.3	0.34
EL.30.00~40.00m	67.98	67 596	2	2.50	27	1.2	0.37
EL.40.00~50.00m	62.10	61 480	2	2.50	25	1.1	0.40
EL.50.00~60.00m	44.97	44 426	2	2.50	18	0.8	0.56
EL.60.00~70.00m	34.40	33 948	1	1.81	19	0.8	0.53
EL.70.00~80.00m	21.86	21 571	1	1.81	12	0.5	0.83
合　计	409.06				171	7.5	

表 2-24　二期垫层料填筑分高程施工强度及工期

填筑部位	施工工程量（万 m³）	填筑工期（月）	有效填筑工期（日）	日上升速度（m/日）	日填筑强度（万 m³/日）
EL.5.00～10.00m	0.52	0.5	11	0.45	0.05
EL.10.00～20.00m	1.35	1.3	29	0.34	0.05
EL.20.00～30.00m	1.54	1.0	23	0.43	0.07
EL.30.00～40.00m	1.68	0.9	20	0.50	0.08
EL.40.00～50.00m	1.83	0.8	18	0.56	0.10
EL.50.00～60.00m	1.97	0.5	11	0.91	0.18
EL.60.00～70.00m	2.12	0.5	11	0.91	0.19
EL.70.00～80.00m	2.27	0.2	5	2.00	0.45
合　计	13.28	5.7	128		

表 2-25　二期过渡料填筑分高程施工强度及工期

填筑部位	施工工程量（万 m³）	填筑工期（月）	有效填筑工期（日）	日上升速度（m/日）	日填筑强度（万 m³/日）
EL.5.00～10.00m	0.50	0.5	11	0.45	0.05
EL.10.00～20.00m	1.30	1.3	29	0.34	0.04
EL.20.00～30.00m	1.49	1.0	23	0.43	0.06
EL.30.00～40.00m	1.63	0.9	20	0.50	0.08
EL.40.00～50.00m	1.77	0.8	18	0.56	0.10
EL.50.00～60.00m	1.91	0.5	11	0.91	0.17
EL.60.00～70.00m	2.05	0.5	11	0.91	0.19
EL.70.00～80.00m	2.19	0.2	5	2.00	0.44
合　计	12.84	5.7	128		

表 2-26　三期 A 区堆石料填筑分高程施工强度及工期

填筑部位	施工工程量（万 m³）	平均填筑面积（m²）	填筑工作段数（个）	日填筑强度（万 m³/日）	有效填筑工期（日）	填筑工期（月）	日上升速度（m/日）
EL.5.00～10.00m	18.32	34 386	1	2.50	7	0.3	0.71
EL.10.00～20.00m	47.97	46 652	1	2.50	19	0.8	0.53
EL.20.00～30.00m	54.59	51 538	2	2.50	22	1.0	0.45
EL.30.00～40.00m	60.93	56 424	2	2.50	24	1.1	0.42
EL.40.00～50.00m	65.61	62 393	2	2.50	26	1.2	0.38
EL.50.00～60.00m	79.58	75 404	2	2.50	32	1.4	0.31
EL.60.00～70.00m	85.01	80 943	2	2.50	34	1.5	0.29
EL.70.00～80.00m	90.44	86 484	3	2.50	36	1.6	0.28

填筑部位	施工工程量（万 m³）	平均填筑面积（m²）	填筑工作段数（个）	日填筑强度（万 m³/日）	有效填筑工期（日）	填筑工期（月）	日上升速度（m/日）
EL.80.00～90.00m	103.21	99 324	3	2.50	41	1.8	0.24
EL.90.00～100.00m	92.16	88 697	3	2.50	37	1.6	0.27
EL.100.00～110.00m	79.13	76 173	2	2.50	32	1.4	0.31
EL.110.00～120.00m	64.13	61 753	2	2.50	26	1.2	0.38
EL.120.00～130.00m	47.15	45 438	2	2.10	22	1.0	0.45
EL.130.00～140.00m	28.20	27 226	1	1.15	25	1.1	0.40
EL.140.00～147.00m	7.42	7 118	1	0.37	20	0.9	0.35
合　计	923.85				403	17.9	

表 2-27　三期垫层料填筑分高程施工强度及工期

填筑部位	施工工程量（万 m³）	填筑工期（月）	有效填筑工期（日）	日上升速度（m/日）	日填筑强度（万 m³/日）
EL.5.00～10.00m					
EL.10.00～20.00m					
EL.20.00～30.00m					
EL.30.00～40.00m					
EL.40.00～50.00m					
EL.50.00～60.00m					
EL.60.00～70.00m					
EL.70.00～80.00m					
EL.80.00～90.00m	2.41	1.8	41	0.24	0.06
EL.90.00～100.00m	2.56	1.2	27	0.37	0.09
EL.100.00～110.00m	2.70	1.0	23	0.43	0.12
EL.110.00～120.00m	2.85	0.8	18	0.56	0.16
EL.120.00～130.00m	2.99	0.5	11	0.91	0.27
EL.130.00～140.00m	3.14	0.6	14	0.71	0.22
EL.140.00～147.00m	2.28	0.4	9	0.78	0.25
合　计	18.93	6.3	143		

表 2-28　三期过渡料填筑分高程施工强度及工期

填筑部位	施工工程量（万 m³）	填筑工期（月）	有效填筑工期（日）	日上升速度（m/日）	日填筑强度（万 m³/日）
EL.5.00～10.00m					
EL.10.00～20.00m					
EL.20.00～30.00m					
EL.30.00～40.00m					
EL.40.00～50.00m					

填筑部位	施工工程量 (万 m³)	填筑工期 (月)	有效填筑工期 (日)	日上升速度 (m/日)	日填筑强度 (万 m³/日)
EL. 50.00～60.00m					
EL. 60.00～70.00m					
EL. 70.00～80.00m					
EL. 80.00～90.00m	2.33	1.8	42	0.24	0.06
EL. 90.00～100.00m	2.47	1.2	27	0.37	0.09
EL. 100.00～110.00m	2.61	1.0	23	0.43	0.11
EL. 110.00～120.00m	2.75	0.8	18	0.56	0.15
EL. 120.00～130.00m	2.89	0.5	11	0.91	0.26
EL. 130.00～140.00m	3.03	0.6	14	0.71	0.22
EL. 140.00～147.00m	2.21	0.4	9	0.78	0.25
EL. 147.00～150.00m	1.94	0.5	11	0.27	0.18
合　计	20.23	6.8	155		

表 2-29　三期 B 区堆石料填筑分高程施工机械布置及工期

填筑部位	施工工程量 (万 m³)	填筑工期 (月)	有效填筑工期 (日)	日上升速度 (m/日)	日填筑强度 (万 m³/日)
EL. 5.00～10.00m	1.23	0.3	7	0.71	0.18
EL. 10.00～20.00m	2.04	0.8	18	0.56	0.11
EL. 20.00～30.00m	1.49	1.0	23	0.43	0.06
EL. 30.00～40.00m	1.63	1.1	25	0.40	0.07
EL. 40.00～50.00m	1.77	1.2	27	0.37	0.07
EL. 50.00～60.00m	1.91	1.4	32	0.31	0.06
EL. 60.00～70.00m	2.05	1.5	34	0.29	0.06
EL. 70.00～80.00m	2.19	1.6	36	0.28	0.06
EL. 80.00～90.00m	2.33	1.8	41	0.24	0.06
EL. 90.00～100.00m	2.47	1.6	36	0.28	0.07
EL. 100.00～110.00m	2.61	1.4	32	0.31	0.08
EL. 110.00～120.00m	2.75	1.2	27	0.37	0.10
EL. 120.00～130.00m	2.89	1.0	23	0.43	0.13
EL. 130.00～140.00m	3.03	1.1	25	0.40	0.12
EL. 140.00～147.00m	3.21	0.9	20	0.35	0.11
合　计	32.60	17.9	406		

表 2-30　一期垫层斜面修整施工强度和工期

填筑部位	施工工程量 (m²)	日削坡强度 (m²/日)	有效削坡工期 (日)
EL. −15.00～−10.00m	1 416.00	1 000.00	1.42
EL. −10.00～−5.00m	1 531.00	1 000.00	1.53
EL. −5.00～0.00m	1 647.00	1 000.00	1.65
EL. 0.00～5.00m	1 762.00	1 000.00	1.76
合　计	6 356.00		6.36

表 2-31　二期垫层斜面修整施工强度和工期

填筑部位	施工工程量 （m²）	日削坡强度 （m²/日）	有效削坡工期 （日）
EL.5.00~10.00m	2 060.00	1 000.00	2.06
EL.10.00~15.00m	2 539.00	1 000.00	2.54
EL.15.00~20.00m	2 852.00	1 000.00	2.85
EL.20.00~25.00m	2 997.00	1 000.00	3.00
EL.25.00~30.00m	3 143.00	1 000.00	3.14
EL.30.00~35.00m	3 288.00	1 000.00	3.29
EL.35.00~40.00m	3 434.00	1 000.00	3.43
EL.40.00~45.00m	3 580.00	1 000.00	3.58
EL.45.00~50.00m	3 725.00	1 000.00	3.73
EL.50.00~55.00m	3 871.00	1 000.00	3.87
EL.55.00~60.00m	4 016.00	1 000.00	4.02
EL.60.00~65.00m	4 162.00	1 000.00	4.16
EL.65.00~70.00m	4 308.00	1 000.00	4.31
EL.70.00~75.00m	4 453.00	1 000.00	4.45
EL.75.00~80.00m	4 599.00	1 000.00	4.60
合　　计	53 027.00		53.03

表 2-32　三期垫层斜面修整施工强度和工期

填筑部位	施工工程量 （m²）	日削坡强度 （m²/日）	有效削坡工期 （日）
EL.80.00~85.00m	4 744.00	1 000.00	4.74
EL.85.00~90.00m	4 890.00	1 000.00	4.89
EL.90.00~95.00m	5 035.00	1 000.00	5.04
EL.95.00~100.00m	5 181.00	1 000.00	5.18
EL.100.00~105.00m	5 327.00	1 000.00	5.33
EL.105.00~110.00m	5 472.00	1 000.00	5.47
EL.110.00~115.00m	5 618.00	1 000.00	5.62
EL.115.00~120.00m	5 763.00	1 000.00	5.76
EL.120.00~125.00m	5 909.00	1 000.00	5.91
EL.125.00~130.00m	6 055.00	1 000.00	6.06
EL.130.00~135.00m	6 200.00	1 000.00	6.20
EL.135.00~140.00m	6 346.00	1 000.00	6.35
EL.140.00~145.00m	6 491.00	1 000.00	6.49
EL.145.00~147.00m	2 637.00	1 000.00	2.64
合　　计	75 668.00		75.68

表 2-33　一期垫层斜坡碾压、喷混凝土施工强度和工期

施工部位	施工工程量		施工日强度		施工工期	
	斜坡面面积（m²）	喷混凝土方量（m³）	斜坡碾压（m²/日）	喷混凝土（m³/日）	斜坡碾压（日）	喷混凝土（日）
EL.−15.00～−5.00m	2 947.00	174.54	1 000.00	59.23	2.95	2.95
EL.−5.00～5.00m	3 409.00	201.90	1 000.00	59.23	3.41	3.41
合　计	6 356.00	376.43			6.36	6.36

表 2-34　二期垫层斜坡碾压、喷混凝土施工强度和工期

施工部位	施工工程量		施工日强度		施工工期	
	斜坡面面积（m²）	喷混凝土方量（m³）	斜坡碾压（m²/日）	喷混凝土（m³/日）	斜坡碾压（日）	喷混凝土（日）
EL.5.00～10.00m	2 060.00	122.00	1 000.00	59.23	2.06	2.06
EL.10.00～20.00m	5 391.00	319.28	1 000.00	59.23	5.39	5.39
EL.20.00～30.00m	6 140.00	363.64	1 000.00	59.23	6.14	6.14
EL.30.00～40.00m	6 722.00	398.11	1 000.00	59.23	6.72	6.72
EL.40.00～50.00m	7 305.00	432.64	1 000.00	59.23	7.31	7.31
EL.50.00～60.00m	7 887.00	467.11	1 000.00	59.23	7.89	7.89
EL.60.00～70.00m	8 470.00	501.64	1 000.00	59.23	8.47	8.47
EL.70.00～80.00m	9 052.00	536.10	1 000.00	59.23	9.05	9.05
合　计	53 027.00	3 140.52			53.03	53.03

表 2-35　三期垫层斜坡碾压、喷混凝土施工强度和工期

施工部位	施工工程量		施工日强度		施工工期	
	斜坡面面积（m²）	喷混凝土方量（m³）	斜坡碾压（m²/日）	喷混凝土（m³/日）	斜坡碾压（日）	喷混凝土（日）
EL.80.00～90.00m	9 634.00	570.57	1 000.00	59.23	9.63	9.63
EL.90.00～100.00m	10 216.00	605.04	1 000.00	59.23	10.22	10.22
EL.100.00～110.00m	10 799.00	639.57	1 000.00	59.23	10.80	10.80
EL.110.00～120.00m	11 381.00	674.04	1 000.00	59.23	11.38	11.38
EL.120.00～130.00m	11 964.00	708.57	1 000.00	59.23	11.96	11.96
EL.130.00～140.00m	12 546.00	743.04	1 000.00	59.23	12.55	12.55
EL.140.00～147.00m	9 128.00	540.61	1 000.00	59.23	9.13	9.13
合　计	75 668.00	4 481.44			75.67	75.67

表 2-36　大坝填筑技术指标

填筑分期	填筑部位	施工工程量(万 m³)					填筑工期(月)	平均月强度(万 m³/月)	高峰月强度(万 m³/月)	高峰日强度(万 m³/日)	坝体平均上升速度(m/月)
		A区堆石料	垫层料	过渡料	B区堆石料	总计					
一期	EL.-15.00～-5.00m	28.25	0.74	0.71	3.26	32.96	1.1				
	EL.-5.00～5.00m	58.08	0.85	0.82	2.79	62.54	1.0				
	小　计	86.33	1.59	1.53	6.05	95.50	2.1	41.11	57.21	2.72	9.52
二期	EL.5.00～10.00m	30.71	0.52	0.50		31.73	0.5				
	EL.10.00～20.00m	73.50	1.35	1.30		76.15	1.3				
	EL.20.00～30.00m	73.54	1.54	1.49		76.57	1.3				
	EL.30.00～40.00m	67.98	1.68	1.63		71.29	1.2				
	EL.40.00～50.00m	62.10	1.83	1.77		65.70	1.1				
	EL.50.00～60.00m	44.97	1.97	1.91		48.85	0.8				
	EL.60.00～70.00m	34.40	2.12	2.05		38.57	0.8				
	EL.70.00～80.00m	21.86	2.27	2.19		26.32	0.5				
	小　计	409.06	13.28	12.84		435.18	7.5	54.54	64.62	2.88	10.00
三期	EL.5.00～10.00m	18.32			1.23	19.55	0.3				
	EL.10.00～20.00m	47.97			2.04	50.01	0.8				
	EL.20.00～30.00m	54.59			1.49	56.08	1.0				
	EL.30.00～40.00m	60.93			1.63	62.56	1.1				
	EL.40.00～50.00m	65.61			1.77	67.38	1.2				
	EL.50.00～60.00m	79.58			1.91	81.49	1.4				
	EL.60.00～70.00m	85.01			2.05	87.06	1.5				
	EL.70.00～80.00m	90.44			2.19	92.63	1.6				
	EL.80.00～90.00m	103.21	2.41	2.33	2.33	110.28	1.8				
	EL.90.00～100.00m	92.16	2.56	2.47	2.47	99.66	1.6				
	EL.100.00～110.00m	79.13	2.70	2.61	2.61	87.05	1.4				
	EL.110.00～120.00m	64.13	2.85	2.75	2.75	72.48	1.2				
	EL.120.00～130.00m	47.15	2.99	2.89	2.89	55.92	1.0				
	EL.130.00～140.00m	28.20	3.14	3.03	3.03	37.40	1.1				
	EL.140.00～147.00m	7.42	2.28	2.21	2.21	14.12	0.9				
	EL.147.00～150.00m			1.94		1.94	0.5				
	小　计	923.85	18.93	20.23	32.60	995.61	18.4	50.21	65.54	2.91	7.88
合　计		1 419.24	33.80	34.60	38.65	1 526.29	28.0				

2.3.2.2 趾板混凝土浇筑强度分析及机械设备配套

趾板的最大宽度为 8.0m,厚度 0.6m,总长 1 020m,趾板混凝土施工工程量 0.55 万 m³。浇筑时将趾板分为 85 个浇筑块,每一浇筑块长 12.0m。

趾板混凝土分两期浇筑。河床常水位以上为一期趾板混凝土,分为 62 个浇筑块,混凝土方量为 0.40 万 m³;河床常水位以下为二期趾板混凝土,分为 23 个浇筑块,混凝土方量为 0.15 万 m³。为便于分析趾板混凝土各期浇筑强度,选择一典型浇筑块分析其各工序施工强度及工期,分析结果详见表 2-37、表 2-38。一期混凝土施工安排在截流前两岸削坡及岸坡趾板地基开挖到适当位置时进行,安排一个混凝土施工作业组分块立模浇筑;二期混凝土施工安排在截流后河床段趾板地基开挖后进行,也安排一个混凝土施工作业组分块立模浇筑。依据各期混凝土工程量,分析确定相应的施工强度及工期,分析结果详见表2-37、表 2-38,相应的混凝土浇筑强度及工期详见表 2-39。

表 2-37 趾板混凝土典型浇筑块施工强度及工期计算

序号	项目	单位	数量	备注
1	设计参数			
1.1	浇筑块长	m	12.0	
1.2	浇筑块宽	m	8.0	
1.3	浇筑块厚	m	0.6	
1.4	混凝土钢筋含量	kg/m³	65.0	
1.5	仓面面积	m²	96	
1.6	浇筑块设计混凝土量	m³	63.0	
1.7	浇筑块设计钢筋量	kg	4 095	
1.8	立模面积	m²	75	
2	仓面清理			
2.1	清理面积	m²	96	
2.2	清理方式			高压风水枪冲洗
2.3	作业组人数	个	12	
2.4	小时生产率	m²/h	40.0	
2.5	作业面清理时间	h	3	
3	锚筋安设			
3.1	锚筋长度	m	4.0	
3.2	锚筋间距	m	1.5	
3.3	锚筋排距	m	1.5	
3.4	锚筋根数	根	48	
3.5	锚筋总长度	m	192.0	
3.6	每根锚筋钻孔深度	m	3.5	
3.7	钻孔总深度	m	168.0	
3.8	钻机型号			YT-25 型手风钻
3.9	钻机生产率	m/h	9.0	
	项目		单位时间	工程量	单项时间
3.10	钻机移动定位时间(以孔计)	min	2.0	48	96
3.11	接钻杆时间(以孔计)	min	1.0	48	48
3.12	净钻孔时间(以 m 计)	min	6.7	168	1 126

序号	项 目	单位	数量	备注	
3.13	一个浇筑仓钻锚筋孔时间	min			1 270
3.14	钻机同时工作台数	台		4×0.9=3.6	
3.15	钻孔时间	min			353
3.16	安装时间(以根计)	min	3.0	48	144
3.17	钻孔与安装重叠时间	min			97
3.18	锚筋安设时间	min			400
3.19	小时生产率(按 50min/h 计)	m/h			24
4	止水安装				
4.1	铜止水片长度	m	12		
4.2	PVC 止水片长度	m	12		
4.3	作业组人数	个	8		
4.4	安装生产率	m/h	6.0		
4.5	铜止水片安装时间	h	2		
4.6	PVC 止水片安装时间	h	2		
4.7	止水安装总时间	h	4		
5	模板架立				
5.1	立模面积	m²	75		
5.2	作业组人数	个	20		
5.3	安装生产率	m²/h	10.0		
5.4	安装时间	h	8		
6	钢筋架设				
6.1	浇筑块施工钢筋量	kg	4 177		
6.2	作业组人数	个	18		
6.3	钢筋绑扎生产率	kg/h	500		
6.4	钢筋架设时间	h	8		
7	混凝土浇筑设备参数				
7.1	混凝土入仓方式		泵送		
7.2	混凝土泵型号		HB60 型		
7.3	混凝土泵铭牌生产率	m³/h	60.0		
7.4	混凝土泵数量	台	1		
7.5	混凝土运输设备型号		6m³ 混凝土搅拌车		
7.6	混凝土搅拌车额定容量	m³	6		
7.7	混凝土搅拌车数量	辆	2		
7.8	混凝土运输距离	km	1.5		
7.9	设备配套生产率	m³/h	20.0		
8	混凝土浇筑				
8.1	浇筑块设计工程量	m³	63		
8.2	浇筑块施工工程量	m³	65		
8.3	设备配套生产率	m³/h	20.0		
8.4	作业组人数	人	16		
8.5	混凝土浇筑前准备时间	h	1.0		

序号	项　　　目	单位	数量	备注
8.6	混凝土净浇筑时间	h	3.2	
8.7	混凝土浇筑施工总时间	h	4.2	
9	混凝土养护			
9.1	拆模前养护时间	h	48	
9.2	拆模后养护时间	天	28	
10	模板拆除			
10.1	拆模面积	m²	75	
10.2	小时生产率	m²/h	10.0	
10.3	拆模时间	h	8	
11	典型块混凝土施工时间	h	763.2	35.2(占直线工期)
11.1	仓面清理	h	3	3(占直线工期)
11.2	锚筋安设	h	8	8(占直线工期)
11.3	止水安装	h	4	4(占直线工期)
11.4	模板架立	h	8	8(占直线工期)
11.5	钢筋架设	h	8	8(占直线工期)
11.6	混凝土浇筑	h	4.2	4.2(占直线工期)
11.7	拆模前混凝土养护	h	48	
11.8	拆模	h	8	
11.9	拆模后混凝土养护	h	672	
12	工作计划			
12.1	每班工作时间	h	8	
12.2	每天工作班次	班/日	3	
12.3	日工作小时数	h/日	24	
12.4	月工作天数	天/月	25.5	
12.5	月工作小时数	h/月	612	
12.6	长期工作影响系数		0.65	
12.7	每一浇筑块施工工期	天	2	
12.8	一个工作面月施工块数	块	12	
13	一期混凝土施工工期计算			岸坡
13.1	混凝土施工工程量	m³	4 030	
13.2	轴线长(斜长)	m	745.0	
13.3	每一浇筑块长	m	12.0	
13.4	混凝土浇筑块数	块	62	
13.5	一个工作面月施工块数	块	12	
13.6	安排工作组数	个	1	
13.7	施工工期	月	5.2	
13.8	混凝土月平均浇筑强度	m³/月	775	
14	二期混凝土施工工期计算			河床
14.1	混凝土施工工程量	m³	1 488.0	
14.2	轴线长	m	275.0	
14.3	每一浇筑块长	m	12.0	

序号	项目	单位	数量	备注
14.4	混凝土浇筑块数	块	23	
14.5	一个工作面月施工块数	块	12	
14.6	安排工作组数	个	1	
14.7	施工工期	月	1.9	
14.8	混凝土月平均浇筑强度	m³/月	783	

表 2-38　趾板混凝土典型浇筑块施工进度计划

序号	仓号	项目	工程量单位	数量	时间(h)	施工进度
1		仓面清理	m²	96	3	
2		铺筋安设	根	48	7	
3		止水安装	m	24	4	
4	1	模板架立	m²	75	8	
5		钢筋架设	kg	4 177	8	
6		混凝土浇筑	m³	65	4	
7		混凝土养护			720	
8		模板拆除	m²	75	8	

表 2-39　趾板混凝土浇筑强度及工期

工程项目	工程量	趾板块数(块)	一块混凝土量(m³)	月平均强度(m³/月)	工期(月)
一期	0.40	62	65	775	5.2
二期	0.15	23	65	621	1.9
合计	0.55	85			7.1

2.3.2.3　面板混凝土浇筑强度分析及机械设备配套

面板混凝土方量为 7.78 万 m³，浇筑面积 13.51 万 m²，其中主面板为 7.66 万 m³，起始面板为 0.12 万 m³。起始面板混凝土采用立模浇筑，主面板混凝土采用 2 套无轨滑模浇筑。

主面板混凝土分两期施工，一期混凝土浇筑方量 4.02 万 m³，浇筑面积 5.48 万 m²，采用 2 套无轨滑模分块从中间条块向两边条块跳仓浇筑，条块宽度为 16.0m，共分为 31 个浇筑块，其中最长块斜面长度约为 163.4m。为便于分析面板混凝土浇筑强度，取 31 块一期面板平均工程量作为一个典型浇筑块，着重分析典型浇筑块各工序的施工强度和工期，分析结果见表 2-40、表 2-41。二期面板混凝土浇筑方量 3.64 万 m³，也采用 2 套无轨滑模分块从中间条块向两边条块跳仓浇筑，条块宽度也为 16.0m，共分为 46 个浇筑块，其中最长块斜面长度约为 123.9m，浇筑面积 8.03 万 m²。为便于分析面板混凝土浇筑强度，取 46 块二期面板平均工程量作为一个典型浇筑块，着重分析典型浇筑块各工序的施工强度和工期，分析结果详见表 2-42、表 2-43。

一、二期主面板混凝土浇筑安排两个作业组，依据各期主面板混凝土施工工程量，分析确定各期混凝土施工强度及工期，分析结果详见表 2-40～表 2-43，相应的混凝土浇筑强度及工期见表 2-44。

表 2-40　一期主面板混凝土典型浇筑块施工强度及工期计算

序号	项　　目	单位	数量	备　　注
1	设计参数			
1.1	浇筑块长	m	111.0	
1.2	浇筑块宽	m	16.0	
1.3	浇筑块平均厚	m	0.75	
1.4	混凝土钢筋含量	kg/m³	44.0	
1.5	仓面面积	m²	1 776	
1.6	浇筑块混凝土设计工程量	m³	1 332	
1.7	浇筑块钢筋设计工程量	kg	58 608	
1.8	侧模立模面积	m²	167	
2	仓面清理			
2.1	清理面积	m²	1 776	
2.2	清理方式		高压风水枪冲洗	
2.3	作业组人数	个	9	
2.4	小时生产率	m²/h	60.0	
2.5	作业面清理时间	h	30	
3	止水安装			
3.1	铜止水片长度	m	222	
3.2	PVC 止水片长度	m	222	
3.3	作业组人数	个	8	
3.4	小时生产率	m/h	6.0	
3.5	铜止水安装时间	h	37	
3.6	PVC 止水安装时间	h	37	
3.7	止水安装时间	h	37	
4	侧模安装			
4.1	立模面积	m²	167	
4.2	作业组人数	个	20	
4.3	安装生产率	m²/h	10.0	
4.4	安装时间	h	17	
5	钢筋架设			
5.1	浇筑块钢筋设计工程量	kg	58 608	
5.2	浇筑块钢筋施工工程量	kg	59 780	

续表 2-40

序号	项目	单位	数量	备注
5.3	作业组人数	个	33	
5.4	钢筋架设准备时间	h	5	钢筋台车吊设
5.5	钢筋绑扎生产率	kg/h	2 500	
5.6	钢筋绑扎时间	h	23.9	
5.7	钢筋台车吊离时间	h	1	
5.8	钢筋架设时间	h	29.9	
5.9	平均生产率	kg/h	1 987	
6	混凝土浇筑设备参数			
6.1	混凝土入仓方式			溜槽
6.2	溜槽数量	套	2	
6.3	混凝土运输设备型号			6m³ 混凝土搅拌车
6.4	混凝土搅拌车额定容量	m³	6	
6.5	混凝土搅拌车数量	辆	2	
6.6	混凝土运输距离	km	1.5	
6.7	混凝土搅拌车生产率	m³/h	19.6	
6.8	混凝土滑动模板	套	1	
6.9	滑模平均滑升速度	m/h	2.5	
6.10	设备配套生产率	m³/h	30.0	
7	混凝土浇筑			
7.1	浇筑块设计工程量	m³	1 332	
7.2	浇筑块施工工程量	m³	1 372	
7.3	设备配套生产率	m³/h	30.0	
7.4	作业组人数	个	38	
7.5	混凝土浇筑前准备时间	h	10	安装溜槽、吊设滑模
7.6	混凝土净浇筑时间	h	45.7	
7.7	滑模换位、吊离时间	h	1.5	
7.8	混凝土浇筑循环时间	h	45.7	
7.9	平均生产率	m³/h	30.0	
8	混凝土养护			
8.1	侧模拆除前养护时间	h	48	
8.2	侧模拆除后养护时间			养护到蓄水
9	侧模拆除			
9.1	拆模面积	m²	167	

序号	项目	单位	数量	备注
9.2	作业组人数	个	13	
9.3	拆模生产率	m²/h	10.0	
9.4	拆模时间	h	17	
10	典型块混凝土施工时间	h	225	46(占直线工期)
10.1	仓面清理	h	30	
10.2	止水安装	h	37	
10.3	侧模安装	h	17	
10.4	钢筋架设	h	30	
10.5	混凝土浇筑	h	46	占直线工期
10.6	拆模前混凝土养护	h	48	
10.7	侧模拆除	h	17	
10.8	拆模后混凝土养护		养护到蓄水	
11	工作计划			
11.1	每班工作时间	h	8	
11.2	每天工作班次	班/日	3	
11.3	日工作小时数	h/日	24	
11.4	月工作天数	天/月	25.5	
11.5	月工作小时数	h/月	612	
11.6	长期工作影响系数		0.8	
11.7	每一浇筑块施工工期	天	2.3	
11.8	一个工作面月施工块数	块	10.5	
12	混凝土施工工期计算			
12.1	混凝土施工工程量	m³	40 246	
12.2	混凝土面板面积	m²	54 800	
12.3	典型浇筑块长	m	111.0	
12.4	典型浇筑块宽	m	16.0	
12.5	浇筑块数	块	31	
12.6	一个工作面月施工块数	块	11	
12.7	安排工作组数	个	2	
12.8	施工工期	月	3	
12.9	混凝土月平均浇筑强度	m³/月	13 415	

表 2-41 一期主面板混凝土典型浇筑块施工进度计划

序号	仓号	项目	工程量		时间(h)	施工进度
			单位	数量		
1	1	仓面清理	m²	1 776	30	
2		止水安装	m	222	37	
3		侧模安装	m²	167	17	
4		钢筋架设	kg	59 780	30	
5		混凝土浇筑	m³	1 372	46	
6		混凝土养护			直到蓄水	
7		侧模拆除	m²	167	17	
8	2	仓面清理	m²	1 776	30	
9		止水安装	m	222	37	
10		侧模安装	m²	167	17	
11		钢筋架设	kg	59 780	30	
12		混凝土浇筑	m³	1 372	46	
13		混凝土养护			直到蓄水	
14		侧模拆除	m²	167	17	

施工进度时间刻度(h): 20 40 60 80 100 120 140 160 180 200 220 240 260 280 300 320 360 380

表 2-42　二期主面板混凝土典型浇筑块施工强度及工期计算

序号	项　目	单位	数量	备注
1	设计参数			
1.1	浇筑块长	m	109.0	
1.2	浇筑块宽	m	16.0	
1.3	浇筑块平均厚	m	0.46	
1.4	混凝土钢筋含量	kg/m³	71.0	
1.5	仓面面积	m²	1 744	
1.6	浇筑块混凝土设计工程量	m³	826	
1.7	浇筑块钢筋设计工程量	kg	58 646	
1.8	侧模立模面积	m²	103	
2	仓面清理			
2.1	清理面积	m²	1 744	
2.2	清理方式			高压风水枪冲洗
2.3	作业组人数	个	9	
2.4	小时生产率	m²/h	60.0	
2.5	作业面清理时间	h	29	
3	止水安装			
3.1	铜止水片长度	m	218	
3.2	PVC 止水片长度	m	218	
3.3	作业组人数	个	8	
3.4	小时生产率	m/h	6.0	
3.5	铜止水安装时间	h	36.3	
3.6	PVC 止水安装时间	h	36.3	
3.7	止水安装时间	h	36.3	
4	侧模安装			
4.1	立模面积	m²	103	
4.2	作业组人数	个	20	
4.3	安装生产率	m²/h	10.0	
4.4	安装时间	h	10	
5	钢筋架设			
5.1	浇筑块钢筋设计工程量	kg	58 646	
5.2	浇筑块钢筋施工工程量	kg	59 819	
5.3	作业组人数	个	33	
5.4	钢筋架设准备时间	h	5.0	钢筋台车吊设

序号	项 目	单位	数量	备注
5.5	钢筋绑扎生产率	kg/h	2 500	
5.6	钢筋绑扎时间	h	23.9	
5.7	钢筋台车吊离时间	h	1.0	
5.8	钢筋架设时间	h	29.9	
5.9	平均生产率	kg/h	2 000	
6	混凝土浇筑设备参数			
6.1	混凝土入仓方式		溜槽	
6.2	溜槽数量	套	2	
6.3	混凝土运输设备型号		6m³ 混凝土搅拌车	
6.4	混凝土搅拌车额定容量	m³	6	
6.5	混凝土搅拌车数量	辆	2	
6.6	混凝土运输距离	km	1.5	
6.7	混凝土搅拌车生产率	m³/h	19.6	
6.8	混凝土滑动模板	套	1	
6.9	滑模平均滑升速度	m/h	2.5	
6.10	设备配套生产率	m³/h	18.5	
7	混凝土浇筑			
7.1	浇筑块设计工程量	m³	826	
7.2	浇筑块施工工程量	m³	851	
7.3	设备配套生产率	m³/h	18.5	
7.4	作业组人数	个	38	
7.5	混凝土浇筑前准备时间	h	10.0	安装溜槽、吊设滑模
7.6	混凝土净浇筑时间	h	46.0	
7.7	滑模换位、吊离时间	h	1.5	
7.8	混凝土浇筑循环时间	h	47.5	
7.9	平均生产率	m³/h	17.9	
8	混凝土养护			
8.1	侧模拆除前养护时间	h	48	
8.2	侧模拆除后养护时间		养护到蓄水	
9	侧模拆除			
9.1	拆模面积	m²	103	
9.2	作业组人数	个	13	
9.3	拆模生产率	m²/h	10.0	

序号	项　　目	单位	数量	备注
9.4	拆模时间	h	10	
10	典型块混凝土施工时间	h	211	48(占直线工期)
10.1	仓面清理	h	29	
10.2	止水安装	h	36	
10.3	侧模安装	h	10	
10.4	钢筋架设	h	30	
10.5	混凝土浇筑	h	48	占直线工期
10.6	拆模前混凝土养护	h	48	
10.7	侧模拆除	h	10	
10.8	拆模后混凝土养护			养护到蓄水
11	工作计划			
11.1	每班工作时间	h	8	
11.2	每天工作班次	班/日	3	
11.3	日工作小时数	h/日	24	
11.4	月工作天数	天/月	25	
11.5	月工作小时数	h/月	600	
11.6	长期工作影响系数		0.8	
11.7	每一浇筑块施工工期	天	2.5	
11.8	一个工作面月施工块数	块	10.0	
12	混凝土施工工期计算			
12.1	混凝土施工工程量	m³	36 404	
12.2	混凝土面板面积	m²	80 300	
12.3	典型浇筑块长	m	109.0	
12.4	典型浇筑块宽	m	16.0	
12.5	浇筑块数	块	46	
12.6	一个工作面月施工块数	块	10	
12.7	安排工作组数	个	2	
12.8	施工工期	月	2.3	
12.9	混凝土月平均浇筑强度	m³/月	15 828	

表2-43　二期主面板混凝土典型浇筑块施工进度计划

序号	仓号	项目	工程量 单位	工程量 数量	时间(h)	施工进度
1	1	仓面清理	m²	1 744	29	
2		止水安装	m	218	36	
3		侧模安装	m²	103	10	
4		钢筋架设	kg	59 819	30	
5		混凝土浇筑	m³	851	47.5	
6		混凝土养护			直到蓄水	
7		侧模拆除	m²	103	10	
8	2	仓面清理	m²	1 744	29	
9		止水安装	m	218	36	
10		侧模安装	m²	103	10	
11		钢筋架设	kg	59 819	30	
12		混凝土浇筑	m³	851	47.5	
13		混凝土养护			直到蓄水	
14		侧模拆除	m²	103	10	

施工进度（h）刻度：20　40　60　80　100　120　140　160　180　200　220　240　260　280　300　320　360　380

表 2-44　面板混凝土浇筑强度及工期

工程项目	工程量	典型块数(块)	月平均强度(m³/月)	工期(月)
一期	4.02	31	13 415	3
二期	3.64	46	15 828	2.3
合计	7.66	77		5.3

2.3.3　钢筋混凝土面板堆石坝施工进度计划

钢筋混凝土面板堆石坝的施工受水文、气象条件的直接影响,汛期往往受到洪水的威胁。因此,面板堆石坝的施工进度和施工导流方式以及施工期历年度汛方案有着密切的关系,不同的导流方案有不同的施工程序。本模拟工程采用一次拦断河床,过水围堰配合导流隧洞泄洪的导流方案。枢纽工程施工安排应先完成导流洞施工,同时进行两岸岸坡的开挖。在导流洞具备过水条件后的枯水期,进行河床截流,随即修筑上下游围堰,同时进行基坑抽水、坝基开挖和基础处理,然后进行坝体填筑;根据截流后各年汛期的度汛要求,确定坝体各期填筑的上升高度和混凝土面板的浇筑高程。由施工导流设计专题提供的导流设计资料知,该工程计划于 10 月中旬截流,截流后第一年汛期由填筑至EL.5.00m 高程的坝体和导流洞联合泄洪,上下游围堰过流,上游围堰高程 EL.30.00m;截流后第二年汛期由填筑至 EL.80.00m 高程的临时断面和下游围堰挡水,导流洞泄洪;截流后第三年汛前要求坝体填筑至 EL.100.00m 高程,一期混凝土面板已浇筑至EL.75.00m 高程,由坝体直接拦洪。

由于本专题仅涉及混凝土面板堆石坝的坝体填筑和混凝土面板的施工,而施工导流、坝基开挖、基础处理和料场开采专项工程由另外的专题完成,故本施工进度有关截流闭气、基坑抽水、上下游围堰填筑、坝基开挖、齿槽开挖和基础处理等项工程的施工工期只是根据工程的规模估列,着重对坝体填筑和面板混凝土浇筑施工进度进行分析,并结合施工导流方案和截流后各年汛期的拦洪要求,作详细的研究和安排。其具体分析如下。

2.3.3.1　趾板混凝土浇筑进度计划

根据施工导截流及总进度计划的安排,结合坝体填筑的要求,趾板混凝土安排两期浇筑。依据趾板混凝土浇筑工程量和浇筑强度,计算趾板混凝土各期的浇筑工期,分析安排趾板混凝土浇筑进度计划,分析结果见表 2-45。

2.3.3.2　面板混凝土浇筑进度计划

混凝土面板由起始面板和主面板组成。部分起始面板混凝土的浇筑安排在填筑坝体上部时平行进行,以便为浇筑主面板创造条件。主面板混凝土也分两期施工,第一期安排在坝体临时断面填至 EL.80.00m 后的枯水期进行;第二期安排在坝体全断面填筑至设计高程后的枯水期进行。依据各期面板混凝土的工程量和浇筑强度,计算面板混凝土的浇筑工期,分析安排面板混凝土浇筑进度计划,分析结果见表 2-45。

2.3.3.3　坝体填筑进度计划

坝体填筑安排在河床趾板混凝土浇筑完成后进行,依据不同高程各类填筑料的填筑强度和填筑工程量,计算确定填筑工期,同时考虑各类填筑料的均衡上升和拦洪度汛要求,分析安排各类填筑料的填筑进度计划,分析结果见表 2-45。

表 2-45　坝高 150m 钢筋混凝土面板

项目		单位	数量	工期(月)	进度/标注
施工准备				14.0	14.0
岸坡土石方开挖		(万m³)		8.0	8.0
围堰填筑		(万m³)		6.0	6.0
基坑抽水		(万m³)		0.5	0.5
坝基土石方开挖		(万m³)			
河床砂卵石开挖		(万m³)		1.5	1.5
坝基岩石开挖		(万m³)		2.0	2.0
基础处理		(万m)			
固结灌浆		(万m)		7.5	2.0
帷幕灌浆		(万m)		2.0	2.0
坝体填筑		(万m³)	1 526.29		5.00
垫层料	一期	(万m³)	1.59	2.0	0.68 0.95 / 1.1 0.9
	二期	(万m³)	13.28	5.7	
	三期	(万m³)	18.93	6.3	
	斜面修整	(万m²)	13.51		
	斜坡碾压 喷混凝土	(万m²)	13.51 / 0.80		0.2 0.2
	小计	(万m³)	33.80		
过渡料	一期	(万m³)	1.53	2.0	0.65 0.92 / 1.1 0.9
	二期	(万m³)	12.84	5.7	
	三期	(万m³)	20.23	6.8	
	小计	(万m³)	34.60		5.00
A区堆石	一期	(万m³)	86.33	2.2	25.70 52.80 / 1.1 1.1
	二期	(万m³)	409.06	7.5	
	三期	(万m³)	923.85	17.8	
	小计	(万m³)	1 419.24		
B区堆石	一期	(万m³)	6.05	2.2	3.00 2.54 / 1.1 1.1
	二期	(万m³)			
	三期	(万m³)	32.60	17.8	
	小计	(万m³)	38.65		
坝面保护及清理				0.7	0.5
混凝土浇筑		(万m³)	8.46		
趾板	一期	(万m³)	0.40	5.2	0.08 / 0.06 1.9
	二期	(万m³)	0.15	1.9	
	小计	(万m³)	0.52	7.1	
面板	准备			1.0	
	起始板	(万m³)	0.12		
	一期	(万m³)	4.02	2.2	
	二期	(万m³)	3.64	2.9	
防浪墙混凝土		(万m³)	0.16	1.6	
小计		(万m³)	7.94	7.7	

第一年：4 5 6 7 8 9 10 11 12　第二年：1 2 3 4 5 6 7 8 9 10 11 12　第三年：1 2 3 4 5 6 7 8 9

堆石坝施工进度计划

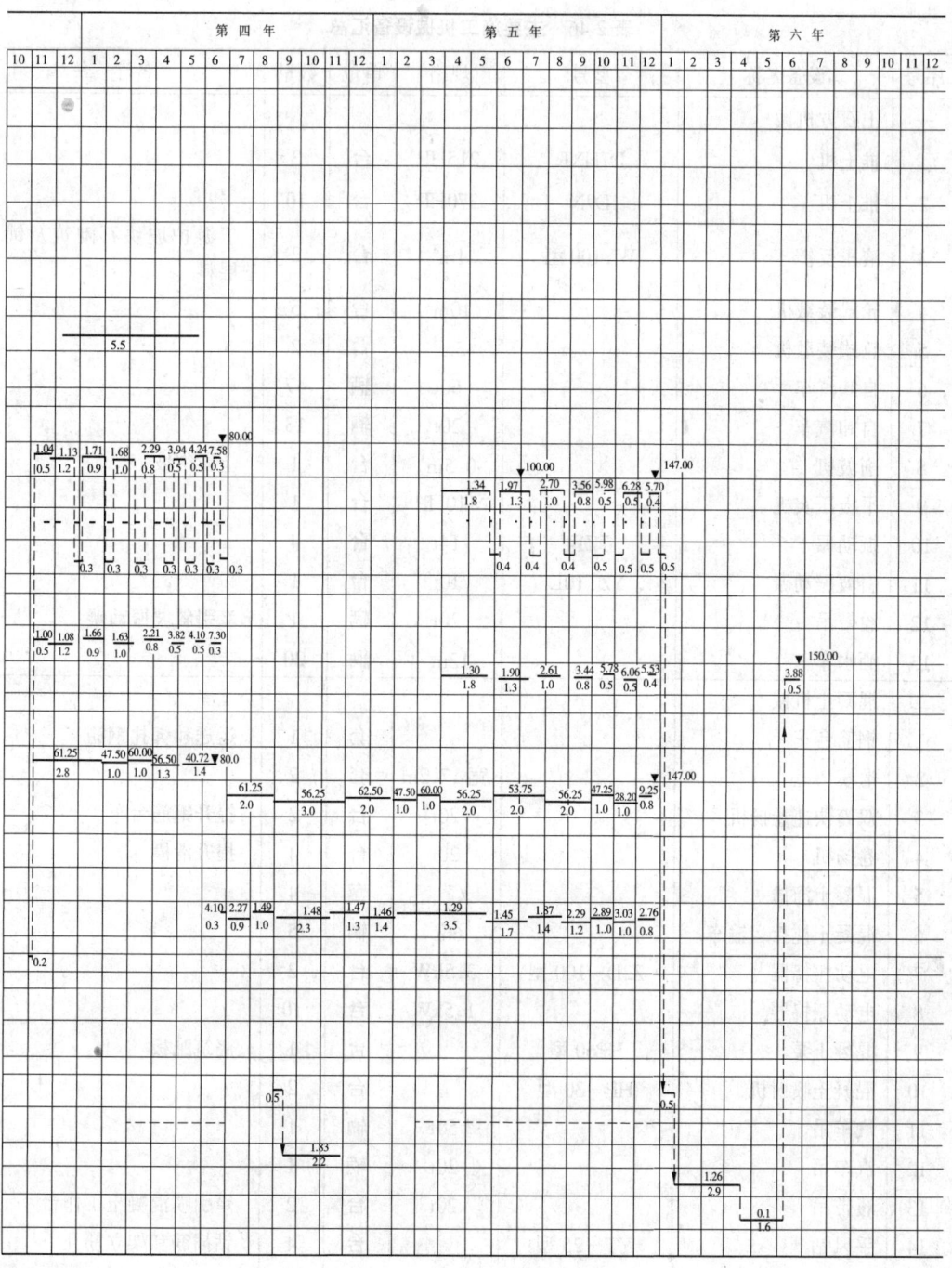

在安排施工进度计划时坝体填筑考虑每天工作两班,每班工作 10h;混凝土施工考虑每天工作三班,每班工作 8h。主要施工机械设备汇总见表2-46。

表 2-46 主要施工机械设备汇总

序号	设备名称	型号	规格	单位	数量	备注
一	土石方机械					
1	推土机	D7HXR	215HP	台	3	
2	推土机	D9N	370HP	台	10	
3	液压反铲	WY100 型	1m³	台	2	下游护坡块石砌筑及铺垫层料
4	轮式装载机		10m³	台	5	
5	轮式装载机		3m³	台	2	
6	自卸汽车		60t	辆	47	
7	自卸汽车		20t	辆	13	
8	削坡机		0.5m³	台	1	上游削坡
9	平板压实机		110HP	台	1	
10	振动碾	TZ14	14t	台	4	
11	斜坡振动碾	YZT10L	10t	台	1	
12	履带吊		20t	辆	1	牵引斜坡振动碾
13	洒水车		12m³	辆	20	
二	混凝土机械					
1	钢筋台车			套	1	运送和绑扎钢筋
2	滑模		宽 17.2m	套	2	
3	双筒快速卷扬机		20t	台	2	提升钢筋台车
4	卷扬机		20t	台	4	提升滑模
5	混凝土溜槽			套	4	
6	混凝土搅拌运输车		6m³	辆	5	
7	电动振捣器	Z2D－100 型	3.5kW	台	2	
8	电动振捣器		1.5kW	台	10	
9	混凝土泵	HB60 型		台	1	浇筑趾板
10	混凝土喷射机	HP－30 型		台	2	
11	汽车吊		50t	辆	1	
12	汽车吊		20t	辆	1	
13	履带吊		20t	台	2	牵引喷混凝土工作台
14	手风钻	YT－25 型		台	4	钻插筋和架立筋孔
15	空压机	yt－7/9 型		台	2	
16	钢筋调直机		14kW	台	3	
17	钢筋切断机		20kW	台	2	

序号	设备名称	型号	规格	单位	数量	备注
18	钢筋弯曲机			台	5	
19	钢筋对焊机			台	1	
20	钢筋电焊机	直流 16~30kVA		台	10	
21	焊枪			把	2	
22	平板车		10t	辆	4	

3 坝体填筑资源计算

3.1 设备台时耗量计算

按照坝体每种填筑料不同高程施工强度分析表综合分析出各种填料施工小时强度、主要机械设备配备数量、运输距离不同的填筑区及其工程量,计算该区小时施工强度,再按照各施工机械设备的小时生产率,配备各种施工机械设备数量,据此计算其利用系数及台时耗量。

$$设备小时利用系数 = \frac{该工作小时生产率}{该设备小时生产率}$$

$$设备台时 = \frac{该工作施工工程量}{该工作小时生产率} \times 设备数量 \times 该设备利用系数$$

坝体每种填筑料不同区域施工小时生产率,详见表 3-1~表 3-5。

表 3-1　A 区堆石料不同区域填筑小时生产率

填筑部位	施工工程量 (m³)	有效填筑工期 (天)	平均生产率 (m³/h)	小时生产率 (m³/h)	运距 (km)	备注
一期						
EL.−15~−5m	282 496	25	564.8	706	5.0	
EL.−5~5m	580 820	23	1 262.4	1 578	5.0	
二期						
EL.5~10m	307 100	12	1 280.0	1 600	5.0	
EL.10~30m	1 470 400	58	1 268.0	1 585	5.0	
EL.30~60m	1 750 500	70	1 250.4	1 563	5.0	
EL.60~80m	562 600	31	907.2	1 134	5.5	
三期						
EL.5~20m	662 900	28	1 184.0	1 480	5.0	
EL.20~70m	3 457 200	138	1 252.8	1 566	5.0	
EL.70~100m	2 858 100	114	1 253.6	1 567	5.5	
EL.100~130m	1 904 100	80	1 190.4	1 488	5.5	
EL.130~140m	282 000	25	564.0	705	6.0	
EL.140~147m	74 200	20	185.6	232	6.0	

表 3-2 垫层料上游斜坡面修整小时生产率

填筑部位	施工工程量 (m²)	有效填筑工期 (天)	平均生产率 (m²/h)	小时生产率 (m²/h)	运距 (km)	备注
EL. −15～147m	135 068	113	50	62.5		

表 3-3 垫层料不同区域填筑小时生产率

填筑部位	施工工程量 (m³)	有效填筑工期 (天)	平均生产率 (m³/h)	小时生产率 (m³/h)	运距 (km)	备注
一期 EL. −15～5m	15 900	43	18.4	23	5.0	
二期 EL.5～10m	5 200	11	24.0	30	5.5	
EL.10～50m	6 400	72	44.8	56	6.0	
EL.50～80m	63 600	45	70.4	88	6.0	
三期 EL.80～120m	105 200	109	48.3	60.4	6.0	
EL.120～147m	84 100	34	124.0	155	6.0	

表 3-4 过渡料不同区域填筑小时生产率

填筑部位	施工工程量 (m³)	有效填筑工期 (天)	平均生产率 (m³/h)	小时生产率 (m³/h)	运距 (km)	备注
一期 EL. −15～5m	15 400	43	17.6	22	5.0	
二期 EL.5～10m	5 000	11	22.4	28	5.5	
EL.10～50m	61 900	72	43.2	54	6.0	
EL.50～80m	61 500	45	68.0	85	6.0	
三期 EL.80～120m	101 600	109	46.6	58.3	6.0	
EL.120～150m	100 700	45	112.0	140	6.0	

表 3-5 B区堆石料不同区域填筑小时生产率

填筑部位	施工工程量 (m³)	有效填筑工期 (天)	平均生产率 (m³/h)	小时生产率 (m³/h)	运距 (km)	备注
一期 EL. −15～5m	60 494	48	63.2	79	5.0	
二期 EL.5～50m	81 473	100	40.8	51	5.0	
EL.50～100m	109 476	179	30.4	38	5.5	
EL.100～147m	135 019	127	52.8	66	6.0	

表 3-1～表 3-5 中：

平均生产率＝施工工程量÷有效填筑工期(天)÷20(h/天)

小时生产率＝平均生产率÷长期工作影响系数

3.2 人时用量计算

3.2.1 劳动力配备原则

按不同的工作面定岗定员配备工长及不同工种的劳动力,同一工种劳动力分4个等级:一级工(不熟练工)、二级工(半熟练工)、三级工(熟练工)、四级工(高级熟练工)。根据钢筋混凝土面板堆石坝坝体填料类别和施工特点配备各种专业组及人员,据此拟划分如下工作组。

3.2.1.1 坝体填料装运工作组

坝体填料装运工作组负责完成坝体填料从料场至坝面的装车、运输、卸料等工作。

主要施工人员安排原则:

工长:1人;

装载机司机:每台配三级工1人;

自卸汽车司机:每台配三级工1人;

推土机司机:每台配三级工1人;

小型工具车司机:每台配二级工1人;

普工:一级工1人(堆石料安排一级工2人)。

工作组人员安排详见表3-6。

表 3-6 坝体填料装运工作组 (单位:人)

序号	工　　种	数　　量				
		工长	一级工	二级工	三级工	四级工
1	工长	1				
2	装载机司机				1	
3	自卸汽车司机				1	
4	推土机司机				1	
5	小型工具车司机			1		
6	普工		1~5			

3.2.1.2 垫层料坝面施工工作组

垫层料坝面施工工作组负责完成上游垫层料坝面铺料、平料洒水、碾压等工作。

主要施工人员安排原则:

工长:1人(负责坝体两种填料的坝面工作);

推土机司机:每台配三级工1人;

平板压实机司机:每台配三级工1人;

振动碾司机:每台配三级工1人;

洒水车司机:每台配三级工1人;

坝面辅助工:一级工5人(负责坝体两种填料的坝面辅助施工工作);

电工:2人,其中二级工1人,三级工1人(负责坝体四种填料的坝面辅助施工工作);

小型工具车司机:每台配二级工1人。

工作组人员安排详见表3-7。

表 3-7　垫层料坝面施工工作组　　　　　　　　（单位:人）

序号	工　种	数　量				
		工长	一级工	二级工	三级工	四级工
1	工长	1				
2	推土机司机				1	
3	反铲操作工				1	
4	平板压实机司机				1	
5	振动碾司机				1	
6	洒水车司机				1	
7	小型工具车司机			1		
8	电工			1	1	
9	普工		5			

3.2.1.3　垫层料斜坡面施工工作组

垫层料斜坡面施工工作组负责完成上游垫层料斜坡面的坡面削坡、修整、洒水、碾压工作。

主要施工人员安排原则:

工长:1 人(负责坝体两种填料的坝面工作);

削坡机司机:每台配三级工 1 人;

履带吊司机:每台配三级工 1 人;

振动碾司机:每台配三级工 1 人;

装载机司机:每台配三级工 1 人;

洒水车司机:每台配三级工 1 人;

碾压辅助工:一级工 3 人;

普工:一级工 13 人(负责修坡工作);

电工:2 人,其中二级工 1 人,三级工 1 人(负责坝体四种填料的坝面辅助施工工作);

小型工具车司机:每台配二级工 1 人。

工作组人员安排详见表 3-8。

表 3-8　垫层料斜坡面施工工作组　　　　　　　　（单位:人）

序号	工　种	数　量				
		工长	一级工	二级工	三级工	四级工
1	工长	1				
2	削坡机司机				1	
3	履带吊司机				1	
4	振动碾司机				1	
5	装载机司机				1	
6	洒水车司机				1	
7	碾压辅助工		3			
8	小型工具车司机			1		
9	电工			1	1	
10	普工		13			

3.2.1.4 过渡料坝面施工工作组

过渡料施工工作组负责完成过渡料的铺料、平料洒水、碾压工作。

主要施工人员安排原则:

工长:1人(负责坝体两种填料的坝面工作);

推土机司机:每台配三级工1人;

振动碾司机:每台配三级工1人;

反铲操作工:每台配三级工1人;

洒水车司机:每台配三级工1人;

坝面辅助工:一级工5人(负责坝体两种填料的坝面辅助施工工作);

电工:2人,其中二级工1人,三级工1人(负责坝体四种填料的坝面辅助施工工作);

小型工具车司机:每台配二级工1人。

工作组人员安排详见表3-9。

表 3-9　过渡料施工工作组　　　　　　　　　　　　　　　　(单位:人)

序号	工　种	数　　　量				
		工长	一级工	二级工	三级工	四级工
1	工长	1				
2	推土机司机				1	
3	振动碾司机				1	
4	洒水车司机				1	
5	反铲操作工				1	
6	小型工具车司机			1		
7	电工			1	1	
8	普工		5			

3.2.1.5 A区堆石料坝面施工工作组

A区堆石料施工工作组负责完成该区堆石料的铺料、平料、洒水、碾压,以及超径石的二次破碎处理等工作。

主要施工人员安排原则:

工长:1人(负责坝体两种填料的坝面工作);

推土机司机:每台配三级工1人;

振动碾司机:每台配三级工1人;

反铲操作工:每台配三级工1人;

破碎器操作工:每台配二级工1人;

洒水车司机:每台配三级工1人;

坝面辅助工:一级工5人(负责坝体两种填料的坝面辅助施工工作);

电工:2人,其中二级工1人,三级工1人(负责坝体四种填料的坝面辅助施工工作);

小型工具车司机:每台配二级工1人。

工作组人员安排详见表3-10。

表 3-10　A区堆石料施工工作组　　　　　　　　　　（单位:人）

序号	工　种	数　量				
		工长	一级工	二级工	三级工	四级工
1	工长	1				
2	推土机司机				1	
3	振动碾司机				1	
4	洒水车司机				1	
5	反铲操作工				1	
6	破碎器操作工			1		
7	小型工具车司机			1		
8	电工			1	1	
9	普工		5			

3.2.1.6　B区堆石料坝面施工工作组

B区堆石料施工工作组负责完成该区堆石料的铺料、平料、碾压及修坡等工作。

主要施工人员安排原则:

工长:1人(负责坝体两种填料的坝面工作);

推土机司机:每台配三级工1人;

振动碾司机:每台配三级工1人;

反铲操作工:每台配三级工1人;

坝面辅助工:一级工15人(负责坝体两种填料的坝面辅助施工工作);

电工:2人,其中二级工1人,三级工1人(负责坝体四种填料的坝面辅助施工工作);

小型工具车司机:每台配二级工1人。

工作组人员安排详见表3-11。

表 3-11　B区堆石料施工工作组　　　　　　　　　　（单位:人）

序号	工　种	数　量				
		工长	一级工	二级工	三级工	四级工
1	工长	1				
2	推土机司机				1	
3	振动碾司机				1	
4	反铲操作工				1	
5	小型工具车司机			1		
6	电工			1	1	
7	普工		15			

3.2.2　人时用量计算

按照每个工作面的施工强度及配备的各种施工机械设备的数量及3.2.1节劳动力安排原则配备工长及各工种不同级别的劳动力,依据每个工作面的实际工作时间计算人时。

人时=施工工程量/平均生产率×人数×利用系数

3.3　材料用量计算

采用统计、分析、比较等方法计算。本工程所要计算材料主要为坝面洒水。根据《施工组织设计手册》土石坝碾压洒水的要求和小浪底、天生桥工程的土石方碾压洒水情况，确定单位洒水量如下：

    堆石料

        A 区料   250kg/m³

    过渡料   250kg/m³

    垫层料   200kg/m³

$$材料量 = 施工工程量 \times 材料单位用量$$

3.4 施工机械设备台时、人时、材料用量

施工机械设备台时、人时、材料用量详见表 3-12～表 3-20。

表 3-12 垫层料装运施工机械台时、人时、材料用量

序号	项目	单位	数量	人时	台时	材料	利用系数	备注
	EL.−15～5m							一期
1	设计工程量	m³	15 288					
2	施工工程量	m³	15 900					
3	小时生产率	m³/h	23					
4	长期工作影响系数		0.8					
5	平均生产率	m³/h	18.4					
	劳力资源							
6	工长	人	1	432			0.5	
7	三级推土机司机	人	1	864			1	
8	三级装载机司机	人	1	864			1	
9	三级自卸汽车司机	人	2	1 728			1	
10	二级小型工具车司机	人	1	432			0.5	
11	一级普工	人	1	864			1	
	设备资源							
12	小型工具车	台	1		69		0.1	
13	3m³ 轮式装载机	台	1		90		0.13	
14	20t 自卸汽车	台	2		719		0.52	运距 5km
15	215HP 推土机	台	1		48		0.07	
	材料							
16	其他							
	EL.5～10m							二期
1	设计工程量	m³	5 000					
2	施工工程量	m³	5 200					
3	小时生产率	m³/h	30					
4	长期工作影响系数		0.8					
5	平均生产率	m³/h	24					
	劳力资源							
6	工长	人	1	108			0.5	
7	二级小型工具车司机	人	1	108			0.5	
8	三级推土机司机	人	1	217			1	

序号	项 目	单位	数量	人时	台时	材料	利用系数	备注
9	三级装载机司机	人	1	217			1	
10	三级自卸汽车司机	人	2	433			1	
11	一级普工	人	1	217			1	
	设备资源							
12	小型工具车	台	1		17		0.1	
13	3m³ 轮式装载机	台	1		28		0.16	
14	20t 自卸汽车	台	2		260		0.75	运距 5.5km
15	215HP 推土机	台	1		14		0.08	
	材料							
16	其他							
	EL.10～50m							二期
1	设计工程量	m³	61 538					
2	施工工程量	m³	64 000					
3	小时生产率	m³/h	56					
4	长期工作影响系数		0.8					
5	平均生产率	m³/h	44.8					
	劳力资源							
6	工长	人	1	714			0.5	
7	二级小型工具车司机	人	1	714			0.5	
8	三级推土机司机	人	1	1 429			1	
9	三级装载机司机	人	1	1 429			1	
10	三级自卸汽车司机	人	3	4 286			1	
11	一级普工	人	1	1 429			1	
	设备资源							
12	小型工具车	台	1		229		0.2	
13	3m³ 轮式装载机	台	1		354		0.31	
14	20t 自卸汽车	台	3		3 360		0.98	运距 6km
15	215HP 推土机	台	1		183		0.16	
	材料							
16	其他							
	EL.50～80m							二期
1	设计工程量	m³	61 154					
2	施工工程量	m³	63 600					
3	小时生产率	m³/h	88					
4	长期工作影响系数		0.8					
5	平均生产率	m³/h	70.4					
	劳力资源							
6	工长	人	1	452			0.5	
7	二级小型工具车司机	人	1	452			0.5	
8	三级推土机司机	人	1	903			1	

序号	项 目	单位	数量	人时	台时	材料	利用系数	备注
9	三级装载机司机	人	1	903			1	
10	三级自卸汽车司机	人	5	4 517			1	
11	一级普工	人	1	903			1	
	设备资源							
12	小型工具车	台	1		145		0.2	
13	3m³ 轮式装载机	台	1		347		0.48	
14	20t 自卸汽车	台	5		3 361		0.93	运距 6km
15	215HP 推土机	台	1		173		0.24	
	材料							
16	其他							
	EL.80～120m							三期
1	设计工程量	m³	101 154					
2	施工工程量	m³	105 200					
3	小时生产率	m³/h	60.4					
4	长期工作影响系数		0.8					
5	平均生产率	m³/h	48.3					
	劳力资源							
6	工长	人	1	1 089			0.5	
7	二级小型工具车司机	人	1	1 089			0.5	
8	三级推土机司机	人	1	2 178			1	
9	三级装载机司机	人	1	2 178			1	
10	三级自卸汽车司机	人	4	8 712			1	
11	一级普工	人	1	2 178			1	
	设备资源							
12	小型工具车	台	1		348		0.2	
13	3m³ 轮式装载机	台	1		575		0.33	
14	20t 自卸汽车	台	4		5 504		0.79	运距 6km
15	215HP 推土机	台	1		296		0.17	
	材料							
16	其他							
	EL.120～147m							三期
1	设计工程量	m³	80 865					
2	施工工程量	m³	84 100					
3	小时生产率	m³/h	155					
4	长期工作影响系数		0.8					
5	平均生产率	m³/h	124					
	劳力资源							
6	工长	人	1	339			0.5	
7	二级小型工具车司机	人	1	339			0.5	
8	三级推土机司机	人	1	678			1	

序号	项 目	单位	数量	人时	台时	材料	利用系数	备注
9	三级装载机司机	人	1	678			1	
10	三级自卸汽车司机	人	9	6 104			1	
11	一级普工	人	1	678			1	
	设备资源							
12	小型工具车	台	1		109		0.2	
13	3m³ 轮式装载机	台	1		461		0.85	
14	20t 自卸汽车	台	9		4 444		0.91	运距 6km
15	215HP 推土机	台	1		233		0.43	
	材料							
16	其他							

表 3-13 垫层料坝面施工机械台时、人时、材料用量

序号	项 目	单位	数量	人时	台时	材料	利用系数	备注
	EL. −15～5m							一期
1	设计工程量	m³	15 288					
2	施工工程量	m³	15 900					
3	小时生产率	m³/h	23					
4	长期工作影响系数		0.8					
5	平均生产率	m³/h	18.4					
	劳力资源							
6	工长	人	1	432			0.5	
7	三级推土机司机	人	1	432			0.5	
8	三级反铲操作工	人	1	432			0.5	
9	三级平板压实机司机	人	1	864			1	
10	三级振动碾司机	人	1	432			0.5	
11	三级洒水车司机	人	1	432			0.5	
12	二级小型工具车司机	人	1	432			0.5	
13	二级电工	人	1	216			0.25	
14	三级电工	人	1	216			0.25	
15	一级普工	人	5	2 160			0.5	
	设备资源							
16	215HP 推土机	台	1		55		0.08	靠近上游边缘 1m 范围内,采用平板压实机压实
17	110HP 平板压实机	台	1		138		0.2	
18	14t 振动平碾	台	1		35		0.05	
19	12m³ 洒水车	台	1		118		0.17	
20	1m³ 液压反铲	台	1		21		0.03	
21	小型工具车	台	1		69		0.1	
	材料		(单位耗量)					
22	水	m³	0.2			3 180		
23	其他							

序号	项　目	单位	数量	人时	台时	材料	利用系数	备注
	EL.5～10m							二期
1	设计工程量	m³	5 000					
2	施工工程量	m³	5 200					
3	小时生产率	m³/h	30					
4	长期工作影响系数		0.8					
5	平均生产率	m³/h	24.0					
	劳力资源							
6	工长	人	1	108			0.5	
7	三级推土机司机	人	1	108			0.5	
8	三级反铲操作工	人	1	108			0.5	
9	三级振动碾司机	人	1	108			0.5	
10	三级平板压实机司机	人	1	217			1	
11	三级洒水车司机	人	1	108			0.5	
12	三级小型工具车司机	人	1	108			0.5	
13	二级电工	人	1	54			0.25	
14	三级电工	人	1	54			0.25	
15	一级普工	人	5	542			0.5	
	设备资源							
16	215HP 推土机	台	1		17		0.1	
17	110HP 平板压实机	台	1		45		0.26	合 23.81%
18	14t 振动平碾	台	1		12		0.07	
19	12m³ 洒水车	台	1		38		0.22	
20	1m³ 液压反铲	台	1		9		0.05	
21	小型工具车	台	1		17		0.1	
	材料		(单位耗量)					
22	水	m³	0.2			1 040		
23	其他							
	EL.10～50m							二期
1	设计工程量	m³	61 538					
2	施工工程量	m³	64 000					
3	小时生产率	m³/h	56					
4	长期工作影响系数		0.8					
5	平均生产率	m³/h	44.8					
	劳力资源							
6	工长	人	1	714			0.5	
7	三级推土机司机	人	1	714			0.5	
8	三级反铲操作工	人	1	714			0.5	
9	三级平板压实机司机	人	1	1 429			1	
10	三级振动碾司机	人	1	714			0.5	
11	三级洒水车司机	人	1	714			0.5	
12	三级小型工具车司机	人	1	714			0.5	

序号	项　　目	单位	数量	人时	台时	材料	利用系数	备注
13	二级电工	人	1	357			0.25	
14	三级电工	人	1	357			0.25	
15	一级普工	人	5	3 571			0.5	
	设备资源							
16	215HP 推土机	台	1		217		0.19	
17	110HP 平板压实机	台	1		549		0.48	
18	14t 振动平碾	台	1		149		0.13	
19	12m³ 洒水车	台	1		480		0.42	
20	1m³ 液压反铲	台	1		114		0.1	
21	小型工具车	台	1		229		0.2	
	材料		(单位耗量)					
22	水	m³	0.2			12 800		
23	其他							
	EL.50～80m							二期
1	设计工程量	m³	61 154					
2	施工工程量	m³	63 600					
3	小时生产率	m³/h	88					
4	长期工作影响系数		0.8					
5	平均生产率	m³/h	70.4					
	劳力资源							
6	工长	人	1	452			0.5	
7	三级推土机司机	人	1	452			0.5	
8	三级反铲操作工	人	1	452			0.5	
9	三级平板压实机司机	人	1	903			1	
10	三级振动碾司机	人	1	452			0.5	
11	三级洒水车司机	人	1	903			1	
12	三级小型工具车司机	人	1	452			0.5	
13	二级电工	人	1	226			0.25	
14	三级电工	人	1	226			0.25	
15	一级普工	人	5	2 259			0.5	
	设备资源							
16	215HP 推土机	台	1		210		0.29	
17	110HP 平板压实机	台	1		542		0.75	
18	14t 振动平碾	台	1		145		0.2	
19	12m³ 洒水车	台	1		470		0.65	
20	1m³ 液压反铲	台	1		145		0.2	
21	小型工具车	台	1		145		0.2	
	材料		(单位耗量)					
22	水	m³	0.2			12 720		
23	其他							

序号	项　目	单位	数量	人时	台时	材料	利用系数	备注
	EL.80～120m							三期
1	设计工程量	m³	101 154					
2	施工工程量	m³	105 200					
3	小时生产率	m³/h	60.4					
4	长期工作影响系数		0.8					
5	平均生产率	m³/h	48.3					
	劳力资源							
6	工长	人	1	1 089			0.5	
7	三级推土机司机	人	1	1 089			0.5	
8	三级反铲操作工	人	1	1 089			0.5	
9	三级平板压实机司机	人	1	2 178			1	
10	三级振动碾司机	人	1	1 089			0.5	
11	三级洒水车司机	人	1	2 178			1	
12	三级小型工具车司机	人	1	1 089			0.5	
13	二级电工	人	1	545			0.25	
14	三级电工	人	1	545			0.25	
15	一级普工	人	5	5 445			0.5	
	设备资源							
16	215HP推土机	台	1		348		0.2	
17	110HP平板压实机	台	1		888		0.51	
18	14t振动平碾	台	1		244		0.14	
19	12m³洒水车	台	1		784		0.45	
20	1m³液压反铲	台	1		348		0.2	
21	小型工具车	台	1		348		0.2	
	材料		（单位耗量）					
22	水	m³	0.2			21 040		
23	其他							
	EL.120～147m							三期
1	设计工程量	m³	80 865					
2	施工工程量	m³	84 100					
3	小时生产率	m³/h	155					
4	长期工作影响系数		0.8					
5	平均生产率	m³/h	124.0					
	劳力资源							
6	工长	人	1	339			0.5	
7	三级推土机司机	人	1	339			0.5	
8	三级反铲操作工	人	1	339			0.5	
9	三级平板压实机司机	人	2	1 356			1	
10	三级振动碾司机	人	1	339			0.5	
11	三级洒水车司机	人	2	1 356			1	
12	三级小型工具车司机	人	1	339			0.5	

序号	项　　目	单位	数量	人时	台时	材料	利用系数	备注
13	二级电工	人	1	170			0.25	
14	三级电工	人	1	170			0.25	
15	一级普工	人	5	1 696			0.5	
	设备资源							
16	215HP 推土机	台	1		282		0.52	
17	110HP 平板压实机	台	2		716		0.66	
18	14t 振动平碾	台	1		195		0.36	
19	12m³ 洒水车	台	2		629		0.58	
20	1m³ 液压反铲	台	1		109		0.2	
21	小型工具车	台	1		109		0.2	
	材料		(单位耗量)					
22	水	m³	0.2			16 820		
23	其他							

表 3-14　上游垫层坡面施工机械台时、人时、材料用量

序号	项　　目	单位	数量	人时	台时	材料	利用系数	备注
	EL. −15~147m							
1	设计工程量	m²	135 068					
2	施工工程量	m²	135 068					
3	小时生产率	m²/h	62.5					
4	长期工作影响系数		0.8					
5	平均生产率	m²/h	50.0					
	劳力资源							
6	工长	人	1	1 351			0.5	
7	三级削坡机司机	人	1	2 701			1	
8	三级履带吊司机	人	1	2 701			1	
9	三级振动碾司机	人	1	2 701			1	
10	三级洒水车司机	人	1	540			0.2	
11	二级小型工具车司机	人	1	1 351			0.5	
12	一级碾压辅助工	人	2	5 403			1	
13	二级碾压辅助工	人	1	2 701			1	
14	三级电工	人	1	675			0.25	
15	二级电工	人	1	675			0.25	
16	一级普工	人	13	35 118			1	
17	三级装载机司机	人	1	2 701			1	
	设备资源							
18	0.5m³ 削坡机	台	1		2 161		1	
19	20t 履带吊	台	1		864		0.4	
20	10t 斜坡振动碾	台	1		756		0.35	
21	12m³ 洒水车	台	1		43		0.02	

序号	项　目	单位	数量	人时	台时	材料	利用系数	备注
22	小型工具车	台	1		216		0.1	
23	3m³ 轮式装载机	台	1		216		0.1	
	材料		(单位耗量)					
24	水	m³	0.01			1 351		
25	其他							

表 3-15　过渡料装运施工机械台时、人时、材料用量

序号	项　目	单位	数量	人时	台时	材料	利用系数	备注
	EL. -15～5m							一期
1	设计工程量	m³	15 098					
2	施工工程量	m³	15 400					
3	小时生产率	m³/h	22					
4	长期工作影响系数		0.8					
5	平均生产率	m³/h	17.6					
	劳力资源							
6	工长	人	1	438			0.5	
7	二级小型工具车司机	人	1	438			0.5	
8	三级推土机司机	人	1	875			1	
9	三级装载机司机	人	1	875			1	
10	三级自卸汽车司机	人	2	1 750			1	
11	一级普工	人	1	875			1	
	设备资源							
12	小型工具车	台	1		70		0.1	
13	3m³ 轮式装载机	台	1		98		0.14	
14	20t 自卸汽车	台	2		910		0.65	运距 5km
15	215HP 推土机	台	1		49		0.07	
	材料							
16	其他							
	EL.5～10m							二期
1	设计工程量	m³	4 902					
2	施工工程量	m³	5 000					
3	小时生产率	m³/h	28					
4	长期工作影响系数		0.8					
5	平均生产率	m³/h	22.4					
	劳力资源							
6	工长	人	1	112			0.5	
7	二级小型工具车司机	人	1	112			0.5	
8	三级推土机司机	人	1	223			1	
9	三级装载机司机	人	1	223			1	

序号	项 目	单位	数量	人时	台时	材料	利用系数	备注
10	三级自卸汽车司机	人	2	446			1	
11	一级普工	人	1	223			1	
	设备资源							
12	小型工具车	台	1		18		0.1	
13	3m³ 轮式装载机	台	1		32		0.18	
14	20t 自卸汽车	台	2		314		0.88	运距 5.5km
15	215HP 推土机	台	1		16		0.09	
	材料							
16	其他							
	EL.10～50m							二期
1	设计工程量	m³	60 686					
2	施工工程量	m³	61 900					
3	小时生产率	m³/h	54					
4	长期工作影响系数		0.8					
5	平均生产率	m³/h	43.2					
	劳力资源							
6	工长	人	1	716			0.5	
7	二级小型工具车司机	人	1	716			0.5	
8	三级推土机司机	人	1	1 433			1	
9	三级装载机司机	人	1	1 433			1	
10	三级自卸汽车司机	人	3	4 299			1	
11	一级普工	人	1	1 433			1	
	设备资源							
12	小型工具车	台	1		115		0.1	
13	3m³ 轮式装载机	台	1		413		0.36	
14	20t 自卸汽车	台	3		2 132		0.62	运距 6km
15	215HP 推土机	台	1		206		0.18	
	材料							
16	其他							
	EL.50～80m							二期
1	设计工程量	m³	60 294					
2	施工工程量	m³	61 500					
3	小时生产率	m³/h	85					
4	长期工作影响系数		0.8					
5	平均生产率	m³/h	68					
	劳力资源							
6	工长	人	1	452			0.5	
7	二级小型工具车司机	人	1	452			0.5	
8	三级推土机司机	人	1	904			1	
9	三级装载机司机	人	1	904			1	

序号	项　目	单位	数量	人时	台时	材料	利用系数	备注
10	三级自卸汽车司机	人	6	5 426			1	
11	一级普工	人	1	904			1	
	设备资源							
12	小型工具车	台	1		72		0.1	
13	3m³ 轮式装载机	台	1		412		0.57	
14	20t 自卸汽车	台	6		4 081		0.94	运距6km
15	215HP 推土机	台	1		210		0.29	
	材料							
16	其他							
	EL.80～120m							三期
1	设计工程量	m³	99 608					
2	施工工程量	m³	101 600					
3	小时生产率	m³/h	58.3					
4	长期工作影响系数		0.8					
5	平均生产率	m³/h	46.6					
	劳力资源							
6	工长	人	1	1 090			0.5	
7	二级小型工具车司机	人	1	1 090			0.5	
8	三级推土机司机	人	1	2 180			1	
9	三级装载机司机	人	1	2 180			1	
10	三级自卸汽车司机	人	4	8 721			1	
11	一级普工	人	1	2 180			1	
	设备资源							
12	小型工具车	台	1		174		0.1	
13	3m³ 轮式装载机	台	1		680		0.39	
14	20t 自卸汽车	台	4		6 762		0.97	运距6km
15	215HP 推土机	台	1		349		0.2	
	材料							
16	其他							
	EL.120～150m							三期
1	设计工程量	m³	98 725					
2	施工工程量	m³	100 700					
3	小时生产率	m³/h	140					
4	长期工作影响系数		0.8					
5	平均生产率	m³/h	112					
	劳力资源							
6	工长	人	1	450			0.5	
7	二级小型工具车司机	人	1	450			0.5	
8	三级推土机司机	人	1	899			1	
9	三级装载机司机	人	1	899			1	

序号	项目	单位	数量	人时	台时	材料	利用系数	备注
10	三级自卸汽车司机	人	10	8 991			1	
11	一级普工	人	1	899			1	
	设备资源							
12	小型工具车	台	1		72		0.1	
13	3m³ 轮式装载机	台	1		669		0.93	
14	20t 自卸汽车	台	10		6 689		0.93	运距6km
15	215HP 推土机	台	1		338		0.47	
	材料							
16	其他							

表 3-16　过渡料坝面施工机械台时、人时、材料用量

序号	项目	单位	数量	人时	台时	材料	利用系数	备注
	EL. −15～5m							一期
1	设计工程量	m³	15 098					
2	施工工程量	m³	15 400					
3	小时生产率	m³/h	22					
4	长期工作影响系数		0.8					
5	平均生产率	m³/h	17.6					
	劳力资源							
6	工长	人	1	438			0.5	
7	三级推土机司机	人	1	438			0.5	
8	三级反铲操作工	人	1	438			0.5	
9	三级振动碾司机	人	1	438			0.5	
10	三级洒水车司机	人	1	438			0.5	
11	三级小型工具车司机	人	1	438			0.5	
12	三级电工	人	1	219			0.25	
13	二级电工	人	1	219			0.25	
14	一级普工	人	5	2 188			0.5	
	设备资源							
15	215HP 推土机	台	1		77		0.11	
16	1m³ 液压反铲	台	1		35		0.05	
17	14t 振动平碾	台	1		35		0.05	
18	12m³ 洒水车	台	1		140		0.20	
19	小型工具车	台	1		70		0.1	
	材料		(单位耗量)					
20	水	m³	0.25			3 850		
21	其他							
	EL.5～10m							二期
1	设计工程量	m³	4 902					
2	施工工程量	m³	5 000					

序号	项目	单位	数量	人时	台时	材料	利用系数	备注
3	小时生产率	m³/h	28					
4	长期工作影响系数		0.8					
5	平均生产率	m³/h	22.4					
	劳力资源							
6	工长	人	1	112			0.5	
7	三级推土机司机	人	1	112			0.5	
8	三级反铲操作工	人	1	112			0.5	
9	三级振动碾司机	人	1	112			0.5	
10	三级洒水车司机	人	1	112			0.5	
11	三级小型工具车司机	人	1	112			0.5	
12	三级电工	人	1	56			0.25	
13	二级电工	人	1	56			0.25	
14	一级普工	人	5	558			0.5	
	设备资源							
15	215HP 推土机	台	1		25		0.14	
16	1m³ 液压反铲	台	1		9		0.05	
17	14t 振动平碾	台	1		13		0.07	
18	12m³ 洒水车	台	1		46		0.26	
19	小型工具车	台	1		18		0.1	
	材料		(单位耗量)					
20	水	m³	0.25			1 250		
21	其他							
	EL.10～50m							二期
1	设计工程量	m³	60 686					
2	施工工程量	m³	61 900					
3	小时生产率	m³/h	54					
4	长期工作影响系数		0.8					
5	平均生产率	m³/h	43.2					
	劳力资源							
6	工长	人	1	716			0.5	
7	三级推土机司机	人	1	716			0.5	
8	三级反铲操作工	人	1	716			0.5	
9	三级振动碾司机	人	1	716			0.5	
10	三级洒水车司机	人	1	716			0.5	
11	三级小型工具车司机	人	1	716			0.5	
12	三级电工	人	1	358			0.25	
13	二级电工	人	1	358			0.25	
14	一级普工	人	5	3 582			0.5	
	设备资源							
15	215HP 推土机	台	1		310		0.27	
16	1m³ 液压反铲	台	1		57		0.05	

序号	项 目	单位	数量	人时	台时	材料	利用系数	备注
17	14t 振动平碾	台	1		80		0.07	
18	12m³ 洒水车	台	1		573		0.50	
19	小型工具车	台	1		115		0.1	
	材料		(单位耗量)					
20	水	m³	0.25			15 475		
21	其他							
	EL.50~80m							二期
1	设计工程量	m³	60 294					
2	施工工程量	m³	61 500					
3	小时生产率	m³/h	85					
4	长期工作影响系数		0.8					
5	平均生产率	m³/h	68					
	劳力资源							
6	工长	人	1	452			0.5	
7	三级推土机司机	人	1	452			0.5	
8	三级反铲操作工	人	1	452			0.5	
9	三级振动碾司机	人	1	452			0.5	
10	三级洒水车司机	人	1	904			1	
11	三级小型工具车司机	人	1	452			0.5	
12	三级电工	人	1	226			0.25	
13	二级电工	人	1	226			0.25	
14	一级普工	人	5	2 261			0.5	
	设备资源							
15	215HP 推土机	台	1		304		0.42	
16	1m³ 液压反铲	台	1		72		0.1	
17	14t 振动平碾	台	1		145		0.2	
18	12m³ 洒水车	台	1		572		0.79	
19	小型工具车	台	1		72		0.1	
	材料		(单位耗量)					
20	水	m³	0.25			15 375		
21	其他							
	EL.80~120m							三期
1	设计工程量	m³	99 608					
2	施工工程量	m³	101 600					
3	小时生产率	m³/h	58.3					
4	长期工作影响系数		0.8					
5	平均生产率	m³/h	46.6					
	劳力资源							
6	工长	人	1	1 090			0.5	
7	三级推土机司机	人	1	1 090			0.5	

序号	项目	单位	数量	人时	台时	材料	利用系数	备注
8	三级反铲操作工	人	1	1 090			0.5	
9	三级振动碾司机	人	1	1 090			0.5	
10	三级洒水车司机	人	1	2 180			1	
11	三级小型工具车司机	人	1	1 090			0.5	
12	三级电工	人	1	545			0.25	
13	二级电工	人	1	545			0.25	
14	一级普工	人	5	5 451			0.5	
	设备资源							
15	215HP 推土机	台	1		505		0.29	
16	1m^3 液压反铲	台	1		174		0.1	
17	14t 振动平碾	台	1		244		0.14	
18	12m^3 洒水车	台	1		941		0.54	
19	小型工具车	台	1		174		0.1	
	材料		(单位耗量)					
20	水	m^3	0.25			25 400		
21	其他							
	EL.120～150m							三期
1	设计工程量	m^3	98 725					
2	施工工程量	m^3	100 700					
3	小时生产率	m^3/h	140					
4	长期工作影响系数		0.8					
5	平均生产率	m^3/h	112					
	劳力资源							
6	工长	人	1	450			0.5	
7	三级推土机司机	人	1	899			1	
8	三级反铲操作工	人	1	450			0.5	
9	三级振动碾司机	人	1	450			0.5	
10	三级洒水车司机	人	2	1 798			1	
11	三级小型工具车司机	人	1	450			0.5	
12	三级电工	人	1	225			0.25	
13	二级电工	人	1	225			0.25	
14	一级普工	人	5	2 248			0.5	
	设备资源							
15	215HP 推土机	台	1		496		0.69	
16	1m^3 液压反铲	台	1		108		0.15	
17	14t 振动平碾	台	1		237		0.33	
18	12m^3 洒水车	台	2		935		0.65	
19	小型工具车	台	1		72		0.1	
	材料		(单位耗量)					
20	水	m^3	0.25			25 175		
21	其他							

表 3-17　A区堆石料装运施工机械台时、人时、材料用量

序号	项　目	单位	数量	人时	台时	材料	利用系数	备注
	EL.-15~-5m							一期
1	设计工程量	m³	276 957					
2	施工工程量	m³	282 496					
3	小时生产率	m³/h	706					
4	长期工作影响系数		0.8					
5	平均生产率	m³/h	564.8					
	劳力资源							
6	工长	人	1	250			0.5	
7	二级小型工具车司机	人	1	500			1	
8	三级推土机司机	人	1	500			1	
9	三级装载机司机	人	2	1 000			1	
10	三级自卸汽车司机	人	16	8 003			1	
11	一级普工	人	3	1 501			1	
	设备资源							
12	小型工具车	台	1		100		0.25	
13	10m³ 轮式装载机	台	2		568		0.71	
14	60t 自卸汽车	台	16		6 146		0.96	运距 5km
15	370HP 推土机	台	1		284		0.71	
	材料							
16	其他							
	EL.-5~5m							一期
1	设计工程量	m³	569 431					
2	施工工程量	m³	580 820					
3	小时生产率	m³/h	1 578					
4	长期工作影响系数		0.8					
5	平均生产率	m³/h	1 262.4					
	劳力资源							
6	工长	人	1	230			0.5	
7	二级小型工具车司机	人	1	460			1	
8	三级推土机司机	人	2	920			1	
9	三级装载机司机	人	4	1 840			1	
10	三级自卸汽车司机	人	35	16 103			1	
11	一级普工	人	5	2 300			1	
	设备资源							
12	小型工具车	台	1		110		0.3	
13	10m³ 轮式装载机	台	4		1 163		0.79	
14	60t 自卸汽车	台	35		12 625		0.98	运距 5km
15	370HP 推土机	台	2		582		0.79	
	材料							
16	其他							

序号	项 目	单位	数量	人时	台时	材料	利用系数	备注
	EL.5～10m							二期
1	设计工程量	m³	301 078					
2	施工工程量	m³	307 100					
3	小时生产率	m³/h	1 600					
4	长期工作影响系数		0.8					
5	平均生产率	m³/h	1 280					
	劳力资源							
6	工长	人	1	120			0.5	
7	二级小型工具车司机	人	1	120			0.5	
8	三级推土机司机	人	2	480			1	
9	三级装载机司机	人	4	960			1	
10	三级自卸汽车司机	人	35	8 397			1	
11	一级普工	人	5	1 200			1	
	设备资源							
12	小型工具车	台	1		67		0.35	
13	10m³ 轮式装载机	台	4		614		0.8	
14	60t 自卸汽车	台	35		6 651		0.99	运距 5km
15	370HP 推土机	台	2		307		0.8	
	材料							
16	其他							
	EL.10～30m							二期
1	设计工程量	m³	1 441 569					
2	施工工程量	m³	1 470 400					
3	小时生产率	m³/h	1 585					
4	长期工作影响系数		0.8					
5	平均生产率	m³/h	1 268					
	劳力资源							
6	工长	人	1	580			0.5	
7	二级小型工具车司机	人	1	580			0.5	
8	三级推土机司机	人	3	3 479			1	
9	三级装载机司机	人	5	5 798			1	
10	三级自卸汽车司机	人	38	44 066			1	
11	一级普工	人	5	5 798			1	
	设备资源							
12	小型工具车	台	1		278		0.3	
13	10m³ 轮式装载机	台	5		2 922		0.63	
14	60t 自卸汽车	台	38		34 195		0.97	运距 5km
15	370HP 推土机	台	3		1 475		0.53	
	材料							
16	其他							

序号	项目	单位	数量	人时	台时	材料	利用系数	备注
	EL.30~60m							二期
1	设计工程量	m³	1 716 176					
2	施工工程量	m³	1 750 500					
3	小时生产率	m³/h	1 563					
4	长期工作影响系数		0.8					
5	平均生产率	m³/h	1 250.4					
	劳力资源							
6	工长	人	1	700			0.5	
7	二级小型工具车司机	人	1	700			0.5	
8	三级推土机司机	人	2	2 800			1	
9	三级装载机司机	人	4	5 600			1	
10	三级自卸汽车司机	人	35	48 998			1	
11	一级普工	人	5	7 000			1	
	设备资源							
12	小型工具车	台	1		392		0.35	
13	10m³ 轮式装载机	台	4		3 494		0.78	
14	60t 自卸汽车	台	35		38 023		0.97	运距 5km
15	370HP 推土机	台	2		1 747		0.78	
	材料							
16	其他							
	EL.60~80m							二期
1	设计工程量	m³	551 569					
2	施工工程量	m³	562 600					
3	小时生产率	m³/h	1 134					
4	长期工作影响系数		0.8					
5	平均生产率	m³/h	907.2					
	劳力资源							
6	工长	人	1	310			0.5	
7	二级小型工具车司机	人	1	310			0.5	
8	三级推土机司机	人	2	1 240			1	
9	三级装载机司机	人	3	1 860			1	
10	三级自卸汽车司机	人	27	16 744			1	
11	一级普工	人	5	3 101			1	
	设备资源							
12	小型工具车	台	1		174		0.35	
13	10m³ 轮式装载机	台	3		1 131		0.76	
14	60t 自卸汽车	台	27		13 127		0.98	运距 5.5km
15	370HP 推土机	台	2		566		0.57	
	材料							
16	其他							

续表 3-17

序号	项 目	单位	数量	人时	台时	材料	利用系数	备注
	EL.5～20m							三期
1	设计工程量	m³	649 902					
2	施工工程量	m³	662 900					
3	小时生产率	m³/h	1 480					
4	长期工作影响系数		0.8					
5	平均生产率	m³/h	1 184					
	劳力资源							
6	工长	人	1	280			0.5	
7	二级小型工具车司机	人	1	280			0.5	
8	三级推土机司机	人	2	1 120			1	
9	三级装载机司机	人	3	1 680			1	
10	三级自卸汽车司机	人	33	18 476			1	
11	一级普工	人	5	2 799			1	
	设备资源							
12	小型工具车	台	1		157		0.35	
13	10m³ 轮式装载机	台	3		1 330		0.99	
14	60t 自卸汽车	台	33		14 337		0.97	运距5km
15	370HP 推土机	台	2		663		0.74	
	材料							
16	其他							
	EL.20～70m							三期
1	设计工程量	m³	3 389 412					
2	施工工程量	m³	3 457 200					
3	小时生产率	m³/h	1 566					
4	长期工作影响系数		0.8					
5	平均生产率	m³/h	1 252.8					
	劳力资源							
6	工长	人	1	1 380			0.5	
7	二级小型工具车司机	人	1	1 380			0.5	
8	三级推土机司机	人	2	5 519			1	
9	三级装载机司机	人	4	11 038			1	
10	三级自卸汽车司机	人	35	96 585			1	
11	一级普工	人	5	13 798			1	
	设备资源							
12	小型工具车	台	1		773		0.35	
13	10m³ 轮式装载机	台	4		6 888		0.78	
14	60t 自卸汽车	台	35		74 950		0.97	运距5km
15	317HP 推土机	台	2		3 444		0.78	
	材料							
16	其他							

序号	项　目	单位	数量	人时	台时	材料	利用系数	备注
	EL.70～100m							三期
1	设计工程量	m³	2 802 059					
2	施工工程量	m³	2 858 100					
3	小时生产率	m³/h	1 567					
4	长期工作影响系数		0.8					
5	平均生产率	m³/h	1 253.6					
	劳力资源							
6	工长	人	1	1 140			0.5	
7	三级小型工具车司机	人	1	1 140			0.5	
8	三级推土机司机	人	2	4 560			1	
9	三级装载机司机	人	4	9 120			1	
10	三级自卸汽车司机	人	37	84 357			1	
11	一级普工	人	5	11 400			1	
	设备资源							
12	小型工具车	台	1		638		0.35	
13	10m³ 轮式装载机	台	4		5 691		0.78	
14	60t 自卸汽车	台	37		66 136		0.98	运距 5.5km
15	370HP 推土机	台	2		2 845		0.78	
	材料							
16	其他							
	EL.100～130m							三期
1	设计工程量	m³	1 866 863					
2	施工工程量	m³	1 904 100					
3	小时生产率	m³/h	1 488					
4	长期工作影响系数		0.8					
5	平均生产率	m³/h	1 190.4					
	劳力资源							
6	工长	人	1	800			0.5	
7	三级小型工具车司机	人	1	800			0.5	
8	三级推土机司机	人	2	3 199			1	
9	三级装载机司机	人	3	4 799			1	
10	三级自卸汽车司机	人	35	55 984			1	
11	一级普工	人	5	7 998			1	
	设备资源							
12	小型工具车	台	1		448		0.35	
13	10m³ 轮式装载机	台	3		3 801		0.99	
14	60t 自卸汽车	台	35		44 339		0.99	运距 5.5km
15	370HP 推土机	台	2		1 894		0.74	
	材料							
16	其他							

序号	项　目	单位	数量	人时	台时	材料	利用系数	备注
	EL.130~140m							三期
1	设计工程量	m³	276 471					
2	施工工程量	m³	282 000					
3	小时生产率	m³/h	705					
4	长期工作影响系数		0.8					
5	平均生产率	m³/h	564					
	劳力资源							
6	工长	人	1	250			0.5	
7	三级小型工具车司机	人	1	250			0.5	
8	三级推土机司机	人	1	500			1	
9	三级装载机司机	人	2	1 000			1	
10	三级自卸汽车司机	人	18	9 000			1	
11	一级普工	人	3	1 500			1	
	设备资源							
12	小型工具车	台	1		140		0.35	
13	10m³ 轮式装载机	台	2		568		0.71	
14	60t 自卸汽车	台	18		7 056		0.98	运距6km
15	370HP 推土机	台	1		284		0.71	
	材料							
16	其他							
	EL.140~147m							三期
1	设计工程量	m³	72 745					
2	施工工程量	m³	74 200					
3	小时生产率	m³/h	232					
4	长期工作影响系数		0.8					
5	平均生产率	m³/h	185.6					
	劳力资源							
6	工长	人	1	200			0.5	
7	三级小型工具车司机	人	1	200			0.5	
8	三级推土机司机	人	1	400			1	
9	三级装载机司机	人	1	400			1	
10	三级自卸汽车司机	人	7	2 798			1	
11	一级普工	人	1	400			1	
	设备资源							
12	小型工具车	台	1		112		0.35	
13	10m³ 轮式装载机	台	1		147		0.46	
14	60t 自卸汽车	台	7		1 858		0.83	运距6km
15	370HP 推土机	台	1		74		0.23	
	材料							
16	其他							

表 3-18　A 区堆石料坝面施工机械台时、人时、材料用量

序号	项　目	单位	数量	人时	台时	材料	利用系数	备注
	EL. −15～−5m							一期
1	设计工程量	m³	276 957					
2	施工工程量	m³	282 496					
3	小时生产率	m³/h	706					
4	长期工作影响系数		0.8					
5	平均生产率	m³/h	564.8					
	劳力资源							
6	工长	人	1	250			0.5	
7	三级推土机司机	人	3	1501			1	
8	三级反铲操作工	人	1	250			0.5	
9	三级振动碾司机	人	2	1 000			1	
10	三级液压破碎器操作工	人	1	500			1	
11	三级洒水车司机	人	7	3 501			1	
12	二级小型工具车司机	人	1	500			1	
13	二级电工	人	1	125			0.25	
14	三级电工	人	1	125			0.25	
15	一级普工	人	5	1 250			0.5	
	设备资源							
16	370HP 推土机	台	3		1 008		0.84	
17	1m³ 液压反铲	台	1		40		0.1	
18	17t 振动平碾	台	2		432		0.54	
19	110HP 液压破碎器	台	1		40		0.1	
20	12m³ 洒水车	台	7		2 633		0.94	
21	小型工具车	台	1		100		0.25	
	材料		（单位耗量）					
22	水	m³	0.25			70 624		
23	其他							
	EL. −5～5m							一期
1	设计工程量	m³	569 431					
2	施工工程量	m³	580 820					
3	小时生产率	m³/h	1 578					
4	长期工作影响系数		0.8					
5	平均生产率	m³/h	1 262.4					
	劳力资源							
6	工长	人	1	230			0.5	
7	三级推土机司机	人	6	2 761			1	
8	三级反铲操作工	人	1	460			1	
9	三级振动碾司机	人	3	1 380			1	
10	三级液压破碎器操作工	人	1	460			1	
11	三级洒水车司机	人	15	6 901			1	

序号	项　目	单位	数量	人时	台时	材料	利用系数	备注
12	二级小型工具车司机	人	1	460			1	
13	二级电工	人	1	115			0.25	
14	三级电工	人	1	115			0.25	
15	一级普工	人	5	1 150			0.5	
	设备资源							
16	370HP 推土机	台	6		2 076		0.94	
17	1m³ 液压反铲	台	1		74		0.2	
18	17t 振动平碾	台	3		894		0.81	
19	110HP 液压破碎器	台	1		74		0.2	
20	12m³ 洒水车	台	15		5 411		0.98	
21	小型工具车	台	1		110		0.3	
	材料		（单位耗量）					
22	水	m³	0.25			145 205		
23	其他							
	EL.5～10m							二期
1	设计工程量	m³	301 078					
2	施工工程量	m³	307 100					
3	小时生产率	m³/h	1 600					
4	长期工作影响系数		0.8					
5	平均生产率	m³/h	1 280					
	劳力资源							
6	工长	人	1	120			0.5	
7	三级推土机司机	人	6	1 440			1	
8	三级反铲操作工	人	1	240			1	
9	三级振动碾司机	人	3	720			1	
10	三级液压破碎器操作工	人	1	240			1	
11	三级洒水车司机	人	15	3 599			1	
12	二级小型工具车司机	人	1	120			0.5	
13	二级电工	人	1	60			0.25	
14	三级电工	人	1	60			0.25	
15	一级普工	人	5	600			0.5	
	设备资源							
16	370HP 推土机	台	6		1 094		0.95	
17	1m³ 液压反铲	台	1		58		0.3	
18	17t 振动平碾	台	3		472		0.82	
19	110HP 液压破碎器	台	1		58		0.3	
20	12m³ 洒水车	台	15		2 850		0.99	
21	小型工具车	台	1		67		0.35	
	材料		（单位耗量）					
22	水	m³	0.25			76 775		
23	其他							

序号	项目	单位	数量	人时	台时	材料	利用系数	备注
	EL.10~30m							二期
1	设计工程量	m³	1 441 569					
2	施工工程量	m³	1 470 400					
3	小时生产率	m³/h	1 585					
4	长期工作影响系数		0.8					
5	平均生产率	m³/h	1 268					
	劳力资源							
6	工长	人	1	580			0.5	
7	三级推土机司机	人	6	6 958			1	
8	三级反铲操作工	人	1	1 160			1	
9	三级振动碾司机	人	3	3 479			1	
10	三级液压破碎器操作工	人	1	1 160			1	
11	三级洒水车司机	人	15	17 394			1	
12	二级小型工具车司机	人	1	580			0.5	
13	二级电工	人	1	290			0.25	
14	三级电工	人	1	290			0.25	
15	一级普工	人	5	2 899			0.5	
	设备资源							
16	370HP 推土机	台	6		5 232		0.94	
17	1m³ 液压反铲	台	1		278		0.3	
18	17t 振动平碾	台	3		2 254		0.81	
19	110HP 液压破碎器	台	1		278		0.3	
20	12m³ 洒水车	台	15		13 637		0.98	
21	小型工具车	台	1		278		0.3	
	材料		(单位耗量)					
22	水	m³	0.25			367 600		
23	其他							
	EL.30~60m							二期
1	设计工程量	m³	1 716 176					
2	施工工程量	m³	1 750 500					
3	小时生产率	m³/h	1 563					
4	长期工作影响系数		0.8					
5	平均生产率	m³/h	1 250.4					
	劳力资源							
6	工长	人	1	700			0.5	
7	三级推土机司机	人	6	8 400			1	
8	三级反铲操作工	人	1	1 400			1	
9	三级振动碾司机	人	3	4 200			1	
10	三级液压破碎器操作工	人	1	1 400			1	
11	三级洒水车司机	人	15	20 999			1	

序号	项　目	单位	数量	人时	台时	材料	利用系数	备注
12	三级小型工具车司机	人	1	700			0.5	
13	三级电工	人	1	350			0.25	
14	二级电工	人	1	350			0.25	
15	一级普工	人	5	3 500			0.5	
	设备资源							
16	370HP 推土机	台	6		6 249		0.93	
17	1m³ 液压反铲	台	1		336		0.3	
18	17t 振动平碾	台	3		2 688		0.8	
19	110HP 液压破碎器	台	1		224		0.2	
20	12m³ 洒水车	台	15		16 295		0.97	
21	小型工具车	台	1		392		0.35	
	材料		(单位耗量)					
22	水	m³	0.25			437 625		
23	其他							
	EL.60～80m							二期
1	设计工程量	m³	551 569					
2	施工工程量	m³	562 600					
3	小时生产率	m³/h	1 134					
4	长期工作影响系数		0.8					
5	平均生产率	m³/h	907.2					
	劳力资源							
6	工长	人	1	310			0.5	
7	三级推土机司机	人	3	1 860			1	
8	三级反铲操作工	人	1	620			1	
9	三级振动碾司机	人	2	1 240			1	
10	三级液压破碎器操作工	人	1	620			1	
11	三级洒水车司机	人	7	4 341			1	
12	三级小型工具车司机	人	1	310			0.5	
13	三级电工	人	1	155			0.25	
14	二级电工	人	1	155			0.25	
15	一级普工	人	5	1 550			0.5	
	设备资源							
16	370HP 推土机	台	5		2 009		0.81	
17	1m³ 液压反铲	台	1		149		0.3	
18	17t 振动平碾	台	2		863		0.87	
19	110HP 液压破碎器	台	1		99		0.2	
20	12m³ 洒水车	台	11		5 239		0.96	
21	小型工具车	台	1		174		0.35	
	材料		(单位耗量)					
22	水	m³	0.25			140 650		
23	其他							

序号	项 目	单位	数量	人时	台时	材料	利用系数	备注
	EL.5～20m							三期
1	设计工程量	m³	649 902					
2	施工工程量	m³	662 900					
3	小时生产率	m³/h	1 480					
4	长期工作影响系数		0.8					
5	平均生产率	m³/h	1 184					
	劳力资源							
6	工长	人	1	280			0.5	
7	三级推土机司机	人	6	3 359			1	
8	三级反铲操作工	人	1	560			1	
9	三级振动碾司机	人	3	1 680			1	
10	三级液压破碎器操作工	人	1	560			1	
11	三级洒水车司机	人	14	7 838			1	
12	二级小型工具车司机	人	1	280			0.5	
13	二级电工	人	1	140			0.25	
14	三级电工	人	1	140			0.25	
15	一级普工	人	5	1 400			0.5	
	设备资源							
16	370HP 推土机	台	6		2 365		0.88	
17	1m³ 液压反铲	台	1		134		0.3	
18	17t 振动平碾	台	3		1 021		0.76	
19	110HP 液压破碎器	台	1		90		0.2	
20	12m³ 洒水车	台	14		6 145		0.98	
21	小型工具车	台	1		157		0.35	
	材料		(单位耗量)					
22	水	m³	0.25			165 725		
23	其他							
	EL.20～70m							三期
1	设计工程量	m³	3 389 412					
2	施工工程量	m³	3 457 200					
3	小时生产率	m³/h	1 566					
4	长期工作影响系数		0.8					
5	平均生产率	m³/h	1 252.8					
	劳力资源							
6	工长	人	1	1 380			0.5	
7	三级推土机司机	人	6	16 557			1	
8	三级反铲操作工	人	1	2 760			1	
9	三级振动碾司机	人	3	8 279			1	
10	三级液压破碎器操作工	人	1	2 760			1	
11	三级洒水车司机	人	15	41 394			1	

序号	项 目	单位	数量	人时	台时	材料	利用系数	备注
12	二级小型工具车司机	人	1	1 380			0.5	
13	二级电工	人	1	690			0.25	
14	三级电工	人	1	690			0.25	
15	一级普工	人	5	6 899			0.5	
	设备资源							
16	370HP 推土机	台	6		12 319		0.93	
17	1m³ 液压反铲	台	1		662		0.3	
18	17t 振动平碾	台	3		5 298		0.8	
19	110HP 液压破碎器	台	1		442		0.2	
20	12m³ 洒水车	台	15		32 121		0.97	
21	小型工具车	台	1		773		0.35	
	材料		(单位耗量)					
22	水	m³	0.25			864 300		
23	其他							
	EL.70～100m							三期
1	设计工程量	m³	2 802 059					回采料
2	施工工程量	m³	2 858 100					
3	小时生产率	m³/h	1 567					
4	长期工作影响系数		0.8					
5	平均生产率	m³/h	1 253.6					
	劳力资源							
6	工长	人	1	1 140			0.5	
7	三级推土机司机	人	6	13 679			1	
8	三级反铲操作工	人	1	2 280			1	
9	三级振动碾司机	人	3	6 840			1	
10	三级液压破碎器操作工	人	1	2 280			1	
11	三级洒水车司机	人	15	34 199			1	
12	三级小型工具车司机	人	1	1 140			0.5	
13	二级电工	人	1	570			0.25	
14	三级电工	人	1	570			0.25	
15	一级普工	人	5	5 700			0.5	
	设备资源							
16	370HP 推土机	台	6		10 178		0.93	
17	1m³ 液压反铲	台	1		730		0.4	
18	17t 振动平碾	台	3		4 377		0.8	
19	110HP 液压破碎器	台	1		638		0.35	
20	12m³ 洒水车	台	15		26 538		0.97	
21	小型工具车	台	1		638		0.35	
	材料		(单位耗量)					
22	水	m³	0.25			714 525		
23	其他							

序号	项　　目	单位	数量	人时	台时	材料	利用系数	备注
	EL.100～130m							三期
1	设计工程量	m³	1 866 863					
2	施工工程量	m³	1 904 100					
3	小时生产率	m³/h	1 488					
4	长期工作影响系数		0.8					
5	平均生产率	m³/h	1 190.4					
	劳力资源							
6	工长	人	1	800			0.5	
7	三级推土机司机	人	6	9 597			1	
8	三级反铲操作工	人	1	1 600			1	
9	三级振动碾司机	人	3	4 799			1	
10	三级液压破碎器操作工	人	1	1 600			1	
11	三级洒水车司机	人	15	23 993			1	
12	三级小型工具车司机	人	1	800			0.5	
13	二级电工	人	1	400			0.25	
14	三级电工	人	1	400			0.25	
15	一级普工	人	5	3 999			0.5	
	设备资源							
16	370HP 推土机	台	6		6 833		0.89	
17	1m³ 液压反铲	台	1		512		0.4	
18	17t 振动平碾	台	3		2 918		0.76	
19	110HP 液压破碎器	台	1		448		0.35	
20	12m³ 洒水车	台	15		17 659		0.92	
21	小型工具车	台	1		448		0.35	
	材料		(单位耗量)					
22	水	m³	0.25			476 025		
23	其他							
	EL.130～140m							三期
1	设计工程量	m³	276 471					
2	施工工程量	m³	282 000					
3	小时生产率	m³/h	705					
4	长期工作影响系数		0.8					
5	平均生产率	m³/h	564					
	劳力资源							
6	工长	人	1	250			0.5	
7	三级推土机司机	人	3	1 500			1	
8	三级反铲操作工	人	1	500			1	
9	三级振动碾司机	人	2	1 000			1	
10	三级液压破碎器操作工	人	1	500			1	
11	三级洒水车司机	人	7	3 500			1	

序号	项　目	单位	数量	人时	台时	材料	利用系数	备注
12	三级小型工具车司机	人	1	250			0.5	
13	二级电工	人	1	125			0.25	
14	三级电工	人	1	125			0.25	
15	一级普工	人	5	1 250			0.5	
	设备资源							
16	370HP 推土机	台	3		1 008		0.84	
17	1m³ 液压反铲	台	1		160		0.4	
18	17t 振动平碾	台	2		432		0.54	
19	110HP 液压破碎器	台	1		140		0.35	
20	12m³ 洒水车	台	7		2 632		0.94	
21	小型工具车	台	1		140		0.35	
	材料		(单位耗量)					
22	水	m³	0.25			70 500		
23	其他							
	EL.140～147m							三期
1	设计工程量	m³	72 745					
2	施工工程量	m³	74 200					
3	小时生产率	m³/h	232					
4	长期工作影响系数		0.8					
5	平均生产率	m³/h	185.6					
	劳力资源							
6	工长	人	1	200			0.5	
7	三级推土机司机	人	1	400			1	
8	三级反铲操作工	人	1	400			1	
9	三级振动碾司机	人	1	400			1	
10	三级液压破碎器操作工	人	1	400			1	
11	三级洒水车司机	人	3	1 199			1	
12	三级小型工具车司机	人	1	200			0.5	
13	二级电工	人	1	100			0.25	
14	三级电工	人	1	100			0.25	
15	一级普工	人	5	999			0.5	
	设备资源							
16	370HP 推土机	台	1		265		0.83	
17	1m³ 液压反铲	台	1		128		0.4	
18	17t 振动平碾	台	1		115		0.36	
19	110HP 液压破碎器	台	1		112		0.35	
20	12m³ 洒水车	台	3		691		0.72	
21	小型工具车	台	1		112		0.35	
	材料		(单位耗量)					
22	水	m³	0.25			18 550		
23	其他							

表 3-19 B区堆石料装运施工机械台时、人时、材料用量

序号	项 目	单位	数量	人时	台时	材料	利用系数	备注
	EL. −15∼5m							一期
1	设计工程量	m³	59 308					
2	施工工程量	m³	60 494					
3	小时生产率	m³/h	79					
4	长期工作影响系数		0.8					
5	平均生产率	m³/h	63.2					
	劳力资源							
6	工长	人	1	479			0.5	
7	二级小型工具车司机	人	1	479			0.5	
8	三级推土机司机	人	1	96			0.1	
9	三级装载机司机	人	1	96			0.1	
10	三级自卸汽车司机	人	2	1 914			1	
11	一级普工	人	1	957			1	
	设备资源							
12	小型工具车	台	1		153		0.2	
13	10m³ 轮式装载机	台	1		123		0.16	
14	60t 自卸汽车	台	2		1 317		0.86	运距 5km
15	370HP 推土机	台	1		61		0.08	
	材料							
16	其他							
	EL.5∼50m							三期
1	设计工程量	m³	79 875					
2	施工工程量	m³	81 473					
3	小时生产率	m³/h	51					
4	长期工作影响系数		0.8					
5	平均生产率	m³/h	40.8					
	劳力资源							
6	工长	人	1	998			0.5	
7	二级小型工具车司机	人	1	998			0.5	
8	三级推土机司机	人	1	200			0.1	
9	三级装载机司机	人	1	200			0.1	
10	三级自卸汽车司机	人	2	3 994			1	
11	一级普工	人	1	1 997			1	
	设备资源							
12	小型工具车	台	1		320		0.2	
13	10m³ 轮式装载机	台	1		160		0.10	
14	60t 自卸汽车	台	2		1 757		0.55	运距 5.5km
15	370HP 推土机	台	1		80		0.05	
	材料							
16	其他							

序号	项目	单位	数量	人时	台时	材料	利用系数	备注
	EL.50～100m							三期
1	设计工程量	m³	107 329					
2	施工工程量	m³	109 476					
3	小时生产率	m³/h	38					
4	长期工作影响系数		0.8					
5	平均生产率	m³/h	30.4					
	劳力资源							
6	工长	人	1	1 801			0.5	
7	二级小型工具车司机	人	1	1 801			0.5	
8	三级推土机司机	人	1	360			0.1	
9	三级装载机司机	人	1	360			0.1	
10	三级自卸汽车司机	人	1	3 601			1	
11	一级普工	人	1	3 601			1	
	设备资源							
12	小型工具车	台	1		576		0.2	
13	10m³ 轮式装载机	台	1		230		0.08	
14	60t 自卸汽车	台	1		2 535		0.88	运距 5.5km
15	370HP 推土机	台	1		115		0.04	
	材料							
16	其他							
	EL.100～147m							三期
1	设计工程量	m³	132 372					
2	施工工程量	m³	135 019					
3	小时生产率	m³/h	66					
4	长期工作影响系数		0.8					
5	平均生产率	m³/h	52.8					
	劳力资源							
6	工长	人	1	1 279			0.5	
7	二级小型工具车司机	人	1	1 279			0.5	
8	三级推土机司机	人	1	256			0.1	
9	三级装载机司机	人	1	256			0.1	
10	三级自卸汽车司机	人	2	5 114			1	
11	一级普工	人	1	2 557			1	
	设备资源							
12	小型工具车	台	1		409		0.2	
13	10m³ 轮式装载机	台	1		266		0.13	
14	60t 自卸汽车	台	2		3 396		0.83	运距 6km
15	370HP 推土机	台	1		143		0.07	
	材料							
16	其他							

表 3-20　B区堆石料坝面施工机械台时、人时、材料用量

序号	项　　目	单位	数量	人时	台时	材料	利用系数	备注
	EL.−15~5m							一期
1	设计工程量	m³	59 308					
2	施工工程量	m³	60 494					
3	小时生产率	m³/h	79					
4	长期工作影响系数		0.8					
5	平均生产率	m³/h	63.2					
	劳力资源							
6	工长	人	1	479			0.5	
7	三级推土机司机	人	1	479			0.5	
8	三级振动碾司机	人	1	479			0.5	
9	三级反铲操作工	人	1	957			1	
10	二级小型工具车司机	人	1	479			0.5	
11	二级电工	人	1	239			0.25	
12	三级电工	人	1	239			0.25	
13	一级普工	人	15	14 358			1	
	设备资源							
14	370HP 推土机	台	1		214		0.28	
15	17t 振动平碾	台	1		92		0.12	
16	1m³ 液压反铲	台	1		383		0.5	
17	小型工具车	台	1		153		0.2	
	材料							
18	其他							
	EL.5~50m							三期
1	设计工程量	m³	79 875					
2	施工工程量	m³	81 473					
3	小时生产率	m³/h	51					
4	长期工作影响系数		0.8					
5	平均生产率	m³/h	40.8					
	劳力资源							
6	工长	人	1	998			0.5	
7	三级推土机司机	人	1	998			0.5	
8	三级振动碾司机	人	1	998			0.5	
9	三级反铲操作工	人	1	1 997			1	
10	二级小型工具车司机	人	1	998			0.5	
11	二级电工	人	1	499			0.25	
12	三级电工	人	1	499			0.25	
13	一级普工	人	15	29 953			1	
	设备资源							
14	370HP 推土机	台	1		288		0.18	
15	17t 振动平碾	台	1		96		0.06	

序号	项目	单位	数量	人时	台时	材料	利用系数	备注
16	1m³ 液压反铲	台	1		799		0.5	
17	小型工具车	台	1		320		0.2	
	材料							
18	其他							
	EL.50~100m							三期
1	设计工程量	m³	107 329					
2	施工工程量	m³	109 476					
3	小时生产率	m³/h	38					
4	长期工作影响系数		0.8					
5	平均生产率	m³/h	30.4					
	劳力资源							
6	工长	人	1	1 801			0.5	
7	三级推土机司机	人	1	720			0.2	
8	三级振动碾司机	人	1	1 801			0.5	
9	三级反铲操作工	人	1	3 601			1	
10	二级小型工具车司机	人	1	1 801			0.5	
11	二级电工	人	1	900			0.25	
12	三级电工	人	1	900			0.25	
13	一级普工	人	15	54 018			1	
	设备资源							
14	370HP 推土机	台	1		403		0.14	
15	17t 振动平碾	台	1		173		0.06	
16	1m³ 液压反铲	台	1		1 440		0.5	
17	小型工具车	台	1		576		0.2	
	材料							
18	其他							
	EL.100~147m							三期
1	设计工程量	m³	132 372					
2	施工工程量	m³	135 019					
3	小时生产率	m³/h	66					
4	长期工作影响系数		0.8					
5	平均生产率	m³/h	52.8					
	劳力资源							
6	工长	人	1	1 279			0.5	
7	三级推土机司机	人	1	511			0.2	
8	三级振动碾司机	人	1	1 279			0.5	
9	三级反铲操作工	人	1	2 557			1	
10	二级小型工具车司机	人	1	1 279			0.5	
11	二级电工	人	1	639			0.25	
12	三级电工	人	1	639			0.25	

序号	项 目	单位	数量	人时	台时	材料	利用系数	备注
13	一级普工	人	15	38 358			1	
	设备资源							
14	370HP 推土机	台	1		491		0.24	
15	17t 振动平碾	台	1		225		0.11	
16	1m³ 液压反铲	台	1		1 023		0.5	
17	小型工具车	台	1		409		0.2	
	材料							
18	其他							

4 混凝土工程资源计算

按照钢筋混凝土面板堆石坝施工的特点,混凝土工程施工拟划分为如下工序:①仓面清理;②钢筋加工;③钢筋绑扎;④止水安装;⑤模板安拆;⑥混凝土浇筑及养护。

4.1 资源计算原则

4.1.1 机械设备台时用量计算原则

按照混凝土工程施工强度分析表,综合分析出不同部位混凝土工程各工序施工小时强度、主要机械设备配备数量;依据不同运输距离的区域工程量,计算该区域内小时施工强度;再按照各施工机械设备的小时生产率,计算其利用系数及每种设备的台时耗量。

$$设备小时利用系数 = \frac{该工作小时生产率}{该设备小时生产率}$$

$$设备台时 = \frac{该工作施工工程量}{该工作小时生产率} \times 设备数量 \times 该设备利用系数$$

4.1.2 人时用量计算原则

按照每个单项工程的施工强度及配备的各种施工机械设备的数量定员定岗配备工长及各工种不同的劳动力,同一工种劳动力分 4 个等级:一级工(不熟练工)、二级工(半熟练工)、三级工(熟练工)、四级工(高级熟练工)。根据钢筋混凝土面板堆石坝混凝土的不同部位和施工特点配备各种专业组及人员,再按照每个单项工程的具体工作时间计算人时。

$$人时 = \frac{施工工程量}{平均生产率} \times 利用系数 \times 人数$$

4.1.3 材料用量计算原则

采用统计、分析、比较等方法,确定单位工程材料用量后进行材料用量计算。

$$材料用量 = 施工工程量 \times 单位工程材料用量$$

4.2 喷混凝土资源计算

设计工程量:6 953m³。

小时施工强度:4.9m³/h。

主要机械设备:

  yt-7/9 型空压机   2 台

  6m³ 混凝土搅拌运输车 2 台

混凝土喷射机　　　　　　　　　2台
20t 履带吊　　　　　　　　　　　2台

劳力资源:混凝土喷射工作组负责完成混凝土的运输、斜坡面喷射、处理回弹料、养护及混凝土喷射前的准备等工作。工作组人员安排详见表4-1。

材料计算:喷混凝土材料耗量主要是混凝土与养护用水两种,单位耗量为,混凝土 $1.15m^3/m^3$;水 $0.2m^3/m^2$。喷混凝土机械设备台时、人时、材料用量详见表4-2。

表 4-1　混凝土喷射工作组　　　　　　　　　　　　　　　　　(单位:人)

序号	工　种	数　量				
		工长	一级工	二级工	三级工	四级工
1	工长	1				
2	混凝土搅拌运输车司机				2	
3	混凝土喷射机操作工				6	
4	空压机操作工				2	
5	履带吊司机				2	
6	电工			1	1	
7	普工		3			

表 4-2　喷混凝土施工机械台时、人时、材料用量

序号	项　目	单位	数量	人时	台时	材料	利用系数	备注
1	设计工程量	m^3	6 953					喷混凝土厚5cm
2	施工工程量	m^3	7 996					
3	小时生产率	m^3/h	4.9					
4	长期工作影响系数		0.6					
5	平均生产率	m^3/h	2.94					
	劳力资源							
6	工长	人	1	1 360			0.5	
7	三级混凝土搅拌运输车司机	人	2	5 439			1	
8	三级混凝土喷射机操作工	人	6	16 318			1	
9	二级电工	人	1	680			0.25	
10	三级电工	人	1	680			0.25	
11	三级空压机操作工	人	2	5 439			1	
12	三级履带吊司机	人	2	5 439			1	
13	一级普工	人	3	8 159			1	
	设备资源							
14	$6m^3$ 混凝土搅拌运输车	台	2		424		0.13	
15	混凝土喷射机	台	2		2 285		0.7	
16	20t 履带吊	台	2		979		0.3	
17	yt-7/9型空压机	台	2		2 285		0.7	

序号	项　　目	单位	数量	人时	台时	材料	利用系数	备注
	材料		(单位耗量)					
18	混凝土	m^3				7 996		
19	水	m^3	0.2m^3/m^2			27 002		
20	其他							

4.3　钢筋混凝土面板施工项目划分、设备配备、劳力安排

4.3.1　仓面清理

设计工程量:一期 54 784m^2;二期 80 267m^2。

小时施工强度:60m^2/h。

主要机械设备:yt-7/9 型空压机 1 台。

劳力资源:仓面清理工作组负责完成混凝土浇筑前仓面清理、冲洗等工作。工作组人员安排详见表 4-3。

表 4-3　仓面清理工作组　　　　　　　　　　　　　　　　　　　　(单位:人)

序号	工　　种	数　　量				
		工长	一级工	二级工	三级工	四级工
1	工长	1				
2	空压机操作工				1	
3	电工			1	1	
4	普工		4			

4.3.2　钢筋加工

钢筋加工生产拟在钢筋加工厂完成,钢筋混凝土面板堆石坝钢筋加工主要包括面板钢筋、趾板钢筋及锚筋,此三项钢筋总的设计工程量为 4 648.06t。钢筋加工厂的生产能力按照钢筋混凝土施工高峰月强度确定。经计算钢筋加工厂的生产能力为 17.0t/班,钢筋加工厂的主要设备、劳力资源配备如下。

主要机械设备:

钢筋调直机	3 台
钢筋切断机	2 台
钢筋弯曲机	5 台
钢筋对焊机	1 台
电焊机 16～30kVA	6 台
10t 平板车	1 台
6t 塔吊	1 台
小型工具车	1 台

劳力资源:钢筋加工工作组负责完成钢筋调直、除锈、切断、加工及在工厂的存放等工作。钢筋制作单位人时耗量与钢筋直径、形状和接头数量有关,人员数量按平均每人每小时加工 40～50kg 配备。工作组人员安排详见表 4-4。

表 4-4　钢筋制作工作组 （单位:人）

序号	工 种	数 量				
		工长	一级工	二级工	三级工	四级工
1	工长	1				
2	钢筋调直机操作工			6	3	
3	平板车司机				1	
4	钢筋切断机操作工			4	2	
5	钢筋弯曲机操作工			9	4	2
6	塔吊司机				1	
7	电焊工			2	8	
8	小车司机			1		
9	其他二级钢筋工			6		
10	普工		5			

4.3.3 钢筋架立

设计工程量:一期 1 721t;二期 2 516t。

小时生产率:2.5t/h。

主要机械设备:

电焊机 16~30kVA	4 台
10t 平板车	1 台
20t 汽车吊	1 台
钢筋台车	1 台
20t 卷扬机	2 台
yt-7/9 型空压机	1 台
yt-25 型手风钻	2 台
小型工具车	1 台

劳力资源:钢筋安装工作组负责完成钢筋从加工厂到施工现场运输、现场钢筋架立等工作。人员数量按平均每人每小时安装 40~50kg 配备,工作组人员安排详见表 4-5。

表 4-5　钢筋架立工作组 （单位:人）

序号	工 种	数 量				
		工长	一级工	二级工	三级工	四级工
1	工长	1				
2	平板车司机			1		
3	卷扬机操作工				2	
4	空压机操作工				1	
5	钻工			2		
6	吊车司机				1	
7	电焊工			6		

序号	工　种	数　量				
		工长	一级工	二级工	三级工	四级工
8	钢筋工		8			
9	小车司机			1		
10	电工			1	1	
11	普工		8			

4.3.4　止水安装

设计工程量:一期 3 399m;二期 4 912m。

小时生产率:6m/h。

主要机械设备:

电焊机 16～30kVA　　　　1台

焊枪　　　　　　　　　　2把

小型工具车　　　　　　　1台

劳力资源:止水安装工作组负责完成伸缩缝铜止水、PVC 止水安装及从存放仓库到施工现场的运输等工作。工作组人员安排详见表 4-6。

表 4-6　止水安装工作组　　　　　　　　　（单位:人）

序号	工　种	数　量				
		工长	一级工	二级工	三级工	四级工
1	工长	1				
2	焊工				2	
3	平板车司机			1		
4	电工			1	1	
5	普工		2			

4.3.5　模板安拆

本工程所用模板全部采用厂家生产的定型平面钢模板。面板混凝土模板安拆主要包括面板分块的侧模与起始块混凝土模板安拆两部分。

设计工程量:一期 3 923m²;二期 3 709m²。

小时生产率:主面板侧模 10m²/h;起始板 7.5m²/h。

主要机械设备:

电焊机 16～30kVA　　　　1台

5t 平板车　　　　　　　　1台

5t 汽车吊　　　　　　　　1台

小型工具车　　　　　　　1台

劳力资源:模板安拆工作组负责完成混凝土浇筑仓位模板的安装与拆除以及模板从存放场地到施工现场运输。工作组人员安排详见表 4-7。

表 4-7　平面钢模板安装工作组　　　　　（单位:人）

序号	工　种	数　量				
		工长	一级工	二级工	三级工	四级工
一	主面板					
1	工长	1				
2	木工		4	2		
3	平板车司机				1	
4	吊车司机				1	1
5	电焊工				2	
6	小车司机			1		
7	电工			1	1	
8	普工		4			
二	起始板					
1	工长	1				
2	木工		4	4		
3	平板车司机				1	
4	吊车司机				1	1
5	电焊工				2	
6	小车司机			1		
7	电工			1	1	
8	普工		4			

4.3.6　起始板混凝土浇筑

面板与基岩接触三角带混凝土(起始板混凝土)全部采用立模浇筑混凝土。

设计工程量:一期 761m³;二期 346m³。

小时生产率:20m³/h。

主要机械设备:

6m³ 混凝土搅拌运输车	2台
HB60 型液压混凝土泵	1台
1.5kW 电动插入式振捣器	4台
小型工具车	1台

劳力资源:起始板混凝土浇筑工作组负责完成钢筋混凝土面板三角带起始板的混凝土运输、入仓、振捣及养护工作。工作组人员安排详见表4-8。

4.3.7　主面板混凝土浇筑

主面板混凝土浇筑强度按照已选用施工方法、施工设备确定。

一期:

$$16m \times 2 \times 2.5m/h \times 0.75m^3/m^2 = 60m^3/h$$

二期:

$$16m \times 2 \times 2.5m/h \times 0.46m^3/m^2 = 37m^3/h$$

设计工程量：一期 39 074m³；二期 35 344m³。

主要机械设备：

电焊机 16～30kVA	1 台
6m³ 混凝土搅拌运输车	一期 5 台　　二期 4 台
16m 宽钢滑模	2 套
混凝土溜槽	4 套
20t 卷扬机	4 台
1.5kW 电动插入式振捣器	一期 10 台　　二期 8 台
3.5kW 电动插入式振捣器	2 台
50t 吊车	1 台
小型工具车	1 台

劳力资源：主面板混凝土浇筑施工工作组负责完成主面板混凝土运输、入仓、振捣、滑模的滑移和调整、抹面及养护工作。工作组人员按照一套模板配备，详见表 4-9。

表 4-8　起始板混凝土浇筑工作组　　　　　　　　　　　　　　（单位：人）

序号	工　种	数　　量				
		工长	一级工	二级工	三级工	四级工
1	工长	1				
2	混凝土搅拌运输车司机				2	
3	混凝土泵操作工				1	
4	混凝土工			2	2	
5	木工			1		
6	钢筋工			1		
7	小车司机			1		
8	电工			1	1	
9	普工		6			

表 4-9　主面板混凝土浇筑施工工作组　　　　　　　　　　　　（单位：人）

序号	工　种	数　　量				
		工长	一级工	二级工	三级工	四级工
一期						
1	工长	1				
2	混凝土搅拌运输车司机				3	
3	卷扬机操作工				2	
4	滑模操作工				4	
5	抹面工			2		
6	吊车司机				1	
7	溜槽安拆工			4		
8	木工			1		
9	钢筋工			1		

序号	工 种	数 量				
		工长	一级工	二级工	三级工	四级工
10	混凝土工			5	1	
11	小车司机			1		
12	电工			1	1	
13	普工		8			
二期						
1	工长	1				
2	混凝土搅拌运输车司机				2	
3	卷扬机操作工				2	
4	滑模操作工				4	
5	抹面工			2		
6	吊车司机				1	
7	溜槽安拆工			4		
8	木工			1		
9	钢筋工			1		
10	混凝土工			4	2	
11	小车司机			1		
12	电工			1	1	
13	普工		8			

4.3.8 材料单位用量

采用统计、分析、比较等方法计算。混凝土工程消耗材料主要为成品混凝土、钢筋、模板、止水材料及与这几项有关的其他材料、混凝土养护洒水。根据《施工组织设计手册》有关数据和小浪底、天生桥工程此部分材料的使用情况,确定材料单位耗量见表 4-10。

表 4-10　主要材料单位用量

序号	材料名称	单位	数量	备注
1	混凝土	m³/m³	1.03	
2	钢筋	t/t	1.02	
3	模板	kg/m²	0.5	钢材摊销量
4	钢筋制作焊条	kg/t	4.8	
5	钢筋架立焊条	kg/t	2.4	
6	水	m³/m³	0.2	混凝土养护
7	铜止水	kg/m	9.5	
8	PVC 止水	m/m	1.03	

4.3.9 施工机械设备台时、人时、材料用量

施工机械设备台时、人时、材料用量详见表 4-11~表 4-27。

表 4-11　一期面板仓面清理施工机械台时、人时、材料用量

序号	项目	单位	数量	人时	台时	材料	利用系数	备注
1	设计工程量	m²	54 784					
2	施工工程量	m²	54 784					
3	小时生产率	m²/h	60					
4	长期工作影响系数		0.7					
5	平均生产率	m²/h	42					
	劳力资源							
6	工长	人	1	1 304			1	
7	三级空压机操作工	人	1	1 304			1	
8	二级电工	人	1	326			0.25	
9	三级电工	人	1	326			0.25	
10	一级普工	人	4	5 218			1	
	设备资源							
11	yt－7/9 型空压机	台	1		776		0.85	
	材料		(单位耗量)					
12	水	m³	0.02			1 096		
13	其他							

表 4-12　钢筋制作施工机械台时、人时、材料用量

序号	项目	单位	数量	人时	台时	材料	利用系数	备注
1	设计工程量	t	4 648.06					
2	施工工程量	t	4 741.02					
3	小时生产率	t/h	2.8					
4	长期工作影响系数		0.8					
5	平均生产率	t/h	2.2					
	劳力资源							
6	工长	人	1	2 155			1	
7	四级钢筋弯曲机操作工	人	2	4 310			1	
8	三级钢筋弯曲机操作工	人	4	8 620			1	
9	二级钢筋弯曲机操作工	人	9	19 395			1	
10	三级钢筋切断机操作工	人	2	4 310			1	
11	二级钢筋切断机操作工	人	4	8 620			1	
12	三级钢筋调直机操作工	人	3	6 465			1	
13	二级钢筋调直机操作工	人	6	12 930			1	
14	三级塔吊司机	人	1	2 155			1	
15	其他二级钢筋工	人	6	12 930			1	
16	三级电焊工	人	8	17 240			1	
17	二级电焊工	人	2	4 310			1	
18	三级平板车司机	人	1	2 155			1	
19	一级普工	人	5	10 775			1	
	设备资源							
20	钢筋调直机	台	3		2 794		0.55	

序号	项 目	单位	数量	人时	台时	材料	利用系数	备注
21	钢筋切断机	台	2		1 896		0.56	
22	钢筋弯曲机	台	5		5 249		0.62	
23	钢筋对焊机	台	1		982		0.58	
24	电焊机 16～30kVA	台	6		5 892		0.58	
25	10t 平板车	台	1		508		0.3	
26	6t 塔吊	台	1		508		0.3	
	材料		(单位耗量)					
27	钢筋	t	1			4 741		
28	焊条	kg	4.8			22 757		
29	铁丝	kg	2.7			12 801		
30	其他							

表 4-13   一期面板钢筋架立施工机械台时、人时、材料用量

序号	项 目	单位	数量	人时	台时	材料	利用系数	备注
1	设计工程量	t	1 721					起始板钢
2	施工工程量	t	1 756					筋 42.69 t,
3	小时生产率	t/h	2.5					主板钢筋
4	长期工作影响系数		0.8					1 678.4t
5	平均生产率	t/h	2					
	劳力资源							
6	工长	人	1	878			1	
7	二级平板车司机	人	1	878			1	
8	三级卷扬机操作工	人	2	1 756			1	
9	二级电焊工	人	6	5 268			1	
10	二级钢筋工	人	8	7 024			1	
11	二级钻工	人	2	1 756			1	
12	三级空压机操作工	人	1	878			1	
13	三级吊车司机	人	1	878			1	
14	二级小型工具车司机	人	1	878			1	
15	二级电工	人	1	220			0.25	
16	三级电工	人	1	220			0.25	
17	一级普工	人	8	7 024			1	
	设备资源							
18	10t 平板车	台	1		246		0.35	
19	钢筋台车	台	1		351		0.5	
20	20t 汽车吊	台	1		211		0.3	
21	20t 卷扬机	台	2		702		0.5	
22	电焊机 16～30kVA	台	4		2 191		0.78	
23	yt-25 型手风钻	台	2		1 096		0.78	
24	yt-7/9 型空压机	台	1		548		0.78	
25	小型工具车	台	1		246		0.35	

序号	项 目	单位	数量	人时	台时	材料	利用系数	备注
	材料		(单位耗量)					
26	钢筋	t				1 756		
27	焊条	kg	2.4			4 214		
28	铁丝	kg	1.4			2 458		
29	其他							

表 4-14　一期面板铜片止水安装施工机械台时、人时、材料用量

序号	项 目	单位	数量	人时	台时	材料	利用系数	备注
1	设计工程量	m	3 399					
2	施工工程量	m	3 399					
3	小时生产率	m/h	6					
4	长期工作影响系数		0.8					
5	平均生产率	m/h	4.8					
	劳力资源							
6	工长	人	1	354			0.5	
7	三级电焊工	人	2	708			0.5	
8	二级小型工具车司机	人	1	354			0.5	
9	二级电工	人	1	177			0.25	
10	三级电工	人	1	177			0.25	
11	一级普工	人	2	1 416			1	
	设备资源							
12	电焊机 16~30kVA	台	1		283		0.5	
13	小型工具车	台	1		113		0.2	
	材料		(单位耗量)					
14	铜片	kg	5.33			18 117		厚 1.5mm
15	铜焊条	kg	0.03			102		
16	沥青	kg	16.1			54 724		
17	其他							

表 4-15　一期面板 PVC 止水施工机械台时、人时、材料用量

序号	项 目	单位	数量	人时	台时	材料	利用系数	备注
1	设计工程量	m	3 399					
2	施工工程量	m	3 399					
3	小时生产率	m/h	6					
4	长期工作影响系数		0.8					
5	平均生产率	m/h	4.8					
	劳力资源							
6	工长	人	1	354			0.5	
7	三级焊工	人	2	708			0.5	
8	二级电工	人	1	177			0.25	
9	三级电工	人	1	177			0.25	

序号	项目	单位	数量	人时	台时	材料	利用系数	备注
10	二级小型工具车司机	人	1	354			0.5	
11	一级普工	人	2	1 416			1	
	设备资源							
12	焊枪	把	1		340		0.6	
13	小型工具车	台	1		57		0.1	
	材料		(单位耗量)					
14	塑料止水带	kg	3.66			12 440		
15	其他							

表 4-16　一期面板起始板模板安装、拆除施工机械台时、人时、材料用量

序号	项目	单位	数量	人时	台时	材料	利用系数	备注
1	设计工程量	m²	2 013					
2	施工工程量	m²	2 013					
3	小时生产率	m²/h	7.5					
4	长期工作影响系数		0.6					
5	平均生产率	m²/h	4.5					
	劳力资源							
6	工长	人	1	447			1	
7	三级电焊工	人	2	895			1	
8	二级平板车司机	人	1	224			0.5	
9	二级电工	人	1	112			0.25	
10	三级电工	人	1	112			0.25	
11	二级小型工具车司机	人	1	224			0.5	
12	二级木工	人	4	1 789			1	
13	一级木工	人	4	1 789			1	
14	三级吊车司机	人	1	447			1	
15	一级普工	人	4	1 789			1	
	设备资源							
16	电焊机 16～30kVA	台	1		94		0.35	
17	5t 汽车吊	台	1		67		0.25	
18	小型工具车	台	1		81		0.3	
	材料		(单位耗量)					
19	钢材	t	0.5kg/m²			1.01		钢材摊销量
20	铁件	kg	0.75kg/m²			1 510		
21	其他							

表 4-17　一期面板模板安装、拆除施工机械台时、人时、材料用量

序号	项目	单位	数量	人时	台时	材料	利用系数	备注
1	设计工程量	m²	1 910					
2	施工工程量	m²	1 910					
3	小时生产率	m²/h	10					

序号	项目	单位	数量	人时	台时	材料	利用系数	备注
4	长期工作影响系数		0.6					
5	平均生产率	m²/h	6					
	劳力资源							
6	工长	人	1	318			1	
7	三级电焊工	人	2	637			1	
8	二级平板车司机	人	1	159			0.5	
9	二级电工	人	1	80			0.25	
10	三级电工	人	1	80			0.25	
11	二级小型工具车司机	人	1	159			0.5	
12	一级木工	人	4	1 273			1	
13	二级木工	人	2	637			1	
14	三级吊车司机	人	1	318			1	
15	一级普工	人	4	1 273			1	
	设备资源							
16	电焊机 16～30kVA	台	1		57		0.3	
17	5t 汽车吊	台	1		48		0.25	
18	小型工具车	台	1		57		0.3	
	材料		(单位耗量)					
19	钢材	t	0.5kg/m²			0.96		钢材摊
20	铁件	kg	0.75kg/m²			1 433		销量
21	其他							

表 4-18 一期面板起始板混凝土浇筑施工机械台时、人时、材料用量

序号	项目	单位	数量	人时	台时	材料	利用系数	备注
1	设计工程量	m³	761					
2	施工工程量	m³	784					
3	小时生产率	m³/h	20					
4	长期工作影响系数		0.8					
5	平均生产率	m³/h	16					
	劳力资源							
6	工长	人	1	49			1	
7	三级混凝土搅拌运输车司机	人	2	98			1	
8	三级混凝土泵操作工	人	1	49			1	
9	三级混凝土工	人	2	98			1	
10	二级混凝土工	人	2	98			1	
11	三级电工	人	1	12			0.25	
12	二级电工	人	1	12			0.25	
13	二级小型工具车司机	人	1	49			1	
14	二级木工	人	1	49			1	
15	二级钢筋工	人	1	49			1	
16	一级普工	人	6	294			1	

序号	项　　目	单位	数量	人时	台时	材料	利用系数	备注
	设备资源							
17	6m³ 混凝土搅拌运输车	台	2		40		0.51	
18	混凝土泵	台	1		19		0.48	
19	1.5kW 振捣器	台	4		75		0.48	
20	小型工具车	台	1		14		0.25	
	材料		(单位耗量)					
21	混凝土	m³	1			784		
22	水	m³	0.5			392		
23	其他							

表 4-19　一期面板混凝土浇筑施工机械台时、人时、材料用量

序号	项　　目	单位	数量	人时	台时	材料	利用系数	备注
1	设计工程量	m³	39 074					
2	施工工程量	m³	40 246					
3	小时生产率	m³/h	30					
4	长期工作影响系数		0.8					
5	平均生产率	m³/h	24					
	劳力资源							
6	工长	人	1	1 677			1	
7	三级搅拌车司机	人	3	5 031			1	
8	三级卷扬机操作工	人	2	3 354			1	
9	三级滑模操作工	人	4	6 708			1	
10	三级混凝土工	人	1	1 677			1	
11	二级混凝土工	人	5	8 385			1	
12	三级电工	人	1	1 677			1	
13	二级电工	人	1	1 677			1	
14	二级抹面工	人	2	3 354			1	
15	三级吊车操作工	人	1	1 677			1	
16	二级小车司机	人	1	1 677			1	
17	二级溜槽安、拆工	人	4	6 708			1	
18	二级木工	人	1	1 677			1	
19	二级钢筋工	人	1	1 677			1	
20	一级普工	人	8	13 415			1	
	设备资源							
21	6m³ 混凝土搅拌运输车	台	3		2 053		0.51	
22	16m 滑模	套	1		1 342		1	
23	20t 卷扬机	台	2		1 610		0.6	
24	1.5kW 振捣器	支	5		3 823		0.57	
25	3.5kW 振捣器	支	1		765		0.57	
26	小型工具车	台	1		470		0.35	
27	混凝土溜槽	套	2		2 683		1	

序号	项　　目	单位	数量	人时	台时	材料	利用系数	备注
28	50t 吊车	台	1		201		0.15	
	材料		(单位耗量)					
29	混凝土	m³	1			40 246		
30	水	m³	0.5			20 123		
31	其他							

表 4-20　二期面板仓面清理施工机械台时、人时、材料用量

序号	项　　目	单位	数量	人时	台时	材料	利用系数	备注
1	设计工程量	m²	80 267					
2	施工工程量	m²	80 267					
3	小时生产率	m²/h	60					
4	长期工作影响系数		0.7					
5	平均生产率	m²/h	42					
	劳力资源							
6	工长	人	1	1 911			1	
7	三级空压机操作工	人	1	1 911			1	
8	三级卷扬机操作工	人	1	1 911			1	
9	二级电工	人	1	478			0.25	
10	三级电工	人	1	478			0.25	
11	一级普工	人	4	7 644			1	
	设备资源							
12	yt-7/9 型空压机	台	1		1 137		0.85	
13	10t 卷扬机	台	1		468		0.35	
	材料		(单位耗量)					
14	水	m³	0.02			1 605		
15	其他							

表 4-21　二期面板钢筋架立施工机械台时、人时、材料用量

序号	项　　目	单位	数量	人时	台时	材料	利用系数	备注
1	设计工程量	t	2 516					起始板钢
2	施工工程量	t	2 566					筋 19.41t,
3	小时生产率	t/h	2.5					主板钢筋
4	长期工作影响系数		0.8					2 496.45t
5	平均生产率	t/h	2					
	劳力资源							
6	工长	人	1	1 283			1	
7	二级平板车司机	人	1	1 283			1	
8	三级卷扬机操作工	人	2	2 566			1	
9	二级电焊工	人	6	7 698			1	
10	二级钢筋工	人	8	10 264			1	

序号	项 目	单位	数量	人时	台时	材料	利用系数	备注
11	二级钻工	人	2	2 566			1	
12	三级空压机操作工	人	1	1 283			1	
13	三级吊车司机	人	1	1 283			1	
14	二级小型工具车司机	人	1	1 283			1	
15	二级电工	人	1	321			0.25	
16	三级电工	人	1	321			0.25	
17	一级普工	人	8	10 264			1	
	设备资源							
18	10t 平板车	台	1		359		0.35	
19	钢筋台车	台	1		513		0.5	
20	20t 汽车吊	台	1		308		0.3	
21	20t 卷扬机	台	2		1 026		0.5	
22	电焊机 16～30kVA	台	4		3 202		0.78	
23	yt－25 型手风钻	台	2		1 601		0.78	
24	yt－7/9 型空压机	台	1		801		0.78	
25	小型工具车	台	1		359		0.35	
	材料		(单位耗量)					
26	钢筋	t	1			2 566		
27	焊条	kg	2.4			6 158		
28	铁丝	kg	1.4			3 592		
29	其他							

表 4-22 二期面板铜片止水安装施工机械台时、人时、材料用量

序号	项 目	单位	数量	人时	台时	材料	利用系数	备注
1	设计工程量	m	4 912					
2	施工工程量	m	4 912					
3	小时生产率	m/h	6					
4	长期工作影响系数		0.8					
5	平均生产率	m/h	4.8					
	劳力资源							
6	工长	人	1	512			0.5	
7	三级电焊工	人	2	1 023			0.5	
8	二级小型工具车司机	人	1	512			0.5	
9	二级电工	人	1	256			0.25	
10	三级电工	人	1	256			0.25	
11	一级普工	人	2	2 047			1	
	设备资源							
12	电焊机 16～30kVA	台	1		409		0.5	
13	小型工具车	台	1		164		0.2	
	材料		(单位耗量)					
14	铜片	kg	5.33			26 181		厚 1.5mm

续表 4-22

序号	项 目	单位	数量	人时	台时	材料	利用系数	备注
15	铜焊条	kg	0.03			147		
16	沥青	kg	16.1			74 083		
17	其他							

表 4-23　二期面板 PVC 止水施工机械台时、人时、材料用量

序号	项 目	单位	数量	人时	台时	材料	利用系数	备注
1	设计工程量	m	4 912					
2	施工工程量	m	4 912					
3	小时生产率	m/h	6					
4	长期工作影响系数		0.8					
5	平均生产率	m/h	4.8					
	劳力资源							
6	工长	人	1	512			0.5	
7	三级焊工	人	2	1 023			0.5	
8	二级电工	人	1	256			0.25	
9	三级电工	人	1	256			0.25	
10	二级小型工具车司机	人	1	512			0.5	
11	一级普工	人	2	2 047			1	
	设备资源							
12	焊枪	把	1		491		0.6	
13	小型工具车	台	1		82		0.1	
	材料		(单位耗量)					
14	塑料止水带	kg	3.66			17 978		
15	其他							

表 4-24　二期面板起始板模板安装、拆除施工机械台时、人时、材料用量

序号	项 目	单位	数量	人时	台时	材料	利用系数	备注
1	设计工程量	m²	915					
2	施工工程量	m²	915					
3	小时生产率	m²/h	7.5					
4	长期工作影响系数		0.6					
5	平均生产率	m²/h	4.5					
	劳力资源							
6	工长	人	1	203			1	
7	三级电焊工	人	2	407			1	
8	二级平板车司机	人	1	102			0.5	
9	二级电工	人	1	51			0.25	
10	三级电工	人	1	51			0.25	
11	二级小型工具车司机	人	1	102			0.5	

续表 4-24

序号	项　目	单位	数量	人时	台时	材料	利用系数	备注
12	二级木工	人	4	813			1	
13	一级木工	人	4	813			1	
14	三级吊车司机	人	1	203			1	
15	一级普工	人	4	813			1	
	设备资源							
16	电焊机 16~30kVA	台	1		43		0.35	
17	5t 汽车吊	台	1		31		0.25	
18	小型工具车	台	1		37		0.3	
	材料		(单位耗量)					
19	钢材	t	0.5kg/m²			0.46		钢材
20	铁件	kg	0.75kg/m²			686		摊销量
21	其他							

表 4-25　二期面板模板安装、拆除施工机械台时、人时、材料用量

序号	项　目	单位	数量	人时	台时	材料	利用系数	备注
1	设计工程量	m²	2 794					
2	施工工程量	m²	2 794					
3	小时生产率	m²/h	10					
4	长期工作影响系数		0.6					
5	平均生产率	m²/h	6					
	劳力资源							
6	工长	人	1	466			1	
7	三级电焊工	人	2	931			1	
8	二级平板车司机	人	1	233			0.5	
9	二级电工	人	1	116			0.25	
10	三级电工	人	1	116			0.25	
11	二级小型工具车司机	人	1	233			0.5	
12	一级木工	人	4	1 863			1	
13	二级木工	人	2	931			1	
14	三级吊车司机	人	1	466			1	
15	一级普工	人	4	1 863			1	
	设备资源							
16	电焊机 16~30kVA	台	1		84		0.3	
17	5t 汽车吊	台	1		70		0.25	
18	小型工具车	台	1		84		0.3	
	材料		(单位耗量)					
19	钢材	t	0.5kg/m²			1.40		钢材
20	铁件	kg	0.75kg/m²			2 096		摊销量
21	其他							

表 4-26　二期面板起始板混凝土浇筑施工机械台时、人时、材料用量

序号	项　　目	单位	数量	人时	台时	材料	利用系数	备注
1	设计工程量	m³	346					
2	施工工程量	m³	356					
3	小时生产率	m³/h	20					
4	长期工作影响系数		0.8					
5	平均生产率	m³/h	16					
	劳力资源							
6	工长	人	1	22			1	
7	三级混凝土搅拌运输车司机	人	2	45			1	
8	三级混凝土泵操作工	人	1	22			1	
9	三级混凝土工	人	2	45			1	
10	二级混凝土工	人	2	45			1	
11	三级电工	人	1	6			0.25	
12	二级电工	人	1	6			0.25	
13	二级小型工具车司机	人	1	22			1	
14	二级木工	人	1	22			1	
15	二级钢筋工	人	1	22			1	
16	一级普工	人	6	134			1	
	设备资源							
17	6m³ 混凝土搅拌运输车	台	2		18		0.51	
18	混凝土泵	台	1		9		0.48	
19	1.5kW 振捣器	支	4		34		0.48	
20	小型工具车	台	1		6		0.25	
	材料		(单位耗量)					
21	混凝土	m³	1			356		
22	水	m³	0.5			178		
23	其他							

表 4-27　二期面板混凝土浇筑施工机械台时、人时、材料用量

序号	项　　目	单位	数量	人时	台时	材料	利用系数	备注
1	设计工程量	m³	35 344					
2	施工工程量	m³	36 404					
3	小时生产率	m³/h	18.5					
4	长期工作影响系数		0.8					
5	平均生产率	m³/h	14.8					
	劳力资源							
6	工长	人	1	2 460			1	
7	三级搅拌车司机	人	2	4 919			1	
8	三级卷扬机操作工	人	2	4 919			1	

序号	项 目	单位	数量	人时	台时	材料	利用系数	备注
9	三级滑模操作工	人	4	9 839			1	
10	三级混凝土工	人	2	4 919			1	
11	二级混凝土工	人	4	9 839			1	
12	三级电工	人	1	2 460			1	
13	二级电工	人	1	2 460			1	
14	二级抹面工	人	2	4 919			1	
15	三级吊车司机	人	1	2 460			1	
16	二级小车司机	人	1	2 460			1	
17	二级溜槽安、拆工	人	4	9 839			1	
18	二级木工	人	1	2 460			1	
19	二级钢筋工	人	1	2 460			1	
20	一级普工	人	8	19 678			1	
	设备资源							
21	$6m^3$ 混凝土搅拌运输车	台	2		1 850		0.47	
22	16m 滑模	套	1		1 968		1	
23	20t 卷扬机	台	2		2 361		0.6	
24	1.5kW 振捣器	支	4		3 463		0.44	
25	3.5kW 振捣器	支	2		1 732		0.44	
26	小型工具车	台	1		689		0.35	
27	混凝土溜槽	套	2		3 936		1	
28	50t 吊车	台	1		295		0.15	
	材料		(单位耗量)					
29	混凝土	m^3	1			36 404		
30	水	m^3	0.5			18 202		
31	其他							

4.4 钢筋混凝土趾板施工项目划分、设备配备、劳力安排

4.4.1 仓面清理

设计工程量:8 160m²。

小时生产率:40m²/h。

主要机械设备:

yt－7/9 型空压机 　　　　　1 台

风镐 　　　　　　　　　　1 台

风水枪 　　　　　　　　　1 把

劳力资源:仓面清理工作组负责完成混凝土浇筑前仓面清理工作。工作组人员安排详见表4-28。

4.4.2 锚筋安设

设计工程量:14 508m。

小时生产率:24m/h。

主要机械设备:

    yt-7/9型空压机   2台

    yt-25型手风钻   4台

    注浆器   1个

    5t平板车   1台

劳力资源:锚筋安设工作组负责完成趾板锚筋安设及从锚筋加工厂到施工现场的运输等工作。工作组人员安排详见表4-29。

表4-28　仓面清理工作组　　　　　　　　　　　　（单位:人）

序号	工　种	数　量				
		工长	一级工	二级工	三级工	四级工
1	工长	1				
2	空压机操作工				1	
3	风水枪操作工			1		
4	风镐操作工			1		
5	电工			1	1	
6	普工		6			

表4-29　锚筋安设工作组　　　　　　　　　　　　（单位:人）

序号	工　种	数　量				
		工长	一级工	二级工	三级工	四级工
1	工长	1				
2	空压机操作工				2	
3	平板车司机				1	
4	钻工			8		
5	电工			1		
6	普工		2			

4.4.3　钢筋架立

设计工程量:355.2t。

小时生产率:0.5t/h。

主要机械设备:

    电焊机16～30kVA   2台

    5t平板车   1台

    5t汽车吊   1台

    小型工具车   1台

劳力资源:钢筋安装工作组负责完成钢筋从加工厂到施工现场运输、现场钢筋架立等工作。人员数量按每人40～50kg/h配备,工作组人员安排详见表4-30。

4.4.4　止水安装

设计工程量:1 020m。

小时生产率:6m/h。

主要机械设备:

电焊机 16～30kVA 　　　　1台

焊枪 　　　　1把

小型工具车 　　　　1台

劳力资源:止水安装工作组负责完成伸缩缝铜止水、PVC 止水安装及从存放仓库到施工现场的运输等工作。工作组人员安排详见表 4-31。

表 4-30　钢筋架立工作组　　　　　　　　　　　　　　　　（单位:人）

序号	工　种	数　量				
		工长	一级工	二级工	三级工	四级工
1	工长	1				
2	平板车司机				1	
3	吊车司机				1	
4	电焊工				4	
5	钢筋工			4		
6	小型工具车司机			1		
7	电工			1	1	
8	普工		4			

表 4-31　止水安装工作组　　　　　　　　　　　　　　　　（单位:人）

序号	工　种	数　量				
		工长	一级工	二级工	三级工	四级工
1	工长	1				
2	焊工				2	
3	电工			1	1	
4	小型工具车司机			1		
5	普工		2			

4.4.5　模板安拆

本工程所用模板全部采用厂家生产的定型平面钢模板。趾板混凝土模板安拆主要包括趾板分块的侧模与岸坡趾板表面模板安拆两部分。

设计工程量:7 597m²。

小时生产率:10m²/h。

主要机械设备:

电焊机 16～30kVA 　　　　1台

5t 平板车 　　　　1台

5t 汽车吊 　　　　1台

小型工具车 　　　　1台

劳力资源:平面钢模板安拆工作组负责完成混凝土浇筑仓位清理、模板的架立与拆除以及模板从存放场地到施工现场运输。工作组人员安排见表 4-32。

表 4-32　平面钢模板安拆工作组　　　　　　　　　　（单位:人）

序号	工　种	数　量				
		工长	一级工	二级工	三级工	四级工
1	工长	1				
2	模板安拆工		4	2		
3	平板车司机				1	
4	吊车司机				1	2
5	电焊工				2	
6	木工			2		
7	小型工具车司机				1	
8	电工				1	1
9	普工		4			

4.4.6　混凝土浇筑

设计工程量:5 358m³。

小时生产率:20m³/h。

主要机械设备:

　　6m³ 混凝土搅拌运输车　　　　2 台

　　HB60 型液压混凝土泵　　　　1 台

　　1.5kW 电动插入式振捣器　　　4 台

　　小型工具车　　　　　　　　　1 台

劳力资源:趾板混凝土浇筑工作组负责完成趾板混凝土运输、入仓、振捣及养护工作。工作组人员安排详见表 4-33。

表 4-33　趾板混凝土浇筑工作组　　　　　　　　　　（单位:人）

序号	工　种	数　量				
		工长	一级工	二级工	三级工	四级工
1	工长	1				
2	混凝土搅拌运输车司机				2	
3	混凝土泵操作工				1	
4	混凝土工		2	2		
5	小型工具车司机				1	
6	木工				1	
7	钢筋工		1			
8	电工				1	1
9	普工		4			

4.4.7　材料单位用量

采用统计、分析、比较等方法计算。混凝土工程消耗材料主要为成品混凝土、钢筋、模板、止水材料及与这几项有关的其他材料、混凝土养护洒水。根据《施工组织设计手册》有关数据和小浪底、天生桥工程部分材料的使用情况,此部分材料单位用量见表4-34。

表4-34　主要材料单位用量

序号	材料名称	单位	数量	备注
1	混凝土	m^3/m^3	1.03	
2	喷混凝土	m^3/m^3	1.15	
3	钢筋	t/t	1.02	
4	模板	kg/m^2	0.5	钢材摊销量
5	钢筋制作焊条	kg/t	4.8	
6	钢筋架立焊条	kg/t	2.4	
7	水	m^3/m^3	0.2	混凝土养护
8	铜止水	kg/m	9.5	
9	PVC止水	m/m	1.03	

4.4.8　施工机械设备台时、人时、材料用量

施工机械设备台时、人时、材料用量详见表4-35～表4-41。

表4-35　趾板仓面清理施工机械台时、人时、材料用量

序号	项目	单位	数量	人时	台时	材料	利用系数	备注
1	设计工程量	m^2	8 160					
2	施工工程量	m^2	8 160					
3	小时生产率	m^2/h	40					
4	长期工作影响系数		0.7					
5	平均生产率	m^2/h	28					
	劳力资源							
6	工长	人	1	291			1	
7	三级空压机操作工	人	1	291			1	
8	二级风水枪操作工	人	1	291			1	
9	二级风镐操作工	人	1	291			1	
10	三级电工	人	1	73			0.25	
11	二级电工	人	1	73			0.25	
12	一级普工	人	6	1 749			1	
	设备资源							
13	yt-7/9型空压机	台	1		102		0.5	
14	风镐	台	1		71		0.35	
15	风水枪	把	1		102		0.5	
	材料		(单位耗量)					
16	水	m^3	0.02			163		
17	其他							

表 4-36 趾板锚筋安设施工机械台时、人时、材料用量

序号	项 目	单位	数量	人时	台时	材料	利用系数	备注
1	设计工程量	m	14 508					$d=25$mm,
		根	3 627					$L=4$m, 锚入
2	施工工程量	m	14 798					基岩 3.5m
3	小时生产率	m/h	24					
4	长期工作影响系数		0.8					
5	平均生产率	m/h	19.2					
	劳力资源							
6	工长	人	1	385			0.5	
7	二级钻工	人	8	6 166			1	
8	三级空压机操作工	人	2	1 541			1	
9	二级平板车司机	人	1	385			0.5	
10	三级电工	人	1	193			0.25	
11	二级电工	人	1	193			0.25	
12	一级普工	人	2	1 541			1	
	设备资源							
13	手风钻	台	4		1 430		0.58	
14	yt-9/7 型空压机	台	2		715		0.58	
15	注浆器	个	1		185		0.3	
16	5t 平板车	台	1		62		0.1	
	材料		(单位耗量)					
17	锚筋 $d=25$mm	t				57		
18	100# 水泥砂浆	m³				16		
19	锚杆附件	kg	1.49kg/根			5 404		
20	其他							

表 4-37 趾板钢筋架立施工机械台时、人时、材料用量

序号	项 目	单位	数量	人时	台时	材料	利用系数	备注
1	设计工程量	t	355.24					
2	施工工程量	t	362.34					
3	小时生产率	t/h	0.5					
4	长期工作影响系数		0.8					
5	平均生产率	t/h	0.4					
	劳力资源							
6	工长	人	1	906			1	
7	二级平板车司机	人	1	453			0.5	
8	三级吊车操作工	人	1	453			0.5	
9	三级电焊工	人	4	3 623			1	
10	二级钢筋工	人	4	3 623			1	
11	二级小型工具车司机	人	1	453			0.5	

序号	项　　目	单位	数量	人时	台时	材料	利用系数	备注
12	三级电工	人	1	453			0.5	
13	二级电工	人	1	453			0.5	
14	一级普工	人	4	3 623			1	
	设备资源							
15	5t 平板车	台	1		181		0.25	
16	5t 汽车吊	台	1		181		0.25	
17	电焊机 16～30kVA	台	2		449		0.31	
18	小型工具车	台	1		181		0.25	
	材料		(单位耗量)					
19	钢筋	t	1			362		
20	焊条	kg	2.4			872		
21	铁丝	kg	1.4			483		
22	其他							

表 4-38　周边缝铜片止水安装施工机械台时、人时、材料用量

序号	项　　目	单位	数量	人时	台时	材料	利用系数	备注
1	设计工程量	m	1 020					
2	施工工程量	m	1 020					
3	小时生产率	m/h	6					
4	长期工作影响系数		0.8					
5	平均生产率	m/h	4.8					
	劳力资源							
6	工长	人	1	106			0.5	
7	三级电焊工	人	2	213			0.5	
8	二级小型工具车司机	人	1	53			0.25	
9	三级电工	人	1	53			0.25	
10	二级电工	人	1	53			0.25	
11	一级普工	人	2	213			0.5	
	设备资源							
12	电焊机 16～30kVA	台	1		85		0.5	
13	小型工具车	台	1		34		0.2	
	材料		(单位耗量)					
14	铜片	kg	5.33			5 437		
15	铜焊条	kg	0.03			31		
16	沥青	kg	16.1			16 422		
17	其他							

表 4-39　周边缝 PVC 止水施工机械台时、人时、材料用量

序号	项　目	单位	数量	人时	台时	材料	利用系数	备注
1	设计工程量	m	1 020					
2	施工工程量	m	1 020					
3	小时生产率	m/h	6					
4	长期工作影响系数		0.8					
5	平均生产率	m/h	4.8					
	劳力资源							
6	工长	人	1	106			0.5	
7	三级焊工	人	2	213			0.5	
8	三级电工	人	1	106			0.5	
9	二级电工	人	1	106			0.5	
10	二级小型工具车司机	人	1	53			0.25	
11	一级普工	人	2	213			0.5	
	设备资源							
12	焊枪	台	1		102		0.6	
13	小型工具车	台	1		17		0.1	
	材料		(单位耗量)					
14	塑料止水带	kg	3.66			3 733		
15	其他							

表 4-40　趾板模板安装、拆除施工机械台时、人时、材料用量

序号	项　目	单位	数量	人时	台时	材料	利用系数	备注
1	设计工程量	m²	7 597					
2	施工工程量	m²	7 597					
3	小时生产率	m²/h	10					
4	长期工作影响系数		0.6					
5	平均生产率	m²/h	6					
	劳力资源							
6	工长	人	1	1 266			1	
7	三级电焊工	人	2	2 532			1	
8	二级平板车司机	人	1	633			0.5	
9	二级小型工具车司机	人	1	633			0.5	
10	二级模板安拆工	人	2	2 532			1	
11	一级模板工	人	4	5 065			1	
12	二级木工	人	2	2 532			1	
13	三级电工	人	1	317			0.25	
14	二级电工	人	1	317			0.25	
15	三级吊车司机	人	1	317			0.25	

序号	项　目	单位	数量	人时	台时	材料	利用系数	备注
16	一级普工	人	4	5 065			1	
	设备资源							
17	电焊机 16～30kVA	台	1		152		0.2	
18	5t 平板车	台	1		190		0.25	
19	5t 汽车吊	台	1		190		0.25	
20	小型工具车	台	1		228		0.3	
	材料		(单位耗量)					
21	钢材	t	0.5kg/m²			3.80		
22	铁件	kg	0.75kg/m²			5 698		
23	其他							

表 4-41　趾板混凝土浇筑施工机械台时、人时、材料用量

序号	项　目	单位	数量	人时	台时	材料	利用系数	备注
1	设计工程量	m³	5 358					
2	施工工程量	m³	5 519					
3	小时生产率	m³/h	20					
4	长期工作影响系数		0.8					
5	平均生产率	m³/h	16					
	劳力资源							
6	工长	人	1	345			1	
7	三级混凝土搅拌运输车司机	人	2	690			1	
8	三级混凝土泵操作工	人	1	345			1	
9	三级混凝土工	人	2	690			1	
10	二级混凝土工	人	2	690			1	
11	二级电工	人	1	86			0.25	
12	三级电工	人	1	86			0.25	
13	二级木工	人	1	345			1	
14	二级小型工具车司机	人	1	172			0.5	
15	二级钢筋工	人	1	345			1	
16	一级普工	人	4	1 380			1	
	设备资源							
17	6m³ 混凝土搅拌运输车	台	2		281		0.51	
18	混凝土泵	台	1		132		0.48	
19	1.5kW 振捣器	支	4		530		0.48	
20	小型工具车	台	1		97		0.35	
	材料		(单位耗量)					
21	混凝土	m³	1			5 519		
22	水	m³	0.5			2 759		
23	其他							

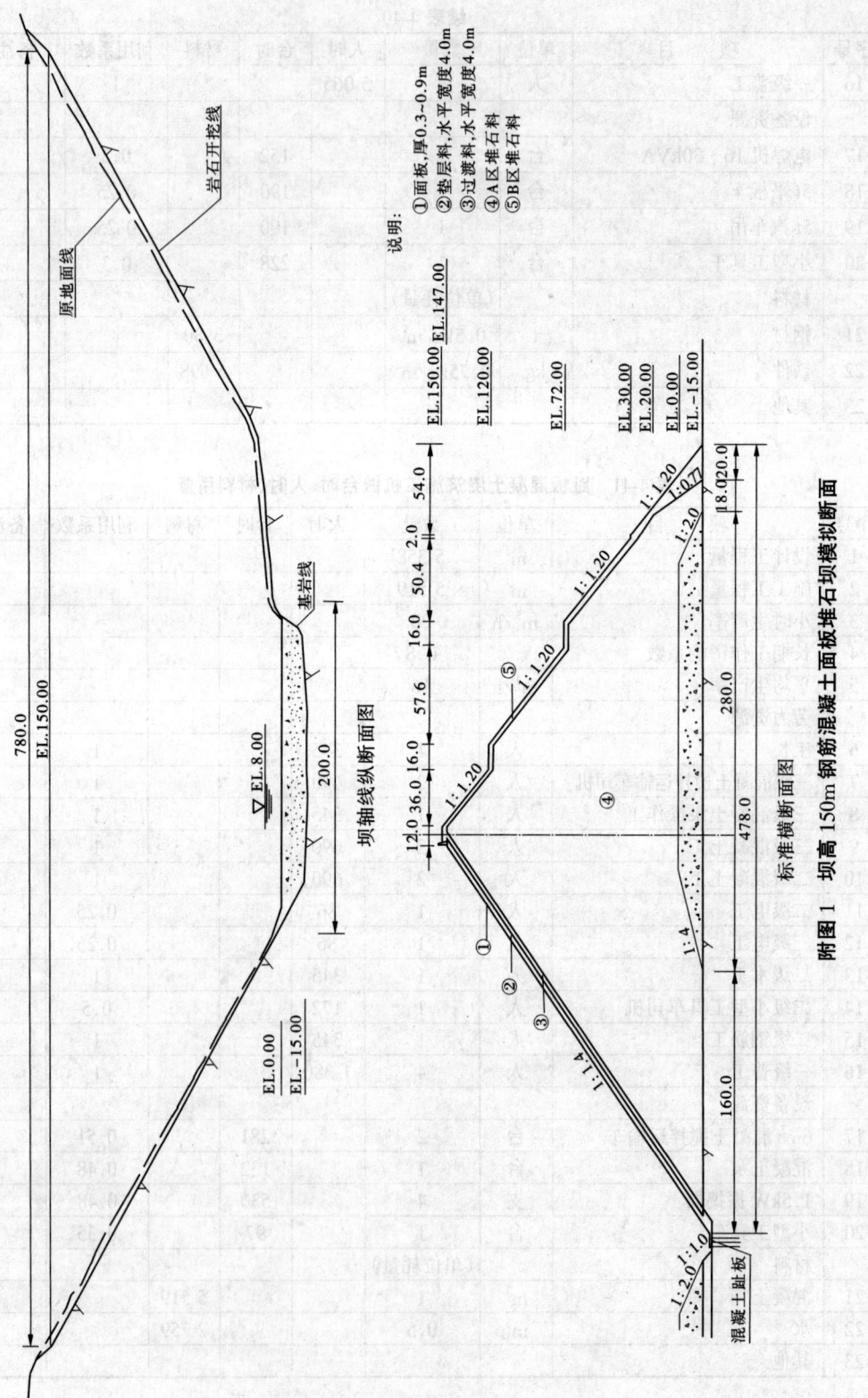

说明:
①面板,厚0.3~0.9m
②垫层料,水平宽度4.0m
③过渡料,水平宽度4.0m
④A区堆石料
⑤B区堆石料

坝轴线纵断面图

标准横断面图

附图 1 坝高 150m 钢筋混凝土面板堆石坝模拟断面

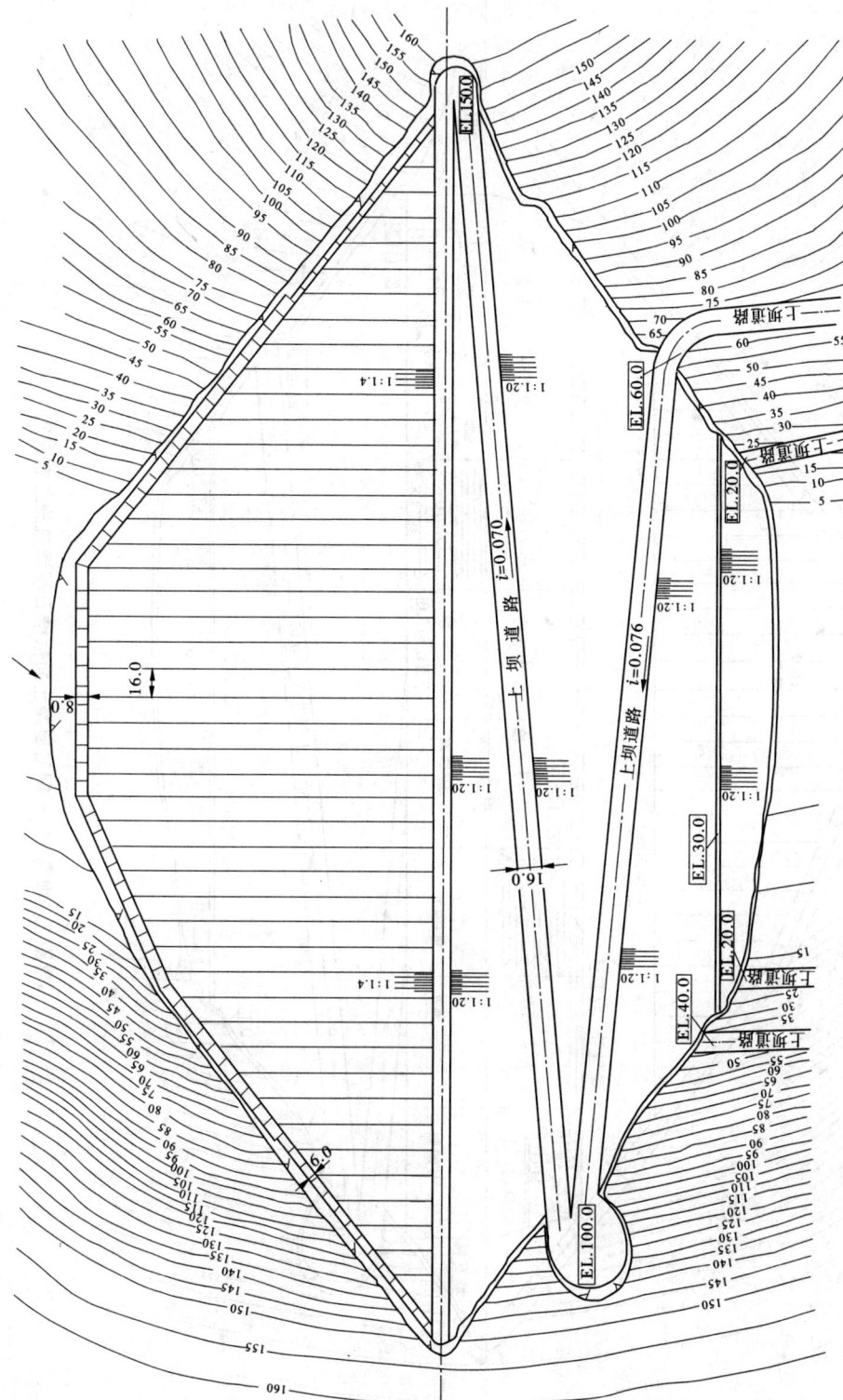

附图 2 坝高 150m 钢筋混凝土面板堆石坝平面布置图

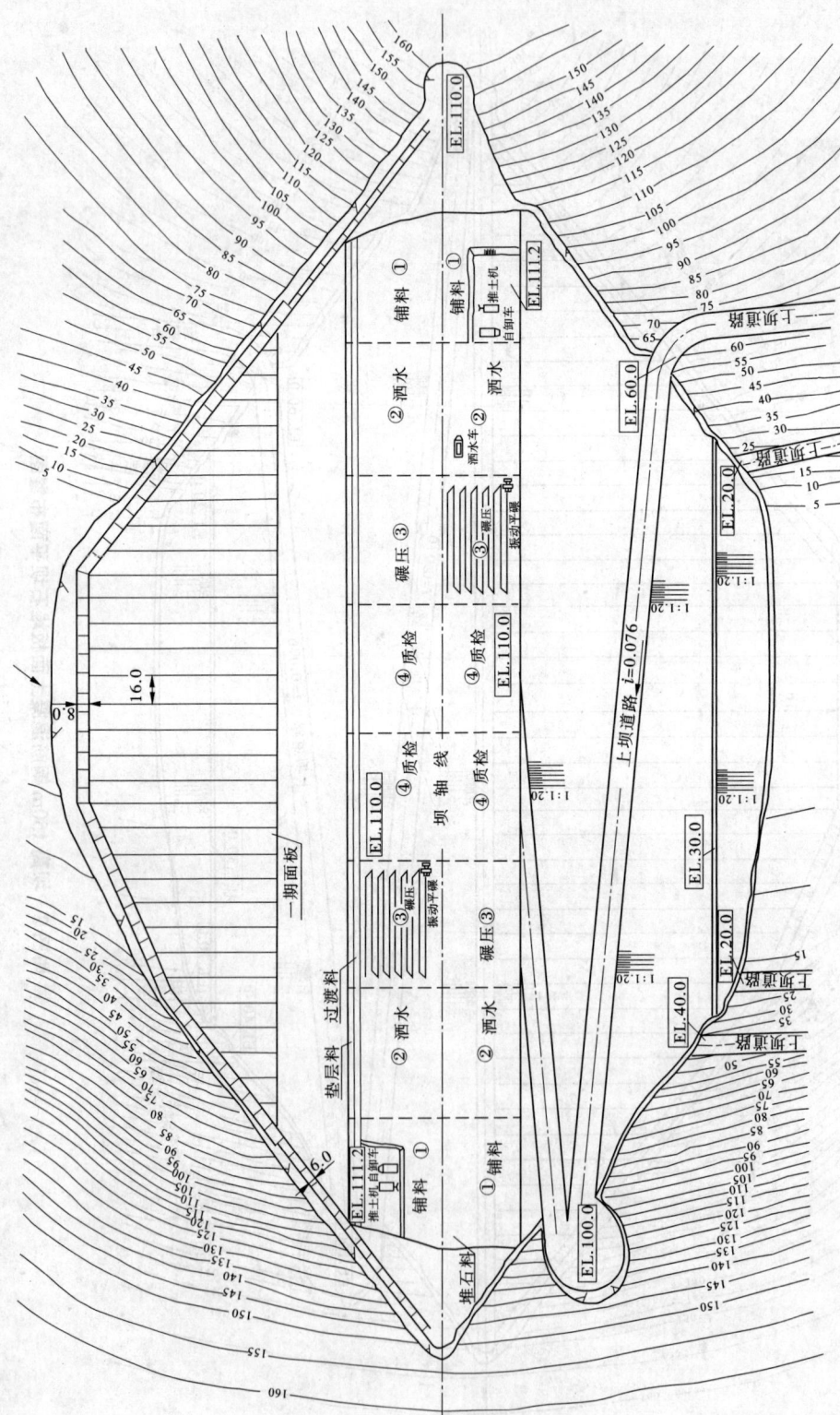

附图 3 坝高 150m 钢筋混凝土面板堆石坝填筑施工布置图

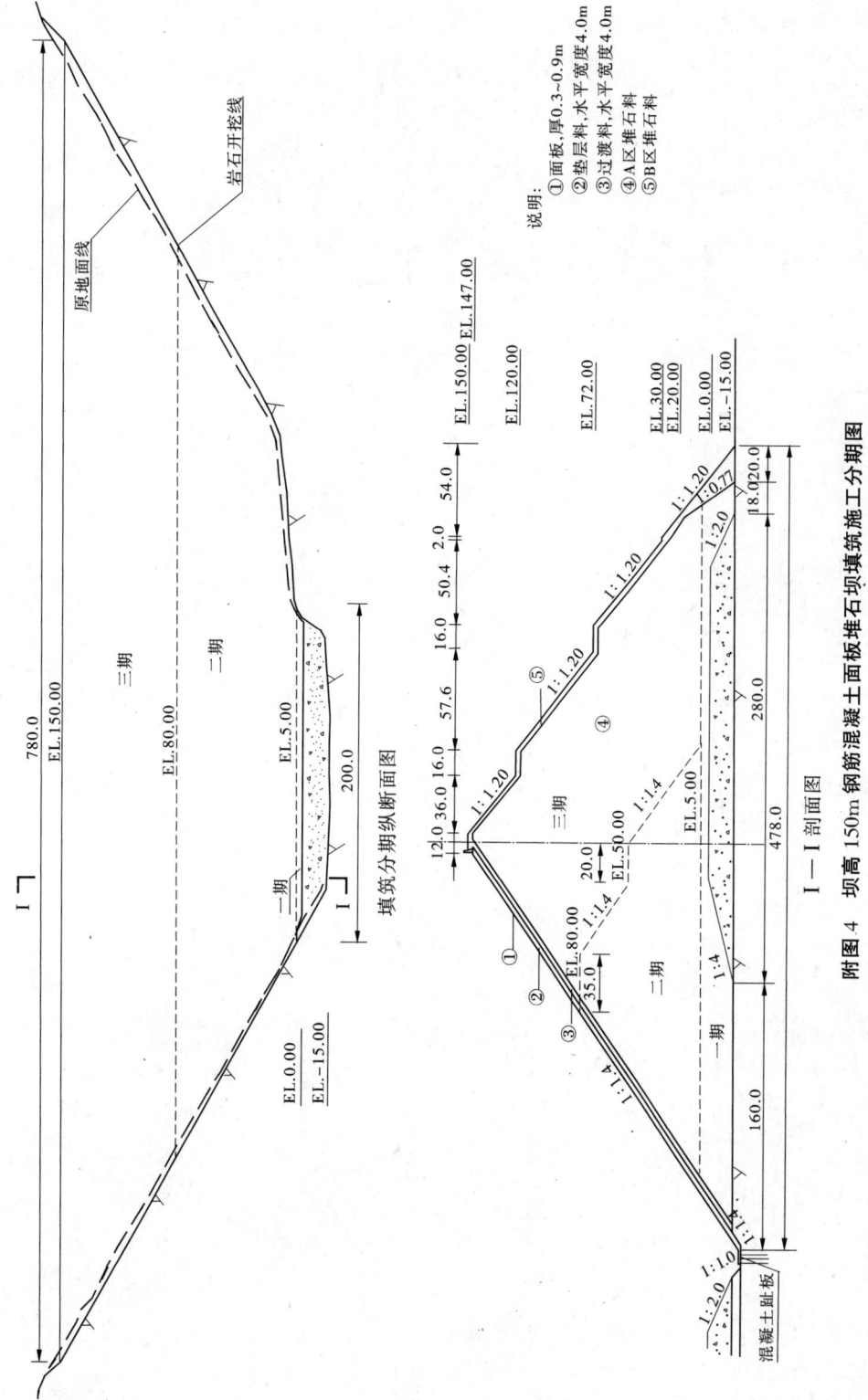

说明：
①面板,厚0.3~0.9m
②垫层料,水平宽度4.0m
③过渡料,水平宽度4.0m
④A区堆石料
⑤B区堆石料

附图 4 坝高 150m 钢筋混凝土面板堆石坝填筑施工分期图

四、地下厂房工程

(一)装机 2×30 万 kW 机组地下厂房工程(25m 跨度)

1 地下厂房模型建立

1.1 工程模拟条件

(1)2 台 30 万 kW 机组。

(2)围岩条件。①围岩类别:以Ⅱ类为主。岩石完整、构造简单,无岩溶发育的岩层和严重破碎等不良地段;②围岩岩性:假定为中等坚硬石灰岩(密实石灰岩),$f=8\sim10$。

1.2 地下厂房参数拟定

拟定地下厂房尺寸受机组型号、数量、启闭机、尾水洞等洞室布置及地质条件等多种因素的影响。这里我们按 2 台常规机组拟定地下厂房尺寸,以已建、在建的具体工程为对象,以典型工程实例作为我们计算的基础,根据统计资料分析,建立工程模型。水电站地下厂房系统控制工程是主厂房和安装间,所以只对主厂房和安装间进行模拟。地下厂房尺寸及设计参数值如下。

1.2.1 地下厂房尺寸拟定

机组:2 台 30 万 kW 常规机组。

长×宽×高:86m×25m×62m。

最大宽度:26.2m(岩壁吊车梁以上)。

其中:安装间长 30m、高 31m。

1.2.2 支护参数拟定

考虑边墙、顶拱喷混凝土挂钢筋网。

喷混凝土厚:10cm。

砂浆锚杆:$\phi20\sim22$mm,间距 1.2m,$L=4$m、8m 锚杆相间布置。

钢筋网:$\phi10$mm,网格间距 20cm。

这里对特殊的锚索等支护未计入。

1.2.3 厂房一期混凝土参数拟定

仅对蜗壳以下部分厂房混凝土及岩壁梁混凝土进行计算,蜗壳以上部分厂房混凝土及安装间混凝土未计入。

厂房一期混凝土均采用 C25 混凝土,蜗壳以下混凝土含筋率为 34kg/m³,岩臂梁混凝土含筋率为 100kg/m³。

1.3 设计工程量

设计工程量见表 1-1。

表 1-1 设计工程量

序号	项目	单位	设计工程量	备注
1	开挖石方	m³	98 099	
2	喷混凝土	m³	1 388	
3	锚杆数	根/m	9 638/57 828	
4	钢筋网	m²	13 879	
5	钢筋	t	253.96	
6	立模面积	m²	2 506.6	
7	混凝土	m³	6 224	

注:只考虑一期混凝土工程量。

2 地下厂房开挖

2.1 施工布置

充分考虑厂区枢纽工程诸多洞室布置及高程差异的特点,分析地下厂房工程的洞室布置的共性,顶拱开挖以顶部通风道(或专设施工支洞)为施工交通道;中上部开挖以进厂交通洞(或专设施工支洞)为施工交通道;地下厂房中下部长度较短(56m),而开挖高度较大(38m),布置交通斜坡道较难,故中下部开挖采用竖井溜渣,尾水洞(或专设施工支洞)为施工交通道。实际工程中需要根据具体情况在充分考虑利用上述永久洞室的基础上设置施工支洞。厂房开挖施工布置详见图 2-1、图 2-2。

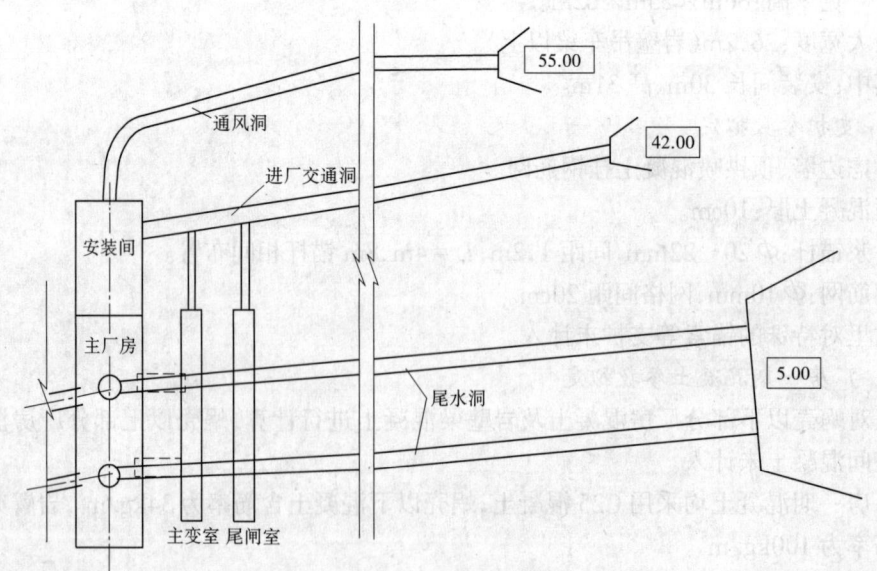

图 2-1 地下厂房平面布置示意图

假定:

(1)顶拱通风洞(或施工支洞)洞长 0.5km,洞内平均运距取为 0.6km,洞口高程见图 2-1;洞口至渣场运距为 1.4km。

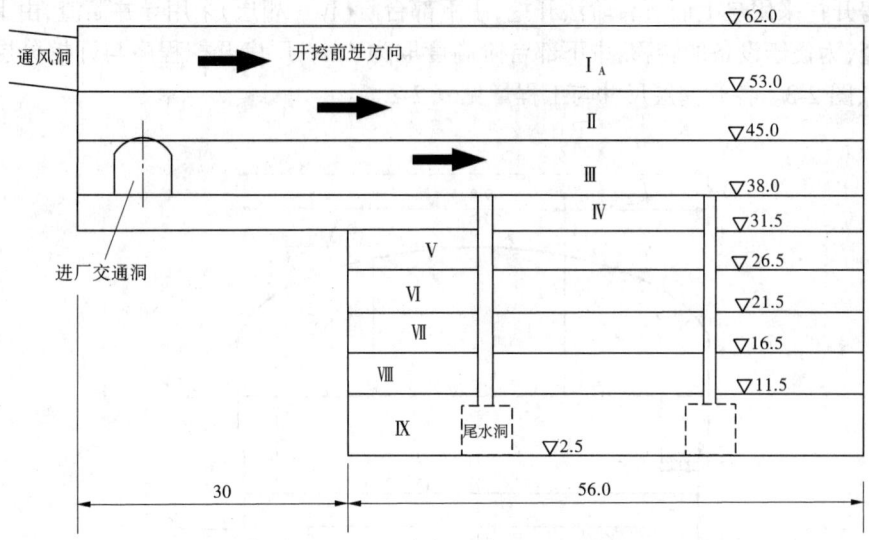

图 2-2 地下厂房开挖分层纵断面示意图

(2)进厂交通洞(或施工支洞)洞长 0.8km,洞内平均运距取为 0.9km,洞口高程见图 2-1;洞口至渣场运距为 1.1km。

(3)尾水洞(或施工支洞)洞长 0.8km,洞内平均运距取为 0.9km,洞口高程见图 2-1;洞口至渣场运距为 1.1km。

2.2 主要施工工程量

施工工程量计算考虑在设计工程量的基础上添加一定的施工附加量。

(1)石方开挖:厂房开挖需要采用控制爆破,厂房开挖根据不同施工部位,考虑超挖 2%~5%。

(2)锚杆支护:未考虑施工附加量。

(3)喷混凝土支护:考虑顶拱喷混凝土回弹率为 25%,边墙喷混凝土回弹率为 15%。

(4)钢筋网支护:未考虑施工附加工程量。

厂房开挖、支护工程量汇总见表 2-1。

表 2-1 厂房开挖、支护工程量汇总

项目	单位	设计工程量	施工工程量	备注
开挖石方	m³	98 099	103 004	
喷混凝土方量	m³	1 388	1 666	
锚杆	根/m	9 638/57 828	9 638/57 828	
钢筋网	m²	13 879	13 879	

2.3 施工方法

2.3.1 开挖程序与开挖方法

主厂房开挖往往受周围洞室群施工的影响较大,比如母线洞开挖,这里我们没有考虑厂房附属洞室与厂房开挖的交叉施工及其平行作业时的相互影响。

厂房开挖采用自上而下台阶法开挖,中下部台阶(Ⅳ~Ⅷ层)采用导井溜渣,由下部尾水洞出渣,为便于设备的转移,中下部台阶高度取为5m。厂房开挖程序与开挖分层分块见图2-2、图2-3。各开挖层尺寸与工程量见表2-2。

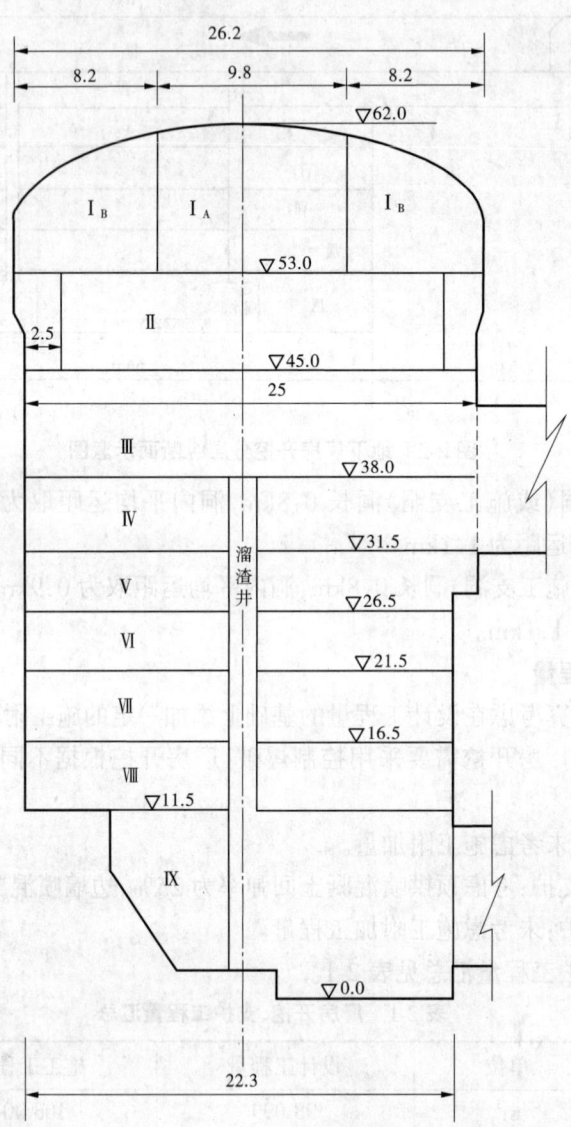

图2-3 地下厂房分层开挖横断面示意图 (单位:m)

顶拱开挖采用先中导洞(ⅠA层)开挖,后进行两侧(ⅠB层)开挖的施工方法。中层洞高9m、宽9.8m,全长86m。沿设计边线均采用光面爆破。拟采用三臂钻孔台车水平钻孔,3m³轮式装载机配20t自卸汽车出渣。

岩壁梁层(Ⅱ层)开挖,顶拱施工完成后进行本台阶开挖。为保证岩壁梁岩壁的成型,本层开挖分中间部位开挖和两侧保护层开挖,中间部位宽20m,两侧保护层厚2.5m。均采用光面爆破,水平钻孔。中间部位超前20m,采用2台三臂钻孔台车并排同时钻水平孔,待中间部位钻孔完毕,台车退至两侧掌子面(左右各1台)钻孔,采用非电微差爆破,拟采用3m³轮式装载机配20t自卸汽车出渣。

表2-2 分层分块设计工程量汇总

部位	平均尺寸(m) (长×宽×高)	石方 (m³)	喷混凝土 (m³)	锚杆 (根/m)	钢筋网 (m²)	备注
ⅠA	86×9.8×8.71	7 344	98	679/4 076	978	
ⅠB	2×(86×8.2×6.73)	9 494	251	1 742/10 452	2 509	
Ⅱ	86×25.6×8	17 613	168	1 165/6 990	1 677	
Ⅲ	86×25×7	15 050	147	1 018/6 108	1 466	
Ⅳ	86×25×6.5	13 975	137	945/5 670	1 361	
Ⅴ、Ⅵ	(56×22.3×5)×2	12 488	192	1 337/8 022	1 925	
Ⅶ、Ⅷ	(56×22.3×5)×2	12 488	192	1 337/8 022	1 925	
Ⅸ	56×14.98×11.5	9 647	203	1 415/8 490	2 038	机窝
小 计		98 099	1 388	9 638/57 828	13 879	

开挖按钻孔、装药、爆破、通风、安全处理、出渣、喷混凝土、锚杆支护顺序作业,分段循环施工,挂钢筋网平行作业,不占循环直线时间。

中部台阶(Ⅲ层)开挖,采用边墙先预裂爆破,后全断面爆破的开挖方法,拟采用ROC812H型履带钻垂直钻孔梯段爆破。钻孔与出渣平行作业。

中下部台阶(Ⅳ~Ⅷ层)开挖,分上、下游两半分块开挖,采用边墙预裂爆破,ROC812H型履带钻垂直钻孔梯段爆破,导井溜渣,由下部施工通道出渣,钻孔与出渣平行作业。导井尺寸为2m×2m,采用自上而下开挖,手风钻钻孔,常规钻爆法施工。卷扬机提升箕斗出渣。

Ⅸ层台阶开挖随尾水洞开挖一同进行,利用尾水洞施工设备。

2.3.2 开挖作业技术参数设计

开挖作业爆破参数设计根据戈氏帕扬公式、译波尔公式及相关办法进行计算。开挖作业技术参数如下。

2.3.2.1 顶拱中导洞(ⅠA层)开挖

开挖面积:85.4m²;

循环进尺:3.0m;

典型钻爆参数设计见表2-3。

2.3.2.2 顶拱两侧(ⅠB层)开挖

开挖面积:2×55.2m²;

循环进尺:3.0m;

典型钻爆参数设计见表2-4。

2.3.2.3 岩壁梁层(Ⅱ层)开挖

开挖面积:204.8m²;

循环进尺：两侧 2.5m，中间部分 3.0m；

典型钻爆参数设计见表 2-5、表 2-6。

2.3.2.4 中部台阶(Ⅲ层)开挖

台阶高度：7m；

台阶宽度：25m；

典型钻爆参数设计见表 2-7。

表 2-3 顶拱中导洞(Ⅰ$_A$ 层)开挖典型爆破设计

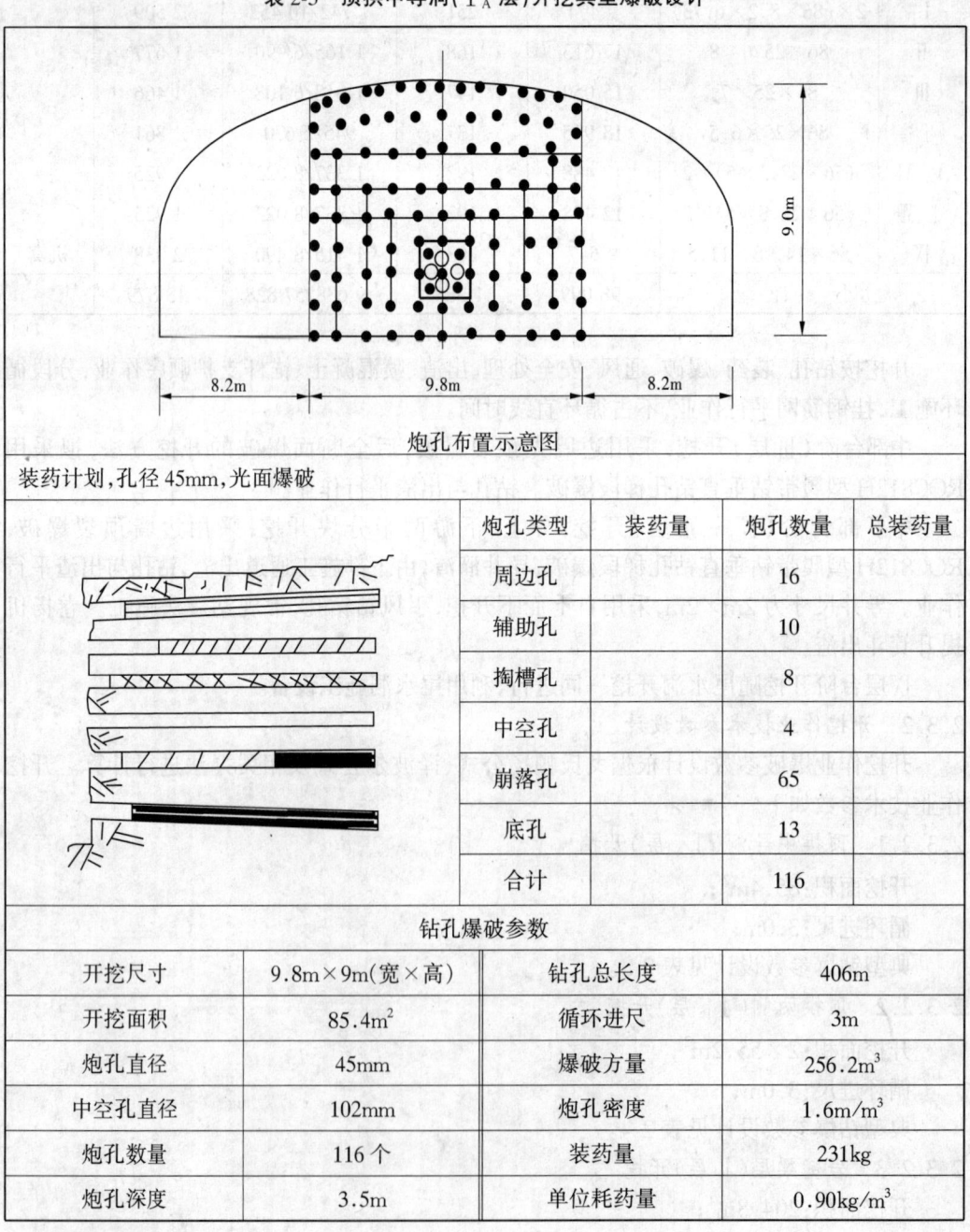

炮孔布置示意图

装药计划，孔径 45mm，光面爆破

炮孔类型	装药量	炮孔数量	总装药量
周边孔		16	
辅助孔		10	
掏槽孔		8	
中空孔		4	
崩落孔		65	
底孔		13	
合计		116	

	钻孔爆破参数		
开挖尺寸	9.8m×9m(宽×高)	钻孔总长度	406m
开挖面积	85.4m²	循环进尺	3m
炮孔直径	45mm	爆破方量	256.2m³
中空孔直径	102mm	炮孔密度	1.6m/m³
炮孔数量	116 个	装药量	231kg
炮孔深度	3.5m	单位耗药量	0.90kg/m³

表 2-4 顶拱两侧(I_B层)开挖典型爆破设计

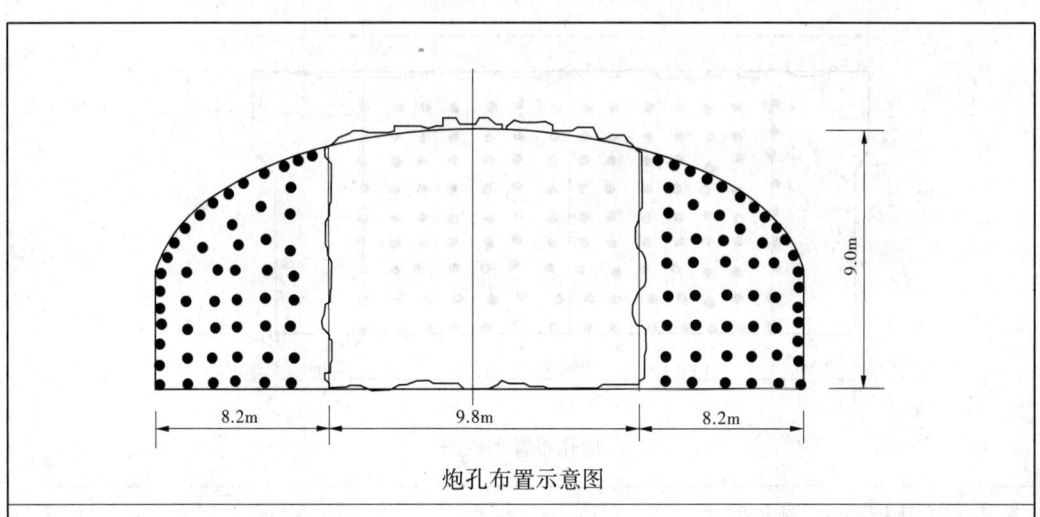

8.2m   9.8m   8.2m

9.0m

炮孔布置示意图

装药计划,孔径45mm,光面爆破

炮孔类型	装药量	炮孔数量	总装药量
周边孔		38	
辅助孔		0	
掏槽孔		0	
中空孔		0	
崩落孔		70	
底孔		20	
合计		128	

钻孔爆破参数

开挖尺寸	见上图	钻孔总长度	448m
开挖面积	110.4m²	循环进尺	3m
炮孔直径	45mm	爆破方量	331.2m³
中空孔直径	102mm	炮孔密度	1.4m/m³
炮孔数量	128个	装药量	265kg
炮孔深度	3.5m	装药密度	0.80kg/m³

表 2-5　岩壁梁层(Ⅱ层)中间部分开挖典型爆破设计

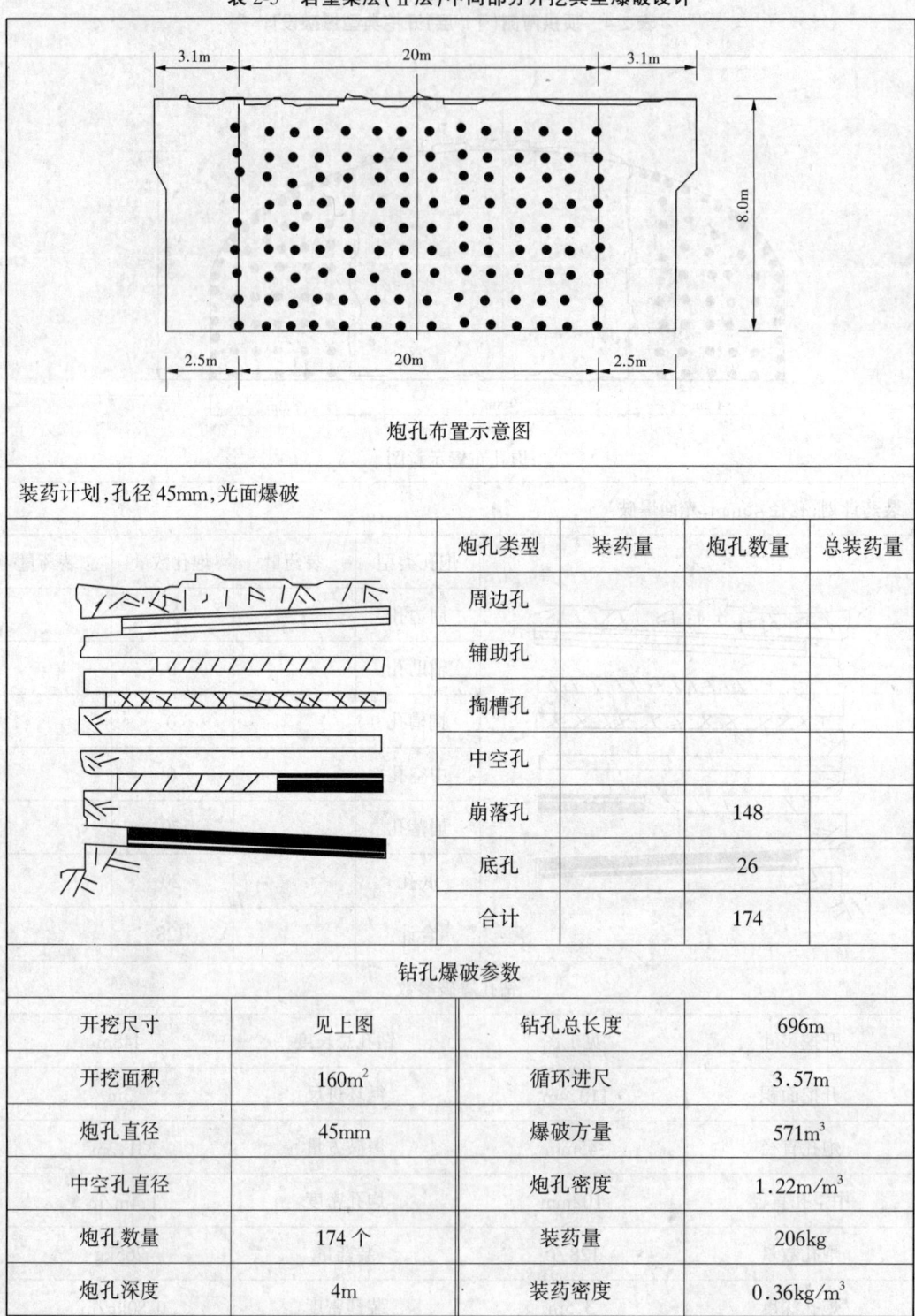

炮孔布置示意图

装药计划,孔径45mm,光面爆破

炮孔类型	装药量	炮孔数量	总装药量
周边孔			
辅助孔			
掏槽孔			
中空孔			
崩落孔		148	
底孔		26	
合计		174	

钻孔爆破参数

开挖尺寸	见上图	钻孔总长度	696m
开挖面积	160m²	循环进尺	3.57m
炮孔直径	45mm	爆破方量	571m³
中空孔直径		炮孔密度	1.22m/m³
炮孔数量	174 个	装药量	206kg
炮孔深度	4m	装药密度	0.36kg/m³

表 2-6 Ⅱ(岩壁梁层)两侧开挖典型爆破设计

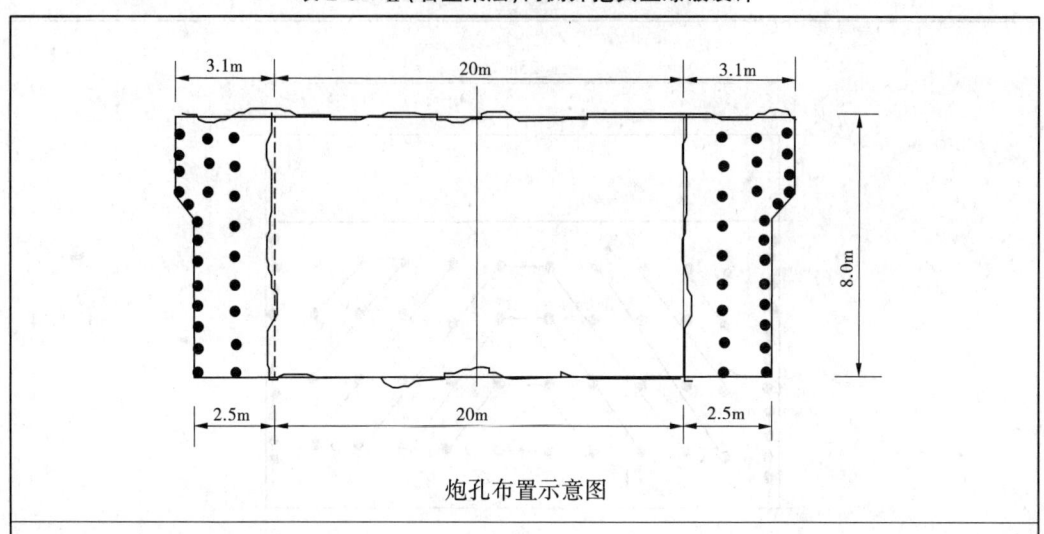

炮孔布置示意图

装药计划,孔径 45mm,光面爆破

炮孔类型	装药量	炮孔数量	总装药量
周边孔		28	
辅助孔			
掏槽孔			
中空孔			
崩落孔		20	
底孔		4	
合计		52	

钻孔爆破参数

开挖尺寸	见上图	钻孔总长度	156m
开挖面积	46m²	循环进尺	2.6m
炮孔直径	45mm	爆破方量	119m³
中空孔直径		炮孔密度	1.3m/m³
炮孔数量	52 个	装药量	43kg
炮孔深度	3m	装药密度	0.36kg/m³

表 2-7 中部台阶(Ⅲ层)开挖典型爆破设计

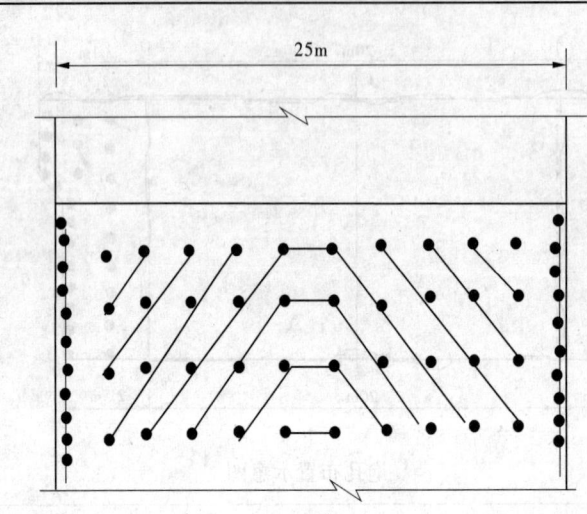

炮孔布置示意图

装药计划,孔径64mm,预裂爆破

炮孔类型	装药量	炮孔数量	总装药量	备　注
周边孔		20		孔距0.8m
崩落孔		40		
合计		60		

钻孔爆破参数

台阶宽度	25m	循环进尺	8m
台阶高度	7m	炮孔数量	60个
炮孔直径	64mm	钻孔总长	450m
孔距	2.3m	爆破方量	1 400m³
排距	1.7m	炮孔密度	0.32m/m³
炮孔深度	7.5m	装药量	504kg
抵抗线	1.8m	装药密度	0.36kg/m³

2.3.2.5 中下部台阶开挖与溜渣井开挖

典型台阶高度:5m;

典型台阶宽度:22.3m;

典型钻爆参数设计见表2-8、表2-9。

表 2-8　中下部溜渣开挖典型爆破设计

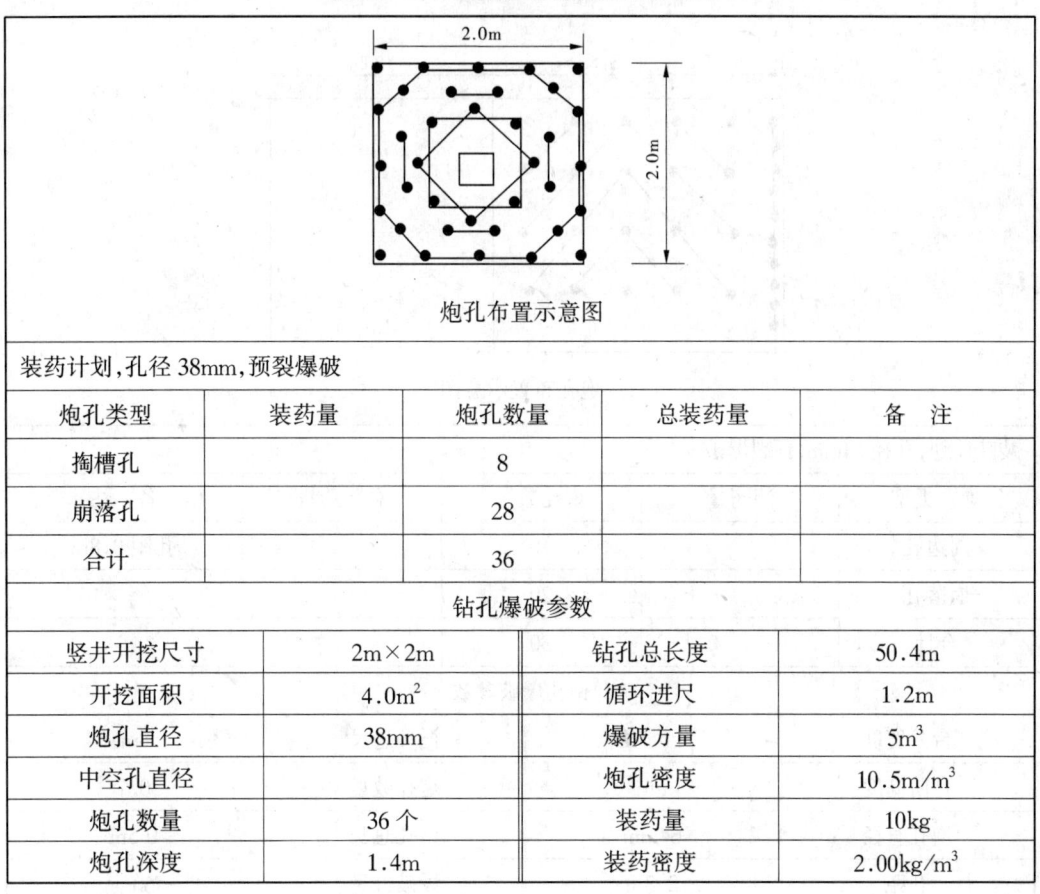

炮孔布置示意图

装药计划,孔径 38mm,预裂爆破

炮孔类型	装药量	炮孔数量	总装药量	备　注
掏槽孔		8		
崩落孔		28		
合计		36		

钻孔爆破参数

竖井开挖尺寸	2m×2m	钻孔总长度	50.4m
开挖面积	4.0m²	循环进尺	1.2m
炮孔直径	38mm	爆破方量	5m³
中空孔直径		炮孔密度	10.5m/m³
炮孔数量	36 个	装药量	10kg
炮孔深度	1.4m	装药密度	2.00kg/m³

2.3.3　锚喷网支护施工程序与施工方法

施工程序:清除松石→埋设喷层厚度标记→冲洗岩面→第一次喷混凝土→锚杆孔位放线→钻孔→注浆→安装锚杆→拉拔试验→挂钢筋网→第二次、第三次喷混凝土至设计厚度→养护。

锚杆施工利用钻孔台车钻孔,注浆机注浆,使用平台车人工安装锚杆。

喷混凝土采用分层喷射,湿喷法施工,机械化作业;分层厚度为 8～10cm。

钢筋网施工,拟在钢筋加工厂加工成片,工具车运入洞内,利用平台车人工挂网。

2.4　设备选型、配套与设备生产率计算

2.4.1　钻孔设备

目前在我国水电工程中以 Atlas 多臂钻孔台车使用较为普遍,地下厂房顶拱与岩壁梁层的水平钻孔开挖以三臂液压钻孔台车较为合适。地下厂房中下部开挖垂直钻孔,拟选用水电工程较常用的 ROC812H－01 型全液压履带钻车。溜渣井开挖采用手风钻钻孔,卷扬机提升。

2.4.1.1　三臂液压钻孔台车生产率

三臂液压钻孔台车钻孔适用工作范围为 12.9m×8.26m(宽×高)。

表 2-9　中下部台阶开挖典型爆破设计

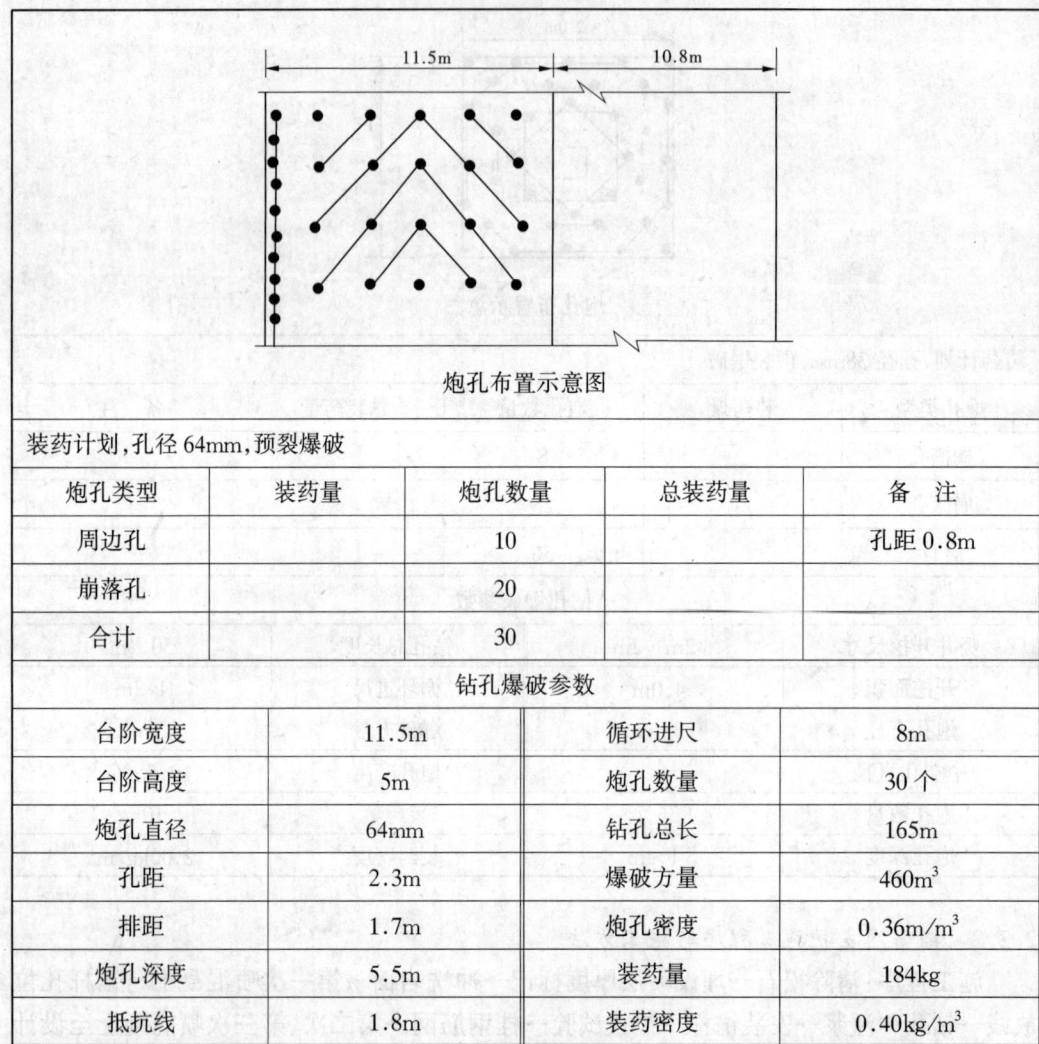

炮孔布置示意图

装药计划,孔径64mm,预裂爆破

炮孔类型	装药量	炮孔数量	总装药量	备　注
周边孔		10		孔距0.8m
崩落孔		20		
合计		30		

钻孔爆破参数			
台阶宽度	11.5m	循环进尺	8m
台阶高度	5m	炮孔数量	30个
炮孔直径	64mm	钻孔总长	165m
孔距	2.3m	爆破方量	460m³
排距	1.7m	炮孔密度	0.36m/m³
炮孔深度	5.5m	装药量	184kg
抵抗线	1.8m	装药密度	0.40kg/m³

三臂液压钻孔台车生产率与凿岩机型号、岩石极限抗压强度及钻孔深度有关。

拟选用 COP1238 型凿岩机, $f = 8 \sim 10$,孔深 3.5m,查生产率曲线图单臂生产率为 92m/h。三臂液压钻孔台车单臂额定生产率为 1.46m/min,考虑正常生产水平,实际生产率为 1.33m/min。

2.4.1.2　ROC812H 型全液压履带钻车生产率

ROC812H 型全液压履带钻车钻孔速度为 1.6~1.8m/min,这里根据统计资料采用 1.1m/min。

2.4.1.3　YT24 型手风钻钻孔生产率

一台钻机工作面积为 4.0~4.2m²,这里导井开挖面积为 4m²,拟用 1 台手风钻钻孔。

钻机生产率:在工作气压为 5bar,岩石 $f = 12 \sim 14$ 时,凿岩速度为 0.4m/min(额定值),这里岩石 $f = 6 \sim 8$,可钻性系数为 1.05,钻机额定生产率为

$$0.4 \times 1.05 = 0.42 (\text{m/min})$$

(参考天水风动工具厂 YT24 型手风钻)。

对孔、移动时间为 0.8min/孔。

孔深为 1.4m,每延米净钻孔时间为 2.38min/m。

实际生产率为 0.33m/min。

工作时间利用系数为 0.75(未考虑对孔、卡钻的处理时间)。钻机小时实际生产率为 14.8m/h。

2.4.2 出渣装运设备

采用 3m³ 轮式装载机配 20t 自卸汽车出渣。

2.4.2.1 轮式装载机生产率

目前在我国水电工程中以 Caterpillar 轮式装载机使用较为普遍。为此,拟采用 Caterpillar 轮式装载机生产率计算方法进行计算。

960F 型 3m³ 装载机,装一斗渣净循环时间为 0.81min。

实际有效工作时间按每小时 50min 计,则小时装渣次数为 61.7 次/h。

按块体尺寸均匀性一般的爆破石渣考虑,铲斗充盈系数为 0.75~0.90,这里取为 0.75,则

$$小时生产率 = 铲斗容量 \times 铲斗充盈系数 \times 小时装渣次数$$
$$= 3.0 \times 0.75 \times 61.7 = 138.8 (\text{m}^3/\text{h})(松方)$$
$$= 138.8/1.53 = 90 (\text{m}^3/\text{h})(自然方)$$

装载机溜渣生产率计算:

$$装载机溜渣循环时间 = 装一斗渣净循环时间 + 来回运行时间$$

这里运输距离为 50m,来回运行时间取为 0.45min(按 10% 的总阻力考虑),则装载机装溜一斗渣的循环时间为

$$0.81 + 0.45 = 1.26 (\text{min})$$

实际有效工作时间按每小时 50min 计,则小时溜渣次数为 39 次/h。

3m³ 装载机溜渣生产率:

$$小时生产率 = 铲斗容量 \times 充盈系数 \times 小时循环次数$$
$$= 3.0 \times 0.75 \times 39 = 87.7 (\text{m}^3/\text{h})(松方)$$
$$= 87.7/1.53 = 57 (\text{m}^3/\text{h})(自然方)$$

2.4.2.2 汽车生产率

采用《水利水电工程施工组织设计手册》第 2 卷施工技术中的计算方法。

汽车一次循环时间 T 计算:

汽车一次循环时间含装车时间 t_1,行车时间 t_2,卸车时间 t_3 及调车、等车时间 t_4,即

$$T = t_1 + t_2 + t_3 + t_4$$

(1)装车时间 t_1 计算:

$$t_1 = 装一斗渣净循环时间 \times 汽车需装铲斗数 + 汽车进入装车位置时间$$

$$汽车需装铲斗数 = (汽车载重量/松方密度)/(装载机斗容 \times 铲斗充盈系数)$$

汽车进入装车位置时间一般可取为 0.2~0.5min,这里取为 0.5min,则

$$t_1 = 0.81 \times 20/(1.71 \times 3.0 \times 0.75) + 0.5$$
$$= 0.81 \times 5 + 0.5$$
$$= 4.55(\text{min})$$

(2)行车时间 t_2 计算：

$$t_2 = 60 \times (运距/重车运行速度 + 运距/空车运行速度)$$

这里,取洞外平均运行速度:重车 20km/h,空车 25km/h;取洞内平均运行速度:重车 10km/h,空车 15km/h。

洞内平均运距为 0.6km,洞外平均运距为 1.4km 时, $t_2 = 13.6$min;洞内平均运距为 0.9km,洞外平均运距为 1.1km 时, $t_2 = 15.9$min。

(3)卸车时间 t_3 计算：

卸车时间通常为 1~1.5min,这里取 $t_3 = 1.5$min。

(4)调车、等车时间 t_4 计算：

调车、等车时间通常为 2.5~4.5min,这里 $t_4 = 3.5$min。

汽车一次循环时间 T：

洞内平均运距为 0.6km,洞外平均运距为 1.4km 时, $T = 4.55 + 13.6 + 1.5 + 3.5 = 23.15(\text{min})$。

汽车生产率 = (汽车载重量/密度×充满系数)×小时循环次数×时间利用系数
$$= (20/2.62 \times 0.96) \times (60/23.15) \times 0.75$$
$$= 14.2(\text{m}^3/\text{h})(自然方)$$

洞内平均运距为 0.9km,洞外平均运距为 1.1km 时, $T = 4.55 + 15.9 + 1.5 + 3.5 = 25.45(\text{min})$。

汽车生产率 = (汽车载重量/密度×充满系数)×小时循环次数×时间利用系数
$$= (20/2.62 \times 0.96) \times (60/25.45) \times 0.75$$
$$= 13.0(\text{m}^3/\text{h})(自然方)$$

2.4.2.3 配套汽车数量与配套生产率

3m^3 装载机生产率为 90m³/h(自然方)。

当单台汽车生产率为 14.2m³/h(自然方)时,汽车数量为 90/14.2 = 6.3(台),取为 7 台,则配套生产率为 90m³/h(自然方),即为装载机生产率。

当单台汽车生产率为 13.0m³/h(自然方)时,汽车数量为 90/13.0 = 6.9(台),取为 7 台,则配套生产率为 90m³/h(自然方),即为装载机生产率。

2.4.2.4 卷扬机提升出渣生产率

选用 JJK - 5 型单筒快速卷扬机,绳速为 43.6m/min。

平均提升高度按 19m,提升箕斗斗容 0.5m³。

一次提升时间(T)= 一次提升运行时间(t_1)+ 一次提升包括装渣、卸渣的
辅助时间(t_2)

$$t_1 = 2 \times 提升高度/(最大提升速度/速度系数)$$
$$= 2 \times 19/(43.6/1.2) = 1.05(\text{min})$$

$$t_2 = 装渣时间 + 卸渣时间 + 其他时间$$
$$= 12 + 2 + 2 = 16(\text{min})$$

则
$$T = 1.05 + 16 = 17.05(\text{min})$$

$$小时提升次数 = 60/T \times 时间系数$$
$$= 60/17.05 \times (50/60) = 2.9(次/h)$$

$$提升出渣生产率 = 斗容 \times 充盈系数 \times 小时提升次数$$
$$= 0.5 \times 0.9 \times 2.9 = 1.3(\text{m}^3/\text{h})$$

2.4.3 喷混凝土设备

采用 6m^3 混凝土搅拌车运输,利用 0.4m^3 强制式搅拌机加水拌和,利用 HLF-4 型喷射机湿喷混凝土。HLF-4 型湿式喷射机额定生产率为 $5\text{m}^3/\text{h}$。时间利用系数为 0.75,则小时实际生产率为

$$5 \times 0.75 = 3.75(\text{m}^3/\text{h})$$

2.4.4 锚杆施工设备

采用二臂台车钻孔,单臂伸缩平台车安装锚杆,钻孔设备生产率:

二臂液压钻孔台车生产率与凿岩机型号、岩石极限抗压强度及钻孔深度有关。

拟选用 COP1238 型凿岩机,$f = 8 \sim 10$,孔深 4m,查生产率曲线图单臂生产率为 96 m/h。二臂液压钻孔台车单臂额定生产率为 1.52m/min。考虑正常生产水平,实际生产率为 1.33m/min。

孔深 8m 时,钻机接钻杆时间为 1min/次。实际生产率为 1.34m/min。

安装一根砂浆锚杆每工作组需 3min。

2.4.5 钢筋网施工设备

钢筋网拟在钢筋加工厂加工成网片,而后运入工作面安装。

利用平台车人工安装钢筋网。根据工程施工有关经验,洞内安装钢筋网小时生产率为 $20\text{m}^2/(\text{h}\cdot\text{工作组})$。

2.4.6 通风设备

地下厂房开挖可利用洞室群各洞室之间在平面及高程上的差异,提前安排开挖风流循环系统永久洞室,作为施工通风的通道。地下厂房开挖中以顶拱导洞开挖通风最为困难,故按导洞开挖所需通风量来考虑。

通风机选择:根据风机工作风量和风机工作风压选择通风机。选择时依照特性曲线进行比较,采用在较高效率区运转的风机型号。

风机工作风量和风机工作风压根据施工通风方式与所需风流量计算。

通风量根据如下四方面计算,取其中最大值:

(1)洞内施工人员需风量。

(2)爆破散烟所需风流量。

(3)洞内最小风速所需风量。洞内容许最小风速,手册规定不小于 0.15m/s,小浪底工程中世界银行专家建议取为 0.5m/s,这里取为 0.3m/s。

(4)使用柴油机械时的通风量。按单位功率需风量 $4.1\text{m}^3/\text{kW}$ 计算。

这里根据工程经验,选择一台 55kW 可逆转的轴流式风机。

2.4.7 设备汇总表

设备汇总见表2-10。

表2-10 设备汇总

设备名称	型号	单位	数量	额定生产率	实际生产率	备注
钻机	H178	台	2	1.52m/(min·臂)	1.33m/(min·臂)	
	H175	台	1	1.52m/(min·臂)	1.38m/(min·臂)	
	ROC812H	台	1		1.1m/min	
	YT24	台	2		0.33m/min	
平台车		辆	1			
装载机	$3m^3$	台	2			
卷扬机	JJK－5	台	1			
自卸汽车	20t	辆	7			
混凝土喷射机组	HLF－4	套	1	$5m^3/h$	$3.75m^3/h$	
反铲	$0.4m^3$	台	1			
强制式搅拌机	$0.4m^3$	台	1			
混凝土搅拌运输车	$6m^3$	辆	1			
注浆机	2.2kW	台	1			
推土机	180HP	台	1			
水泵	2B19	台	1			
空压机	$ZL_2-10/8-1$	台	1			
通风机	55kW	台	1			
电焊机		台	1			

2.5 劳力安排

劳力安排原则:分工作面定岗定员配备工长和各工种劳力,同一工种劳力划分4个等级,即一级工(不熟练工)、二级工(半熟练工)、三级工(熟练工)、四级工(高级熟练工)。

根据概算项目划分的特点,拟按以下项目分别安排劳力:①岩石开挖钻孔爆破作业组;②装渣运输工作组;③锚杆施工工作组;④喷混凝土工作组;⑤挂钢筋网工作组。

2.5.1 钻孔爆破工作组

钻孔爆破工作组负责完成开挖工作中的钻孔、装药连线、爆破、通风等工作。工作组人员安排详见表2-11、表2-12、表2-13。

Ⅰ、Ⅱ层开挖钻孔爆破工作组主要人员安排原则:

工长1人,负责工作组工作;

钻孔机械操作工3人,1台三臂钻孔台车配三级工2人、四级工1人。

2.5.2 装渣运输工作组

装渣运输工作组负责完成开挖工作中的安全处理、装渣、运输、渣场平整等工作。工作组人员安排详见表2-14、表2-15、表2-16。

表 2-11 顶拱(Ⅰ层)开挖钻爆典型工作组 (单位:人)

序号	工种名称	工长	一级工	二级工	三级工	四级工
1	工长	1				
2	钻机操作工				2	1
3	炮工			2	1	1
4	电工				1	
5	管路修理工				1	
6	小型工具车司机			1		
7	普工		2			
8	机械修理工				1	
9	设备操作工			1	1	

注:岩壁梁层(Ⅱ层)开挖钻机操作工按人员配置原则进行调整。

表 2-12 溜渣井钻爆典型工作组 (单位:人)

序号	工种名称	工长	一级工	二级工	三级工	四级工
1	工长	1				
2	钻机操作工				1	
3	炮工			1	1	
4	电工				1	
5	空压机操作工			1		
6	小型工具车司机			1		
7	普工		3			
8	卷扬机操作工			1		

表 2-13 中、下部钻爆典型工作组 (单位:人)

序号	工种名称	工长	一级工	二级工	三级工	四级工
1	工长	1				
2	钻机操作工				1	1
3	炮工			2	1	1
4	电工				1	
5	管路修理工				1	
6	小型工具车司机			1		
7	普工		2			
8	机械修理工				1	
9	设备操作工			1	1	

主要人员安排原则:

工长:1人;

汽车司机:按每辆汽车配三级工1人;

装载机司机：每台配四级工1人；

反铲操作工：每台配三级工1人；

推土机司机：每台配三级工1人。

表 2-14　Ⅰ、Ⅱ、Ⅲ层装渣运输典型工作组　　　　　（单位：人）

序号	工种名称	工长	一级工	二级工	三级工	四级工
1	工长	1				
2	反铲操作工				1	
3	装载机司机					1
4	汽车司机				7	
5	推土机司机				1	
6	普工		2			

表 2-15　溜渣井装渣运输典型工作组　　　　　（单位：人）

序号	工种名称	工长	一级工	二级工	三级工	四级工
1	工长	1				
2	卷扬机操作工				1	
3	装载机司机					1
4	汽车司机				1	
5	普工		5			

表 2-16　Ⅳ～Ⅸ层装渣运输典型工作组　　　　　（单位：人）

序号	工种名称	工长	一级工	二级工	三级工	四级工
1	工长	1				
2	反铲操作工				1	
3	装载机司机					2
4	汽车司机				7	
5	推土机司机				1	
6	普工		4			

2.5.3　锚杆施工岩石支护工作组

锚杆施工岩石支护工作组负责钻孔、锚杆安装等工作。工作组人员安排详见表 2-17。

表 2-17　锚杆施工典型工作组　　　　　（单位：人）

序号	工种名称	工长	一级工	二级工	三级工	四级工
1	工长	1				
2	钻机操作工				1	1
3	注浆机操作工			1		
4	小型工具车及汽车司机			1	1	
5	普工		3			

2.5.4 喷混凝土施工工作组

喷混凝土施工工作组负责完成喷混凝土的混凝土运输、喷射等工作。工作组人员安排详见表 2-18。

表 2-18　喷混凝土典型工作组　　　　　　　　　　　　　（单位:人）

序号	工种名称	工长	一级工	二级工	三级工	四级工
1	工长	1				
2	混凝土喷射机操作工				1	1
3	小型工具车及汽车司机				1	
4	普工		4			
5	空压机操作工				1	

2.5.5 钢筋网安装工作组

钢筋网安装工作组负责完成钢筋网运输与现场安装等工作。工作组人员安排详见表 2-19。

表 2-19　钢筋网安装典型工作组　　　　　　　　　　　　（单位:人）

序号	工种名称	工长	一级工	二级工	三级工	四级工
1	工长	1				
2	普工		4			
3	小型工具车及汽车司机			1	1	
4	电焊工			1		
5	设备操作工				1	

2.6 材料用量

材料用量采用统计、筛选、分析等估量办法进行确定。主要分以下几大类:钻杆、钻头、火工、锚喷网支护材料等。炸药用量根据前面的爆破设计计算,雷管按平均每孔 1.2 个计算,采用进口钻头、钻杆,其消耗指标参考小浪底、鲁布革、太平哨等工程实际消耗统计值。具体指标见表 2-20。

2.7 工期、强度与台时、人时、材料消耗指标

2.7.1 工作计划

每年工作:12 个月。

每月平均工作:25.5 天。

每天工作:3 班。

每班工作:8h。

每天工作:24h。

月工作小时数:612h。

2.7.2 开挖工期

根据前述开挖程序安排,先对每一开挖层按施工方法确定的施工程序编制开挖循环施工网络图表,见表 2-21～表 2-26。

表 2-20　厂房开挖材料用量

项目	材料单耗		材料用量		备注
	数量	单位	数量	单位	
厂房开挖			98 099	m³	
光爆炸药			4 665	kg	
炸药			40 981	kg	
雷管			21 536	个	
导爆管			98 537	m	
钻头			93	个	
钻杆			140	根	
喷混凝土			1 666	m³	
水泥	0.54	t/m³	899.6	t	
砂子	0.67	m³/m³	1 116.2	m³	
水	0.4	m³/m³	666.4	m³	
外加剂	16.2	kg/m³	26 989.2	kg	
小石	0.63	m³/m³	1 049.6	m³	
砂浆锚杆			57 828	m	
钻头	0.001 3	个/钻 m	75	个	
钻杆	0.002	根/钻 m	116	根	
螺帽	0.167	个/m	9 657	个	
垫板	0.167	套/m	9 657	套	
水泥砂浆	0.000 48	m³/m	27.76	m³	
锚杆材料	1.02	m/m	58 985	m	
钢筋网			13 879	m²	
钢筋	0.006 1	t/m²	84.7	t	
铁丝	0.006 2	kg/m²	86.0	kg	

开挖工期为 14.85 个月(不含岩壁梁、母线洞开挖)。

2.7.3　开挖强度

开挖总方量:98 099m³

开挖月强度:

顶拱　　　　5 262m³/月

中部　　　　10 709m³/月

中下部　　　5 556m³/月

厂房开挖作业循环时间、工期、强度计算,见开挖循环时间、工期计算表 2-27～表 2-29。

表 2-21　顶拱中导洞(ⅠA层)开挖典型循环时间(断面面积:84.3m²;进尺:3m)

项目	时间(min)	工作程序	1	2	3	4	5	6	7	8	9	10	11	12	13	14	15	16	17	18	19	20	21	22	23	24
测量放线	30	平行作业																								
钻孔	162																									
装药	55																									
爆破通风	20																									
安全处理	30																									
出渣	170																									
喷混凝土	65																									
锚杆支护	130																									
钢筋网#	74																									
其他	30																									
净循环时间	692																									
小时有效时间	50 min/h																									
循环时间	13.84 h																									
平均日进尺	5.20 m/日																									
长期工作影响系数	75%																									
进尺	99.5 m/月																									

时间(h)

开始下一
循环施工

注:表中带"#"的项目不占循环直线时间。

表 2-22 顶拱两侧（I_B 层）开挖典型循环时间（断面面积：110.4m²；进尺：3m）

项目		时间(min)	时间(h)
工作程序		平行作业	1 2 3 4 5 6 7 8 9 10 11 12 13 14 15 16 17 18 19 20 21 22 23 24
测量放线		30	
钻孔		97	
装药		60	
爆破通风		20	
安全处理		30	
出渣		213	开始下一循环施工
喷混凝土		149	
锚杆支护		333	
钢筋网#	209		
其他		30	
净循环时间		962	
小时有效时间	min/h	50	
循环时间	h	19.24	
平均日进尺	m/日	3.74	
长期工作影响系数		75%	
进尺	m/月	71.6	

注：表中带"#"的项目不占循环直线时间。

表 2-23 Ⅱ层开挖典型循环时间(台阶高度:7m;中部进尺:3.57m)

工作程序	时间(min) 两侧	中部
测量放线		30
钻孔	54	130
装药	27	69
爆破通风		20
安全处理		30
出渣	89	353
喷混凝土	79	
锚杆支护	114	
钢筋网#	104	
其他		30
净循环时间		971
小时有效时间 min/h		50
循环时间 h		19.42
平均日进尺 m/日		4.14
长期工作影响系数		75%
进尺 m/月		79.2

时间(h):1 2 3 ... 24

开始下一循环施工

注:表中带"#"的项目不占循环直线时间。

表 2-24　中部典型台阶(Ⅲ层)开挖循环时间(台阶高度:7m;进尺:8m)

工作程序	时间(min) 平行作业	时间(min)
测量放线	30	
钻孔#		439
装药#		61
爆破通风	20	
安全处理		30
出渣		837
锚杆支护		448
喷混凝土		187
钢筋网#		280
其他	30	
净循环时间		1 582
小时有效时间	min/h	50
循环时间	h	31.64
平均日进尺	m/日	6.07
长期工作影响系数	75%	
进尺	m/月	116

时间(h)

开始下一循环钻孔　开始下一循环爆破

注:表中带"#"的项目不占循环直线时间。

· 454 ·

表 2-25　溜渣井开挖典型循环时间(进尺:1.2m)

工作程序	时间(min) 平行作业	时间(h)											
		1	2	3	4	5	6	7	8	9	10	11	12
测量放线	30												
钻孔	183												
装药	32												
爆破通风	20												
安全处理	30												
出渣	208												
其他	60												
净循环时间	563												
小时有效时间	min/h 50												
循环时间	h 11.26												
平均日进尺	m/日 2.56												
长期工作影响系数	75%												
进尺	m/月 48.9												

表 2-26　中下部典型台阶(Ⅳ～Ⅸ层)开挖循环时间(进尺:8m)

工作程序	时间(min)		时间(h)
	平行作业		2　4　6　8　10　12　14　16　18　20　22　24　26　28　30　32　34　36　38　40　42　44　46　48
测量放线	30		
钻孔#	180		
装药#	30	20	
爆破通风		30	
安全处理		432	
溜渣	289		
出渣#		77	
喷混凝土		175	
锚杆支护	240		
钢筋网#		30	
其他			
净循环时间	794		
小时有效时间	min/h	50	
循环时间	h	15.88	
平均日进尺	m/日	6.24	
长期工作影响系数	75%		
进尺	m/月	119.2	

注:表中带"#"的项目不占循环直线时间。

开始下一循环施工

· 456 ·

表 2-27　地下厂房顶拱开挖工期计算

序号	项　目	单位	设计参数		备注
			顶拱中导洞（I$_A$层）	顶拱两侧（I$_B$层）	
1	厂房参数		（参考小浪底等工程拟定）		
1.1	开挖跨度	m	26.2（顶拱跨度）		
1.2	开挖高度	m	62		
1.3	开挖长度	m	86		
1.4	分部分开挖面积	m^2	85.4	110.4	
1.5	开挖层高度	m	9		
1.6	开挖宽度	m	9.8	16.4	
1.7	支护边长度	m	9.9	27.9	
1.8	对应开挖断面的洞长	m	86	86	
1.9	开挖分层情况	层	1	1	
2	钻爆参数				
2.1	炮孔直径	mm	45	45	
2.2	炮孔数量	个	116	128	
2.3	掏槽中空孔直径	mm	102		
2.4	掏槽中空孔数量	个	4		
2.5	炮孔总数	个	120	128	
2.6	炮孔深度	m	3.5	3.5	
2.7	循环钻孔总长度	m	420	448.0	
2.8	循环进尺	m	3	3.0	
2.9	循环爆破方量	m^3	256	331	
2.10	炮孔密度	m/m^3	1.6	1.4	
2.11	装药量	kg	231	265	
2.12	装药密度	kg/m^3	0.90	0.80	
3	钻孔设备参数				
3.1	钻机型号		3-B钻机	3-B钻机	
3.2	凿岩机型号		COP1238	COP1238	
3.3	钻杆型号		R38	R38	
3.4	额定钻速	m/min	1.46	1.46	
3.5	设计钻速	m/min	1.33	1.33	
4	钻孔时间计算				
4.1	钻孔长度	m	420	448	

序号	项 目	单位	设计参数						备注
			顶拱中导洞（ⅠA 层）			顶拱两侧（ⅠB 层）			
4.2	掏槽孔补偿长度	m	32			0			
4.3	等效钻孔总长度	m	452			448			
4.4	钻机就位及撤退时间（以循环计）	min	30			30			
	项 目		单位时间	工程量	时间	单位时间	工程量	时间	
4.5	钻臂移动就位（以孔计）	min	0.3	120	36.0	0.3	128	38.4	
4.6	对孔定位时间（以孔计）	min	0.5	120	60.0	0.5	128	64.0	
4.7	净钻孔时间（以钻 m 计）	min	0.53	451.7	239.4	0.53	448	237.4	
4.8	一个循环需钻孔时间	min	335.4			339.8			
4.9	凿岩机同时工作台数	台	3×0.85＝2.55			6×0.85＝5.1			
4.10	钻孔循环时间	min	162			97			
5	装药时间计算								
5.1	装药孔数	孔	116			128			
5.2	装药总长度	m	406			448			
5.3	循环准备时间	min	10			10			
	项 目		单位时间	工程量	时间	单位时间	工程量	时间	
5.4	对孔定位时间（按孔数计）	min	0.5	116	58	0.5	128	64	
5.5	装药时间（按 m 计）	min	0.3	406	122	0.3	448.0	134	
5.6	需装药时间小计	min			180			198	
5.7	装药工作组人数	个	4			4			
5.8	装药循环时间	min	55			60			
6	隧洞通风参数								
6.1	所需风流量	m³/s	43						
6.2	风管直径	m	2						
6.3	通风时间	min	20			20			
6.4	风机功率	kW	55						
7	装渣运输								
7.1	装载机械型号		960F 装载机						
7.2	装载机械斗容	m³	3			3			
7.3	运输方式		无轨运输			无轨运输			
7.4	车辆型号		T20－C203			T20－C203			
7.5	车辆容积	m³	10.7/12.0			10.7/12.0			

序号	项目	单位	设计参数			备注
			顶拱中导洞（Ⅰ_A 层）		顶拱两侧（Ⅰ_B 层）	
7.6	运输车数量	辆	7		7	
7.7	车辆载重量	t	20		20	
8	装渣时间计算					
8.1	设计爆破方量（自然方）	m³	256		331	
8.2	超挖系数		1.05		1.05	
8.3	松散系数		1.53		1.53	
8.4	松方量	m³	412		532	
8.5	装运配套小时生产率（自然方）	m³/h	90		90	
8.6	装运配套生产率（松方）	m³/min	2.75		2.75	
8.7	清扫时间	min	20		20	
8.8	出渣时间	min	170		213	
9	喷混凝土时间计算					
9.1	喷混凝土方法		机械化湿喷			
9.2	喷混凝土厚度	cm	10		10	
9.3	喷混凝土设备型号					
9.4	设备生产率	m³/h	3.75		3.75	
9.5	循环设计喷混凝土方量	m³	2.97		8.37	
9.6	喷混凝土回弹系数		1.25		1.2	
9.7	设备移动就位时间	min	15		15	

项目		喷层厚(cm)	喷混凝土量(m³)	时间	喷层厚(cm)	喷混凝土量(m³)	时间
9.8	喷第一层混凝土时间	min	5	1.86	25	5	5.02	67.0
9.9	喷第二层混凝土时间	min	5	1.86	25	5	5.02	67.0
9.10	喷第三层混凝土时间	min			0			0
9.11	净喷混凝土时间	min			49.5			133.9
9.12	循环喷混凝土时间	min			65			149
9.13	小时有效工作时间	min/h			50			50
9.14	小时生产率	m³/h			2.86			3.37
10	锚杆安装时间计算							
10.1	锚杆类型				砂浆锚杆			砂浆锚杆
10.2	锚杆平均长度	m			6			6
10.3	锚杆间距	m			1.2			1.2

序号	项目	单位	设计参数						备注
			顶拱中导洞（ⅠA层）			顶拱两侧（ⅠB层）			
10.4	锚杆排距	m	1.2			1.2			
10.5	循环锚杆总长度	m	126			348			
10.6	循环钻孔深度	m	126			348			
10.7	循环锚杆根数	根	21			58			
10.8	钻机就位及撤退时间（以循环计）	min	15			15			
	项目		单位时间	工程量	时间	单位时间	工程量	时间	
10.9	钻臂移动就位(以孔计)	min	0.3	21	6.3	0.3	58	17.4	
10.10	对孔定位时间(以孔计)	min	0.5	21	10.5	0.5	58	29.0	
10.11	接钻杆时间(以孔计)	min	1	11	10.5	1	29	29.0	
10.12	净钻孔时间（以钻 m 计）	min	0.53	126	66.8	0.53	348	184.4	
10.13	一个循环需钻孔时间	min			94.1			259.8	
10.14	凿岩机同时工作台数	台	2×0.9=1.8			2×0.9=1.8			
10.15	钻孔时间	min			67			159	
10.16	安装时间(根)	min	3	21	63	3	58	174	
10.17	锚杆支护时间	min			130			333	
10.18	小时有效工作时间	min/h	50			50			
10.19	小时生产率	m/h	48.5			52.3			
11	挂钢筋网								
11.1	钢筋网型号		Φ10@20cm×20cm			Φ10@20cm×20cm			
11.2	循环挂网面积	m²	29.7			83.7			
11.3	作业组人数	个	9			9			
11.4	循环安装时间	min	74			209			
11.5	小时有效工作时间	min/h	50			50			
11.6	小时生产率	m²/h	20.0			20			
12	开挖时间								
12.1	测量放线	min	30			30			
12.2	钻孔循环时间	min	162			97			
12.3	装药循环时间	min	55			60			
12.4	通风时间	min	20			20			
12.5	安全处理时间	min	30			30			
12.6	出渣循环时间	min	170			213			

序号	项目	单位	设计参数		备注
			顶拱中导洞（ⅠA 层）	顶拱两侧（ⅠB 层）	
12.7	其他时间	min	30	30	
12.8	净循环时间	min	497	480	
12.9	小时有效工作时间	min/h	50	50	
12.10	正常循环时间	h	9.9	9.6	
12.11	小时生产率	m³/h	25.8	34.5	
13	作业循环时间安排		平行作业工序	平行作业工序	
13.1	开挖时间		497	480	
13.2	喷混凝土循环时间	min	65	149	
13.3	钢筋网安装循环时间	min	74	209	
13.4	锚杆支护时间	min	130	333	
13.5	净循环时间	min	692	962	
13.6	小时有效工作时间	min/h	50	50	
13.7	正常循环时间	h	13.8	19.2	
14	工作计划				
14.1	每班工作时间	h	8	8	
14.2	每天工作班次	班/日	3	3	
14.3	日工作小时数	h/日	24	24	
14.4	日完成开挖循环次数	循环/日	1.73	1.25	
14.5	循环进尺	m/循环	3	3	
14.6	日进尺	m/日	5.20	3.74	
14.7	月工作天数	天/月	25.5	25.5	
14.8	长期工作影响系数		0.75	0.75	
14.9	月进尺	m/月	99.5	71.6	
15	开挖工期计算				
15.1	洞长	m	86	86	
15.2	超挖方量	m³	367	475	
15.3	额外补偿长度	m			
15.4	等效长度	m	86	86	
15.5	总开挖循环数	循环	29	29	
15.6	开挖、支护时间	月	0.9	1.3	
15.7	施工准备及其他	月	0.5	0.5	
15.8	开挖工期	月	1.4	1.8	
16	开挖月强度				
16.1	开挖方量	m³	16 839		
16.2	开挖月强度	m³/月	5 262		

表 2-28　地下厂房中部开挖工期计算

序号	项 目	单位	设计参数			备注
			Ⅱ层(含岩壁梁)		中部台阶(Ⅲ层)	
1	厂房参数		(2 台 30 万 kW 机组地下厂房)			
1.1	开挖跨度	m	25		25	
1.2	开挖高度	m	8.0		7	
1.3	开挖长度	m	86		86	
1.4	分部分开挖面积	m²	两侧	中间部分	175.0	
			45.6	160.0		
1.5	开挖台阶高度	m	8.0	8.0	7	
1.6	开挖宽度	m	5	20.0	25.0	
1.7	支护边长度	m	16		14	
2	钻爆参数		两侧	中间部分		
2.1	炮孔直径	mm	45	45	64	
2.2	炮孔数量	个	52	174	60	
2.3	掏槽中空孔直径	mm				
2.4	掏槽中空孔数量	个				
2.5	炮孔总数	个	52	174	60	
2.6	炮孔深度	m	3.0	4.0	7.5	
2.7	循环钻孔总长度	m	156.0	696.0	450.0	
2.8	循环进尺	m	2.6	3.57	8.0	
2.9	循环爆破方量	m³	119	571	1 400	
2.10	炮孔密度	m/m³	1.32	1.22	0.32	
2.11	装药量	kg	42.7	205.6	504	
2.12	装药密度	kg/m³	0.36	0.36	0.36	
3	钻孔设备参数					
3.1	钻机型号		钻孔台车		履带钻	
3.2	凿岩机型号		COP1238			
3.3	钻杆型号				R51	
3.4	额定钻速	m/min	1.46			
3.5	设计钻速	m/min	1.33		1.1	
4	钻孔时间计算		两侧	中间部分		
4.1	钻孔长度	m	156.0	696.0	450.0	
4.2	掏槽孔补偿长度	m	0	0	0	
4.3	等效钻孔总长度	m	156	696	450	
4.4	钻机就位及撤退时间(以循环计)	min	30	30	30	

续表 2-28

序号	项目	单位	设计参数								备注
			Ⅱ层(含岩壁梁)					中部台阶(Ⅲ层)			
	项目		单位时间	工程量	时间	工程量	时间	单位时间	工程量	时间	
4.5	钻臂移动就位(以孔计)	min	0.3	52	15.6	174.0	52.2				
4.6	对孔定位时间(以孔计)	min	0.5	52	26	174.0	87				
4.7	净钻孔时间(以钻 m 计)	min	0.53	156	82.7	696.0	369				
4.8	一个循环需钻孔时间	min			124.3		508.2	0.91	450	409.5	
4.9	凿岩机同时工作台数	台	6×0.85＝5.1			6×0.85＝5.1		1			
4.10	钻孔循环时间	min	54			130		439			
5	装药时间计算		两侧			中间部分					
5.1	装药孔数	个	52			174		60			
5.2	装药总长度	m	156			696		450			
5.3	循环准备时间	min	10			10		10			
	项目		单位时间	工程量	时间	工程量	时间	单位时间	工程量	时间	
5.4	对孔定位时间(按孔数计算)	min	0.5	52	26	174	87	0.5	60	30	
5.5	装药时间(按 m 计算)	min	0.3	156	46.8	696	208.8	0.5	450	225.0	
5.6	需装药时间小计	min			72.8		295.8			255.0	
5.7	装药工作组人数	个	5			5		5			
5.8	装药循环时间	min	27			69		61			
6	隧洞通风参数										
6.1	所需风流量	m^3/s									
6.2	风管直径	m	2					2			
6.3	通风时间	min	20					20			
6.4	风机功率	kW	55					55			
7	装渣运输										
7.1	装载机械型号		960F					960F			
7.2	装载机械斗容	m^3	3					3			
7.3	运输方式		无轨运输					无轨运输			
7.4	车辆型号		T20－C203					T20－C203			
7.5	车辆容积	m^3	10.7/12.0					10.7/12.0			
7.6	运输车数量	辆	7					7			

序号	项目	单位	设计参数				备注
			Ⅱ层(含岩壁梁)		中部台阶(Ⅲ层)		
7.7	车辆载重量	t	20		20		
8	装渣时间计算		两侧	中间部分			
8.1	爆破方量(自然方)	m³	118.6	571	1 400		
8.2	超挖系数		1.05	1.05	1.05		
8.3	松散系数		1.53	1.53	1.53		
8.4	松方量	m³	190	918	2 249		
8.5	装运配套小时生产率(自然方)	m³/h	90		90		
8.6	装运配套生产率(松方)	m³/min	2.75		2.75		
8.7	清扫时间	min	20		20		
8.8	出渣时间	min	89	353	837		
9	喷混凝土时间计算						
9.1	喷混凝土方法		机械化湿喷		机械化湿喷		
9.2	喷层厚度	cm	10		10		
9.3	喷混凝土设备型号						
9.4	设备生产率	m³/h	3.75		3.75		
9.5	循环设计喷混凝土方量	m³	4.16		11.20		
9.6	喷混凝土回弹系数		1.15		1.15		
9.7	设备移动就位时间	min	15		15		
	项目		喷层厚(cm)	喷混凝土量(m³)	时间	喷层厚(cm)	喷混凝土量(m³)	时间
9.8	喷第一层混凝土时间	min	5	2.39	32	5	6.44	86
9.9	喷第二层混凝土时间	min	5	2.39	32	5	6.44	86
9.10	喷第三层混凝土时间	min			0			0
9.11	净喷混凝土时间	min		64			172	
9.12	循环喷混凝土时间	min	79		187		
9.13	小时有效工作时间	min/h	50		50		
9.14	小时生产率	m³/h	3.03		3.44		
10	锚杆安装时间计算		(4m、8m锚杆相间布置)		(4m、8m锚杆相间布置)		
10.1	锚杆类型						
10.2	锚杆平均长度	m	6		6		
10.3	锚杆间距	m	1.2		1.2		
10.4	锚杆排距	m	1.2		1.2		

序号	项 目	单位	设计参数						备注
			Ⅱ层(含岩壁梁)			中部台阶(Ⅲ层)			
10.5	循环锚杆总长度	m	174			468			
10.6	循环钻孔深度	m	174			468			
10.7	循环锚杆根数	根	29			78			
10.8	钻机就位及撤退时间(以循环计)	min	20			20			
	项 目		单位时间	工程量	时间		单位时间	工程量	时间
10.9	钻臂移动就位	min	0.3	29.0	8.7		0.3	78.0	23.4
10.10	对孔定位时间(以孔计)	min	0.5	29.0	14.5		0.5	78.0	39.0
10.11	接钻杆时间(以孔计)	min	1.0	14.5	14.5		1.0	39.0	39.0
10.12	净钻孔时间(以钻 m 计)	min	0.53	174.0	92.2		0.53	468.0	248.0
10.13	一个循环需钻孔时间	min			129.9				349.4
10.14	凿岩机同时工作台数	台	2×0.9=1.8			2×0.9=1.8			
10.15	钻孔时间	min			92				214
10.16	安装时间(根)	min	3	29	87		3	78.0	234
10.17	锚杆支护时间	min			179				448
10.18	小时有效工作时间	min/h	50			50			
10.19	小时生产率	m/h	48.6			52			
11	挂钢筋网								
11.1	钢筋网型号		Φ10@20cm×20cm			Φ10@20cm×20cm			
11.2	循环挂网面积	m²	41.6			112.0			
11.3	作业组人数	个	7			7			
11.4	循环安装时间	min	104			280			
11.5	小时有效工作时间	min/h	50			50			
11.6	小时生产率	m²/h	20			20			
12	开挖时间		两侧	中间部位	综合		平行作业工序		
12.1	测量放线	min	30	30	30		30		
12.2	钻孔循环时间	min	54	130	130		439		
12.3	装药循环时间	min	27	69	96		61		
12.4	通风时间	min	20	20	20		20		
12.5	安全处理时间	min	30	30	30		30		
12.6	出渣循环时间	min	89	353	442		837		

序号	项 目	单位	设计参数				备注
			Ⅱ层(含岩壁梁)			中部台阶(Ⅲ层)	
12.7	其他时间	min	30	30	30	30	
12.8	净开挖时间	min	280	662	778	947	
12.9	小时有效工作时间	min/h	50	50	50	50	
12.10	正常开挖时间	h	5.6	13.24	15.6	18.9	
12.11	小时生产率	m³/h	21.2	43.1		73.9	
13	作业循环时间安排		平行作业工序	两侧	中间部位	综合	平行作业工序	
13.1	开挖时间			280	662	778	947	
13.2	喷混凝土循环时间	min		79		79	187	
13.3	锚杆支护时间	min		114		114	448	
13.4	钢筋网安装循环时间	min	104				280	
13.6	净循环时间	min		473	662	971	1 582	
13.7	小时有效工作时间	min/h	50				50	
13.8	正常循环时间	h		9.46	13.2	19.4	31.64	
14	工作计划			两侧	中间部位	综合		
14.1	每班工作时间	h				8	8	
14.2	每天工作班次	班/日				3	3	
14.3	日工作小时数	h/日				24	24	
14.4	日完成开挖循环次数	循环/日		2.54	1.81	1.24	0.76	
14.5	循环进尺	m/循环		2.6	3.57	3.35	8	
14.6	日进尺	m/日		6.6	6.46	4.14	6.07	
14.7	月工作天数	天/月				25.5	25.5	
14.8	长期工作影响系数		0.75				0.75	
14.9	开挖月进尺	m/月		126.2	123.5	79.2	116.0	
15	开挖工期计算							
15.1	洞长	m	86				86	
15.2	超挖方量	m³	1 661.6				752.5	
15.3	中间部位超前开挖长度	m	20.0					
15.4	两侧滞后完成长度	m	38					
15.5	额外补偿长度	m						
15.6	等效长度	m	86				86	
15.7	总开挖循环数	循环	24				11	
15.8	中间部分超前开挖时间	月	0.16					
15.9	两侧滞后完成时间	月	0.30					
15.10	全断面开挖时间	月	0.83					

序号	项目	单位	设计参数		备注
			Ⅱ层(含岩壁梁)	中部台阶(Ⅲ层)	
15.11	开挖、支护时间	月	1.30	0.75	
15.12	施工准备及其他	月	0.5	0.5	
15.13	分层开挖工期	月	1.80	1.25	
15.14	中部开挖工期	月	3.05		
16	开挖月强度				
16.1	开挖石方量	m³	32 663		
16.2	平均开挖月强度	m³/月	10 709		

表 2-29 地下厂房中下部(Ⅳ～Ⅸ层)开挖工期计算

序号	项目	单位	设计参数		备注
			溜渣竖井	中下部典型台阶(Ⅳ～Ⅸ层)	
1	厂房参数				
1.1	开挖跨度	m		22.3	
1.2	开挖高度	m		38	
1.3	开挖长度(深度)	m	38	56	
1.4	开挖面积	m²	4.0	57.5	
1.5	开挖台阶高度(或断面长度)	m	2	5	
1.6	开挖断面宽度	m	2	11.5	
1.7	支护边长度	m		5	
2	钻爆参数				
2.1	炮孔直径	mm	38	64	
2.5	炮孔总数	个	36	30	
2.6	炮孔深度	m	1.4	5.5	
2.7	循环钻孔总长度	m	50.4	165.0	
2.8	循环进尺	m	1.2	8.0	
2.9	循环爆破方量	m³	5	460	
2.10	炮孔密度	m/m³	10.50	0.36	
2.11	装药量	kg	10	184	
2.12	装药密度	kg/m³	2.00	0.40	
3	钻孔设备参数				
3.1	钻机型号		手风钻	履带钻	
3.2	凿岩机型号				
3.3	钻杆型号		R38	R51	
3.4	额定钻速	m/min	0.42		

序号	项 目	单位	设计参数						备注
			溜渣竖井			中下部典型台阶(Ⅳ～Ⅸ层)			
3.5	设计钻速	m/min	0.33			1.1			
4	钻孔时间计算								
4.1	钻孔长度	m	50.4			165.0			
4.2	掏槽孔补偿长度	m							
4.3	等效钻孔总长度	m	50.4			165.0			
4.4	钻机就位及撤退时间 (以循环计)	min	30			30			
4.8	一个循环需钻孔时间	min	153			150			
4.9	凿岩机数量	台	1			1			
4.10	钻孔循环时间	min	183			180			
5	装药时间计算								
5.1	装药孔数	个	36			30			
5.2	装药总长度	m	50.4			165.0			
5.3	循环准备时间	min	10			10			
	项 目		单位时间	工程量	时间	单位时间	工程量	时间	
5.4	对孔定位时间 (按孔数计)	min	0.5	36	18	0.5	30	15	
5.5	净装药时间(按 m 计)	min	0.5	50.4	25	0.5	165.0	83	
5.6	需净装药时间	min	43			98			
5.7	装药工作组人数	人	2			5			
5.8	循环装药时间	min	32			30			
6	隧洞通风参数								
6.1	所需风流量	m³/s							
6.2	风管直径	m							
6.3	通风时间	min	20			20			
6.4	风机功率	kW							
7	装渣运输		人工装渣、卷扬机提升						
7.1	装载机械型号		960F						
7.2	装载机械斗容	m³	3						
7.3	运输方式		无轨运输						
7.4	车辆型号								
7.5	车辆容积	m³	10.7/12.0						
7.6	运输车数量	辆	1			7			
7.7	车辆载重量	t	20			20			
8	装渣时间计算								
8.1	爆破方量(自然方)	m³	5			460			

序号	项 目	单位	设计参数		备注
			溜渣竖井	中下部典型台阶(Ⅳ~Ⅸ层)	
8.2	超挖系数		1.05	1.05	
8.3	松散系数		1.53	1.53	
8.4	松方量	m³	8	739	
8.5	溜渣小时生产率(自然方)	m³/h		55.9	
8.6	溜渣生产率(松方)	m³/min		1.71	
8.7	溜渣时间	min		432	
8.8	装动配套小时生产率(自然方)	m³/h	1.3	90	
8.9	装运配套生产率(松方)	m³/min	0.04	2.75	
8.10	清扫时间	min	15	20	
8.11	出渣时间	min	208	289	
9	喷混凝土时间计算				
9.1	喷混凝土方法			机械化湿喷	
9.2	喷层厚度	cm		10	
9.3	喷混凝土设备型号				
9.4	设备生产率	m³/h		3.75	
9.5	循环设计喷混凝土方量	m³		4.00	
9.6	喷混凝土回弹系数			1.15	
9.7	设备移动就位时间	min		15	

项 目			喷层厚(cm)	喷混凝土量(m³)	时间	
9.8	喷第一层混凝土时间	min	5	2.30	31	
9.9	喷第二层混凝土时间	min	5	2.30	31	
9.10	喷第三层混凝土时间	min			0	
9.11	净喷混凝土时间	min			62	
9.12	循环喷混凝土时间	min		77		
9.13	小时有效工作时间	min/h		50		
9.14	小时生产率	m³/h		2.99		
10	锚杆安装时间计算					
10.1	锚杆类型			砂浆锚杆		
10.2	锚杆平均长度	m		6		
10.3	锚杆间距	m		1.2		
10.4	锚杆排距	m		1.2		
10.5	循环锚杆总长度	m		168		
10.6	循环钻孔深度	m		168		

序号	项 目	单位	设计参数				备注
			溜渣竖井	中下部典型台阶(Ⅳ～Ⅸ层)			
10.7	循环锚杆根数	根		28			
	项 目			单位时间	工程量	时间	
10.8	钻机就位及撤退时间(以循环计)	min		20	1	20	
10.9	钻臂移动就位(以孔计)	min		0.3	28.0	8.4	
10.10	对孔定位时间(以孔计)	min		0.5	28.0	14	
10.11	接钻杆时间	min		1.0	14.0	14	
10.12	净钻孔时间(以钻 m 计)	min		0.55	168.0	92.4	
10.13	一个循环需钻孔时间	min				148.8	
10.14	凿岩机同时工作台数	台		2×0.9=1.8			
10.15	钻孔时间	min				91	
10.16	安装时间(根)	min		3	28.0	84	
10.17	锚杆支护时间	min				175	
10.18	小时有效工作时间	min/h		50			
10.19	小时生产率	m/h		48			
11	挂钢筋网						
11.1	钢筋网型号						
11.2	循环挂网面积	m²		40.0			
11.3	作业组人数	个		4			
11.4	循环安装时间	min		240.0			
11.5	小时有效工作时间	min/h		50			
11.6	小时生产率	m²/h		8.3			
12	开挖时间			平行作业工序			
12.1	测量放线	min	30	30			
12.2	钻孔循环时间	min	183	180			
12.3	装药循环时间	min	32	30			
12.4	通风时间	min	20	20			
12.5	安全处理时间	min	30	30			
12.6	溜渣时间	min		432			
12.7	出渣循环时间	min	208	289			
12.8	其他时间	min	60	30			
12.9	净开挖时间	h	563	542			
12.10	小时有效工作时间	min/h	50	50			
12.11	正常开挖时间	h	11.26	10.84			
12.12	小时生产率	m³/h	0.43	42.42			

序号	项 目	单位	设计参数		备注
			溜渣竖井	中下部典型台阶（Ⅳ～Ⅸ层）	
13	作业循环时间安排				
13.1	开挖时间		563	542	
13.2	喷混凝土循环时间	min		77	
13.3	锚杆支护时间	min		175	
13.4	钢筋网安装循环时间	min	240		
13.5	净循环时间	min	563	794	
13.6	小时有效工作时间	min/h	50	50	
13.7	正常循环时间	h	11.3	15.9	
14	工作计划				
14.1	每班工作时间	h	8	8	
14.2	每天工作班次	班/日	3	3	
14.3	日工作小时数	h/日	24	24	
14.4	月工作天数	天/月	25.5	25.5	
14.5	日完成循环次数	循环/日	2.13	1.51	
14.6	循环(等效)进尺	m/循环	1.2	4.13	
14.7	日(等效)进尺	m/日	2.56	6.23	
14.8	长期工作影响系数		75%	75%	
14.9	开挖月进尺（等效月进尺）	m/月	48.9	119.2	
15	开挖工期与强度计算				
15.1	洞长	m	38	56	
15.2	超挖方量	m^3	7.7	322.0	
15.3	额外补偿长度	m			
15.4	等效长度	m	38	56	
15.5	总开挖循环数	循环	32	14	
15.6	开挖、支护时间	月	0.8	0.5	
15.7	施工准备及其他	月	0.4	0.5	
15.8	分层开挖工期	月	1.20	0.97	
15.9	开挖月强度	m^3/月	152.0	6 439.0	
15.10	开挖石方量	m^3	48 598		
15.11	中下部开挖工期	月	8.7		
15.12	平均开挖月强度	m^3/月	5 556		

2.7.4 开挖设备台时、人时、材料消耗指标

开挖施工设备台时、人时消耗,根据施工循环中的小时生产率,设备、人员配置及设备利用系数进行计算。

设备利用系数为某设备在该工作循环中的生产时间与该工作循环时间的比值。

人时＝施工工程量/(小时生产率×长期工作影响系数)×人数×利用系数

台时＝施工工程量/小时生产率×设备数量×设备利用系数

开挖台时、人时、材料消耗指标计算见表2-30～表2-50。

表 2-30　顶拱中导洞钻孔爆破台时、人时、材料用量

序号	项　目	单位	数量	人时	台时	材料	利用系数
1	工程量	m³	7 344				
2	施工工程量	m³	7 344				
3	小时生产率	m³/h	25.80				
4	长期工作影响系数		0.75				
5	平均生产率	m³/h	19.35				
	劳力资源						
6	工长	人	1	380			
7	四级钻机操作工	人	1	380			
8	三级钻机操作工	人	2	759			
9	二级炮工	人	2	759			
10	三级炮工	人	1	380			
11	四级炮工	人	1	380			
12	三级电工	人	1	380			
13	三级管路修理工	人	1	380			
14	二级司机	人	1	380			
15	一级普工	人	2	759			
16	三级机械修理工	人	1	380			
17	二级设备操作工	人	1	380			
18	三级设备操作工	人	1	380			
	设备资源						
19	钻机	台	1		93.9		33%
20	通风机	台	1		284.7		100%
21	工具车	台	1		11.4		4%
22	水泵	台	1		56.9		20%
	材料资源		(单位耗量)				
23	光爆炸药	kg	0.09			661	
24	炸药	kg	0.81			5 949	
25	雷管	个	0.6			4 406	
26	导爆索	m	2.30			16 854	
27	钻头	个	0.002			15	
28	钻杆	根	0.003			24	
29	其他						

表 2-31　顶拱中导洞装渣运输台时、人时、材料用量

序号	项　目	单位	数量	人时	台时	材料	利用系数
1	工程量	m³	7 344				
2	施工工程量	m³	7 711				
3	小时生产率	m³/h	25.80				
4	长期工作影响系数		0.75				
5	平均生产率	m³/h	19.35				
	劳力资源						
6	工长	人	1	399			
7	四级装载机司机	人	1	399			
8	三级反铲操作工	人	1	399			
9	三级汽车司机	人	7	2 790			
10	三级推土机司机	人	1	399			
11	一级普工	人	2	797			
		人	0				
	设备资源						
12	装载机	台	1		102.2		34.2%
13	反铲	台	1		14.9		5%
14	推土机	台	1		65.8		22%
15	自卸汽车	台	7		715.6		34.2%
16	其他						

表 2-32　顶拱两侧钻孔爆破台时、人时、材料用量

序号	项　目	单位	数量	人时	台时	材料	利用系数
1	工程量	m³	9 494				
2	施工工程量	m³	9 494				
3	小时生产率	m³/h	34.50				
4	长期工作影响系数		0.75				
5	平均生产率	m³/h	25.88				
	劳力资源						
6	工长	人	1	367			
7	四级钻机操作工	人	1	367			
8	三级钻机操作工	人	2	734			
9	二级炮工	人	2	734			
10	三级炮工	人	1	367			
11	四级炮工	人	1	367			
12	三级电工	人	1	367			
13	三级管路修理工	人	1	367			
14	二级司机	人	1	367			

序号	项　目	单位	数量	人时	台时	材料	利用系数
15	一级普工	人	2	734			
16	三级机械修理工	人	1	367			
17	二级设备操作工	人	1	367			
18	三级设备操作工	人	1	367			
	设备资源						
19	钻机	台	1		55.0		20%
20	通风机	台	1		275.2		100%
21	工具车	台	1		11.0		4%
22	水泵	台	1		55.0		20%
	材料资源		(单位耗量)				
23	光爆炸药	kg	0.08			760	
24	炸药	kg	0.72			6 836	
25	雷管	个	0.46			4 367	
26	导爆索	m	1.894			17 982	
27	钻头	个	0.001 8			17	
28	钻杆	根	0.002 7			26	
29	其他						

表 2-33　顶拱两侧装渣运输台时、人时、材料用量

序号	项　目	单位	数量	人时	台时	材料	利用系数
1	工程量	m³	9 494				
2	施工工程量	m³	9 969				
3	小时生产率	m³/h	34.50				
4	长期工作影响系数		0.75				
5	平均生产率	m³/h	25.88				
	劳力资源						
6	工长	人	1	193			50%
7	四级装载机司机	人	1	385			
8	三级反铲操作工	人	1	385			
9	三级汽车司机	人	7	2 697			
10	三级推土机司机	人	1	385			
11	一级普工	人	2	771			
	设备资源						
12	装载机	台	1		128.2		44%
13	反铲	台	1		28.9		10%
14	推土机	台	1		28.9		10%
15	自卸汽车	台	7		890.0		44%
16	其他						

表 2-34　Ⅱ层开挖钻孔爆破台时、人时、材料用量

序号	项　目	单位	数量	人时	台时	材料	利用系数
一	两侧开挖						
1	工程量	m³	3 922				
2	施工工程量	m³	3 922				
3	小时生产率	m³/h	21.20				
4	长期工作影响系数		0.75				
5	平均生产率	m³/h	15.90				
	劳力资源						
6	工长	人	1	247			
7	四级钻机操作工	人	2	493			
8	三级钻机操作工	人	4	987			
9	二级炮工	人	2	493			
10	三级炮工	人	1	247			
11	四级炮工	人	1	247			
12	三级电工	人	1	247			
13	三级管路修理工	人	1	247			
14	一级普工	人	2	493			
15	三级机械修理工	人	1	247			
16	二级设备操作工	人	1	247			
17	三级设备操作工	人	1	247			
18	二级司机	人	1	247			
	设备资源						
19	钻机	台	2		71.3		19.3%
20	通风机	台	1		185.0		100%
21	工具车	台	1		7.4		4%
22	水泵	台	1		25.9		14%
	材料资源		（单位耗量）				
23	光爆炸药	kg	0.04			157	
24	炸药	kg	0.32			1 255	
25	雷管	个	0.53			2 078	
26	导爆索	m	1.84			7 216	
27	钻头	个	0.001 7			7	
28	钻杆	根	0.002 6			10	
29	其他						

序号	项 目	单位	数量	人时	台时	材料	利用系数
二	中间开挖						
1	工程量	m³	13 760				
2	施工工程量	m³	13 760				
3	小时生产率	m³/h	43.10				
4	长期工作影响系数		0.75				
5	平均生产率	m³/h	32.33				
	劳力资源						
6	工长	人	1	426			
7	四级钻机操作工	人	2	851			
8	三级钻机操作工	人	4	1 703			
9	二级炮工	人	2	851			
10	三级炮工	人	1	426			
11	四级炮工	人	1	426			
12	三级电工	人	1	426			
13	三级管路修理工	人	1	426			
14	一级普工	人	2	851			
15	三级机械修理工	人	1	426			
16	二级设备操作工	人	1	426			
17	三级设备操作工	人	1	426			
18	二级司机	人	1	426			
	设备资源						
19	钻机	台	2		125.4		19.6%
20	通风机	台	1		319.3		100%
21	工具车	台	1		19.2		6%
22	水泵	台	1		70.2		22%
	材料资源		(单位耗量)				
23	光爆炸药	kg	0.04			550	
24	炸药	kg	0.32			4 403	
25	雷管	个	0.37			5 091	
26	导爆索	m	1.71			23 530	
27	钻头	个	0.001 6			22	
28	钻杆	根	0.002 4			33	
29	其他						

表 2-35　Ⅱ层开挖装渣运输台时、人时、材料用量

序号	项目	单位	数量	人时	台时	材料	利用系数
一	两侧开挖						
1	工程量	m³	3 922				
2	施工工程量	m³	4 118				
3	小时生产率	m³/h	21.20				
4	长期工作影响系数		0.75				
5	平均生产率	m³/h	15.90				
	劳力资源						
6	工长	人	1	129			50%
7	四级装载机司机	人	1	259			
8	三级反铲操作工	人	1	259			
9	三级汽车司机	人	7	1 813			
10	三级推土机司机	人	1	259			
11	一级普工	人	2	518			
	设备资源						
12	装载机	台	1		61.7		32%
13	反铲	台	1		11.7		6%
14	推土机	台	1		15.5		8%
15	自卸汽车	台	7		435.1		32%
16	其他						
二	中间开挖						
1	工程量	m³	13 760				
2	施工工程量	m³	14 448				
3	小时生产率	m³/h	43.10				
4	长期工作影响系数		0.75				
5	平均生产率	m³/h	32.33				
	劳力资源						
6	工长	人	1	223			50%
7	四级装载机司机	人	1	447			
8	三级反铲操作工	人	1	447			
9	三级汽车司机	人	7	3 129			
10	三级推土机司机	人	1	447			
11	一级普工	人	2	894			
	设备资源						
12	装载机	台	1		177.7		53%
13	反铲	台	1		33.5		10%
14	推土机	台	1		50.3		15%
15	自卸汽车	台	7		1 243.7		53%
16	其他						

表 2-36　中部(Ⅲ层)开挖钻孔爆破台时、人时、材料用量

序号	项　目	单位	数量	人时	台时	材料	利用系数
1	工程量	m³	15 050				
2	施工工程量	m³	15 050				
3	小时生产率	m³/h	73.90				
4	长期工作影响系数		0.75				
5	平均生产率	m³/h	55.43				
	劳力资源						
6	工长	人	1	272			
7	四级钻机操作工	人	1	272			
8	三级钻机操作工	人	1	272			
9	二级炮工	人	2	543			
10	三级炮工	人	1	272			
11	四级炮工	人	1	272			
12	三级电工	人	1	272			
13	三级管路修理工	人	1	272			
14	三级设备操作工	人	1	272			
15	一级普工	人	2	543			
16	三级机械修理工	人	1	272			
17	二级设备操作工	人	1	272			
18	二级司机	人	1	272			
	设备资源						
19	钻机	台	1		94.4		46%
20	通风机	台	1		203.7		100%
21	工具车	台	1		20.4		10%
22	水泵	台	1		101.8		50%
	材料资源		(单位耗量)				
23	光爆炸药	kg	0.04			602	
24	炸药	kg	0.32			4 816	
25	雷管	个	0.051			768	
26	导爆管	m	0.45			6 773	
27	钻头	个	0.000 4			6	
28	钻杆	根	0.000 6			9	
29	其他						

表 2-37　中部(Ⅲ层)开挖装渣运输台时、人时、材料用量

序号	项　目	单位	数量	人时	台时	材料	利用系数
1	工程量	m³	15 050				
2	施工工程量	m³	15 803				
3	小时生产率	m³/h	73.90				
4	长期工作影响系数		0.75				
5	平均生产率	m³/h	55.43				
	劳力资源						
6	工长	人	1	143			50%
7	四级装载机司机	人	1	285			
8	三级反铲操作工	人	1	285			
9	三级汽车司机	人	7	1 996			
10	三级推土机司机	人	1	285			
11	一级普工	人	2	570			
	设备资源						
12	装载机	台	1		189.0		88%
13	反铲	台	1		42.8		20%
14	推土机	台	1		189.0		88%
15	自卸汽车	台	7		1 323.0		88%
16	其他						

表 2-38　溜渣井开挖钻孔爆破台时、人时、材料用量

序号	项　目	单位	数量	人时	台时	材料	利用系数
1	工程量	m³	152				
2	施工工程量	m³	152				
3	小时生产率	m³/h	0.43				
4	长期工作影响系数		0.75				
5	平均生产率	m³/h	0.323				
	劳力资源						
6	工长	人	1	236			50%
7	二级炮工	人	1	471			
8	三级炮工	人	1	471			
9	三级电工	人	1	471			
10	二级司机	人	1	471			
11	一级普工	人	3	1 414			
12	二级设备操作工	人	1	471			
13	三级设备操作工	人	1	471			

序号	项 目	单位	数量	人时	台时	材料	利用系数
14	三级钻工	人	1	471			
	设备资源						
15	手风钻	台	1		114.9		33%
16	工具车	台	1		353.5		100%
17	空压机	台	1		114.9		33%
18	卷扬机	台	1		70.7		20%
	材料资源		(单位耗量)				
19	光爆炸药	kg					
20	炸药	kg	2.00			304.0	
21	雷管	个	9.00			1 368.0	
22	导爆管	m	14.70			2 234.4	
23	钻头	个	0.013 7			2.1	
24	钻杆	根	0.021			3.2	
25	其他						

表 2-39 溜渣井开挖出渣运输台时、人时、材料用量

序号	项 目	单位	数量	人时	台时	材料	利用系数
1	工程量	m³	152				
2	施工工程量	m³	160				
3	小时生产率	m³/h	0.43				
4	长期工作影响系数		0.75				
5	平均生产率	m³/h	0.323				
	劳力资源						
6	工长	人	1	247			50%
7	三级汽车司机	人	1	495			
8	二级卷扬机操作工	人	1	495			
9	一级普工	人	5	2 474			
10	三级装载机司机	人	1	495			
	设备资源						
11	卷扬机	台	1		137.1		37%
12	自卸汽车	台	1		12.3		3%
13	装载机	台	1		12.3		3%
14	其他						

表 2-40 中下部(Ⅳ～Ⅸ层)开挖钻孔爆破台时、人时、材料用量

序号	项目	单位	数量	人时	台时	材料	利用系数
1	工程量	m³	48 598				
2	施工工程量	m³	48 598				
3	小时生产率	m³/h	42.42				
4	长期工作影响系数		0.75				
5	平均生产率	m³/h	31.82				
	劳力资源						
6	工长	人	1	1 528			
7	四级钻机操作工	人	1	1 528			
8	三级钻机操作工	人	1	1 528			
9	二级炮工	人	2	3 055			
10	三级炮工	人	1	1 528			
11	四级炮工	人	1	1 528			
12	三级电工	人	1	1 528			
13	三级管路修理工	人	1	1 528			
14	三级设备操作工	人	1	1 528			
15	二级司机	人	1	1 528			
16	三级机械修理工	人	1	1 528			
17	二级设备操作工	人	1	1 528			
18	一级普工	人	2	3 055			
	设备资源						
19	钻机	台	1		380.4		33%
20	通风机	台	1		1 145.6		100%
21	工具车	台	1		114.6		10%
22	水泵	台	1		229.1		20%
	材料资源		(单位耗量)				
23	光爆炸药	kg	0.04			1 944	
24	炸药	kg	0.36			17 495	
25	雷管	个	0.08			3 888	
26	导爆管	m	0.50			24 299	
27	钻头	个	0.000 5			24	
28	钻杆	根	0.000 7			34	
29	其他						

表 2-41 中下部(Ⅳ~Ⅸ层)开挖出渣运输台时、人时、材料用量

序号	项 目	单位	数量	人时	台时	材料	利用系数
1	工程量	m³	48 598				
2	施工工程量	m³	51 028				
3	小时生产率	m³/h	42.42				
4	长期工作影响系数		0.75				
5	平均生产率	m³/h	31.82				
	劳力资源						
6	工长	人	1	802			50%
7	四级装载机司机	人	2	3 208			
8	三级反铲操作工	人	1	1 604			
9	三级汽车司机	人	7	11 227			
10	三级推土机司机	人	1	1 604			
11	一级普工	人	4	6 416			
	设备资源						
12	装载机(溜渣)	台	1		958.9		79.7%
13	装载机	台	1		641.2		53.3%
14	反铲	台	1		240.6		20%
15	推土机	台	1		641.2		53.3%
16	自卸汽车	台	7		4 488.6		53.3%
17	其他						

表 2-42 顶拱中导洞喷混凝土台时、人时、材料用量

序号	项 目	单位	数量	人时	台时	材料	利用系数
1	工程量	m³	98				
2	施工工程量	m³	123				
3	小时生产率	m³/h	2.86				
4	长期工作影响系数		0.75				
5	平均生产率	m³/h	2.15				
	劳力资源						
6	工长	人	1	29			50%
7	四级设备操作工	人	1	57			
8	三级设备操作工	人	1	57			
9	三级司机	人	1	57			
10	一级普工	人	4	228			
11	二级空压机操作工	人		57			
	设备资源						
12	混凝土喷射机组	台	1		32.7		76%
13	混凝土运输车	台	1		32.7		76%

序号	项　目	单位	数量	人时	台时	材料	利用系数
14	浆液搅拌机	台	1		32.7		76%
15	空压机	台	1		32.7		76%
	材料资源						
16	水泥	t	0.54			66	
17	砂子	m³	0.67			82	
18	水	m³	0.4			49	
19	小石	m³	0.63			77	
20	外加剂	kg	16.2			1 993	
21	其他						

表 2-43　顶拱两侧喷混凝土台时、人时、材料用量

序号	项　目	单位	数量	人时	台时	材料	利用系数
1	工程量	m³	251				
2	施工工程量	m³	314				
3	小时生产率	m³/h	3.37				
4	长期工作影响系数		0.75				
5	平均生产率	m³/h	2.53				
	劳力资源						
6	工长	人	1	124			
7	四级设备操作工	人	1	124			
8	三级司机	人	1	124			
9	一级普工	人	4	497			
10	二级空压机操作工	人	1	124			
11	三级设备操作工	人	1	124			
	设备资源						
12	混凝土喷射机	台	1		83.7		90%
13	混凝土运输车	台	1		83.7		90%
14	空压机	台	1		83.7		90%
15	浆液搅拌机	台	1		83.7		90%
	材料资源		(单位耗量)				
16	水泥	t	0.54			169	
17	砂子	m³	0.67			210	
18	水	m³	0.4			126	
19	小石	m³	0.63			198	
20	外加剂	kg	16.2			5 087	
21	其他						

表 2-44　厂房边墙喷混凝土台时、人时、材料用量

序号	项　　目	单位	数量	人时	台时	材料	利用系数
1	工程量	m³	1 039				
2	施工工程量	m³	1 195				
3	小时生产率	m³/h	3.03				
4	长期工作影响系数		0.75				
5	平均生产率	m³/h	2.271				
	劳力资源						
6	工长	人	1	263			50%
7	四级设备操作工	人	1	526			
8	三级设备操作工	人	1	526			
9	三级司机	人	1	526			
10	一级普工	人	4	2 105			
11	二级空压机操作工	人	1	526			
	设备资源						
12	混凝土喷射机	台	1		318.6		81%
13	混凝土运输车	台	1		318.6		81%
14	浆液搅拌组	台	1		318.6		81%
15	空压机	台	1		318.6		81%
	材料资源		(单位耗量)				
16	水泥	t	0.54			645	
17	砂子	m³	0.67			801	
18	水	m³	0.4			478	
19	小石	m³	0.63			753	
20	外加剂	kg	16.2			19 357	
21	其他						

表 2-45　顶拱中导洞锚杆台时、人时、材料用量

序号	项　　目	单位	数量	人时	台时	材料	利用系数
1	工程量	m	4 076				
2	施工工程量	m	4 076				
3	小时生产率	m/h	48.5				
4	长期工作影响系数		0.75				
5	平均生产率	m/h	36.35				
	劳力资源						
6	工长	人	1	112			
7	四级设备操作工	人	1	112			
8	三级设备操作工	人	1	112			
9	三级司机	人	1	112			

序号	项目	单位	数量	人时	台时	材料	利用系数
10	二级操作工	人	1	112			
11	三级司机	人	1	112			
12	一级普工	人	3	336			
		人		0			
	设备资源						
13	二臂钻机	台	1		43.5		52%
14	平台车	台	1		37.8		45%
15	注浆泵	台	1		37.8		45%
16	工具车	台	1		4.2		5%
	材料资源		（单位耗量）				
17	钻头	个	0.001 3			5	
18	钻杆	根	0.002			8	
19	螺帽	个	0.167			681	
20	垫板	套	0.167			681	
21	水泥砂浆	m³	0.000 48			2	
22	锚杆材料	m	1.02			4 158	
23	其他						

表 2-46 顶拱两侧锚杆安装台时、人时、材料用量

序号	项目	单位	数量	人时	台时	材料	利用系数
1	工程量	m	10 452				
2	施工工程量	m	10 452				
3	小时生产率	m/h	52.3				
4	长期工作影响系数		0.75				
5	平均生产率	m/h	39.2				
	劳力资源						
6	工长	人	1	267			
7	四级设备操作工	人	1	267			
8	三级设备操作工	人	1	267			
9	三级司机	人	1	267			
10	二级操作工	人	1	267			
11	二级司机	人	1	267			
12	一级普工	人	3	800			
		人		0			
	设备资源						
13	二臂钻机	台	1		95.7		48%
14	平台车	台	1		104.5		52%
15	注浆泵	台	1		104.5		52%

序号	项　目	单位	数量	人时	台时	材料	利用系数
16	工具车	台	1		10.0		5%
	材料资源		(单位耗量)				
17	钻头	个	0.001 3			14	
18	钻杆	根	0.002			21	
19	螺帽	个	0.167			1 745	
20	垫板	套	0.167			1 745	
21	水泥砂浆	m³	0.000 48			5	
22	锚杆材料	m	1.02			10 661	
23	其他						

表 2-47　厂房边墙锚杆安装台时、人时、材料用量

序号	项　目	单位	数量	人时	台时	材料	利用系数
1	工程量	m	43 300				
2	施工工程量	m	43 300				
3	小时生产率	m/h	48.6				
4	长期工作影响系数		0.75				
5	平均生产率	m/h	36.45				
	劳力资源						
6	工长	人	1	594			50%
7	四级设备操作工	人	1	1 188			
8	三级设备操作工	人	1	1 188			
9	三级司机	人	1	1 188			
10	二级操作工	人	1	1 188			
11	二级司机	人	1	1 188			
12	一级普工	人	3	3 564			
	设备资源						
13	二臂钻机	台	1		457.9		51.4%
14	平台车	台	1		445.5		50.0%
15	注浆泵	台	1		433.0		48.6%
16	工具车	台	1		44.5		5%
	材料资源		(单位耗量)				
17	钻头	个	0.001 3			56	
18	钻杆	根	0.002			87	
19	螺帽	个	0.167			7 231	
20	垫板	套	0.167			7 231	
21	水泥砂浆	m³	0.000 48			21	
22	锚杆材料	m	1.02			44 166	
23	其他						

表 2-48　顶拱中导洞钢筋网安装台时、人时、材料用量

序号	项　目	单位	数量	人时	台时	材料	利用系数
1	工程量	m²	978				
2	施工工程量	m²	978				
3	小时生产率	m²/h	20.0				
4	长期工作影响系数		0.75				
5	平均生产率	m²/h	15.00				
	劳力资源						
6	工长	人	1	65			
7	三级司机	人	1	65			
8	二级电焊工	人	1	65			
9	二级司机	人	1	65			
10	一级普工	人	4	261			
11	三级设备操作工	人	1	65			
		人			0		
	设备资源						
12	平台车	台	1		34.2		70%
13	工具车	台	1		2.4		5%
14	电焊机	台	1		4.9		10%
					0.0		
	材料资源		(单位耗量)				
15	钢筋	t	0.006 1			5.966	
16	铁丝	kg	0.006 2			6.064	
17	其他						

表 2-49　顶拱两侧钢筋网安装台时、人时、材料用量

序号	项　目	单位	数量	人时	台时	材料	利用系数
1	工程量	m²	2 509				
2	施工工程量	m²	2 509				
3	小时生产率	m²/h	20				
4	长期工作影响系数		0.75				
5	平均生产率	m²/h	15				
	劳力资源						
6	工长	人	1	167			
7	三级司机	人	1	167			
8	二级电焊工	人	1	167			
9	二级司机	人	1	167			
10	一级普工	人	4	669			

序号	项 目	单位	数量	人时	台时	材料	利用系数
11	三级设备操作工	人	1	167			
	设备资源						
12	平台车	台	1		87.8		70%
13	工具车	台	1		6.3		5%
14	电焊机	台	1		12.5		10%
	材料资源		(单位耗量)				
15	钢筋	t	0.006 1			15	
16	铁丝	kg	0.006 2			16	
17	其他						

表 2-50 厂房边墙钢筋网安装台时、人时、材料用量

序号	项 目	单位	数量	人时	台时	材料	利用系数
1	工程量	m²	10 392				
2	施工工程量	m²	10 392				
3	小时生产率	m²/h	20.00				
4	长期工作影响系数		0.75				
5	平均生产率	m²/h	15.00				
	劳力资源						
6	工长	人	1	346			50%
7	三级司机	人	1	693			
8	二级电焊工	人	1	693			
9	二级司机	人	1	693			
10	一级普工	人	4	2 771			
11	三级设备操作工	人	1	693			
	设备资源						
12	平台车	台	1		363.7		70%
13	工具车	台	1		26.0		5%
14	电焊机	台	1		52.0		10%
	材料资源		(单位耗量)				
15	钢筋	t	0.006 1			63.39	
16	铁丝	kg	0.006 2			64	
17	其他						

3 厂房一期混凝土浇筑

3.1 施工布置

一期混凝土施工通道布置,以充分利用厂房附属洞室及临时施工通道为宜,需要根据厂房系统实际情况拟定,这里采用进厂交通洞、尾水洞作为主要运输通道。大部分施工材料拟由进厂交通洞运输至安装间,尾水洞作为一期混凝土施工前的下部工作面清理及混凝土浇筑初期的交通道。利用岩壁吊车梁安装临时桥式吊车进行垂直运输。

3.2 混凝土浇筑方法与程序

岩壁吊车梁混凝土厂房吊车梁层开挖完成后立即进行混凝土浇筑。吊车梁混凝土采用分段浇筑,$6m^3$ 混凝土搅拌车运输,泵送入仓。

厂房下部一期混凝土结构复杂,有孔洞,而且机电埋件多,混凝土浇筑需要根据结构特点、形状及应力情况分块分层施工。其浇筑程序与分块分层见图 3-1,分块工程量见表 3-1。

厂房下部一期混凝土浇筑采用 $6m^3$ 混凝土搅拌车运输,泵送入仓。利用在吊车梁上安装 20t 临时桥式吊车负责钢筋模板的吊装工作。

一期混凝土中机电埋件多,采用仓面准备与埋件安装平行作业。

3.3 模板选择

厂房一期混凝土结构形状复杂,因而模板形状复杂,对模板质量要求高,需要根据部位分别采用不同模板。这里拟采用模板如下:

岩壁吊车梁施工选用钢模板(一般侧面模板考虑拆除重复使用,底部模板不考虑拆除与重复使用)。尾水弯管段施工采用特制木模板与满堂红脚手架(模板周转次数为 2 次)。

3.4 设备选型、配套与设备生产率计算

最大浇筑块浇筑面积为 $156m^2$,拟采用混凝土一次铺料厚度 0.4m,则铺一层混凝土量为 $62.5m^3$。为保证在混凝土初凝(考虑 2h 初凝)前铺第二层料,则要求混凝土浇筑小时生产率最小为 $62.5/2 = 31.3(m^3/h)$。

3.4.1 混凝土泵生产率计算

采用一台 HB45 型混凝土泵送混凝土入仓,其额定生产率为 $45m^3/h$。

混凝土泵实际生产率 = 额定生产率 × 时间利用系数

一般时间利用系数为 0.75～0.85,这里,时间利用系数取为 0.75,则

$$混凝土泵实际生产率 = 45 × 0.75 = 33(m^3/h)$$

3.4.2 混凝土水平运输设备

混凝土水平运输采用 $6.0m^3$ 混凝土搅拌运输车(以下简称混凝土搅拌车)。假定混凝土拌和楼至安装间运距为 1.5km,混凝土搅拌车生产率计算如下。

混凝土搅拌车一次运输循环时间 T 计算:

混凝土搅拌车一次运输循环时间包含装车时间 t_1,行车时间 t_2,卸料时间 t_3 及调车、等候时间 t_4,即 $T = t_1 + t_2 + t_3 + t_4$。其中

t_1 = 混凝土搅拌车容量/混凝土拌和楼储料漏斗的卸料能力,这里取为 5min;

$t_2 = 60 ×$(运距/重车运行速度 + 运距/空车运行速度)

$= 60 × (1.5/10 + 1.5/15) = 15(min)$

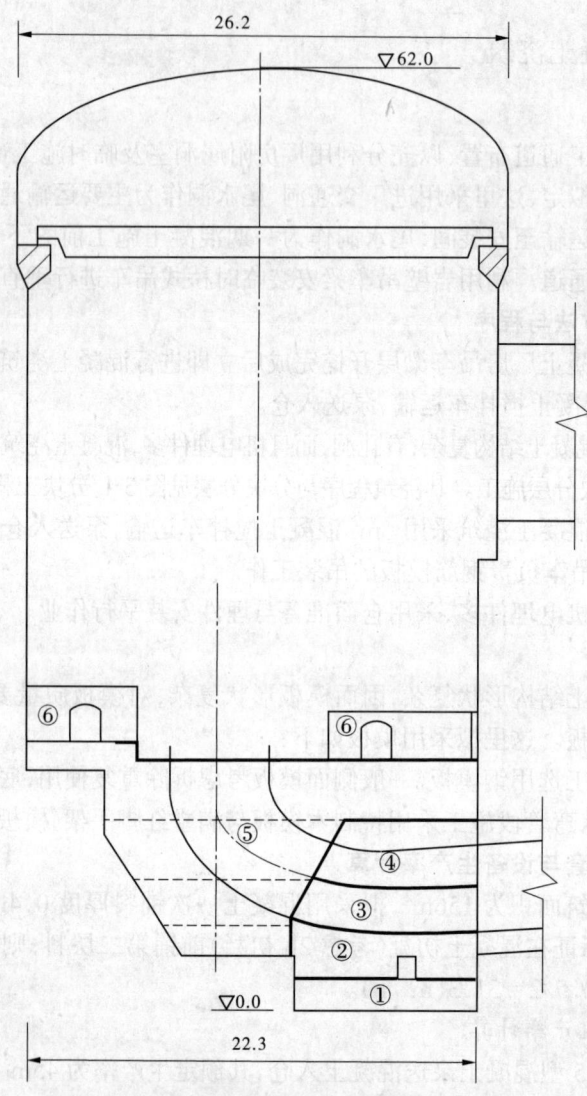

图 3-1 地下厂房一期混凝土分块分层示意图

注：1.图中尺寸、高程单位以 m 计。
2.粗实线表示浇筑分块；虚线表示浇筑分层。

表 3-1　一期混凝土浇筑分块工程量

| 序号 | 项目 | 混凝土（m³） | | 钢筋 | 模板 |
		设计	施工	（t）	（m²）
1	岩壁梁	642	675	64.2	559
2	第①块	2×286	2×301	2×9.72	2×37.4
3	第②块	2×554	2×582	2×18.83	2×202.7
4	第③块	2×337	2×354	2×11.46	2×242
5	第④块	2×487	2×512	2×16.54	2×137.2
6	第⑤块	2×1 014	2×1 062	2×34.48	2×222.5
7	第⑥块	2×113	2×119	2×3.85	2×132
8	小计	6 224	6 535	253.96	2 506.6

卸料时间 t_3 取为 9min;

调车、等候时间 t_4 为 2.5~5min,这里取为 5min。

则
$$T = t_1 + t_2 + t_3 + t_4 = 5 + 15 + 9 + 5 = 34(min)$$

小时运输次数为
$$60/34 \times (50/60) = 1.47(次)(小时有效工作时间按 50min 计)$$

则混凝土搅拌运输车小时生产率为
$$6.0 \times 1.47 = 8.8(m^3/h)$$

则混凝土搅拌运输车数量为 $33/8.8 = 3.75(辆)$,取为 4 辆。

3.4.3 振捣器

采用佛山产 Z_2D-100 型振捣器,其技术生产率为 $15m^3/h$,时间利用系数取为 0.7,则实际生产率为
$$15 \times 0.7 = 10.5(m^3/h)$$

则振捣器数量为 $33/10.5 = 3.1(台)$,取为 4 台。

3.4.4 垂直运输设备

选用 20t 双小车桥式吊车负责钢筋模板的吊运。

吊车小时吊装次数计算如下。

一次运输循环时间包含:

(1)水平运输时间。平均运输距离 70m,行走速度 36m/min,则
$$2 \times 平均运输距离/水平行走速度 = 2 \times 70/36 = 4(min)$$

(2)垂直运输时间。平均起升高度 15m,起升速度 9.8m/min,则
$$2 \times 平均起升高度/起升速度 = 2 \times 15/9.8 = 3.1(min)$$

(3)调车、候料时间。取为 2min。

(4)卸料时间。取为 2min。

则一次运输循环时间为
$$4.0 + 3.1 + 2 + 2 = 11.1(min)$$

小时循环次数为
$$50/11.1 = 4.5(次)(小时有效工作时间 50min)$$

3.4.5 钢筋安装设备

利用 20t 双小车桥式吊车吊运,人工绑扎钢筋。

根据统计资料厂房钢筋绑扎工效为 $0.03t/(人 \cdot h)$。

3.4.6 模板

厂房尾水弯管模板拟在加工厂放样、加工定型,而后采用平板车运输至工作面,采用临时桥式吊车吊运就位。

模板安装生产率,平面木模按 $0.33m^2/(人 \cdot h)$,曲面木模按 $0.13m^2/(人 \cdot h)$。

3.4.7 设备汇总表

设备汇总见表 3-2。

表 3-2　设备汇总

设备名称	型号	单位	数量	额定生产率	实际生产率	备注
混凝土振捣器	Z_2D-100	台	4	$15m^3/min$	$10.5m^3/h$	
混凝土搅拌运输车	$6m^3$	辆	4		$8.8m^3/h$	1.5km
混凝土泵		台	1		$33m^3/h$	
桥式吊车	20t	台	1		4.5次/h	
电焊机		台	5			
水泵	2B19	台	2	$20m^3/h$		1.47kW
空压机	$20m^3/min$	台	1			
自卸汽车	20t	台	1			
反铲	$0.4m^3$	台	1			
汽车吊	15t	台	1			

3.5　混凝土浇筑劳力用量计算

劳力安排原则:分工作面定岗定员配备工长和各工种劳力,同一工种劳力划分4个等级:一级工(不熟练工)、二级工(半熟练工)、三级工(熟练工)、四级工(高级熟练工)。

根据概算项目划分的特点,拟按以下项目分别安排劳力:①工作面的清理;②模板的制作与立、拆模板;③钢筋安装;④混凝土浇筑、养护及预埋件安装等。

3.5.1　工作面清理工作组

工作面清理工作组负责钢筋绑扎前工作面的清面(垫渣清除等)及混凝土浇筑前工作面的清洗、凿毛等工作。工作组人员安排见表 3-3。

表 3-3　工作面清理典型工作组　　　　　　　　　　(单位:人)

序号	工种名称	工长	一级工	二级工	三级工	四级工
1	工长	1				
2	普工		4			
3	设备操作工				3	
4	电工				1	
5	司机				1	

3.5.2　体形模板制作、安装工作组

负责体形模板的制作,工作组人员安排见表 3-4;负责模板从加工厂至现场的运输、安装、拆除及运行期间的管线维护,具体人员安排见表 3-5、表 3-6。

表 3-4　体形模板制作典型工作组　　　　　　　　　　(单位:人)

序号	工种名称	工长	一级工	二级工	三级工	四级工
1	工长	1				
2	木工		2	11	12	5

表 3-5　岩壁梁模板立模、拆模典型工作组　　　　　　(单位:人)

序号	工种名称	工长	一级工	二级工	三级工	四级工
1	工长	1				
2	木工			3	3	1
3	电工				1	
4	普工		4			
5	汽车司机				1	
6	电焊机工				1	
7	吊车司机				1	

表 3-6　体形模板立模、拆模典型工作组　　　　　　　（单位：人）

序号	工种名称	工长	一级工	二级工	三级工	四级工
1	工长	1				
2	木工			3	4	
3	电工				1	
4	普工		4			
5	汽车司机				1	
6	电焊机工			1		
7	设备操作工			1	1	

3.5.3 钢筋安装工作组

钢筋安装工作组负责钢筋的运输（从加工厂至工作面）、安装、绑扎、焊接等。工作组人员安排详见表 3-7。

表 3-7　钢筋安装典型工作组　　　　　　　（单位：人）

序号	工种名称	工长	一级工	二级工	三级工	四级工
1	工长	1				
2	电焊工			1	2	1
3	钢筋工				3	1
4	普工		3			
5	司机				1	
6	电工				1	
7	设备操作工				1	

3.5.4 混凝土浇筑工作组

混凝土浇筑工作组负责从拌和楼至混凝土浇筑仓面的水平运输和垂直运输、混凝土平仓振捣及混凝土养护期的养护等工作。工作组人员安排详见表 3-8。

表 3-8　混凝土浇筑典型工作组　　　　　　　（单位：人）

序号	工种名称	工长	一级工	二级工	三级工	四级工
1	工长	1				
2	混凝土搅拌车司机				4	
3	设备操作工			2	1	
4	混凝土工			3	3	1
5	电工				1	
6	管路修理工			1		
7	钢筋工				1	
8	木工				2	
9	小型工具车司机			1		
10	普工		3			

3.6 材料用量

混凝土施工材料用量见表 3-9。

3.7 工期、强度与台时、人时、材料消耗指标

3.7.1 工作计划

每年工作：12 个月。

每月平均工作：25.5 天。

每天工作:3班。

每班工作:8h。

每天工作:24h。

月工作小时数:612h。

表 3-9　混凝土浇筑材料消耗

项　目	单位用量		材料用量	
	数量	单位	数量	单位
混凝土	6 535m³			
成品混凝土	1.03	m³/m³	6 731	m³
水	0.45	m³/m³	2 941	m³
钢筋制作、安装	259t			
钢筋	1.02	t/t	264	t
电焊条	7.22	kg/t	1 870	kg
铁丝	4.00	kg/t	1 036	kg
体形模板制作	973.8m²（周转 2 次）			
板枋木	0.14	m³/m²	136.33	m³
铁件	6.0	kg/m²	5 843	kg
铁钉	0.80	kg/m²	779	kg
岩壁梁立模面积	559m²			
钢模板	1.40	kg/m²	783	kg
铁件	1.20	kg/m²	671	kg

3.7.2　混凝土浇筑施工工期分析

影响厂房混凝土施工进度的因素很多,有基础填塘、立模、钢筋绑扎、埋件安装、金属结构及机组安装和混凝土浇筑等。根据厂房布置的特点、分缝分块和工程量大小,上述各工序及其工期安排一般要求如下。

(1)基础填塘:按设计要求安排。

(2)弯管段和扩散段底板:基岩约束区一般浇筑层厚为 1~2m。每层平均工期为 7~14 天,应做到短间歇连续上升。

(3)尾水弯管段:弯管整体模板安装工期可按 15~60 天考虑。基岩约束区浇筑层厚度不超过 2m,其他层厚 3~4m。每层平均工期 10~30 天,各层间歇期时间按设计要求安排。

各浇筑块施工时间计算及工期分析详见表 3-10、表 3-11。

一台机组蜗壳以下混凝土施工工期为 3.22 个月,蜗壳以上部分混凝土施工工期按常规确定,为 4~6 个月,进度计划图中以虚线表示。

岩壁梁混凝土浇筑工期为 1.11 个月。

3.7.3　混凝土浇筑月强度

混凝土量为 6 224m³。

厂房下部混凝土浇筑月强度为 866m³/月(单工作面)。

岩壁梁混凝土浇筑月强度为 578.3m³/月。

3.7.4　混凝土浇筑设备台时、人时、材料消耗指标

混凝土浇筑设备台时、人时、材料消耗指标详见表 3-12~表 3-17。

表 3-10 一台机组混凝土浇筑块工期计算

序号	项目	单位	设计参数							备注
			①	②	③	④	⑤	⑥	岩壁梁混凝土	
1	浇筑块参数									
1.1	浇筑块尺寸									
1.2	浇筑块混凝土量	m³	286.00	554.00	337.00	487.00	1 014.00	113.00	64.2	
1.3	浇筑块钢筋量	t	9.72	18.83	11.46	16.54	34.48	3.85	6.42	
1.4	立模面积	m²	37.40	202.70	242.00	137.20	222.50	132.00	55.90	
1.5	浇筑块数量	块	1	1	1	1	1	1	10	
1.6	浇筑块分层浇筑次数	层	1	1	1	1	4	1	1	
2	工作面清理时间									
2.1	清理面积	m²	318	407	250	183	400	192	41	
2.2	清理次数(或凿毛)	次	1	1	1	1	4	1	1	
2.3	清理一次时间	h	6.4	8.1	5.0	3.7	8.0	3.8	0.8	
2.4	小时生产率	m²/h	50.0							
3	模板安装、拆除时间									
3.1	模板类型		木模						钢模	
3.2	立模面积	m²	37.40	202.70	242.00	137.20	222.50	132.00	55.90	
3.3	作业组人数	人	15	15	15	15	15	15	15	
3.4	安装、拆除模板时间	h	7.6	96.5	115.2	65.3	106.0	62.9	11.3	
3.5	小时生产率	m²/h	2.15						4.95	
4	钢筋绑扎时间计算						(分 4 次)		(分 4 次)	
4.1	设计钢筋量	t	9.72	18.83	11.46	16.54	34.48	3.85	6.42	
4.2	施工钢筋量	t	9.91	19.21	11.69	16.87	35.17	3.93	6.55	
4.3	作业组人数	人	15	15	15	15	15	15	15	
4.4	绑扎前准备时间	h	0.5	0.5	0.5	0.5	2	0.5	0.1	

续表 3-10

序号	项 目	单位	①	②	③	④	⑤	⑥	岩壁梁混凝土	备注
						设计参数				
4.5	钢筋安装绑扎时间	h	22.0	42.7	26.0	37.5	78.2	8.7	14.6	
4.6	预埋件安装时间	h								
4.7	钢筋绑扎时间	h	22.5	43.2	26.5	38.0	80.2	9.2	14.7	
4.8	小时生产率	t/h				0.43				
5	混凝土浇筑设备参数									
5.1	混凝土入仓方式					混凝土泵送混凝土入仓				
5.2	混凝土入仓设备型号					HB45				
5.3	混凝土入仓设备额定生产率	m³/h				45				
5.4	混凝土水平运输方式					无轨运输				
5.5	运输设备型号					6m³混凝土搅拌车				
5.6	运输设备额定容量	m³				6				
5.7	混凝土运输距离	km				1.5				
5.8	运输设备数量	台				6				
5.9	混凝土设备配套生产率	m³/h				33				
6	浇筑混凝土时间计算						(分4次)			
6.1	设计工程量	m³	286	554	337	487	1014	113	64.20	
6.2	混凝土超填系数		1.06	1.06	1.06	1.06	1.06	1.06	1.10	
6.3	施工工程量	m³	303	587	357	516	1075	120	70.62	
6.4	混凝土设备配套生产率	m³/h				33				
6.5	作业组人数	人	24	24	24	24	24	24	24	
6.6	混凝土浇筑前准备工作	h	1	1	1	4	4	1	1	
6.7	混凝土净浇筑时间	h	9.2	17.8	10.8	15.6	32.6	3.6	2.1	
6.8	浇筑混凝土时间	h	10.2	18.8	11.8	16.6	36.6	4.6	3.1	

续表 3-10

序号	项目	单位	设计参数							备注
			①	②	③	④	⑤	⑥	岩壁梁混凝土	
6.9	小时生产率	m³/h	28.05							
7	养护时间计算									
7.1	作业组人数	个	1	1	1	1	1（分4次）	1	1	
7.2	养护时间	h	72	72	72	72	288	72	72	
8	混凝土分块施工时间									
8.1	工作面清理时间	h	6.4	8.1	5.0	3.7	32.0	3.8	0.8	
8.2	立、拆模板时间	h	7.6	96.5	115.2	65.3	106.0	62.9	11.3	
8.3	钢筋绑扎时间	h	22.5	43.2	26.5	38.0	80.2	9.2	14.7	
8.4	浇筑混凝土时间	h	10.2	18.8	11.8	16.6	36.6	4.6	3.1	
8.5	混凝土浇筑段拆模前养护时间	h	72.0	72.0	72.0	72.0	288.0	72.0	72.0	
8.6	一个浇筑块施工时间	h	118.6	238.6	230.5	195.6	542.7	152.6	101.9	
9	工作计划									
9.1	每班工作时间	h	8							
9.2	每天工作班次	班/日	3							
9.3	日工作小时数	h/日	24							
9.4	月工作天数	天/月	25.5							
9.5	月工作小时数	h/月	612							
9.6	长期工作影响系数		0.75							
10	衬砌工期计算									
10.1	一个浇筑块施工时间	天	4.9	9.9	9.6	8.2	22.6	6.4	4.2	
10.2	一台机组（或岩壁梁混凝土施工工期	月	3.22						1.11	（2个工作面）
11	混凝土浇筑月强度									
11.1	一台机组混凝土量	m³	2 791.00						642	
11.2	混凝土浇筑月强度	m³/月	866						578	

表 3-11 地下厂房一期混凝土

浇筑块编号	工序	工程量 单位	工程量 数量	(h)	5	10	15	20	25
①	工作面清理	m²	318	6.4					
	立、拆模板	m²	37.4	7.6					
	绑钢筋	t	9.72	22.5					
	混凝土浇筑	m³	286	10.2					
	养护	m³	286	72.0					
	小计			118.6					
②	工作面清理	m²	407	8.1					
	立、拆模板	m²	202.7	96.5					
	绑钢筋	t	18.83	43.2					
	混凝土浇筑	m³	554	18.8					
	养护	m³	554	72.0					
	小计			238.6					
③	工作面清理	m²	250	5.0					
	立、拆模板	m²	242	115.2					
	绑钢筋	t	11.46	26.5					
	混凝土浇筑	m³	337	11.8					
	养护	m³	337	72.0					
	小计			230.5					
④	工作面清理	m²	183	3.7					
	立、拆模板	m²	137.2	65.3					
	绑钢筋	t	16.54	38.0					
	混凝土浇筑	m³	487	16.6					
	养护	m³	487	72.0					
	小计			195.6					
⑤ (分4层浇筑)	工作面清理	m²	400	32.0					
	立、拆模板	m²	222.5	106.0					
	绑钢筋	t	34.48	80.2					
	混凝土浇筑	m³	1 014	36.6					
	养护	m³	1 014	288.0					
	小计			542.7					
⑥	工作面清理	m²	192	3.8					
	立、拆模板	m²	132	62.9					
	绑钢筋	t	3.85	9.2					
	混凝土浇筑	m³	113	4.6					
	养护	m³	113	72.0					
	小计			152.6					

浇筑工期分析(一台机组)

时间(天)

30	35	40	45	50	55	60	65

表 3-12　工作面清理台时、人时、材料用量

序号	项目	单位	数量	人时	台时	材料	利用系数
1	工程量	m²	6 310				
2	施工工程量	m²	6 310				
3	小时生产率	m²/h	50				
4	长期工作影响系数		0.75				
5	平均生产率	m²/h	37.50				
	劳力资源						
6	工长	人	1	168			
7	二级设备操作工	人	3	505			
8	三级电工	人	1	168			
9	一级普工	人	4	673			
10	二级司机	人	1	168			
	设备资源						
11	风水枪	台	1		37.9		30%
12	运输车	台	1		75.7		60%
13	空压机	台	1		37.9		30%
14	其他						

表 3-13　厂房体形模板制作台时、人时、材料用量

序号	项目	单位	数量	人时	台时	材料	利用系数
1	工程量	m²	973.8				
2	施工工程量	m²	973.8				
3	小时生产率	m²/h	3.00				
4	长期工作影响系数		0.75				
5	平均生产率	m²/h	2.25				
	劳力资源						
6	工长	人	1	433			
7	一级木工	人	2	866			
8	二级木工	人	11	4 761			
9	三级木工	人	12	5 194			
10	四级木工	人	5	2 164			
	设备资源						
11	带锯机	台	2		389.5		60%
12	木工车床	台	2		357.1		55%
13	平面刨	台	2		324.6		50%
14	单面压刨床	台	1		162.3		50%
15	开榫机	台	1		162.3		50%

序号	项目	单位	数量	人时	台时	材料	利用系数
16	刨光机	台	1		162.3		50%
17	电钻	台	1		162.3		50%
	材料资源		（单位耗量）				
18	板枋材	m³	0.14			136	
19	铁件	kg	6.0			5 843	
20	铁钉	kg	0.80			779	
21	其他						

表 3-14　岩壁梁模板安装、拆除台时、人时、材料用量

序号	项目	单位	数量	人时	台时	材料	利用系数
1	工程量	m²	559				
2	施工工程量	m²	559				
3	小时生产率	m²/h	7.0				
4	长期工作影响系数		0.75				
5	平均生产率	m²/h	5.25				
	劳力资源						
6	工长	人	1	106			
7	四级木工	人	1	106			
8	三级木工	人	3	318			
9	二级木工	人	3	318			
10	三级吊车司机	人	1	106			
11	三级电焊工	人	1	106			
12	三级电工	人	1	106			
13	三级司机	人	1	106			
14	一级普工	人	4	424			
	设备资源						
15	汽车	台	1		8.0		10%
16	电焊机	台	1		16.0		20%
17	汽车吊	台	1		40.0		50%
	材料资源		（单位耗量）				
18	钢模板	kg	1.40			783	
19	铁件	kg	1.20			671	
20	其他						

表 3-15　体形模板安装、拆除台时、人时、材料用量

序号	项目	单位	数量	人时	台时	材料	利用系数
1	工程量	m²	1 947.6				
2	施工工程量	m²	1 947.6				
3	小时生产率	m²/h	2.15				
4	长期工作影响系数		0.75				
5	平均生产率	m²/h	1.613				
	劳力资源						
6	工长	人	1	1 208			
7	三级木工	人	4	4 831			
8	三级电工	人	1	1 208			
9	三级汽车司机	人	1	1 208			
10	三级设备操作工	人	1	1 208			
11	二级设备操作工	人	1	1 208			
12	二级木工	人	3	3 623			
13	一级普工	人	4	4 831			
14	三级电焊工	人	1	1 208			
	设备资源						
15	汽车	台	1		90.6		10%
16	桥式吊车	台	1		362.3		40%
17	电焊机	台	1		90.6		10%
		台					
	材料资源		(单位耗量)				
18	模板	m²	0.5			974	
19	铁件	kg	2.0			3 895	
20	其他						

表 3-16 钢筋安装台时、人时、材料用量

序号	项目	单位	数量	人时	台时	材料	利用系数
1	工程量	t	253.96				
2	施工工程量	t	259				
3	小时生产率	t/h	0.43				
4	长期工作影响系数		0.75				
5	平均生产率	t/h	0.324				
	劳力资源						
6	工长	人	1	799			
7	四级电焊工	人	1	799			
8	三级电焊工	人	2	1 597			
9	二级电焊工	人	1	799			
10	四级钢筋工	人	1	799			
11	三级钢筋工	人	3	2 396			
12	三级电工	人	1	799			
13	三级司机	人	1	799			
14	一级普工	人	3	2 396			
15	三级设备操作工	人	1	799			
	设备资源						
16	电焊机	台	4		1 927.4		80%
17	汽车	台	1		150.6		25%
18	吊车	台	1		150.6		25%
	材料资源		(单位耗量)				
19	钢筋	t	1.02			264	
20	铁丝	kg	1.02			264	
21	焊条	kg	4.00			1 036	
22	其他						

表 3-17　混凝土浇筑台时、人时、材料用量

序号	项目	单位	数量	人时	台时	材料	利用系数
1	工程量	m³	6 224				
2	施工工程量	m³	6 535				
3	小时生产率	m³/h	28.05				
4	长期工作影响系数		0.75				
5	平均生产率	m³/h	21.04				
	劳力资源						
6	工长	人	1	311			
7	三级木工	人	2	621			
8	三级电工	人	1	311			
9	四级混凝土工	人	1	311			
10	三级混凝土工	人	3	932			
11	二级混凝土工	人	3	932			
12	三级钢筋工	人	1	311			
13	三级司机	人	4	1 243			
14	二级司机	人	1	311			
15	三级设备操作工	人	1	311			
16	二级设备操作工	人	2	621			
17	三级管路修理工	人	1	311			
18	一级普工	人	3	932			
	设备资源						
19	混凝土搅拌车	台	4		745.5		80%
20	混凝土泵	台	1		198.0		85%
21	混凝土振捣器	台	4		792.1		85%
22	水泵	台	1		116.5		50%
23	空压机	台	1		46.6		20%
24	工具车	台	1		11.6		5%
	材料资源		（单位耗量）				
25	成品混凝土	m³	1.03			6 731	
26	水	m³	0.45			2 941	
27	其他						

4　厂房施工进度计划

厂房施工进度计划见表 4-1。

表 4-1 厂房施工进度计划

表 4-1 厂房施工进度计划

序号	项 目	工程量 单位	工程量 数量	施工进度(第一年～第四年)
1	准备			3.0
2	厂房开挖			5.0
2.1	顶拱通风洞(施工支洞)	m	500	
2.2	I_A层开挖	m³	7 344	1.4
2.3	I_B层开挖	m³	9 494	1.8
2.4	II层开挖	m³	17 613	1.75 / 9.0
2.5	进厂交通道施工	m	800	
2.6	岩壁吊车梁混凝土施工	m³	642	1.5
2.7	III层开挖	m³	15 050	1.22
2.8	溜渣井施工	m	38	1.2
2.9	尾水洞施工	m	800	9.0
2.10	IV～VIII层开挖	m³	48 598	7.5
3	一期混凝土工程			
3.1	施工准备			
3.2	临时桥吊安装	台	1	3.0
3.3	1号机组	m³	2 791	3.22
3.4	2号机组	m³	2 791	3.22 / 3.22

注：表中进度线下面的数字表示月,虚线所示项目时间为按常规估算。

(二)装机 4×15 万 kW 机组地下厂房工程(17.5m 跨度)

1 地下厂房模型建立

1.1 工程模拟条件

(1)4 台 15 万 kW 常规机组。

(2)围岩条件。①围岩类别:以Ⅱ类为主;洞室围岩岩石完整、构造简单,无岩溶发育的岩层和严重破碎等不良地段;②围岩岩性:假定为中等坚硬石灰岩(密实石灰岩),$f = 8 \sim 10$。

1.2 地下厂房参数拟定

拟定地下厂房尺寸受机组型号、数量、启闭机、尾水洞等洞室布置及地质条件等多种因素的影响。这里我们按 4 台 15 万 kW 常规机组拟定地下厂房尺寸,以已建、在建的具体工程为对象,以典型工程实例作为我们计算的基础,根据统计资料分析,建立工程模型。水电站地下厂房系统控制工程是主厂房和安装间,所以只对主厂房和安装间进行模拟。尺寸及设计参数值如下。

1.2.1 地下厂房尺寸

机组:4 台 15 万 kW 常规机组。

长×宽×高:106m×17.5m×39m。

最大宽度:19m(岩壁吊车梁以上)。

其中:安装间长 29m、高 26m。

1.2.2 支护参数拟定

考虑边墙、顶拱喷混凝土、挂钢筋网。

喷混凝土厚:10cm。

砂浆锚杆:$\phi 20 \sim 22$mm,间、排距 1.2m,长 $L = 4$m。

钢筋网:$\phi 10$mm,网格间距 20cm。

这里对特殊的锚索等支护未计入。

1.2.3 厂房一期混凝土参数拟定

仅对蜗壳以下部分厂房混凝土及岩壁梁混凝土进行计算,蜗壳以上部分厂房混凝土及安装间混凝土未计入。

厂房一期混凝土均采用 C25 混凝土,蜗壳以下混凝土含筋率为 34kg/m³,岩臂梁混凝土含筋率为 100kg/m³。

1.3 设计工程量

设计工程量见表 1-1。

表 1-1　设计工程量汇总

序号	项目	单位	数量	备注
1	开挖石方	m³	61 793	
2	喷混凝土	m³	1 025	
3	锚杆	根/m	7 127/28 508	
4	钢筋网	m²	10 264	
5	钢筋	t	278.80	
6	立模面积	m²	2 856	
7	混凝土	m³	6 759	

注:只考虑一期混凝土工程量。

2　地下厂房开挖

2.1　施工布置

充分考虑厂区枢纽工程诸多洞室布置及高程差异的特点,分析地下厂房工程的洞室布置的共性,顶拱开挖以顶部通风道(或专设施工支洞)为施工交通道;中上部开挖以进厂交通洞为施工交通道;下部开挖以尾水洞等为施工交通道。根据具体情况在充分考虑利用上述永久洞室的基础上设置一定的临时施工通道。

假定:

(1)顶拱通风洞(或专设施工支洞)洞长 0.5km,洞内平均运距取为 0.6km,洞口高程见图 2-1;洞口至渣场运距为 1.4km。

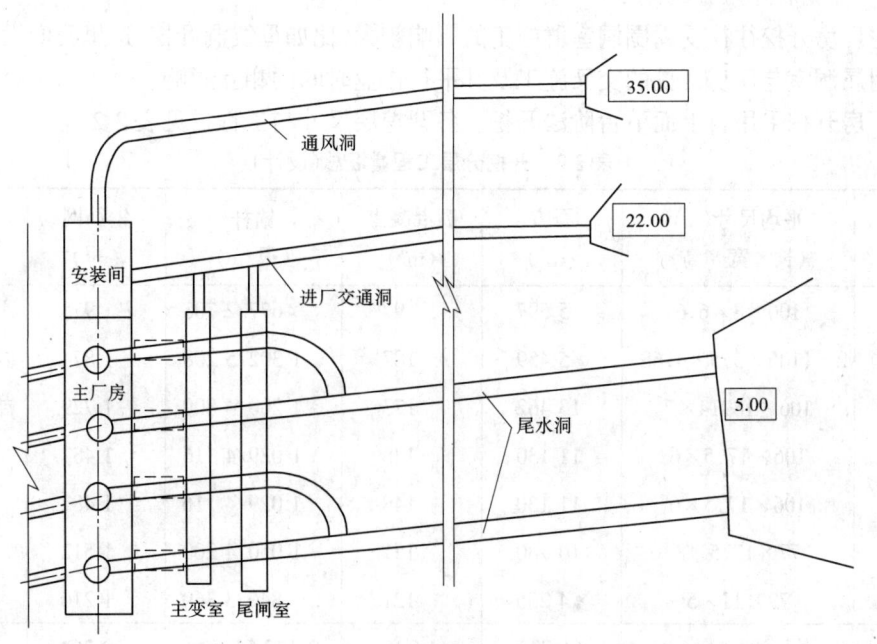

图 2-1　地下厂房平面布置示意图

(2)进厂交通洞(或专设施工支洞)洞长 0.8km,洞内平均运距取为 0.9km,洞口高程见图 2-1;洞口至渣场运距为 1.1km。

(3)尾水洞(或专设施工支洞)洞长 0.8km,洞内平均运距取为 0.9km,洞口高程见图 2-1;洞口至渣场运距为 1.1km。

2.2 主要施工工程量

施工工程量计算考虑在设计工程量的基础上添加一定的施工附加量。

(1)石方开挖:厂房开挖需要采用控制爆破,厂房开挖根据不同施工部位,考虑超挖 2%~5%。

(2)锚杆支护:未考虑施工附加量。

(3)喷混凝土:按顶拱喷混凝土回弹率为 25%,边墙喷混凝土回弹率为 15%计算。

(4)钢筋网支护:未考虑施工附加量。

厂房开挖、支护工程量汇总见表 2-1。

表 2-1　开挖、支护工程量汇总

序号	项目	单位	设计工程量	施工工程量	备注
1	开挖石方	m³	61 793	64 883	
2	喷混凝土方量	m³	1 025	1 200	
3	锚杆	根/m	7 127/28 508	7 127/28 508	
4	钢筋网	m²	10 264	10 264	

2.3 施工方法

2.3.1 开挖程序与开挖方法

主厂房开挖往往受周围洞室群施工的影响较大,比如母线洞开挖,这里我们没有考虑厂房附属洞室与厂房开挖的交叉施工及其平行作业时间的相互影响。

厂房开挖采用自上而下台阶法开挖。各开挖层尺寸与工程量见表 2-2。

表 2-2　开挖分层工程量汇总(设计)

部位	平均尺寸(m) (长×宽×高)	石方 (m³)	喷混凝土 (m³)	锚杆 (根/m)	钢筋网 (m²)	备注
ⅠA	106×8×6.6	5 597	97	677/2 708	975	顶拱导洞
ⅠB	2×(106×5.5×4.68)	5 459	187	1 302/5 208	1 874	顶拱两侧
Ⅱ	106×18.14×7	13 462	173	1 200/4 800	1 729	岩壁梁层
Ⅲ	106×17.5×6	11 130	148	1 029/4 116	1 482	
Ⅳ	106×17.5×6	11 130	148	1 029/4 116	1 482	
Ⅴ	77×17.5×8	10 780	151	1 050/4 200	1 512	
Ⅵ	77×11×5	4 235	121	840/3 360	1 210	机窝
小　计		61 793	1 025	7 127/28 508	10 264	

地下厂房开挖分层分块见图 2-2、图 2-3。

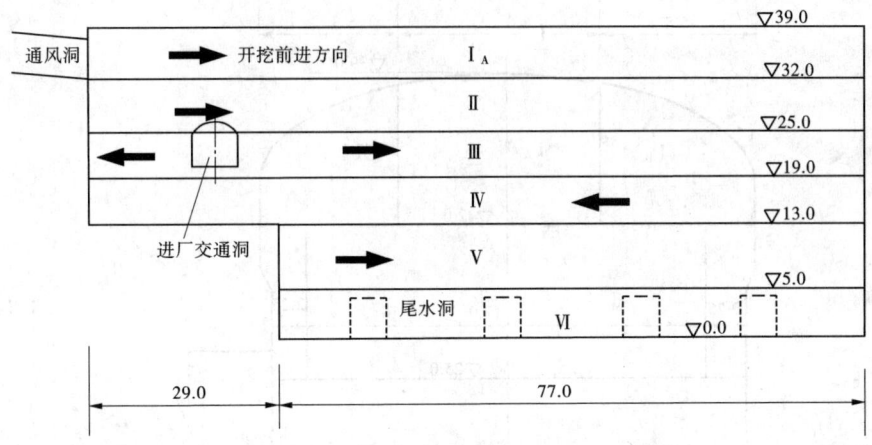

图 2-2　地下厂房开挖分层纵断面示意图

顶拱开挖采用先顶拱导洞（ⅠA 层）开挖，后进行顶拱两侧（ⅠB 层）开挖的施工方法。顶拱导洞高 7m、宽 8m，全长 106m。沿设计边线均采用光面爆破。拟采用三臂钻孔台车水平钻孔，3m³ 轮式装载机配 20t 自卸汽车出渣。

岩壁梁层（Ⅱ层）开挖，顶拱施工完成后进行本台阶开挖。为保证岩壁梁岩壁的成型，本层开挖分中间部位开挖和两侧保护层开挖，中间部位宽 13m，两侧保护层厚 2.25m。均采用光面爆破，水平钻孔。中间部位超前 20m，采用 2 台三臂钻孔台车并排同时钻水平孔，待中间部位钻孔完毕，台车退至两侧掌子面（左右各 1 台）钻孔，同时爆破出渣。拟采用 3m³ 轮式装载机配 20t 自卸汽车出渣。

开挖按钻孔、装药、爆破、通风、安全处理、出渣、喷混凝土、锚杆支护顺序作业，分段循环施工，挂钢筋网平行作业，不占循环直线时间。

中下部台阶（Ⅲ～Ⅵ层）开挖，采用边墙先预裂爆破，后全断面爆破的开挖方法，拟采用 ROC812H 型履带钻垂直钻孔梯段爆破。钻孔与出渣平行作业。

2.3.2　开挖作业技术参数设计

开挖作业爆破参数设计根据戈氏帕扬公式、译波尔公式及相关办法进行计算。开挖作业技术参数如下。

2.3.2.1　顶拱导洞（ⅠA 层）开挖

开挖面积：52.8m²；

循环进尺：3.29m；

典型钻爆参数设计见表 2-3。

2.3.2.2　顶拱两侧（ⅠB 层）开挖

开挖面积：51.5m²；

循环进尺：3.29m；

典型钻爆参数设计见表 2-4。

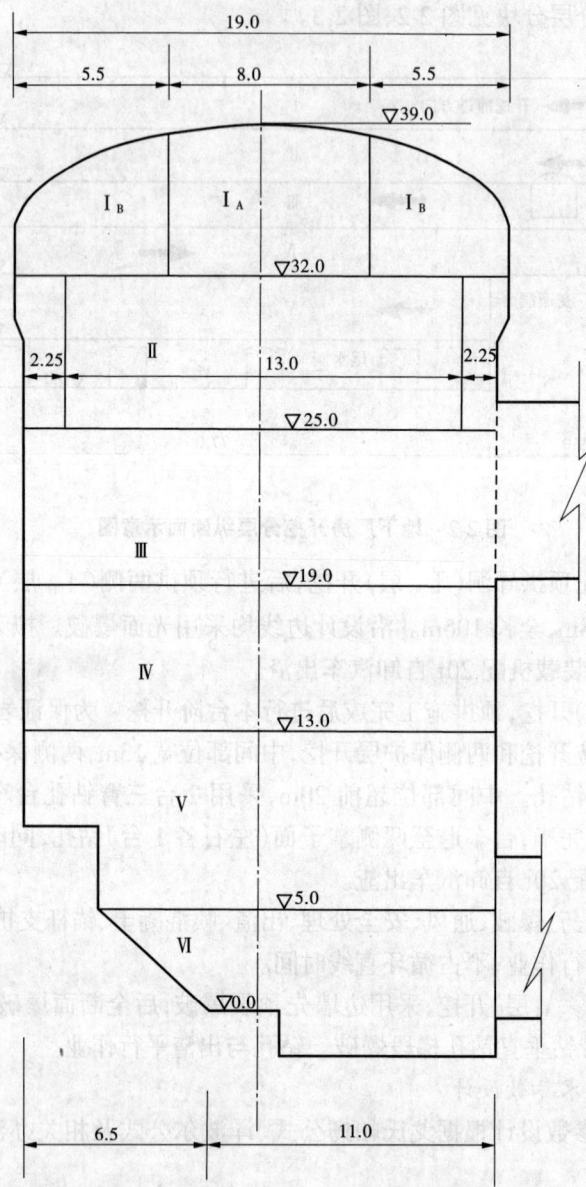

图 2-3 地下厂房分层开挖横断面示意图

2.3.2.3 岩壁梁层(II层)开挖

开挖面积:127m²;

循环进尺:两侧 2.6m,中间部分 3.57m;

典型钻爆参数设计见表 2-5、表 2-6。

2.3.2.4 中、下部台阶(III~VI层)开挖

典型台阶高度:6m;

典型台阶宽度:17.5m;

典型钻爆参数设计见表 2-7。

表 2-3 顶拱导洞(I_A层)开挖典型爆破设计

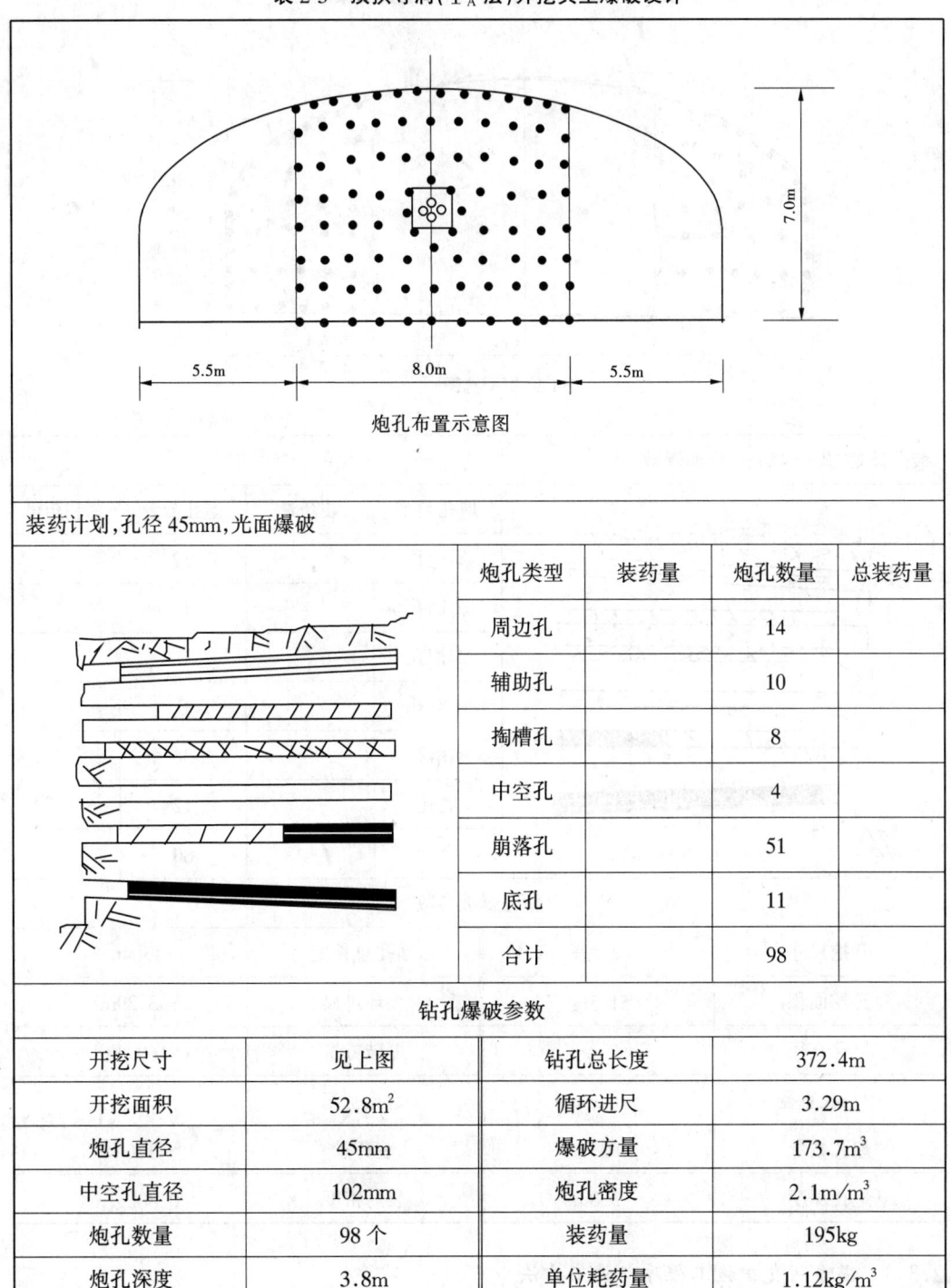

炮孔布置示意图

装药计划,孔径45mm,光面爆破

炮孔类型	装药量	炮孔数量	总装药量
周边孔		14	
辅助孔		10	
掏槽孔		8	
中空孔		4	
崩落孔		51	
底孔		11	
合计		98	

钻孔爆破参数

开挖尺寸	见上图	钻孔总长度	372.4m
开挖面积	52.8m²	循环进尺	3.29m
炮孔直径	45mm	爆破方量	173.7m³
中空孔直径	102mm	炮孔密度	2.1m/m³
炮孔数量	98个	装药量	195kg
炮孔深度	3.8m	单位耗药量	1.12kg/m³

表 2-4　顶拱两侧（ I_B 层）开挖典型爆破设计

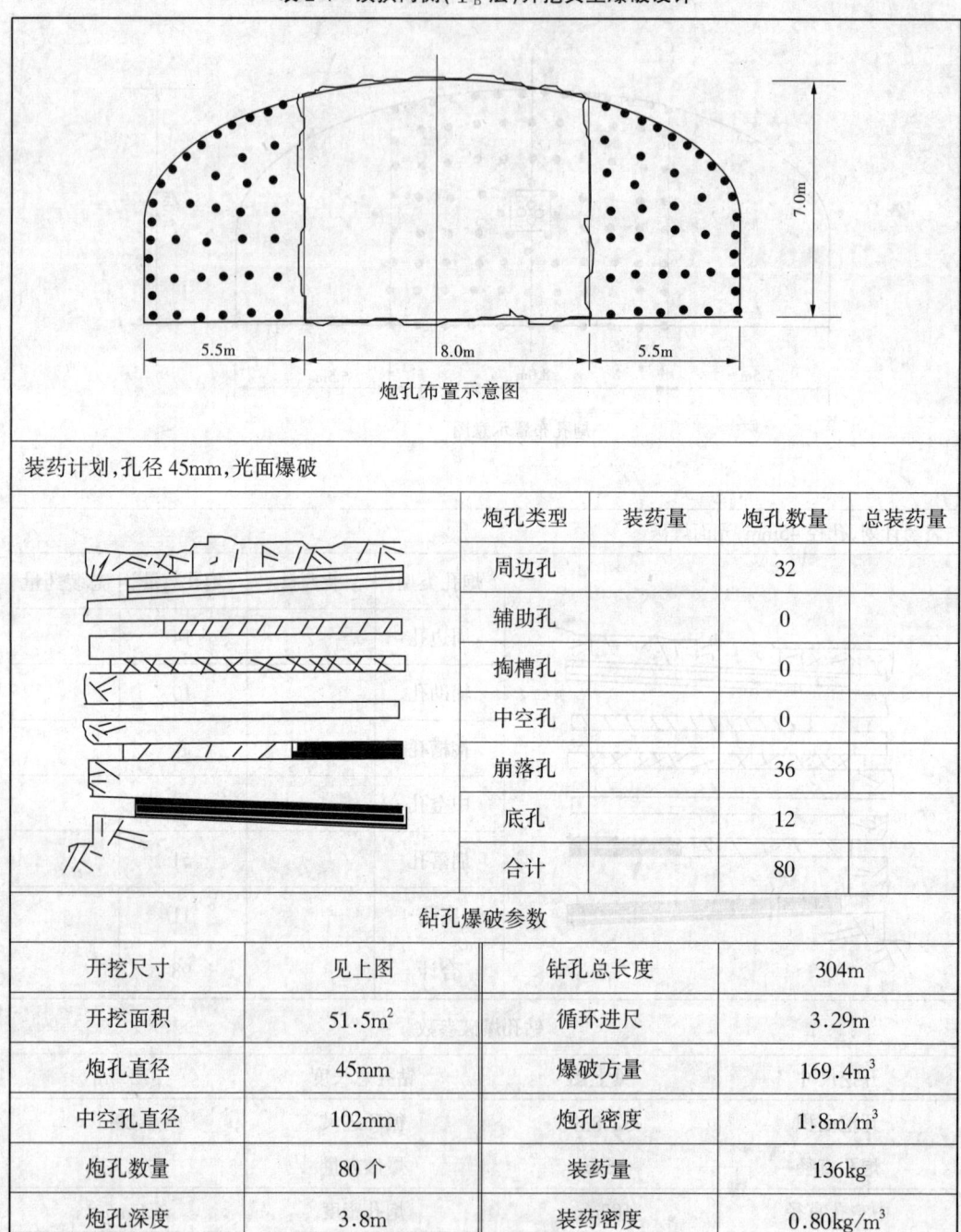

炮孔布置示意图

装药计划,孔径 45mm,光面爆破

炮孔类型	装药量	炮孔数量	总装药量
周边孔		32	
辅助孔		0	
掏槽孔		0	
中空孔		0	
崩落孔		36	
底孔		12	
合计		80	

钻孔爆破参数

开挖尺寸	见上图	钻孔总长度	304m
开挖面积	51.5m²	循环进尺	3.29m
炮孔直径	45mm	爆破方量	169.4m³
中空孔直径	102mm	炮孔密度	1.8m/m³
炮孔数量	80 个	装药量	136kg
炮孔深度	3.8m	装药密度	0.80kg/m³

2.3.3　锚喷网支护施工程序与施工方法

施工程序:清除松石—埋设喷层厚度标记—冲洗岩面—第一次喷混凝土—锚杆孔位放线—钻孔—注浆—安装锚杆—拉拔试验—挂钢筋网—第二次、第三次喷混凝土至设计厚度—养护。

表 2-5　岩壁梁层(Ⅱ层)中间部分开挖典型爆破设计

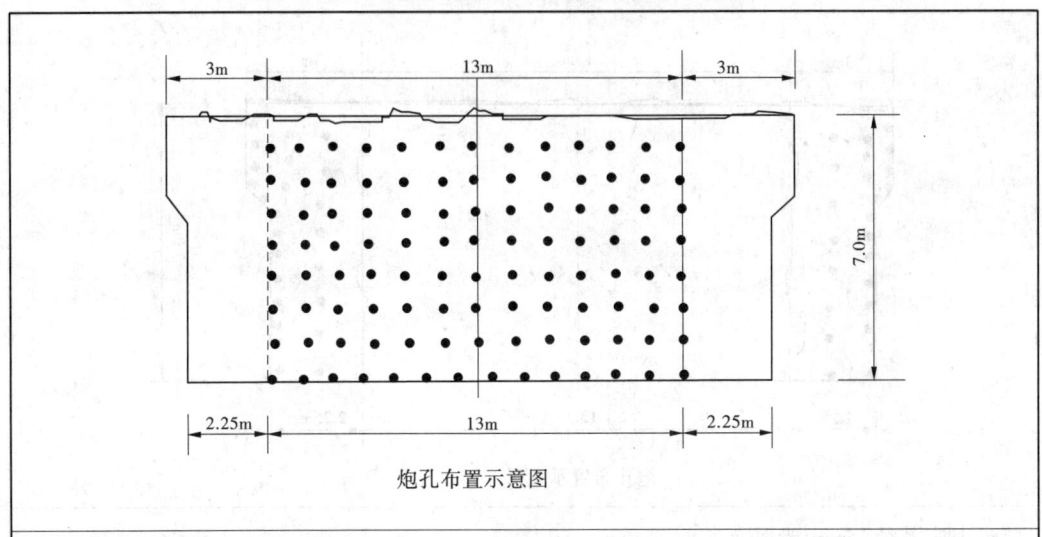

炮孔布置示意图

装药计划,孔径 45mm,光面爆破

炮孔类型	装药量	炮孔数量	总装药量
周边孔			
辅助孔			
掏槽孔		0	
中空孔		0	
崩落孔		98	
底孔		18	
合计		116	

钻孔爆破参数

开挖尺寸	见上图	钻孔总长度	464m
开挖面积	91m^2	循环进尺	3.57m
炮孔直径	45mm	爆破方量	325m^3
中空孔直径		炮孔密度	1.4m/m^3
炮孔数量	116 个	装药量	162kg
炮孔深度	4m	装药密度	0.50kg/m^3

表 2-6 岩壁梁层(Ⅱ层)两侧开挖典型爆破设计

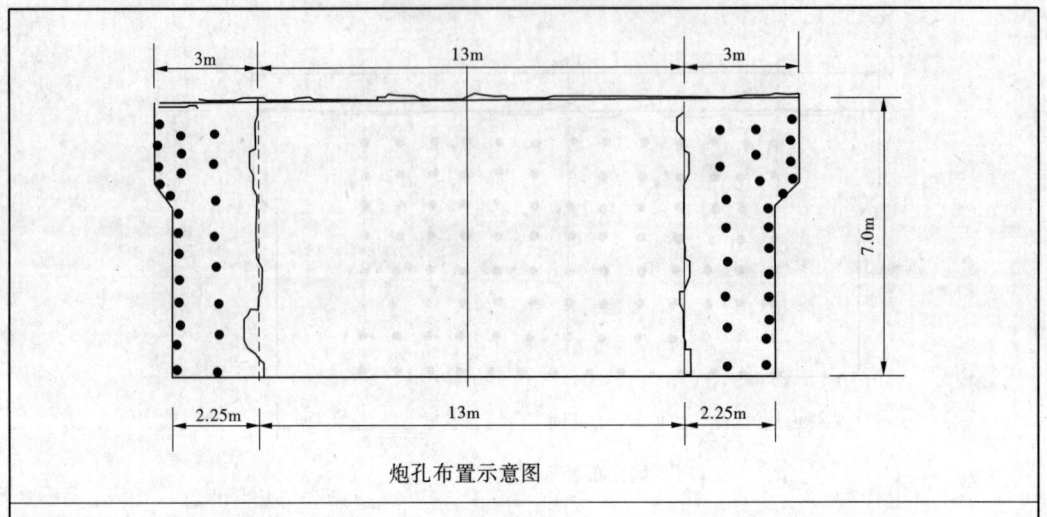

炮孔布置示意图

装药计划,孔径 45mm,光面爆破

炮孔类型	装药量	炮孔数量	总装药量
周边孔		26	
辅助孔		6	
掏槽孔		0	
中空孔		0	
崩落孔		16	
底孔			
合计		48	

钻孔爆破参数

开挖尺寸	见上图	钻孔总长度	144m
开挖面积	36m²	循环进尺	2.6m
炮孔直径	45mm	爆破方量	94m³
中空孔直径		炮孔密度	1.5m/m³
炮孔数量	48个	装药量	47kg
炮孔深度	3m	装药密度	0.50kg/m³

喷混凝土采用分层喷射,湿喷法施工,机械化作业;分层厚度为 5~10cm。

锚杆施工利用钻孔台车钻孔,注浆机注浆,使用平台车人工安装锚杆。

钢筋网施工,拟在钢筋加工厂加工成片,工具车运入洞内,利用平台车人工挂网。

表 2-7 中、下部台阶(Ⅲ~Ⅵ层)开挖典型爆破设计

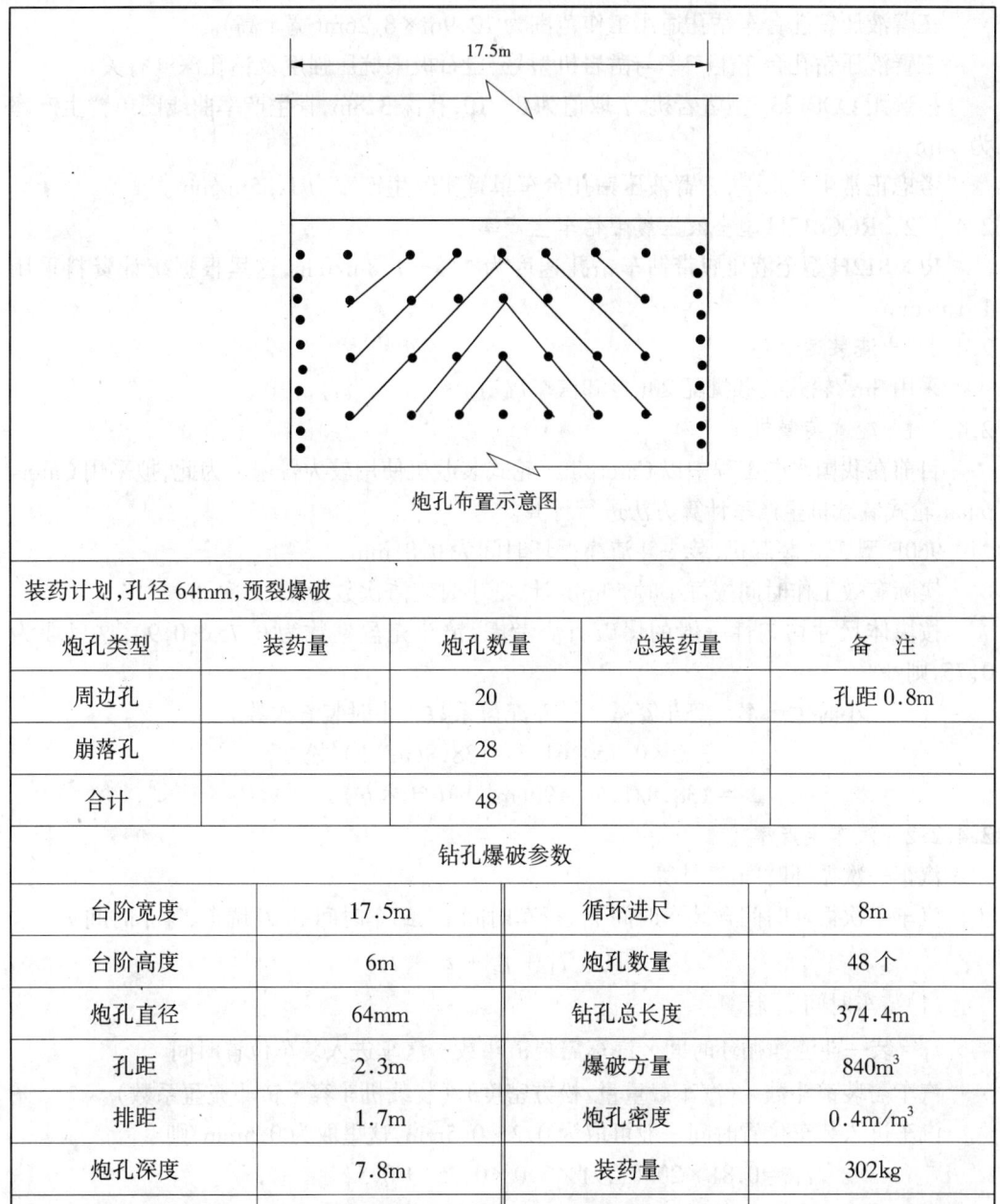

炮孔布置示意图

装药计划,孔径 64mm,预裂爆破

炮孔类型	装药量	炮孔数量	总装药量	备 注
周边孔		20		孔距 0.8m
崩落孔		28		
合计		48		

钻孔爆破参数			
台阶宽度	17.5m	循环进尺	8m
台阶高度	6m	炮孔数量	48 个
炮孔直径	64mm	钻孔总长度	374.4m
孔距	2.3m	爆破方量	840m³
排距	1.7m	炮孔密度	0.4m/m³
炮孔深度	7.8m	装药量	302kg
抵抗线	1.8m	装药密度	0.36kg/m³

2.4 设备选型、配套与生产率计算

2.4.1 钻孔设备

目前在我国水电工程中以 Atlas 多臂钻孔台车使用较为普遍,地下厂房顶拱与岩壁梁层的水平钻孔开挖以三臂液压钻孔台车较为合适。地下厂房中下部开挖垂直钻孔,拟选用水电工程较常用的 ROC712H 型全液压履带钻车。

2.4.1.1 三臂液压钻孔台车生产率计算

三臂液压钻孔台车钻孔适用工作范围为 $12.9m \times 8.26m$(宽×高)。

三臂液压钻孔台车生产率与凿岩机型号、岩石极限抗压强度及钻孔深度有关。

拟选用 COP1238 型凿岩机,f 取值为 $8 \sim 10$,孔深 3.8m,查生产率曲线图单臂生产率为 94m/h。

考虑正常生产水平,三臂液压钻孔台车单臂实际生产率为 1.35m/min。

2.4.1.2 ROC812H 型全液压履带钻车生产率

ROC812H 型全液压履带钻车钻孔速度为 $1.6 \sim 1.8m/min$,这里根据统计资料采用 1.1m/min。

2.4.2 出渣装运设备

采用 $3m^3$ 轮式装载机配 20t 自卸汽车出渣。

2.4.2.1 轮式装载机生产率

目前在我国水电工程中以 Caterpillar 轮式装载机使用较为普遍。为此,拟采用 Caterpillar 轮式装载机生产率计算方法进行计算。

960F 型 $3m^3$ 装载机,装一斗渣净循环时间为 0.81min。

实际有效工作时间按每小时 50min 计,则小时装渣次数为 61.7 次/h。

按块体尺寸均匀性一般的爆破石渣考虑,铲斗充盈系数为 $0.75 \sim 0.90$,这里取为 0.75,则

$$小时生产率 = 铲斗容量 \times 铲斗充盈系数 \times 小时装渣次数$$
$$= 3.0 \times 0.75 \times 61.7 = 138.8 (m^3/h)(松方)$$
$$= 138.8/1.53 = 90 (m^3/h)(自然方)$$

2.4.2.2 汽车生产率

汽车一次循环时间 T 计算:

汽车一次循环时间含装车时间 t_1、行车时间 t_2、卸车时间 t_3 及调车、等车时间 t_4,即

$$T = t_1 + t_2 + t_3 + t_4$$

(1)装车时间 t_1 计算:

$t_1 = $ 装一斗渣净循环时间×汽车需装铲斗数 + 汽车进入装车位置时间

汽车需装铲斗数 = (汽车载重量/松方密度)/(装载机斗容×铲斗充盈系数)

汽车进入装车位置时间一般可取为 $0.2 \sim 0.5min$,这里取为 0.5min,则

$$t_1 = 0.81 \times 20/(1.71 \times 3.0 \times 0.75) + 0.5$$
$$= 0.81 \times 5 + 0.5$$
$$= 4.55 (min)$$

(2)行车时间 t_2 计算:

$$t_2 = 60 \times (运距/重车运行速度 + 运距/空车运行速度)$$

这里,取洞外平均运行速度:重车为 20km/h,空车为 25km/h;取洞内平均运行速度:重车为 10km/h,空车为 15km/h。

洞内平均运距为 0.6km,洞外平均运距为 1.4km 时,$t_2 = 13.6min$;洞内平均运距为

0.9km,洞外平均运距为 1.1km 时,$t_2 = 15.9$min。

(3)卸车时间 t_3 计算:

卸车时间通常为 1~1.5min,这里取 $t_3 = 1.5$min。

(4)调车、等车时间 t_4 计算:

通常为 2.5~4.5min,这里取 $t_4 = 3.5$min。

汽车一次循环时间 T:

洞内平均运距为 0.6km,洞外平均运距为 1.4km 时,$T = 4.55 + 13.6 + 1.5 + 3.5 = 23.15$(min)。

$$汽车生产率 = (汽车载重量/密度 \times 充满系数) \times 小时循环次数 \times 时间利用系数$$
$$= (20/2.62 \times 0.96) \times (60/23.15) \times 0.75$$
$$= 14.2(m^3/h)(自然方)$$

洞内平均运距为 0.9km,洞外平均运距为 1.1km 时,$T = 4.55 + 15.9 + 1.5 + 3.5 = 25.45$(min)。

$$汽车生产率 = (汽车载重量/密度 \times 充满系数) \times 小时循环次数 \times 时间利用系数$$
$$= (20/2.62 \times 0.96) \times (60/25.45) \times 0.75$$
$$= 13.0(m^3/h)(自然方)$$

2.4.2.3 配套汽车数量与配套生产率

3m^3 装载机生产率为 90m^3/h(自然方)。

当单台汽车生产率为 14.2m^3/h(自然方)时,汽车数量为 90/14.2 = 6.3(台),取为 7 台。则配套生产率为 90m^3/h(自然方),即为装载机生产率。

当单台汽车生产率为 13.0m^3/h(自然方)时,汽车数量为 90/13.0 = 6.9(台),取为 7 台。则配套生产率为 90m^3/h(自然方),取为装载机生产率。

2.4.3 喷混凝土设备选型与设备生产率确定

采用 6m^3 混凝土搅拌车运输,利用 0.4m^3 强制式搅拌机加水拌和,利用 HLF-4 型喷射机湿喷混凝土。HLF-4 型湿式喷射机额定生产率为 5m^3/h。时间利用系数取为 0.75,则小时实际生产率为

$$5 \times 0.75 = 3.75(m^3/h)$$

2.4.4 锚杆施工设备选型与设备生产率确定

二臂液压钻孔台车生产率与凿岩机型号、岩石极限抗压强度及钻孔深度有关。

拟选用 COP1238 型凿岩机,$f = 8~10$,孔深 4m,查生产率曲线图单臂生产率为 96 m/h。考虑正常生产水平,二臂液压钻孔台车单臂实际生产率取为 1.33m/min。

安装一根砂浆锚杆每工作组需 2min。

2.4.5 钢筋网施工设备

钢筋网拟在钢筋加工厂加工成网片,而后运入工作面人工安装。

利用剪式平台车安装钢筋网。根据工程施工有关经验,洞内安装钢筋网小时生产率为 20m^2/(h·工作组)。

2.4.6 通风设备

地下厂房开挖可利用洞室群各洞室之间在平面及高程上的差异,提前安排开挖风流

循环系统永久洞室,作为施工通风的通道。地下厂房开挖中以顶拱导洞开挖通风最为困难,故按导洞开挖所需通风量来考虑。

通风机选择:根据风机工作风量和风机工作风压选择通风机。选择时依照特性曲线进行比较,采用在较高效率区运转的风机型号。

风机工作风量和风机工作风压根据施工通风方式与所需风流量计算。

通风量根据如下四方面计算,取其中最大值:

(1)洞内施工人员需风量。

(2)爆破散烟所需风流量。

(3)洞内最小风速所需风量。洞内容许最小风速,手册规定不小于0.15m/s,小浪底工程中世界银行专家建议取为0.5m/s,这里取为0.3m/s。

(4)使用柴油机械时的通风量。按单位功率需风量4.1m³/kW计算。

这里根据工程经验,选择一台55kW可逆转的轴流式风机。

2.4.7 设备汇总表

设备汇总见表2-8。

表2-8 设备汇总

设备名称	型号	单位	数量	额定生产率	实际生产率	备注
钻机	H178	台	2	1.52m/(min·臂)	1.35m/(min·臂)	
	H175	台	1	1.52m/(min·臂)	1.38m/(min·臂)	
	ROC812H	台	1		1.1m/min	
装载机	3m³	台	1		90m³/h	
自卸汽车	20t	辆	7			
混凝土喷射机组		套	1	5m³/h	3.75m³/h	
反铲	0.4m³	台	1			
强制式搅拌机	0.4m³	台	1			
混凝土搅拌运输车	6m³	辆	1			
注浆机	2.2kW	台	1			
推土机	180HP	台	1			
水泵	2B19	台	1			
空压机	ZL₂-10/8-1	台	1			
通风机	55kW	台	1	41m³/s		
电焊机		台	1			

注:按一个工作面计算。

2.5 劳力安排

劳力安排原则:分工作面定岗定员配备工长和各工种劳力,同一工种劳力划分4个等级,即一级工(不熟练工)、二级工(半熟练工)、三级工(熟练工)、四级工(高级熟练工)。

根据概算项目划分的特点,拟按以下项目分别安排劳力:①钻孔爆破作业组;②装渣运输工作组;③锚杆施工工作组;④喷混凝土工作组;⑤挂钢筋网工作组。

2.5.1 岩石开挖钻孔爆破工作组

钻孔爆破工作组负责完成开挖工作中的钻孔、装药连线、爆破、通风等工作。具体劳力安排见表2-9、表2-10。

表2-9　顶拱钻爆典型工作组　　　　　　　　　　(单位:人)

序号	工种名称	工长	一级工	二级工	三级工	四级工
1	工长	1				
2	钻机操作工				2	1
3	炮工			2	1	1
4	电工				1	
5	管路修理工				1	
6	小型工具车司机			1		
7	普工		2			
8	机械修理工				1	
9	设备操作工			1	1	

注:岩壁梁层(Ⅱ层)开挖钻机操作工按人员配置原则进行调整。

表2-10　中、下部钻爆典型工作组　　　　　　　(单位:人)

序号	工种名称	工长	一级工	二级工	三级工	四级工
1	工长	1				
2	钻机操作工				1	1
3	炮工			2	1	1
4	电工				1	
5	管路修理工				1	
6	小型工具车司机			1		
7	普工		2			
8	机械修理工				1	
9	设备操作工			1	1	

主要人员安排原则:

工长1人,负责工作组工作;

钻孔机械操作工3人,1台三臂钻孔台车配三级工2人、四级工1人。

2.5.2 装渣运输工作组

装渣运输工作组负责完成开挖工作中的安全处理、装渣、运输、渣场平整等工作。具体劳力安排见表2-11。

表 2-11　装渣运输工作组劳力安排　　　　　　　　　　　（单位:人）

序号	工种名称	工长	一级工	二级工	三级工	四级工
1	工长	1				
2	反铲操作工				1	
3	装载机司机					1
4	汽车司机				7	
5	推土机司机				1	
6	普工		2			

主要人员安排原则:

工长:1 人;

汽车司机:按每辆汽车配三级工 1 人;

装载机司机:每台配四级工 1 人;

反铲操作工:每台配三级工 1 人;

推土机司机:每台配三级工 1 人;

装渣场现场指挥:普工 1 人;

卸渣场现场指挥:普工 1 人。

2.5.3　锚杆施工岩石支护工作组

锚杆施工岩石支护工作组负责锚杆钻孔、锚杆安装等工作。具体劳力安排见表2-12。

表 2-12　锚杆施工典型工作组劳力安排　　　　　　　　（单位:人）

序号	工种名称	工长	一级工	二级工	三级工	四级工
1	工长	1				
2	钻机操作工				1	1
3	注浆机操作工			1		
4	小型工具车及汽车司机			1	1	
5	普工		3			

2.5.4　喷混凝土工作组

喷混凝土工作组负责完成喷混凝土的混凝土运输、喷射等工作。具体劳力安排见表 2-13。

表 2-13　喷混凝土典型工作组劳力安排　　　　　　　　（单位:人）

序号	工种名称	工长	一级工	二级工	三级工	四级工
1	工长	1				
2	混凝土喷射机操作工				1	1
3	混凝土搅拌机操作工			1		
4	普工		4			
5	空压机操作工				1	

2.5.5 钢筋网安装工作组

钢筋网安装工作组完成钢筋网运输与现场安装等工作。具体劳力安排见表2-14。

表2-14 钢筋网安装典型工作组劳力安排 （单位：人）

序号	工种名称	工长	一级工	二级工	三级工	四级工
1	工长	1				
2	普工		4			
3	小型工具车及汽车司机			1	1	
4	电焊工			1		
5	设备操作工				1	

2.6 材料用量

材料用量采用统计、筛选、分析等估量办法进行确定,主要分以下几大类:钻杆、钻头、火工材料、喷混凝土、锚杆、钢筋网等。炸药用量根据前面的爆破设计计算,雷管按平均每孔1.2个计算,采用进口钻头、钻杆,其消耗指标参考小浪底、鲁布革、太平哨等工程实际消耗统计值。具体指标见表2-15。

2.7 工期、强度与台时、人时、材料消耗指标

2.7.1 工作计划

每年工作:12个月。

每月平均工作:25.5天。

每天工作:3班。

每班工作:8h。

每天工作:24h。

月工作小时数:612h。

2.7.2 开挖工期

根据前述开挖程序安排,先对每一开挖层按施工方法确定的施工程序编制开挖循环施工网络图表,见表2-16~表2-19。

开挖工期为9.40个月(不含岩壁梁、母线洞)。

2.7.3 开挖强度

开挖总方量:61 793m^3

开挖月强度:

  顶拱   3 949m^3/月

  中下部   7 687m^3/月

厂房开挖作业循环时间、工期、强度计算,见开挖循环时间、工期计算表2-20、表2-21。

2.7.4 开挖设备台时、人时、材料消耗指标

开挖施工设备台时、人时消耗,根据施工循环中的小时生产率,设备、人员配置及设备利用系数进行计算。

设备利用系数为某设备在该工作循环中的生产时间与该工作循环时间的比值。

$$人时 = 施工工程量/(小时生产率 \times 长期工作影响系数) \times 人数 \times 利用系数$$

$$台时 = 施工工程量/小时生产率 \times 设备数量 \times 设备利用系数$$

开挖台时、人时、材料消耗指标计算见表 2-22～表 2-38。

表 2-15　厂房开挖材料用量

项目	材料单耗		材料用量		备注
	数量	单位	数量	单位	
石方开挖			61 793	m³	
光爆炸药			3 025.9	kg	
炸药			25 875.3	kg	
雷管			15 771.4	个	
导爆管			78 397.0	m	
钻头			72.8	个	
钻杆			112.7	根	
喷混凝土			1 200	m³	
水泥	0.54	t/m³	648.0	t	
砂子	0.67	m³/m³	804.0	m³	
水	0.4	m³/m³	480	m³	
外加剂	16.2	kg/m³	19 440	kg	
小石	0.63	m³/m³	756	m³	
砂浆锚杆			28 508	m	
钻头	0.001 3	个/钻 m	37.1	个	
钻杆	0.002	根/钻 m	57.0	根	
螺帽	0.255	个/m	7 269.5	个	
垫板	0.255	套/m	7 269.5	套	
水泥砂浆	0.000 48	m³/延 m	13.7	m³	
锚杆材料	1.02	m/m	29 078.2	m	
钢筋网			10 264	m²	
钢筋	0.006 1	t/m²	62.6	t	
铁丝	0.006 2	kg/m²	63.6	kg	

表 2-16 顶拱中导洞（Ⅰ_A 层）开挖典型循环时间（断面积:52.8m²;进尺:3.29m）

工作程序	循环时间(min)	平行作业工序	时间(h)
测量放线	30		
钻孔	145		
装药	49		
爆破通风	20		
安全处理	30		
出渣	121		
喷混凝土	60		
锚杆支护	83		
钢筋网#		75	
其他	30		
净循环时间	568		
小时有效工作时间	50	min/h	
循环时间	11.4	h	
平均日进尺	6.93	m/日	
长期工作影响系数	75%		
进尺	133	m/月	

（Gantt 图中标注:开始下一循环施工）

注:表中带"#"的项目不占循环直线时间。

表 2-17 顶拱两侧（I_B层）开挖典型循环时间（断面积:51.5m²;进尺:3.29m)

工作程序	循环时间(min)		时间(h)
		平行作业工序	
测量放线	30		
钻孔	118		
装药	43		
爆破通风	20		
安全处理	30		
出渣	119		
喷混凝土	103		
锚杆支护	152		
钢筋网#		135	
其他	30		
净循环时间	645		
小时有效工作时间	min/h	50	
循环时间	h	12.9	
平均日进尺	m/日	6.12	
长期工作影响系数	75%		
进尺	m/月	117	

开始下一循环施工

时间(h): 1 2 3 4 5 6 7 8 9 10 11 12 13 14 15 16 17 18 19 20 21

注：表中带"#"的项目不占循环直线时间。

· 524 ·

表 2-18 Ⅱ层开挖典型循环时间(台阶高度:7m;中部进尺:3.57m)

工作程序	循环时间(min) 中部	循环时间(min) 两侧	时间(h)
测量放线	30		
钻孔	96	52	
装药	49	23	
爆破通风		20	
安全处理		30	
出渣	210	75	
喷混凝土		71	
锚杆支护		114	
钢筋网#		91	
其他	50	30	
净循环时间		752	
小时有效工作时间 min/h	50		
循环时间 h	15.04		
平均日进尺 m/日	5.27		
长期工作影响系数	75%		
进尺 m/月	100.8		

时间(h) 刻度:1 2 3 4 5 6 7 8 9 10 11 12 13 14 15 16 17 18 19

可开始下一循环施工

注:表中带"#"的项目不占循环直线时间。

表 2-19　中、下部典型台阶开挖循环时间（台阶高度：7m；进尺：8m）

时间(h)

工作程序	循环时间(min) 平行作业工序	时间(h) 图示
测量放线	30	
钻孔#	331	
装药#	35	
爆破通风	20	
安全处理	30	
出渣	511	
喷混凝土	162	
锚杆支护	263	
钢筋网#	240	
其他	30	
净循环时间	1 046	
小时有效工作时间	min/h　50	
循环时间	h　20.92	
平均日进尺	m/日　9.18	
长期工作影响系数	75%	
进尺	m/月　176	

时间刻度：2　4　6　8　10　12　14　16　18　20　22　24　26　28　30　32　34　36　38

可开始下一循环施工

注：表中带"#"的项目不占循环直线时间。

表 2-20 地下厂房顶拱开挖工期计算

序号	项 目	单位	设计参数		备注
			顶拱中导洞（I_A层）	顶拱两侧（I_B层）	
1	厂房参数		（参考鲁布革等工程拟定）		
1.1	开挖跨度	m	19(顶拱跨度)		
1.2	开挖高度	m	39		
1.3	开挖长度	m	106		
1.4	分部分开挖面积	m^2	52.8	51.5	
1.5	开挖高度	m	7		
1.6	开挖宽度	m	8.0	11.0	
1.7	开挖周边长度	m	8.2	16.7	
1.8	对应开挖断面的洞长	m	106	106	
2	钻爆参数				
2.1	炮孔直径	mm	45	45	
2.2	炮孔数量	个	94	80	
2.3	掏槽中空孔直径	mm	102		
2.4	掏槽中空孔数量	个	4		
2.5	炮孔总数	个	98	80	
2.6	炮孔深度	m	3.8	3.8	
2.7	循环钻孔总长度	m	372.4	304.0	
2.8	循环进尺	m	3.29	3.29	
2.9	循环爆破方量	m^3	173.7	169.4	
2.10	炮孔密度	m/m^3	2.1	1.8	
2.11	装药量	kg	195	136	
2.12	装药密度	kg/m^3	1.12	0.80	
3	钻孔设备参数				
3.1	钻机型号		H178	H178	
3.2	凿岩机型号		COP1238	COP1238	
3.3	钻杆型号		R38	R38	
3.4	额定钻速	m/min	1.52	1.52	
3.5	设计钻速	m/min	1.35	1.35	
4	钻孔时间计算				
4.1	钻孔长度	m	372.4	304.0	
4.2	掏槽孔补偿长度	m	34	0	
4.3	等效钻孔总长度	m	407	304	
4.4	钻机就位及撤退时间（以循环计）	min	30	30	

序号	项目	单位	设计参数						备注
			顶拱中导洞（ⅠA 层）			顶拱两侧（ⅠB 层）			
	项目		单位时间	工程量	时间	单位时间	工程量	时间	
4.5	钻臂移动就位（以孔计）	min	0.3	98	29.4	0.3	80	24	
4.6	对孔定位时间（以孔计）	min	0.5	98	49	0.5	80	40	
4.7	净钻孔时间（以钻 m 计）	min	0.53	406.9	215.7	0.53	304	161.1	
4.8	一个循环需钻孔时间	min			294.1			225.1	
4.9	凿岩机同时工作台数	台	3×0.85＝2.55			3×0.85＝2.55			
4.10	钻孔循环时间	min	145			118			
5	装药时间计算								
5.1	装药孔数量	个	94			80			
5.2	装药总长度	m	357.2			304.0			
5.3	循环准备时间	min	10			10			
	项目		单位时间	工程量	时间	单位时间	工程量	时间	
5.4	对孔定位时间（按孔数计算）	min	0.5	94	47	0.5	80	40	
5.5	装药时间（按 m 计算）	min	0.3	357.2	107.2	0.3	304.0	91.2	
5.6	需装药时间小计	min			154.2			131.2	
5.7	装药工作组人数	个	4			4			
5.8	装药循环时间	min	49			43			
6	隧洞通风参数								
6.1	所需风流量	m³/s	41			41			
6.2	风管直径	m	2			2			
6.3	通风时间	min	20			20			
6.4	风机功率	kW	55			55			
7	装渣运输								
7.1	装载机械型号		960F 装载机						
7.2	装载机械斗容	m³	3			3			
7.3	运输方式		无轨运输			无轨运输			
7.4	车辆型号		T20－C203			T20－C203			
7.5	车辆容积	m³	10.7/12.0			10.7/12.0			
7.6	运输车数量	辆	7			7			
7.7	车辆载重量	t	20			20			

續表 2-20

序号	项 目	单位	设计参数 顶拱中导洞（ⅠA层）	顶拱两侧（ⅠB层）	备注
8	装渣时间计算				
8.1	设计爆破方量（自然方）	m³	174	169	
8.2	超挖系数		1.05	1.05	
8.3	松散系数		1.53	1.53	
8.4	松方量	m³	279	272	
8.5	装运配套小时生产率（自然方）	m³/h	90	90	
8.6	装运配套生产率（松方）	m³/min	2.75	2.75	
8.7	清扫时间	min	20	20	
8.8	出渣时间	min	121	119	
9	喷混凝土时间计算				
9.1	喷混凝土方法		机械化湿喷		
9.2	喷混凝土厚度	cm	10	10	
9.3	喷混凝土设备型号				
9.4	设备生产率	m³/h	3.75	3.75	
9.5	循环设计喷混凝土方量	m³	2.70	5.49	
9.6	喷混凝土回弹系数		1.25	1.2	
9.7	设备移动就位时间	min	15	15	

项 目		喷层厚(cm)	喷混凝土量(m³)	时间	喷层厚(cm)	喷混凝土量(m³)	时间	
9.8	喷第一层混凝土时间	min	5	1.69	22	5	3.30	44
9.9	喷第二层混凝土时间	min	5	1.69	22	5	3.30	44
9.10	喷第三层混凝土时间	min			0			0
9.11	净喷混凝土时间	min		44			88	
9.12	循环喷混凝土时间	min		60			103	
9.13	小时有效工作时间	min/h		50			50	
9.14	小时生产率	m³/h		2.81			3.20	（含回弹）
10	锚杆支护时间计算							
10.1	锚杆类型		砂浆锚杆			砂浆锚杆		
10.2	锚杆长度	m	4			4		
10.3	锚杆间距	m	1.2			1.2		
10.4	锚杆排距	m	1.2			1.2		
10.5	循环锚杆总长度	m	76			152		

529

续表 2-20

序号	项 目	单位	设计参数		备注
			顶拱中导洞（ⅠA 层）	顶拱两侧（ⅠB 层）	
10.6	循环钻孔深度	m	76	152	
10.7	循环锚杆根数	根	19	38	
10.8	钻机就位及撤退时间（以循环计）	min	15	15	

序号	项 目	单位	单位时间	工程量	时间	单位时间	工程量	时间	备注
10.9	钻臂移动就位(以孔计)	min	0.3	19	5.7	0.3	38	11.4	
10.10	对孔定位时间(以孔计)	min	0.5	19	9.5	0.5	38	19	
10.11	净钻孔时间（以钻 m 计）	min	0.52	76	39.5	0.52	152	79	
10.12	一个循环需钻孔时间	min			54.7			109.4	
10.13	凿岩机同时工作台数	台	2×0.9＝1.8			2×0.9＝1.8			
10.14	钻孔时间	min	45			76			
10.15	安装时间(根)	min	2	19	38	2	38	76	
10.16	锚杆支护时间	min	83			152			
10.17	小时有效工作时间	min/h	50			50			
10.18	小时生产率	m/h	46			50			
11	挂钢筋网								
11.1	钢筋网型号		Φ 10@20cm×20cm			Φ 10@20cm×20cm			
11.2	循环挂网面积	m²	27.0			54.9			
11.3	作业组人数	个	9			9			
11.4	循环安装时间	min	75			135			
11.5	小时有效工作时间	min/h	50			50			
11.6	小时生产率	m²/h	18			20			
12	开挖时间								
12.1	测量放线	min	30			30			
12.2	钻孔循环时间	min	145			118			
12.3	装药循环时间	min	49			43			
12.4	通风时间	min	20			20			
12.5	安全处理时间	min	30			30			
12.6	出渣循环时间	min	121			119			
12.7	其他时间	min	30			30			
12.8	净开挖时间	min	425			390			
12.9	小时有效工作时间	min/h	50			50			
12.10	正常开挖时间	h	8.5			7.8			

序号	项 目	单位	设计参数		备注
			顶拱中导洞（I_A层）	顶拱两侧（I_B层）	
12.11	小时生产率	m³/h	20.4	21.7	
13	作业循环时间安排		平行作业工序	平行作业工序	
13.1	开挖时间		425	390	
13.2	喷混凝土循环时间	min	60	103	
13.3	锚杆支护时间	min	83	152	
13.4	钢筋网安装循环时间	min	75	135	
13.5	净循环时间	min	568	645	
13.6	小时有效工作时间	min/h	50	50	
13.7	正常循环时间	h	11.4	12.9	
14	工作计划				
14.1	每班工作时间	h	8	8	
14.2	每天工作班次	班/日	3	3	
14.3	日工作小时数	h/日	24	24	
14.4	日完成开挖循环次数	循环/日	2.11	1.86	
14.5	循环进尺	m/循环	3.29	3.29	
14.6	日进尺	m/日	6.93	6.12	
14.7	月工作天数	天/月	25.5	25.5	
14.8	长期工作影响系数		0.75	0.75	
14.9	月进尺	m/月	133	117	
15	开挖工期计算				
15.1	洞长	m	106	106	
15.2	超挖方量	m³	286.6	279.6	
15.3	额外补偿长度	m			
15.4	等效长度	m	106	106	
15.5	总开挖循环数	循环	33	33	
15.6	开挖、支护时间	月	0.8	1.0	
15.7	施工准备及其他	月	0.5	0.5	
15.8	开挖工期	月	1.3	1.5	
16	开挖月强度				
16.1	顶拱开挖方量	m³	11 056		
16.2	顶拱开挖月强度	m³/月	3 949		

表 2-21 地下厂房中下部开挖循环时间、工期计算

序号	项 目	单位	设计参数			备注
			Ⅱ层(含岩壁梁层)		中下部典型台阶	
1	厂房参数		(四台机组地下厂房,参考鲁布革工程拟定)			
1.1	开挖跨度	m	17.5			
1.2	开挖高度	m	7.0		25	
1.3	开挖长度	m	106		106	
1.4	分部分开挖面积	m²	两侧	中间部分	105.0	
			36.0	91.0		
1.5	台阶高度	m	7	7	6	
1.6	开挖宽度	m	4.5	13.0	17.5	
1.7	开挖分层	层			4	
2	钻爆参数		两侧	中间部分		
2.1	炮孔直径	mm	45	45	64	
2.2	炮孔数量	个	76	88	48	
2.3	掏槽中空孔直径	mm				
2.4	掏槽中空孔数量	个	0	0	0	
2.5	炮孔总数	个	48	116	48	
2.6	炮孔深度	m	3.0	4.0	6.9	
2.7	循环钻孔总长度	m	144.0	464.0	331.2	
2.8	循环进尺	m	2.6	3.57	8.0	
2.9	循环爆破方量	m³	94	325	840	
2.10	炮孔密度	m/m³	1.54	1.43	0.39	
2.11	装药量	kg	33.7	117.0	302	
2.12	装药密度	kg/m³	0.36	0.36	0.36	
3	钻孔设备参数					
3.1	钻机型号		H178		ROC812	
3.2	凿岩机型号		COP1238			
3.3	钻杆型号		R38		R51	
3.4	额定钻速	m/min	1.52			
3.5	设计钻速	m/min			1.1	
4	钻孔时间计算		两侧	中间部分		
4.1	钻孔长度	m	144.0	464.0	331.2	

序号	项 目	单位	设计参数								备注
			Ⅱ层(含岩壁梁)					中下部典型台阶			
4.2	掘槽孔补偿长度	m									
4.3	等效钻孔总长度	m	144			464		331			
4.4	钻机就位及撤退时间(以循环计)	min	30			30		30			
	项 目		单位时间	工程量	时间	工程量	时间	单位时间	工程量	时间	
4.5	钻臂移动就位(以孔计)	min	0.3	48	14.4	116	34.8				
4.6	对孔定位时间(以孔计)	min	0.5	48	24	116	58				
4.7	净钻孔时间(以钻 m 计)	min	0.53	144	76.3	464	246				
4.8	一个循环需钻孔时间	min			114.7		338.8	0.91	331	301.2	
4.9	凿岩机数量	台	6×0.85＝5.1			6×0.85＝5.1		1			
4.10	钻孔时间	min	52			96		331			
5	装药时间计算		两侧			中间部分					
5.1	装药孔数	个	48			116		48			
5.2	装药总长度	m	144			464		331.2			
5.3	循环准备时间	min	10			10		10			
	项 目		单位时间	工程量	时间	工程量	时间	单位时间	工程量	时间	
5.4	对孔定位时间(按孔计)	min	0.5	48	24	116	58	0.5	48	24	
5.5	装药时间(按 m 计)	min	0.3	144	43	464	139	0.3	331.2	99	
5.6	需装药时间小计	min			67		197			123	
5.7	装药工作组人数	个	5			5		5			
5.8	装药时间	min	23			49		35			
6	隧洞通风参数										
6.1	所需风流量	m³/s	41					41			
6.2	风管直径	m	2					2			
6.3	通风时间	min	20					20			

序号	项 目	单位	设计参数			备注
			Ⅱ层(含岩壁梁)		中下部典型台阶	
6.4	风机功率	kW	55		55	
7	装渣运输					
7.1	装载机械型号		960F 装载机			
7.2	装载机械斗容	m³	3		3	
7.3	运输方式		无轨运输		无轨运输	
7.4	车辆型号		T20－C203		T20－C203	
7.5	车辆容积	m³	10.7/12.0		10.7/12.0	
7.6	运输车数量	辆	7		7	
7.7	车辆载重量	t	20		20	
8	装渣时间计算		两侧	中间部分		
8.1	爆破方量(自然方)	m³	93.6	325	840	
8.2	超挖系数		1.05	1.05	1.05	
8.3	松散系数		1.53	1.53	1.53	
8.4	松方量	m³	150	522	1 349	
8.5	装运配套小时生产率(自然方)	m³/h	90		90	
8.6	装运配套生产率(松方)	m³/min	2.75		2.75	
8.7	清扫时间	min	20		20	
8.8	出渣时间	min	75	210	511	
9	喷混凝土时间计算					
9.1	喷混凝土方法		机械化湿喷		机械化湿喷	
9.2	喷层厚度	cm	10		10	
9.3	喷混凝土设备型号		HLF－4		HLF－4	
9.4	设备生产率	m³/h	3.75		3.75	
9.5	循环设计喷混凝土方量	m³	3.64		9.60	
9.6	喷混凝土回弹率		1.15		1.15	
9.7	设备移动就位时间	min	15		15	

序号	项目	单位	设计参数							备注
			Ⅱ层(含岩壁梁)				中下部典型台阶			
	项 目		喷层厚(cm)	喷混凝土量(m³)	时间		喷层厚(cm)	喷混凝土量(m³)	时间	
9.8	喷第一层混凝土时间	min	5	2.09	28		5	5.52	74	
9.9	喷第二层混凝土时间	min	5	2.09	28		5	5.52	74	
9.10	喷第三层混凝土时间	min			0				0	
9.11	净喷混凝土时间	min			56				148	
9.12	循环喷混凝土时间	min		71				162		
9.13	小时有效工作时间	min/h		50				50		
9.14	小时生产率(含回弹)	m³/h		2.96				3.40		
10	循环锚杆安装时间计算									
10.1	锚杆类型			砂浆锚杆				砂浆锚杆		
10.2	锚杆长度	m		4				4		
10.3	锚杆间距	m		1.2				1.2		
10.4	锚杆排距	m		1.2				1.2		
10.5	锚杆总长度	m		104				268		
10.6	钻孔深度	m		104				268		
10.7	锚杆根数	根		26				67		
10.8	钻机就位及撤退时间(以循环计)	min		20				20		
	项 目		单位时间	工程量	时间		单位时间	工程量	时间	
10.9	钻臂移动就位(以孔计)	min	0.3	26	7.8		0.3	67	20.1	
10.10	对孔定位时间(以孔计)	min	0.5	26	13.0		0.5	67	33.5	
10.11	净钻孔时间(以钻 m 计)	min	0.53	104	55.1		0.53	268	142.0	
10.12	一个循环需钻孔时间	min			75.9				195.6	
10.13	凿岩机数量	台		2×0.9=1.8				2×0.9=1.8		
10.14	钻孔时间	min			62.2				129	
10.15	安装时间(根)	min	2	26	52		2	67	134	
10.16	锚杆安装时间	min			114.2				263	
10.17	小时有效工作时间	min/h		50				50		

序号	项目	单位	设计参数				备注
			Ⅱ层(含岩壁梁)			中下部典型台阶	
10.18	小时生产率	m/h	45.5			51.0	
11	挂钢筋网						
11.1	钢筋网型号						
11.2	循环挂网面积	m²	36.4			96.0	
11.3	作业组人数	个	9			9	
11.4	循环安装时间	min	91			240	
11.5	小时有效工作时间	min/h	50			50	
11.6	小时生产率	m²/h	20.0			20.0	
12	开挖时间		两侧	中间部位	综合	平行作业工序	
12.1	测量放线	min	30	30	30	30	
12.2	钻孔循环时间	min	52	96	149	331	
12.3	装药循环时间	min	23	49	23	35	
12.4	通风时间	min	20	20	20	20	
12.5	安全处理时间	min	30	30	30	30	
12.6	出渣循环时间	min	75	210	284	511	
12.7	其他时间	min	30	30	30	30	
12.8	净开挖时间	min	261	466	567	621	
12.10	小时有效工作时间	min/h			50	50	
12.11	正常开挖时间	h	5.2	9.3	11.3	12.4	
12.17	小时生产率	m³/h	18.0	34.9		67.7	
13	作业循环时间安排		平行作业工序	两侧	中间部位	综合	平行作业工序
13.1	开挖时间	min		261	466	567	621
13.2	喷混凝土循环时间	min		71		71	162
13.3	锚杆支护时间	min		114		114	263
13.4	钢筋网安装循环时间	min	91			240	
13.5	净循环时间	min		445	466	752	1 046
13.6	小时有效工作时间	min/h		50			50
13.7	正常循环时间	h		8.9	9.3	15.0	20.9

序号	项 目	单位	设计参数				备注
			Ⅱ层(含岩壁梁)			中下部典型台阶	
			两侧	中间部位	综合		
14	工作计划						
14.1	每班工作时间	h			8	8	
14.2	每天工作班次	班/日			3	3	
14.3	日工作小时数	h/日			24	24	
14.4	日完成开挖循环次数	循环/日	2.69	2.58	1.60	1.15	
14.5	循环进尺	m/循环	2.60	3.57	3.30	8	
14.6	日进尺	m/日	6.99	9.21	5.27	9.18	
14.7	月工作天数	天/月	25.5			25.5	
14.8	长期工作影响系数		0.75			0.75	
14.9	开挖月进尺	m/月	133.7	176.1	100.8	176	
15	开挖工期计算						
15.1	洞长	m	106			106	
15.2	超挖方量	m³	1 242.5			556.5	
15.3	中间部位超前开挖长度	m	20.0				
15.4	两侧滞后完成长度	m	43				
15.5	额外补偿长度	m					
15.6	等效长度	m	106			106	
15.7	总开挖循环数	循环	30			13	
15.8	中间部分超前开挖时间	月	0.11				
15.9	两侧滞后完成时间	月	0.32				
15.10	全断面开挖时间	月	0.85				
15.11	开挖、支护时间	月	1.3			0.7	
15.12	施工准备及其他	月	0.5			0.5	
15.13	分层开挖工期	月	1.8			1.2	
15.14	开挖分层	层				4	
15.15	中下部开挖工期	月	6.6				
16	开挖月强度						
16.1	开挖石方量	m³	50 737				
16.2	平均开挖月强度	m³/月	7 687				

表 2-22　顶拱中导洞钻孔爆破台时、人时、材料用量

序号	项目	单位	数量	人时	台时	材料	利用系数
1	工程量	m³	5 597				
2	施工工程量	m³	5 597				
3	小时生产率	m³/h	20.40				
4	长期工作影响系数		0.75				
5	平均生产率	m³/h	15.30				
	劳力资源						
6	工长	人	1	366			
7	四级钻机操作工	人	1	366			
8	三级钻机操作工	人	2	732			
9	二级炮工	人	2	732			
10	三级炮工	人	1	366			
11	四级炮工	人	1	366			
12	三级电工	人	1	366			
13	三级管路修理工	人	1	366			
14	三级机械修理工	人	1	366			
15	三级设备操作工	人	1	366			
16	二级设备操作工	人	1	366			
17	二级司机	人	1	366			
18	一级普工	人	2	732			
	设备资源						
19	钻机	台	1		93.8		34%
20	通风机	台	1		274.4		100%
21	工具车	台	1		11.0		4%
22	水泵	台	1		54.9		20%
	材料资源		(单位耗量)				
23	光爆炸药	kg	0.10			560	
24	炸药	kg	1.02			5 709	
25	雷管	个	0.7			3 918	
26	导爆索	m	3			16 790	
27	钻头	个	0.002 8			16	
28	钻杆	根	0.004 0			22	
29	其他						

表 2-23 顶拱中导洞装渣运输台时、人时、材料用量

序号	项目	单位	数量	人时	台时	材料	利用系数
1	工程量	m³	5 597				
2	施工工程量	m³	5 877				
3	小时生产率	m³/h	20.40				
4	长期工作影响系数		0.75				
5	平均生产率	m³/h	15.30				
	劳力资源						
6	工长	人	1	192			50%
7	四级装载机司机	人	1	384			
8	三级反铲司机	人	1	384			
9	三级汽车司机	人	7	2 689			
10	三级推土机司机	人	1	384			
11	一级普工	人	2	768			
	设备资源						
12	装载机	台	1		82.2		28.5%
13	反铲	台	1		14.4		5%
14	推土机	台	1		63.4		22%
15	自卸汽车	台	7		575.4		28.5%
16	其他						

表 2-24 顶拱两侧钻孔爆破台时、人时、材料用量

序号	项目	单位	数量	人时	台时	材料	利用系数
1	工程量	m³	5 459				
2	施工工程量	m³	5 459				
3	小时生产率	m³/h	21.70				
4	长期工作影响系数		0.75				
5	平均生产率	m³/h	16.28				
	劳力资源						
6	工长	人	1	335			
7	四级钻机操作工	人	1	335			
8	三级钻机操作工	人	2	671			
9	二级炮工	人	2	671			
10	三级炮工	人	1	335			
11	四级炮工	人	1	335			
12	三级电工	人	1	335			
13	三级管路修理工	人	1	335			
14	三级机械修理工	人	1	335			
15	二级设备操作工	人	1	335			

序号	项目	单位	数量	人时	台时	材料	利用系数
16	三级设备操作工	人	1	335			
17	一级普工	人	2	671			
18	二级司机	人	1	335			
	设备资源						
19	钻机	台	1		76.5		30%
20	通风机	台	1		251.6		100%
21	工具车	台	1		10.1		4%
22	水泵	台	1		50.3		20%
	材料资源		(单位耗量)				
23	光爆炸药	kg	0.08			437	
24	炸药	kg	0.72			3 930	
25	雷管	个	0.567			3 095	
26	导爆索	m	2.50			13 648	
27	钻头	个	0.002 3			13	
28	钻杆	根	0.004 0			22	
29	其他						

表 2-25　顶拱两侧装渣运输台时、人时、材料用量

序号	项目	单位	数量	人时	台时	材料	利用系数
1	工程量	m³	5 459				
2	施工工程量	m³	5 732				
3	小时生产率	m³/h	21.70				
4	长期工作影响系数		0.75				
5	平均生产率	m³/h	16.28				
	劳力资源						
6	工长	人	1	176			50%
7	四级装载机司机	人	1	352			
8	三级反铲司机	人	1	352			
9	三级汽车司机	人	7	2 465			
10	二级推土机司机	人	1	352			
11	一级普工	人	2	704			
	设备资源						
12	装载机	台	1		80.5		30.5%
13	反铲	台	1		26.4		10%
14	推土机	台	1		31.7		12%
15	自卸汽车	台	7		563.5		30.5%
16	其他						

表 2-26　Ⅱ层两侧开挖钻孔爆破台时、人时、材料用量

序号	项目	单位	数量	人时	台时	材料	利用系数
一	两侧开挖						
1	工程量	m³	3 816				
2	施工工程量	m³	3 816				
3	小时生产率	m³/h	18.0				
4	长期工作影响系数		0.75				
5	平均生产率	m³/h	13.47				
	劳力资源						
6	工长	人	1	283			
7	四级钻机操作工	人	2	567			
8	三级钻机操作工	人	4	1 133			
9	二级炮工	人	2	567			
10	三级炮工	人	1	283			
11	四级炮工	人	1	283			
12	三级电工	人	1	283			
13	三级管路修理工	人	1	283			
14	三级设备操作工	人	1	283			
15	二级设备操作工	人	1	283			
16	三级机械修理工	人	1	283			
17	二级司机	人	1	283			
18	一级普工	人	2	567			
	设备资源						
19	钻机	台	2		85.6		20.1%
20	通风机	台	1		212.5		100%
21	工具车	台	1		8.5		4%
22	水泵	台	1		25.5		12%
	材料资源		(单位耗量)				
23	光爆炸药	kg	0.04			153	
24	炸药	kg	0.32			1 221	
25	雷管	个	0.62			2 366	
26	导爆管	m	2.15			8 204	
27	钻头	个	0.002 0			8	
28	钻杆	根	0.003 1			12	
29	其他						

序号	项目	单位	数量	人时	台时	材料	利用系数
二	中间开挖						
1	工程量	m³	9 646				
2	施工工程量	m³	9 646				
3	小时生产率	m³/h	34.9				
4	长期工作影响系数		0.75				
5	平均生产率	m³/h	26.18				
	劳力资源						
6	工长	人	1	369			
7	四级钻机操作工	人	2	737			
8	三级钻机操作工	人	4	1 474			
9	二级炮工	人	2	737			
10	三级炮工	人	1	369			
11	四级炮工	人	1	369			
12	三级电工	人	1	369			
13	三级管路修理工	人	1	369			
14	三级设备操作工	人	1	369			
15	二级设备操作工	人	1	369			
16	三级机械修理工	人	1	369			
17	二级司机	人	1	369			
18	一级普工	人	2	737			
	设备资源						
19	钻机	台	2		145.2		26.3%
20	通风机	台	1		276.4		100%
21	工具车	台	1		16.6		6%
22	水泵	台	1		55.3		20%
	材料资源		(单位耗量)				
23	光爆炸药	kg	0.04			386	
24	炸药	kg	0.32			3 087	
25	雷管	个	0.47			4 534	
26	导爆管	m	2.03			19 581	
27	钻头	个	0.001 9			18	
28	钻杆	根	0.002 9			28	
29	其他						

表 2-27　Ⅱ层两侧开挖装渣运输台时、人时、材料用量

序号	项目	单位	数量	人时	台时	材料	利用系数
一	两侧开挖						
1	工程量	m³	3 816				
2	施工工程量	m³	4 007				
3	小时生产率	m³/h	17.96				
4	长期工作影响系数		0.75				
5	平均生产率	m³/h	13.47				
	劳力资源						
6	工长	人	1	149			50%
7	四级装载机司机	人	1	297			
8	三级反铲司机	人	1	297			
9	三级汽车司机	人	7	2 082			
10	三级推土机司机	人	1	297			
11	一级普工	人	2	595			
	设备资源						
12	装载机	台	1		67		30%
13	反铲	台	1		13		6%
14	推土机	台	1		13		6%
15	自卸汽车	台	7		469		30%
16	其他						
二	中间开挖						
1	工程量	m³	9 646				
2	施工工程量	m³	10 128				
3	小时生产率	m³/h	34.90				
4	长期工作影响系数		0.75				
5	平均生产率	m³/h	26.18				
	劳力资源						
6	工长	人	1	193			50%
7	四级装载机司机	人	1	387			
8	三级反铲司机	人	1	387			
9	三级汽车司机	人	7	2 709			
10	三级推土机司机	人	1	387			
11	一级普工	人	2	774			
	设备资源						
12	装载机	台	1		146		50.2%
13	反铲	台	1		29		10%
14	推土机	台	1		29		10%
15	自卸汽车	台	7		1 020		50.2%
16	其他						

表 2-28　中下部开挖钻孔爆破台时、人时、材料用量

序号	项目	单位	数量	人时	台时	材料	利用系数
1	工程量	m³	37 275				
2	施工工程量	m³	37 275				
3	小时生产率	m³/h	67.70				
4	长期工作影响系数		0.75				
5	平均生产率	m³/h	50.78				
	劳力资源						
6	工长	人	1	734			
7	四级钻机操作工	人	1	734			
8	三级钻机操作工	人	1	734			
9	二级炮工	人	2	1 468			
10	三级炮工	人	1	734			
11	四级炮工	人	1	734			
12	三级电工	人	1	734			
13	三级管路修理工	人	1	734			
14	三级设备操作工	人	1	734			
15	三级机械修理工	人	1	734			
16	二级设备操作工	人	1	734			
17	一级普工	人	2	1 468			
18	二级司机	人	1	734			
	设备资源						
19	钻机	台	1		293.7		53.3%
20	通风机	台	1		550.6		100%
21	工具车	台	1		27.5		5%
22	水泵	台	1		165.2		30%
	材料资源		(单位耗量)				
23	光爆炸药	kg	0.04			1 491	
24	炸药	kg	0.32			11 928	
25	雷管	个	0.1			3 728	
26	导爆管	m	0.55			20 501	
27	钻头	个	0.000 5			19	
28	钻杆	根	0.000 8			30	
29	其他						

表 2-29　中下部开挖装渣运输台时、人时、材料用量

序号	项目	单位	数量	人时	台时	材料	利用系数
1	工程量	m³	37 275				
2	施工工程量	m³	39 139				
3	小时生产率	m³/h	67.70				
4	长期工作影响系数		0.75				
5	平均生产率	m³/h	50.78				
	劳力资源						
6	工长	人	1	385			50%
7	四级装载机司机	人	1	771			
8	三级反铲司机	人	1	771			
9	三级汽车司机	人	7	5 396			
10	三级推土机司机	人	1	771			
11	一级普工	人	2	1 542			
	设备资源						
12	装载机	台	1		476		82.3%
13	反铲	台	1		116		20%
14	推土机	台	1		476		82.3%
15	自卸汽车	台	7		3 330		82.3%
16	其他						

表 2-30　顶拱中导洞喷混凝土台时、人时、材料用量

序号	项目	单位	数量	人时	台时	材料	利用系数
1	工程量	m³	97				
2	施工工程量	m³	121				
3	小时生产率	m³/h	2.81				
4	长期工作影响系数		0.75				
5	平均生产率	m³/h	2.11				
	劳力资源						
6	工长	人	1	29			50%
7	四级设备操作工	人	1	57			
8	三级设备操作工	人	1	57			
9	三级司机	人	1	57			
10	一级普工	人	4	230			
11	二级空压机操作工	人	1	57			
	设备资源						
12	混凝土喷射机组	台	1		32.3		75%
13	混凝土运输车	台	1		32.3		75%

続表 2-30

序号	项目	单位	数量	人时	台时	材料	利用系数
14	浆液搅拌机	台	1		32.3		75%
15	空压机	台	1		32.3		75%
	材料资源		（单位耗量）				
16	水泥	t	0.54			65.3	
17	砂子	m³	0.67			81.1	
18	水	m³	0.4			48.4	
19	外加剂	kg	16.2			1 960.2	
20	小石	m³	0.63			76.2	
21	其他						

表 2-31 顶拱两侧喷混凝土台时、人时、材料用量

序号	项目	单位	数量	人时	台时	材料	利用系数
1	工程量	m³	187				
2	施工工程量	m³	234				
3	小时生产率	m³/h	3.20				
4	长期工作影响系数		0.75				
5	平均生产率	m³/h	2.40				
	劳力资源						
6	工长	人	1	49			50%
7	四级设备操作工	人	1	98			
8	三级设备操作工	人	1	98			
9	三级司机	人	1	98			
10	一级普工	人	4	390			
11	二级空压机操作工	人	1	98			
	设备资源						
12	混凝土喷射机组	台	1		62.4		85%
13	混凝土运输车	台	1		62.4		85%
14	空压机	台	1		62.4		85%
15	浆液搅拌机	台	1		62.4		85%
	材料资源		（单位耗量）				
16	水泥	t	0.54			126.4	
17	砂子	m³	0.67			156.8	
18	水	m³	0.4			93.6	
19	小石	m³	0.63			147.4	
20	外加剂	kg	16.2			3 790.8	
21	其他						

表 2-32　厂房边墙喷混凝土台时、人时、材料用量

序号	项目	单位	数量	人时	台时	材料	利用系数
1	工程量	m³	741				
2	施工工程量	m³	852				
3	小时生产率	m³/h	2.96				
4	长期工作影响系数		0.75				
5	平均生产率	m³/h	2.22				
	劳力资源						
6	工长	人	1	192			50%
7	四级设备操作工	人	1	384			
8	三级司机	人	1	384			
9	三级设备操作工	人	1	384			
10	二级空压机操作工	人	1	384			
11	一级普工	人	4	1 535			
	设备资源						
12	混凝土喷射机组	台	1		227		79%
13	混凝土运输车	台	1		227		79%
14	浆液搅拌车	台	1		227		79%
15	空压机	台	1		227		79%
	材料资源		(单位耗量)				
16	水泥	t	0.54			460.1	
17	砂子	m³	0.67			570.8	
18	水	m³	0.4			340.8	
19	小石	m³	0.63			536.8	
20	外加剂	kg	16.2			13 802.4	
21	其他						

表 2-33　顶拱中导洞锚杆安装台时、人时、材料用量

序号	项目	单位	数量	人时	台时	材料	利用系数
1	工程量	m	2 708				
2	施工工程量	m	2 708				
3	小时生产率	m/h	46				
4	长期工作影响系数		0.75				
5	平均生产率	m/h	34.17				
	劳力资源						
6	工长	人	1	40			50%
7	四级设备操作工	人	1	79			
8	三级设备操作工	人	1	79			
9	三级司机	人	1	79			

序号	项目	单位	数量	人时	台时	材料	利用系数
10	二级操作工	人	1	79			
11	二级司机	人	1	79			
12	一级普工	人	3	238			
	设备资源						
13	二臂钻机	台	1		32.4		54%
14	平台车	台	1		26.7		45%
15	注浆泵	台	1		26.7		45%
16	工具车	台	1		3.0		5%
	材料资源		（单位耗量）				
17	钻头	个	0.001 3			3.5	
18	钻杆	根	0.002			5.4	
19	螺帽	个	0.255			691	
20	垫板	套	0.255			691	
21	水泥砂浆	m^3	0.000 48			1.30	
22	锚杆材料	m	1.02			2 762.2	
23	其他						

表 2-34　顶拱两侧锚杆安装台时、人时、材料用量

序号	项目	单位	数量	人时	台时	材料	利用系数
1	工程量	m	4 897				
2	施工工程量	m	4 897				
3	小时生产率	m/h	50.1				
4	长期工作影响系数		0.75				
5	平均生产率	m/h	37.5				
	劳力资源						
6	工长	人	1	65			50%
7	四级设备操作工	人	1	130			
8	三级设备操作工	人	1	130			
9	三级司机	人	1	130			
10	二级操作工	人	1	130			
11	二级司机	人	1	130			
12	一级普工	人	3	391			
	设备资源						
13	二臂钻机	台	1		49.0		50%
14	平台车	台	1		49.0		50%
15	注浆泵	台	1		49.0		50%
16	工具车	台	1		4.9		5%

序号	项目	单位	数量	人时	台时	材料	利用系数
	材料资源		(单位耗量)				
17	钻头	个	0.001 3			6	
18	钻杆	根	0.002			10	
19	螺帽	个	0.255			1 249	
20	垫板	套	0.255			1 249	
21	水泥砂浆	m³	0.000 48			2.35	
22	锚杆材料	m	1.02			4 995	
23	其他						

表 2-35　厂房边墙锚杆安装台时、人时、材料用量

序号	项目	单位	数量	人时	台时	材料	利用系数
1	工程量	m	20 592				
2	施工工程量	m	21 004				
3	小时生产率	m/h	45.54				
4	长期工作影响系数		0.75				
5	平均生产率	m/h	34.16				
	劳力资源						
6	工长	人	1	307			50%
7	四级设备操作工	人	1	615			
8	三级设备操作工	人	1	615			
9	三级司机	人	1	615			
10	二级操作工	人	1	615			
11	二级司机	人	1	615			
12	一级普工	人	3	1 845			
	设备资源						
13	二臂钻机	台	1		251		54.5%
14	平台车	台	1		231		50%
15	注浆泵	台	1		210		45.5%
16	工具车	台	1		23		5%
	材料资源		(单位耗量)				
17	钻头	个	0.001 3			27	
18	钻杆	根	0.002			42	
19	螺帽	个	0.225			4 726	(4m/根)
20	垫板	套	0.225			4 726	
21	水泥砂浆	m³	0.000 48			10	
22	锚杆材料	m	1.02			21 424	
23	其他						

表 2-36 顶拱中导洞钢筋网安装台时、人时、材料用量

序号	项目	单位	数量	人时	台时	材料	利用系数
1	工程量	m²	975				
2	施工工程量	m²	975				
3	小时生产率	m²/h	18.0				
4	长期工作影响系数		0.75				
5	平均生产率	m²/h	13.50				
	劳力资源						
6	工长	人	1	36			50%
7	三级司机	人	1	72			
8	二级电焊工	人	1	72			
9	二级司机	人	1	72			
10	一级普工	人	4	289			
11	三级设备操作工	人	1	72			
	设备资源						
12	平台车	台	1		37.9		70%
13	工具车	台	1		2.7		5%
14	电焊机	台	1		5.4		10%
	材料资源		(单位耗量)				
15	钢筋	t	0.006 1			5.948	
16	铁丝	kg	0.006 2			6.045	
17	其他						

表 2-37 顶拱两侧钢筋网安装台时、人时、材料用量

序号	项目	单位	数量	人时	台时	材料	利用系数
1	工程量	m²	1 874				
2	施工工程量	m²	1 874				
3	小时生产率	m²/h	20				
4	长期工作影响系数		0.75				
5	平均生产率	m²/h	15				
	劳力资源						
6	工长	人	1	62			50%
7	三级司机	人	1	125			
8	二级电焊工	人	1	125			
9	二级司机	人	1	125			
10	三级设备操作工	人	1	125			

序号	项目	单位	数量	人时	台时	材料	利用系数
11	一级普工	人	4	500			
	设备资源						
12	平台车	台	1		65.6		70%
13	工具车	台	1		4.7		5%
14	电焊机	台	1		9.4		10%
	材料资源		(单位耗量)				
15	钢筋	t	0.006 1			11	
16	铁丝	kg	0.006 2			12	
17	其他						

表 2-38　厂房边墙钢筋网安装台时、人时、材料用量

序号	项目	单位	数量	人时	台时	材料	利用系数
1	工程量	m^2	7 415				
2	施工工程量	m^2	7 415				
3	小时生产率	m^2/h	20.00				
4	长期工作影响系数		0.75				
5	平均生产率	m^2/h	15.00				
	劳力资源						
6	工长	人	1	247			50%
7	三级司机	人	1	494			
8	二级电焊工	人	1	494			
9	二级平台车司机	人	1	494			
10	三级设备操作工	人	1	494			
11	一级普工	人	4	1 977			
	设备资源						
12	平台车	台	1		260		70%
13	工具车	台	1		19		5%
14	电焊机	台	1		37		10%
	材料资源		(单位耗量)				
15	钢筋	t	0.006 1			45	
16	铁丝	kg	0.006 2			46	
17	其他						

3 厂房一期混凝土浇筑

3.1 施工布置

一期混凝土施工通道布置,以充分利用厂房附属洞室及临时施工通道为宜,需要根据厂房系统实际情况拟定,这里采用进厂交通洞、尾水洞作为主要运输通道。大部分施工材料拟由进厂交通洞运输至安装间,尾水洞作为一期混凝土施工前的下部工作面清理及混凝土浇筑初期的交通道。利用岩壁吊车梁安装临时桥式吊车进行垂直运输。假定混凝土平均运距 1.5km(其中洞内运距 800m)。

3.2 施工方法

岩壁吊车梁混凝土在厂房吊车梁层开挖完成后立即进行混凝土浇筑。吊车梁混凝土采用分段浇筑,$6m^3$ 混凝土搅拌车运输,泵送入仓。

厂房下部一期混凝土结构复杂,有孔洞,而且机电埋件多,混凝土浇筑需要根据结构特点、形状及应力情况分层分块施工。其浇筑程序与分层分块见图 3-1。施工分块工程量见表 3-1。

表 3-1　一期混凝土浇筑分块工程量

序号	项目	混凝土(m^3)		钢筋 (t)	模板 (m^2)
		设计	施工		
1	岩壁梁	739	777	74	654
2	第①块	4×143	4×151	4×4.86	4×13.75
3	第②块	4×277	4×291	4×9.42	4×102
4	第③块	4×159	4×167	4×5.41	4×120
5	第④块	4×153	4×160	4×5.20	4×70
6	第⑤块	4×454	4×476	4×15.43	4×118
7	第⑥块	4×319	4×335	4×10.88	4×126.8
8	小计	6 759	7 097	278.8	2 856

厂房下部一期混凝土浇筑采用 $6m^3$ 混凝土搅拌车运输,混凝土泵和桥式吊车配 $3m^3$ 吊罐送混凝土入仓。利用在吊车梁上安装 20t 临时桥式吊车负责钢筋模板的吊装工作。

一期混凝土中机电埋件多,采用仓面准备与埋件安装平行作业。

3.3 模板选择

厂房一期混凝土结构形状复杂,因而模板形状复杂,对模板质量要求高,需要根据部位分别采用不同模板。这里拟采用模板如下:

岩壁吊车梁施工选用钢模板(一般侧面模板考虑撤除重复使用,底部模板不考虑撤除与重复使用)。尾水弯管段施工采用特制木模板与满堂红脚手架(模板周转次数为 2 次)。

3.4 混凝土施工设备选型、配套与设备生产率计算

最大浇筑块浇筑面积为 $140m^2$,拟采用混凝土一次铺料厚度 0.4m,则铺一层混凝土量为 $56m^3$。为保证在混凝土初凝(考虑 2h 初凝)前铺第二层料,则要求混凝土浇筑小时生产率最小为 $56/2 = 28(m^3/h)$。

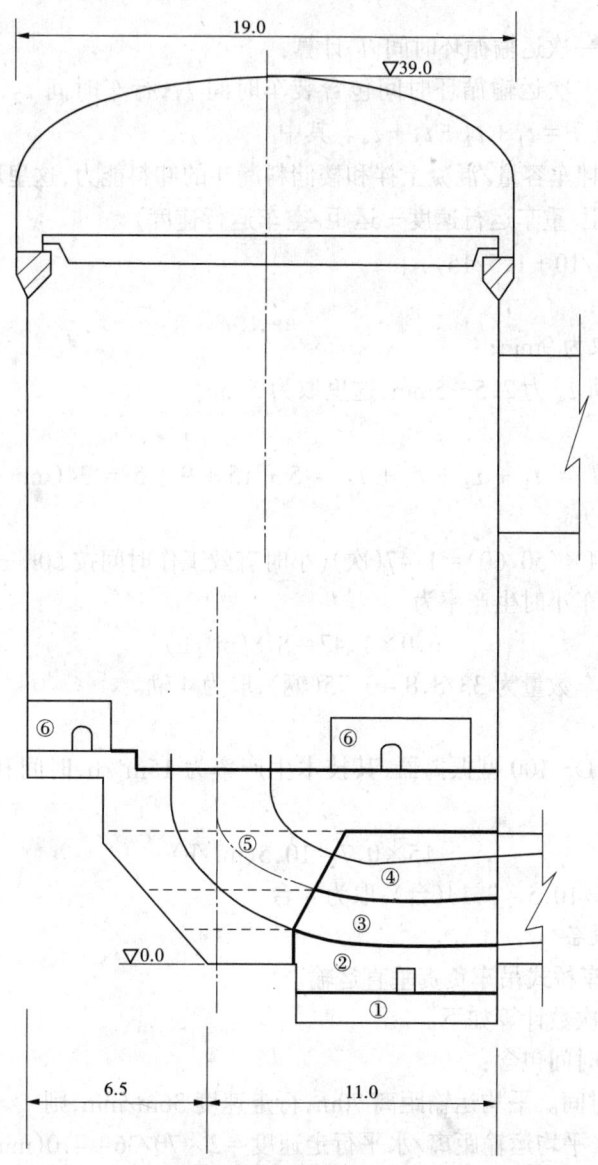

图 3-1 地下厂房一期混凝土浇筑分块分层示意图

注:1.图中尺寸、高程单位以 m 计。

2.粗实线表示浇筑分块;虚线表示浇筑分层。

3.4.1 混凝土泵生产率计算

采用一台 HB45 型混凝土泵送混凝土入仓,其额定生产率为 45m³/h。

混凝土泵实际生产率=额定生产率×时间利用系数

一般时间利用系数为 0.75~0.85,时间利用系数取为 0.75,则

混凝土泵实际生产率=45×0.75=33(m³/h)

3.4.2 混凝土水平运输设备

混凝土水平运输采用 6m³ 混凝土搅拌运输车。假定平均运距为 1.5km,搅拌车生产

率计算如下。

混凝土搅拌车一次运输循环时间 T 计算：

混凝土搅拌车一次运输循环时间包含装车时间 t_1，行车时间 t_2，卸料时间 t_3 及调车、等候时间 t_4，即 $T=t_1+t_2+t_3+t_4$。其中

$t_1=$ 混凝土搅拌车容量/混凝土拌和楼储料漏斗的卸料能力，这里取为 5min；

$$t_2=60\times(运距/重车运行速度+运距/空车运行速度)$$
$$=60\times(1.5/10+1.5/15)$$
$$=15(min)$$

卸料时间 t_3 取为 9min；

调车、等候时间 t_4 为 2.5～5min，这里取为 5min。

则

$$T=t_1+t_2+t_3+t_4=5+15+9+5=34(min)$$

小时运输次数为

$$60/34\times(50/60)=1.47(次)(小时有效工作时间按 50min 计)$$

则混凝土搅拌运输车小时生产率为

$$6.0\times1.47=8.8(m^3/h)$$

则混凝土搅拌运输车数量为 33/8.8＝3.75(辆)，取为 4 辆。

3.4.3 振捣器

采用佛山产 Z_2D-100 型振捣器，其技术生产率为 15m³/h，时间利用系数取为 0.7，则实际生产率为

$$15\times0.7=10.5(m^3/h)$$

则振捣器数量为 33/10.5＝3.14(台)，取为 4 台。

3.4.4 垂直运输设备

选用 20t 双小车桥式吊车负责垂直运输。

吊车小时吊装次数计算如下。

一次运输循环时间包含：

(1)水平运输时间。平均运输距离 70m，行走速度 36m/min，则

$$2\times平均运输距离/水平行走速度=2\times70/36=4.0(min)$$

(2)垂直运输时间。平均起升高度 13m，起升速度 9.8m/min，则

$$2\times平均起升高度/起升速度=2\times13/9.8=2.7(min)$$

(3)调车、候料时间。取为 2min。

(4)卸料时间。取为 2min。

一次运输循环时间为

$$4.0+2.7+2+2=10.7(min)$$

小时循环次数为

$$50/10.7=4.67(次)(小时有效工作时间 50min)$$

3.4.5 钢筋制作、安装设备

钢筋制作在加工厂进行，拟定加工厂台班产量为 10～15t。

根据统计资料厂房钢筋绑扎工效为 $0.03t/(人·h)$。

3.4.6 模板

厂房尾水弯管模板拟在加工厂放样、加工定型,而后采用平板车运输至工作面,采用临时桥式吊车吊运就位。

3.4.7 钢筋安装

利用桥式吊车吊装钢筋、模板,小时吊运次数为 4.67 次。

3.4.8 设备汇总

设备汇总见表 3-2。

表 3-2　设备汇总

设备名称	型号	单位	数量	额定生产率	实际生产率	备注
插入式混凝土振捣器	Z_2D-100	台	4	$15m^3/min$	$10.5m^3/h$	
混凝土搅拌运输车	$6m^3$	辆	4		$8.8m^3/h$	1.5km
混凝土泵	HB45	台	1		$33m^3/h$	
桥式起重机	20t	台	1		4.67 次/h	
电焊机		台	5			
水泵	2B19	台	2	$20m^3/h$		1.47kW
5t 汽车吊		台	1			

3.5 劳力安排

劳力安排原则:分工作面定岗定员配备工长和各工种劳力,同一工种劳力划分 4 个等级:一级工(不熟练工)、二级工(半熟练工)、三级工(熟练工)、四级工(高级熟练工)。

根据概算项目划分的特点,拟按以下项目分别安排劳力:①工作面清理;②模板的制作与立拆模板;③钢筋安装;④混凝土浇筑、混凝土的养护等。

3.5.1 工作面清理工作组

工作面清理工作组负责钢筋绑扎前工作面的清面与混凝土浇筑前工作面的清洗与凿毛等工作。工作组人员安排见表 3-3。

表 3-3　工作面清理典型工作组人员　　　　　　　　　　　　(单位:人)

序号	工种名称	工长	一级工	二级工	三级工	四级工
1	工长	1				
2	普工		4			
3	设备操作工			3		
4	电工			1		
5	司机			1		

3.5.2 模板制作工作组

模板制作工作组负责模板制作。工作组人员安排见表3-4。

表3-4 体形模板制作工作组 （单位：人）

序号	工种名称	工长	一级工	二级工	三级工	四级工
1	工长	1				
2	木工		2	11	12	5

3.5.3 模板安装、拆除工作组

模板安装、拆除工作组负责模板的安装、拆除，运行期间的管线维护。工作组人员安排详见表3-5、表3-6。

表3-5 岩壁梁模板立、拆模典型工作组 （单位：人）

序号	工种名称	工长	一级工	二级工	三级工	四级工
1	工长	1				
2	木工			3	3	1
3	电工				1	
4	普工		4			
5	汽车司机				1	
6	电焊工				1	
7	吊车司机				1	

表3-6 体形模板立、拆模典型工作组 （单位：人）

序号	工种名称	工长	一级工	二级工	三级工	四级工
1	工长	1				
2	木工			3	4	
3	电工				1	
4	普工		2			
5	汽车司机				1	
6	电焊工			1		
7	设备操作工			1	1	

3.5.4 钢筋安装工作组

钢筋安装工作组负责钢筋的运输(从加工厂至工作面)、安装、绑扎、焊接等。工作组人员安排见表3-7。

表 3-7　钢筋安装典型工作组　　　　　　　　　　（单位:人）

序号	工种名称	工长	一级工	二级工	三级工	四级工
1	工长	1				
2	电焊工				2	1
3	钢筋工				3	1
4	普工		3			
5	司机				1	
6	电工				1	

3.5.5 混凝土浇筑工作组

混凝土浇筑工作组负责从拌和楼至混凝土浇筑仓面的水平运输和垂直运输、混凝土平仓振捣及混凝土养护期的养护等工作。工作组人员安排见表 3-8。

表 3-8　混凝土浇筑典型工作组　　　　　　　　（单位:人）

序号	工种名称	工长	一级工	二级工	三级工	四级工
1	工长	1				
2	混凝土搅拌车司机				4	
3	设备操作工			1	1	
4	混凝土工			3	3	1
5	电工				1	
6	管路修理工			1		
7	钢筋工				1	
8	木工				2	
9	小型工具车司机			1		
10	普工		3			

3.6　混凝土浇筑材料用量

混凝土浇筑材料含钢筋、模板、混凝土(按 C25)。施工材料见表 3-9。

表 3-9　混凝土浇筑材料消耗

项目	单位用量		材料用量	
	数量	单位	数量	单位
混凝土			7 165m³	
成品混凝土	1.03	m³/m³	7 390	m³
水	0.45	m³/m³	3 224	m³
钢筋制作、安装			284t	
钢筋	1.02	t/t	290	t
电焊条	7.22	kg/t	2 050	kg
铁丝	4.00	kg/t	1 136	kg

项目	单位用量		材料用量	
	数量	单位	数量	单位
体形模板制作	1 101m²（周转 2 次）			
板枋木	0.14	m³/m²	154.14	m³
铁件	6.0	kg/m²	6 606	kg
铁钉	0.80	kg/m²	881	kg
岩壁梁混凝土立模面积	654m²			
钢模板	1.40	kg/m²	916	kg
铁件	1.20	kg/m²	785	kg

3.7 工期、强度与台时、人时、材料消耗指标

3.7.1 工作计划

每年工作：12 个月。

每月平均工作：25.5 天。

每天工作：3 班。

每班工作：8h。

每天工作：24h。

月工作小时数：612h。

3.7.2 混凝土浇筑施工工期分析

影响厂房混凝土施工进度的因素很多，有基础填塘、立模、钢筋绑扎、埋件安装、金属结构及机组安装和混凝土浇筑等。根据厂房布置的特点、分缝分块和工程量大小，上述各工序及其工期安排一般要求如下。

（1）基础填塘：按设计要求安排。

（2）弯管段和扩散段底板：基岩约束区一般浇筑层厚为 1～2m。每层工期为 7～14 天，应做到短间歇连续上升。

（3）尾水弯管段：弯管整体模板安装工期可按 15～60 天考虑。基岩约束区浇筑层厚度不超过 2m，其他层厚 3～4m。每层平均工期 10～30 天，各层间歇期时间按设计要求安排。

各浇筑块施工时间计算及工期分析详见表 3-10、表 3-11。

一台机组蜗壳以下混凝土施工工期为 2.40 个月，蜗壳以上部分混凝土施工工期按常规确定，为 4～6 个月，进度计划图中以虚线表示。

岩壁梁混凝土施工工期为 1.93 个月。

3.7.3 浇筑月强度

混凝土工程量为 3 505m³。

厂房下部混凝土浇筑月强度为 627m³/月（单工作面）。

岩壁梁混凝土浇筑月强度为 382m³/月。

表 3-10 一台机组混凝土浇筑工期计算

序号	项目	单位	设计参数							备注
			①	②	③	④	⑤	⑥	岩壁梁混凝土	
1	浇筑块参数									
1.1	浇筑块尺寸									
1.2	浇筑块混凝土量	m³	143	277	159	153	454	319	36.95	
1.3	浇筑块钢筋量	t	4.86	9.42	5.41	5.20	15.43	10.88	3.70	
1.4	立模面积	m²	13.75	102.00	120.00	70.00	118.00	126.80	32.70	
1.5	浇筑块(分段)	块	1	1	1	1	1	1	20	
1.6	浇筑块分层	层	1	1	1	1	4	1		
2	工作面清理时间									
2.1	仓面面积	m²	180	220	150	110	230	120	33	
2.2	清理(凿毛)次数	次	1	1	1	1	4	1	20	
2.3	一次清理时间	h	3.6	4.4	3.0	2.2	4.6	2.4	0.7	
2.4	小时生产率	m²/h				50.0				
3	安装、拆除模板时间									
3.1	模板类型				木模				钢模	
3.2	立模面积	m²	13.75	102.00	120.00	70.00	118.00	126.80	32.70	
3.3	作业组人数	人	15	15	15	15	15	15	15	
3.4	安装、拆除模板时间	h	2.8	48.6	57.1	33.3	56.2	60.4	6.6	
3.5	小时生产率	m²/h			2.13				4.95	
4	钢筋绑扎时间计算									
4.1	设计钢筋量	t	4.86	9.42	5.41	5.20	15.43	10.88	3.70	
4.2	施工钢筋量	t	4.96	9.61	5.52	5.30	15.74	11.10	3.77	
4.3	作业组人数	人	15	15	15	15	15	15	15	
4.4	绑扎前准备时间	h	0.5	0.5	0.5	0.5	2.0	0.5	0.1	

续表 3-10

序号	项目	单位	设计参数							备注
			①	②	③	④	⑤	⑥	岩壁梁混凝土	
4.5	钢筋安装绑扎时间	h	11.0	21.4	12.3	11.8	35.0	24.7	8.4	
4.6	预埋件安装时间	h								
4.7	钢筋绑扎时间	h	11.5	21.9	12.8	12.3	37.0	25.2	8.5	
4.8	小时生产率	t/h	0.43							
5	混凝土浇筑设备参数									
5.1	混凝土入仓方式		混凝土泵送混凝土入仓							
5.2	混凝土入仓设备型号		HB45							
5.3	混凝土入仓设备额定生产率	m³/h	45							
5.4	混凝土水平运输方式		无轨运输							
5.5	运输设备型号		6m³ 混凝土搅拌车							
5.6	运输设备额定容量	m³	6							
5.7	混凝土运输距离	km	1.5							
5.8	运输设备数量	台	6							
5.9	混凝土设备配套生产率	m³/h	33							
6	浇筑混凝土时间计算									
6.1	设计工程量	m³	143	277	159	153	454	319	36.95	
6.2	混凝土超填系数		1.06	1.06	1.06	1.06	1.06	1.06	1.06	
6.3	施工工程量	m³	152	294	169	162	481	338	39.17	
6.4	混凝土设备配套生产率	m³/h	33							
6.5	作业组人数	人	24	24	24	24	24	24	15	
6.6	混凝土浇筑前准备工作	h	1	1	1	1	4	1	1	
6.7	混凝土净浇筑时间	h	4.6	8.9	5.1	4.9	14.6	10.2	1.2	
6.8	浇筑混凝土时间	h	5.6	9.9	6.1	5.9	18.6	11.2	2.2	

序号	项目	单位	①	②	③	④	⑤	⑥	岩壁梁混凝土	备注
					设计参数					
6.9	小时生产率	m³/h				27.46				
7	养护时间					(分4次)				
7.1	作业组人数	人	1	1	1	1	1	1	1	
7.2	养护时间	h	72	72	72	72	288	72	72	
8	混凝土分块施工时间									
8.1	工作面清理时间	h	3.6	4.4	3.0	2.2	4.6	2.4	0.7	
8.2	立、拆模时间	h	2.8	48.6	57.1	33.3	56.2	60.4	6.6	
8.3	钢筋绑扎时间	h	11.5	21.9	12.8	12.3	37.0	25.2	8.5	
8.4	浇筑混凝土时间	h	5.6	9.9	6.1	5.9	18.6	11.2	2.2	
8.5	养护时间	h	72.0	72.0	72.0	72.0	288.0	72.0	72.0	
8.6	浇筑块施工时间	h	95.5	156.7	151.0	125.7	404.3	171.2	90.0	
9	工作计划									
9.1	每班工作时间	h				8				
9.2	每天工作班次	班/日				3				
9.3	日工作小时数	h/日				24				
9.4	月工作天数	天/月				25.5				
9.5	月工作小时数	h/月				612				
9.6	长期工作影响系数					0.75				
10	衬砌工期计算									
10.1	一个浇筑块施工时间	天	4.0	6.5	6.3	5.2	16.8	7.1	3.7	
10.2	一台机组(或岩壁梁)混凝土施工工期	月				2.40				1.93
11	混凝土浇筑月强度									
11.1	混凝土工程量	m³				1 505(一台机组)			739	
11.2	混凝土浇筑月强度	m³/月				627			382	

表 3-11 地下厂房一期混凝土

浇筑块编号	工序	工程量		工作小时	5	10	15
		单位	数量				
①	工作面清理	m²		3.6			
	立、拆模板	m²	13.75	2.8			
	绑钢筋	t	4.86	11.5			
	混凝土浇筑	m³	143	5.6			
	养护			72.0			
	小计			95.5			
②	工作面清理	m²		4.4			
	立、拆模板	m²	102	48.6			
	绑钢筋	t	9.42	21.9			
	混凝土浇筑	m³	277	9.9			
	养护			72.0			
	小计			156.7			
③	工作面清理	m²		3.0			
	立、拆模板	m²	120	57.1			
	绑钢筋	t	5.41	12.8			
	混凝土浇筑	m³	159	6.1			
	养护			72.0			
	小计			151.0			
④	工作面清理	m²		2.2			
	立、拆模板	m²	70	33.3			
	绑钢筋	t	5.20	12.3			
	混凝土浇筑	m³	153	5.9			
	养护			72.0			
	小计			125.7			
⑤	工作面清理	m²		4.6			
	立、拆模板	m²	118	56.2			
	绑钢筋	t	15.43	37.0			
	混凝土浇筑	m³	454	18.6			
	养护			288.0			
	小计			404.3			
⑥	工作面清理	m²		2.4			
	立、拆模板	m²	126.8	60.4			
	绑钢筋	t	10.88	25.2			
	混凝土浇筑	m³	319	11.2			
	养护			72.0			
	小计			171.2			

浇筑工期分析(一台机组)

	时间（天）						
20	25	30	35	40	45	50

3.7.4 混凝土浇筑设备台时、人时、材料消耗指标

混凝土浇筑设备台时、人时、材料消耗指标见表 3-12～表 3-17。

表 3-12 工作面清理台时、人时、材料用量

序号	项目	单位	数量	人时	台时	材料	利用系数
1	工程量	m²	7 460				
2	施工工程量	m²	7 460				
3	小时生产率	m²/h	50				
4	长期工作影响系数		0.75				
5	平均生产率	m²/h	37.50				
	劳力资源						
6	工长	人	1	99			50%
7	二级设备操作工	人	3	597			
8	三级电工	人	1	199			
9	一级普工	人	4	796			
10	二级司机	人	1	199			
	设备资源						
11	风水枪	台	1		44.8		30%
12	运输车	台	1		14.9		10%
13	空压机	台	1		44.8		30%
14	其他						

表 3-13 厂房体形模板制作台时、人时、材料用量

序号	项目	单位	数量	人时	台时	材料	利用系数
1	工程量	m²	1 101				
2	施工工程量	m²	1 101				
3	小时生产率	m²/h	3.00				
4	长期工作影响系数		0.75				
5	平均生产率	m²/h	2.25				
	劳力资源						
6	工长	人	1	489			
7	一级木工	人	2	979			
8	二级木工	人	11	5 383			
9	三级木工	人	12	5 873			
10	四级木工	人	5	2 447			
	设备资源						
11	带锯机	台	2		440.4		60%
12	木工车床	台	2		403.7		55%
13	平面刨	台	2		367.0		50%
14	单面压刨床	台	1		183.5		50%
15	开榫机	台	1		183.5		50%
16	刨光机	台	1		183.5		50%
17	电钻	台	1		183.5		50%

续表 3-13

序号	项目	单位	数量	人时	台时	材料	利用系数
	材料资源		(单位耗量)				
18	板枋材	m³	0.14			154	
19	铁件	kg	6.0			6 606	
20	铁钉	kg	0.80			881	
21	其他						

表 3-14　岩壁梁模板安装拆除台时、人时、材料用量

序号	项目	单位	数量	人时	台时	材料	利用系数
1	工程量	m²	654				
2	施工工程量	m²	654				
3	小时生产率	m²/h	7.0				
4	长期工作影响系数		0.75				
5	平均生产率	m²/h	5.25				
	劳力资源						
6	工长	人	1	125			
7	四级木工	人	1	125			
8	三级木工	人	3	375			
9	二级木工	人	3	375			
10	三级汽车吊司机	人	1	125			
11	三级电焊工	人	1	125			
12	三级电工	人	1	125			
13	三级司机	人	1	125			
14	一级普工	人	4	500			
	设备资源						
15	汽车	台	1		9.3		10%
16	电焊机	台	1		18.7		20%
17	汽车吊	台	1		46.7		50%
	材料资源		(单位耗量)				
18	钢模板	kg	1.40			916	
19	铁件	kg	1.20			785	
20	其他						

表 3-15　厂房体形模板安装拆除台时、人时、材料用量

序号	项目	单位	数量	人时	台时	材料	利用系数
1	工程量	m²	2 202				
2	施工工程量	m²	2 202				
3	小时生产率	m²/h	2.13				
4	长期工作影响系数		0.75				

序号	项目	单位	数量	人时	台时	材料	利用系数
5	平均生产率	m²/h	1.598				
	劳力资源						
6	工长	人	1	1 379			
7	三级木工	人	4	5 514			
8	三级电工	人	1	1 379			
9	三级汽车司机	人	1	1 379			
10	三级设备操作工	人	1	1 379			
11	二级设备操作工	人	1	1 379			
12	二级木工	人	3	4 136			
13	一级普工	人	4	5 514			
14	三级电焊工	人	1	1 379			
	设备资源						
15	汽车	台	1		103.4		10%
16	桥式吊车	台	1		413.6		40%
17	电焊机	台	1		103.4		10%
	材料资源		(单位耗量)				
18	模板	m²	0.5			1 101	
19	铁件	kg	2.0			4 404	
20	其他						

表 3-16　钢筋安装台时、人时、材料用量

序号	项目	单位	数量	人时	台时	材料	利用系数
1	工程量	t	279				
2	施工工程量	t	284.4				
3	小时生产率	t/h	0.43				
4	长期工作影响系数		0.75				
5	平均生产率	t/h	0.323				
	劳力资源						
6	工长	人	1	882			
7	四级电焊工	人	1	882			
8	三级电焊工	人	2	1 764			
9	四级钢筋工	人	1	882			
10	三级钢筋工	人	3	2 645			
11	三级电工	人	1	882			
12	一级普工	人	3	2 645			
13	三级司机	人	1	882			
14	二级电焊工	人	1	882			
15	三级设备操作工	人	1	882			
	设备资源						
16	电焊机	台	4		2 116.3		80%

序号	项目	单位	数量	人时	台时	材料	利用系数
17	汽车	台	1		165.3		25%
18	吊车	台	1		165.3		25%
	材料资源		（单位耗量）				
19	钢筋	t	1.02			290	
20	铁丝	kg	1.02			290	
21	焊条	kg	4.00			1 138	
22	其他						

表 3-17　混凝土浇筑台时、人时、材料用量

序号	项目	单位	数量	人时	台时	材料	利用系数
1	工程量	m³	6 759				
2	施工工程量	m³	7 165				
3	小时生产率	m³/h	27.46				
4	长期工作影响系数		0.75				
5	平均生产率	m³/h	20.60				
	劳力资源						
6	工长	人	1	348			
7	三级木工	人	2	696			
8	三级电工	人	1	348			
9	四级混凝土工	人	1	348			
10	三级混凝土工	人	3	1 044			
11	二级混凝土工	人	3	1 044			
12	三级钢筋工	人	1	348			
13	三级司机	人	4	1 392			
14	二级司机	人	1	348			
15	三级设备操作工	人	1	348			
16	三级管路修理工	人	1	348			
17	一级普工	人	3	1 044			
18	二级设备操作工	人	2	696			
	设备资源						
19	混凝土搅拌车	台	4		814.2		78%
20	混凝土泵车	台	1		217.1		83%
21	混凝土振捣器	台	5		1 082.8		83%
22	水泵	台	1		130.5		50%
23	空压机	台	1		52.2		20%
24	工具车	台	1		13.0		5%
	材料资源		（单位耗量）				
25	成品混凝土	m³	1.03			7 379	
26	水	m³	0.45			3 224	
27	其他						

4　厂房施工进度计划

厂房施工进度计划见表 4-1。

表 4-1　厂房施工进度计划

序号	项目	单位	数量	第一年 / 第二年 / 第三年（进度线）
1	准备			2.0
2	厂房开挖			
2.1	顶进通风洞（或施工支洞）	m	500	4.0
2.2	Ⅰ_A层开挖	m³	5 597	1.3
2.3	Ⅰ_B层开挖	m³	5 459	1.5
2.4	Ⅱ层开挖	m³	13 462	1.8
2.5	进厂交通洞施工	m	800	6.0
2.6	岩壁吊车梁混凝土施工			1.93
2.7	Ⅲ层开挖	m³	11 130	1.2
2.8	母线洞施工			1.0
2.9	Ⅳ层开挖	m³	11 130	1.2
2.10	尾水洞开挖(或施工支洞)	m	800	1.4
2.11	Ⅴ层开挖	m³	10 780	1.0
2.12	Ⅵ层开挖	m³	6 480	
3	混凝土工程			
3.1	施工准备			
3.2	临时桥吊安装	台	1	
3.3	1号机组	m³	1 505	2.4
3.4	2号机组	m³	1 505	2.4
3.5	3号机组	m³	1 505	2.4
3.6	4号机组	m³	1 505	2.4

注：表中进度线下面的数字表示月，横虚线所示项目时间为按常规估算。

五、隧洞工程

（一）大型隧洞工程

1 大型隧洞模型建立

1.1 工程模拟条件

围岩类别：以Ⅲ类为主，兼有部分Ⅱ类、Ⅳ类围岩。洞室围岩岩石完整、构造简单，无岩溶发育的岩层和严重破碎等不良地段。

岩性：假定 f 值为 6～8 的石灰岩（泥灰质石灰岩）。

1.2 大型隧洞参数拟定

根据在建、已建工程及设计中的部分工程情况，大型隧洞以导流隧洞较为典型，拟采用圆形隧洞，根据统计资料拟定设计参数。

1.2.1 隧洞尺寸、设计参数值拟定

隧洞尺寸、设计参数值详见图 1-1～图 1-3。

隧洞成洞直径：14m。

洞长：1 600m，纵坡 $i = 0.005$（配合土石坝使用）。

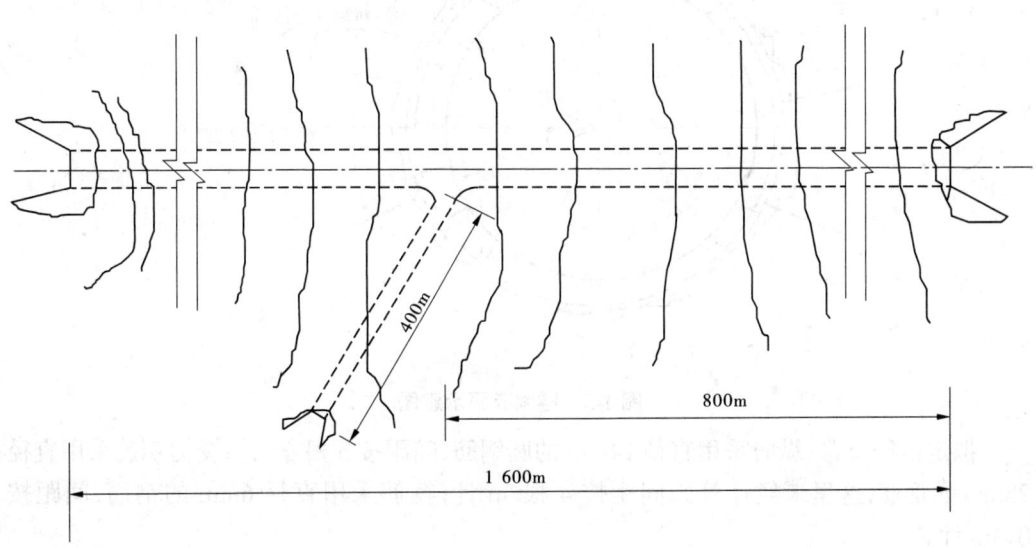

图 1-1 隧洞平面示意图

1.2.2 支护参数拟定

考虑对边顶拱 240°范围进行锚、喷、网支护。

喷混凝土厚度：15cm。

砂浆锚杆：直径 22mm，间、排距 1.0m，长 $L = 4.0$m。

钢筋网：Φ8mm 焊接钢筋网，网格间距为 20cm×20cm。

混凝土衬砌：全断面钢筋混凝土衬砌，混凝土标号为 C25，衬砌厚度为 80cm。

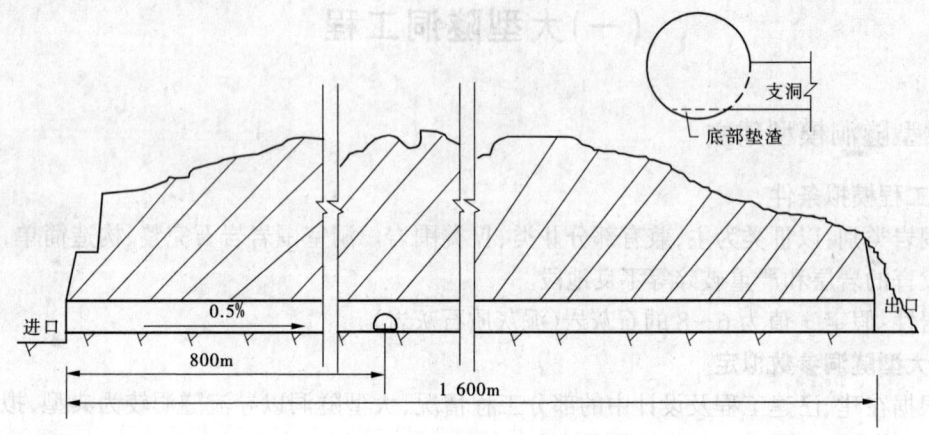

图 1-2 隧洞剖面示意图

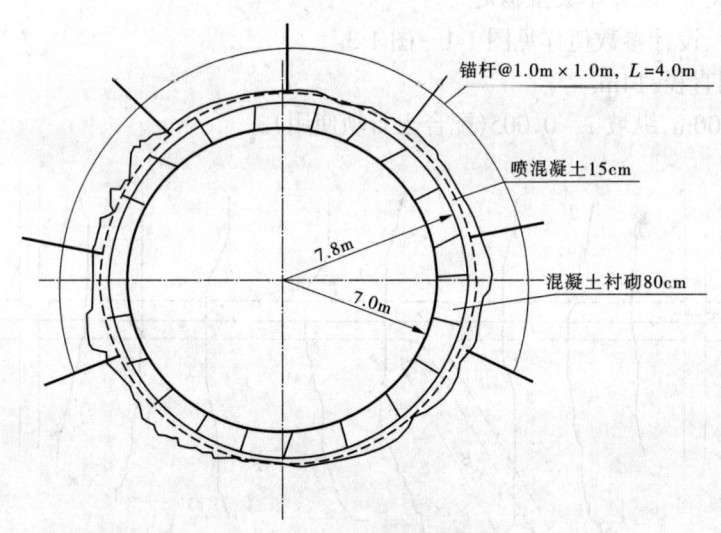

图 1-3 隧洞断面示意图

　　拟定钢筋布置:纵向采用直径 14mm 的圆钢筋,间距按 3 根/m 计;受力钢筋采用直径 28mm 的钢筋(这里未经计算),间距按 4 根/m 计;箍筋采用直径 6mm 的钢筋,间距按 0.4m 计。

1.2.3　隧洞灌浆

　　回填灌浆:灌浆孔在顶拱 120° 和 90° 范围交替排列,排距 4.5m,每排孔数为 6 个。

　　固结灌浆:固结灌浆的孔距、孔深和灌浆压力应由灌浆试验确定,这里选用间距 5m、孔深 6m。

1.2.4　止水

　　横向混凝土浇筑缝设止水。

1.3　设计工程量

　　设计工程量汇总见表 1-1。

表 1-1　设计工程量汇总

序号	项目	单位	工程量	备注
1	开挖石方	m³	317 696	
2	喷混凝土方量	m³	7 929	
3	锚杆数	m/根	211 200/52 800	
4	钢筋网	m²	53 281	
5	混凝土	m³	59 515	
6	钢筋	t	3 511	
7	立模面积	m²	76 361	
8	回填灌浆	m²	26 138	
9	固结灌浆	m/t	18 819/470	
10	止水	m	7 440	

2　隧洞开挖

2.1　施工布置

考虑隧洞进出口两端土石方开挖工程量和混凝土工程量大,隧洞进出口不作为隧洞开挖工作面,洞身开挖和隧洞混凝土衬砌增设施工支洞作为施工交通通道。施工支洞布置见图 1-1。

根据地形和地质条件,并考虑上下游施工均衡性,拟在隧洞中部设置一条施工支洞作为通道。并假定支洞距隧洞两端洞长均为 800m。支洞洞口附近布置施工附属设施。

拟定施工支洞为城门形,长 400m,断面尺寸(宽×高)为 8m×7.5m。

假定平均运距为 1.5km,其中洞内平均运距为 0.8km,洞外平均运距为 0.7km。

2.2　主要工程量计算

2.2.1　隧洞石方开挖

地下工程施工中很难保证不产生超挖,在《水利水电施工技术规范汇编》中规定,其开挖半径的平均径向超挖值不得大于 20cm,这里按超挖 20cm 计算。

设计工程量:

$$\pi \times (15.9 / 2)^2 \times 1\,600 = 317\,696\,(\text{m}^3)$$

施工工程量:

$$\pi \times (15.9 / 2 + 0.2)^2 \times 1\,600 = 333\,876\,(\text{m}^3)$$

超挖系数:

$$333\,876 / 317\,696 - 1 = 1.05 - 1 = 5\%$$

2.2.2　隧洞锚杆支护

锚杆间、排距 1.0m,长度 L 为 4m。

每排锚杆根数:

$$15.9 \times \pi \times (240 / 360) / 1 = 33\,(\text{根})$$

总排数:

$$1\,600 / 1.0 = 1\,600\,(\text{排})$$

锚杆根数:

$$33 \times 1\,600 = 52\,800(根)$$

锚杆总长度：

$$52\,800 \times 4 = 211\,200(m)$$

假定随机锚杆为设计锚杆数的2%。

2.2.3 隧洞喷混凝土支护

设计喷混凝土：

$$1\,600 \times (7.95 \times 7.95 - 7.8 \times 7.8) \times \pi \times 240/360 = 7\,929(m^3)$$

考虑顶拱喷混凝土回弹率为25%，边拱喷混凝土回弹率为15%，喷混凝土厚度为15cm，按边顶拱240°范围进行喷混凝土支护，其中顶拱按120°考虑。

施工喷混凝土量：

$$7\,929 \times 1.20 = 9\,515(m^3)$$

2.2.4 隧洞挂钢筋网支护

设计挂钢筋网面积：

$$1\,600 \times 15.9 \times \pi \times 240/360 = 53\,281(m^2)$$

2.3 施工方法

2.3.1 开挖程序与开挖方法

施工分层分块见图2-1。拟分上下两层开挖，首先开挖上部，然后开挖下部（Ⅱ层）。上部开挖又分导洞（I_A层）开挖与两侧（I_B层）扩挖，按导洞（I_A层）先开挖，而后进行两侧（I_B层）扩挖。隧洞下部开挖，直接利用施工支洞作交通道，上部开挖则须在洞内开挖一段斜坡道与支洞相连作为交通道。

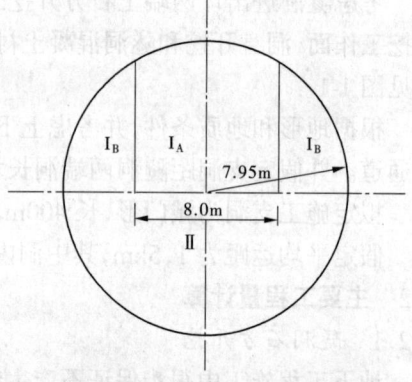

图 2-1 隧洞开挖分层分块示意图

拟采用钻爆法施工，周边采用光面爆破，非电毫秒微差爆破。隧洞各部分开挖按钻孔、装药、爆破、通风、安全处理、出渣、锚杆支护、喷混凝土顺序作业，循环施工；挂钢筋网按平行作业，不占循环直线时间。分层分块工程量见表2-1。

表 2-1 分层分块工程量（设计）

项目	单位	上部导洞	上部两侧	下部	小计
石方	m^3	96 896	61 968	158 832	317 696
喷混凝土	m^3	1 966	3 984	1 979	7 929
锚杆	m	51 200	102 400	57 600	211 200
钢筋网	m^2	13 227	26 814	13 240	53 281

2.3.2 开挖作业技术参数确定

开挖作业爆破参数设计根据戈氏帕扬公式、译波尔公式及相关办法进行计算。

2.3.2.1 隧洞上部导洞开挖

典型钻爆参数设计见表2-2。

典型断面面积:60.56m²。

循环进尺:3.5m。

开挖循环工程量见表2-3。

表 2-2　上部导洞典型开挖钻孔爆破设计

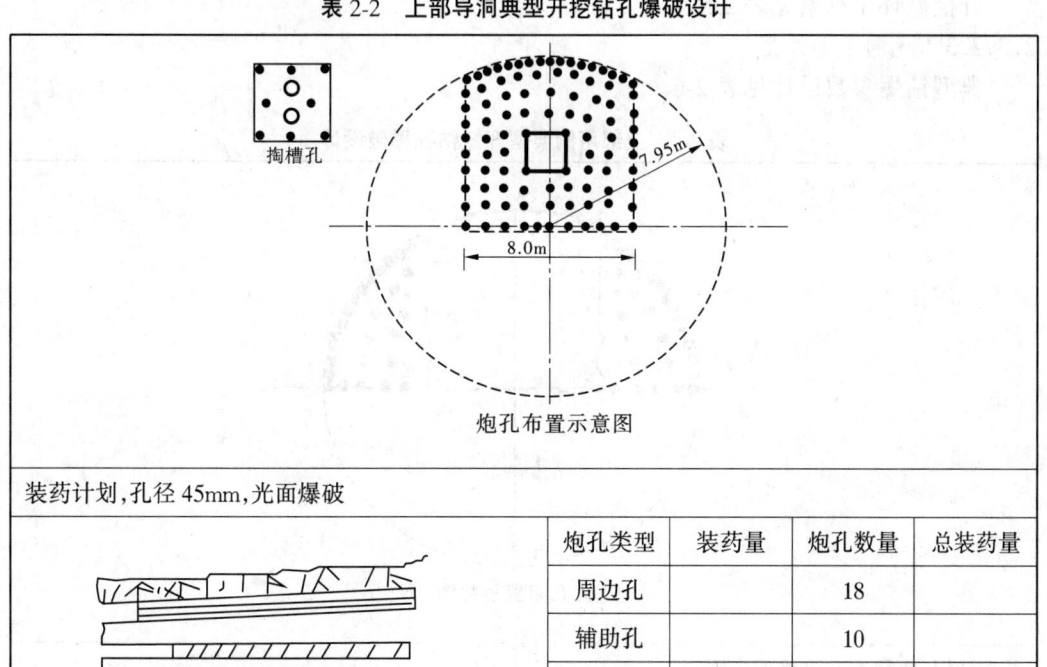

炮孔布置示意图

装药计划,孔径45mm,光面爆破			
	炮孔类型	装药量	炮孔数量	总装药量
	周边孔		18	
	辅助孔		10	
	掏槽孔		8	
	中空孔		2	
	崩落孔		46	
	底孔		11	
	合计		95	

钻孔爆破参数			
隧洞开挖尺寸	见上图	钻孔总长度	370.5m
开挖面积	60.56m²	循环进尺	3.5m
炮孔直径	45mm	爆破方量	212.0m³
中空孔直径	102mm	炮孔密度	1.7m/m³
炮孔数量	95个	装药量	165kg
炮孔深度	3.9m	单位耗药量	0.78kg/m³

表 2-3　上部导洞典型开挖循环工程量

序号	项目	单位	数量	备注
1	石方开挖	m³	212	
2	锚杆	m/根	112/28	
3	喷混凝土	m³	4.3	
4	钢筋网	m²	29	

2.3.2.2 隧洞上部两侧两挖

典型钻爆参数设计见表2-4。

典型断面面积:38.73m²;循环进尺:3.5m。

开挖循环工程量见表2-5。

2.3.2.3 隧洞下部开挖

典型钻爆参数设计见表2-6。

表2-4 上部两侧典型开挖钻孔爆破设计

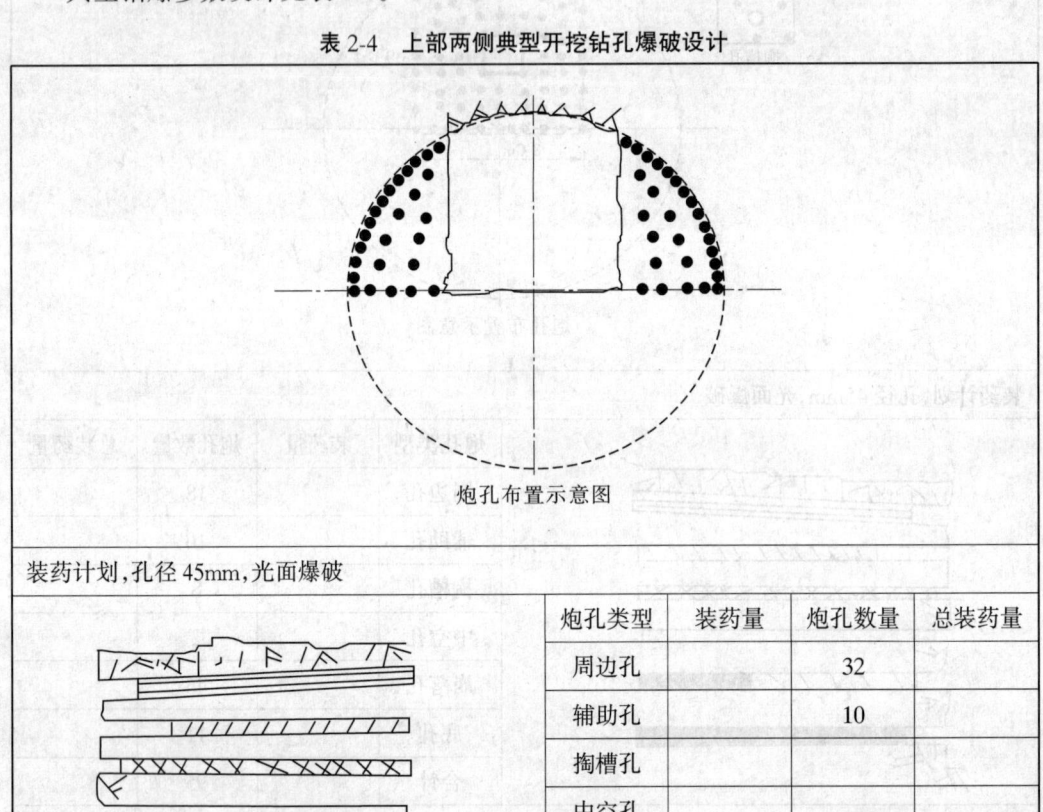

炮孔布置示意图

装药计划,孔径45mm,光面爆破

炮孔类型	装药量	炮孔数量	总装药量
周边孔		32	
辅助孔		10	
掏槽孔			
中空孔			
崩落孔		6	
底孔		8	
合计		56	

钻孔爆破参数

隧洞开挖直径	15.9m	钻孔总长度	218.4m
开挖面积	38.73m²	循环进尺	3.5m
炮孔直径	45mm	爆破方量	135.6m³
中空孔直径	102mm	炮孔密度	1.6m/m³
炮孔数量	56个	装药量	75kg
炮孔深度	3.9m	装药密度	0.55kg/m³

表 2-5　上部两侧典型开挖循环工程量

序号	项目	单位	数量	备注
1	石方开挖	m^3	136	
2	锚杆	m/根	240/60	
3	喷混凝土	m^3	8.7	
4	钢筋网	m^2	59	

表 2-6　下部开挖典型钻孔爆破设计

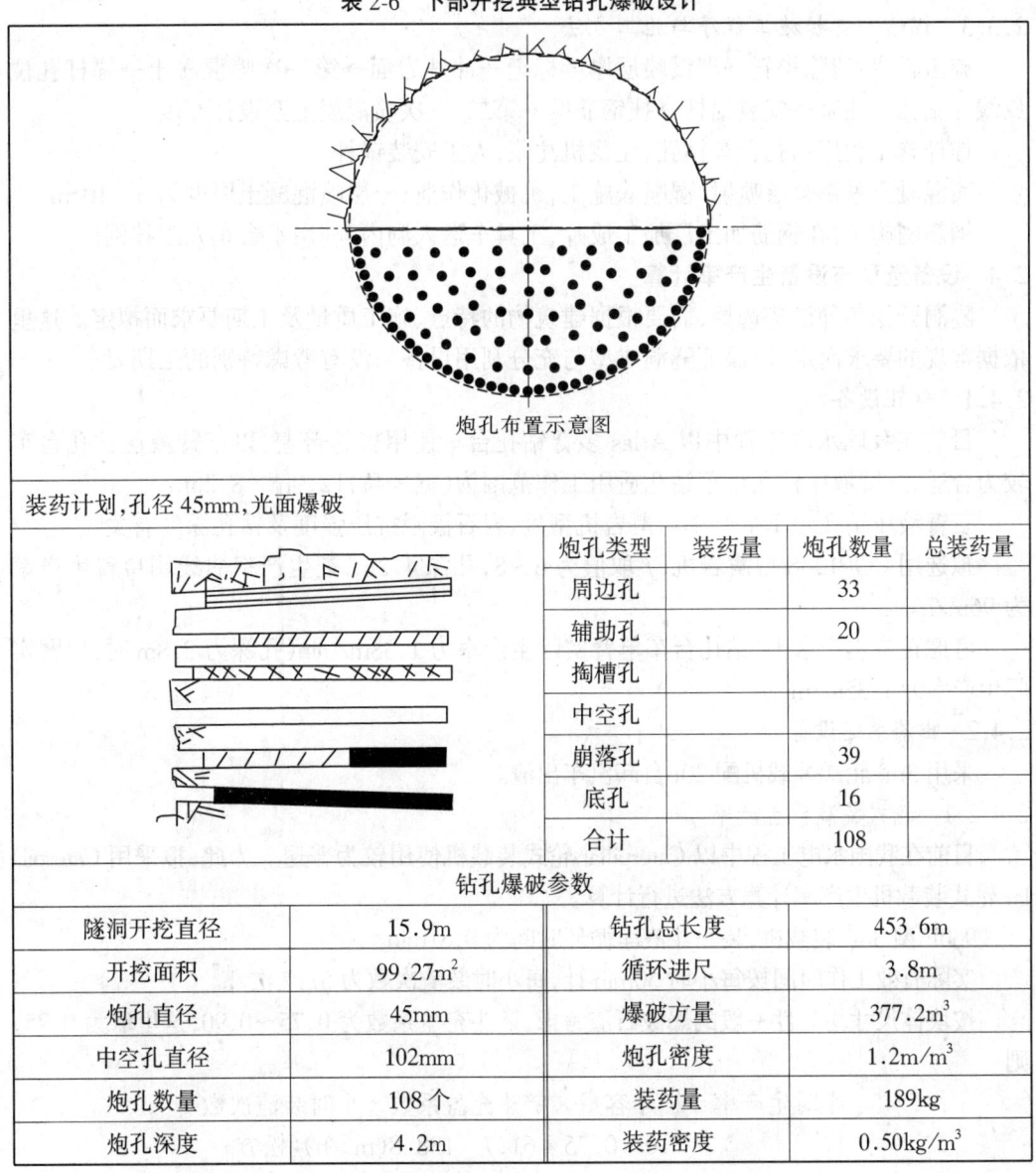

炮孔布置示意图

装药计划,孔径 45mm,光面爆破

炮孔类型	装药量	炮孔数量	总装药量
周边孔		33	
辅助孔		20	
掏槽孔			
中空孔			
崩落孔		39	
底孔		16	
合计		108	

钻孔爆破参数			
隧洞开挖直径	15.9m	钻孔总长度	453.6m
开挖面积	99.27m^2	循环进尺	3.8m
炮孔直径	45mm	爆破方量	377.2m^3
中空孔直径	102mm	炮孔密度	1.2m/m^3
炮孔数量	108个	装药量	189kg
炮孔深度	4.2m	装药密度	0.50kg/m^3

典型断面面积:99.27m^2;循环进尺:3.8m。

开挖循环工程量见表 2-7。

表 2-7   下部典型开挖循环工程量

序号	项目	单位	数量	备注
1	石方开挖	m³	377	
2	锚杆	m/根	120/30	
3	喷混凝土	m³	4.7	
4	钢筋网	m²	31	

2.3.3   锚喷网支护施工程序与施工方法

施工程序:清除松石→埋设喷层厚度标记→冲洗岩面→第一次喷混凝土→锚杆孔位放线→钻孔→注浆→安装锚杆→挂钢筋网→第二、三次喷混凝土至设计厚度。

锚杆施工利用钻孔台车钻孔,注浆机注浆,人工安装锚杆。

喷混凝土采用分层喷射,湿喷法施工,机械化作业;分层喷混凝土厚度为 5~10cm。

钢筋网施工:在钢筋加工厂加工成片,工具车运入洞内,利用平台车人工挂网。

2.4   设备选型与设备生产率计算

隧洞开挖各种设备选择,需要根据建筑物的特点、施工质量及工期要求而拟定。这里依据常规的要求而定,以保证隧洞成型与充分利用设备。没有考虑特别的工期要求。

2.4.1   钻孔设备

目前在我国水电工程中以 Atlas 多臂钻孔台车使用较为普遍,以三臂液压钻孔台车较为合适,三臂液压钻孔台车钻孔适用工作范围为(宽×高)12.9m×8.26m。

三臂液压钻孔台车生产率与凿岩机型号、岩石极限抗压强度及钻孔深度有关。

拟选用 COP1238 型凿岩机,f 取值为 6~8,孔深 4.2m,查生产率曲线图单臂生产率为 96m/h。

考虑正常生产水平,钻孔台车单臂实际生产率为 1.38m/min(孔深为 3.8m 时,单臂实际生产率为 1.35m/min)。

2.4.2   出渣装运设备

采用 3m³ 轮式装载机配 20t 自卸汽车出渣。

2.4.2.1   轮式装载机生产率

目前在我国水电工程中以 Caterpillar 轮式装载机使用较为普遍。为此,拟采用 Caterpillar 轮式装载机生产率计算方法进行计算。

960F 型 3m³ 装载机,装一斗渣净循环时间为 0.81min。

实际有效工作时间按每小时 50min 计,每小时装渣次数为 61.7 次/h。

按块体尺寸均匀性一般的爆破石渣考虑,铲斗充盈系数为 0.75~0.90,这里取为 0.75,则

$$小时生产率 = 铲斗容量 \times 铲斗充盈系数 \times 小时装渣次数$$
$$= 3.0 \times 0.75 \times 61.7 = 138.8 (m^3/h)(松方)$$
$$= 138.8/1.53 = 90 (m^3/h)(自然方)$$

2.4.2.2   汽车生产率

汽车运输一次循环时间 T 计算。

汽车运输一次循环时间含装车时间 t_1，行车时间 t_2，卸车时间 t_3 及调车、等车时间 t_4，即

$$T = t_1 + t_2 + t_3 + t_4$$

(1)装车时间 t_1 计算：

t_1 = 装载机装一铲斗渣的时间×汽车需装铲斗数 + 汽车进入装车位置时间

汽车需装铲斗数 =（汽车载重量/松方密度）/（装载机斗容×铲斗充盈系数）

汽车进入装车位置时间一般可取为 0.2～0.5min，这里取为 0.5min。则

$$t_1 = 0.81 \times 20/(1.71 \times 3.0 \times 0.75) + 0.5$$
$$= 0.81 \times 5 + 0.5 = 4.55(\text{min})$$

(2)行车时间 t_2 计算：

这里取洞内外平均运行速度：重车为 15km/h，空车为 20km/h。

$$t_2 = 60 \times (\text{运距} / \text{重车运行速度} + \text{运距} / \text{空车运行速度})$$
$$= 60 \times (1.5/15 + 1.5/20) = 10.5(\text{min})$$

(3)卸车时间 t_3 计算：

卸车时间通常为 1～1.5min，这里取 $t_3 = 1.5$min。

(4)调车、等车时间 t_4 计算：

调车、等车时间通常为 2.5～4.5min，这里取 $t_4 = 3.5$min。

则汽车运输一次循环时间：

$$T = t_1 + t_2 + t_3 + t_4$$
$$= 4.55 + 10.5 + 1.5 + 3.5 = 20.05(\text{min})$$

汽车生产率 = 汽车载重量/容重×汽车充满系数×小时循环次数×时间利用系数
$$= 20/2.62 \times 0.96 \times (60/20.05) \times (50/60)$$
$$= 18.3(\text{m}^3/\text{h})(\text{自然方})$$

2.4.2.3 配套汽车数量

配套汽车数量 = 装载机小时生产率/汽车生产率 = 90/18.3 = 4.92(辆)，取为 5 辆。

2.4.2.4 配套生产率

配套生产率 90m³/h，取为装载机生产率。

2.4.3 锚杆施工设备

采用二臂液压钻孔台车(或开挖钻孔用的三臂液压钻孔台车，按两臂钻孔计算)钻孔，利用平台车人工安装锚杆。

钻孔深度为 4.0m，考虑正常生产管理水平，钻孔设备实际生产率取为 1.37m/min。

安装一根砂浆锚杆每工作组需 2min。

2.4.4 喷混凝土设备

采用 6m³ 混凝土搅拌车运输，利用 0.4m³ 强制式搅拌机加水拌和，利用 HLF－4 型喷射机湿喷混凝土。

HLF－4 型湿式喷射机额定生产率为 5m³/h，时间利用系数取为 0.75，则喷混凝土实际生产率为

$$5 \times 0.75 = 3.75 (m^3/h)$$

2.4.5 钢筋网施工设备

采用平台车作工作平台,人工安装钢筋网。根据工程施工有关经验,洞内安装钢筋网小时生产率为 $20m^2/h$。

2.4.6 通风设备

因上部导洞开挖通风条件较差,一次起爆装药量较大,故按导洞开挖所需通风量来考虑。

通风机选择:根据风机工作风量和风机工作风压选择通风机。选择时依照特性曲线进行比较,采用在较高效率区运转的风机型号。

风机工作风量和风机工作风压根据施工通风方式与所需风流量计算。

通风量根据如下四方面计算,取其中最大值:

(1)洞内施工人员需风量。

(2)爆破散烟所需风流量。

(3)洞内最小风速所需风量。洞内容许最小风速,手册规定不小于 $0.15m/s$。小浪底工程中世界银行专家建议取为 $0.5m/s$,这里取为 $0.3m/s$。

(4)使用柴油机械时的通风量。按单位功率需风量 $4.1m^3/kW$ 计算。

这里根据工程经验:选择 2 台 55kW 可逆转的轴流式风机。

2.4.7 主要施工设备

主要施工设备见表2-8。

表2-8　主要施工设备(单工作面)

设备名称	型号	单位	数量	额定生产率	实际生产率	备注
钻机	H178	台	2		1.38m/(min·臂)	3臂
钻机	H175	台	1		1.37(m/min·臂)	2臂
装载机	$3m^3$	台	1		$90m^3/h$	
自卸汽车	20t	辆	5		$18.3m^3/(h·台)$	1.5km
混凝土喷射机组	HLF-4	台	1	$5m^3/h$	$3.75m^3/h$	
反铲	$0.4m^3$	台	1			
强制式搅拌机	$0.4m^3$	台	1			
混凝土运输车	$6m^3$	辆	1			
注浆机	2.2kW	台	1			
推土机	180HP	台	1			
水泵	2B19	台	1		$20m^3/h$	1.47kW
空压机	$ZL_2-10/8-1$	台	1		$10m^3/min$	55kW
平台车		辆	1			
工具车	5t	辆	1			
通风机	55kW	台	2			
电焊机		台	1			

2.5 劳力安排

劳力安排原则:分工作面定岗定员配备工长和各工种劳力。同一工种劳力划分 4 个等级:一级工(不熟练工)、二级工(半熟练工)、三级工(熟练工)、四级工(高级熟练工)。

根据概算项目划分的特点,拟按以下项目分别安排劳力:①岩石开挖钻孔爆破工作组;②装渣运输工作组;③锚杆施工工作组;④喷混凝土工作组;⑤挂钢筋网工作组。

2.5.1 钻爆工作组

钻爆工作组负责完成开挖工作中的钻孔、装药连线、爆破、通风、水电管线的延伸与维护等工作,工作组劳力安排见表2-9、表2-10。

表2-9 上部开挖典型钻爆工作组 （单位:人）

序号	工种名称	工长	一级工	二级工	三级工	四级工
1	工长	1				
2	钻机操作工				2	1
3	炮工			2	1	1
4	电工				1	
5	管路修理工				1	
6	工具车司机			1		
7	设备操作工			1	1	
8	机械修理工				1	
9	普工		2			

注:1台3臂钻孔台车钻孔。

表2-10 下部开挖典型钻爆工作组 （单位:人）

序号	工种名称	工长	一级工	二级工	三级工	四级工
1	工长	1				
2	钻机操作工				4	2
3	炮工			4	1	1
4	电工				1	
5	管路修理工				1	
6	工具车司机			1		
7	设备操作工			1		
8	机械修理工				1	
9	普工		3			

注:2台3臂钻孔台车钻孔。

2.5.2 装运出渣工作组

装运出渣工作组负责完成开挖工作中的安全处理、装渣、运输、渣场平整等工作。工作组劳力安排见表2-11。

2.5.3 锚杆支护工作组

锚杆支护工作组负责锚杆施工放线、钻孔、洗孔、锚杆运输、安装、灌浆等工作。工作组劳力安排见表2-12。

表 2-11 装运出渣典型工作组 （单位:人）

序号	工种名称	工长	一级工	二级工	三级工	四级工
1	工长	1				
2	反铲司机				1	
3	装载机司机					1
4	汽车司机				5	
5	推土机司机				1	
6	普工		2			

注:1 台 3m³ 装载机配 5 辆 20t 自卸汽车。

表 2-12 锚杆施工典型工作组 （单位:人）

序号	工种名称	工长	一级工	二级工	三级工	四级工
1	工长	1				
2	钻机操作工				1	1
3	平台车司机				1	
4	灌浆机操作工			1		
5	工具车司机			1		
6	普工		3			

2.5.4 喷混凝土工作组

喷混凝土工作组负责完成隧洞喷混凝土的混凝土运输、喷射与养护等工作。工作组劳力安排见表 2-13。

表 2-13 喷混凝土典型工作组劳力安排 （单位:人）

序号	工种名称	工长	一级工	二级工	三级工	四级工
1	工长	1				
2	混凝土喷射机操作工					1
3	混凝土搅拌车司机				1	
4	普工		4			
5	空压机操作工			1		

2.5.5 钢筋网安装工作组

钢筋网安装工作组负责完成钢筋网(从加工厂至安装现场)的运输、现场安装等工作。工作组劳力安排见表 2-14。

表 2-14 钢筋网安装工作组劳力安排 （单位:人）

序号	工种名称	工长	一级工	二级工	三级工	四级工
1	工长	1				
2	普工		4			
3	运输司机				1	
4	电焊工			1		
5	设备操作工				1	
6	平台车司机			1		

2.6 材料用量

材料用量采用统计、筛选、分析等估量办法进行确定,主要分以下几大类:钻杆、钻头、火工材料、喷混凝土、锚杆、钢筋网等。炸药用量根据前面的爆破设计计算,雷管按平均每孔1.2个计算,采用进口钻头、钻杆,其消耗指标参考小浪底、鲁布革、太平哨等工程实际消耗统计值。具体指标见表2-15。

表2-15 隧洞开挖材料用量

项目	材料单耗		材料用量		备注
	数量	单位	数量	单位	
上部两侧石方开挖			61 968	m³	
光爆炸药	0.06	kg/m³	3 718	kg	
炸药	0.49	kg/m³	30 364	kg	
雷管	0.496	个/m³	30 736	个	
导爆管	2.256	m/m³	139 800	m	
钻头	0.002 1	个/m³	130	个	
钻杆	0.003	根/m³	186	根	
上部导洞石方开挖			96 896	m³	
光爆炸药	0.08	kg/m³	7 752	kg	
炸药	0.70	kg/m³	67 827	kg	
雷管	0.549	个/m³	53 196	个	
导爆管	2.256	m/m³	218 597	m	
钻头	0.002 3	个/m³	223	个	
钻杆	0.004	根/m³	388	根	
下部石方开挖			158 832	m³	
光爆炸药	0.05	kg/m³	7 942	kg	
炸药	0.45	kg/m³	71 474	kg	
雷管	0.344	个/m³	54 638	个	
导爆管	1.683	m/m³	267 314	m	
钻头	0.001 6	个/m³	254	个	
钻杆	0.002	根/m³	318	根	
喷混凝土材料消耗			9 514.0	m³	
水泥	0.54	t/m³	5 138	t	
砂子	0.67	m³/m³	6 374	m³	
水	0.4	m³/m³	3 806	m³	
外加剂	16.2	kg/m³	154 127	kg	
小石	0.63	m³/m³	5 994	m³	
砂浆锚杆			215 424	m	
钻头	0.001 3	个/钻m	280	个	
钻杆	0.002	根/钻m	431	根	
螺帽	1.02	个/根	54 934	个	
垫板	1.02	套/根	54 934	套	
水泥砂浆	0.000 48	m³/m	103.4	m³	
锚杆材料	1.02	m/m	219 732	m	
钢筋网			54 347	m²	
钢筋	0.006 1	t/m²	331.5	t	
铁丝	0.006 2	kg/m²	337.0	kg	

2.7 开挖工期、强度与台时、人时、材料消耗指标

2.7.1 工作计划

每年工作:12 个月。

每月平均工作:25.5 天。

每天工作:24h。

月工作小时数:612h。

2.7.2 开挖工期

2.7.2.1 开挖循环

隧洞上部导洞开挖循环时间见表 2-16。

隧洞上部两侧开挖循环时间见表 2-17。

隧洞下部开挖循环时间见表 2-18。

2.7.2.2 开挖工期

月进尺为

上部导洞开挖月进尺:122m/月;

上部两侧开挖月进尺:112m/月;

下部开挖月进尺:124m/月。

按两个工作面同时施工计算,考虑多工作面影响系数 0.8。开挖工期为

隧洞上部导洞:8.2 个月;

隧洞上部两侧开挖:8.9 个月;

隧洞上部两侧开挖在隧洞上部导洞开挖 1 个月后开始进行施工,平行作业时间为 7.2 个月。则

隧洞上部开挖时间:9.9 个月;

隧洞下部开挖时间:8.1 个月;

合计为 18.0 个月。

2.7.3 施工强度

开挖总方量:317 696m³。

平均开挖月强度(双工作面):17 657m³/月。

开挖作业循环时间、工期、强度计算见表 2-19。

2.7.4 隧洞开挖台时、人时、材料消耗指标

施工设备台时、劳力人时、材料消耗,根据施工循环中的小时生产率,设备、人员配置及设备利用系数进行计算。

人时 = 施工工程量/(小时生产率×长期工作影响系数)×人数×利用系数

台时 = 施工工程量/小时生产率×设备数量×设备利用系数

设备利用系数:某设备在该工作循环中的生产时间与该工作循环时间的比值。

长期工作影响系数:实物量法依据工作组的小时施工强度进行计算。由于实际施工过程中影响因素很多,难以保证小时施工强度的持续发挥,造成对工程平均施工强度与支付的劳力人时数的影响。根据工程难易程度,可取为 0.65～0.8,这里取为 0.75。

开挖台时、人时、材料消耗指标见表 2-20～表 2-34。

表 2-16 上部导洞开挖循环时间(断面面积:60.56m²;进尺:3.5m)

工作程序	时间(min) 平行作业工序	时间(h) 1 2 3 4 5 6 7 8 9 10 11 12 13 14 15 16 17 18 19 20
测量放线	30	
钻孔	143	
装药	42	
爆破通风	20	
安全处理	30	
出渣	144	
锚杆支护	135	
喷混凝土	87	
钢筋网	72	
其他	30	
净循环时间	661	
小时有效工作时间	min/h	50
平均日进尺	m/日	6.35
长期工作影响系数	75%	
进尺	m/月	122.0

表2-17　上部两侧开挖循环时间（断面积:38.73m²;进尺:3.5m）

工作程序	时间(min) 平行作业工序	时间(h) 1	2	3	4	5	6	7	8	9	10	11	12	13	14	15	16	17	18	19	20
测量放线	30																				
钻孔	93																				
装药	31																				
爆破通风	20																				
安全处理	30																				
出渣	99																				
锚杆支护	247																				
喷混凝土	154																				
钢筋网	147																				
其他	15																				
净循环时间	719																				
小时有效工作时间	50 min/h																				
平均日进尺	5.84 m/日																				
长期工作影响系数	75%																				
进尺	112.0 m/月																				

· 586 ·

表 2-18 下部开挖循环时间(断面面积:99.27m²;进尺:3.8m)

工作程序	时间(min) 平行作业工序	时间(h) 1–20
测量放线	30	
钻孔	84	
装药	48	
爆破通风	20	
安全处理	30	
出渣	240	
锚杆支护	139	
喷混凝土	82	
钢筋网	79	
其他	30	
净循环时间	703	
小时有效工作时间	min/h 50	
平均日进尺	m/日 6.49	
长期工作影响系数	75%	
进尺	m/月 124	

表 2-19　隧洞开挖循环时间、工期、强度计算

序号	项目	单位	设计参数			备注
			上部两侧	上部导洞	下部	
1	隧洞参数					
1.1	开挖直径	m		15.9		
1.2	开挖面积	m²		198.56		
1.3	分部分面积	m²	38.73	60.56	99.27	
1.4	开挖高度	m	6.92	8.00	7.90	
1.5	开挖宽度	m	7.9	8.0	15.9	
1.6	对应圆心角	弧度	2.11	1.04	3.14	
1.7	隧洞长度	m	1 600	1 600	1 600	
2	钻爆参数					
2.1	炮孔直径	mm	45	45	45	
2.2	炮孔数量	个	56	95	108	
2.3	掏槽中空孔直径	mm		102		
2.4	掏槽中空孔数量	个		2		
2.5	炮孔总数	个	56	97	108	
2.6	炮孔深度	m	3.9	3.9	4.2	
2.7	循环钻孔总长度	m	218.4	378.3	453.6	
2.8	循环进尺	m	3.5	3.5	3.8	
2.9	循环爆破方量	m³	136	212	377	
2.10	炮孔密度	m/m³	1.6	1.8	1.2	
2.11	装药量	kg	74.6	165.3	188.6	
2.12	单位耗药量	kg/m³	0.55	0.78	0.50	
3	钻孔设备参数					
3.1	钻机型号		H178	H178	H178	
3.2	凿岩机型号		COP1238	COP1238	COP1238	
3.3	钻杆型号		R38	R38	R38	
3.4	额定钻速	m/min	1.52	1.52	1.52	
3.5	设计钻速	m/min	1.35	1.35	1.38	
4	钻孔时间计算					
4.1	钻孔长度	m	218.4	378.3	453.6	
4.2	掏槽孔补偿长度	m	0	18	0	
4.3	等效钻孔总长度	m	218.4	396.0	453.6	
4.4	钻机就位	min	30	30	20	

项目			单位时间	工程量	时间	单位时间	工程量	时间	单位时间	工程量	时间	
4.5	钻臂移动就位(孔)	min	0.3	56	16.8	0.3	97	29.1	0.3	108	32.4	
4.6	对孔定位时间(孔)	min	0.5	56	28.0	0.5	97	48.5	0.5	108	54.0	
4.7	净钻孔时间(钻 m)	min	0.53	218.4	115.8	0.53	396.0	209.9	0.53	453.6	240.4	
4.8	一个循环需钻孔时间	min			160.6			287.5			326.8	
4.9	凿岩机同时工作台数	台	3×0.85=2.55			3×0.85=2.55			6×0.85=5.1			
4.10	钻孔循环时间	min	93			143			84			

序号	项 目	单位	设计参数									备注
			上部两侧			上部导洞			下部			
5	装药时间计算											
5.1	装药孔数	个	56			95			108			
5.2	装药总长度	m	218.4			370.5			453.6			
5.3	循环准备时间	min	10			10			10			
	项 目		单位时间	工程量	时间	单位时间	工程量	时间	单位时间	工程量	时间	
5.4	对孔定位时间（按孔数计算）	min	0.5	56	28	0.5	95	47.5	0.5	108	54	
5.5	装药时间（按 m 计算）	min	0.3	218.4	65.5	0.3	370.5	111.2	0.3	453.6	136.1	
5.6	需装药时间小计	min	103.5			158.7			190.1			
5.7	装药工作组人数	个	5			5			5			
5.8	装药循环时间	min	31			42			48			
6	隧洞通风参数											
6.1	所需风流量	m³/s										
6.2	风管直径	m				2.2						
6.3	通风时间	min	20			20			20			
6.4	风机功率	kW				55						
7	装渣运输											
7.1	装载机械型号					960F 装载机						
7.2	装载机械斗容	m³	3			3			3			
7.3	运输方式		无轨运输			无轨运输			无轨运输			
7.4	车辆型号		T20－C203			T20－C203			T20－C203			
7.5	车辆容积	m³	10.7/12.0			10.7/12.0			10.7/12.0			
7.6	运输车数量	台	5			5			5			
7.7	车辆载重量	t	20			20			20			
8	装渣时间计算											
8.1	爆破方量（自然方）	m³	136			212			377			
8.2	超挖系数		1.05			1.05			1.05			
8.3	松散系数		1.53			1.53			1.53			
8.4	松方量	m³	218			341			606			
8.5	装运配套生产率（自然方）	m³/h	90			90			90			
8.6	装运配套生产率（松方）	m³/min	2.75			2.75			2.75			
8.7	清理时间	min	20			20			20			
8.8	出渣时间	min	99			144			240			
9	喷混凝土时间计算		（考虑边顶拱 240°范围进行喷锚网联合支护）									
9.1	喷混凝土方法											
9.2	喷混凝土厚度	cm	15			15			15			
9.3	喷混凝土设备型号											

序号	项 目	单位	设计参数									备注
			上部两侧			上部导洞			下部			
9.4	设备生产率	m³/h	3.75			3.75			3.75			
9.5	设计喷混凝土方量	m³	8.7			4.3			4.7			
9.6	喷混凝土回弹率		1.2			1.25			1.15			
9.7	设备移动就位时间	min	15			15			10			
	项 目		喷层厚(cm)	混凝土量(m³)	时间	喷层厚(cm)	混凝土量(m³)	时间	喷层厚(cm)	混凝土量(m³)	时间	
9.8	喷第一层混凝土时间	min	5	3.5	46	5	1.8	24	5	1.8	24	
9.9	喷第二层混凝土时间	min	10	7.0	93	10	3.6	48	10	3.6	48	
9.10	喷第三层混凝土时间	min			0			0			0	
9.11	净喷混凝土时间	min			139			72			72	
9.12	循环喷混凝土时间	min	154			87			82			
9.13	小时有效工作时间	min/h	50									
9.14	小时生产率(含回弹)	m³/h	3.4			3.1			3.3			
10	挂钢筋网											
10.1	钢筋网型号											
10.2	挂网面积	m²	59			29			31			
10.3	作业组人数	个	7			7			7			
10.4	循环安装时间	min	147			72			79			
10.5	小时有效工作时间	min/h	50									
10.6	小时生产率	m²/h	20.0			20.0			20.0			
11	锚杆安装时间计算											
11.1	锚杆类型		砂浆锚杆									
11.2	锚杆长度	m	4			4			4			
11.3	锚杆间距	m	1.0			1.0			1.0			
11.4	锚杆排距	m	1.0			1.0			1.0			
11.5	锚杆总长度	m	240			112			120			
11.6	钻孔深度	m	240			112			120			
11.7	锚杆根数	根	60			28			30			
11.8	钻机就位及撤退时间	min	30			30			30			
	项 目		单位时间	工程量	时间	单位时间	工程量	时间	单位时间	工程量	时间	
11.9	钻臂移动就位(孔)	min	0.3	60	18	0.53	28	15	0.3	30	9	
11.10	对孔定位时间(孔)	min	0.5	60	30	0.5	28	14	0.5	30	15	
11.11	净钻孔时间(m)	min	0.53	240	127	0.53	112	59	0.53	120	64	
11.12	一个循环需钻孔时间	min			175			88			88	
11.13	凿岩机同时工作台数	台	2×0.9=1.8			2×0.9=1.8			2×0.9=1.8			
11.14	钻孔时间	min			127			79			79	
11.15	安装锚杆时间(根)	min	2	60	120	2	28	56	2	30	60	
11.16	锚杆安装时间	min			247			135			139	
11.17	小时有效工作时间	min/h	50									
11.18	小时生产率	m/h	48.6			41.5			43.2			

序号	项目	单位	设计参数			备注
			上部两侧	上部导洞	下部	
12	开挖时间					
12.1	测量放线	min	30	30	30	
12.2	钻孔循环时间	min	93	143	84	
12.3	装药循环时间	min	31	42	48	
12.4	通风时间	min	20	20	20	
12.5	安全处理时间	min	30	30	30	
12.6	出渣循环时间	min	99	144	240	
12.7	其他时间	min	15	30	30	
12.8	净开挖时间	min	318	439	482	
12.9	小时有效工作时间	min/h	50	50	50	
12.10	正常开挖时间	h	6.4	8.8	9.6	
12.11	小时生产率	m^3/h	21.3	24.1	39.1	
13	作业循环时间安排		（平行作业工序）	（平行作业工序）	（平行作业工序）	
13.1	开挖时间	min	318	439	482	
13.2	喷混凝土循环时间	min	154	87	82	
13.3	钢筋网安装循环时间	min	147	72	79	
13.4	锚杆支护时间	min	247	135	139	
13.5	净循环时间	min	719	661	703	
13.6	小时有效工作时间	min/h	50	50	50	
13.7	正常循环时间	h	14.4	13.2	14.1	
14	工作计划					
14.1	每班工作时间	h	8	8	8	
14.2	每天工作班次	班次/日	3	3	3	
14.3	日工作小时数	h/日	24	24	24	
14.4	日完成开挖循环次数	循环/日	1.67	1.82	1.71	
14.5	循环进尺	m/循环	3.5	3.5	3.8	
14.6	日进尺	m/日	5.84	6.35	6.49	
14.7	月工作天数	天数/月	25.5	25.5	25.5	
14.8	长期工作效率系数		0.75	0.75	0.75	
14.9	单工作面月进尺	m/月	112	122	124	
14.10	多工作面影响系数		0.8	0.8	0.8	
14.11	双工作面月进尺	m/月	179	195	198	
15	开挖工期计算					
15.1	洞长	m	1 600	1 600	1 600	
15.2	超挖方量	m^3				
15.3	额外补偿长度	m				
15.4	等效长度	m	1 600	1 600	1 600	
15.5	总开挖循环数	循环	457	457	421	
15.6	分部开挖时间	月	8.9	8.2	8.1	

序号	项 目	单位	设计参数			备注
			上部两侧	上部导洞	下部	
15.7	上部导洞与两侧平行作业时间	月	7.2			
15.8	上部开挖时间	月	9.9			
15.9	其他时间	月				
15.10	开挖工期	月	18.0			
16	平均开挖月强度	m³/月	17 657			

表 2-20 上部导洞钻孔爆破台时、人时、材料用量

序号	项 目	单位	数量	人时	台时	材料	利用系数
1	工程量	m³	96 896				
2	施工工程量	m³	96 896				
3	小时生产率	m³/h	24.10				
4	长期工作影响系数		0.75				
5	平均生产率	m³/h	18.08				
	劳力资源						
6	工长	人	1	5 361			
7	四级钻机操作工	人	1	5 361			
8	三级钻机操作工	人	2	10 722			
9	二级炮工	人	2	10 722			
10	三级炮工	人	1	5 361			
11	四级炮工	人	1	5 361			
12	三级电工	人	1	5 361			
13	三级管路修理工	人	1	5 361			
14	一级普工	人	2	10 722			
15	三级机械修理工	人	1	5 361			
16	二级设备操作工	人	1	5 361			
17	三级设备操作工	人	1	5 361			
18	二级司机	人	1	5 361			
	设备资源						
19	钻机	台	1		1 309.7		32.6%
20	通风机	台	1		4 020.6		100%
21	工具车	台	1		120.6		3%
22	水泵	台	1		1 005.1		25.0%
	材料资源		（单位耗量）				
23	光爆炸药	kg	0.08			7 752	
24	炸药	kg	0.70			67 827	
25	雷管	个	0.549			53 196	
26	导爆索	m	2.256			218 597	
27	钻头	个	0.002 3			223	
28	钻杆	根	0.004 0			388	
29	其他						

表 2-21 上部两侧钻孔爆破台时、人时、材料用量

序号	项 目	单位	数量	人时	台时	材料	利用系数
1	工程量	m³	61 968				
2	施工工程量	m³	61 968				
3	小时生产率	m³/h	21.30				
4	长期工作影响系数		0.75				
5	平均生产率	m³/h	15.98				
	劳力资源						
6	工长	人	1	3 879			
7	四级钻机操作工	人	1	3 879			
8	三级钻机操作工	人	2	7 758			
9	二级炮工	人	2	7 758			
10	三级炮工	人	1	3 879			
11	四级炮工	人	1	3 879			
12	三级电工	人	1	3 879			
13	三级管路修理工	人	1	3 879			
14	三级设备操作工	人	1	3 879			
15	一级普工	人	2	7 758			
16	三级机械修理工	人	1	3 879			
17	二级设备操作工	人	1	3 879			
18	二级司机	人	1	3 879			
	设备资源						
19	钻机	台	1		850.8		29.2%
20	通风机	台	1		2 909.3		100%
21	工具车	台	1		87.3		3%
22	水泵	台	1		872.8		30%
	材料资源		(单位耗量)				
23	光爆炸药	kg	0.06			3 718	
24	炸药	kg	0.49			30 364	
25	雷管	个	0.50			30 984	
26	导爆索	m	2.256			139 800	
27	钻头	个	0.002 1			130	
28	钻杆	根	0.003 0			186	
29	其他						

表 2-22　下部开挖钻孔爆破台时、人时、材料用量

序号	项　目	单位	数量	人时	台时	材料	利用系数
1	工程量	m³	158 832				
2	施工工程量	m³	158 832				
3	小时生产率	m³/h	39.10				
4	长期工作影响系数		0.75				
5	平均生产率	m³/h	29.33				
	劳力资源						
6	工长	人	1	5 416			
7	四级钻机操作工	人	2	10 833			
8	三级钻机操作工	人	4	21 665			
9	二级炮工	人	4	21 665			
10	三级炮工	人	1	5 416			
11	四级炮工	人	1	5 416			
12	三级电工	人	1	5 416			
13	三级管路修理工	人	1	5 416			
14	一级普工	人	3	16 249			
15	三级机械修理工	人	1	5 416			
16	二级设备操作工	人	1	5 416			
17	二级司机	人	1	5 416			
	设备资源						
18	钻机	台	2		1 415.9		17.4%
19	通风机	台	1		4 062.2		100%
20	工具车	台	1		325.0		8%
21	水泵	台	1		609.3		15%
	材料资源		（单位耗量）				
22	光爆炸药	kg	0.05			7 942	
23	炸药	kg	0.45			71 474	
24	雷管	个	0.34			54 003	
25	导爆管	m	1.68			266 838	
26	钻头	个	0.001 6			254	
27	钻杆	根	0.002 0			318	
28	其他						

表 2-23　上部导洞装渣运输台时、人时、材料用量

序号	项　目	单位	数量	人时	台时	材料	利用系数
1	工程量	m³	96 896				
2	施工工程量	m³	101 741				
3	小时生产率	m³/h	24.10				
4	长期工作影响系数		0.75				
5	平均生产率	m³/h	18.08				
	劳力资源						
6	工长	人	1	2 814			50%
7	四级装载机司机	人	1	5 629			
8	三级反铲司机	人	1	5 629			
9	三级汽车司机	人	5	28 144			
10	三级推土机司机	人	1	5 629			
11	一级普工	人	2	11 258			
	设备资源						
12	装载机	台	1		1 385		32.8%
13	反铲	台	1		422		10%
14	推土机	台	1		633		15%
15	自卸汽车	台	5		6 924		32.8%
16	其他						

表 2-24　上部两侧装渣运输台时、人时、材料用量

序号	项　目	单位	数量	人时	台时	材料	利用系数
1	工程量	m³	61 968				
2	施工工程量	m³	65 066				
3	小时生产率	m³/h	21.30				
4	长期工作影响系数		0.75				
5	平均生产率	m³/h	15.98				
	劳力资源						
6	工长	人	1	2 036			50%
7	四级装载机司机	人	1	4 073			
8	三级反铲司机	人	1	4 073			
9	三级汽车司机	人	5	20 365			
10	三级推土机司机	人	1	4 073			
11	一级普工	人	2	8 146			
	设备资源						
12	装载机	台	1		951		31.1%
13	反铲	台	1		305		10%
14	推土机	台	1		458		15%
15	自卸汽车	台	5		4 755		31.1%
16	其他						

表 2-25 下部开挖装渣运输台时、人时、材料用量

序号	项　目	单位	数量	人时	台时	材料	利用系数
1	工程量	m³	158 832				
2	施工工程量	m³	166 774				
3	小时生产率	m³/h	39.10				
4	长期工作影响系数		0.75				
5	平均生产率	m³/h	29.33				
	劳力资源						
6	工长	人	1	2 844			50%
7	四级装载机司机	人	1	5 687			
8	三级反铲司机	人	1	5 687			
9	三级汽车司机	人	5	28 435			
10	三级推土机司机	人	1	5 687			
11	一级普工	人	2	11 374			
	设备资源						
12	装载机	台	1		2 124		49.8%
13	反铲	台	1		427		10%
14	推土机	台	1		640		15%
15	自卸汽车	台	5		10 619		49.8%
16	其他						

表 2-26 上部导洞喷混凝土台时、人时、材料用量

序号	项　目	单位	数量	人时	台时	材料	利用系数
1	工程量	m³	1 965				
2	施工工程量	m³	2 456				
3	小时生产率	m³/h	3.10				
4	长期工作影响系数		0.75				
5	平均生产率	m³/h	2.325				
	劳力资源						
6	工长	人	1	528			50%
7	四级设备操作工	人	1	1 056			
8	三级设备操作工	人	1	1 056			
9	三级司机	人	1	1 056			
10	一级普工	人	4	4 225			
11	二级空压机操作工	人	1	1 056			
	设备资源						
12	混凝土喷射机组	台	1		650		82%
13	混凝土运输车	台	1		650		82%
14	浆液搅拌机	台	1		650		82%
15	空压机	台	1		650		82%
	材料资源		(单位耗量)				
16	水泥	t	0.54			1 326.2	
17	砂子	m³	0.67			1 645.5	
18	水	m³	0.4			982.4	
19	外加剂	kg	16.2			39 787	
20	小石	m³	0.63			1 547	
21	其他						

表 2-27　上部两侧喷混凝土台时、人时、材料用量

序号	项　目	单位	数量	人时	台时	材料	利用系数
1	工程量	m³	3 985				
2	施工工程量	m³	4 782				
3	小时生产率	m³/h	3.40				
4	长期工作影响系数		0.75				
5	平均生产率	m³/h	2.55				
	劳力资源						
6	工长	人	1	938			50%
7	四级设备操作工	人	1	1 875			
8	三级设备操作工	人	1	1 875			
9	三级司机	人	1	1 875			
10	一级普工	人	4	7 501			
11	二级空压机操作工	人	1	1 875			
	设备资源						
12	混凝土喷射机	台	1		1 266		90%
13	混凝土运输车	台	1		1 266		90%
14	浆液搅拌机	台	1		1 266		90%
15	空压机	台	1		1 266		90%
	材料资源		（单位耗量）				
16	水泥	t	0.54			2 582	
17	砂子	m³	0.67			3 204	
18	水	m³	0.4			1 913	
19	外加剂	kg	16.2			77 468	
20	小石	m³	0.63			3 013	
21	其他						

表 2-28　下部开挖喷混凝土台时、人时、材料用量

序号	项　目	单位	数量	人时	台时	材料	利用系数
1	工程量	m³	1 979				
2	施工工程量	m³	2 276				
3	小时生产率	m³/h	3.30				
4	长期工作影响系数		0.75				
5	平均生产率	m³/h	2.475				
	劳力资源						
6	工长	人	1	460			50%
7	四级设备操作工	人	1	920			
8	三级设备操作工	人	1	920			
9	三级司机	人	1	920			
10	一级普工	人	4	3 678			
11	二级空压机操作工	人	1	920			

序号	项 目	单位	数量	人时	台时	材料	利用系数
	设备资源						
12	混凝土喷射机	台	1		607		88%
13	混凝土运输车	台	1		607		88%
14	浆液搅拌机	台	1		607		88%
15	空压机	台	1		607		88%
	材料资源		(单位耗量)				
16	水泥	t	0.54			1 229	
17	砂子	m³	0.67			1 525	
18	水	m³	0.4			910.4	
19	外加剂	kg	16.2			36 871	
20	小石	m³	0.63			1 434	
21	其他						

表 2-29 上部导洞锚杆安装台时、人时、材料用量

序号	项 目	单位	数量	人时	台时	材料	利用系数
1	工程量	m	51 200				
2	施工工程量	m	52 224				
3	小时生产率	m/h	41.50				
4	长期工作影响系数		0.75				
5	平均生产率	m/h	31.13				
	劳力资源						
6	工长	人	1	839			50%
7	四级设备操作工	人	1	1 678			
8	三级设备操作工	人	1	1 678			
9	三级司机	人	1	1 678			
10	二级操作工	人	1	1 678			
11	二级司机	人	1	1 678			
12	一级普工	人	3	5 034			
	设备资源						
13	二臂钻机	台	1		453		36%
14	平台车	台	1		516		41%
15	注浆泵	台	1		516		41%
16	工具车	台	1		63		5%
	材料资源		(单位耗量)				
17	钻头	个	0.001 3			68	
18	钻杆	根	0.002			104	
19	螺帽	个	0.255			13 317	
20	垫板	套	0.255			13 317	
21	水泥砂浆	m³	0.000 48			25	
22	锚杆材料	m	1.02			53 268	
23	其他						

表 2-30　上部两侧锚杆安装台时、人时、材料用量

序号	项　　目	单位	数量	人时	台时	材料	利用系数
1	工程量	m	102 400				
2	施工工程量	m	104 448				
3	小时生产率	m/h	48.60				
4	长期工作影响系数		0.75				
5	平均生产率	m/h	36.45				
	劳力资源						
6	工长	人	1	1 433			50%
7	四级设备操作工	人	1	2 866			
8	三级设备操作工	人	1	2 866			
9	三级司机	人	1	2 866			
10	二级操作工	人	1	2 866			
11	二级司机	人	1	2 866			
12	一级普工	人	3	8 597			
	设备资源						
13	二臂钻机	台	1		838		39%
14	平台车	台	1		1 053		49%
15	注浆泵	台	1		1 053		49%
16	工具车	台	1		107		5%
	材料资源		（单位耗量）				
17	钻头	个	0.001 3			136	
18	钻杆	根	0.002			209	
19	螺帽	个	0.255			26 634	
20	垫板	套	0.255			26 634	
21	水泥砂浆	m³	0.000 48			50	
22	锚杆材料	m	1.02			106 537	
23	其他						

表 2-31　下部开挖锚杆安装台时、人时、材料用量

序号	项　　目	单位	数量	人时	台时	材料	利用系数
1	工程量	m	57 600				
2	施工工程量	m	58 752				
3	小时生产率	m/h	43.20				
4	长期工作影响系数		0.75				
5	平均生产率	m/h	32.40				
	劳力资源						
6	工长	人	1	907			50%
7	四级设备操作工	人	1	1 813			
8	三级设备操作工	人	1	1 813			
9	三级司机	人	1	1 813			
10	二级操作工	人	1	1 813			

序号	项目	单位	数量	人时	台时	材料	利用系数
11	三级司机	人	1	1 813			
12	一级普工	人	3	5 440			
	设备资源						
13	二臂钻机	台	1		476		35%
14	平台车	台	1		585		43%
15	注浆泵	台	1		585		43%
16	工具车	台	1		68		5%
	材料资源		(单位耗量)				
17	钻头	个	0.001 3			76	
18	钻杆	根	0.002			118	
19	螺帽	个	0.255			14 982	
20	垫板	套	0.255			14 982	
21	水泥砂浆	m³	0.000 48			28	
22	锚杆材料	m	1.02			59 927	
23	其他						

表 2-32 上部导洞钢筋网安装台时、人时、材料用量

序号	项目	单位	数量	人时	台时	材料	利用系数
1	工程量	m²	13 227				
2	施工工程量	m²	13 492				
3	小时生产率	m²/h	20.00				
4	长期工作影响系数		0.75				
5	平均生产率	m²/h	15.00				
	劳力资源						
6	工长	人	1	450			50%
7	三级司机	人	1	899			
8	二级电焊工	人	1	899			
9	二级平台车司机	人	1	899			
10	一级普工	人	4	3 598			
11	三级设备操作工	人	1	899			
	设备资源						
12	平台车	台	1		472		70%
13	工具车	台	1		34		5%
14	电焊机	台	1		67		10%
	材料资源		(单位耗量)				
15	钢筋	t	0.006 1			82	
16	铁丝	kg	0.006 2			84	
17	其他						

表 2-33　上部两侧钢筋网安装台时、人时、材料用量

序号	项　目	单位	数量	人时	台时	材料	利用系数
1	工程量	m²	26 814				
2	施工工程量	m²	27 350				
3	小时生产率	m²/h	20.00				
4	长期工作影响系数		0.75				
5	平均生产率	m²/h	15.00				
	劳力资源						
6	工长	人	1	912			50%
7	三级司机	人	1	1 823			
8	二级电焊工	人	1	1 823			
9	二级平台车司机	人	1	1 823			
10	一级普工	人	4	7 293			
11	三级设备操作工	人	1	1 823			
	设备资源						
12	平台车	台	1		957		70%
13	工具车	台	1		68		5%
14	电焊机	台	1		137		10%
	材料资源		(单位耗量)				
15	钢筋	t	0.006 1			167	
16	铁丝	kg	0.006 2			170	
17	其他						

表 2-34　下部开挖钢筋网安装台时、人时、材料用量

序号	项　目	单位	数量	人时	台时	材料	利用系数
1	工程量	m²	13 240				
2	施工工程量	m²	13 505				
3	小时生产率	m²/h	20.00				
4	长期工作影响系数		0.75				
5	平均生产率	m²/h	15.00				
	劳力资源						
6	工长	人	1	450			50%
7	三级司机	人	1	900			
8	二级电焊工	人	1	900			
9	二级平台车司机	人	1	900			
10	一级普工	人	4	3 601			
11	三级设备操作工	人	1	900			
	设备资源						
12	平台车	台	1		473		70%
13	工具车	台	1		34		5%
14	电焊机	台	1		68		10%
	材料资源		(单位耗量)				
15	钢筋	t	0.006 1			82.38	
16	铁丝	kg	0.006 2			83.73	
17	其他						

3 隧洞混凝土衬砌

3.1 施工布置

混凝土浇筑利用施工支洞作为混凝土运输通道,假定平均运距为1.5km,其中拌和楼至支洞口0.7km,洞内平均运距0.8km。

3.2 浇筑分段分块

混凝土浇筑采用分段分块法施工,分段长度拟为10m。每段浇筑段又分底拱和边顶拱两块。

3.3 施工工程量计算

3.3.1 衬砌混凝土工程量

设计工程量:

$$\pi \times (7.8^2 - 7^2) \times 1\,600 = 59\,515(\mathrm{m}^3)$$

《水利水电施工技术规范汇编》中规定,其开挖半径的平均径向超挖值不得大于20cm,这里按超挖20cm计算。衬砌厚度为80cm,混凝土超填系数为27%。

施工工程量:

$$59\,515 \times (1 + 27\%) = 75\,583(\mathrm{m}^3)$$

3.3.2 钢筋

纵向采用直径14mm的圆钢筋,间距按约3根/m计,受力钢筋采用直径28mm的钢筋(这里未经计算),间距按4根/m计,箍筋采用直径6mm的钢筋,间距按0.4m计。

纵向钢筋量:

$$(15.6 - 0.06) \times \pi \times 3 \times 2 \times 1\,600 \times 1.208$$
$$= 568\,243(\mathrm{kg}) = 568.3(\mathrm{t})$$

受力钢筋量:

$$((15.6 - 0.06) \times \pi + (14 + 0.06) \times \pi) \times 4 \times 1\,600 \times 4.83$$
$$= 2\,874\,542(\mathrm{kg}) = 2\,874.55\mathrm{t}$$

箍筋用量:

$$((15.6 - 0.06) \times \pi \times 1\,600 / (0.4 \times 0.4)) \times 0.89 \times 0.222$$
$$= 96\,459(\mathrm{kg}) = 96.46\mathrm{t}$$

设计钢筋量:

$$568.3 + 2\,874.55 + 96.46 = 3\,539.31(\mathrm{t})$$

混凝土设计工程量:59 515m³。

则每1m³混凝土含筋率:

$$3\,539.31 / 59\,515 = 0.059\,5(\mathrm{t/m}^3) = 59.5\mathrm{kg/m}^3$$

3.3.3 施工立模面积

设计立模面积:

$$\pi \times 14 \times 1\,600 = 70\,372(\mathrm{m}^2)$$

堵头立模面积:

$$(1\,600 / 10 + 1) \times \pi \times (7.8^2 - 7^2) = 5\,989(\mathrm{m}^2)$$

施工立模面积：

$$70\ 372 + 5\ 989 = 76\ 361(\text{m}^2)$$

3.3.4　止水片

施工缝埋设止水片。

止水片长度：

$$(1\ 600/10 - 1) \times 14.8 \times \pi = 7\ 440(\text{m})$$

3.3.5　回填灌浆

顶拱 120°范围进行回填灌浆。

回填灌浆面积：

$$15.6 \times \pi \times (120/360) \times 1\ 600 = 26\ 138(\text{m}^2)$$

3.3.6　固结灌浆

固结灌浆的孔距、孔深和灌浆压力应由灌浆试验确定,这里间距取为 5m,孔深 6m。按每钻米灌浆耗水泥 25kg 计算。

固结灌浆钻孔工程量：

$$15.6 \times \pi \times 1\ 600/(5 \times 5) \times 6 = 18\ 819(\text{m})$$

灌浆水泥用量：

$$18\ 819\text{m} \times 0.025\text{t/m} = 470\text{t}$$

3.4　浇筑程序与混凝土浇筑方法

为减少施工干扰,隧洞混凝土衬砌拟在开挖完成后进行施工。

3.4.1　施工程序

拟采用先浇底拱混凝土,再浇边顶拱混凝土,在底拱混凝土浇筑 1 个月后,开始边顶拱混凝土浇筑。混凝土分部分衬砌工程量见表 3-1。

表 3-1　混凝土衬砌工程量

序号	项目	单位	数量(设计)		分块工程量	
			底拱	边顶拱	底拱	边顶拱
1	工作面清理	m²	26 138	52 276	163	327
2	衬砌混凝土	m³	19 838	39 676	124	248
3	钢筋	t	1 170	2 341	7.315	14.631
4	立模面积	m²	25 454	50 907	159	318
5	紫铜止水片	m	2 480	4 960	15	31
6	固结灌浆	m/t	6 273/156.8	12 546/3 136.2		
7	回填灌浆	m²	0	26 138		

隧洞混凝土衬砌按以下工序进行施工:工作面清理→钢筋绑扎(与预埋件安装)→模板安装与止水片埋设→混凝土浇筑→混凝土养护→回填灌浆→固结灌浆。

同一浇筑段上工作面清理、钢筋绑扎(与预埋件安装)、模板安装与止水片埋设、混凝土浇筑、混凝土养护等工序按流水作业法施工。不同浇筑段的工作面清理、钢筋绑扎(与预埋件安装)等工序与前面浇筑段的模板安装与止水片埋设、混凝土浇筑、混凝土养护等工序平行作业。

隧洞回填灌浆、固结灌浆在隧洞衬砌混凝土完成,且在混凝土强度达到70%设计强度后开始进行。

3.4.2 施工方法

工作面清理:利用0.4m³反向铲配20t自卸车清除底渣,高压水枪冲洗。

钢筋:钢筋制作在加工厂完成。钢筋安装利用钢筋台车,人工在台车上作业。

人工安装钢筋生产率取为30kg/人时。

立模板:边、顶拱模板采用可移动式钢模台车。底拱采用整体式钢模板。人工安装堵头模板。

止水片埋设:止水片埋设与堵头模板安装同时进行,人工安装。

混凝土浇筑:混凝土运输、入仓采用混凝土搅拌车从拌和楼运混凝土至工作面,混凝土泵车送混凝土入仓,采用附着式与插入式振捣器捣实。

回填灌浆:在隧洞混凝土衬砌完成后,混凝土强度达到设计标号的70%以上时才可开始进行,灌浆采用逐步加密法分两次序进行,第一次序灌奇数排,第二次序灌偶数排。采用手风钻钻孔、通孔,BW-120泥浆泵灌浆。

固结灌浆:在回填灌浆结束7~14天后进行,灌浆方法同回填灌浆,采用逐步加密法。

3.5 混凝土施工主要设备选型、配套与设备生产率计算

3.5.1 混凝土入仓设备

采用1台HBB60型混凝土泵车送混凝土入仓。

混凝土泵车生产率计算:

HBB60型混凝土泵车额定生产率为60m³/h。

混凝土泵车实际生产率=额定生产率×时间利用系数。

一般时间利用系数为0.75~0.85,这里取为0.75。则

$$混凝土泵车实际生产率 = 60 \times 0.75 = 45(m^3/h)$$

3.5.2 混凝土运输设备

混凝土水平运输:采用6m³混凝土搅拌运输车(以下简称混凝土搅拌车)运输。混凝土搅拌车生产率计算如下。

(1)混凝土搅拌车一次运输循环时间T计算:

$$T = t_1 + t_2 + t_3 + t_4$$

其中:t_1为装车时间;t_2为行车时间;t_3为卸料时间;t_4为调车、等候时间。

t_1=混凝土搅拌车容量/混凝土拌和楼储料漏斗的卸料能力,这里取为5min。

$t_2 = 60 \times$(运距/重车运行速度+运距/空车运行速度)

$= 60 \times (1.5/10 + 1.5/15) = 15(min)$

卸料时间t_3取为7min。

调车、等候时间t_4为2.5~5min,这里取为5min。则

$$T = t_1 + t_2 + t_3 + t_4 = 5 + 15 + 7 + 5 = 32(min)$$

(2)混凝土搅拌车小时生产率计算：

小时运输次数为

$$60/32\times(50/60)=1.53(次)(小时有效工作时间按50min/h计)$$

则混凝土搅拌车小时生产率为

$$6.0\times1.53=9.18(m^3/h)$$

(3)混凝土搅拌车数量计算：

混凝土泵送混凝土小时生产率为45m^3/h。

混凝土搅拌车数量＝混凝土泵生产率/混凝土搅拌车生产率＝45/9.18＝5(台)

3.5.3 钢筋设备

钢筋制作:按台班产量为10～15t考虑,见设备汇总表3-2。

表3-2　设备汇总(单工作面)

设备名称	型号	单位	数量	额定生产率	实际生产率	备注
钢筋台车		套	1			
边顶拱钢模台车		套	1			
底拱整体式钢模板		套	1			
液压输送混凝土泵车	HBB60	台	1	60m³/h	45m³/h	
插入式混凝土振捣器	Z_2D-100	把	6	15m³/h	10.5m³/h	
附着式混凝土振捣器		把	6			
混凝土搅拌车	6m³	辆	6		8.1m³/h	1.5km
电焊机		台	7			
工具车	5t	辆	1			
浆液搅拌机		台	3			
灌浆泵	砂浆泵	台	3	100L/min		
钻机		台	1		12m/h	
反铲	0.4m³	台	1			
自卸汽车	20t	台	2			
汽车吊	5t	台	1			
空压机	10m³/min	台	1			
水泵	2B19	台	1	20m³/h		1.47kW
平台车		台	1			
钢筋制作(台班产量10～15t)						
风砂枪		台	3			
调直切断机		台	2			
对焊机		台	1			
弯曲机		台	3			
切断机		台	1			
单梁起重机		台	1			
运料车		台	1			
电焊机		台	3			

3.5.4 模板

边顶拱采用钢模台车,底拱采用整体式钢模板。

3.5.5 振捣器

采用佛山产 Z_2D-100 型振捣器,其技术生产率为 $15m^3/h$,时间利用系数取为 0.7,则实际生产率为 $15 \times 0.7 = 10.5(m^3/h)$。

混凝土泵送混凝土生产率为 $45m^3/h$,则振捣器数量为 $45/10.5 = 4.3$(台),取为 5 台。

3.5.6 灌浆设备

手风钻钻孔:小时生产率为 $12m/h$。

灌浆泵:BW-150 型中压泥浆泵,排浆量为 $32\sim150L/min$。

隧洞衬砌主要设备:见表 3-2。

3.6 混凝土浇筑工作组

劳力安排原则:分工作面定岗定员配备各工种劳力与工长。同一工种劳力划分 4 个等级:一级工(不熟练工)、二级工(半熟练工)、三级工(熟练工)、四级工(高级熟练工)。

根据概算项目划分的特点,拟按以下项目分别安排劳力:①工作面清理工作组;②钢筋加工工作组;③钢筋安装工作组;④止水片埋设工作组;⑤模板安装与拆除工作组;⑥混凝土浇筑工作组;⑦灌浆工作组。

3.6.1 工作面清理工作组

工作面清理工作组负责钢筋绑扎前工作面的清理(垫渣清除等)与混凝土浇筑前工作面的清洗工作。工作组人员安排见表 3-3。

表 3-3 工作面清理典型工作组 (单位:人)

序号	工种名称	工长	一级工	二级工	三级工	四级工
1	工长	1				
2	普工		4			
3	反铲司机				1	
4	自卸车司机				1	
5	电工				1	
6	设备操作工			2		

注:为底拱工作面清理。

3.6.2 立、拆模板工作组

立、拆模板工作组负责钢模台车的移动、就位、安装与拆除;负责堵头模板的安装、拆除;负责模板安装、运行期间的管线维护。工作组人员安排见表 3-4。

3.6.3 钢筋制作、安装工作组

钢筋制作工作组负责钢筋的制作。工作组人员安排见表 3-5。

表 3-4　立、拆模板典型工作组　　　　　　　　　　（单位:人）

序号	工种名称	工长	一级工	二级工	三级工	四级工
1	工长	1				
2	木工			2	1	
3	电工				1	
4	普工		5			
5	设备操作工			2	3	1
6	司机			1		

表 3-5　钢筋制作典型工作组(台班产量 10～15t)　　　（单位:人）

序号	工种名称	工长	一级工	二级工	三级工	四级工
1	工长	1				
2	电焊工			4	2	
3	设备操作工		5	7	8	
4	起重机司机				1	
5	司机			1		
6	普工		4			

钢筋安装工作组负责钢筋运输(从加工厂至工作面)、安装、绑扎、焊接等。工作组人员安排见表 3-6。

表 3-6　钢筋安装典型工作组　　　　　　　　　　　（单位:人）

序号	工种名称	工长	一级工	二级工	三级工	四级工
1	工长	1				
2	电焊工				6	1
3	钢筋工				5	2
4	普工		8			
5	司机			1		
6	电工				1	

3.6.4　止水片埋设工作组

止水片埋设工作组负责止水片的运输、安装、焊接工作等。工作组人员安排见表 3-7。

表 3-7　止水片埋设典型工作组　　　　　　　　　　（单位:人）

序号	工种名称	工长	一级工	二级工	三级工	四级工
1	电焊工				1	
2	普工		3			

3.6.5　混凝土浇筑工作组

混凝土浇筑工作组负责从拌和楼至混凝土浇筑仓面的水平运输和垂直运输、混凝土平仓振捣及混凝土养护期的养护等工作。工作组人员安排见表 3-8。

表 3-8　混凝土浇筑典型工作组　　　　　　　（单位：人）

序号	工种名称	工长	一级工	二级工	三级工	四级工
1	工长	1				
2	混凝土搅拌车司机				5	
3	混凝土泵车操作工			1	1	
4	混凝土工			4	4	1
5	电工				1	
6	管路修理工			1		
7	钢筋工				1	
8	木工				2	
9	工具车司机			1		
10	普工		3			

3.6.6　钻孔、灌浆工作组

钻孔、灌浆工作组负责钻孔、灌浆材料的运输、拌制和灌浆等工作。工作组人员安排见表 3-9。

表 3-9　钻孔、灌浆典型工作组　　　　　　　（单位：人）

序号	工种名称	工长	一级工	二级工	三级工	四级工
	钻孔工作组					
1	工长	1				
2	钻机操作工			1	1	
3	普工		2			
4	空压机操作工				1	
	固结灌浆工作组					
1	工长	1				
2	设备操作工		3	3	3	
3	电工				1	
4	司机			1		
5	普工		5			
	回填灌浆工作组					
1	工长	1				
2	设备操作工		2	2	2	
3	电工				1	
4	司机			1		
5	普工		5			
6	风钻工			1		
7	空压机操作工				1	

3.7　材料用量

材料含钢筋、模板、混凝土（按 C25）施工材料，用量参照 1987 年预算定额计算，见表 3-10。

表 3-10　隧洞衬砌材料消耗

项目	单位用量		材料用量		备注
	数量	单位	数量	单位	
混凝土衬砌	75 583m³				
成品混凝土	1.03	m³/m³	77 851	m³	
水	0.45	m³/m³	34 012	m³	
钢筋制作、安装	3 582t				
钢筋	1.02	t/t	3 653	t	
铁丝	4.00	kg/t	14 326	kg	
电焊条	7.22	kg/t	25 859	kg	
模板制作、安装	76 361m²（立模面积）				
板材	0.003 4	m³/m²	257	m³	
铁件	0.409 8	kg/m²	31 291	kg	
铁钉	0.034 5	kg/m²	2 638	kg	
边顶拱钢模	3.078 3	kg/m²	235 064	kg	平均数
底拱钢模	0.596 9	kg/m²	45 577	kg	
止水	7 588m				
紫铜片	5.61	kg/m	42 570	kg	
沥青	0.017	t/m	129.0	t	
木材	0.005 7	t/m	43.3	t	
铜电焊条	0.031 2	kg/m	236.8	kg	
回填灌浆	28 752m²				
水泥	0.05	t/m²	1 438	t	
砂	0.016	m³/m²	460	m³	
水	0.62	m³/m²	17 826	m³	
灌浆管	0.14	m/m²	4 025	m	
固结灌浆	20 701m				
钻头	0.025 9	个/m	536	个	
钻杆	0.020	根/m	414	根	
水泥 425#	0.025	t/m	518	t	
水	3.20	m³/m	66 243	m³	

3.8　隧洞混凝土工程工期、强度与台时、人时消耗

3.8.1　工作计划

每年工作:12 个月。

每月平均工作:25.5 天。

每天工作:24h。

月工作小时数:612h。

3.8.2　施工工期

3.8.2.1　混凝土浇筑施工循环时间

浇筑段长度:10m。

衬砌循环时间见表 3-11、表 3-12。

表 3-11　底拱衬砌循环时间（进尺：10m）

工作程序	时间(h) 平行作业	5	10	15	20	25	30	35	40	45	50	55	60	65	70
工作面清理	6.0														
钢筋绑扎	10.9														
立、拆模板	6.5														
止水片埋设	1.0														
混凝土浇筑	4.5														
养护	16.0														
其他	1.0														
回填灌浆															
固结灌浆															
小计	29.0														
小时有效工作时间 min/h	50														
平均日进尺 m/日															
长期工作影响系数	75%														
平均月进尺 m/月	158														

时间(h)

表 3-12　边顶拱衬砌循环时间（进尺：10m）

工作程序	时间(h) 平行作业		时间(h)
工作面清理	6		
钢筋绑扎	22.4		
立、拆模板	10.5		
止水片埋设	3.0		
混凝土浇筑	9.0		
养护	36.0		
其他	1.0		
回填灌浆			
固结灌浆			
小计	59.5		
平均日进尺	50	min/h	
长期工作影响系数	75%	m/日	
平均月进尺	77	m/月	

横轴时间(h)：5　10　15　20　25　30　35　40　45　50　55　60　65　70　75　80　85　90　95

第一个浇筑段施工时间:底拱45.9h;边顶拱87.9h。

考虑工作面清理、钢筋绑扎同其他浇筑段工序施工平行作业。

1个浇筑段施工时间:底拱29h;边顶拱59.5h。

月进尺(单工作面):底拱158m/月;边顶拱77.3m/月。

3.8.2.2 施工工期

施工工期按两工作面同时施工计算。底拱混凝土浇筑1个月后,开始进行边顶拱混凝土浇筑。

衬砌时间:13.19个月。

隧洞回填、隧洞固结灌浆时间:7.13个月。

灌浆、衬砌平行作业时间:5.63个月。

其他时间:0.5个月。

施工工期:15.19个月。

3.8.3 施工强度

混凝土浇筑工程量:85 653m³。

平均月浇筑强度:5 730m³/月。

衬砌作业循环时间、工期、强度计算见表3-13。

表3-13 隧洞衬砌循环时间、工期、强度计算

序号	项 目	单位	设计参数		备注
			底拱	边顶拱	
1	隧洞参数				
1.1	断面形式		圆形		
1.2	隧洞成洞断面面积	m²	153.9		
1.3	锚喷支护后隧洞直径	m	15.6		
1.4	成洞直径	m	14		
1.5	衬砌形式		普通钢筋混凝土衬砌		
1.6	衬砌厚度	m	0.8		
1.7	相应断面隧洞长度	m	1 600		
2	衬砌分段循环参数				
2.1	衬砌分段长度	m	10	10	
2.2	衬砌角度	角度	120	240	
2.3	开挖断面周长	m	16.3	32.7	
2.4	成洞断面周长	m	14.7	29.3	
2.5	单位洞长混凝土量	m³/m	12.4	24.8	
2.6	每1m³混凝土钢筋含量	kg/m³	59	59	
2.7	浇筑块混凝土量	m³	124.0	248.0	
2.8	浇筑块钢筋量	kg	7 315	14 631	
2.9	立模面积	m²	147	293	
3	分段工作面清理时间计算				
3.1	清理面积	m²	163	327	
3.2	清理方式		反铲配自卸车清渣,高压水风枪冲洗		

序号	项 目	单位	设计参数		备注
			底拱	边顶拱	
3.3	作业组人数	个	10	6	
3.4	工作面清理时间	h	6.0	6.0	
3.5	小时生产率	m²/h	27	54	
4	循环钢筋绑扎时间计算				
4.1	主钢筋直径	mm	28		
4.2	浇筑块设计钢筋量	kg	7 315	14 631	
4.3	浇筑块施工钢筋量	kg	7 462	14 923	
4.4	作业组人数	个	25	25	
4.5	绑扎前准备时间	h	0.5	1.0	
4.6	钢筋安装绑扎时间	h	9.9	19.9	
4.7	预埋件安装时间	h	0.5	1.5	
4.8	循环钢筋绑扎时间	h	10.9	22.4	
4.9	小时生产率	kg/h	685	666	
5	循环安、拆模板时间计算				
5.1	模板类型		底拱钢模	钢模台车	
5.2	立模面积	m²	147	293	
5.3	堵头模板面积	m²	12.4	24.8	
5.4	作业组人数	个	17	17	
5.5	模板安装准备时间	h	0.5	0.5	
5.6	模板就位时间	h	1.0	2.0	
5.7	模板固定安装时间	h	4.0	6.0	
5.8	堵头模板安装时间	h	1.0	2.0	
5.9	循环安装模板时间	h	6.5	10.5	
5.10	小时生产率	m²/h	24.5	30.3	
6	循环止水片安装时间计算				
6.1	止水片类型		紫铜片		
6.2	止水片工程量	m	15	31	
6.3	作业组人数	个	4	4	
6.4	止水片安装时间	h	1.0	3.0	
6.5	小时生产率	m/h	15	10	
7	混凝土浇筑设备参数				
7.1	混凝土入仓方式		泵送		
7.2	混凝土入仓设备型号		HBB60 泵车		
7.3	混凝土入仓设备额定生产率	m³/h	60		
7.4	混凝土水平运输方式				
7.5	运输设备型号		6m³ 混凝土搅拌车		
7.6	运输设备额定容量	m³	6	6	
7.7	混凝土运输距离	km	1.5	1.5	
7.8	运输设备数量	台	6	6	
7.9	混凝土设备配套生产率	m³/h	45	45	

序号	项 目	单位	设计参数				备注
			底拱		边顶拱		
8	循环浇筑混凝土时间计算						
8.1	混凝土浇筑块设计工程量	m³	124		248		
8.2	混凝土超填系数		0.27		0.27		
8.3	混凝土浇筑块施工工程量	m³	157		314.9		
8.4	混凝土设备配套生产率	m³/h	45		45		
8.5	作业组人数	个	26		26		
8.6	混凝土浇筑前准备工作	h	1.0		2.0		
8.7	混凝土净浇筑时间	h	3.5		7.0		
8.8	循环浇筑混凝土时间	h	4.5		9.0		
8.9	其他时间	h	1.0		1.0		
8.10	混凝土浇筑小时生产率	m³/h	28.6		31.5		
9	混凝土浇筑分段养护时间计算						
9.1	拆模前养护	h	16		36		
9.2#	拆模后养护	天	14		24		
9.3	作业组人数	个	1		1		
10	混凝土衬砌分段施工循环时间		平行作业		平行作业		
10.1#	工作面清理时间	h	6.0		6.0		
10.2#	钢筋绑扎时间	h	10.9		22.4		
10.3	循环立模时间	h		6.5		10.5	
10.4	循环止水件埋设时间	h		1.0		3.0	
10.5	循环浇筑混凝土时间	h		4.5		9.0	
10.6	混凝土浇筑段拆模前养护时间	h		16.0		36.0	
10.7	其他时间	h		1.0		1.0	
10.8	一个浇筑段循环时间	h	16.9	29.0	28.4	59.5	
10.9	第一个浇筑段施工时间	h	45.9		87.9		
11	顶拱回填灌浆时间计算						
11.1	顶拱回填灌浆面积	m²			26 318		
11.2	灌浆设备型号						
11.3	作业组人数	个			16		
11.4	灌浆准备时间	h					
11.5	净灌浆时间	h					
11.6	顶拱回填灌浆时间	h			4 356		
11.7	小时生产率	m²/h			6		
12	固结灌浆时间计算						
12.1	钻孔工程量	m			18 819		
12.2	钻孔设备型号				风钻		
12.3	钻孔设备数量	台			1		
12.4	钻孔生产率	m/h			12		
12.5	钻孔时间	h			1 568		
12.6	灌浆工程量	t			470		

序号	项目	单位	设计参数		备注
			底拱	边顶拱	
12.7	灌浆设备型号		中压泥浆泵		
12.8	灌浆设备数量	套	3		
12.9	注浆生产率(台)	kg/h	32.2		
12.10	灌注时间	h	4 865.0		
12.11	固结灌浆时间	h	4 865.0		
12.12	小时生产率	kg/h	96.60		
13	工作计划				
13.1	每班工作时间	h	8.0		
13.2	每天工作班次	班/日	3		
13.3	日工作小时数	h/日	24		
13.4	月工作天数	天/月	25.5		
13.5	月工作小时数	h/月	612		
13.6	浇筑段长度	m	10	10	
13.7	月完成浇筑段数	段/月	21.1	10.3	
13.8	长期工作效率系数		0.75		
13.9	单工作面月进尺	m/月	158	77.3	
13.10	双工作面月进尺		0.85	0.85	
13.11	双工作面影响系数	m/月	269	131	
14	衬砌工期计算				
14.1	洞长	m	1 600		
14.2	超填方量	m³			
14.3	额外补偿长度	m			
14.4	等效长度	m	1 600	1 600	
14.5	衬砌分段总数	段	160	160	
14.6	衬砌工期	月	5.95	12.19	
14.7	底拱、边顶拱衬砌平行施工时间	月	4.95		
14.8	衬砌完成时间	月	13.19		
14.9	回填灌浆	月	5.93		
14.10	固结灌浆工期	月	6.63		
14.11	回填、固结灌浆平行作业时间	月	4.93		
14.12	灌浆完成时间	月	7.63		
14.13	灌浆、衬砌平行作业时间	月	6.13		
14.14	进场及进口工作时间	月	0.5		
14.15	衬砌总工期	月	15.9		
14.16	各部分衬砌月强度	m³/月	4 234	4 134	
14.17	平均衬砌月强度	m³/月	5 730		

3.8.4 隧洞衬砌设备台时、人时、材料消耗指标

隧洞衬砌设备台时、人时、材料消耗指标见表 3-14～表 3-27。

表 3-14　底拱工作面清理台时、人时、材料用量

序号	项　　目	单位	数量	人时	台时	材料	利用系数
1	工程量	m²	26 138				
2	施工工程量	m²	27 445				
3	小时生产率	m²/h	27				
4	长期工作影响系数		0.75				
5	平均生产率	m²/h	20.25				
	劳力资源						
6	工长	人	1	678			50%
7	三级反铲司机	人	1	1 355			
8	三级汽车司机	人	1	1 355			
9	三级电工	人	1	1 355			
10	一级普工	人	4	5 421			
11	二级设备操作工	人	2	2 711			
	设备资源						
12	反铲	台	1		305		30%
13	运输车	台	1		610		60%
14	空压机	台	1		305		30%
15	水泵	台	1		203		20%
16	其他						

表 3-15　边顶拱工作面清理台时、人时、材料用量

序号	项　　目	单位	数量	人时	台时	材料	利用系数
1	工程量	m²	52 276				
2	施工工程量	m²	54 890				
3	小时生产率	m²/h	54				
4	长期工作影响系数		0.75				
5	平均生产率	m²/h	40.50				
	劳力资源						
6	工长	人	1	678			50%
7	二级设备操作工	人	2	2 711			
8	三级电工	人	1	1 355			
9	一级普工	人	2	2 711			
	设备资源						
10	空压机	台	1		508		50%
11	水泵	台	1		203		20%
12	其他						

表 3-16　钢筋制作台时、人时、材料用量

序号	项　　目	单位	数量	人时	台时	材料	利用系数
1	工程量	t	3 511				
2	施工工程量	t	3 582				
3	小时生产率	t/h	2.00				
4	长期工作影响系数		0.75				
5	平均生产率	t/h	1.50				
	劳力资源						
6	工长	人	1	2 388			
7	三级电焊工	人	2	4 775			
8	二级电焊工	人	4	9 551			
9	三级操作工	人	8	19 102			
10	二级操作工	人	7	16 714			
11	一级操作工	人	5	11 939			
12	三级起重机司机	人	1	2 388			
13	二级司机	人	1	2 388			
14	一级普工	人	4	9 551			
	设备资源						
15	风砂枪	台	3		4 298		80%
16	调直切断机	台	2		2 006		56%
17	对焊机	台	1		358		20%
18	弯曲机	台	3		3 653		68%
19	切断机	台	1		1 343		75%
20	单梁起重机	台	1		358		20%
21	运料车	台	1		179		10%
22	电焊机	台	2		2 686		75%
	材料资源		（单位耗量）				
23	钢筋	t	1.02			3 653	
24	焊条	kg	2.4			8 596	
25	其他						

表 3-17　底拱钢筋安装台时、人时、材料用量

序号	项　　目	单位	数量	人时	台时	材料	利用系数
1	工程量	t	1 170				
2	施工工程量	t	1 194				
3	小时生产率	t/h	0.685				
4	长期工作影响系数		0.75				
5	平均生产率	t/h	0.514				
	劳力资源						
6	工长	人	1	2 323			
7	四级电焊工	人	1	2 323			

序号	项 目	单位	数量	人时	台时	材料	利用系数
8	三级电焊工	人	6	13 936			
9	四级钢筋工	人	2	4 645			
10	三级钢筋工	人	5	11 613			
11	三级电工	人	1	2 323			
12	一级普工	人	8	18 581			
13	二级司机	人	1	2 323			
	设备资源						
14	电焊机	台	7		11 590		95%
15	汽车	台	1		436		25%
	材料资源		(单位耗量)				
16	钢筋	t	1.02			1 218	
17	铁丝	kg	4.00			4 775	
18	焊条	kg	4.82			5 754	
19	其他						

表 3-18　边顶拱钢筋安装台时、人时、材料用量

序号	项 目	单位	数量	人时	台时	材料	利用系数
1	工程量	t	2 341				
2	施工工程量	t	2 387.7				
3	小时生产率	t/h	0.666				
4	长期工作影响系数		0.75				
5	平均生产率	t/h	0.500				
	劳力资源						
6	工长	人	1	4 780			
7	四级电焊工	人	1	4 780			
8	三级电焊工	人	6	28 681			
9	四级钢筋工	人	2	9 560			
10	三级钢筋工	人	5	23 901			
11	三级电工	人	1	4 780			
12	一级普工	人	8	38 242			
13	二级司机	人	1	4 780			
	设备资源						
14	电焊机	台	7		23 841		95%
15	汽车	台	1		896		25%
16	钢筋台车	台	1		2 689		75%
	材料资源		(单位耗量)				
17	钢筋	t	1.02			2 435	
18	铁丝	kg	4.00			9 551	
19	焊条	kg	4.82			11 509	
20	其他						

表 3-19 底拱模板安、拆台时、人时、材料用量

序号	项　目	单位	数量	人时	台时	材料	利用系数
1	工程量	m²	25 454				
2	施工工程量	m²	25 454				
3	小时生产率	m²/h	24.50				
4	长期工作影响系数		0.75				
5	平均生产率	m²/h	18.38				
	劳力资源						
6	工长	人	1	1 385			
7	三级木工	人	1	1 385			
8	三级电工	人	1	1 385			
9	四级设备操作工	人	1	1 385			
10	三级设备操作工	人	3	4 156			
11	二级设备操作工	人	2	2 771			
12	二级木工	人	2	2 771			
13	一级普工	人	5	6 926			
14	二级司机	人	1	1 385			
	设备资源						
15	钢模台车	台	1		1 039		100%
16	工具车	台	1		104		10%
	材料资源		（单位耗量）				
17	板材	m³	0.003 4			87	
18	铁件	kg	0.409 8			10 431	
19	铁钉	kg	0.034 5			878	
20	底拱钢模	kg	1.790 6			45 578	
21	其他						

表 3-20 边顶拱模板安装、拆除台时、人时、材料用量

序号	项　目	单位	数量	人时	台时	材料	利用系数
1	工程量	m²	50 907				
2	施工工程量	m²	50 907				
3	小时生产率	m²/h	30.30				
4	长期工作影响系数		0.75				
5	平均生产率	m²/h	22.73				
	劳力资源						
6	工长	人	1	2 240			
7	三级木工	人	1	2 240			
8	三级电工	人	1	2 240			
9	四级设备操作工	人	1	2 240			
10	三级设备操作工	人	3	6 720			

序号	项 目	单位	数量	人时	台时	材料	利用系数
11	二级设备操作工	人	2	4 480			
12	二级木工	人	2	4 480			
13	一级普工	人	5	11 201			
14	二级司机	人	1	2 240			
	设备资源						
15	钢模台车	台	1		1 680		100%
16	工具车	台	1		168		10%
	材料资源		（单位耗量）				
17	板材	m³	0.003 4			173	
18	铁件	kg	0.409 8			20 862	
19	铁钉	kg	0.034 5			1 756	
20	边顶拱钢模	kg	4.617 4			235 057	
21	其他						

表 3-21　底拱混凝土浇筑台时、人时、材料用量

序号	项 目	单位	数量	人时	台时	材料	利用系数
1	工程量	m³	19 838				
2	施工工程量	m³	25 194				
3	小时生产率	m³/h	28.63				
4	长期工作影响系数		0.75				
5	平均生产率	m³/h	21.47				
	劳力资源						
6	工长	人	1	1 173			
7	三级木工	人	2	2 347			
8	三级电工	人	1	1 173			
9	四级混凝土工	人	1	1 173			
10	三级混凝土工	人	3	3 520			
11	二级混凝土工	人	4	4 693			
12	三级钢筋工	人	1	1 173			
13	三级司机	人	5	5 867			
14	二级司机	人	1	1 173			
15	一级普工	人	3	3 520			
16	二级设备操作工	人	1	1 173			
17	二级管路修理工	人	1	1 173			
18	三级设备操作工	人	1	1 173			
	设备资源						
19	混凝土搅拌车	台	5		2 816		64%
20	混凝土泵车	台	1		563		64%
21	混凝土振捣器	台	6		3 379		64%

序号	项 目	单位	数量	人时	台时	材料	利用系数
22	水泵	台	1		440		50%
23	空压机	台	1		563		64%
24	工具车	台	1		88		10%
	材料资源		(单位耗量)				
25	成品混凝土	m³	1.03			25 950	
26	水	m³	0.45			11 337.48	
27	其他						

表 3-22　边顶拱混凝土浇筑台时、人时、材料用量

序号	项 目	单位	数量	人时	台时	材料	利用系数
1	工程量	m³	39 676				
2	施工工程量	m³	50 389				
3	小时生产率	m³/h	31.49				
4	长期工作影响系数		0.75				
5	平均生产率	m³/h	23.62				
	劳力资源						
6	工长	人	1	2 134			
7	三级木工	人	2	4 267			
8	三级电工	人	1	2 134			
9	四级混凝土工	人	1	2 134			
10	三级混凝土工	人	3	6 401			
11	二级混凝土工	人	4	8 534			
12	三级钢筋工	人	1	2 134			
13	三级司机	人	5	10 668			
14	二级工具车司机	人	1	2 134			
15	三级设备操作工	人	1	2 134			
16	三级管路修理工	人	1	2 134			
17	一级普工	人	3	6 401			
18	二级设备操作工	人	1	2 134			
	设备资源						
19	混凝土搅拌车	台	5		5 599		70%
20	混凝土泵车	台	1		1 120		70%
21	混凝土振捣器	台	6		6 719		70%
22	空压机	台	1		1 120		70%
23	工具车	台	1		160		10%
	材料资源		(单位耗量)				
24	成品混凝土	m³	1.03			51 900	
25	水	m³	0.45			22 674.96	
26	其他						

表 3-23　固结灌浆钻孔台时、人时、材料用量

序号	项 目	单位	数量	人时	台时	材料	利用系数
1	工程量	m	18 819				
2	施工工程量	m	20 701				
3	小时生产率	m/h	12.00				
4	长期工作影响系数		0.75				
5	平均生产率	m/h	9.00				
	劳力资源						
6	工长	人	1	1 150			50%
7	三级钻机操作工	人	1	2 300			
8	二级钻机操作工	人	1	2 300			
9	三级电工	人	1	2 300			
10	一级普工	人	1	2 300			
11	一级普工	人	2	4 600			
	设备资源						
12	手风钻	台	1	1 725			100%
13	平台车	台	1	863			50%
14	空压机	台	1	1 725			100%
	材料资源		（单位耗量）				
15	钻头	个	0.025 9			536	
16	钻杆	根	0.002			41	
17	水	m³	0.1			2 070.1	
18	其他						

表 3-24　固结灌浆台时、人时、材料用量

序号	项 目	单位	数量	人时	台时	材料	利用系数
1	工程量	t	470				
2	施工工程量	t	518				
3	小时生产率	kg/h	96.60				
4	长期工作影响系数		0.75				
5	平均生产率	kg/h	72.450				
	劳力资源						
6	工长	人	1	3 575			50%
7	三级设备操作工	人	3	21 449			
8	二级操作工	人	3	21 449			
9	一级操作工	人	3	21 449			
10	一级普工	人	5	35 749			
11	二级司机	人	1	7 150			
12	三级电工	人	1	7 150			
	设备资源						

序号	项　目	单位	数量	人时	台时	材料	利用系数
13	灌浆泵	台	3		16 087		100%
14	浆液拌和机	台	3		16 087		100%
15	运输车	台	1		1 072		20%
16	平台车	台	1		2 681		50%
	材料资源		（单位耗量）				
17	水	m³	128.0			66 304	
18	425 号水泥	t	1.0			518	
19	其他						

表 3-25　边顶拱回填灌浆台时、人时、材料用量

序号	项　目	单位	数量	人时	台时	材料	利用系数
1	工程量	m²	26 138				
2	施工工程量	m²	28 752				
3	小时生产率	m²/h	6.0				
4	长期工作影响系数		0.75				
5	平均生产率	m²/h	4.50				
	劳力资源						
6	工长	人	1	3 195			50%
7	三级设备操作工	人	2	12 779			
8	二级操作工	人	2	12 779			
9	一级操作工	人	2	12 779			
10	三级电工	人	1	6 389			
11	一级普工	人	5	31 947			
12	二级司机	人	1	6 389			
13	二级风钻工	人	1	6 389			
14	三级空压机操作工	人	1	6 389			
	设备资源						
15	灌浆泵	台	2		7 667		80%
16	浆液拌和机	台	2		7 667		80%
17	运输车	台	1		719		15%
18	平台车	台	1		3 834		80%
19	空压机	台	1		2 396		50%
20	手风钻	台	1		958		20%
	材料资源		（单位耗量）				
21	水泥	t	0.05			1 437.6	
22	砂	m³	0.016			460.0	
23	水	m³	0.62			17 826	
24	灌浆管	m	0.140			4 025	
25	其他						

表 3-26　底拱止水片安装台时、人时、材料用量

序号	项目	单位	数量	人时	台时	材料	利用系数
1	工程量	m	2 480				
2	施工工程量	m	2 529.6				
3	小时生产率	m/h	15.00				
4	长期工作影响系数		0.75				
5	平均生产率	m/h	11.25				
	劳力资源						
6	一级普工	人	3	675			
7	三级电焊工	人	1	225			
	设备资源						
8	电焊机	台	1		51		30%
9	胶轮架子车	台	1		17		10%
	材料资源		（单位耗量）				
10	紫铜片	kg	5.610			14 191	
11	沥青	t	0.017			43	
12	木材	m³	0.006			15	
13	铜电焊条	kg	0.031			78	
14	其他						

表 3-27　边顶拱止水片安装台时、人时、材料用量

序号	项目	单位	数量	人时	台时	材料	利用系数
1	工程量	m	4 960				
2	施工工程量	m	5 058.7				
3	小时生产率	m/h	10.00				
4	长期工作影响系数		0.75				
5	平均生产率	m/h	7.50				
	劳力资源						
6	一级普工	人	3	2 023			
7	二级电焊工	人	1	674			
	设备资源						
8	电焊机	台	1		152		30%
9	胶轮架子车	台	1		51		10%
	材料资源		（单位耗量）				
10	紫铜片	kg	5.610			28 379	
11	沥青	t	0.017			86	
12	木材	m³	0.006			30	
13	铜电焊条	kg	0.031			156.8	
14	其他						

4　大型隧洞施工进度计划

大型隧洞施工进度计划见表 4-1。

表 4-1 大型隧洞施工进度计划

序号	项目	单位	数量	第一年 1	2	3	4	第二年 1	2	3	4	第三年 1	2	3	4	第四年 1	2	3	4	第五年 1	2	3	4
1	准备	项	2	3.0																			
2	进出口工程																						
3	支洞施工	m	400/100		400			100															
4	上部导洞开挖	m³	96 896		4.0		8.2	2.0															
5	上部两侧开挖	m³	61 968				8.9																
6	下部开挖	m³	158 832							8.1													
7	底拱混凝土	m³	19 838								s1	5.95				f1							
8	边顶拱混凝土	m³	39 676									s1	12.19			f							
9	回填灌浆	m²	26 138									s0.5	5.93			f0.5							
10	固结灌浆	m	18 819										6.63										
11	支洞封堵	m	30													0.5							

注:表中进度线下面的数字表示月。

·625·

(二)中型隧洞工程

1 中型隧洞模型建立

1.1 工程模拟条件

围岩类别:以Ⅲ类为主,兼有部分Ⅱ类、Ⅳ类围岩。洞室围岩岩石完整、构造简单,无岩溶发育的岩层和严重破碎等不良地段。

岩性:假定 f 值为 6~8 的石灰岩(泥灰质石灰岩)。

1.2 中型隧洞参数拟定

根据在建、已建工程及设计中的部分工程情况,参考进厂交通洞、施工支洞拟定。拟采用城门形隧洞,隧洞尺寸、设计参数值详见图 1-1~图 1-4。

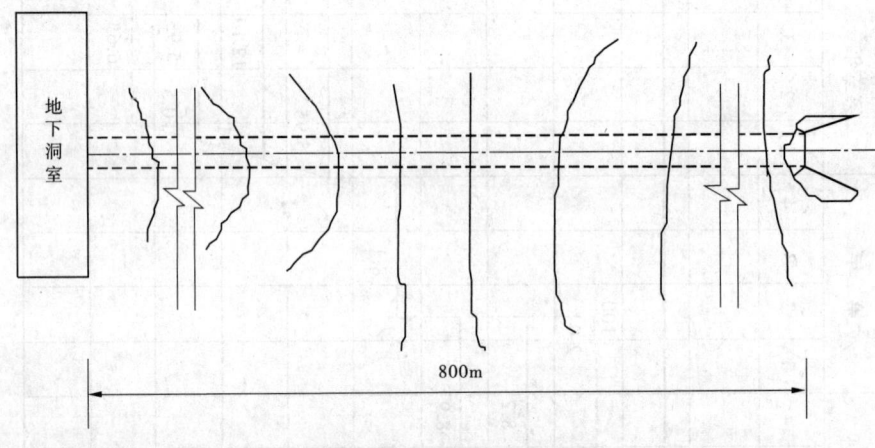

图 1-1 隧洞平面布置示意图

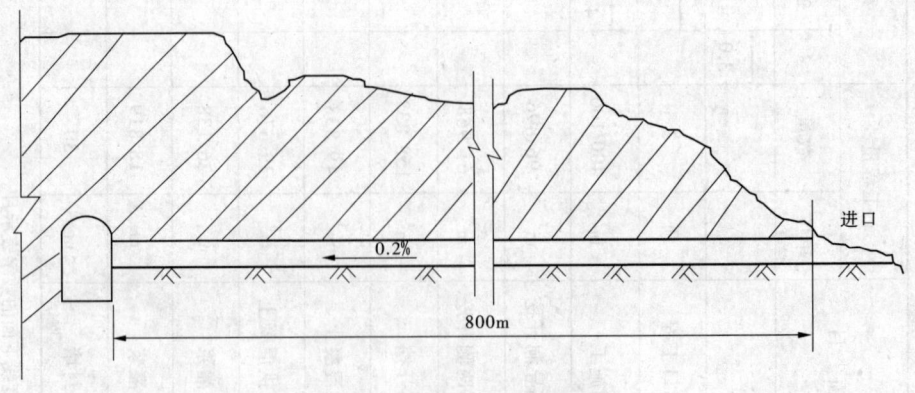

图 1-2 隧洞纵剖面示意图

1.2.1 隧洞成洞尺寸

宽度:8.0m。

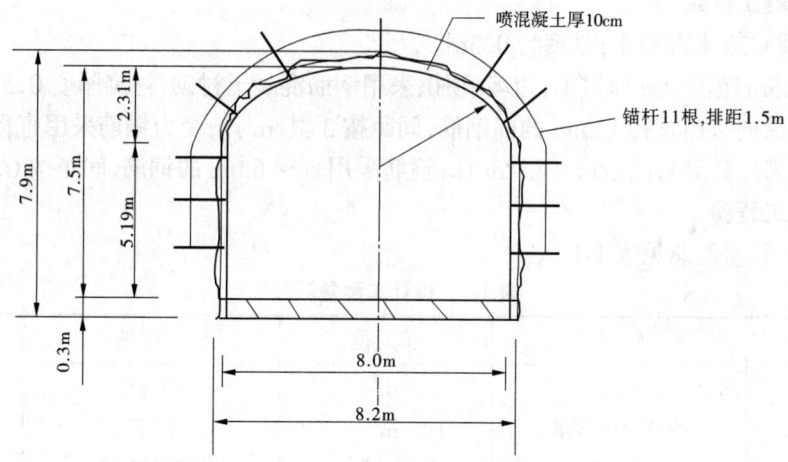

图 1-3 洞身开挖、支护横断面示意图

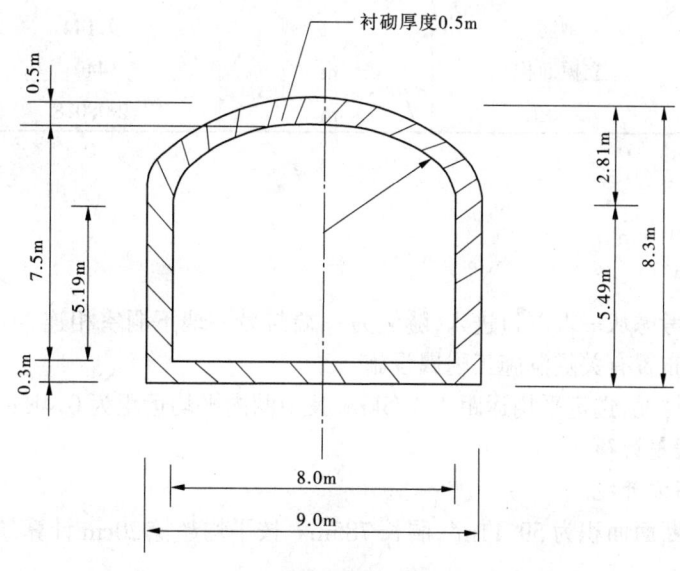

图 1-4 洞口衬砌横断面示意图

隧洞高度:7.5m。

顶拱角度:120°。

顶拱半径:4.620m。

侧墙高:5.19m。

洞长:800m。

1.2.2 支护参数拟定

喷混凝土厚:10cm。

砂浆锚杆:Φ18mm,间、排距 1.5m,锚杆长度 $L = 2.5$m

钢筋网:Φ6mm 焊接钢筋网,网格间距 0.25m×0.25m(顶拱)。

1.2.3 混凝土浇筑

底板铺 C20 素混凝土,厚度为 0.3m。

洞口 15m 范围全断面衬砌,边墙、顶拱采用钢筋混凝土衬砌,衬砌厚度 0.5m。

钢筋:纵向采用直径 12mm 的圆钢筋,间距按 3 根/m 计;受力钢筋采用直径 24mm 的钢筋(这里未经计算),间距按 4 根/m 计;箍筋采用直径 6mm 的钢筋,间距按 0.4m 计。

1.3 设计工程量

设计工程量汇总见表 1-1。

表 1-1 设计工程量汇总

序号	项 目	单 位	工程量	备注
1	开挖石方	m³	47 452	
2	喷混凝土方量	m³	1 757	
3	锚杆数	m/根	14 740/5 896	
4	钢筋网	m²	7 761	
5	钢筋	t	9.144	
6	立模面积	m²	440	
7	混凝土	m³	2 080.8	

2 隧洞开挖

2.1 施工布置

隧洞开挖考虑从一端洞口进入,隧洞另一端与另一地下洞室相连,不具备进洞条件。隧洞洞口附近布置有关隧洞施工附属设施。

根据施工情况,选定平均运距为 1.5km,其中洞内平均运距为 0.4km。

2.2 主要工程量计算

2.2.1 隧洞石方开挖

设计开挖断面面积为 59.11m²,洞长 785m。按平均超挖 20cm 计算,施工开挖断面面积为 65.09m²。

洞口段设计开挖断面面积为 69.99m²,洞长 15m。按平均超挖 20cm 计算,施工开挖断面面积为 76.59m²,则设计工程量为

$$59.11 \times 785 + 69.99 \times 15 = 47\ 452 (\text{m}^3)$$

施工工程量为

$$65.09 \times 785 + 76.59 \times 15 = 52\ 245 (\text{m}^3)$$

$$平均超挖系数 = 52\ 245/47\ 452 - 1 = 10.1\%$$

2.2.2 隧洞喷混凝土支护

考虑顶拱喷混凝土回弹率为 25%,边墙喷混凝土回弹率为 15%(参考《水利水电施工技术规范汇编》上卷)。

设计工程量计算如下。

边墙喷混凝土量:

$$5.49 \times 2 \times 0.1 \times 800 = 878 (\text{m}^3)$$

顶拱喷混凝土量:

$$\pi \times (4.720^2 \times 120.6/360 - 4.620^2 \times 120/360) \times 785 + \pi \times (5.220^2$$
$$\times 123.59/360 - 5.120^2 \times 123/360) \times 15 = 860 + 19 = 879 (\text{m}^3)$$

设计工程量:

$$879 + 878 = 1\ 757 (\text{m}^3)$$

施工工程量:

$$879 \times 1.25 + 878 \times 1.15 = 2\ 108 (\text{m}^3)$$

平均回弹率:

$$2\ 108/1\ 757 - 1 = 20\%$$

2.2.3 隧洞锚杆支护

锚杆间、排距为 1.5m,锚杆长度为 2.5m。单排锚杆根数为 11 根,洞口段为 13 根/排,则锚杆根数:

$$11 \times 785/1.5 + 13 \times (15/1.5 + 1)$$
$$= 11 \times 523 + 13 \times 11 = 5\ 896 (\text{根})$$

锚杆总长度:

$$5\ 896 \times 2.5 = 14\ 740 (\text{m})$$

2.2.4 隧洞挂钢筋网支护

顶拱挂钢筋网。钢筋网工程量计算如下:

$$2 \times \pi \times 4.620 \times 120/360 \times 785 + 2 \times \pi \times 5.120 \times 125.1/360 \times 15$$
$$= 7\ 595 + 166 = 7\ 761 (\text{m}^2)$$

2.3 施工方法

2.3.1 开挖方法

采用全断面开挖,钻爆法施工,光面爆破,非电毫秒微差爆破。按钻孔、装药、爆破、通风、安全处理、出渣、喷混凝土、锚杆支护顺序作业,循环施工。挂钢筋网按平均行业考虑,不占开挖循环直线时间。

2.3.2 开挖作业技术参数确定

开挖作业爆破参数设计根据戈氏帕扬公式、译波尔公式及相关办法进行计算。

设计开挖断面面积为 59.11m²。典型循环进尺为 3.0m。

钻爆参数设计见表 2-1。开挖循环设计工程量见表 2-2。

2.3.3 锚喷网支护施工程序与施工方法

2.3.3.1 施工程序

清除松石→埋设喷层厚度标记→冲洗岩面→第一次喷混凝土→锚杆孔位放线→钻孔→注浆→安装锚杆→挂钢筋网→第二次喷混凝土。

2.3.3.2 施工方法

锚杆施工:利用钻孔台车钻孔,注浆机注浆,人工安装锚杆。

喷混凝土:采用分层喷射,湿喷法施工,机械化作业;分层厚度为5cm。

表 2-1   隧洞开挖典型钻孔爆破设计

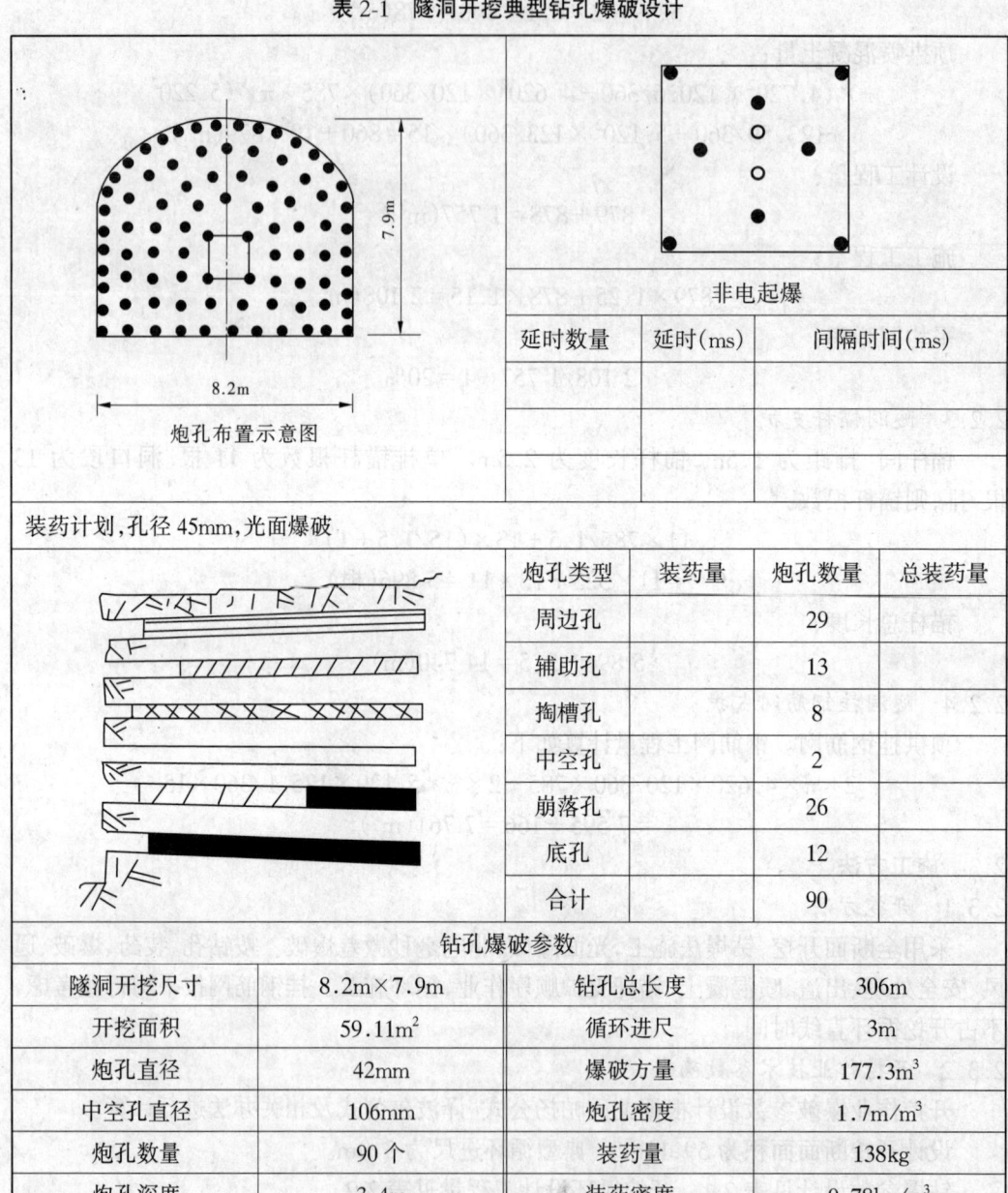

炮孔布置示意图

	非电起爆		
延时数量	延时(ms)	间隔时间(ms)	

装药计划,孔径 45mm,光面爆破

炮孔类型	装药量	炮孔数量	总装药量
周边孔		29	
辅助孔		13	
掏槽孔		8	
中空孔		2	
崩落孔		26	
底孔		12	
合计		90	

钻孔爆破参数

隧洞开挖尺寸	8.2m×7.9m	钻孔总长度	306m
开挖面积	59.11m²	循环进尺	3m
炮孔直径	42mm	爆破方量	177.3m³
中空孔直径	106mm	炮孔密度	1.7m/m³
炮孔数量	90 个	装药量	138kg
炮孔深度	3.4m	装药密度	0.78kg/m³

表 2-2   循环设计工程量

序号	项目	单位	数量	备注
1	石方开挖	m³	177	
2	喷混凝土	m³	6.58	
3	锚杆	根	22	
4	钢筋网	m²	29.8	

钢筋网施工:拟在钢筋加工厂加工成片,工具车运入洞内,利用平台车人工挂网。

2.4 施工设备选型、配套与生产率计算

2.4.1 钻孔设备

目前在我国水电工程中以 Atlas 多臂钻孔台车使用较为普遍,中型隧洞以三臂液压钻孔台车较为合适,三臂液压钻孔台车钻孔适用工作范围为(宽×高)12.9m×8.26m。

三臂液压钻孔台车生产率与凿岩机型号、岩石极限抗压强度及钻孔深度有关。

拟选用 COP1238 型凿岩机,f 取值为 8~10,孔深 3.5m,查生产率曲线图单臂额定生产率为 92m/h。

考虑正常生产管理水平,实际生产率取为 1.33m/min。其中:钻臂移动时间为 0.3min/孔;对孔定位时间为 0.5min/孔;每米孔深净钻孔时间为 0.53min/m。

2.4.2 出渣装运设备

采用侧卸式 3m³ 轮式装载机配 20t 自卸汽车出渣。

2.4.2.1 轮式装载机生产率

目前在我国水电工程中以 Caterpillar 轮式装载机使用较为普遍。为此,拟采用 Caterpillar 轮式装载机生产率。

小时生产率=铲斗容量×铲斗充盈系数×小时装渣次数

3m³ 装载机装一斗渣净循环时间取为 0.81min。

实际有效工作时间按每小时 50min 计,小时装渣次数为 61.7 次/h。

按块体尺寸均匀性一般的爆破石渣考虑,铲斗充盈系数为 0.75~0.90,这里取为 0.75。

$$小时生产率=铲斗容量×铲斗充盈系数×小时装渣次数$$
$$=3.0×0.75×61.7=138.8(m^3/h)(松方)$$
$$=138.8/1.53=90(m^3/h)(自然方)$$

2.4.2.2 汽车生产率

汽车一次循环时间 T 计算:

汽车一次循环时间含装车时间 t_1,行车时间 t_2,卸车时间 t_3 及调车、等车时间 t_4,即

$$T=t_1+t_2+t_3+t_4$$

(1)装车时间 t_1 计算:

t_1=装一斗渣循环时间×汽车需装铲斗数+汽车进入装车位置时间

汽车需装铲斗数=(汽车载重量/松方密度)/(装载机斗容×铲斗充盈系数)

汽车进入装车位置时间一般可取为 0.2~0.5min,这里取为 0.5min,则

$$t_1=0.81×20/(1.71×3.0×0.75)+0.5$$
$$=0.81×5+0.5=4.55(min)$$

(2)行车时间 t_2 计算:

这里取洞内外平均运行速度:重车为 15km/h,空车为 20km/h。

$$t_2=60×(运距/重车运行速度+运距/空车运行速度)$$
$$=60×(1.5/15+1.5/20)=10.5(min)$$

(3)卸车时间 t_3 计算：

卸车时间通常为 $1\sim1.5\mathrm{min}$，这里取为 $1.5\mathrm{min}$。

(4)调车、等车时间 t_4 计算：

调车、等车时间通常为 $2.5\sim4.5\mathrm{min}$，这里取为 $3.5\mathrm{min}$，则

汽车一次循环时间：

$$T = t_1 + t_2 + t_3 + t_4$$
$$= 4.55 + 10.5 + 1.5 + 3.5 = 20.05(\mathrm{min})$$

汽车生产率＝汽车载重量/容重×汽车充满系数×小时循环次数×时间利用系数

$$= 20/2.62 \times 0.96 \times (60/20.05) \times (50/60)$$
$$= 18.3(\mathrm{m}^3/\mathrm{h})(自然方)$$

2.4.2.3 配套汽车数量

配套汽车数量＝装载机小时生产率/汽车生产率＝$90/18.3 = 4.95$ 辆，取为 5 辆。

2.4.2.4 配套生产率

配套生产率为 $90\mathrm{m}^3/\mathrm{h}$，取为装载机生产率。

2.4.3 喷混凝土设备

采用 $6\mathrm{m}^3$ 混凝土搅拌车运输，利用 $0.4\mathrm{m}^3$ 强制式搅拌机加水拌和，利用 HLF－4 型（鹤壁矿务局生产）喷射机湿喷混凝土。

HLF－4 型湿式喷射机额定生产率为 $5\mathrm{m}^3/\mathrm{h}$，时间利用系数取为 0.75，则实际生产率为

$$5 \times 0.75 = 3.75(\mathrm{m}^3/\mathrm{h})$$

2.4.4 锚杆施工设备

采用二臂液压钻孔台车（或开挖钻孔用的三臂液压钻孔台车，按两臂钻孔计算）钻孔，利用平台车人工安装锚杆。

钻孔深度为 $3.0\mathrm{m}$，考虑正常生产管理水平，钻孔设备实际生产率取为 $1.255\mathrm{m}/\mathrm{min}$。

2.4.5 钢筋网施工设备

采用平台车人工安装钢筋网。根据工程施工有关经验，洞内安装钢筋网小时生产率为 $15\mathrm{m}^2/\mathrm{h}$。

2.4.6 通风设备

通风机选择：根据风机工作风量和风机工作风压选择通风机。选择时依照特性曲线进行比较，采用在较高效率区运转的风机型号。

风机工作风量和风机工作风压根据施工通风方式与所需风流量计算。

通风量根据如下四方面计算，取其中最大值：

(1)洞内施工人员需风量。

(2)爆破散烟所需风流量。

(3)洞内最小风速所需风量。洞内容许最小风速，手册规定不小于 $0.15\mathrm{m}/\mathrm{s}$，小浪底工程中世界银行专家建议取为 $0.5\mathrm{m}/\mathrm{s}$，这里取为 $0.3\mathrm{m}/\mathrm{s}$。

(4)使用柴油机械时的通风量。单位功率需风量按 $4.1\mathrm{m}^3/\mathrm{kW}$ 计算。

这里根据工程经验，选择 2 台 55kW 可逆转的轴流式风机。

2.4.7 开挖设备汇总表

隧洞开挖设备汇总见表 2-3。

表 2-3　隧洞开挖设备汇总

设备名称	型号	单位	数量	额定生产率	实际生产率	备注
钻机	H178	台	1		1.33m/(min·臂)	3臂
装载机	3m³	台	1		90m³/h	
自卸汽车	20t	辆	5		18.3m³/h	
混凝土喷射机	HLF-4	台	1	5m³/h	3.75m³/h	
反铲	0.4m³	台	1			
强制式搅拌机	0.4m³	台	1			
混凝土运输车	6m³	辆	1			
注浆机	2.2kW	台	1			
推土机	180HP	台	1			
水泵	2B19	台	1			
空压机	ZL₂-10/8-1	台	1			
通风机	55kW	台	2			
电焊机		台	1			

2.5 劳力安排

劳力安排原则:分工作面定岗定员配备工长和各工种劳力,同一工种劳力划分 4 个等级:一级工(不熟练工)、二级工(半熟练工)、三级工(熟练工)、四级工(高级熟练工)。

根据概算项目划分的特点,拟按以下项目分别安排劳力:①钻孔爆破工作组;②装渣运输工作组;③锚杆施工工作组;④喷混凝土工作组;⑤挂钢筋网工作组。

2.5.1 钻爆工作组

钻爆工作组负责完成开挖工作中钻孔、装药连线、爆破、通风、水电管线的延伸与维护等工作。具体劳力安排见表 2-4。

表 2-4　钻爆典型工作组　　　　　　　　　　　　　　　　(单位:人)

序号	工种名称	工长	一级工	二级工	三级工	四级工
1	工长	1				
2	钻机操作工				2	1
3	炮工			2	1	1
4	电工				1	
5	工具车司机			1		
6	设备操作工			1	1	
7	机械修理工				1	
8	普工		2			
9	管路修理工				1	

2.5.2 装运出渣工作组

装运出渣工作组负责完成开挖工作中的安全处理、装渣、运输、工作面清理、渣场平整等工作。工作组劳力安排见表 2-5。

表 2-5　装运出渣典型工作组　　　　　　　　　　　　　　　　（单位：人）

序号	工种名称	工长	一级工	二级工	三级工	四级工
1	工长	1				
2	反铲司机				1	
3	装载机司机					1
4	汽车司机				5	
5	推土机司机				1	
6	普工		2			

注：1 台 3m³ 装载机配 5 辆 20t 自卸汽车。

2.5.3 锚杆支护工作组

锚杆支护工作组负责锚杆施工放线、钻孔、洗孔、锚杆运输、安装、灌浆等工作。工作组劳力安排见表 2-6。

表 2-6　锚杆安装典型工作组　　　　　　　　　　　　　　　　（单位：人）

序号	工种名称	工长	一级工	二级工	三级工	四级工
1	工长	1				
2	钻机操作工				1	1
3	平台车司机				1	
4	灌浆机操作工				1	1
5	工具车司机				1	
6	普工		3			

2.5.4 喷混凝土工作组

喷混凝土工作组负责完成隧洞喷混凝土的混凝土运输、喷射与养护等工作。具体劳力安排见表 2-7。

表 2-7　喷混凝土典型工作组　　　　　　　　　　　　　　　　（单位：人）

序号	工种名称	工长	一级工	二级工	三级工	四级工
1	工长	1				
2	混凝土喷射机操作工					1
3	混凝土搅拌车司机					1
4	普工		4			
5	空压机操作工			1		

2.5.5 钢筋网安装工作组

钢筋网安装工作组负责完成钢筋网运输、现场安装等工作。工作组劳力安排见表 2-8。

表 2-8 钢筋网安装典型工作组 (单位:人)

序号	工种名称	工长	一级工	二级工	三级工	四级工
1	工长	1				
2	普工		4			
3	运输司机			1		
4	设备操作工				1	
5	平台车司机				1	
6	电焊工			1		

2.6 材料用量

材料用量采用统计、筛选、分析等估量办法进行确定,主要分以下几大类:钻杆、钻头、火工材料、喷混凝土、锚杆、钢筋网安装材料消耗等。炸药用量根据前面的爆破设计计算,雷管按平均每孔 1.2 个计算,采用进口钻头、钻杆,其消耗指标参考小浪底、鲁布革、太平哨等工程实际消耗统计值。具体指标见表 2-9。

表 2-9 隧洞开挖材料用量

项 目	材料单耗 数量	材料单耗 单位	材料用量 数量	材料用量 单位	备注
石方开挖			47 452	m³	
光爆炸药	0.08	kg/m³	3 796	kg	
炸药	0.70	kg/m³	33 216	kg	
雷管	0.623	个/m³	29 563	个	
导爆管	2.469	m/m³	117 159	m	
钻头	0.002 3	个/m³	109	个	
钻杆	0.004	根/m³	190	根	
喷混凝土			2 108	m³	
水泥	0.54	t/m³	1 138	t	
砂子	0.67	m³/m³	1 412	m³	
水	0.4	m³/m³	843	m³	
外加剂	16.2	kg/m³	34 150	kg	
小石	0.63	m³/m³	1 328	m³	
砂浆锚杆			14 740	m	
钻头	0.001 3	个/钻 m	19	个	
钻杆	0.002	根/钻 m	29	根	
螺帽	1.02	个/根	6 014	个	

项 目	材料单耗		材料用量		备注
	数量	单位	数量	单位	
垫板	1.02	套/根	6 014	套	
水泥砂浆	0.000 48	m³/m	7.08	m³	
锚杆材料	1.02	m/m	15 035	m	
钢筋网			7 916	m²	
钢筋	0.006 1	t/m²	48.3	t	
铁丝	0.006 2	kg/m²	49.1	kg	

2.7 工期、强度与台时、人时、材料消耗指标

2.7.1 工作计划

每年工作:12 个月。

每月平均工作:25.5 天。

每天工作:24h。

月工作小时数:612h。

2.7.2 开挖工期

2.7.2.1 开挖循环时间

隧洞开挖典型循环时间见表 2-10。

2.7.2.2 开挖工期

洞长:800m。

月进尺:107m/月。

施工准备与其他:0.5 个月。

开挖工期:800/107+0.5＝8.0(个月)。

2.7.3 开挖强度

开挖石方量:47 452m³。

平均月强度:5 930m³/月。

开挖作业循环时间、工期、强度计算见表 2-11。

2.7.4 隧洞开挖台时、人时、材料消耗指标

施工设备台时、劳力人时、材料消耗,根据施工循环中的小时生产率,设备、人员配置及设备利用率进行计算。

人时＝施工工程量/(小时生产率×长期工作影响系数)×人数×利用系数

台时＝施工工程量/小时生产率×设备数量×设备利用系数

长期工作影响系数:实物量法依据工作组的小时施工强度进行计算。由于实际施工过程中影响因素很多,难以保证小时施工强度的持续发挥,造成对工程平均施工强度与支付的劳力人时数的影响。根据工程难易程度,可取为 0.65~0.8,这里取为 0.75。

隧洞开挖台时、人时、材料消耗指标见表 2-12~表 2-16。

表 2-10　隧洞开挖循环时间表(断面积:59.11m²;进尺:3.0m)

工作程序	时间(min) 平行作业		时间(h)														
			1	2	3	4	5	6	7	8	9	10	11	12	13	14	15	16
测量放线	30																
钻孔	127																
装药	44																
爆破通风	30																
安全处理	30																
出渣	129																
喷混凝土	121																
锚杆支护	100																
钢筋网	99																
其他	30																
净循环时间	641																
小时有效工作时间	min/h	50															
循环时间	h	12.8															
平均日进尺	m/日	5.60															
长期工作影响系数	75%																
进尺	m/月	107															

注:Ⅲ类围岩洞段。

· 637 ·

表 2-11　隧洞开挖循环时间、工期、强度计算

序号	项　目	单位	设计参数			备注
1	隧洞参数					
1.1	开挖面积	m²	59.11			
1.2	开挖高度	m	7.90			
1.3	开挖宽度	m	8.20			
1.4	圆心角	弧度	2.105			120.6°
1.5	顶拱半径	m	4.72			
1.6	侧墙高度	m	5.49			
1.7	相应断面隧洞长度	m	785			
2	钻爆参数					
2.1	炮孔直径	mm	45			
2.2	炮孔数量	个	90			
2.3	掏槽中空孔直径	mm	102			
2.4	掏槽中空孔数量	个	2			
2.5	炮孔总数	个	92			
2.6	炮孔深度	m	3.4			
2.7	循环钻孔总长度	m	312.8			
2.8	循环进尺	m	3.0			
2.9	循环爆破方量	m³	177			
2.10	炮孔密度	m/m³	1.76			
2.11	装药量	kg	138			
2.12	装药密度	kg/m³	0.78			
3	钻孔设备参数					
3.1	钻机型号		H178			
3.2	凿岩机型号		COP1238			
3.3	钻杆型号		R38			
3.4	额定钻速	m/min	1.52			
3.5	设计钻速	m/min	1.33			
4	钻孔时间计算					
4.1	钻孔长度	m	312.8			
4.2	掏槽孔补偿长度	m	15.4			
4.3	等效钻孔总长度	m	328.2			
4.4	钻机就位及撤退时间(循环)	min	30			
项　目		单位	单位时间	工程量	时间	
4.5	钻臂移动就位(孔)	min	0.3	92	27.6	
4.6	对孔定位时间(孔)	min	0.5	92	46.0	
4.7	净钻孔时间(钻 m)	min	0.53	328.2	173.9	
4.8	一个循环需钻孔时间	min			247.5	
4.9	凿岩机同时工作台数	台	3×0.85＝2.55			
4.10	钻孔循环时间	min	127			

序号	项目	单位	设计参数			备注
5	装药时间计算					
5.1	装药孔数量	个	90			
5.2	装药总长度	m	306			
5.3	循环准备时间	min	10			
	项目		单位时间	工程量	时间	
5.4	对孔定位时间(按孔数计算)	min	0.5	90	45	
5.5	装药时间(按 m 计算)	min	0.3	306	91.8	
5.6	需装药时间小计	min	136.8			
5.7	装药工作组人数	个	4			
5.8	装药循环时间	min	44			
6	隧洞通风参数					
6.1	所需风流量	m³/s				
6.2	风管直径	m	2.0			
6.3	通风时间	min	30			
6.4	风机功率	kW	2×55			
7	装渣运输					
7.1	装载机械型号		960F 装载机			
7.2	装载机械斗容	m³	3			
7.3	运输方式		无轨运输			
7.4	车辆型号					
7.5	车辆容积	m³	10.7/12.0			
7.6	运输车数量	辆	5			
7.7	车辆载重量	t	20			
8	装渣时间计算					
8.1	爆破方量(自然方)	m³	177			
8.2	超挖系数		0.101			
8.3	松散系数		1.53			
8.4	松方量	m³	299			
8.5	装运配套小时生产率(自然方)	m³/h	90			
8.6	装运配套生产率(松方)	m³/min	2.75			
8.7	清扫时间	min	20			
8.8	出渣时间	min	129			
9	喷混凝土时间计算					
9.1	喷混凝土方法		机械化湿喷			
9.2	喷混凝土厚度	cm	10			
9.3	分层喷射次数		2			
9.4	设备生产率	m³/h	3.75			
9.5	设计喷混凝土方量	m³	6.58			

序号	项目	单位	设计参数			备注
9.6	喷混凝土回弹率		1.2			
9.7	设备移动就位时间	min	15			
	项 目		喷混凝土厚(cm)	喷混凝土(m³)	时间	
9.8	喷第一层混凝土时间	min	5	3.95	53	
9.9	喷第二层混凝土时间	min	5	3.95	53	
9.10	喷第三层混凝土时间	min			0	
9.11	净喷混凝土时间	min	106			
9.12	循环喷混凝土时间	min	121			
9.13	小时有效工作时间	min/h	50			
9.14	小时生产率	m³/h	3.3			含回弹混凝土
10	锚杆安装时间计算					
10.1	锚杆类型		砂浆锚杆			
10.2	锚杆长度	m	2.5			
10.3	锚杆间距	m	1.5			
10.4	锚杆排距	m	1.5			
10.5	锚杆总长度	m	55.0			
10.6	钻孔深度	m	55.0			
10.7	锚杆根数	根	22			
	项 目		单位时间	工程量	时间	
10.8	钻机就位及撤退时间(循环)	min	30	1	30	
10.9	钻臂移动就位(孔)	min	0.3	22	6.6	
10.10	对孔定位时间(孔)	min	0.5	22	11.0	
10.11	净钻孔时间(m)	min	0.53	55.0	29.2	
10.12	一个循环需钻孔时间	min			46.8	
10.13	凿岩机同时工作台数	台	2×0.9＝1.8			
10.14	钻孔时间	min	56			
10.15	安装锚杆时间(根)	min	2	22	44	
10.16	锚杆安装时间	min	100			
10.17	小时有效工作时间	min/h	50			
10.18	小时生产率	m/h	27.5			
11	挂钢筋网					
11.1	钢筋网型号					
11.2	挂网面积	m²	29.8			
11.3	作业组人数	个	9			
11.4	循环安装时间	min	99			
11.5	小时有效工作时间	min/h	50			
11.6	小时生产率	m²/h	15.0			
12	开挖时间					

序号	项 目	单位	设计参数		备注
12.1	测量放线	min	30		
12.2	钻孔循环时间	min	127		
12.3	装药循环时间	min	44		
12.4	通风时间	min	30		
12.5	安全处理时间	min	30		
12.6	出渣循环时间	min	129		
12.7	其他时间	min	30		
12.8	净开挖时间	min	420		
12.9	小时有效工作时间	min/h	50		
12.10	正常开挖时间	h	8.4		
12.11	小时生产率	m³/h	21.1		
13	工作循环时间安排		（平行作业工序）		
13.1	开挖时间	min		420	
13.2	喷混凝土时间	min		121	
13.3	锚杆支护时间	min		100	
13.4	钢筋网安装时间	min	99		
13.5	净循环时间	min		641	
13.6	小时有效工作时间	min/h	50		
13.7	正常循环时间	h	12.8		
14	工作计划				
14.1	每班工作时间	h	8		
14.2	每天工作班次	班/日	3		
14.3	日工作小时数	h/日	24		
14.4	日完成开挖循环次数	循环/日	1.87		
14.5	循环进尺	m/循环	3		
14.6	日进尺	m/日	5.6		
14.7	月工作天数	天/月	25.5		
14.8	长期工作影响系数		0.75		
14.9	月进尺	m/月	107		
15	开挖工期计算				
15.1	洞长	m	800		
15.2	超挖系数		0.101		
15.3	额外补偿长度	m	2.76		
15.4	等效长度	m	802.76		
15.5	总开挖循环数	循环	268		
15.6	开挖完成时间	月	7.50		
15.7	其他时间	月	0.5		
15.8	开挖工期	月	8.0		
16	开挖月强度				
16.1	开挖方量	m³	47 452		
16.2	平均月强度	m³/月	5 930		

表 2-12　钻孔爆破台时、人时、材料用量

序号	项目	单位	数量	人时	台时	材料	利用系数
1	工程量	m³	47 452				
2	施工工程量	m³	47 452				
3	小时生产率	m³/h	21.10				
4	长期工作影响系数		0.75				
5	平均生产率	m³/h	15.83				
	劳力资源						
6	工长	人	1	2 999			
7	四级钻机操作工	人	1	2 999			
8	三级钻机操作工	人	2	5 997			
9	二级炮工	人	2	5 997			
10	三级炮工	人	1	2 999			
11	四级炮工	人	1	2 999			
12	三级电工	人	1	2 999			
13	三级管路修理	人	1	2 999			
14	二级司机	人	1	2 999			
15	三级机械修理工	人	1	2 999			
16	二级设备操作工	人	1	2 999			
17	三级设备操作工	人	1	2 999			
18	一级普工	人	2	5 997			
	设备资源						
19	钻机	台	1		680.6		30.3%
20	通风机	台	2		4 497.8		100%
21	工具车	台	1		67.5		3%
22	水泵	台	1		674.7		30%
	材料资源		（单位耗量）				
23	光爆炸药	kg	0.08			3 796	
24	炸药	kg	0.70			33 216	
25	雷管	个	0.6			28 471	
26	导爆管	m	2.47			117 206	
27	钻头	个	0.002			95	
28	钻杆	根	0.004			190	
29	其他						

表 2-13　装渣运输台时、人时、材料用量

序号	项　目	单位	数量	人时	台时	材料	利用系数
1	工程量	m³	47 452				
2	施工工程量	m³	52 245				
3	小时生产率	m³/h	21.10				
4	长期工作影响系数		0.75				
5	平均生产率	m³/h	15.825				
	劳力资源						
6	工长	人	1	1 651			50%
7	四级装载机司机	人	1	3 301			
8	三级反铲司机	人	1	3 301			
9	三级汽车司机	人	5	16 507			
10	三级推土机司机	人	1	3 301			
11	一级普工	人	2	6 603			
	设备资源						
12	装载机	台	1		758		30.6%
13	反铲	台	1		173		7%
14	推土机	台	1		758		30.6%
15	自卸汽车	台	5		3 792		30.6%
16	其他						

表 2-14　喷混凝土台时、人时、材料用量

序号	项　目	单位	数量	人时	台时	材料	利用系数
1	工程量	m³	1 757				
2	施工工程量	m³	2 108				
3	小时生产率	m³/h	3.30				
4	长期工作影响系数		0.75				
5	平均生产率	m³/h	2.475				
	劳力资源						
6	工长	人	1	426			50%
7	四级设备操作工	人	1	852			
8	三级司机	人	1	852			
9	一级普工	人	4	3 407			
10	二级空压机操作工	人	1	852			
	设备资源						
11	混凝土喷射机组	台	1		562		88%
12	混凝土运输车	台	1		562		88%
13	浆液搅拌机	台	1		562		88%
14	空压机	台	1		562		88%
	材料资源		（单位耗量）				
15	水泥	t	0.54			1 138	
16	砂子	m³	0.67			1 412	
17	水	m³	0.40			843	
18	外加剂	kg	16.2			34 150	
19	小石子	m³	0.63			1 328	
20	其他						

表 2-15　锚杆施工台时、人时、材料用量

序号	项　目	单位	数量	人时	台时	材料	利用系数
1	工程量	m	14 740				
2	施工工程量	m	15 035				
3	小时生产率	m/h	27.50				
4	长期工作影响系数		0.75				
5	平均生产率	m/h	20.63				
	劳力资源						
6	工长	人	1	364			50%
7	四级设备操作工	人	1	729			
8	三级设备操作工	人	1	729			
9	三级司机	人	1	729			
10	三级灌浆设备操作工	人	1	729			
11	二级灌浆设备操作工	人	1	729			
12	二级司机	人	1	729			
13	一级普工	人	3	2 186			
	设备资源						
14	二臂钻机	台	1		306		56%
15	平台车	台	1		437		80%
16	注浆泵	台	1		273		50%
17	工具车	台	1		27		5%
	材料资源		（单位耗量）				
18	钻头	个	0.001 3			20	
19	钻杆	根	0.002			30	
20	螺帽	个	0.408			6 134	
21	垫板	套	0.408			6 134	
22	水泥砂浆	m³	0.000 48			7	
23	锚杆材料	m	1.02			15 335	
24	其他						

表 2-16　钢筋网安装台时、人时、材料用量

序号	项　目	单位	数量	人时	台时	材料	利用系数
1	工程量	m²	7 761				
2	施工工程量	m²	7 916				
3	小时生产率	m²/h	15.00				
4	长期工作影响系数		0.75				
5	平均生产率	m²/h	11.25				
	劳力资源						
6	工长	人	1	352			50%
7	三级司机	人	1	704			
8	三级设备操作工	人	1	704			
9	二级司机	人	1	704			

序号	项目	单位	数量	人时	台时	材料	利用系数
10	二级电焊工	人	1	704			
11	一级普工	人	4	2 815			
	设备资源						
12	平台车	台	1		369		70%
13	工具车	台	1		26		5%
14	电焊机	台	1		53		10%
	材料资源		(单位耗量)				
15	钢筋	t	0.006 1			48.3	
16	铁丝	kg	0.006 2			49.1	
17	其他						

3 隧洞混凝土浇筑

3.1 施工布置

混凝土泵等混凝土浇筑施工设施布置于隧洞口,假定拌和楼至洞口运距为 1.0km。

3.2 浇筑分块

底板铺 C20 素混凝土,厚度为 0.3m。

洞口 15m 范围全断面衬砌,边墙、顶拱采用钢筋混凝土衬砌,衬砌厚度为 0.5m。

洞口钢筋混凝土衬砌段拟分为两段,每浇筑段长 7.5m,各浇筑段又分边墙和顶拱两次浇筑。隧洞底板混凝土浇筑分段长度 20m。

3.3 工程量计算

3.3.1 混凝土工程量

洞口 15m 衬砌钢筋混凝土量:

$$(67.75 - 54.63) \times 15 - 0.3 \times 8.0 \times 15 = 160.8(m^3)$$

隧洞底板素混凝土量:

$$0.3 \times 800 \times 8 = 1\,920(m^3)$$

(对隧洞超挖部分不考虑回填混凝土)

3.3.2 钢筋

纵向采用直径 12mm 的圆钢筋,间距按 3 根/m 计;受力钢筋采用直径 24mm 的钢筋(这里未经计算),间距按 4 根/m 计;箍筋采用直径 6mm 的钢筋,间距按 0.4m 计。

纵向钢筋量:

$$53 \times (15 + 25 \times 0.012) \times 2 \times 0.888 = 53 \times 15.3 \times 2 \times 0.888 = 1\,440(kg)$$

受力钢筋量:

$$(18.2 + 17.1) \times 4 \times 15 \times 3.551 = 7\,521(kg)$$

箍筋用量:

$$(17.56 \times 15)/(0.4 \times 0.4) \times 0.5 \times 0.222 = 1\,646 \times 0.5 \times 0.222 = 183(kg)$$

设计钢筋量:

$$1\ 440 + 7\ 521 + 183 = 9\ 144(kg)$$

钢筋混凝土工程量:160.8m³。

每 1m³ 混凝土含筋量:

$$9\ 114/160.8 = 56.87(kg/m^3)$$

3.3.3 立模面积

顶拱单曲面立模面积:

$$\pi \times 4.62 \times (120/180) \times 15 = 145(m^2)$$

侧墙平面立模面积:

$$5.49 \times 15 \times 2 = 164.7(m^2)$$

边墙、顶拱堵头立模面积:

$$5.49 \times 0.5 \times 6 + \pi \times (5.12 \times 5.12 - 4.62 \times 4.62) \times 120/360 \times 3$$
$$= 16.5 + 15.3 = 31.8(m^2)$$

底板立模面积:

$$(800/20 + 1) \times 8.0 \times 0.3 = 98.4(m^2)$$

3.4 施工方法

3.4.1 施工程序

洞口段混凝土衬砌先浇筑边墙混凝土,而后浇筑顶拱混凝土,最后浇筑底板混凝土。隧洞底板混凝土浇筑,采用分段分块连续浇筑。各浇筑块混凝土工程量见表 3-1。

表 3-1　混凝土工程量(设计)

序号	项目	单位	工程量（设计）	一个浇筑块工程量		
				底板	边墙	顶拱
1	钢筋混凝土	m³	160.8		37.43	42.98
2	素混凝土	m³	1 920	48		
3	钢筋	t	9.144		2.128 6	2.444 3
4	边墙、顶拱立模	m²	341.5		79.84	85.80
5	底板立模	m²	98.4	2.40		

隧洞边墙、顶拱各浇筑块施工工序如下:

工作面清理→钢筋绑扎(与预埋件安装)→模板安装→混凝土浇筑→混凝土养护→模板拆除→拆模后养护。

底板各浇筑块施工工序如下:

工作面清理→模板安装→混凝土浇筑与抹面→混凝土养护→模板拆除→拆模后养护。

3.4.2 施工方法

工作面清理:利用反铲配自卸汽车清渣,高压水枪冲洗岩面。

混凝土浇筑:混凝土搅拌车从拌和楼运混凝土至工作面,混凝土泵送混凝土入仓,插入式振捣器捣实。

钢筋安装:利用平台车人工安装钢筋。钢筋安装生产率 按 30kg/人时。

模板安拆:采用钢模板。

3.5 设备选型、配套与生产率计算

3.5.1 混凝土入仓设备

采用1台HB30型混凝土泵送混凝土入仓。

HB30型混凝土泵额定生产率为30m³/h。

$$混凝土泵实际生产率 = 额定生产率 \times 时间利用系数$$

一般时间利用系数为0.75～0.85,这里考虑衬砌厚度较小,时间利用系数取为0.75,则

混凝土泵实际生产率 $= 30 \times 0.75 = 22.5(m³/h)$

3.5.2 混凝土运输设备

选用6m³混凝土搅拌运输车,平均运距为1.0km。

混凝土搅拌运输车生产率计算如下。

(1)混凝土搅拌运输车一次运输循环时间 T 计算:

$$T = t_1 + t_2 + t_3 + t_4$$

其中:t_1 为装车时间;t_2 为行车时间;t_3 为卸料时间;t_4 为调车、等候时间。

$t_1 =$ 混凝土搅拌运输车容量/混凝土拌和楼储料漏斗的卸料能力,这里取为5min。

这里取洞内外平均运行速度:重车为10km/h,空车为15km/h。

$t_2 = 60 \times$(运距/重车平均运行速度 + 运距/空车平均运行速度)

$= 60 \times (1.0/10 + 1.0/15) = 10(min)$

卸料时间 t_3 取为12min。

调车、等候时间 t_4 为2.5～5min,这里取为3min。

则

$$T = t_1 + t_2 + t_3 + t_4 = 5 + 10 + 12 + 3 = 30(min)$$

(2)混凝土搅拌车小时生产率计算:

小时运输次数:

$$60/30 \times (50/60) = 1.6(次)(小时有效工作时间按50min计)$$

则混凝土搅拌运输车小时生产率为

$$6.0 \times 1.6 = 9.6(m³/h)$$

(3)混凝土搅拌车数量计算:

混凝土泵送混凝土能力为22.5m³/h,则要求混凝土搅拌运输车数量为

$$22.5/9.6 = 3(台)$$

3.5.3 振捣器

采用佛山产 Z_2D-100 型振捣器,其额定生产率为15m³/h。时间利用系数取为0.7,则实际生产率为

$$15 \times 0.7 = 10.5m³/h$$

混凝土泵送混凝土生产率为22.5m³/h,则振捣器数量为

$$22.5/10.5 = 2.14(台)$$

取为3台。

混凝土工程施工主要设备汇总见表 3-2。

表 3-2　混凝土工程施工主要设备汇总

设备名称	型号	单位	数量	额定生产率	实际生产率	备注
混凝土泵	HB30	台	1	30m³/h	22.5m³/h	
混凝土振捣器	Z_2D-100	台	3	15m³/h	10.5m³/h	
混凝土搅拌运输车	6m³	辆	3		9.6m³/h	
电焊机	2.2kW	台	3			
工具车	5t	辆	1			
水泵	2B19	台	1			
反铲	0.4m³	台	1			
自卸汽车	20t	辆	1			
空压机	10m³/min	台	1			
平台车		台	1			

3.6　劳力安排

劳力安排原则:分工作面定岗定员配备工长和各工种劳力。同一工种劳力划分 4 个等级:一级工(不熟练工)、二级工(半熟练工)、三级工(熟练工)、四级工(高级熟练工)。

根据概算项目划分的特点,拟按以下项目分别安排劳力:①工作面清理作业组;②钢筋安装工作组;③模板安装与拆除工作组;④混凝土浇筑工作组。

3.6.1　工作面清理工作组

工作面清理工作组负责钢筋绑扎前工作面的清面与混凝土浇筑前工作面的清洗工作。工作组人员安排见表 3-3。

表 3-3　工作面清理典型工作组　　　　　　　　　　　(单位:人)

序号	工种名称	工长	一级工	二级工	三级工	四级工
1	工长	1				
2	普工		3			
3	设备操作工			1		
4	电工			1		
5	汽车司机			1		
6	反铲司机			1		

3.6.2　立、拆模板工作组

立、拆模板工作组负责模板运输(从加工厂到工作面)、安装、拆除。工作组人员安排见表 3-4。

3.6.3　钢筋安装工作组

钢筋安装工作组负责钢筋的运输(从加工厂至工作面)、安装、绑扎等。工作组人员安排见表 3-5。

3.6.4　混凝土浇筑工作组

混凝土浇筑工作组负责混凝土从拌和楼至浇筑仓面的水平运输和垂直运输、混凝土平仓振捣及混凝土养护期的养护等工作。工作组人员安排见表 3-6、表 3-7。

表 3-4　边顶拱立、拆模板典型工作组　　　　　　　　（单位：人）

序号	工种名称	工长	一级工	二级工	三级工	四级工
1	工长	1				
2	木工			2	2	
3	电工				1	
4	普工		6			
5	电焊工			1	1	
6	设备操作工			1	1	
7	司机			2		

表 3-5　钢筋安装典型工作组　　　　　　　　（单位：人）

序号	工种名称	工长	一级工	二级工	三级工	四级工
1	工长	1				
2	电焊工				2	1
3	钢筋工				4	1
4	普工		4			
5	司机			1	1	
6	电工				1	

表 3-6　底板混凝土浇筑典型工作组　　　　　　　　（单位：人）

序号	工种名称	工长	一级工	二级工	三级工	四级工
1	工长	1				
2	混凝土运输车司机				3	
3	混凝土泵操作工				1	
4	混凝土工			3	1	1
5	电工				1	
6	管路修理工			1		
7	木工			1		
8	工具车司机			1		
9	普工		3			

3.7　材料用量

材料含钢筋、模板、混凝土施工材料。用量见表 3-8。

3.8　工期、强度与台时、人时、材料消耗指标

3.8.1　工作计划

每年工作：12 个月。

每月平均工作：25.5 天。

每天工作：24h。

月工作小时数：612h。

表 3-7　边墙、顶拱混凝土浇筑典型工作组　　　　　　　　（单位:人）

序号	工种名称	工长	一级工	二级工	三级工	四级工
1	工长	1				
2	混凝土搅拌车司机				3	
3	混凝土泵操作工				1	
4	混凝土工			3	1	1
5	电工				1	
6	管路修理工			1		
7	钢筋工				1	
8	木工				1	
9	工具车司机			1		
10	普工		3			

表 3-8　隧洞衬砌材料消耗

项目	单位用量		材料用量	
	数量	单位	数量	单位
混凝土	2 080.8m³			
成品混凝土	1.03	m³/m³	2 143	m³
水	0.45	m³/m³	936	m³
钢筋制作、安装	9.327t			
钢筋	1.02	t/t	9.513	t
电焊条	7.22	kg/t	67.34	kg
铁丝	4.82	kg/t	44.96	kg
模板安装、拆除	440m²			
钢模板	1.90kg/m²		836kg	
铁件	1.20kg/m²		528kg	

3.8.2　衬砌工期

3.8.2.1　混凝土浇筑施工循环时间

衬砌循环时间见表 3-9～表 3-11。

一个浇筑块施工时间:底板 26.2h;边墙 59.8h;顶拱 80.2h。

3.8.2.2　衬砌工期

底板衬砌时间为 2.28 个月,洞口边墙衬砌时间为 0.26 个月,洞口顶拱衬砌时间为 0.35 个月,则衬砌工期为 2.28 + 0.26 + 0.35 = 2.89(个月)。

3.8.3　混凝土浇筑强度

混凝土工程量:2 080.8m²。

平均月强度:720m³/月。

衬砌作业循环时间、工期、强度计算见表 3-12。

3.8.4　隧洞衬砌人时、设备台时、材料消耗指标

隧洞衬砌设备台时、人时、材料消耗指标见表 3-13～表 3-17。

表3-9 底板混凝土浇筑循环时间

时间(h)

工作程序	时间(h)
工作面清理	5.0
钢筋绑扎	0
立模板	1.1
混凝土浇筑	3.6
养护	16.0
拆模板	0.5
小计	26.2

表3-10 边墙衬砌循环时间

时间(h)

工作程序	时间(h)
工作面清理	1.0
钢筋绑扎	7.0
立模板	11.6
混凝土浇筑	2.7
养护	36.0
拆模板	1.5
小计	59.8

表3-11 顶拱衬砌循环时间

时间(h)

工作程序	时间(h)
工作面清理	1.0
钢筋绑扎	11.0
立模板	15.8
混凝土浇筑	2.9
养护	48.0
拆模板	1.5
小计	80.2

表 3-12　隧洞衬砌循环时间、工期、强度计算

序号	项　目	单位	设计参数			备注
			底板	顶拱	边墙	
1	隧洞参数					
1.1	断面形式			城门洞形		
1.2	隧洞成洞断面面积	m²		54.63		
1.3	成洞高度	m		7.5		
1.4	成洞宽度	m		8		
1.5	圆心角	弧度		2.094		120°
1.6	顶拱半径	m		4.62		
1.7	侧墙高度	m		5.19		
1.8	衬砌形式		素混凝土	普通钢筋混凝土		
1.9	衬砌厚度	m	0.3	0.5	0.5	
1.10	相应断面隧洞长度	m	800	15	15	
2	衬砌分段循环参数					
2.1	衬砌分段长度	m	20.0	7.5	7.5	
2.2	单位洞长混凝土量	m³/m	2.40	5.73	4.99	
2.3	每 1m³ 混凝土钢筋含量	kg/m³	0	56.87	56.87	
2.4	浇筑块混凝土量	m³	48.00	42.98	37.43	
2.5	浇筑块钢筋量	kg	0	2 444.3	2 128.6	
2.6	立模面积	m²	2.40	85.80	79.84	
3	工作面清理时间计算					
3.1	分段清理面积	m²	160	88	85	
3.2	清理方式					
3.3	作业组人数	个	8	8	8	
3.4	工作面清理时间	h	5.0	1.0	1.0	
3.5	小时生产率	m²/h		32.0		
4	钢筋绑扎时间计算					
4.1	主钢筋直径	mm				
4.2	浇筑块设计钢筋量	kg		2 444	2 128.6	
4.3	浇筑块实际钢筋量	kg		2 493	2 171.2	
4.4	作业组人数	个		16	16	
4.5	绑扎前准备时间	h		0.5	0.5	
4.6	钢筋安装绑扎时间	h		10.0	6.0	
4.7	预埋件安装时间	h		0.5	0.5	
4.8	循环钢筋绑扎时间	h		11.0	7.0	
4.9	小时生产率	t/h		0.26		
5	安装模板时间计算					
5.1	模板类型			木模		
5.2	浇筑块立模面积	m²	2.40	85.80	79.84	
5.3	作业组人数	个	5	18	18	
5.4	模板安装准备	h	0.5	1.5	1	
5.5	模板固定安装时间	h	0.6	14.3	10.6	

序号	项　目	单位	设计参数			备注
			底板	顶拱	边墙	
5.6	循环安装模板时间	h	1.1	15.8	11.6	
5.7	小时生产率	m²/h		6.0		
6	混凝土浇筑设备参数					
6.1	混凝土入仓方式			泵送		
6.2	混凝土入仓设备型号			HB30		
6.3	混凝土入仓设备额定生产率	m³/h	30	30	30	
6.4	混凝土水平运输方式			混凝土搅拌车		
6.5	运输设备型号					
6.6	运输设备额定容量	m³	6.0	6.0	6.0	
6.7	混凝土运输距离	km	1.0	1.0	1.0	
6.8	运输设备数量	台	3	3	3	
6.9	混凝土振捣器	台	3	3	3	
6.10	混凝土设备配套生产率	m³/h	22.5	22.5	22.5	
7	浇筑混凝土时间计算					
7.1	混凝土浇筑块设计工程量	m³	48.00	42.98	37.43	
7.2	混凝土浇筑块实际工程量	m³	48.00	42.98	37.43	
7.3	混凝土设备配套生产率	m³/h	22.5	22.5	22.5	
7.4	作业组人数	个	17	18	18	
7.5	混凝土浇筑前准备工作	h	1	1	1	
7.6	混凝土净浇筑时间	h	2.1	1.9	1.7	
7.7	浇筑块抹面面积	m²	160			
7.8	抹面时间	h	0.5			
7.9	循环浇筑混凝土时间小计	h	3.6	2.9	2.7	
7.10	其他时间	h	0.5	1.5	1.5	
7.11	小时生产率	m³/h	11.7	9.4		
8	混凝土浇筑分段养护时间计算					
8.1	拆模前养护	h	16	48	24	
8.2	拆模后养护	天				
8.3	作业组人数	个	2	2	2	
9	拆模板	h	1	4	4	
10	衬砌分段施工循环时间		底板	顶拱	边墙	
10.1	工作面清理时间	h	5.0	1.0	1.0	
10.2	钢筋绑扎时间	h		11.0	7.0	
10.3	循环立模时间	h	1.1	15.8	11.6	
10.4	循环浇筑混凝土时间	h	3.6	2.9	2.7	
10.5	混凝土浇筑段拆摸前养护时间	h	16.0	48.0	36.0	
10.6	其他时间	h	0.5	1.5	1.5	
10.7	一个浇筑段净循环时间	h	26.2	80.2	59.8	
11	工作计划					
11.1	每班工作时间	h		8		
11.2	每天工作班次	班/日		3		

续表 3-12

序号	项 目	单位	设计参数			备注
			底板	顶拱	边墙	
11.3	日工作小时数	h/日	24			
11.4	月工作天数	天/月	25.5			
11.5	月工作小时数	h/月	612			
11.6	浇筑分段长度	m	20	7.5	7.5	
11.7	月完成浇筑段数	段/月	23.4			
11.8	长期工作效率系数		0.75			
11.9	单工作面月进尺	m/月	350			
12	衬砌工期计算					
12.1	洞长	m	800			
12.2	超填系数	%				
12.3	额外补偿长度	m				
12.4	等效长度	m	800	15	15	
12.5	混凝土浇筑分段数	段	40	2	2	
12.6	各部分衬砌工期	月	2.28	0.35	0.26	
12.7	衬砌完成时间	月	2.89			
12.8	其他时间	月				
12.9	衬砌工期	月	2.89			
13	衬砌月强度					
13.1	混凝土工程量	m³	2 080.8			
13.2	平均月强度	m³/月	720			

表 3-13　工作面清理台时、人时、材料用量

序号	项 目	单位	数量	人时	台时	材料	利用系数
1	工程量	m²	6 746				
2	施工工程量	m²	6 746				
3	小时生产率	m²/h	32.00				
4	长期工作影响系数		0.75				
5	平均生产率	m²/h	24.00				
	劳力资源						
6	工长	人	1	141			50%
7	三级反铲司机	人	1	281			
8	三级汽车司机	人	1	281			
9	二级设备操作工	人	1	281			
10	一级普工	人	3	843			
11	三级电工	人	1	281			
	设备资源						
12	空压机	台	1		63		30%
13	水泵	台	1		46		22%
14	反铲	台	1		74		35%
15	自卸汽车	辆	1		137		65%
16	其他						

表 3-14　钢筋安装台时、人时、材料用量

序号	项　目	单位	数量	人时	台时	材料	利用系数
1	工程量	t	9.144				
2	施工工程量	t	9.327				
3	小时生产率	t/h	0.26				
4	长期工作影响系数		0.75				
5	平均生产率	t/h	0.195				
	劳力资源						
6	工长	人	1	48			
7	四级电焊工	人	1	48			
8	三级电焊工	人	2	96			
9	四级钢筋工	人	1	48			
10	三级钢筋工	人	4	191			
11	三级电工	人	1	48			
12	三级司机	人	1	48			
13	二级司机	人	1	48			
14	一级普工	人	4	191			
	设备资源						
15	电焊机	台	3		93		86%
16	汽车	台	1		5		15%
17	平台车	台	1		22		60%
	材料资源		（单位耗量）				
18	钢筋	t	1.02			9.513	
19	焊条	kg	4.0			37.31	
20	铁丝	kg	4.82			44.96	
21	其他						

表 3-15　模板安装拆除台时、人时、材料用量

序号	项　目	单位	数量	人时	台时	材料	利用系数
1	工程量	m^2	440				
2	施工工程量	m^2	440				
3	小时生产率	m^2/h	10				
4	长期工作影响系数		0.75				
5	平均生产率	m^2/h	7.5				
	劳力资源						
6	工长	人	1	59			
7	三级木工	人	2	118			
8	二级木工	人	2	118			
9	三级电焊工	人	1	59			
10	二级电焊工	人	1	59			
11	三级设备操作工	人	1	59			
12	二级设备操作工	人	1	59			

序号	项目	单位	数量	人时	台时	材料	利用系数
13	三级电工	人	1	59			
14	一级普工	人	6	354			
15	二级司机	人	2	118			
	设备资源						
16	刀锯	台	1		8.8		20%
17	工具车	台	1		8.8		20%
18	平台车	台	1		17.6		40%
19	电焊机	台	2		17.6		20%
	材料资源		(单位耗量)				
20	钢模板	kg	1.90			836	
21	铁件	kg	1.20			528	
22	其他						

表 3-16　边墙、顶拱混凝土浇筑台时、人时、材料用量

序号	项目	单位	数量	人时	台时	材料	利用系数
1	工程量	m³	160.8				
2	施工工程量	m³	160.8				
3	小时生产率	m³/h	9.40				
4	长期工作影响系数		0.75				
5	平均生产率	m³/h	7.05				
	劳力资源						
6	工长	人	1	23			
7	四级混凝土工	人	1	23			
8	三级混凝土工	人	1	23			
9	二级混凝土工	人	3	68			
10	三级电工	人	1	23			
11	三级设备操作工	人	1	23			
12	三级司机	人	3	68			
13	二级司机	人	1	23			
14	二级木工	人	1	23			
15	三级钢筋工	人	1	23			
16	二级管路修理工	人	1	23			
17	一级普工	人	3	68			
	设备资源						
18	混凝土搅拌车	台	3		21		42%
19	混凝土泵车	台	1		7		42%
20	混凝土振捣器	台	3		21		42%

序号	项　　目	单位	数量	人时	台时	材料	利用系数
21	空压机	台	1		7		42%
22	工具车	台	1		1.7		10%
	材料资源		（单位耗量）				
23	成品混凝土	m³	1.03			166	
24	水	m³	0.45			72	
25	其他						

表 3-17　底板素混凝土浇筑台时、人时、材料用量

序号	项　　目	单位	数量	人时	台时	材料	利用系数
1	工程量	m³	1 920				
2	施工工程量	m³	1 920				
3	小时生产率	m³/h	11.7				
4	长期工作影响系数		0.75				
5	平均生产率	m³/h	8.78				
	劳力资源						
6	工长	人	1	219			
7	四级混凝土工	人	1	219			
8	三级混凝土工	人	1	219			
9	二级混凝土工	人	3	656			
10	三级电工	人	1	219			
11	三级设备操作工	人	1	219			
12	三级司机	人	3	656			
13	二级司机	人	1	219			
14	二级木工	人	1	219			
15	二级管路修理工	人	1	219			
16	一级普工	人	3	656			
	设备资源						
17	混凝土搅拌车	台	3		256		52%
18	混凝土泵车	台	1		85		52%
19	混凝土振捣器	台	3		256		52%
20	空压机	台	1		85		52%
21	工具车	台	1		16		10%
	材料资源		（单位耗量）				
22	成品混凝土	m³	1.03			1 978	
23	水	m³	0.45			864	
24	其他						

4　中型隧洞施工进度计划

中型隧洞施工进度计划见表 4-1。

表 4-1　中型隧洞施工进度计划

序号	项目	工程量		第一年												第二年					
		单位	数量	1	2	3	4	5	6	7	8	9	10	11	12	1	2	3	4	5	6
1	准备	项	1	1.0																	
2	进口工程					3.0															
3	开挖	m³	47 452								8.0										
4	喷混凝土	m³	1 757																		
5	锚杆	m	14 740																		
6	钢筋网	m²	7 761																		
7	边墙、顶拱混凝土	m³	160.8													0.61					
8	底板混凝土	m³	1 920														2.28				
9	其他																				

注:表中进度线下面的数字表示月。

（三）小型隧洞工程

1 小型隧洞模型建立

1.1 工程模拟条件

围岩类别：以Ⅲ类为主，兼有部分Ⅱ类、Ⅳ类围岩。洞室围岩岩石完整、构造简单，无岩溶发育的岩层和严重破碎等不良地段。

岩性：假定 f 值为6～8的石灰岩（泥灰质石灰岩）。

1.2 参数拟定

根据在建、已建工程及设计中的部分工程情况，参考相关引水隧洞拟定为圆形隧洞。设计参数值详见图1-1～图1-3。

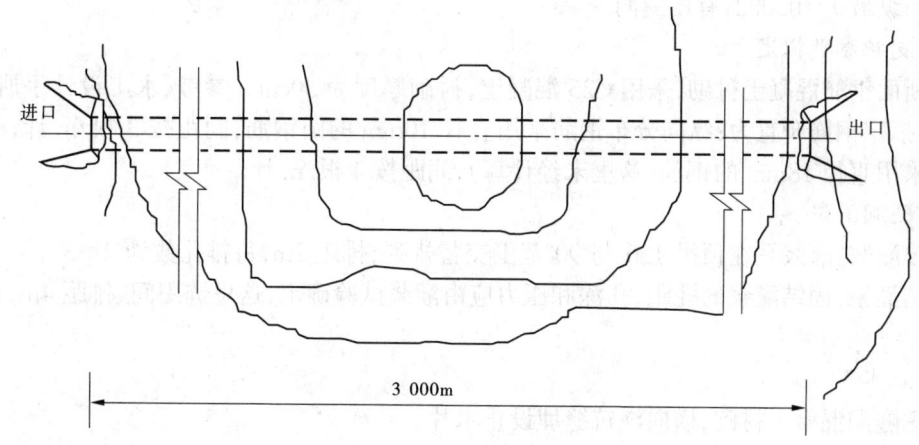

图1-1 隧洞平面布置示意图

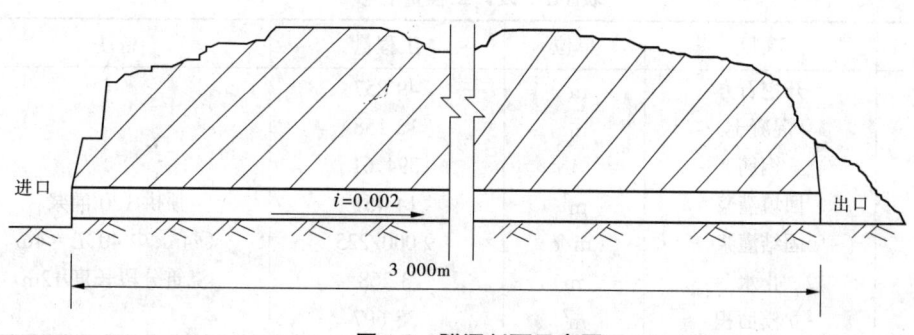

图1-2 隧洞剖面示意图

1.2.1 隧洞尺寸

开挖直径：4.6m；

衬砌成洞直径：4.0m；

隧洞长度：3 000m；

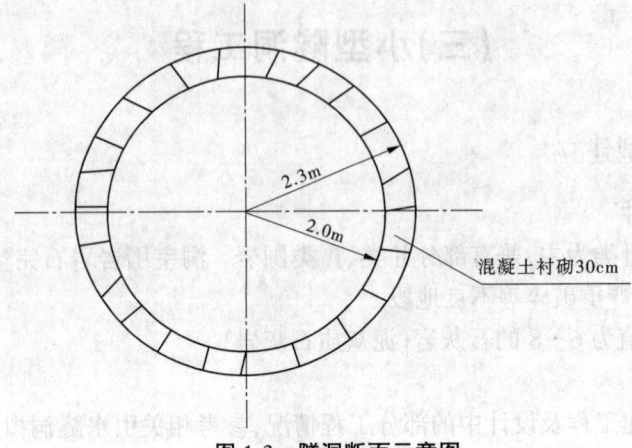

图 1-3　隧洞断面示意图

（图中标注：2.3m，2.0m，混凝土衬砌30cm）

隧洞纵坡 $i = 0.002$，有压隧洞。

1.2.2　支护参数拟定

全断面钢筋混凝土衬砌，采用 C25 混凝土，衬砌厚度为 30cm。参考《水工设计手册》第七卷，拟定钢筋布置为：纵向分布钢筋采用直径 10mm 的圆钢筋，间距按 3 根/m 计；受力钢筋采用直径 18mm 的钢筋（这里未经计算），间距按 4 根/m 计。

1.2.3　隧洞灌浆

回填灌浆：灌浆孔在顶拱 120°与 90°范围交替排列，排距 2m，每排孔数为 2~3 个。

固结灌浆：固结灌浆的孔距、孔深和压力应由灌浆试验确定，这里选用间、排距 4m，孔深 4m。

1.2.4　止水

考虑隧洞混凝土衬砌，横向浇筑缝埋设止水片。

1.3　设计工程量

设计工程量汇总见表 1-1。

表 1-1　设计工程量汇总

序号	项目	单位	工程量	备注
1	开挖石方	m³	49 857	
2	混凝土	m³	12 158	
3	钢筋	t	394.61	
4	回填灌浆	m²	14 451	顶拱 120°灌浆
5	固结灌浆	m/t	9 000/225	@4m，ϕ 40，$L = 4$m
6	止水	m	3 268	浇筑分段长度 12m
7	立模面积	m²	38 697	

2　隧洞开挖

2.1　施工布置

根据工程条件，拟采用从隧洞进、出口进洞施工，洞口附近布置有关隧洞施工附属设施。假定洞口至洞口临时堆渣场平均距离为50m,洞口临时堆渣场至渣场平均运距为2.0km,洞内平均运距为750m。

2.2 主要工程量计算

设计工程量:

$$3\,000 \times \pi \times 2.3^2 = 49\,857(\text{m}^3)$$

考虑平均超挖10cm,施工工程量为

$$3\,000 \times \pi \times 2.4^2 = 54\,287(\text{m}^3)$$

$$超挖系数 = 54\,287/49\,857 - 1 = 1.089 - 1 = 8.9\%$$

2.3 施工方法

2.3.1 开挖程序与开挖方法

采用钻爆法施工,进行光面爆破,非电微差起爆,全断面开挖。按钻孔、装药、爆破、通风、安全处理、出渣顺序作业循环施工。

考虑隧洞断面较小,拟采用脚手架作工作平台,手风钻钻孔,ZCD2型(0.26m³)铲斗式装载机装渣,电瓶机车牵引0.6m³V形斗车运输至洞口临时堆渣场,然后采用1.5m³装载机配10t自卸汽车转运至渣场。

2.3.2 开挖作业技术参数确定

开挖作业爆破参数设计根据戈氏帕扬公式、译波尔公式及相关公式进行计算。

开挖断面面积:16.62m²;典型循环进尺:2.2m;循环开挖石方:36.56m³。钻爆参数见表2-1。

2.4 设备选型与设备生产率计算

2.4.1 钻孔设备

采用YT24型气腿式手风钻钻孔。

1台钻机工作面积为4.0~4.2m²,这里隧洞开挖面积为16.62m²,拟用5台气腿式钻机钻孔。

钻机生产率:在工作气压为5bar,岩石f值为12~14时,凿岩速度为0.4m/min(额定值),这里岩石f值为6~8(参考天水风动工具厂,YT24气腿式凿岩机)。钻机同时利用系数取为0.7,岩石可钻性系数取为1.05。则钻机生产率为

$$0.4 \times 0.7 \times 1.05 = 0.294(\text{m/min})$$

对孔、移动时间为0.8min/孔,孔深为2.5m,则每延米钻孔时间为

$$1/0.294 + 0.8/2.5 = 3.40 + 0.32 = 3.72(\text{min/m})$$

则钻孔生产率为1/3.72 = 0.27m/min。

工作时间利用系数为0.75(未考虑对孔、卡钻处理时间),则钻机小时生产率为

$$0.27 \times 0.75 \times 60 = 12.1(\text{m/h})$$

2.4.2 出渣装运设备

2.4.2.1 ZCD2型(0.26m³)

铲斗式装载机装渣,电瓶机车牵引0.6m³V形斗车出渣。

表 2-1 隧洞开挖典型钻孔爆破设计

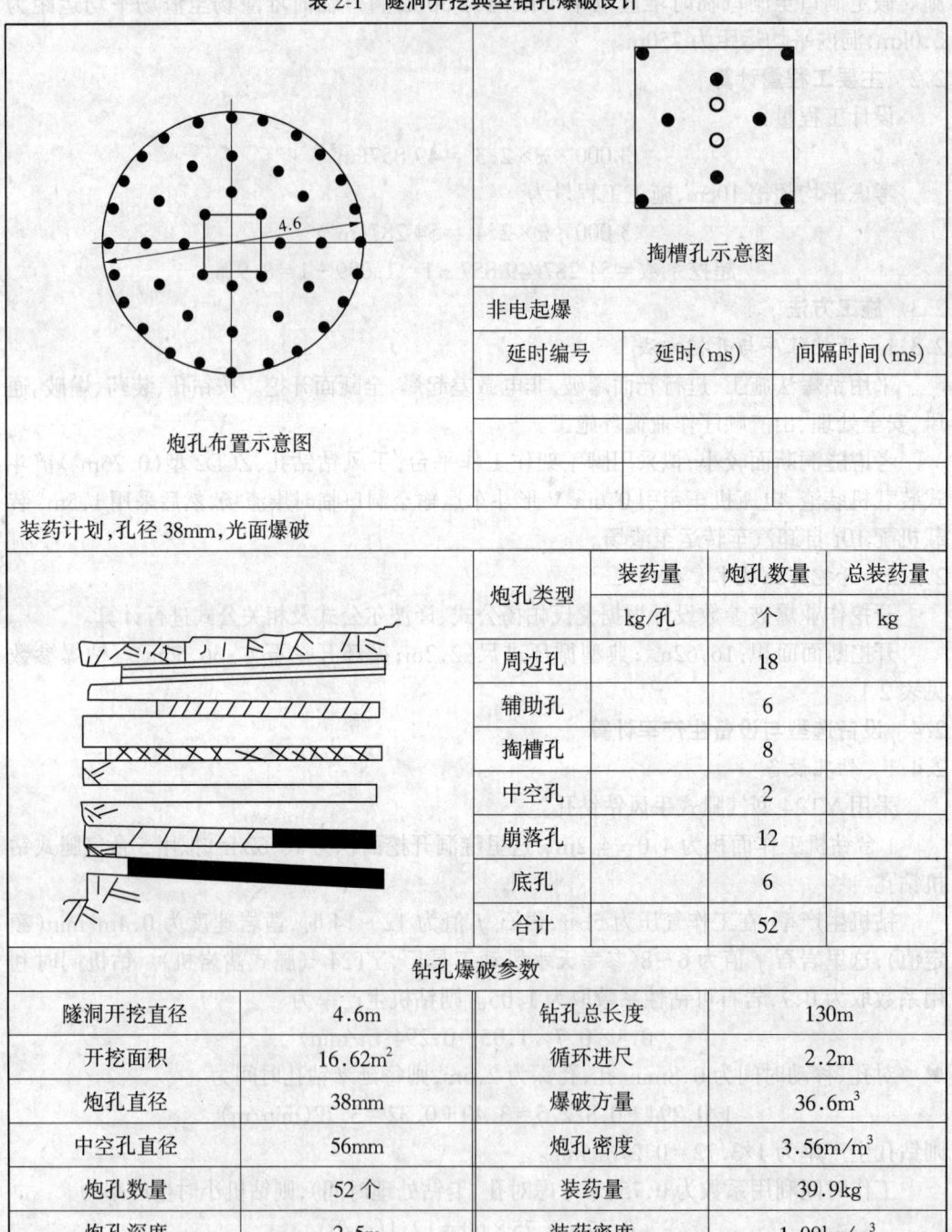

炮孔布置示意图

掏槽孔示意图

非电起爆

延时编号	延时(ms)	间隔时间(ms)

装药计划,孔径 38mm,光面爆破

炮孔类型	装药量	炮孔数量	总装药量
	kg/孔	个	kg
周边孔		18	
辅助孔		6	
掏槽孔		8	
中空孔		2	
崩落孔		12	
底孔		6	
合计		52	

钻孔爆破参数

隧洞开挖直径	4.6m	钻孔总长度	130m
开挖面积	16.62m²	循环进尺	2.2m
炮孔直径	38mm	爆破方量	36.6m³
中空孔直径	56mm	炮孔密度	3.56m/m³
炮孔数量	52 个	装药量	39.9kg
炮孔深度	2.5m	装药密度	1.09kg/m³

(1)ZCD2 型铲斗式装载机生产率计算。

按以下经验公式计算:

$$P_m = 46K_1 P_j V_c / (54 V_c + K_1 P_j t_f)$$

式中 P_m——轨道式铲斗装岩机生产率(近似值,松方),m^3/h;

P_j——装岩机技术生产率(松方),m^3/h,从产品说明查得为 $25\sim35m^3/h$,这里取为 $35m^3/h$;

K_1——装渣技术熟练综合系数,按一般考虑,取为 0.8;

V_c——斗车容积,m^3,这里为 $0.6m^3$;

t_f——平均每装一斗车因辅助作业而停止装渣时间(包括调车、铺接临时轨道、调整机具等),一般取为 $0.5\sim1.0min$,这里取为 $0.75min$。

则 $P_m = 46 \times 0.8 \times 35 \times 0.6 / (54 \times 0.6 + 0.8 \times 35 \times 0.75) = 14.5(m^3/h)$。

(2)斗车数量计算。

$$n_1 = 1/(M-1) \cdot AT_c/(60K_cV_c)$$
$$T_c = K(L_1/v_{a1} + L_2/v_{a2} + \cdots + L_n/v_{an}) + t_0$$

式中 n_1——每列斗车数量,辆;

T_c——列车往返循环时间,min;

A——要求出渣生产率,m^3/h,这里取为装渣设备生产率,即 $10m^3/h$;

K_c——斗车充盈系数,一般为 $0.70\sim0.95$,这里取为 0.85;

V_c——斗车容积,m^3,这里为 $0.6m^3$;

M——斗车组数,$M \geqslant 2$,这里取为 3;

K——延迟时间系数,一般为 $1.25\sim1.75$,运距长取小值,这里取为 1.5;

L_1、L_2、$\cdots$、L_n——不同行速段运距,m,这里取为 800m(洞外 50m,洞内平均 750m);

v_{a1}、v_{a2}、$\cdots$、v_{an}——不同地段平均行速,m/min,取为 8km/h;

t_0——在工作面、途中及卸渣停歇时间,min,一般取 20min,这里按 15min 计算。

则 $T_c = 1.5 \times (2 \times 800)/(8 \times 1\,000/60) + 15 = 33(min)$

$n_1 = 1/(M-1) \cdot AT_c/(60K_cV_c) = 1/(3-1) \times 10 \times 33/(60 \times 0.85 \times 0.6) = 5.4(辆)$

取为 6 辆。

(3)机车选择。

选择 2 辆 10t 电瓶机车头牵引。

2.4.2.2   采用 $1.5m^3$ 装载机配 10t 自卸汽车转运石渣生产率计算

(1)$1.5m^3$ 装载机生产率。

$1.5m^3$ 装载机生产率按以下公式计算:

$$P_c = 60V_cK_FK_t/T$$

式中 P_c——装载机小时生产率(松方),m^3/h;

V_c——铲斗额定容量,m^3,这里为 $1.5m^3$;

K_F——铲斗充盈系数,地下工程爆破石渣取 $0.65\sim0.90$,这里取为 0.75;

K_t——工时利用系数,取为 $0.8\sim0.9$,这里取为 0.83;

T——装渣一次的循环时间,min,这里取为 $0.81min$。

$$P_c = 60 \times 铲斗容量 \times 铲斗充盈系数 \times 工时利用系数 / 装渣一次的循环时间$$
$$= 60 \times 1.5 \times 0.75 \times 0.83 / 0.81$$
$$= 69.2 m^3/h(松方) = 45.2 m^3/h(自然方)$$

(2)汽车生产率。

汽车一次循环时间 T 计算：

汽车一次循环时间含装车时间 t_1，行车时间 t_2，卸车时间 t_3 及调车、等车时间 t_4，即

$$T = t_1 + t_2 + t_3 + t_4$$

①装车时间 t_1 计算：

1.5m³ 装载机配 10t 汽车

$t_1 =$ 装一斗渣循环时间 × 汽车载重量 / (松方容重 × 铲斗容量 × 铲斗充盈系数)

$\quad = 0.81 \times 10 / (1.71 \times 1.5 \times 0.75)$

$\quad = 0.81 \times 5 = 4.1(min)$

②行车时间 t_2 计算：

$t_2 = 60 \times ($运距/重车运行速度 + 运距/空车运行速度$)$

$\quad = 60 \times (2/25 + 2/30) = 8.8(min)$

③卸车时间 t_3 计算：

$t_3 = 3min$

④调车、等车时间 t_4 计算：

$t_4 = 2.5 \sim 4.5min$，取为 3.5min。

则 1.5m³ 装载机配 10t 汽车循环时间为

$$T = t_1 + t_2 + t_3 + t_4 = 4.1 + 8.8 + 3 + 3.5 = 19.4(min)$$

汽车生产率计算：

汽车生产率 = (汽车载重量/容重) × 充满系数 × 小时循环次数 × 时间利用系数

$\quad\quad\quad = 10/2.62 \times 0.96 \times (60/19.4) \times 0.75 = 8.5 m^3/h(自然方)$

(3)配套汽车数量计算。

配套汽车数量 = 装载机小时生产率/汽车生产率 = 45.2/8.5 = 5.3(辆)

取为 6 辆。

(4)1.5m³ 装载机配 10t 自卸汽车转运生产率为 $45.2 m^3/h$(自然方)，取为装载机生产率。

2.4.3 通风设备

通风机选择：根据风机工作风量和风机工作风压选择通风机。选择时依照特性曲线进行比较，采用在较高效率区运转的风机型号。

风机工作风量和风机工作风压根据施工通风方式与所需风流量计算。

通风量根据如下四方面计算，取其中最大值：

(1)洞内施工人员需风量。

(2)爆破散烟所需风流量。

(3)洞内最小风速所需风量：洞内容许最小风速，手册规定不小于 0.15m/s，小浪底工

程中世界银行专家建议取为 0.5m/s,这里取为 0.3m/s。

(4)使用柴油机械时的通风量:按单位功率需风量指标计算,手册建议选用 4.1m³/kW。

这里根据工程经验:选择 2 台 46kW 可逆转的轴流式风机。

2.4.4 设备汇总表

设备汇总见表 2-2。

表 2-2 设备汇总(单工作面)

设备名称	型号	单位	数量	额定生产率	实际生产率	备注
钻机	YT24 手风钻	台	5	0.4m/min	0.27m/min	
铲斗式装载机	ZCD2	台	1	30m³/h(松)	14.5m³/h(松)	
电瓶机车	XK8-6/110 + KBT	辆	2			
V 形斗车	0.6m³	辆	18			
装载机	1.5m³	台	1		45.2m³/h(自然)	
汽车	10t	辆	6		8.5m³/h(自然)	
推土机	120HP	台	1			
水泵	2B19	台	1			
空压机	18m³/min	台	1			
通风机	46kW	台	2			

2.5 劳力安排

劳力安排原则:分工作面定岗定员配备工长和各工种劳力。同一工种劳力划分 4 个等级:一级工(不熟练工)、二级工(半熟练工)、三级工(熟练工)、四级工(高级熟练工)。

根据概算项目划分的特点,拟按以下项目分别安排劳力:①岩石开挖钻孔爆破作业组;②装渣运输工作组;③二次转运。

2.5.1 钻爆工作组

钻爆工作组负责完成开挖工作中的钻孔、装药连线、爆破、通风与水电管线的延伸与维护等工作。工作组劳力安排见表 2-3。

表 2-3 钻爆典型工作组　　　　　　　　　　　　　　(单位:人)

序号	工种名称	工长	一级工	二级工	三级工	四级工
1	工长	1				
2	风钻工				5	
3	炮工			2	1	
4	电工				1	
5	设备运转工			3		
6	普工		2			
7	司机			1		
8	管路修理工				1	
9	机械修理工				1	

2.5.2 装运出渣工作组

装运出渣工作组负责完成开挖工作中的安全处理、装渣、运输至洞口临时堆渣场及轨道铺设与维护。工作组劳力安排见表2-4。

表 2-4　装运出渣典型工作组　　　　　　　　　　　　　（单位:人）

序号	工种名称	工长	一级工	二级工	三级工	四级工
1	工长	1				
2	装载机司机				1	
3	机车司机				2	
4	推土机司机				1	
5	普工		6			
6	铺轨工				1	

2.5.3 二次转运出渣工作组

二次转运出渣工作组负责完成出渣的二次转运工作,由洞口临时堆渣场运输至渣场。工作组劳力安排见表2-5。

表 2-5　出渣转运典型工作组　　　　　　　　　　　　　（单位:人）

序号	工种名称	工长	一级工	二级工	三级工	四级工
1	工长	1				
2	装载机司机				1	
3	汽车司机			6		
4	普工		2			
5	推土机司机				1	

2.6 材料用量

材料用量采用统计、筛选、分析等估量办法进行确定,主要分以下几大类:钻杆、钻头、火工材料等。炸药用量根据前面的爆破设计计算,雷管按平均每孔1.2个计算,采用进口钻头、钻杆,其消耗指标参考小浪底、鲁布革、太平哨等工程实际消耗统计值。具体指标见表2-6。

2.7 工期、强度与台时、人时、材料消耗指标

2.7.1 工作计划

每年工作:12个月。

每月平均工作:25.5天。

每天工作:3班。

每班工作:8h。

每天工作:24h。

月工作小时数:612h。

2.7.2 开挖工期

2.7.2.1 开挖循环时间

围岩循环进尺为2.2m;循环时间为10h。

开挖循环时间见表2-7。

表2-6 隧洞开挖材料消耗

项目	材料单耗		材料用量		备注
	数量	单位	数量	单位	
光爆炸药	0.11	kg/m³	5 484	kg	
炸药	0.98	kg/m³	48 860	kg	
雷管	1.70	个/m³	84 757	个	
导爆索	4.97	m/m³	247 789	m	
钻头	0.004 6	个/m³	229	个	
钻杆	0.007	根/m³	349	根	
轻轨			6.2	km	600mm

2.7.2.2 开挖工期

洞长:3 000m。

单工作面月进尺:101m/月。

双工作面月进尺:101×2×0.8=162(m/月)。

按两个工作面同时施工考虑,开挖工期为18.5个月。

2.7.3 开挖月强度

开挖总方量:49 857m³。

平均开挖月强度:2 695m³/月。

开挖作业循环时间、工期、强度计算,见隧洞开挖循环时间、工期计算表2-8。

2.7.4 隧洞开挖台时、人时、材料消耗指标

开挖施工设备台时、劳力人时消耗,根据施工循环中的小时生产率、设备、人员配置及设备利用系数进行计算。

设备利用系数为某设备在该工作循环中的生产时间与该工作循环时间的比。

人时=施工工程量/(小时生产率×长期工作系数)×人数×利用系数

台时=施工工程量/小时生产率×设备数量×设备利用系数

开挖台时、人时、材料消耗指标计算见表2-9~表2-11。

表2-7　隧洞开挖循环时间(断面面积:16.62m²;进尺:2.2m)

时间 (h)

工作程序	时间(min)	1	2	3	4	5	6	7	8	9	10	11	12	13
测量放线	30													
脚手架安、拆	60													
钻孔	128													
装药	31													
爆破通风	20													
安全处理	30													
出渣	230													
其他	30													
小计	559													
小时有效工作时间	min/h	50												
循环时间	h	11.2												
平均日进尺	m/日	4.71												
长期工作影响系数		0.75												
月进尺	m/月	90.0												

表 2-8　隧洞开挖循环时间、工期、强度计算

序号	项　目	单位	设计参数			备注
1	隧洞参数					
1.1	断面形式		圆形			
1.2	开挖直径	m	4.6			
1.3	开挖面积	m²	16.62			
1.4	相应断面洞长	m	3 000			
2	钻爆参数					
2.1	炮孔直径	mm	38			
2.2	炮孔数量	个	50			
2.3	掏槽中空孔直径	mm	56			
2.4	掏槽中空孔数量	个	2			
2.5	炮孔总数	个	52			
2.6	炮孔深度	m	2.5			
2.7	循环钻孔总长度	m	130			
2.8	循环进尺	m	2.2			
2.9	循环爆破方量	m³	36.6			
2.10	炮孔密度	m/m³	3.55			
2.11	装药量	kg	39.9			
2.12	单位耗药量	kg/m³	1.09			
3	钻孔设备参数					
3.1	钻机型号		YT24			
3.2	凿岩机型号					
3.3	钻杆型号					
3.4	额定钻速	m/min	0.4			
3.5	设计钻速	m/min	0.27			
4	钻孔时间计算					
4.1	钻孔长度	m	130			
4.2	掏槽孔补偿长度	m	7			
4.3	等效钻孔总长度	m	137			
	项　目		单位时间	工程量	时间	
4.4	钻机就位及撤退时间(循环)	min	15	1	15	
4.5	钻臂移动就位(孔)	min	0.3	52	16	
4.6	对孔定位时间(孔)	min	0.5	52	26	
4.7	净钻孔时间(钻 m)	min	3.4	137	466	
4.8	一个循环需钻孔时间	min			523	
4.9	凿岩机同时工作台数	台	5×0.9=4.5			
4.10	钻孔循环时间	min	128			
5	装药时间计算					
5.1	装药孔数量	个	50			
5.2	装药总长度	m	125			

序号	项目	设计参数	单位			备注
	项 目		单位时间	工程量	时间	
5.3	循环准备时间	min	10	1	10	
5.4	对孔定位时间(按孔数计算)	min	0.5	50	25	
5.5	装药时间(按 m 计算)	min	0.3	125	38	
5.6	需装药时间小计	min			73	
5.7	装药工作组人数	个		3		
5.8	装药循环时间	min		31		
6	隧洞通风参数					
6.1	所需风流量	m^3/s		21.5		
6.2	风管直径	m		1.5		
6.3	通风时间	min		20		
6.4	风机功率	kW		46		
7	装渣运输					
7.1	装载机械型号			ZCD2 型		
7.2	装载机械斗容	m^3		0.26		
7.3	运输方式			有轨		
7.4	电瓶机车型号			XK8-6/110-KBT		
7.5	电瓶机车数量	辆		2		
7.6	斗车型号			$0.6m^3$ V 形斗车		
7.7	斗车数量	辆		18		
8	装渣时间计算					
8.1	爆破方量(自然方)	m^3		36.6		
8.2	超挖系数			8.90%		
8.3	松散系数			1.53		
8.4	松方量	m^3		61.0		
8.5	装运小时生产率(松方)	m^3/h		14.5		
8.6	装运配套生产率(松方)	m^3/min		0.29		
8.7	清扫时间	min		20		
8.8	出渣时间	min		230		
9	开挖作业循环时间安排					
9.1	测量放线	min		30		
9.2	脚手架安、拆	min		60		
9.3	钻孔时间	min		128		
9.4	装药时间	min		31		
9.5	通风时间	min		20		
9.6	安全处理时间	min		30		
9.7	出渣时间	min		230		
9.8	其他时间	min		30		
9.9	净循环时间	min		559		
9.10	小时有效工作时间	min/h		50		
9.11	正常循环时间	h		11.2		

续表 2-8

序号	项 目	设计参数	单位	备注
9.12	开挖小时生产率	m³/h	3.27	
10	工作计划			
10.1	每班工作时间	h	8	
10.2	每天工作班次	班/日	3	
10.3	日工作小时数	h/日	24	
10.4	日完成开挖循环次数	循环/日	2.14	
10.5	循环进尺	m/循环	2.2	
10.6	日进尺	m/日	4.71	
10.7	月工作天数	天/月	25.5	
10.8	长期工作影响系数		0.75	
10.9	月进尺	m/月	90	
10.10	多工作面影响系数		0.80	
10.11	双工作面月进尺	m/月	144	
11	开挖工期计算			
11.1	洞长	m	3 000	
11.2	超挖方量	m³	4 443	
11.3	额外补偿长度	m		
11.4	等效长度	m	3 000	
11.5	总开挖循环数	循环	1 364	
11.6	开挖完成时间	月	20.8	
11.7	其他时间	月	0.5	
11.8	开挖工期	月	21.3	
12	开挖月强度			
12.1	开挖方量	m³	49 857	
12.2	平均月强度	m³/月	2 341	

表 2-9　钻孔爆破台时、人时、材料用量

序号	项 目	单位	数量	人时	台时	材料	利用系数
1	工程量	m³	49 857				
2	施工工程量	m³	49 857				
3	小时生产率	m³/h	3.27				
4	长期工作影响系数		0.75				
5	平均生产率	m³/h	2.453				
	劳力资源						
6	工长	人	1	20 325			
7	三级风钻工	人	5	101 625			
8	二级炮工	人	2	40 650			
9	三级炮工	人	1	20 325			
10	三级电工	人	1	20 325			

序号	项目	单位	数量	人时	台时	材料	利用系数
11	二级设备操作工	人	2	40 650			
12	三级管路修理工	人	1	20 325			
13	二级司机	人	1	20 325			
14	三级机械修理工	人	1	20 325			
15	一级普工	人	3	60 975			
	设备资源						
16	YT24 钻机	台	5		17 534		23%
17	通风机	台	1		12 197		80%
18	工具车	台	1		762		5%
19	水泵	台	1		3 049		20%
20	空压机	台	1		3 507		23%
	材料资源		（单位耗量）				
21	光爆炸药	kg	0.11			5 484	
22	炸药	kg	0.98			48 860	
23	雷管	个	1.7			84 757	
24	导爆索	m	4.97			247 789	
25	钻头	个	0.005			229	
26	钻杆	根	0.007			349	
27	其他						

表 2-10　装渣运输台时、人时、材料用量

序号	项目	单位	数量	人时	台时	材料	利用系数
1	工程量	m³	49 857				
2	施工工程量	m³	54 287				
3	小时生产率	m³/h	3.27				
4	长期工作影响系数		0.75				
5	平均生产率	m³/h	2.453				
	劳力资源						
6	工长	人	1	22 131			
7	三级装载机司机	人	1	22 131			
8	三级推土机司机	人	1	22 131			
9	三级司机	人	2	44 262			
10	一级普工	人	7	154 916			
	设备资源						
11	装载机	台	1		6 807		41%
12	推土机	台	1		830		5%
13	8t 电瓶机车头	辆	2		13 613		41%
14	斗车	个	24		163 359		41%
	材料资源						
15	610mm 轻轨	km				6.2	
16	其他						

表 2-11 出渣转运台时、人时、材料用量

序号	项 目	单位	数量	人时	台时	材料	利用系数
1	工程量	m³	49 857				
2	施工工程量	m³	54 287				
3	小时生产率	m³/h	44.00				
4	长期工作影响系数		0.75				
5	平均生产率	m³/h	33.00				
	劳力资源						
6	工长	人	1	1 645			
7	三级装载机司机	人	1	1 645			
8	三级推土机司机	人	1	1 645			
9	二级汽车司机	人	6	9 870			
10	一级普工	人	2	3 290			
	设备资源						
11	装载机	台	1		1 201		97.3%
12	推土机	台	1		617		50%
13	汽车	台	6		7 206		97.3%
14	其他						

3 隧洞混凝土衬砌

3.1 施工布置

混凝土泵分别布置于隧洞进、出口,采用二级泵送混凝土入仓。假定拌和楼至隧洞进出口距离均为 2.5km。

3.2 浇筑分段与工程量计算

隧洞衬砌长度 3 000m,采用分段浇筑,分段长度拟为 12m,浇筑分段数为 250 段,C25 混凝土衬砌厚 30cm。

3.2.1 衬砌混凝土工程量

设计工程量:

$$\pi \times (2.3^2 - 2^2) \times 3\,000 = 12\,158\,(\text{m}^3)$$

《水利水电施工技术规范汇编》中规定,其开挖半径的平均径向超挖值不得大于 20cm,这里按超挖 10cm 计算。衬砌厚度为 30cm,混凝土超填系数为 36%。

施工工程量:

$$12\,158 \times (1 + 36\%) = 16\,535\,(\text{m}^3)$$

3.2.2 钢筋

纵向采用直径 10mm 的圆钢筋,间距按 3 根/m 计;受力钢筋采用直径 18mm 的钢筋(这里未经计算),间距按 4 根/m 计,单排钢筋。

纵向钢筋量:

$$[(4.6 - 0.06) \times \pi \times 3] \times 3\,000 \times 0.617$$
$$= 43 \times 3\,000 \times 0.617$$
$$= 79\,593\,(\text{kg}) = 79.593\text{t}$$

受力钢筋量：
$$((4.0+0.06)\times\pi+0.45)\times4\times3\,000\times1.998$$
$$=315\,015(kg)=315.015t$$

设计钢筋量：
$$79.593+315.015=394.61(t)$$

混凝土设计工程量为 12 158m³,则混凝土含筋量为
$$394.61/12\,158=0.032\,5(t/m^3)=32.5kg/m^3$$

钢筋施工损耗按 2% 考虑。

3.2.3 立模面积

设计立模面积：
$$\pi\times4\times3\,000=37\,680(m^2)$$

堵头立模面积：
$$(3\,000/12+1)\times\pi\times(2.3^2-2^2)=1\,017(m^2)$$

施工立模面积：
$$37\,680+1\,017=38\,697(m^2)$$

3.2.4 止水

止水长度：
$$(3\,000/12-1)\times4.2\times\pi=3\,286(m)$$

3.2.5 回填灌浆

灌浆孔在顶拱 120° 与 90° 范围交替排列,排距 2m,每排孔数为 2~3 个。对顶拱 120° 范围进行回填灌浆。

回填灌浆面积：
$$4.6\times\pi\times(120/360)\times3\,000=14\,451(m^2)$$

3.2.6 固结灌浆

固结灌浆:固结灌浆的孔距、孔深和压力应由灌浆试验确定,这里选用排距 4m,孔深 4m,每排 3 孔。每米孔灌浆水泥耗量拟为 0.025t。

固结灌浆钻孔工程量：
$$3\times3\,000/4\times4=9\,000(m)$$

固结灌浆水泥量：
$$9\,000\times0.025=225(t)$$

混凝土衬砌工程施工工程量见表 3-1。

表 3-1　混凝土衬砌工程施工工程量

序号	项目	单位	工程量	一个浇筑块工程量
1	衬砌混凝土	m³	12 158	48.63
2	钢筋	t	394.61	1.578
3	立模面积	m²	38 697	155
4	紫铜止水片	m	3 286	13.1
5	固结灌浆	m/t	9 000/225	
6	回填灌浆	m²	14 451	

3.3 施工方法

由于隧洞断面较小,为减少施工干扰,隧洞混凝土衬砌拟在开挖完成后进行。

隧洞混凝土工程施工拟分以下工序:

工作面清理→钢筋绑扎(与预埋件安装)→模板安装与止水片埋设→混凝土浇筑→混凝土养护→回填灌浆→固结灌浆。

同一浇筑段上工作面清理、钢筋绑扎(与预埋件安装)、模板安装与止水片埋设、混凝土浇筑、混凝土养护等工序按流水作业法施工。不同浇筑段的混凝土养护按平行作业考虑。

隧洞回填灌浆、固结灌浆在隧洞混凝土衬砌完成,且在混凝土达到70%设计强度后开始进行。

施工方法:采用分段浇筑全断面衬砌的施工方法。各工序的施工方法如下。

(1)工作面清理:利用人工清除底渣,高压水枪冲洗岩面。

(2)钢筋:人工安装。

(3)模板:采用人工安装组合钢模板。

(4)止水片埋设:止水片埋设与堵头模板安装同时进行。

(5)混凝土浇筑:混凝土运输、入仓采用混凝土搅拌运输车从拌和楼运混凝土至洞口,泵送混凝土入仓,插入式振捣器捣实。

(6)回填灌浆:在隧洞混凝土衬砌全部完成,混凝土强度达设计标号的70%以上时才可开始进行,灌浆采用逐步加密法分两次序进行,第一次序灌奇数排,第二次序灌偶数排。采用手风钻钻孔,通孔,BW-120泥浆泵灌浆。

(7)固结灌浆:在回填灌浆结束7~14天后进行,灌浆方法同回填灌浆,采用逐步加密法。

3.4 施工设备选型、配套与设备生产率计算

(1)混凝土入仓设备:采用HBT45-9型混凝土泵送混凝土入仓。

HBT45-9型混凝土泵额定生产率为26m³/h。

$$混凝土泵实际生产率=额定生产率×时间利用系数$$

一般时间利用系数为0.75~0.85,这里考虑隧洞尺寸较小,衬砌厚度不大,时间利用系数取为0.75,则

$$混凝土泵实际生产率=26×0.75=19.5(m^3/h)$$

(2)混凝土运输设备:采用混凝土搅拌运输车运混凝土至洞口。

选用6m³混凝土搅拌运输车,混凝土拌和楼至洞口运距为2.5km。

混凝土搅拌运输车生产率:

混凝土搅拌运输车一次运输循环时间T计算:

混凝土搅拌运输车一次运输循环时间包含装车时间t_1,行车时间t_2,卸料时间t_3及调车、候车时间t_4,即

$$T=t_1+t_2+t_3+t_4$$

t_1=混凝土搅拌运输车容量/混凝土拌和楼储料漏斗的卸料能力,这里取为5min;

t_2=60×(运距/重车运行速度+运距/空车运行速度)

$$=60×(2.5/15+2.5/20)=17.5\text{min}$$

卸料时间 t_3 取为 11min;

调车、候车时间 t_4 为 2.5~5min,这里采用 4min,则

$$T=t_1+t_2+t_3+t_4=5+17.5+11+4=37.5(\text{min})$$

小时运输次数为

$$60/37.5×(50/60)=1.3(\text{次})\text{(小时有效工作时间按 50min 计)}$$

则混凝土搅拌运输车小时生产率为

$$6.0×1.3=7.8(\text{m}^3/\text{h})$$

混凝土泵送混凝土能力为 19.5m³/h,则要求混凝土搅拌运输车数量为

$$19.5/7.8=2.5(\text{台})$$

取为 3 台。

(3)振捣器:采用佛山产 Z_2D-100 型振捣器,其生产率为 15m³/h。时间利用系数取为 0.7,则实际生产率为

$$15×0.7=10.5\text{m}^3/\text{h}$$

混凝土泵送混凝土生产率为 19.5m³/h,则振捣器数量为

$$19.5/10.5=1.8(\text{台})$$

取为 2 台。

(4)钢筋设备:利用简易平台车人工安装,生产率为 24kg/人时。

(5)模板:利用简易平台车人工安装组合钢模板,生产率为 0.6m²/人时。

(6)灌浆设备:采用手风钻钻孔,小时生产率为 12.1m/h;采用 BW-120 泥浆泵灌浆,排浆量为 32~150L/min。

(7)止水片安装:采用电焊机、胶轮架子车。

混凝土衬砌工程施工主要设备见表 3-2。

表 3-2 混凝土衬砌工程施工主要设备(单工作面)

设备名称	型号	单位	数量	额定生产率	实际生产率	备注
混凝土泵	HBT45-9	台	2	26m³/h	19.5m³/h	
混凝土振捣器	Z_2D-100	把	2	15m³/h	10.5m³/h	
混凝土搅拌车	6m³	辆	3		7.8m³/h	
电焊机	2.2kW	台	6			
工具车	5t	辆				
浆液搅拌机	0.4m³	台	3			
灌浆泵	BW-120	台	3			
风钻	YT-24	台	2		12.1m/h	
水泵	2B19	台	1			
空压机	10m³/min	台	1			
电瓶机车	10t	台	1			
V形斗车	0.6m³	辆	6			

3.5 劳力安排

劳力安排原则:分工作面定岗定员配备工长和各工种劳力。同一工种劳力划分4个等级:一级工(不熟练工)、二级工(半熟练工)、三级工(熟练工)、四级工(高级熟练工)。

根据概算项目划分的特点,拟按以下项目分别安排劳力:①工作面清理工作组;②钢筋安装工作组;③止水片埋设工作组;④模板安装与拆除工作组;⑤混凝土浇筑工作组;⑥灌浆工作组。

3.5.1 工作面清理工作组

工作面清理工作组负责钢筋绑扎前工作面的清理(轻轨拆除、垫渣清除等)与混凝土浇筑前工作面的清洗工作。工作组人员安排见表3-3。

表 3-3 工作面清理典型工作组 (单位:人)

序号	工种名称	工长	一级工	二级工	三级工	四级工
1	工长	1				
2	普工		8			
3	设备操作工			1		
4	司机			1		

3.5.2 立、拆模板工作组

立、拆模板工作组负责模板的安装、拆除,负责模板安装、运行期间的管线维护。工作组人员安排见表3-4。

表 3-4 立、拆模板典型工作组 (单位:人)

序号	工种名称	工长	一级工	二级工	三级工	四级工
1	工长	1				
2	木工			2	2	
3	电工				1	
4	普工		6			
5	电焊工			1	1	
6	设备操作工			1	1	
7	司机			1		

3.5.3 钢筋安装工作组

钢筋安装工作组负责钢筋运输(从加工厂至工作面)、安装、绑扎、焊接等。具体人员安排见表3-5。

3.5.4 止水片埋设工作组

止水片埋设工作组负责止水片的运输、安装、焊接工作等。工作组人员安排见表3-6。

3.5.5 混凝土浇筑工作组

混凝土浇筑工作组负责从拌和楼至混凝土浇筑仓面的混凝土水平运输和垂直运输、混凝土平仓振捣及混凝土养护期的养护等工作。工作组人员安排见表3-7。

表 3-5　钢筋安装典型工作组　　　　　　　　　　　　（单位:人）

序号	工种名称	工长	一级工	二级工	三级工	四级工
1	工长	1				
2	电焊工				3	
3	钢筋工			2	2	1
4	普工		6			
5	电工				1	
6	司机				1	

表 3-6　止水片埋设典型工作组　　　　　　　　　　　　（单位:人）

序号	工种名称	工长	一级工	二级工	三级工	四级工
1	电焊工				1	
2	普工		3			

表 3-7　混凝土浇筑典型工作组　　　　　　　　　　　　（单位:人）

序号	工种名称	工长	一级工	二级工	三级工	四级工
1	工长	1				
2	混凝土搅拌车司机				3	
3	混凝土泵操作工				1	
4	混凝土工			2	2	1
5	电工				1	
6	修理工			1		
7	钢筋工				1	
8	木工				1	
9	普工		4			
10	司机			1		

3.5.6　钻孔灌浆工作组

钻孔灌浆工作组负责钻孔、钻孔冲洗、钻孔检查、压水试验、灌浆材料的拌制和灌浆、封孔、检查孔和孔位转移等工作。工作组人员安排见表 3-8、表 3-9。

表 3-8　灌浆钻孔典型工作组　　　　　　　　　　　　（单位:人）

序号	工种名称	工长	一级工	二级工	三级工	四级工
1	工长	1				
2	钻机操作工			1	1	
3	空压机操作工			1		
4	普工		2			

表 3-9　灌浆典型工作组　　　　　　　　　　　　　　　　（单位:人）

序号	工种名称	工长	一级工	二级工	三级工	四级工
	固结灌浆工作组					
1	工长	1				
2	司机			1		
3	普工		5			
4	灌浆机组操作工		2	2	2	
5	电工					1
	回填灌浆工作组					
1	工长	1				
2	司机			1		
3	普工		5			
4	灌浆机组操作工		1	2	1	
5	电工					1
6	风钻工				1	
7	空压机操作工			1		

3.6　材料用量

材料含钢筋、模板、混凝土(按 C25)施工材料,用量参照 1987 年预算定额计算,见表 3-10。

表 3-10　隧洞衬砌材料消耗

项目	单位用量		材料用量	
	数量	单位	数量	单位
混凝土衬砌	16 535m^3			
成品混凝土	1.03	m^3/m^3	17 031	m^3
水	0.45	m^3/m^3	7 441	m^3
钢筋制作、安装	402.50t			
钢筋	1.02	t/t	411	t
铁丝	4.00	kg/t	1 610	kg
电焊条	7.22	kg/t	2 906	kg
模板安装、拆除	38 697m^2			
板材	0.001 7	m^3/m^2	65.8	m^3
铁件	1.70	kg/m^2	65 785	kg
铁钉	0.024 3	kg/m^2	940.3	kg
钢模	2.19	kg/m^2	84 746	kg
止水	3 352.0m			
紫铜片	5.61	kg/m	18 803	kg
沥青	0.017	t/m	57.0	t

项目	单位用量		材料用量	
	数量	单位	数量	单位
木材	0.005 7	t/m	19.1	t
铜电焊条	0.031 2	kg/m	104.6	kg
回填灌浆	15 896m²			
水泥	0.053	t/m²	843	t
砂	0.017	m³/m²	270	m³
水	0.65	m³/m²	10 333	m³
灌浆管	0.14	m/m²	2 226	m
固结灌浆	9 900m			
425# 水泥	0.025	t/m	248	t
水	3.22	m³/m	31 878	m³

3.7 工期、强度与台时、人时、材料消耗指标

3.7.1 工作计划

每年工作:12 个月。

每月平均工作:25.5 天。

每天工作:3 班。

每班工作:8h。

每天工作:24h。

平均月工作小时数:612h。

3.7.2 衬砌工期

3.7.2.1 混凝土浇筑施工循环时间与月进尺

浇筑段长度为 12m。

循环时间:衬砌循环时间详见表 3-11;一个浇筑段施工时间为 72.4h,考虑混凝土养护时间与其他工序平行作业,一个浇筑段施工循环时间为 36.4h。

月进尺:单工作面月进尺为 151m/月;考虑双工作面影响系数为 0.8,则双工作面月进尺为

$$151 \times 2 \times 0.8 = 242(\text{m}/\text{月})$$

3.7.2.2 衬砌工期

衬砌时间:12.4 月。

隧洞回填灌浆时间:5.9 月。

隧洞固结灌浆时间:5.7 月。

回填、固结灌浆平行作业时间:5.4 月。

灌浆、衬砌平行作业时间:4.7 月。

其他时间:0.5 月。

表 3-11 隧洞衬砌循环时间(断面面积:12.6m²;进尺:12m)

工作程序	时间(h)		时间(h)														
	(平行作业工序)		5	10	15	20	25	30	35	40	45	50	55	60	65	70	75	80
工作面清理	6.9																	
钢筋绑扎	6.0																	
立、拆模板	16.6																	
止水片埋设	1.5																	
混凝土浇筑	4.4																	
拆模前养护	36.0																	
其他	1.0																	
小计	36.4	36.0																
长期工作影响系数	75%																	
平均月进尺	m/月	151																

则衬砌工期为

$$12.4 + (5.9 + 5.7 - 5.4) - 4.7 + 0.5 = 14.4(个月)$$

3.7.3 混凝土浇筑强度

混凝土工程量:12 158m³。

平均浇筑月强度:

$$12\ 158/14.4 = 844(\text{m}^3/月)$$

衬砌作业循环时间、工期、强度计算见表 3-12。

表 3-12 隧洞混凝土衬砌循环时间、工期、强度计算

序号	项 目	单位	设计参数	备注
1	隧洞参数			
1.1	断面形式		圆形隧洞	
1.2	隧洞成洞断面面积	m²	12.6	
1.3	成洞直径	m	4.0	
1.4	衬砌形式		普通钢筋混凝土全断面衬砌	
1.5	衬砌厚度	m	0.3	
1.6	相应断面隧洞长度	m	3 000	
2	衬砌分段循环参数			
2.1	衬砌分段长度	m	12	
2.2	单位洞长混凝土量	m³/m	4.1	
2.3	每立方米混凝土钢筋含量	kg/m³	32.5	
2.4	浇筑块混凝土量	m³	49.2	
2.5	浇筑块钢筋量	kg	1 599	
2.6	立模面积	m²	154.8	
3	工作面清理时间计算			
3.1	清理面积	m²	173.4	
3.2	清理方式		人工清理,斗车运输	
3.3	作业组人数	个	11	
3.4	工作面清理时间	h	6.9	
3.5	小时生产率	m²/h	25.0	
4	钢筋绑扎时间计算			
4.1	主钢筋直径	mm	18	
4.2	浇筑段设计钢筋量	kg	1 599	
4.3	浇筑段实际钢筋量	kg	1 631	
4.4	作业组人数	个	17	
4.5	绑扎前准备时间	h	1	
4.6	钢筋安装绑扎时间	h	4.0	
4.7	预埋件安装时间	h	1.0	

序号	项 目	单位	设计参数	备注
4.8	循环钢筋绑扎时间	h	6.0	
4.9	小时生产率	kg/h	272	
5	模板安装时间计算			
5.1	模板类型		组合钢模板	
5.2	浇筑块立模面积	m²	154.8	
5.3	作业组人数	个	16	
5.4	准备时间	h	0.5	
5.5	模板安装固定时间	h	16.1	
5.6	安装模板时间	h	16.6	
5.7	小时生产率	m²/h	9.33	
6	浇筑段止水片安装时间计算			
6.1	止水片类型		紫铜片	
6.2	止水片工程量	m	13.5	
6.3	作业组人数	个	4	
6.4	止水片安装时间	h	1.5	
6.5	小时生产率	m/h	9.01	
7	混凝土浇筑设备参数			
7.1	混凝土入仓方式		泵送混凝土入仓	
7.2	混凝土入仓设备型号		HBT45-9	
7.3	混凝土入仓设备额定生产率	m³/h	26	
7.4	混凝土水平运输方式		混凝土搅拌车	
7.5	运输设备型号			
7.6	运输设备额定容量	m³	6.0	
7.7	混凝土运输距离	km	2.5	
7.8	运输设备数量	台	3	
7.9	混凝土设备配套生产率	m³/h	19.5	
8	循环浇筑混凝土时间计算			
8.1	混凝土浇筑块设计工程量	m³	49	
8.2	混凝土超填系数		0.36	
8.3	混凝土浇筑块施工工程量	m³	67	
8.4	混凝土设备配套生产率	m³/h	19.5	
8.5	作业组人数	个	18	
8.6	混凝土浇筑前准备工作	h	1	
8.7	混凝土净浇筑时间	h	3.4	
8.8	循环浇筑混凝土时间	h	4.4	

序号	项 目	单位	设计参数		备注
8.9	其他时间	h	1.0		
8.10	小时生产率	m³/h	12.39		
9	混凝土浇筑分段养护时间计算				
9.1	拆模前养护	h	36		
9.2	拆模后养护	天	27		
9.3	作业组人数	个	2		
10	混凝土衬砌分段施工循环时间		平行作业工序		
10.1	工作面清理时间	h		6.9	
10.2	钢筋绑扎时间	h		6.0	
10.3	循环立模时间	h		16.6	
10.4	循环止水件埋设时间	h		1.5	
10.5	循环浇筑混凝土时间	h		4.4	
10.6	混凝土浇筑段拆模前养护时间	h	36.0		
10.7	其他时间	h		1.0	
10.8	一个浇筑段循环时间	h	36.0	36.4	
10.9	第一个浇筑段施工时间	h	72.4		
11	顶拱回填灌浆时间计算				
11.1	顶拱回填灌浆面积	m²	14 451		
11.2	灌浆设备型号		BW-120 泥浆泵		
11.3	设备数量	台	1		
11.4	作业组人数	个	14		
11.5	注浆生产率	m²/h	4		
11.6	灌浆准备时间	h	0.5		
11.7	净灌浆时间	h	3 613		
11.8	顶拱回填灌浆时间	h	3 613		
11.9	小时生产率	m²/h	4		
12	固结灌浆时间计算				
12.1	钻孔工程量	m	9 000		
12.2	钻孔设备		手风钻		
12.3	钻孔设备数量	台	1		
12.4	钻孔生产率	m/h	12.1		
12.5	钻孔时间	h	744		
12.6	灌浆工程量(水泥)	t	225		
12.7	灌浆设备型号		BW-120 泥浆泵		
12.8	灌浆设备数量	台	2		

序号	项 目	单位	设计参数	备注
12.9	注浆生产率(台)	kg/h	32.25	
12.10	灌注时间	h	3 488	
12.11	固结灌浆时间	h	3 488	
12.12	小时生产率	kg/h	64.51	
13	工作计划			
13.1	每班工作时间	h	8	
13.2	每天工作班次	班/日	3	
13.3	日工作小时数	h/日	24	
13.4	月工作天数	天/月	25.5	
13.5	月工作小时数	h/月	612	
13.6	浇筑段长度	m	12	
13.7	月完成浇筑段数	段/月	16.8	
13.8	长期工作效率系数		0.75	
13.9	单工作面月进尺	m/月	151	
13.10	多工作面影响系数		0.8	
13.11	双工作面月进尺	m/月	242	
14	衬砌工期计算			
14.1	洞长	m	3 000	
14.2	超填方量	m³	4 428	
14.3	额外补偿长度	m		
14.4	等效长度	m	3 000	
14.5	衬砌分段总数	段	250	
14.6	衬砌工期	月	12.4	
14.7	回填灌浆工期	月	5.9	
14.8	固结灌浆工期	月	5.7	
14.9	回填、固结灌浆平行作业时间	月	5.4	
14.10	灌浆时间	月	6.2	
14.11	灌浆、混凝土浇筑平行时间	月	4.7	
14.12	其他时间	月	0.5	
14.13	衬砌总工期	月	14.4	
15	衬砌月强度			
15.1	混凝土工程量	m³	12 158	
15.2	衬砌月强度	m³/月	844	

3.7.4 隧洞衬砌设备台时、人时、材料消耗指标

隧洞衬砌设备台时、人时、材料消耗指标见表 3-13～表 3-20。

表 3-13　工作面清理台时、人时、材料用量

序号	项　目	单位	数量	人时	台时	材料	利用系数
1	工程量	m²	43 350				
2	施工工程量	m²	44 217				
3	小时生产率	m²/h	25.00				
4	长期工作影响系数		0.75				
5	平均生产率	m²/h	18.75				
	劳力资源						
6	工长	人	1	1 179			50%
7	二级操作工	人	1	2 358			
8	二级司机	人	1	2 358			
9	一级普工	人	8	18 866			
	设备资源						
10	空压机	台	1		354		20%
11	水泵	台	1		354		20%
12	斗车	台	6		2 122		20%
13	电瓶机车	台	1		354		20%
14	其他						

表 3-14　钢筋安装台时、人时、材料用量

序号	项　目	单位	数量	人时	台时	材料	利用系数
1	工程量	t	394.61				
2	施工工程量	t	402.50				
3	小时生产率	t/h	0.272				
4	长期工作影响系数		0.75				
5	平均生产率	t/h	0.204				
	劳力资源						
6	工长	人	1	1 973			
7	三级电焊工	人	3	5 919			
8	四级钢筋工	人	1	1 973			
9	三级钢筋工	人	2	3 946			
10	二级钢筋工	人	2	3 946			
11	三级电工	人	1	1 973			
12	一级普工	人	6	11 838			
13	三级司机	人	1	1 973			
	设备资源						
14	电焊机	台	3		3 995		90%
15	汽车	台	1		370		25%
	材料资源		(单位耗量)				
16	钢筋	t	1.02			411	
17	焊条	kg	7.22			2 906	
18	铁丝	kg	4.0			1 610	
19	其他						

表 3-15　模板安装、拆除台时、人时、材料用量

序号	项　目	单位	数量	人时	台时	材料	利用系数
1	工程量	m²	38 697				
2	施工工程量	m²	38 697				
3	小时生产率	m²/h	9.33				
4	长期工作影响系数		0.75				
5	平均生产率	m²/h	7.00				
	劳力资源						
6	工长	人	1	5 528			
7	三级木工	人	2	11 056			
8	二级木工	人	2	11 056			
9	三级电工	人	1	5 528			
10	三级电焊工	人	1	5 528			
11	二级电焊工	人	1	5 528			
12	二级司机	人	1	5 528			
13	一级普工	人	6	33 169			
14	二级设备操作工	人	1	5 528			
15	三级设备操作工	人	1	5 528			
	设备资源						
16	工具车	台	1		1 036.9		25%
17	电焊机	台	2		1 659		20%
18	刀锯	台	1		1 244.28		30%
	材料资源		（单位耗量）				
19	板材	m³	0.001 7			66	
20	铁件	kg	1.70			65 785	
21	铁钉	kg	0.024 3			940	
22	钢模	kg	2.19			84 746	
23	其他						

表 3-16　混凝土浇筑台时、人时、材料用量

序号	项　目	单位	数量	人时	台时	材料	利用系数
1	工程量	m³	12 158				
2	施工工程量	m³	16 535				
3	小时生产率	m³/h	12.39				
4	长期工作影响系数		0.75				
5	平均生产率	m³/h	9.29				
	劳力资源						
6	工长	人	1	1 780			
7	三级木工	人	1	1 780			
8	三级电工	人	1	1 780			

序号	项目	单位	数量	人时	台时	材料	利用系数
9	四级混凝土工	人	1	1 780			
10	三级混凝土工	人	2	3 560			
11	二级混凝土工	人	2	3 560			
12	三级钢筋工	人	1	1 780			
13	三级司机	人	3	5 340			
14	二级司机	人	1	1 780			
15	一级普工	人	4	7 119			
16	二级修理工	人	1	1 780			
17	三级设备操作工	人	1	1 780			
	设备资源						
18	混凝土搅拌车	台	3		2 544		63.5%
19	混凝土泵	台	1		848		63.5%
20	混凝土振捣器	台	2		1 696		63.5%
21	工具车	台	1		133		10%
	材料资源		(单位耗量)				
22	成品混凝土	m³	1.03			17 031	
23	水	m³	0.45			7 441	
24	其他						

表 3-17 止水片安装台时、人时、材料用量

序号	项目	单位	数量	人时	台时	材料	利用系数
1	工程量	m	3 286				
2	施工工程量	m	3 352				
3	小时生产率	m/h	9.01				
4	长期工作影响系数		0.75				
5	平均生产率	m/h	6.76				
	劳力资源						
6	三级电焊工	人	1	496			
7	一级普工	人	3	1 487			
	设备资源						
8	电焊机	台	1		112		30%
9	胶轮架子车	台	1		37		10%
	材料资源		(单位耗量)				
10	紫铜片	kg	5.61			18 804.7	
11	沥青	t	0.017			57.0	
12	木材	t	0.006			20.1	
13	铜电焊条	kg	0.031			103.9	
14	其他						

表 3-18　回填灌浆台时、人时、材料用量

序号	项　目	单位	数量	人时	台时	材料	利用系数
1	工程量	m²	14 451				
2	施工工程量	m²	15 896				
3	小时生产率	m²/h	4.0				
4	长期工作影响系数		0.75				
5	平均生产率	m²/h	3.0				
	劳力资源						
6	工长	人	1	2 649			50%
7	三级设备操作工	人	1	5 299			
8	二级设备操作工	人	2	10 598			
9	一级设备操作工	人	1	5 299			
10	三级电工	人	1	5 299			
11	二级司机	人	1	5 299			
12	一级普工	人	5	26 494			
13	二级风钻工	人	1	5 299			
14	二级空压机操作工	人	1	5 299			
	设备资源						
15	浆液搅拌机	台	1		3 179.3		80%
16	灌浆泵	台	1		3 179.3		80%
17	空压机	台	1		1 192.2		30%
18	风钻	台	1		1 192.2		30%
	材料资源		（单位耗量）				
19	水泥	t	0.005 6			89	
20	砂	m³	0.018			286	
21	水	m³	0.68			10 810	
22	灌浆管	m	0.14			2 226	
23	其他						

表 3-19　固结灌浆钻孔台时、人时、材料用量

序号	项　目	单位	数量	人时	台时	材料	利用系数
1	工程量	m	9 000				
2	施工工程量	m	9 900				
3	小时生产率	m/h	12.1				
4	长期工作影响系数		0.75				
5	平均生产率	m/h	9.08				
	劳力资源						
6	工长	人	1	545			50%
7	三级钻机操作工	人	1	1 091			

序号	项 目	单位	数量	人时	台时	材料	利用系数
8	二级钻机操作工	人	1	1 091			
9	二级空压机操作工	人	1	1 091			
10	一级普工	人	2	2 182			
	设备资源						
11	手风钻	台	1		818		100%
12	空压机	台	1		818		100%
	材料资源		(单位耗量)				
13	钻头	个	0.002 59			26	
14	钻杆	根	0.002			20	
15	其他						

表 3-20　固结灌浆台时、人时、材料用量

序号	项 目	单位	数量	人时	台时	材料	利用系数
1	工程量	t	225				
2	施工工程量	t	248				
3	小时生产率	kg/h	64.51				
4	长期工作影响系数		0.75				
5	平均生产率	kg/h	48.38				
	劳力资源						
6	工长	人	1	2 563			50%
7	三级设备操作工	人	2	10 252			
8	二级操作工	人	2	10 252			
9	一级操作工	人	2	10 252			
10	一级普工	人	5	25 630			
11	二级司机	人	1	5 126			
12	三级电工	人	1	5 126			
	设备资源						
13	灌浆泵	台	2		7 690		100%
14	浆液拌和机	台	2		7 690		100%
15	运输车	台	1		769		20%
	材料资源		(单位耗量)				
16	水	m³	128.00			31 744	
17	425# 水泥	t	1.0			248	
18	其他						

4 小型隧洞施工进度计划

小型隧洞施工进度计划见表4-1。

表 4-1 小型隧洞施工进度计划

序号	项目	工程量		第一年				第二年				第三年				第四年			
		单位	数量	1	2	3	4	1	2	3	4	1	2	3	4	1	2	3	4
1	进出口工程	项	2	2.0															
2	隧洞开挖	m³	49 857			18.5													
3	混凝土浇筑	m³	12 158								12.4			f1					
4	回填灌浆	m²	14 451							s1	5.9			f0.5					
5	固结灌浆	m	9 000							s0.5	5.7								

注:表中进度线下面的数字表示月。

· 691 ·

六、水闸工程

1 工程设计

1.1 工程位置及规模

模拟水闸工程位于河北省滹沱河上游干流上,设计最大泄量 11 750m³/s。

1.2 建筑物等级

建筑物等级为大型。

1.3 工程地质

基岩为千枚岩、石英斑岩与大理岩互层。

1.4 建筑物布置及结构形式

模拟水闸由进口引渠、防渗板及导墙、闸室、挑坎和尾渠五部分组成。

进口引渠底宽 114.0m,边坡 1:3.0,纵坡 1/2 000,渠底和边坡为砌石和混凝土护面。

防渗板及导墙段长 25m,底宽由闸室段的 109.8m 渐变至 144.0m 和引渠相连,防渗板表面高程为 108.0m,防渗板下填筑 1~2m 厚的黏土铺盖,两侧为钢筋混凝土弧形导水墙。

闸室为带胸墙的宽顶堰,总宽 109.8m。闸室共 11 孔,每孔净宽 7.8m,闸墩厚 2.4m,堰顶高程 108.0m,胸墙底高程 120m。工作闸门为弧形钢闸门,机架桥高程为 139.1m,设 QPQ2×100t 型固定式启闭机 11 台,胸墙前设平板式检修门。

挑坎段长 25.5m,坎顶高程 98.0m,挑坎反弧底高程为 96.0m。

尾渠段长 524m,为防止回流冲刷,坎下岩石作钢丝网喷浆和长 7.0m 的混凝土护底。

2 工程施工

2.1 施工导流

根据天然河道水文、气象以及地形、地貌条件,导流方式采用分期导流。导流时段为全年,导流标准为 10 年一遇洪水,导流设计流量 2 800m³/s。

开工第一年汛后至第二年汛前(当年 9 月 1 日~次年 6 月 30 日,下同),除进行施工准备外,还需填筑基坑枯水围堰,围封 5 号闸墩以右闸室段和上、下游导墙。在一个枯水期内,完成 5 号闸墩及以右底板混凝土,上下游混凝土砌块纵向围堰。纵向围堰顶宽 2m,高程由上游的 116m 渐变到下游的 106m。

第二年汛后至第三年汛前,填筑一期上下游横向围堰,围封 5 号闸墩以右闸室及上下游护砌段;进行右侧六孔 124.5m 高程以下的混凝土浇筑及砌石反滤工程。

第三年汛后至第四年汛前,拆除右侧上下游横向围堰,并填筑二期上下游横向围堰;进行左侧五孔 124.5m 高程以下的混凝土浇筑及反滤砌石工程。

第四年汛后至第四年底,完成公路桥、机架桥等上部混凝土,机电、金属结构设备安装工程以及竣工清理。

上游横向围堰位于桩号 2+001 处,堰顶高程 116m,顶宽 3m,迎水坡 1:2,背水坡 1:1.5;下游横向围堰位于桩号 2+162.5 处,堰顶高程 106m,顶宽 2m,迎水坡 1:2,背水坡 1:1.5。

2.2 施工方法

基础土方为Ⅲ类土,3m³ 挖掘机开挖,20t 自卸汽车出渣,运距 2km。

基础石方为Ⅷ级岩石,采用 100 型潜孔钻钻孔,阶梯式立面开挖,梯段高度 10m;保护层用手风钻钻孔爆破。出渣为 3m³ 挖掘机装 20t 自卸汽车运输,运距 2km。

混凝土拌制采用 3×1.5m³ 拌和楼,10t 自卸汽车运输 0.5km。翼墙及防渗板混凝土采用 15t 履带起重机卧罐入仓;闸底板、中部、上部混凝土采用 MQ540/30 型门机吊罐入仓,门机中心线在闸室下游 2+116 处,轨道高程 106m(起吊量 10t 时,起重幅度 37m,起重高度 20m(轨道以上));起吊量 30t 时,起重幅度 18m,起重高度 37m(轨道以上)),可以满足水闸中、上部混凝土浇筑及机电、金属结构设备安装的需要。

2.3 施工布置

建设管理单位和生活区布置在闸室左侧阶地上。混凝土拌和站、仓库及生产辅助企业均在闸室右侧布置。弃渣在尾渠两侧的沟壑、滩涂堆弃。

2.4 施工总进度

模拟水闸工程施工准备期 0.5 年,主体工程施工期 3.5 年,总工期 4 年。

第一年汛后进行工程各项准备工作,填筑基坑围堰。至第二年汛前完成 5 号闸墩及以右底板混凝土、上下游混凝土砌块纵向围堰。

第二年汛后至第三年汛前,填筑一期上下游横向围堰,完成右侧 6 孔闸室及上下游护砌施工。

第三年汛后至第四年汛前,填筑二期上下游横向围堰,完成左侧 5 孔闸室及上部结构混凝土施工。

第四年汛后至年底,完成机电、金结设备安装工程。单孔闸门安装工期为 1 个月。

主要工程量见表 2-1。

表 2-1 主要工程量

工程项目	单位	工程量	备注
土方开挖	m³	254 448	
石方开挖	m³	54 629	
其中:一般石方开挖	m³	48 129	
保护层石方开挖	m³	6 500	
混凝土	m³	74 306	
其中:底板混凝土	m³	11 451	划分为 11 个浇筑块
闸墩混凝土	m³	10 764	每个闸墩分为 11 个浇筑块
胸墙混凝土	m³	1 122	不分块
翼墙混凝土	m³	2 831	每段翼墙分为 6 块,共 8 段
防渗板混凝土	m³	1 913	划分为 15 个浇筑块
其他部位混凝土	m³	46 225	未作指标
钢筋制作安装	t	2 962	
其中:底板钢筋	t	286.33	
闸墩钢筋	t	376.8	
胸墙钢筋	t	115.61	

工程项目		单位	工程量	备注
翼墙钢筋		t	119.2	
防渗板钢筋		t	47.85	
其他部位钢筋		t	2 016.21	未作安装指标
闸门安装	弧形工作闸门		80t/扇×11 扇	未作指标
	平板检修闸门		120t/扇×1 扇	未作指标
埋件安装		t	180	未作指标
启闭机安装		台	11	未作指标
门机安装		台	1	未作指标

注：未作指标的其他部位混凝土、钢筋中，挑坎混凝土 18 539m³、钢筋 742t，护底混凝土 664m³、钢筋 25t，其计算方法与底板、防渗板相似；边墙混凝土 16 472m³、钢筋 692t，挡土墙混凝土 8 846m³、钢筋 371t，计算方法与翼墙相似。

3 土石方工程施工指标

3.1 主要施工机械设备选型及生产率计算

3.1.1 钻孔机械选型及参数

一般石方开挖用 100 型潜孔钻，保护层开挖用手风钻。钻孔机械有关参数见表 3-1。

表 3-1 钻孔机械参数

钻孔机械	岩石强度系数	梯段高或孔深	钻孔速率	爆破系数	单位用药量
100 型潜孔钻	$f=6\sim8$	10m	8m/h	0.11m/m³	0.40kg/m³
手风钻	$f=6\sim8$	0.5~1.5m	13m/h	1.2m/m³	0.48kg/m³

3.1.2 土方工程机械选型及生产率

3.1.2.1 施工方法

采用 3m³ 挖掘机开挖配 20t 自卸汽车运输 2km。土壤类别为Ⅲ类。

3.1.2.2 挖掘机（3m³ WD300）生产率计算

挖掘机开挖土方参数见表 3-2。

表 3-2 挖掘机开挖土方参数

斗容	充盈系数	土壤松散系数	松土密度(t/m³)	单斗挖装时间	有效工作时间
3m³	1.0	1.35	1.95÷1.35＝1.44	0.6min	50min/h

$$每车装土体积(m^3) = 有效车厢容积(m^3)$$
$$= (平装车厢容积 + 堆装车厢容积) \div 2 \times 装载系数$$
$$= (10.7 + 13.9) \div 2 \times 0.9 = 11.07(m^3/车)$$
$$每车需装斗数 = 有效车厢容积(m^3) \div [斗容(m^3) \times 充盈系数]$$
$$= 11.07 \div (3 \times 1.0) = 4(斗/车)$$
$$装一车时间 = 4 \times 0.6 = 2.40(min)$$

每小时装车次数(小时有效工作时间 50min,下同):

$$50 \div 2.4 = 20.83(次 / h)$$

挖掘机小时生产率 $= 11.07 \times 20.83 \div 1.35 = 170.81(m^3 /(台 \cdot h))($ 自然方 $)$

3.1.2.3 自卸汽车(20t BJ370A)生产率计算

(1)汽车一次循环时间 T 计算。

①装车时间 t_1:

$$t_1 = 每斗净循环时间 \times 每车需装斗数 = 0.6 \times 4 = 2.4(min)$$

②往返运行时间 t_2:场内平均行车速度按 20km/ h(333.33m/ min)计算,则

$$t_2 = 2\,000 \div 333.33 \times 2 = 12(min)$$

③卸车时间 t_3:取 $t_3 = 1min$;

④调车、等车时间 t_4:取 $t_4 = 2min$;

则汽车一次循环时间 T 为

$$T = t_1 + t_2 + t_3 + t_4 = 2.4 + 12 + 1 + 2 = 17.4(min)$$

(2)汽车小时生产率计算。

$$汽车小时循环次数 = 50 \div 17.4 = 2.87(次 / h)$$

汽车小时生产率 $=$ 有效车厢容积 $(m^3) \div$ 土壤松散系数 $\times$ 小时循环次数

$$= 11.07 \div 1.35 \times 2.87 = 23.53(m^3 /(台 \cdot h))($ 自然方 $)$$

3.1.3 一般石方开挖机械选型及生产率

3.1.3.1 施工方法

采用 $3m^3$ 挖掘机配 20t 自卸汽车运输 2km。岩石强度系数 $f = 6 \sim 8$。

3.1.3.2 挖掘机($3m^3$ WD300)生产率计算

挖掘机装石渣参数见表 3-3。

表 3-3 挖掘机装石渣参数

斗容	充盈系数	岩石松散系数	石渣密度(t/ m^3)	单斗挖装时间	有效工作时间
$3m^3$	0.75	1.53	$2.6 \div 1.53 = 1.7$	0.65min	50min/ h

每车需装斗数 $=$ 汽车载重量 $(t) \times$ 汽车装载系数 $\div$ 石渣密度 (t/ m^3)

$$\div [挖掘机斗容 (m^3) \times 充盈系数]$$

$$= 20 \times 0.9 \div 1.7 \div (3 \times 0.75) = 5(斗 / 车)$$

$$装一车时间 = 5 \times 0.65 = 3.25(min)$$

$$每小时装车次数 = 50 \div 3.25 = 15.38(次)$$

挖掘机小时生产率 $= (20 \times 0.9 \div 2.6) \times 15.38 = 106.48(m^3 /(台 \cdot h))($ 自然方 $)$

3.1.3.3 自卸汽车(20t BJ370A)生产率计算

(1)汽车一次循环时间 T 计算。

①装车时间 t_1:

$$t_1 = 每斗净循环时间 \times 每车需装斗数 = 0.65 \times 5 = 3.25(min)$$

②往返运行时间 t_2:场内平均行车速度按 20km/ h(333.33m/ min)计算,则

$$t_2 = 2\,000 \div 333.33 \times 2 = 12(\text{min})$$

③卸车时间 t_3：取 $t_3 = 1\text{min}$；

④调车、等车时间 t_4：取 $t_4 = 3\text{min}$；

则汽车一次循环时间 T 为

$$T = t_1 + t_2 + t_3 + t_4 = 3.25 + 12 + 1 + 3 = 19.25(\text{min})$$

(2)汽车小时生产率计算。

$$\text{汽车小时循环次数} = 50 \div 19.25 = 2.60(\text{次}/\text{h})$$

汽车小时生产率 = 汽车载重量(t) × 汽车装载系数 ÷ 自然方密度(t/m³)

$$\times \text{小时循环次数}$$

$$= 20 \times 0.9 \div 2.6 \times 2.6 = 18.00(\text{m}^3/(\text{台} \cdot \text{h}))(\text{自然方})$$

3.1.4 保护层石方开挖机械选型及生产率

3.1.4.1 施工方法

采用 3m³ 装载机装 20t 自卸汽车运输 2km。岩石强度系数 $f = 6 \sim 8$。

3.1.4.2 装载机(3m³)生产率计算

装载机装石渣参数见表 3-4。

表 3-4 装载机装石渣参数

斗容	充盈系数	岩石松散系数	石渣密度(t/m³)	单斗装满时间	小时有效工作时间
3m³	0.7	1.53	2.6÷1.53=1.7	0.65min	50min/h

单斗装满时间 t_1：

$$t_1 = 0.65\text{min}$$

重载运行到卸载地点所需时间 t_2：

$$t_2 = \text{运距} \div \text{平均速度} = 15\text{m} \div 5\,000\text{m}/\text{h} \times 60\text{min}/\text{h} = 0.18\text{min}$$

卸载时间 t_3：

$$t_3 = 3\text{s} \div 60 = 0.05\text{min}$$

装载机回程运行时间 t_4：

$$t_4 = t_2 = 0.18\text{min}$$

装载机每装一斗所需循环时间 T：

$$T = t_1 + t_2 + t_3 + t_4 = 0.65 + 0.18 + 0.05 + 0.18 = 1.06(\text{min})$$

$$\text{每车需装斗数} = 20 \times 0.9 \div 1.7 \div (3 \times 0.7) = 5(\text{斗}/\text{车})$$

$$\text{装一车时间} = 5 \times 1.06 = 5.30(\text{min}/\text{车})$$

$$\text{每小时装车次数} = 50 \div 5.3 = 9.43(\text{次}/\text{h})$$

$$\text{装载机小时生产率} = 20 \times 0.9 \div 2.6 \times 9.43 = 65.28(\text{m}^3/(\text{台} \cdot \text{h}))(\text{自然方})$$

3.1.4.3 自卸汽车(20t)生产率计算

(1)汽车一次循环时间 T 计算。

装车时间 $t_1 = 1.06 \times 5 = 5.3\text{min}$；往返运行时间(同一般石方开挖) $t_2 = 12\text{min}$；卸车时间 $t_3 = 1\text{min}$；调车、等车时间 $t_4 = 5\text{min}$。则汽车一次循环时间 T 为

$$T = t_1 + t_2 + t_3 + t_4 = 5.3 + 12 + 1 + 5 = 23.3 \text{(min)}$$

(2)汽车小时生产率计算。

$$汽车小时循环次数 = 50 \div 23.3 = 2.15 \text{(次／h)}$$
$$汽车小时生产率 = 20 \times 0.9 \div 2.6 \times 2.15 = 14.88 \text{(m}^3 / \text{(台·h))(自然方)}$$

3.2 施工进度安排、施工强度及主要施工机械需要量计算

3.2.1 土方开挖

施工条件：3m^3 挖掘机配 20t 自卸汽车运输，运距 2km，Ⅲ类土。

工程土方开挖总量 254 448m^3，按施工场地工作面条件，选 1 台 3m^3 挖掘机，挖掘机生产率为 170.81m^3／(台·h)，则应配备 20t 自卸汽车数量(生产率 23.53m^3／(台·h))为

$$170.81 \div 23.53 = 8 \text{(辆)(按挖掘机生产率配)}$$

同时配 88kW 推土机 1 台(同挖掘机数量)。

3.2.2 基础石方开挖

3.2.2.1 一般石方开挖

(1)钻孔。100 型潜孔钻钻孔，孔径 100mm，孔距 3.2m，排距 3.1m，梯段 10m，超钻 1m，岩石强度系数 $f = 6 \sim 8$，爆破系数 0.11m／m^3，钻孔速率 8m／h。

一般石方开挖工程量 48 129m^3，根据爆破设计，爆破长度 22.4m，爆破循环宽度 6.2m，爆破循环方量为 22.4 × 6.2 × 10 = 1 388.8(m^3)，爆破循环钻孔 1 388.8 × 0.11 = 152.77(m)，日工作一个循环，净钻孔时间控制在 5h，则应配 100 型潜孔钻数量为

$$152.77 \div 5 \div 8 = 4 \text{(台)}$$

同时配 9m^3／min 空压机 4 台(100 型潜孔钻每台时耗风 403.7m^3)。

(2)石渣运输。根据基坑工作场面和施工进度要求，配 3m^3 挖掘机 2 台，单机小时生产率 106.48m^3／(台·h)，则应配备 20t 自卸汽车数量(生产率 18.00m^3／(台·h))为

$$106.48 \times 2 \div 18 = 12 \text{(辆)}$$

同时配 88kW 推土机 2 台(同挖掘机数量)。

3.2.2.2 保护层石方开挖

(1)钻孔。手风钻钻孔，孔径 42mm，孔距 0.93m，排距为 0.9m，爆破分层厚度 0.5～1.5m，岩石强度系数 $f = 6 \sim 8$，爆破系数 1.2m／m^3，钻孔速率 13m／h。

保护层石方开挖量 6 500m^3，钻孔总进尺为 6 500 × 1.2 = 7 800(m)。根据爆破设计，爆破长度 29.76m，爆破循环宽度 5.4m，爆破循环方量为 29.76 × 5.4 × 1.5 = 241.06(m^3)，爆破循环钻孔为 241.06 × 1.2 = 289.27(m)，日工作 2 个循环，净钻孔时间控制在 3h，则手持式风钻数量 = 289.27 ÷ 3 ÷ 13 = 8(台)，同时配 9m^3／min 空压机 3 台(手持式风钻每台时耗风 180.1m^3)。

(2)石渣运输。根据基坑工作场面和施工进度要求，配 1 台 3m^3 装载机，其小时生产率为 65.28m^3／h，则应配 20t 自卸汽车数量为

$$65.28 \div 14.88 = 5 \text{(辆)}$$

同时配 88kW 推土机 1 台(同装载机数量)。

3.3 土石方开挖设备汇总表

土石方开挖设备汇总见表 3-5。

表 3-5 土石方开挖设备汇总

序号	设备名称及规格	单位	数量	单机生产率
1	土方开挖			
	挖掘机 $3m^3$	台	1	$170.81m^3/h$
	自卸汽车 20t	辆	8	$23.53m^3/h$
	推土机 88kW	台	1	
2	一般石方开挖			
	潜孔钻 100 型	台	4	$0.16m/min$
	空压机 $9m^3/min$	台	4	
	挖掘机 $3m^3$	台	2	$106.48m^3/h$
	自卸汽车 20t	辆	12	$18.00m^3/h$
	推土机 88kW	台	2	
3	保护层石方开挖			
	手风钻	台	8	$0.26m/min$
	空压机 $9m^3/min$	台	3	
	装载机 $3m^3$	台	1	$65.28m^3/h$
	自卸汽车 20t	辆	5	$14.88m^3/h$
	推土机 88kW	台	1	

3.4 劳力安排

劳动力安排原则:根据工作面需要,定岗、定员配备各工种劳动力。同一工种劳动力划分 4 个等级:一级工、二级工、三级工、四级工。根据需要配备不同级别的各工种劳动力(下同)。

3.4.1 土方开挖工作组

土方开挖工作组负责完成土方开挖工作。工作组人员配备见表 3-6。

表 3-6 土方开挖典型工作组 (单位:人)

序号	工种名称	工长	一级工	二级工	三级工	四级工
1	工长	1				
2	挖掘机司机					1
3	自卸汽车司机				8	
4	推土机司机				1	
5	普工		2			
6	合计	1	2		9	1

3.4.2 岩石开挖钻孔、爆破工作组

岩石开挖钻孔、爆破工作组负责布孔、钻孔、装药连线、爆破等。工作组人员配备见表 3-7、表 3-8。

表 3-7 一般石方开挖钻爆典型工作组 （单位：人）

序号	工种名称	工长	一级工	二级工	三级工	四级工
1	工长	1				
2	钻机操作工				4	
3	空压机操作工				4	
4	炮工			2	1	1
5	普工		4			
6	机械修理工				1	
7	管路修理工				1	
8	合计	1	4	2	11	1

表 3-8 保护层开挖钻爆典型工作组 （单位：人）

序号	工种名称	工长	一级工	二级工	三级工	四级工
1	工长	1				
2	钻机操作工				8	
3	空压机操作工				3	
4	炮工			2	1	1
5	普工		4			
6	机械修理工				1	
7	管路修理工				1	
8	合计	1	4	2	14	1

3.4.3 装渣运输工作组

装渣运输工作组负责安全处理、装渣、运输、渣场平整等。工作组人员配备见表 3-9、表 3-10。

表 3-9 一般石方开挖装渣运输典型工作组 （单位：人）

序号	工种名称	工长	一级工	二级工	三级工	四级工
1	工长	1				
2	挖掘机司机					2
3	自卸汽车司机				12	
4	推土机司机				2	
5	普工			2		
6	合计	1		2	14	2

表 3-10　保护层石方开挖装渣运输典型工作组　　　　　　　(单位:人)

序号	工种名称	工长	一级工	二级工	三级工	四级工
1	工长	1				
2	装载机司机					1
3	自卸汽车司机				5	
4	推土机司机				1	
5	普工		2			
6	合计	1	2		6	1

3.5　石方开挖材料用量表

石方开挖材料用量见表 3-11。

表 3-11　石方开挖材料用量

序号	项目	材料单耗	单位	材料用量	备注
1	一般石方开挖				48 129m³
	炸药	0.40kg/m³ 岩石	kg	19 252	
	雷管	0.387 个/kg 炸药	个	7 451	
	导火线	5.581m/个雷管	m	41 584	
	钻头 100 型	0.001 3 个/m³ 岩石	个	63	
	冲击器	0.000 2 套/m³ 岩石	套	10	
	钻杆	0.003 5m/m³ 岩石	m	168	
2	保护层开挖				6 500m³
	炸药	0.48kg/m³ 岩石	kg	3 120	
	雷管	6.667 个/kg 炸药	个	20 801	
	导火线	1.427m/个雷管	m	29 683	
	合金钻头	0.032 8 个/m³ 岩石	个	213	
	空心钢	0.012kg/m³ 岩石	kg	78	

3.6　土石方工程人时、台时、材料用量计算

施工设备台时、劳动力人时消耗指标依据施工循环中的小时生产率、设备数量及人员配置计算。

$$人时 = 施工工程量 \div 平均生产率 \times 人数$$
$$平均生产率 = 小时生产率 \times 长期工作系数$$
$$台时 = 施工工程量 \div 小时生产率 \times 设备数量 \times 设备利用率$$
或　　　　　　　　　$$台时 = 施工工程量 \div 设备生产率$$
$$设备利用率 = 小时生产率 \div (设备生产率 \times 设备数量)$$

3.6.1　土方开挖人时、台时计算

闸基土方开挖工期计算见表 3-12,人时、台时用量见表 3-13。

表 3-12　闸基土方开挖工期计算

序号	项　目	单位	设计参数
1	开挖高度	m	4
2	开挖量(自然方)	m³	254 448
3	开挖机械		
3.1	挖掘机 3m³	台	1
3.2	自卸汽车 20t	辆	8
4	开挖时间		
4.1	装运配套生产率	m³/h	170.81
4.2	净开挖时间	h	254 448÷170.81＝1 490
4.3	清扫时间	h	45
4.4	合计出渣时间	h	1 535
4.5	综合小时生产率	m³/h	254 448÷1 535＝165.76
5	工作计划		
5.1	每班工作时间	h	8
5.2	日工作班次	班/日	2
5.3	月工作天数	天	24
5.4	长期工作系数		0.8
5.5	月开挖量	m³/月	165.76×8×2×24×0.8＝50 921

表 3-13　土方开挖台时、人时、材料用量

序号	项目	单位	工程量	人时	台时	材料	设备利用率
1	设计工程量	m³	254 448				
2	小时生产率	m³/h	165.76				
3	长期工作系数		0.8				
4	平均生产率	m³/h	132.61				
5	劳动力资源						
	工长	人	1	1 919			
	四级挖掘机司机	人	1	1 919			
	三级汽车司机	人	8	15 350			
	三级推土机司机	人	1	1 919			
	一级工	人	2	3 838			
6	设备资源						
	挖掘机	台	1		1 490		
	自卸汽车	台	8		10 814		
	推土机	台	1		745		

注：①254 448÷170.81＝1 490；②254 448÷23.53＝10 814。

3.6.2　石方开挖人时、台时、材料用量计算

闸基石方开挖工期计算见表 3-14,人时、台时、材料用量见表 3-15～表 3-18。

表 3-14 闸基石方开挖工期计算

序号	项目	单位	一般石方开挖			保护层开挖		
			设计参数					
1	闸基参数							
1.1	开挖高度	m	10			3		
1.2	开挖宽度	m	94			94		
1.3	开挖长度	m	110			110		
2	爆破参数							
2.1	爆破循环宽度	m	6.2			5.4		
2.2	爆破循环长度	m	22.4			29.76		
2.3	循环炮孔排距	m	3.1			0.9		
2.4	循环炮孔孔距	m	3.2			0.93		
2.5	炮孔直径	mm	100			42		
2.6	炮孔数量	个	$(22.4 \div 3.2) \times (6.2 \div 3.1) = 14$			$(29.76 \div 0.93)(5.4 \div 0.9) = 192$		
2.7	钻孔深度	m	10~11.0			0.5~1.5		
2.8	梯段高度	m	10			1.5		
2.9	循环爆破方量	m³	$6.2 \times 22.4 \times 10 = 1388.8$			$5.4 \times 29.76 \times 1.5 = 241.06$		
2.10	炮孔密度	m/m³	0.11			1.2		
2.11	循环钻孔总长	m	$1388.8 \times 0.11 = 152.77$			$241.06 \times 1.2 = 289.27$		
2.12	装药密度	kg/m³	0.40			0.48		
2.13	装药量	kg	$1388.8 \times 0.40 = 555.52$			$241.06 \times 0.48 = 115.71$		
3	钻孔设备参数							
3.1	钻孔		YQ-100型潜孔钻			手风钻		
3.2	钻速	m/min	$0.16 \times 4 = 0.64$			$0.26 \times 8 = 2.08$		
4	钻孔时间计算							
4.1	钻孔长度	m	152.77			289.27		
	项目		单位时间	工程量	时间	单位时间	工程量	时间
4.2	钻机就位及撤退时间(以循环计)	min	30	1	30	10	1	10
4.3	钻机移动就位	min/孔	5	$14 \div 4 = 3.5$	17.50	1	$192 \div 8 = 24$	24
4.4	对孔定位时间	min/孔	0.5	3.5	1.75	0.5	24	12
4.5	净钻孔时间	m/min	0.64	152.77	238.70	2.08	289.27	139.07
4.6	一个循环需钻孔时间	min			287.95			185.07
4.7	钻孔设备生产率	m³/h	$1388.8 \div (287.95 \div 50) = 241.15$			$241.06 \div (185.07 \div 50) = 65.13$		
5	装药时间计算		单位时间	工程量	时间	单位时间	工程量	时间
5.1	循环准备时间	min	10	1	10	10	1	10
5.2	对孔定位时间	min	0.5	14	7.0	0.5	192	96
5.3	装药时间(按m)	min	0.3	152.77	45.83	0.3	289.27	86.78
5.4	需装药时间小计	min			62.83			192.78
5.5	装药工作组人数	人	4			4		
5.6	装药循环时间	min	$(7 + 45.83) \div 4 + 10 = 23.21$			$(96 + 86.78) \div 4 + 10 = 55.70$		

序号	项 目	单位	设计参数	
			一般石方开挖	保护层开挖
6	装渣运输			
6.1	挖装设备	台	2(3m³ 挖掘机)	1(3m³ 装载机)
6.2	运输设备（20t 自卸汽车）	辆	12	5
7	装渣时间			
7.1	设计爆破（自然方）	m³	1 388.8	241.06
7.2	超挖系数		1.05	1.05
7.3	松散系数		1.53	1.53
7.4	松方量	m³	2 231.11	387.26
7.5	装运小时生产率（自然方）	m³/h	106.48×2=212.96	65.28
7.6	装运生产率（松方）	m³/min	212.96÷60×1.53=5.43	65.28÷60×1.53=1.66
7.7	清扫时间	min	20	20
7.8	出渣时间	min	2 231.11÷5.43+20=430.89	387.26÷1.66+20=253.29
7.9	装运配套综合生产率（自然方）	m³/h	1 388.8×1.05÷(430.89÷50)=169.21	241.06×1.05÷(253.29÷50)=49.97
8	开挖循环时间安排			
8.1	测量放线	min	(30)	(30)
8.2	钻孔循环时间	min	287.95	185.07
8.3	装药循环时间	min	23.21	55.70
8.4	安全处理时间	min	30	30
8.5	出渣循环时间	min	430.89	253.29
8.6	其他时间	min	30	30
8.7	净循环时间	min	343.16　460.89	283.29　270.77
8.8	小时有效工作时间	min/h	50	50
8.9	正常循环时间	h	9.22	5.67
8.10	小时生产率	m³/h	1 388.8÷9.22=150.63	241.06÷5.67=42.51
9	工作计划			
9.1	每班工作时间	h	8	8
9.2	每天工作班次	班/日	2	2
9.3	月工作天数	天/月	24	24
9.4	长期工作系数		0.8	0.8
9.5	月开挖量	m³	150.63×8×2×24×0.8=46 274	42.51×8×2×24×0.8=13 059

表 3-15　一般石方开挖钻孔爆破台时、人时、材料用量

序号	项　目	单位	工程量	人时	台时	材料	设备利用率
1	设计工程量	m³	48 129				
2	小时生产率	m³/h	150.63				
3	长期工作系数		0.8				
4	平均生产率	m³/h	120.50				
5	劳动力资源						
	工长	人	1	399			
	三级钻机工	人	4	1 598			
	三级空压机工	人	4	1 598			
	四级炮工	人	1	399			
	三级炮工	人	1	399			
	二级炮工	人	2	799			
	一级工	人	4	1 598			
	三级机修工	人	1	399			
	三级管路修理工	人	1	399			
6	设备资源						
	钻机(100 型)	台	4		798		
	空压机	台	4		798		
7	材料资源						
	炸药	kg				19 252	
	雷管	个				7 451	
	导电线	m				41 584	
	钻头 100 型	个				63	
	冲击器	套				10	
	钻杆	m				168	

注:48 129÷241.15×4=798。

表 3-16　一般石方开挖石渣运输台时、人时、材料用量

序号	项　目	单位	工程量	人时	台时	材料	设备利用率
1	设计工程量	m³	48 129				
2	施工工程量	m³	50 535				
3	小时生产率	m³/h	150.63				
4	长期工作系数		0.8				
5	平均生产率	m³/h	120.50				
6	劳动力资源						
	工长	人	1	419			
	四级挖掘机司机	人	2	839			
	三级汽车司机	人	12	5 033			
	三级推土机司机	人	2	839			
	一级工	人	2	839			
7	设备资源						
	挖掘机	台	2		475		
	自卸汽车	台	12		2 808		
	推土机	台	2		238		

注:①50 535÷106.48=475;②50 535÷18=2 808。

表 3-17　保护层开挖钻孔爆破台时、人时、材料用量

序号	项目	单位	工程量	人时	台时	材料	设备利用率
1	设计工程量	m³	6 500				
2	小时生产率	m³/h	42.51				
3	长期工作系数		0.8				
4	平均生产率	m³/h	34.01				
5	劳动力资源						
	工长	人	1	191			
	三级钻机工	人	8	1 529			
	三级空压机工	人	3	573			
	四级炮工	人	1	191			
	三级炮工	人	1	191			
	二级炮工	人	2	382			
	一级工	人	4	764			
	三级机修工	人	1	191			
	三级管路修理工	1	1	191			
6	设备资源						
	钻机(手风钻)	台	8		798		
	空压机	台	3		299		
7	材料资源						
	炸药	kg				3 120	
	雷管	个				20 801	
	导火线	m				29 683	
	合金钻头	个				213	
	空心钢	kg				78	

注:6 500m³ ÷ 65.13m³/h × 8 台 = 798(台·h)。

表 3-18　保护层开挖石渣运输台时、人时、材料用量

序号	项目	单位	工程量	人时	台时	材料	设备利用率
1	设计工程量	m³	6 500				
2	施工工程量	m³	6 825				
3	小时生产率	m³/h	42.51				
4	长期工作系数		0.8				
5	平均生产率	m³/h	34.01				
6	劳动力资源						
	工长	人	1	201			
	四级装载机司机	人	1	201			
	三级汽车司机	人	5	1 003			
	三级推土机司机	人	1	201			
	一级工	人	2	401			
7	设备资源						
	装载机	台	1		105		
	自卸汽车	台	5		459		
	推土机	台	1		53		

注:①6 825 ÷ 65.28 = 105;②6 825 ÷ 14.88 = 459。

4 混凝土工程施工指标计算

4.1 混凝土工程施工机械设备选型及生产率计算

4.1.1 施工方法

$3 \times 1.5m^3$ 混凝土拌和楼拌制混凝土，10t 自卸汽车运输 0.5km。翼墙及防渗板混凝土采用 15t 履带起重机卧罐入仓；闸底板、中部、上部混凝土采用 MQ540/30 型门机吊罐入仓。

4.1.2 门机生产率计算

选用 MQ540/30 门机配 $3m^3$ 混凝土罐。门机轨道在 106m 高程，由右(左)岸 128m 高程起吊 $3m^3$ 吊罐，垂直上升 3m，回转到位，垂直下降，卸料入仓。门机性能参数指标见表 4-1。

表 4-1 门机性能参数指标

垂直运行速度	重载回转速度	卸料变幅速度	挂罐时间	放罐时间	空回时间
46m/min	0.75 转/min	9.67m/min	11s	8.3s	30s

4.1.2.1 闸底板混凝土浇筑

(1)施工条件：门机起吊到位后，垂直下降 27m 入仓，变幅 1.5m。

(2)浇筑 1 罐循环时间 T 计算。

挂罐时间：11s；

垂直上升时间：$3m \div (46m \div 60s) = 3.91s$；

回转时间：$(135° \div 360°) \div (0.75 转 \div 60s) = 30s$；

垂直下降时间：$27m \div (46 \div 60s) = 35.22s$；

卸料时间：108s；

卸料变幅时间：$1.5m \div (9.67m \div 60s) = 9.31s$；

空回时间：30s；

放罐时间：8.3s。

则浇筑 1 罐循环时间 T 为

$T = 11 + 3.91 + 30 + 35.22 + 108 + 9.31 + 30 + 8.3 = 235.74(s) = 3.93min$

(3)每小时循环次数：

$50 \div 3.93 = 12.72(次/h)$

4.1.2.2 闸墩混凝土浇筑

(1)施工条件：门机起吊到位后，垂直下降 25m 入仓，变幅 0.3m。

(2)浇筑 1 罐循环时间 T 计算。

挂罐时间：11s；

垂直上升时间：3.91s；

回转时间：30s；

垂直下降时间：$25m \div (46 \div 60s) = 32.61s$；

卸料时间:216s;

卸料回转时间:$(7.8°÷360°)÷(0.75转÷60s)=1.73s$;

卸料变幅时间:$0.3m÷(9.67m÷60s)=1.86s$;

空回时间:30s;

放罐时间:8.3s。

则浇筑1罐循环时间T为

$T=11+3.91+30+32.61+216+1.73+1.86+30+8.3=335.41(s)=5.59min$

(3)每小时循环次数:

$$50min÷5.59min=8.94(次/h)$$

4.1.2.3　胸墙混凝土浇筑

(1)施工条件:门机起吊到位后,垂直下降13m入仓,变幅4m。

(2)浇筑1罐循环时间T计算。

挂罐时间:11s;

垂直上升时间:3.91s;

回转时间:30s;

垂直下降时间:$13m÷(46÷60s)=16.96s$;

卸料时间:324s;

卸料回转时间:$(20.7°÷360°)÷(0.75转÷60s)=4.60s$;

卸料变幅时间:$4m÷(9.67m÷60s)=24.82s$;

空回时间:30s;

放罐时间:8.3s。

则浇筑1罐循环时间T为

$T=11+3.91+30+16.96+324+4.60+24.82+30+8.3=453.59(s)=7.56min$

(3)每小时循环次数:

$$50÷7.56=6.61(次/h)$$

门机循环次数及生产率汇总见表4-2。

4.1.3　履带式起重机生产率计算

用于门机覆盖不到的翼墙及防渗板等部位混凝土浇筑。

4.1.3.1　防渗板混凝土浇筑

供料汽车在左(右)岸浇筑平台,履带起重机在基坑,起吊高度29m。参考三门峡资料(3m³电动挖掘机改装的起重机作业,提升高度26～30m,回转角度大于135°),入仓循环时间221s(其中:挂罐27s,重载运行77.5s,卸料22s,空回62.5s,放罐22s,循环中断10s)。

$$每小时循环次数=50min÷(221s÷60)=13.57次/h$$

4.1.3.2　翼墙混凝土浇筑

翼墙混凝土浇筑施工条件类似于闸墩混凝土浇筑,故循环次数取为8.94次/h。

履带起重机循环次数见表4-3。

4.1.4　自卸汽车生产率计算

施工条件:10t自卸汽车运输混凝土,运距500m,平均速度12km/h(200m/min)。

表 4-2　门机循环次数及生产率汇总

部位	循环次数（次／h）	生产率（m³／h）
闸底板	12.72	38.16
闸墩	8.94	26.82
胸墙	6.61	19.83

表 4-3　履带起重机循环次数

部位	循环次数（次／h）	生产率（m³／h）
翼墙	8.94	26.82
防渗板	13.57	40.71

装车时间:2.5min;

往返运输时间:$500 \div 200 \times 2 = 5$(min);

卸车时间:1min;

调车、候车时间:2min;

循环时间:$T = 2.5 + 5 + 1 + 2 = 10.5$(min);

每小时运输次数:$50 \div 10.5 = 4.76$(次／h);

每车运混凝土:3m³;

自卸汽车小时生产率:$4.76 \times 3 = 14.28$(m³／(台·h))。

4.1.5　振捣器生产率计算

选 Z2D-100 型振捣器,其技术生产率为 15m³／h,时间利用系数取 0.75,则实际生产率为

$$15 \times 0.75 = 11.25(\text{m}^3/(\text{台·h}))$$

4.1.6　钢筋制作安装

钢筋制作安装参考施工手册,各部位钢筋绑扎工效见表 4-4。

表 4-4　钢筋绑扎工效

钢筋部位	单位	绑扎工效	钢筋部位	单位	绑扎工效
闸底板钢筋	t／(人·h)	0.023	翼墙钢筋	t／(人·h)	0.017
闸墩钢筋	t／(人·h)	0.017	胸墙钢筋	t／(人·h)	0.013
防渗板钢筋	t／(人·h)	0.023			

4.1.7　模板安装

经工程资料统计分析计算,模板安装工效见表 4-5。

表 4-5　模板安装工效

模板部位及类型	单位	安装工效	模板部位及类型	单位	安装工效
闸底板平面钢模	m²／(人·h)	0.74	翼墙平面钢模	m²／(人·h)	0.63
闸墩平面钢模	m²／(人·h)	0.63	胸墙平面钢模	m²／(人·h)	0.63
闸墩曲面木模板	m²／(人·h)	0.53	胸墙曲面木模板	m²／(人·h)	0.53
防渗板平面钢模	m²／(人·h)	0.74			

4.2 底板混凝土工程施工指标计算

4.2.1 设备数量计算

4.2.1.1 混凝土浇筑

底板混凝土共 11 451m³,浇筑仓面 29m×10.2m＝295.8m²,混凝土初凝时间 2.5h,摊铺层厚 0.3m,则小时浇筑强度为 295.8×0.3÷2.5＝35.50(m³/h)。

$$门机数量＝35.50÷38.16＝1(台)$$

$$汽车数量＝38.16m³/h÷14.28m³/h＝3 台$$

$$振捣器数量＝38.16m³/h÷11.25m³/h÷50\%(设备利用率)＝7 台$$

4.2.1.2 钢筋制作

钢筋总量 2 962t,损耗系数 1.02,毛用量 3 021t,工期 11 个月,月工作 24 天,高峰系数 1.6,日工作 2 班,则钢筋生产能力为 3 021÷11×1.6÷24÷2＝9.15(t/班)。

4.2.2 设备汇总表

混凝土浇筑设备汇总见表 4-6。

表 4-6 混凝土浇筑设备汇总

设备名称	型号	单位	数量	单机生产率
门机	MQ540/30	台	1	38.16m³/h
自卸汽车	10t	台	3	14.28m³/h
振捣器	Z2D－100	台	7	11.25m³/h

钢筋制作设备见表 4-7。

表 4-7 钢筋制作设备(台班产量 10~50t)

设备名称	单位	数量	设备名称	单位	数量
调直机	台	1	汽车起重机	台	1
点焊机	台	2	单梁起重机	台	1
对焊机	台	2	切断机	台	1
弯曲机	台	2	卷扬机	台	1
弧焊机	台	3	运料车	台	2
氧气焊接机	台	1			

4.2.3 混凝土浇筑劳动力用量计算

工作内容:①工作面清理;②模板制作与立拆模板;③钢筋加工与安装;④混凝土浇筑、混凝土的养护与预埋件安装等。

4.2.3.1 工作面清理工作组

工作面清理工作组负责钢筋绑扎前工作面的清理(垫渣清除等)与混凝土浇筑前工作面的清洗工作。工作组人员安排见表 4-8。

表 4-8　工作面清理典型工作组

序号	工种名称	工长	一级工	二级工	三级工	四级工
1	工长	1				
2	普工		4			
3	设备操作工			3		
4	电工				1	
5	合计	1	4	3	1	

4.2.3.2　模板制作、安装、拆除工作组

　　模板制作、安装、拆除工作组负责模板设计、制作、立模、拆模。工作组人员配备见表 4-9、表 4-10。

表 4-9　模板制作典型工作组

序号	工种名称	工长	一级工	二级工	三级工	四级工
1	工长	1				
2	木工		2	4	5	3
3	汽车司机				1	
4	普工		4			
5	合计	1	6	4	6	3

表 4-10　立模、拆模典型工作组

序号	工种名称	工长	一级工	二级工	三级工	四级工
1	工长	1				
2	木工			3	4	
3	电工				1	
4	普工		2			
5	汽车司机				1	
6	电焊工			1		
7	起重工			1	1	
8	合计	1	2	5	7	

4.2.3.3　钢筋制安工作组

　　钢筋制作按台班产量 9.15t 考虑,工作组人员配备见表 4-11。

表 4-11　钢筋制作典型工作组

序号	工种名称	工长	一级工	二级工	三级工	四级工
1	工长	1				
2	调直机工			1	1	
3	点焊机工			1	1	
4	对焊机工			1	1	
5	弯曲机工			1	1	
6	弧焊机工			2	1	

序号	工种名称	工长	一级工	二级工	三级工	四级工
7	气焊机工			1	1	
8	汽车起重机司机				1	
9	单梁起重机工				1	
10	切断机工			1		
11	卷扬机工				1	
12	运料车司机			1	1	
13	普工		5			
14	合计	1	5	9	10	

钢筋安装工作组负责钢筋运输、安装、绑扎、焊接等。工作组人员配备见表 4-12。

表 4-12　钢筋安装典型工作组

序号	工种名称	工长	一级工	二级工	三级工	四级工
1	工长	1				
2	电焊工				2	2
3	钢筋工			2	4	2
4	普工		5			
5	司机				1	
6	电工				1	
7	合计	1	5	2	8	4

4.2.3.4　混凝土浇筑工作组

混凝土浇筑工作组负责从拌和楼至混凝土浇筑仓面的水平、垂直运输,混凝土平仓振捣、养护等工作。工作组人员配备见表 4-13。

表 4-13　混凝土浇筑典型工作组

序号	工种名称	工长	一级工	二级工	三级工	四级工
1	工长	1				
2	自卸汽车司机				3	
3	门机操作工					1
4	混凝土工			3	3	1
5	电工				1	
6	管路修理工			1		
7	钢筋工				1	
8	木工				1	
9	工具车司机			1		
10	普工		5			
11	合计	1	5	5	9	2

4.2.4　底板分块

底板分两层浇筑,第一层厚 2m,第二层厚 3m,最大仓面 10.2m×29m,均采用钢模板。

闸底板分块示意见图 4-1。各浇筑块参数见表 4-14。

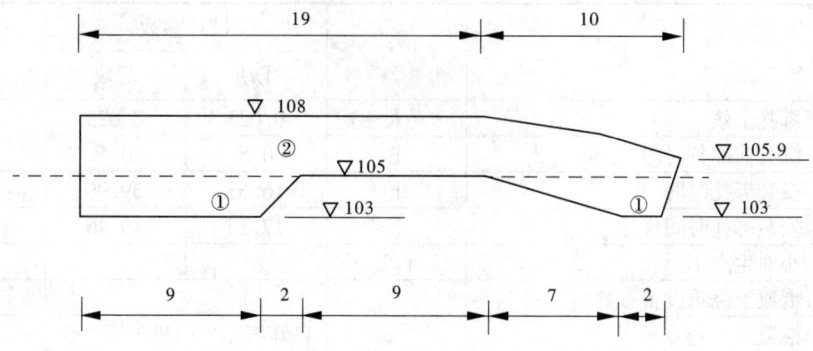

图 4-1　闸底板分块示意图(浇筑块长 10.2m,共 11 块)

表 4-14　闸底板各浇筑块参数

每块宽 10.2m	混凝土(m^3)	钢筋(t)	钢模板(m^2)	工作面清理(m^2)
①块	306	7.65	74	244
②块	735	18.38	119	296
合计	1 041	26.03	193	540

4.2.5　混凝土浇筑块工期计算

单个底板混凝土浇筑块工期计算见表 4-15。

表 4-15　单个底板混凝土浇筑块工期计算

序号	项　目	单位	设计参数		合计
			①块	②块	
1	浇筑块参数				
1.1	浇筑块混凝土	m^3	306	735	
1.2	浇筑块钢筋	t	7.65	18.38	
1.3	立模面积	m^2	74	119	
1.4	浇筑块数量	块	11	11	
2	工作面清理时间(70m^2/h)	h	3.49	4.23	
3	安装模板时间				
3.1	模板类型		平面钢模	平面钢模	
3.2	立模面积	m^3	74	119	193
3.3	作业组人数	人	15	15	
3.4	模板安装工效	m^2/(人·h)	0.74	0.74	
3.5	模板安装时间	h	6.67	10.72	17.39
3.6	小时生产率	m^2/h			11.10
4	钢筋绑扎时间				
4.1	设计钢筋量	t	7.65	18.38	26.03
4.2	作业组人数	人	20	20	

序号	项 目	单位	设计参数		合计
			①块	②块	
4.3	绑扎工效	t /(人·h)	0.023	0.023	
4.4	绑扎前准备时间	h	0.5	0.5	
4.5	安装绑扎时间	h	16.63	39.96	
4.6	安装绑扎时间合计	h	17.13	40.46	57.59
4.7	小时生产率	t /h			0.45
5	混凝土浇筑设备参数				
5.1	混凝土入仓方式		自卸汽车 + 门机吊罐入仓		
5.2	混凝土入仓设备		MQ540 /30 门机		
5.3	混凝土入仓设备生产率	m³ /h	38.16		
5.4	混凝土水平运输方式		10t 汽车		
5.5	混凝土水平运距	km	0.5		
5.6	运输设备数量	台	3		
5.7	混凝土设备配套生产率		38.16		
6	混凝土浇筑时间计算				
6.1	设计工程量	m³	306	735	1 041
6.2	超填系数		1.0	1.0	
6.3	施工工程量	m³	306	735	
6.4	作业组人数	人	22	22	
6.5	混凝土浇筑准备时间	h	0.5	0.5	
6.6	混凝土净浇筑时间	h	8.02	19.26	
6.7	混凝土浇筑时间合计	h	8.52	19.76	28.28
6.8	平均小时生产率	m³ /h			36.81
7	养护时间				
7.1	作业组人数				
7.2	养护时间(不计入循环时间)	h	72	72	
8	拆模时间(50m² /h)	h	1.48	2.38	
9	混凝土分块施工时间				
9.1	工作面清理时间	h	3.49	4.23	
9.2	钢筋绑扎时间	h	17.13	40.46	
9.3	循环立模时间	h	6.67	10.72	
9.4	循环浇筑时间	h	8.52	19.76	
9.5	养护时间(不计入循环时间)	h	(72)	(72)	
9.6	拆模时间	h	1.48	2.38	
9.7	一个浇筑块施工时间	h	37.29	77.55	114.84
9.8	循环小时生产率	m³ /h			9.06
10	工作计划				
10.1	每班工作时间	h	8		
10.2	每天工作班次	班 /日	3		
10.3	月工作天数	天 /月	24		
10.4	长期工作影响系数		0.8		
10.5	闸底板混凝土浇筑月强度	m³ /月	9.06×8×3×24×0.8 = 4 175		

4.2.6 施工指标

闸底板施工指标见表4-16~表4-21。

表4-16 工作面清理台时、人时、材料用量

序号	项 目	单位	数量	人时	台时	材料	设备利用率
1	工程量	m²	540×11				
2	施工工程量	m²	5 940				
3	小时生产率	m²/h	70				
4	长期工作影响系数		0.8				
5	平均生产率	m²/h	56				
6	劳动力资源						
	工长	人	1	106			
	二级设备操作工	人	3	318			
	三级电工	人	1	106			
	一级普工	人	4	424			
7	设备资源						
	风水枪	台	3		76		30%
	空压机	台	1		25		30%

注:风水枪、空压机台时按冲洗时间占工作面清理时间的30%估算,则5 940÷70×30%×3=76(台·h),5 940÷70×30%×1=25(台·h)。

表4-17 钢模消耗量

序号	项 目	单位	数量	人时	台时	材料	设备利用率
1	钢模总量	m²	193×11				
2	周转次数	次	50				
3	钢模消耗	kg/m²	1.2			2 548kg	(含支撑)

表4-18 模板安装、拆除台时、人时、材料用量

序号	项 目	单位	数量	人时	台时	材料	设备利用率
1	单孔模板安装	m²	302				
2	孔数	孔	11				
3	模板安装总量	m²	3 322				
4	小时生产率	m²/h	11.10				
5	长期工作影响系数		0.8				
6	平均生产率	m²/h	8.88				
7	劳动力资源						
	工长	人	1	505			
	二级木工	人	3	1 515			
	三级木工	人	4	2 020			
	三级电工	人	1	505			
	一级普工	人	2	1 010			
	三级汽车司机	人	1	505			
	二级电焊工	人	1	505			

续表 4-18

序号	项 目	单位	数量	人时	台时	材料	设备利用率
	二级设备操作工	人	1	505			
	三级设备操作工	人	1	505			
8	设备资源						
	汽车	台	1		40		10%
	门机	台	1		162		40%
	卷扬机	台	2		162		20%
9	材料资源						
	铁件	kg/m²	1.1			3 654kg	

注:1. 模板拆除按占安装的 35% 计入劳动力、设备资源。

　　2. 3 322÷11.1×10%×(1+35%)=40(台·h)。

表 4-19　钢筋制作台时、人时、材料用量

序号	项 目	单位	数量	人时	台时	材料	设备利用率
1	设计工程量	t	2 962				
2	施工工程量	t	3 021				
3	小时生产率	t/h	1.41				
4	长期工作影响系数		0.8				
5	平均生产率	t/h	1.13				
6	劳动力资源						
	工长	人	1	2 673			
	二级操作工	人	9	24 061			
	三级操作工	人	10	26 735			
	一级普工	人	5	13 367			
7	设备资源						
	调直机	台	1		1 928		90%
	点焊机	台	2		857		20%
	对焊机	台	2		857		20%
	弯曲机	台	2		3 857		90%
	弧焊机	台	3		4 821		75%
	氧气焊接机	台	1		1 607		75%
	汽车起重机	台	1		429		20%
	单梁起重机	台	1		214		10%
	切断机	台	1		1 607		75%
	卷扬机	台	1		214		10%
	运料车	台	2		857		20%
8	材料资源						
	钢筋	t				3 021	

注:钢筋制作小时生产率为 9.15t/班÷6.5h/班=1.41t/h。

表 4-20　钢筋安装台时、人时、材料用量

序号	项　目	单位	数量	人时	台时	材料	设备利用率
1	单孔钢筋	t	26.03				
2	孔数		11				
3	施工工程量	t	286.33				
4	小时生产率	t/h	0.45				
5	长期工作影响系数		0.8				
6	平均生产率	t/h	0.36				
7	劳动力资源						
	工长	人	1	795			
	三级焊工	人	2	1 591			
	四级焊工	人	2	1 591			
	二级钢筋工	人	2	1 591			
	三级钢筋工	人	4	3 181			
	四级钢筋工	人	2	1 591			
	一级普工	人	5	3 977			
	三级司机	人	1	795			
	三级电工	人	1	795			
8	设备资源						
	电焊机	台	3		1 527		80%
	汽车	台	1		159		25%
	门机	台	1		32		5%
9	材料资源						
	铁丝	kg/t	4			1 145kg	
	焊条	kg/t	7.22			2 067kg	

表 4-21　混凝土浇筑台时、人时、材料用量

序号	项　目	单位	数量	人时	台时	材料	设备利用率
1	单孔混凝土	m³	1 041				
2	孔数		11				
3	工程量	m³	11 451				
4	施工工程量	m³	12 024				
5	小时生产率	m³/h	36.81				
6	长期工作影响系数		0.8				
7	平均生产率	m³/h	29.45				
8	劳动力资源						
	工长	人	1	408			
	三级汽车司机	人	3	1 225			
	四级门机操作工	人	1	408			
	二级混凝土工	人	3	1 225			
	三级混凝土工	人	3	1 225			
	四级混凝土工	人	1	408			

序号	项 目	单位	数量	人时	台时	材料	设备利用率
	三级电工	人	1	408			
	二级管路工	人	1	408			
	三级钢筋工	人	1	408			
	三级木工	人	1	408			
	二级工具车司机	人	1	408			
	一级普工	人	5	2 041			
9	设备资源						
	门机	台	1		315		
	汽车	台	3		842		
	混凝土振捣器	台	7		1 069		
	工具车	台	1		16		5%(估)
10	材料资源						
	成品混凝土	m³				12 024	

注：①12 024÷38.16＝315；②12 024÷14.28＝842；③12 024÷11.25＝1 069；④12 024÷36.81×5%×1＝16。

4.3 闸墩混凝土工程施工指标计算

4.3.1 设备数量计算

施工方法：汽车运输 3m³ 吊罐，门机入仓。

工程量 11 200m³，最大浇筑仓面 29.0m×2.4m＝69.6m²，混凝土初凝时间 2h，摊铺层厚度为 40cm，按浇筑强度选门机 1 台，其生产率为 26.82m³/h。

配套设备：

$$汽车数量＝26.82÷14.28≈2（台）$$
$$振捣器数量＝26.82÷11.25÷50\%≈5（台）$$

4.3.2 设备汇总表

闸墩混凝土施工设备汇总见表 4-22。

表 4-22 闸墩混凝土施工设备汇总

设备名称	型号	单位	数量	实际生产率(m³/h)
门机	MQ540/30	台	1	26.82
自卸汽车	10t	台	2	14.28
振捣器	Z2D-100	台	5	11.25

4.3.3 混凝土浇筑劳动力用量计算

工作面清理工作组、模板制作工作组、钢筋制安工作组、立拆模工作组人员配备同底板混凝土施工。

混凝土浇筑工作组负责从拌和楼至混凝土浇筑仓面的水平、垂直运输，混凝土平仓振捣、养护等工作。工作组人员配备见表 4-23。

4.3.4 闸墩分块

闸墩分层浇筑，每 5.5m 一层，共分 4 层，最大仓面 29m×2.4m，最小仓面 4m×2.4m。上、下游曲面及门槽部位用木模，其他部位用钢模。混凝土浇筑采用跳仓浇筑，因而混凝土养护不占直线工期。闸墩分块示意见图 4-2。各浇筑块参数见表 4-24。

表 4-23　混凝土浇筑典型工作组

序号	工种名称	工长	一级工	二级工	三级工	四级工
1	工长	1				
2	自卸汽车司机				2	
3	门机操作工					1
4	混凝土工			2	2	1
5	电工				1	
6	管路修理工			1		
7	钢筋工				1	
8	木工				2	
9	工具车司机			1		
10	普工		8			
11	合计	1	8	4	8	2

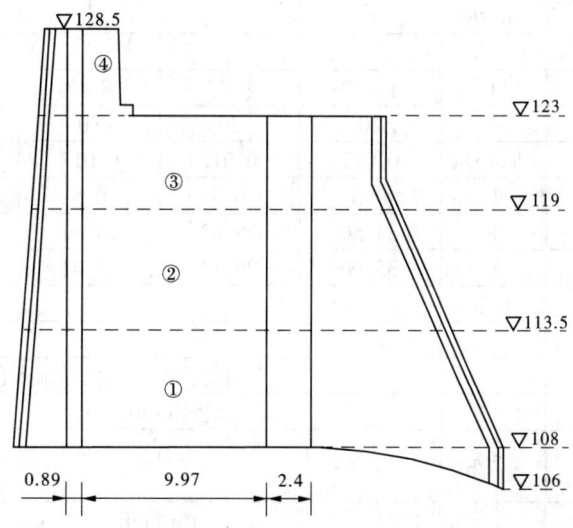

图 4-2　闸墩分块示意图

表 4-24　单墩各浇筑块参数

项　目	混凝土（m³）	钢模（m²）	木模（m²）	钢筋（t）	工作面清理（m²）
①块	335	267	83	11.73	66
②块	278	234	64	9.73	58
③块	242	205	63	8.47	51
④块	42	44	17	1.47	14
合计	897	750	227	31.40	189

4.3.5 混凝土浇筑块工期计算

单个闸墩混凝土浇筑块工期计算见表 4-25。

表 4-25 单个闸墩混凝土浇筑块工期计算

序号	项 目	单位	闸墩分块 ①		闸墩分块 ②		闸墩分块 ③		闸墩分块 ④		合计
1	浇筑块参数										
1.1	浇筑块混凝土	m³	335		278		242		42		897
1.2	浇筑块钢筋	t	11.73		9.73		8.47		1.47		31.40
1.3	立模面积	m²	350		298		268		61		977
1.4	浇筑块数量	块	12		12		12		12		
2	工作面清理(50m²/h)	h	1.4		1.4		1.4		0.5		
3	安装模板时间		木	钢	木	钢	木	钢	木	钢	
3.1	立模面积	m²	83	267	64	234	63	205	17	44	997
3.2	作业组人数	人	15		15		15		15		
3.3	模板安装工效	m²/(人·h)	0.53	0.63	0.53	0.63	0.53	0.63	0.53	0.63	
3.4	安装模板时间	h	10.44	28.25	8.05	24.76	7.92	21.69	2.14	4.66	107.91
3.5	小时生产率	m²/h									9.05
4	钢筋绑扎时间										
4.1	设计钢筋量	t	11.73		9.73		8.47		1.47		31.4
4.2	作业组人数	人	20		20		20		20		
4.3	钢筋安装工效	t/(人·h)	0.017		0.017		0.017		0.017		
4.4	绑扎前准备时间	h	0.5		0.5		0.5		0.5		
4.5	安装绑扎时间	h	34.50		28.62		24.91		4.32		
4.6	安装时间合计	h	35.00		29.12		25.41		4.82		94.35
4.7	小时生产率	t/h									0.33
5	混凝土浇筑设备										
5.1	入仓方式		自卸汽车 + 门机吊罐入仓								
5.2	混凝土入仓设备		MQ540/30 门机								
5.3	混凝土入仓设备生产率	m³/h	26.82								
5.4	混凝土水平运输		10t 汽车								
5.5	混凝土水平运距	km	0.5								
5.6	混凝土运输设备数量	台	2								
5.7	混凝土设备配套生产率	m³/h	26.82								
6	浇筑时间计算										
6.1	设计工程量	m³	335		278		242		42		897
6.2	超填系数		1.0		1.0		1.0		1.0		
6.3	施工工程量	m³	335		278		242		42		897
6.4	作业组人数	人	23		23		23		23		
6.5	准备时间	h	0.5		0.5		0.5		0.5		

序号	项目	单位	闸墩分块				
			①	②	③	④	合计
6.6	净浇筑时间	h	12.46	10.37	9.02	1.57	
6.7	浇筑时间合计	h	12.99	10.87	9.52	2.07	35.45
6.8	小时生产率	m³/h					25.30
7	养护时间(不计入)	h	72	72	72	72	
8	拆模时间	h	9.80	8.34	7.50	1.71	
9	混凝土块施工时间						
9.1	工作面清理	h	1.4	1.4	1.4	0.5	
9.2	钢筋绑扎	h	35.00	32.81	29.61	4.82	
9.3	循环立模时间	h	38.69	32.81	29.61	6.80	
9.4	循环浇筑时间	h	12.99	10.87	9.52	2.07	
9.5	养护时间(不计入)	h	(72)	(72)	(72)	(72)	
9.6	拆模时间	h	9.80	8.34	7.50	1.71	
9.7	一块施工时间	h	97.88	82.54	73.44	15.90	269.76
9.8	循环小时生产率	m³/h					3.33
10	工作计划						
10.1	每班工作时间	h	8				
10.2	每天工作班数	班/日	3				
10.3	月工作天数	天/月	24				
10.4	长期工作影响系数		0.8				
10.5	闸墩混凝土浇筑平均强度	m³/月	$3.33 \times 8 \times 3 \times 24 \times 0.8 = 1\,534$				

4.3.6 施工指标表

闸墩施工指标见表 4-26～表 4-31。

表 4-26 工作面清理台时、人时、材料用量

序号	项目	单位	数量	人时	台时	材料	设备利用率
1	工程量	m²	189×12				
2	施工工程量	m²	2 268				
3	小时生产率	m²/h	50				
4	长期工作影响系数		0.8				
5	平均生产率	m²/h	40				
6	劳动力资源						
	工长	人	1	57			
	二级设备操作工	人	3	170			
	三级电工	人	1	57			
	一级普工	人	4	227			
7	设备资源						
	风水枪	台	1		14		30%
	空压机	台	1		14		30%

注:2 268÷50×30%≈14。

表 4-27　木模板制作台时、人时、材料用量

序号	项　目	单位	数量	人时	台时	材料	设备利用率
1	单墩木模	m²	227				
2	闸墩个数	个	12				
3	木模周转次数	次	6				
4	木模制作量	m²	454				
5	小时生产率	m²/h	7.30				
6	长期工作影响系数		0.8				
7	平均生产率	m²/h	5.84				
8	劳动力资源						
	工长	人	1	78			
	一级木工	人	2	155			
	二级木工	人	4	311			
	三级木工	人	5	389			
	四级木工	人	3	233			
	三级司机	人	1	78			
	一级普工	人	4	311			
9	设备资源						
	带锯机	台	3		177		95%
	圆锯机	台	2		118		95%
	汽车	台	1		19		30%
	平面刨	台	1		37		60%
	单面压刨床	台	1		37		60%
	开榫机	台	1		16		25%
	刨光机	台	1		37		60%
	木工车床	台	1		31		50%
10	材料资源						
	方木材	m³/m²	0.10			45.4m³	

注:模板总工程量 227×12＝2 724(m²),按模板周转 6 次折算,指标计算工程量为 2 724÷6＝454(m²)。

表 4-28　钢模消耗量

序号	项　目	单位	数量	人时	台时	材料	设备利用率
1	钢模总量	m²	750×12				
2	钢模周转次数	次	50				
3	钢模消耗	kg/m²	1.2			10 800kg	

表 4-29　模板安装拆除台时、人时、材料用量

序号	项　目	单位	数量	人时	台时	材料	设备利用率
1	单墩模板安装	m²	977				
2	闸墩个数	个	12				
3	模板安装总量	m²	11 724				
4	小时生产率	m²/h	9.05				
5	长期工作影响系数		0.8				
6	平均生产率	m²/h	7.24				
7	劳动力资源						
	工长	人	1	2 186			
	二级木工	人	3	6 558			
	三级木工	人	4	8 744			
	三级电工	人	1	2 186			
	一级普工	人	2	4 372			
	三级司机	人	1	2 186			
	二级电焊工	人	1	2 186			
	二级设备操作工	人	1	2 186			
	三级设备操作工	人	1	2 186			
8	设备资源						
	汽车	台	1		175		10%
	门机	台	1		700		40%
	卷扬机	台	2		700		20%
9	材料资源						
	铁件	kg/m²	1.1			12 896kg	

注:1.模板拆除按占其安装的35％计入劳动力、设备资源。

2.11 724÷9.05×10％×(1+35％)＝175(台·h)。

表 4-30　闸墩钢筋安装台时、人时、材料用量

序号	项　目	单位	数量	人时	台时	材料	设备利用率
1	单墩钢筋	t	31.4				
2	闸墩个数		12				
3	施工工程量	t	376.8				
4	小时生产率	t/h	0.33				
5	长期工作影响系数		0.8				
6	平均生产率	t/h	0.26				
7	劳动力资源						
	工长	人	1	1 449			
	三级焊工	人	2	2 898			
	四级焊工	人	2	2 898			
	二级钢筋工	人	2	2 898			
	三级钢筋工	人	4	5 797			
	四级钢筋工	人	2	2 898			

序号	项 目	单位	数量	人时	台时	材料	设备利用率
	一级普工	人	5	7 246			
	三级司机	人	1	1 449			
	三级电工	人	1	1 449			
8	设备资源						
	汽车	台	1		285		25%
	电焊机	台	3		2 398		70%
	门机	台	1		57		50%
9	材料资源						
	铁丝	kg/t	4			1 507kg	
	电焊条	kg/t	7.22			2 721kg	

注：376.8÷0.33×25%×1=285。

表 4-31　闸墩混凝土浇筑台时、人时、材料用量

序号	项 目	单位	数量	人时	台时	材料	设备利用率
1	单墩混凝土	m³	897				
2	闸墩个数		12				
3	工程量	m³	10 764				
4	施工工程量	m³	11 302				
5	小时生产率	m³/h	25.30				
6	长期工作影响系数		0.8				
7	平均生产率	m³/h	20.24				
8	劳动力资源						
	工长	人	1	558			
	三级汽车司机	人	2	1 117			
	四级门机操作工	人	1	558			
	二级混凝土操作工	人	2	1 117			
	三级混凝土操作工	人	2	1 117			
	四级混凝土操作工	人	1	558			
	三级电工	人	1	558			
	二级管路工	人	1	558			
	三级钢筋工	人	1	558			
	三级木工	人	2	1 117			
	二级工具车司机	人	1	558			
	一级普工	人	8	4 467			
9	设备资源						
	门机	台	1		421		
	汽车	台	2		791		
	振捣器	台	5		1 005		
	工具车	台	1		22		5%
10	成品混凝土	m³				11 302	

注：①11 302÷26.82=421；②11 302÷14.28=791；③11 302÷11.25=1 005；④11 302÷25.30×5%=22。

4.4 胸墙混凝土工程施工指标计算

4.4.1 设备数量计算

施工方法:汽车运输 3m³ 吊罐,门机入仓。

工程量 1 122m³,按满堂脚手架立模施工,混凝土最大浇筑仓面 10.2m×0.8m,摊铺层厚度按 40cm,选 1 台门机,其生产率为 19.83m³/h。

配套数量:

$$汽车数量 = 19.83 \div 14.28 \approx 2(台)$$
$$振捣器数量 = 19.83 \div 11.25 \div 50\% \approx 4(台)$$

4.4.2 设备汇总表

胸墙混凝土施工设备汇总见表 4-32。

表 4-32 胸墙混凝土施工设备汇总

设备名称	型号	单位	数量	单机生产率
门机	MQ540/30	台	1	19.83m³/h
自卸汽车	10t	台	2	14.28m³/h
振捣器	Z2D-100	台	4	11.25m³/h

4.4.3 混凝土浇筑劳动力用量计算

工作面清理工作组、模板制作工作组、钢筋制安工作组、立拆模工作组人员配备同底板混凝土施工。

混凝土浇筑工作组负责从拌和楼至混凝土浇筑仓面的水平、垂直运输,混凝土平仓、振捣、养护等工作。工作组人员配备见表 4-33。

表 4-33 混凝土浇筑典型工作组

序号	工种名称	工长	一级工	二级工	三级工	四级工
1	工长	1				
2	自卸汽车司机				2	
3	门机操作工					1
4	混凝土工			1	2	1
5	电工				1	
6	管路修理工			1		
7	钢筋工				1	
8	木工				2	
9	工具车司机			1		
10	一级普工		8			
11	合计	1	8	3	8	2

4.4.4 胸墙浇筑分块

一孔胸墙为一浇筑块,下部模板应待混凝土龄期 28 天后拆模。浇筑模板均用木模。单孔工程量:混凝土 102m³,木模板 191.1m²,钢筋 10.51t。

4.4.5 混凝土浇筑块工期计算表

混凝土浇筑块工期计算见表 4-34。

表 4-34 单孔胸墙混凝土浇筑工期计算

序号	项　目	单位	设计参数
1	浇筑参数		
1.1	浇筑块混凝土	m^3	102
1.2	浇筑块钢筋	t	10.51
1.3	立模面积	m^2	191.1
1.4	浇筑块数量	块	11
2	工作面清理	h	0
3	安装模板时间		
3.1	模板类型		木模板
3.2	立模面积	m^2	191.1
3.3	作业组人数	人	15
3.4	模板安装工效	$m^2/(人\cdot h)$	0.53
3.5	安装模板时间	h	24.04
3.6	小时生产率	m^2/h	7.95
4	钢筋绑扎时间		
4.1	设计钢筋量	t	10.51
4.2	作业组人数	人	20
4.3	钢筋安装工效	$t/(人\cdot h)$	0.013
4.4	绑扎准备时间	h	0.5
4.5	安装绑扎时间	h	40.42
4.6	安装时间合计	h	40.92
4.7	小时生产率	t/h	0.26
5	混凝土浇筑设备		
5.1	入仓方式		自卸汽车+门机吊罐
5.2	混凝土入仓设备		MQ540/30 门机
5.3	混凝土入仓设备生产率	m^3/h	19.83
5.4	混凝土水平运输		10t 汽车
5.5	混凝土水平运距	km	0.5
5.6	混凝土运输设备数量	台	2
5.7	混凝土设备配套生产率	m^3/h	19.83
6	浇筑时间计算		
6.1	设计工程量	m^3	102
6.2	超填系数		1.0
6.3	施工工程量	m^3	102
6.4	作业组人数	人	22
6.5	混凝土浇筑准备时间	h	0.5
6.6	净浇筑时间	h	5.14
6.7	混凝土浇筑时间合计	h	5.64
6.8	小时生产率	m^3/h	18.09
7	养护时间(不计入循环时间)	h	(72)
8	拆模时间	h	14.30
9	混凝土分块施工时间		
9.1	工作面清理	h	0
9.2	钢筋绑扎	h	40.92

序号	项 目	单位	设计参数
9.3	循环立模时间	h	24.04
9.4	循环浇筑时间	h	5.64
9.5	养护时间(不计入循环时间)	h	(72)
9.6	拆模时间	h	14.3
9.7	一个浇筑块施工时间	h	84.90
9.8	小时生产率	m³/h	102÷84.90＝1.20
10	工作计划		
10.1	每班工作时间	h	8
10.2	每天工作班数	班/日	3
10.3	月工作天数	天/月	24
10.4	长期工作系数		0.8
10.5	月施工强度	m³/月	1.20×8×3×24×0.8＝553

4.4.6 施工指标表

胸墙施工指标见表 4-35～表 4-38。

表 4-35 木模板制作台时、人时、材料用量

序号	项 目	单位	数量	人时	台时	材料	设备利用率
1	单孔胸墙木模	m²	191.1				
2	闸孔数	孔	11				
3	木模周转次数	次	6				
4	木模制作量	m²	350				
5	小时生产率	m²/h	7.30				
6	长期工作系数		0.8				
7	平均生产率	m²/h	5.84				
8	劳动力资源						
	工长	人	1	60			
	一级木工	人	2	120			
	二级木工	人	4	240			
	三级木工	人	5	300			
	四级木工	人	3	180			
	三级司机	人	1	60			
	一级普工	人	4	240			
9	设备资源						
	带锯机	台	3		137		95%
	圆锯机	台	2		91		95%
	汽车	台	1		14		30%
	平面刨	台	1		29		60%
	单面压刨床	台	1		29		60%
	开榫机	台	1		12		25%
	刨光机	台	1		29		60%
	木工车床	台	1		24		50%
10	材料资源						
	方木材	m³/m²	0.12			42m³	

注:模板总工程量 191.1×11＝2 102.1(m²),按模板周转 6 次折算,指标计算工程量为 2 102.1÷6＝350(m²)。

表 4-36　模板安装拆除台时、人时、材料用量

序号	项　目	单位	数量	人时	台时	材料	设备利用率
1	单孔模板	m²	191.1				
2	孔数	孔	11				
3	模板安装总量	m²	2 102				
4	小时生产率	m²/h	7.95				
5	长期工作影响系数		0.8				
6	平均生产率	m²/h	6.36				
7	劳动力资源						
	工长	人	1	446			
	二级木工	人	3	1 339			
	三级木工	人	4	1 785			
	三级电工	人	1	446			
	一级普工	人	2	892			
	三级司机	人	1	446			
	二级电焊工	人	1	446			
	二级设备操作工	人	1	446			
	三级设备操作工	人	1	446			
8	设备资源						
	汽车	台	1		36		10%
	门机	台	1		143		40%
	卷扬机	台	1		71		20%
9	材料资源						
	铁件	kg/m²	2.5			5 255kg	

注:模板拆除按占其安装的 35% 计入劳动力、设备资源。

表 4-37　钢筋安装台时、人时、材料用量

序号	项　目	单位	数量	人时	台时	材料	设备利用率
1	单孔钢筋	t	10.51				
2	孔数		11				
3	施工工程量	t	115.61				
4	小时生产率	t/h	0.26				
5	长期工作影响系数		0.8				
6	平均生产率	t/h	0.21				
7	劳动力资源						
	工长	人	1	551			
	三级焊工	人	2	1 101			
	四级焊工	人	2	1 101			
	二级钢筋工	人	2	1 101			
	三级钢筋工	人	4	2 202			
	四级钢筋工	人	2	1 101			
	一级普工	人	5	2 753			

序号	项 目	单位	数量	人时	台时	材料	设备利用率
	三级司机	人	1	551			
	三级电工	人	1	551			
8	设备资源						
	汽车	台	1		111		25%
	电焊机	台	3		800		60%
	门机	台	1		18		4%
9	材料资源						
	铁丝	kg/t	4			462kg	
	电焊条	kg/t	7.22			835kg	

注：$115.61 \div 0.26 \times 25\% \times 1 = 111$。

表 4-38 混凝土浇筑台时、人时、材料用量

序号	项 目	单位	数量	人时	台时	材料	设备利用率
1	单孔混凝土量	m³	102				
2	孔数		11				
3	工程量	m³	1 122				
4	施工工程量	m³	1 178				
5	小时生产率	m³/h	18.09				
6	长期工作影响系数		0.8				
7	平均生产率	m³/h	14.47				
8	劳动力资源						
	工长	人	1	81			
	三级汽车司机	人	2	163			
	四级门机操作工	人	1	81			
	二级混凝土操作工	人	1	81			
	三级混凝土操作工	人	2	163			
	四级混凝土操作工	人	1	81			
	三级电工	人	1	81			
	二级管路工	人	1	81			
	三级钢筋工	人	1	81			
	三级木工	人	2	163			
	二级工具车司机	人	1	81			
	一级普工	人	8	651			
9	设备资源						
	门机	台	1		59		
	汽车	台	2		82		
	振捣器	台	2		105		
	工具车	台	1		3		5%估
10	成品混凝土					1 178m³	

注：①1 178 ÷ 19.83 = 59；②1 178 ÷ 14.28 = 82；③1 178 ÷ 11.25 = 105；④1 178 ÷ 18.09 × 5% = 3。

4.5 翼墙混凝土工程施工指标计算

4.5.1 设备数量计算

施工方法:汽车运输 $3m^3$ 吊罐,履带式起重机入仓。

工程量 $2 831m^3$,模板采用钢模,混凝土最大浇筑仓面 14.5m×8m,摊铺层厚度按 40cm,混凝土初凝时间 2h,则混凝土小时浇筑强度为 $14.5×8×0.4÷2=23.2(m^3/h)$,选 1 台履带式起重机,其生产率为 $26.82m^3/h$。

配套设备:

$$汽车数量 = 26.82÷14.28≈2(台)$$
$$振捣器数量 = 26.82÷11.25÷50\%≈5(台)$$

4.5.2 设备汇总表

翼墙混凝土施工设备汇总见表 4-39。

表 4-39　翼墙混凝土施工设备汇总

设备名称	型号	单位	数量	单机生产率(m^3/h)
履带式起重机	20t	台	1	26.82
自卸汽车	10t	台	2	14.28
振捣器		台	5	11.25

4.5.3 混凝土浇筑劳动力用量计算

工作面清理工作组、模板制作工作组、立模拆模工作组、钢筋制安工作组人员配备同底板混凝土施工。

混凝土浇筑工作组负责从拌和楼至混凝土浇筑仓面的拌制、水平、重直运输、混凝土平仓振捣、养护等作业。工作组人员配备见表 4-40。

表 4-40　混凝土浇筑典型工作组

序号	工种名称	工长	一级工	二级工	三级工	四级工
1	工长	1				
2	自卸汽车司机				2	
3	履带式起重机操作工					1
4	混凝土工			2	2	1
5	电工				1	
6	管路修理工			1		
7	钢筋工				2	
8	木工				2	
9	工具车司机			1		
10	普工		8			
11	合计	1	8	4	8	2

4.5.4 翼墙分块

翼墙采取分层浇筑,每层 4m,共 6 层,最大仓面 14.5m×8m;最小仓面 0.8m×14.5m。均采用钢模板,混凝土浇筑采用跳仓浇筑,混凝土养护不占直线工期。翼墙分块示意见图 4-3。

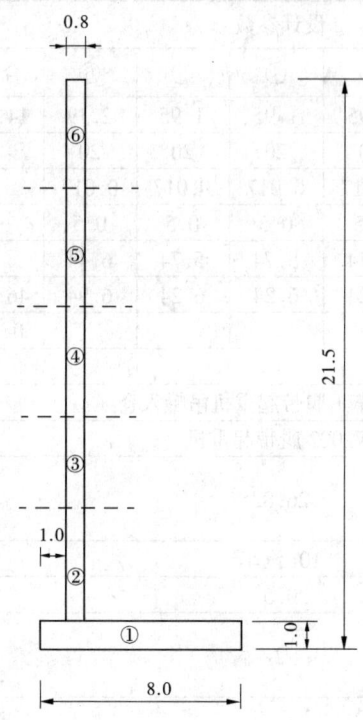

分块参数

分块	混凝土 (m³)	钢筋 (t)	钢模 (m²)	工作面清理 (m²)
①	116	4.9	37	116
②	46.4	1.95	120	12
③	46.4	1.95	120	12
④	46.4	1.95	120	12
⑤	46.4	1.95	120	12
⑥	52.2	2.19	135	12
合计	353.8	14.89	652	176

图 4-3　每段翼墙分块示意图(每段长 14.5m,共 8 段)

4.5.5　翼墙混凝土浇筑工期计算

每段翼墙混凝土浇筑工期计算见表 4-41。

表 4-41　翼墙混凝土浇筑工期计算

序号	项　目	单位	设计参数						合计
			①	②	③	④	⑤	⑥	
1	浇筑块参数								
1.1	浇筑块混凝土	m³	116	46.4	46.4	46.4	46.4	52.2	353.8
1.2	浇筑块钢筋	t	4.9	1.95	1.95	1.95	1.95	2.19	14.89
1.3	立模面积	m²	37	120	120	120	120	135	652
1.4	浇筑块数		8	8	8	8	8	8	
2	工作面清理(50m²/h)	h	2.32	0.5	0.5	0.5	0.5	0.5	
3	安装模板时间								
3.1	模板类型				钢模				
3.2	立模面积	m²	37	120	120	120	120	135	652
3.3	作业组人数	人	15	15	15	15	15	15	
3.4	模板安装工效	m²/(人·h)	0.63	0.63	0.63	0.63	0.63	0.63	
3.5	安装模板时间	h	3.92	12.7	12.7	12.7	12.7	14.29	69.01
3.6	小时生产率	m²/h							9.45
4	钢筋绑扎时间								

续表 4-41

序号	项目	单位	设计参数						
			①	②	③	④	⑤	⑥	合计
4.1	设计钢筋量	t	4.9	1.95	1.95	1.95	1.95	2.19	14.89
4.2	作业组人数	人	20	20	20	20	20	20	
4.3	安装工效	t /(人·h)	0.017	0.017	0.017	0.017	0.017	0.017	
4.4	绑扎前准备时间	h	0.5	0.5	0.5	0.5	0.5	0.5	
4.5	安装绑扎时间	h	14.41	5.74	5.74	5.74	5.74	6.44	
4.6	安装时间合计	h	14.91	6.24	6.24	6.24	6.24	6.94	46.81
4.7	小时生产率	t /h							0.32
5	混凝土浇筑设备								
5.1	入仓方式		自卸汽车＋履带起重机吊罐入仓						
5.2	混凝土入仓设备		W2002 履带起重机						
5.3	混凝土入仓设备生产率	m³ /h	26.82						
5.4	混凝土水平运输		10t 汽车						
5.5	混凝土水平运距	km	0.5						
5.6	混凝土运输设备数量	台	2						
5.7	混凝土设备配套生产率	m³ /h	26.82						
6	浇筑时间计算								
6.1	设计工程量	m³	116	46.4	46.4	46.4	46.4	52.2	353.8
6.2	超填系数		1.0	1.0	1.0	1.0	1.0	1.0	
6.3	施工工程量	m³	116	46.4	46.4	46.4	46.4	52.2	353.8
6.4	作业组人数	人	23	23	23	23	23	23	
6.5	混凝土浇筑准备时间	h	0.5	0.5	0.5	0.5	0.5	0.5	
6.6	混凝土净浇筑时间	h	4.33	1.73	1.73	1.73	1.73	1.95	
6.7	混凝土浇筑时间合计	h	4.83	2.23	2.23	2.23	2.23	2.45	16.20
6.8	小时生产率	m³ /h							21.84
7	养护时间(不计入循环时间)	h	72	72	72	72	72	72	
8	拆模时间	h	1.0	3.4	3.4	3.4	3.4	3.8	
9	混凝土分块施工时间								
9.1	工作面清理	h	2.32	0.5	0.5	0.5	0.5	0.5	
9.2	钢筋绑扎	h	14.91	6.24	6.24	6.24	6.24	6.94	

序号	项目	单位	设计参数						合计
			①	②	③	④	⑤	⑥	
9.3	立模时间	h	3.92	12.7	12.7	12.7	12.7	14.29	
9.4	混凝土浇筑时间	h	4.83	2.23	2.23	2.23	2.23	2.45	
9.5	养护时间(不计入循环时间)	h	(72)	(72)	(72)	(72)	(72)	(72)	
9.6	拆模时间	h	1.0	3.4	3.4	3.4	3.4	3.8	
9.7	一个浇筑块施工时间	h	26.98	25.07	25.07	25.07	25.07	27.98	155.24
9.8	小时生产率	m³/h							2.28
10	工作计划								
10.1	每班工作时间	h	8						
10.2	每天工作班次	班/日	3						
10.3	月工作天数	天/月	24						
10.4	长期工作影响系数		0.8						
10.5	翼墙混凝土浇筑平均强度	m³/月	2.28×8×3×24×0.8＝1 051						

4.5.6 施工指标表

翼墙施工指标见表 4-42～表 4-46。

表 4-42 工作面清理台时、人时、材料用量

序号	项目	单位	数量	人时	台时	材料	设备利用率
1	设计工程量	m²	1 408				
2	施工工程量	m²	1 408				
3	小时生产率	m²/h	50				
4	长期工作影响系数		0.8				
5	平均生产率	m²/h	40				
6	劳动力资源						
	工长	人	1	35			
	二级设备操作工	人	3	106			
	三级电工	人	1	35			
	二级普工	人	2	70			
	一级普工	人	2	70			
7	设备资源						
	风水枪	台	1		8		30%
	空压机	台	1		8		30%

注:1 408÷50×30%＝8。

表 4-43 钢模消耗量

序号	项 目	单位	数量	人时	台时	材料	设备利用率
1	钢模总量	m²	652×8				
2	钢模周转次数	次	50				
3	钢模消耗	kg /m²	1.2			6 259kg	

表 4-44 模板安装拆除台时、人时、材料用量

序号	项 目	单位	数量	人时	台时	材料	设备利用率
1	单块模板	m²	652				
2	块数		8				
3	模板安装工程量	m²	5 216				
4	小时生产率	m² /h	9.45				
5	长期工作影响系数		0.8				
6	平均生产率	m² /h	7.56				
7	劳动力资源						
	工长	人	1	931			
	二级木工	人	3	2 794			
	三级木工	人	4	3 726			
	三级电工	人	1	931			
	一级普工	人	2	1 863			
	三级司机	人	1	931			
	二级电焊工	人	1	931			
	二级设备操作工	人	1	931			
	三级设备操作工	人	1	931			
8	设备资源						
	汽车	台	1		75		10%
	履带吊	台	1		298		40%
	卷扬机	台	2		298		20%
9	材料资源						
	铁件	kg /m²	1.22			6 364kg	

注:1.模板拆除按占其安装的 35% 计入劳动力和设备资源。

2. $5\ 216 \div 9.45 \times 10\% \times (1 + 35\%) = 75$。

表 4-45 钢筋安装台时、人时、材料用量

序号	项 目	单位	数量	人时	台时	材料	设备利用率
1	单块钢筋	t	14.89				
2	块数		8				
3	施工工程量	t	119.2				
4	小时生产率	t	0.32				
5	长期工作影响系数		0.8				
6	平均生产率	t /h	0.26				
7	劳动力资源						

序号	项 目	单位	数量	人时	台时	材料	设备利用率
	工长	人	1	458			
	三级焊工	人	2	917			
	四级焊工	人	2	917			
	二级钢筋工	人	2	917			
	三级钢筋工	人	4	1 834			
	四级钢筋工	人	2	917			
	一级普工	人	5	2 292			
	三级司机	人	1	458			
	三级电工	人	1	458			
8	设备资源						
	电焊机	台	3		782		70%
	汽车	台	1		93		25%
	履带吊	台	1		19		5%
9	材料资源						
	铁丝	kg/t	4			477kg	
	电焊条	kg/t	7.22			861kg	

表 4-46　混凝土浇筑台时、人时、材料用量

序号	项 目	单位	数量	人时	台时	材料	设备利用率
1	单块混凝土	m³	353.8				
2	块数		8				
3	设计工程量	m³	2 831				
4	施工工程量	m³	2 973				
5	小时生产率	m³/h	21.84				
6	长期工作影响系数		0.8				
7	平均生产率	m³/h	17.47				
8	劳动力资源						
	工长	人	1	170			
	三级汽车司机	人	2	340			
	三级履带吊工	人	1	170			
	二级混凝土工	人	2	340			
	三级混凝土工	人	2	340			
	四级混凝土工	人	1	170			
	三级电工	人	1	170			
	二级管路工	人	1	170			
	三级钢筋工	人	1	170			
	三级木工	人	2	340			
	二级工具车司机	人	1	170			
	一级普工	人	8	1 361			
9	设备资源						

続表 4-46

序号	项目	单位	数量	人时	台时	材料	设备利用率
	履带起重机	台	1		111		
	汽车	台	2		208		
	振捣器	台	5		264		
	工具车	台	1		7		5%
10	成品混凝土	m³				2 973	

注：①2 973÷26.82＝111；②2 973÷14.28＝208；③2 973÷11.25＝264；④2 973÷21.84×5%＝7。

4.6 上游防渗板混凝土工程施工指标计算

4.6.1 设备数量计算

施工方法：汽车运输 3m³ 吊罐，履带起重机入仓。

工程量：混凝土 1 913m³，模板采用钢模，混凝土最大浇筑仓面 25m×10.2m，摊铺层厚 0.3m，混凝土初凝时间 2h，则混凝土浇筑强度为 25×10.2×0.3÷2＝38.25(m³/h)，选 1 台履带起重机，其生产率为 40.71m³/h。

配套设备：

汽车数量　　　　40.71÷14.28≈3(台)

振捣器数量　　　40.71÷11.25÷50%≈8(台)

4.6.2 设备汇总表

上游防渗板混凝土施工设备汇总见表 4-47。

表 4-47　混凝土施工设备汇总

设备名称	型号	单位	数量	实际生产率(m³/h)
履带吊	W2002	台	1	40.71
自卸汽车	10t	台	3	14.28
振捣器	Z2D-100	台	8	11.25

4.6.3 混凝土浇筑劳动力用量计算

工作面清理、钢筋制安工作组、立拆模工作组人员配备同底板混凝土施工。

混凝土浇筑工作组负责混凝土从拌和楼至混凝土浇筑仓面的水平、垂直运输、混凝土平仓、振捣和养护工作。工作组人员配备见表 4-48。

表 4-48　混凝土浇筑典型工作组

序号	工种名称	工长	一级工	二级工	三级工	四级工
1	工长	1				
2	自卸汽车司机				3	
3	履带起重机操作工					1
4	混凝土工			3	4	1
5	电工				1	
6	管路修理工			1		
7	钢筋工				1	
8	木工				1	
9	工具车司机			1		
10	普工		5			
11	合计	1	5	5	10	2

4.6.4 防渗板浇筑分块

防渗板厚 50cm,分块浇筑,仓面尺寸为 25m×10.2m,均用钢模。混凝土浇筑采用跳仓浇筑,混凝土养护不占工期。混凝土浇筑分块示意见图 4-4。

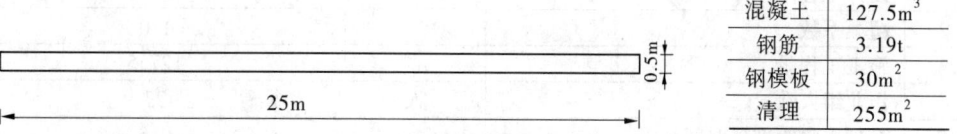

单块设计参数

混凝土	127.5m³
钢筋	3.19t
钢模板	30m²
清理	255m²

图 4-4 防渗板混凝土分块示意图(单块宽 10.2m,共 15 块)

4.6.5 混凝土防渗板浇筑块工期计算表

单块防渗板混凝土浇筑工期计算见表 4-49。

表 4-49 单块防渗板混凝土浇筑工期计算

序号	项　目	单位	设计参数
1	浇筑块参数		
1.1	浇筑块混凝土	m³	127.5
1.2	浇筑块钢筋	t	3.19
1.3	立模面积	m²	30
1.4	浇筑块数		15
2	工作面清理(70m²/h)	h	3.64
3	安装模板时间		
3.1	模板类型		钢模
3.2	立模面积	m²	30
3.3	工作组人数	人	15
3.4	模板安装工效	m²/(人·h)	0.74
3.5	安装模板时间(0.74m²/(人·h))	h	2.70
3.6	小时生产率	m²/h	11.11
4	钢筋绑扎时间		
4.1	设计钢筋量	t	3.19
4.2	工作组人数	人	20
4.3	钢筋绑扎工效	t/(人·h)	0.023
4.4	绑扎前准备	h	0.5
4.5	钢筋绑扎时间	h	6.93
4.6	钢筋安装时间小计	h	7.43
4.7	小时生产率	t/h	0.43
5	混凝土浇筑设备		
5.1	入仓方式		汽车+履带吊
5.2	混凝土入仓设备		W2002 履带吊起重机
5.3	混凝土入仓设备生产率	m³/h	40.71
5.4	混凝土水平运输		10t 汽车
5.5	混凝土水平运距	km	0.5
5.6	混凝土运输设备数量	台	3

续表 4-49

序号	项目	单位	设计参数
5.7	混凝土配套设备生产率	m³/h	40.71
6	浇筑时间计算		
6.1	设计工程量	m³	127.5
6.2	超填系数		1.0
6.3	施工工程量	m³	127.5
6.4	作业组人数	人	23
6.5	混凝土浇筑准备时间	h	0.5
6.6	净浇筑时间	h	3.13
6.7	混凝土浇筑时间合计	h	3.63
6.8	小时生产率	m³/h	35.12
7	养护时间(不计入循环时间)	h	(72)
8	拆模时间	h	0.6
9	混凝土分块施工时间		
9.1	工作面清理	h	3.64
9.2	钢筋绑扎	h	7.43
9.3	循环立模	h	2.70
9.4	循环浇筑时间	h	3.63
9.5	养护时间(不计入循环时间)	h	(72)
9.6	拆模时间	h	0.6
9.7	一个浇筑块施工时间	h	18.00
9.8	循环小时生产率	m³/h	7.08
10	工作计划		
10.1	每班工作时间	h	8
10.2	每天工作班次	班/日	3
10.3	月工作天数	天/月	24
10.4	长期工作影响系数		0.8
10.5	防渗板混凝土浇筑平均月强度	m³/月	7.08×8×3×24×0.8＝3 262

4.6.6 施工指标表

防渗板施工指标见表 4-50～表 4-54。

表 4-50 工作面清理台时、人时、材料用量

序号	项目	单位	数量	人时	台时	材料	设备利用率
1	设计工程量	m²	3 825				
2	施工工程量	m²	3 825				
3	小时生产率	m²/h	70				
4	长期工作影响系数		0.8				
5	平均生产率	m²/h	56				
6	劳动力资源						
	工长	人	1	68			
	二级设备操作工	人	3	205			

序号	项　　目	单位	数量	人时	台时	材料	设备利用率
	三级电工	人	1	68			
	一级普工	人	4	273			
7	设备资源						
	风水枪	台	1		16		30%
	空压机	台	1		16		30%

注：3 825÷70×30%＝16。

表 4-51　钢模消耗量

序号	项　　目	单位	数量	人时	台时	材料	设备利用率
1	钢模总量	m^2	30×15				
2	钢模周转次数	次	50				
3	钢模消耗	kg/m^2	1.2			540kg	（含支撑）

表 4-52　模板安装拆除台时、人时、材料用量

序号	项　　目	单位	数量	人时	台时	材料	设备利用率
1	单块模板	m^2	30				
2	块数		15				
3	模板安装工程量	m^2	450				
4	小时生产率	m^2/h	11.11				
5	长期工作影响系数		0.8				
6	平均生产率	m^2/h	8.89				
7	劳动力资源						
	工长	人	1	68			
	二级木工	人	3	205			
	三级木工	人	4	273			
	三级电工	人	1	68			
	一级普工	人	2	137			
	三级司机	人	1	68			
	二级电焊工	人	1	68			
	二级设备操作工	人	1	68			
	三级设备操作工	人	1	68			
8	设备资源						
	汽车	台	1		5		10%
	履带吊	台	1		22		40%
	卷扬机	台	2		22		20%
9	材料资源						
	铁件	kg/m^2	1.1			495kg	

注：1. 模板拆除按占其安装的 35% 计入劳动力和设备资源。

　　2. 450÷11.1×10%×(1＋35%)＝5。

表 4-53　钢筋安装台时、人时、材料用量

序号	项　目	单位	数量	人时	台时	材料	设备利用率
1	单块钢筋	t	3.19				
2	块数		15				
3	施工工程量	t	47.85				
4	小时生产率	t/h	0.43				
5	长期工作影响系数		0.8				
6	平均生产率	t/h	0.34				
7	劳动力资源						
	工长	人	1	141			
	三级焊工	人	2	281			
	四级焊工	人	2	281			
	二级钢筋工	人	2	281			
	三级钢筋工	人	4	563			
	四级钢筋工	人	2	281			
	一级普工	人	5	704			
	三级司机	人	1	141			
	三级电工	人	1	141			
8	设备资源						
	电焊机	台	3		267		80%
	汽车	台	1		28		25%
	履带吊	台	1		6		5%
9	材料资源						
	铁丝	kg/t	4			191kg	
	电焊条	kg/t	7.22			345kg	

表 4-54　混凝土浇筑台时、人时、材料用量

序号	项　目	单位	数量	人时	台时	材料	设备利用率
1	单块混凝土	m³	127.5				
2	块数		15				
3	设计工程量	m³	1 913				
4	施工工程量	m³	2 009				
5	小时生产率	m³/h	35.12				
6	长期工作影响系数		0.8				
7	平均生产率	m³/h	28.10				
8	劳动力资源						
	工长	人	1	71			
	三级汽车司机	人	3	214			
	三级履带吊工	人	1	71			
	二级混凝土工	人	3	214			
	三级混凝土工	人	4	286			
	四级混凝土工	人	1	71			
	三级电工	人	1	71			
	二级管路修理工	人	1	71			
	三级钢筋工	人	1	71			
	三级木工	人	1	71			
	二级工具车司机	人	1	71			
	一级普工	人	5	357			
9	设备资源						
	履带起重机	台	1		49		
	汽车	台	3		141		
	振捣器	台	8		179		
	工具车	台	1		3		5%
10	成品混凝土	m³				2 009	

注：①2 009÷40.71＝49；②2 009÷14.28＝141；③2 009÷11.25＝179；④2 009÷35.12×5%＝3。

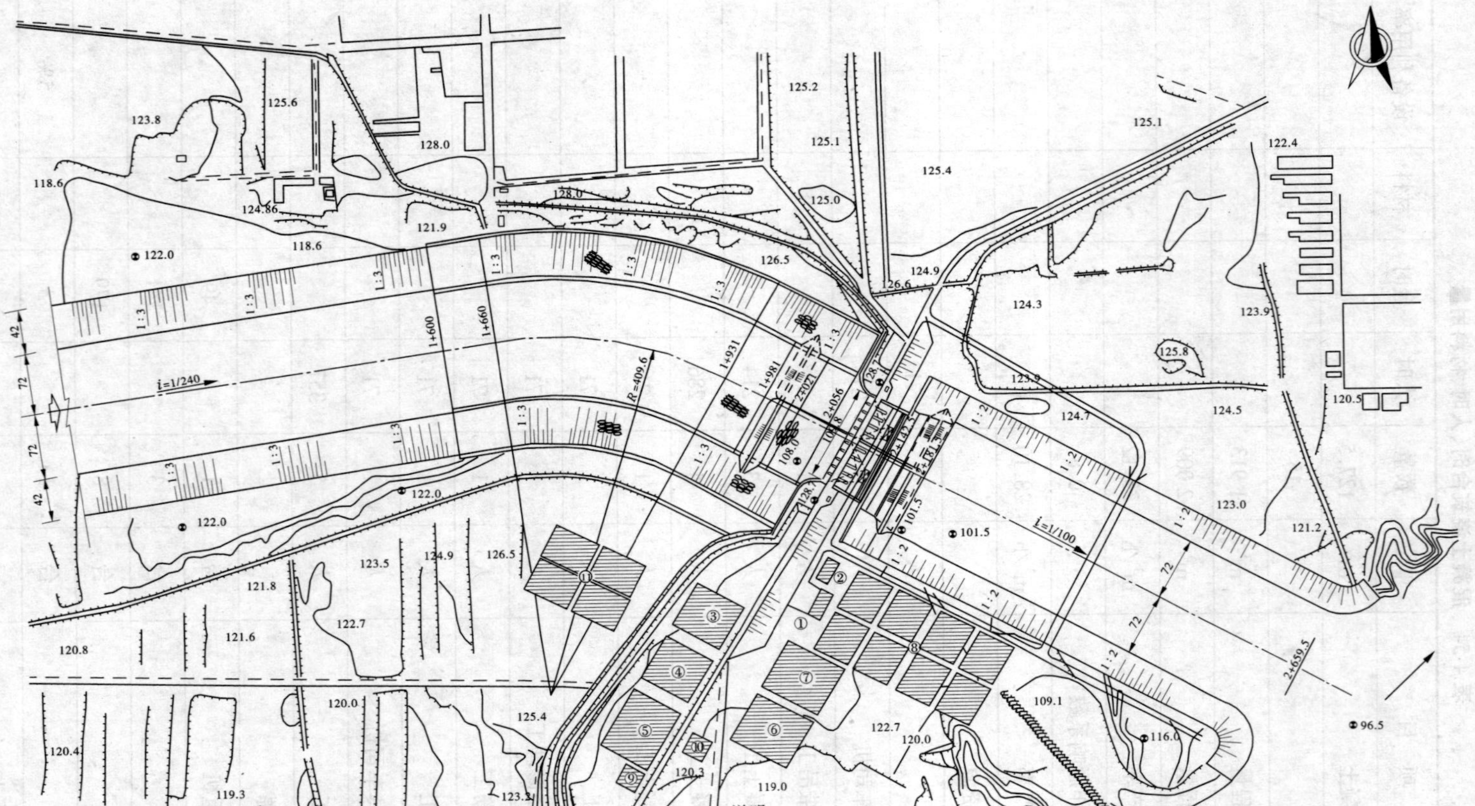

附图 1 水闸工程施工总平面布置图

说明：图中桩号、尺寸均以m计。

图例：①混凝土拌和站 ②空压站 ③木工加工厂 ④钢筋加工厂 ⑤混凝土预制厂 ⑥机械停放厂
⑦仓库区 ⑧青料堆厂 ⑨变电站 ⑩给水泵站 ⑪临时土料堆场

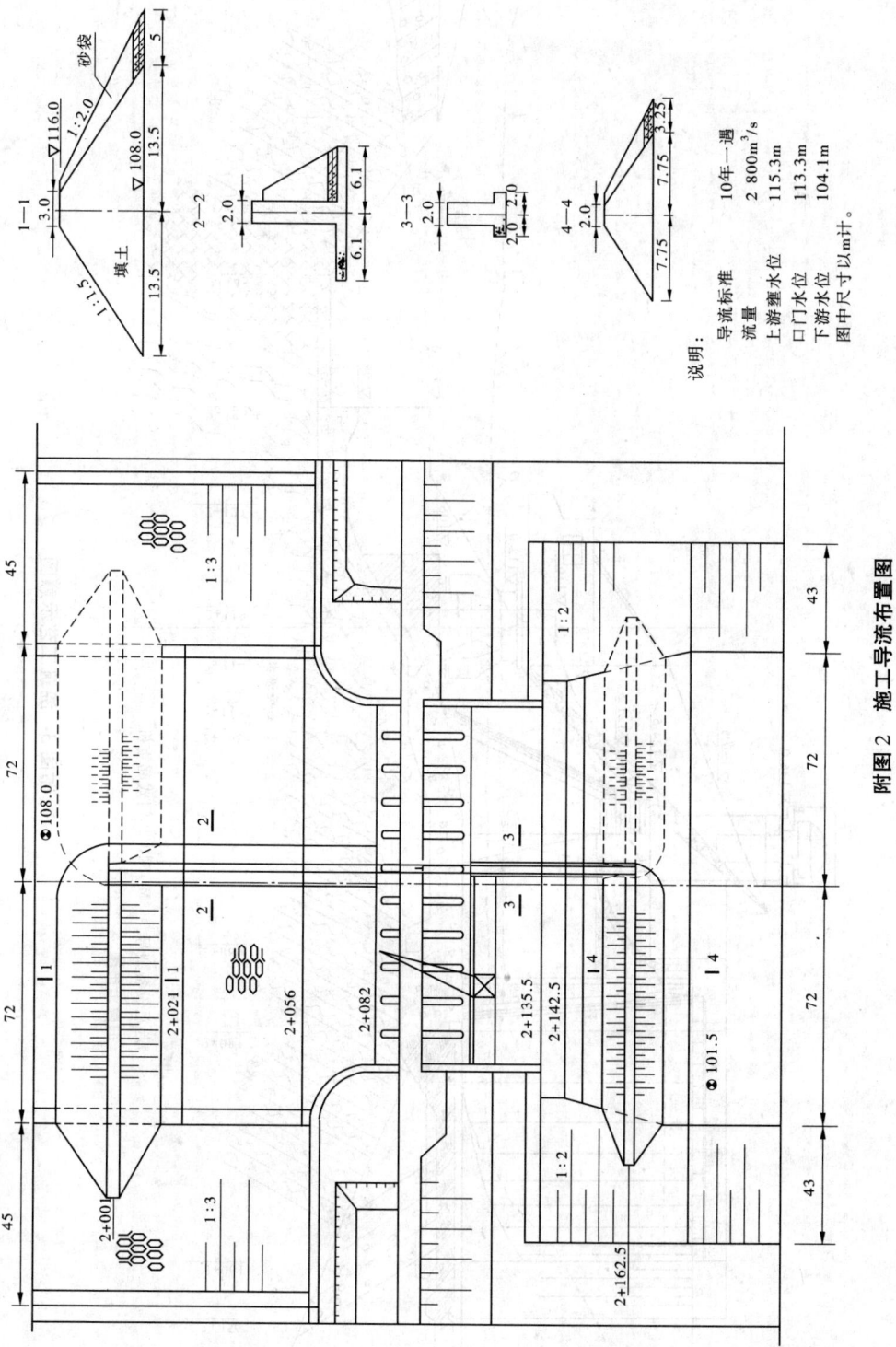

说明：

导流标准	10年一遇
流量	2 800m³/s
上游壅水位	115.3m
口门水位	113.3m
下游水位	104.1m

图中尺寸以m计。

附图2 施工导流布置图

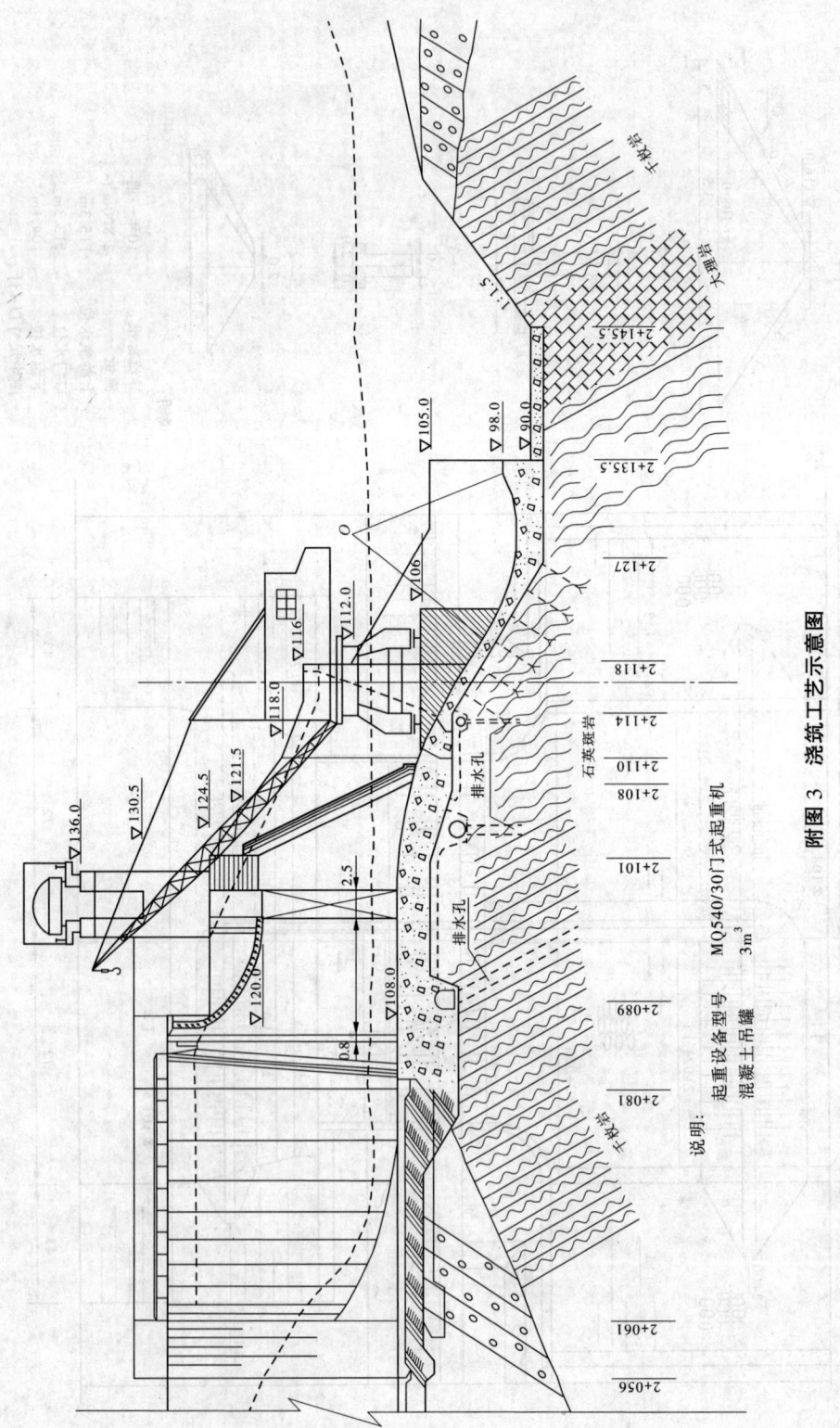

附图 3　浇筑工艺示意图

说明：

起重设备型号　MQ540/30门式起重机

混凝土吊罐　3m³

七、土石料场开采工程

（一）土料开采及运输

1 模拟土料场

1.1 模拟条件

土料场的地形、地貌及开采范围均参照已有工程拟定。假定料场地形比较开阔平坦，土层厚度为 10～30m。土料由轻壤土、中壤土组成。黏粒含量 20% 左右，塑性指数 12～16，天然含水量 19%～21%，接近最优含水量。开采过程中不考虑土料的翻晒、加水等处理问题，且土层比较均匀，无钙质结核等无用层存在。本专题只考虑正常情况下的立采。开采规模、开采强度指标均参照本系列参考资料模拟的坝高 100m 土正心墙堆石坝施工技术指标。

1.2 开采指标参数拟定

1.2.1 开采范围

参照已建工程拟定，详见附图 1。

可开采范围 800m×600m，土层最大厚度约 30m，储量约 501.8 万 m³。

土料场考虑土料开采结束后的土地复耕问题，参照国内已建工程土料场的复耕情况，假定表面 0.5m 深度范围内为耕植土，此部分耕植土在料场开挖前先行挖除并堆存于坡度较平缓的临时堆存场地上(运距考虑 2km)，占地面积 5 000m²，以备后期复耕使用。

1.2.2 料场储量与开采强度指标

坝高 100m 土正心墙堆石坝心墙土料填筑方量为 130.11 万 m³(压实方)，折合自然方 147.85 万 m³(计划开采范围 500m×450m)。

表层耕植土 11.25 万 m³(自然方)。

坝体最高日填筑强度 0.45 万 m³/日(压实方)，折合自然方 0.51 万 m³/日。

料场开采还应考虑土料在开采过程中的损失，损失系数取 2%。

实际开采量为 150.81 万 m³。实际开采强度为 0.52×万 m³/日。

土料场开采施工技术指标见表 1-1。

表 1-1　土料场开采施工技术指标

序号	项目	单位	数量	备注
1	有效土料储量	万 m³	501.8	
2	需要开采量	万 m³	150.81	
3	最高开采强度	万 m³/日	0.52	
4	耕植土清理	万 m²/万 m³	22.5/11.25	

2 模拟工程施工组织设计

2.1 施工布置和施工方法

本专题的重点是研究土料场的开采施工,坝体施工等另有专题研究,故本专题的施工方法与施工布置仅对土料场开采进行论述。

2.1.1 料场布置

假定土料场位于坝下游左岸,平均运距5.5km。根据上坝运输强度和上坝运输机械选型,沿左岸修筑一条土料场至坝区的运输干线,路宽14m。本专题开采方法只考虑立采,根据主干线的位置和高程,每个开采台阶需修建支线与干线相接,支线道路路宽14m,支线总长度3km。详见附图1。

2.1.2 施工程序

按照主体工程施工总进度的安排,运输干线道路施工完成后,首先进行场区内的施工支线道路修筑,耕植土的开挖、转运与堆存,然后根据上坝土料填筑时段、填筑强度的要求,自上而下,分层台阶开挖。土料场开采结束后进行耕植土的回填、平整等收尾工作。

2.1.3 施工方法

2.1.3.1 土料开采方法

土料含水量接近最优含水量,料场可开采土层最大厚度约30m,根据料场情况和工程规模拟采用5.5m³正铲液压挖掘机挖装料,开挖台阶高度5~8m,32t自卸汽车运输上坝,215HP推土机配合集料,平均运距5.5km。

2.1.3.2 耕植土开挖运输方法

假定耕植土开挖厚度0.5m,采用215HP推土机集料,3m³轮式装载机装20t自卸汽车,运至临时堆存场地堆存,以备料场开采结束后回采复耕,平均运距2km。

2.2 施工机械选型配套及生产率计算

按照拟定施工方法及施工机械选型配套,计算所选机械小时生产率。

2.2.1 挖装机械生产率计算

(1)正铲挖掘机:开挖停机坪以上的物料,生产率高,目前土料开采多采用液压挖掘机。斗容有0.5、1、1.5、2、2.5、3、4、5.5、8、10m³等多种型号。

(2)反铲挖掘机:开挖停机坪以下的土方,可就地甩土或装车。近几年在国际招标工程施工中,在岸坡及土料场开挖中应用较为广泛,斗容也有多种规格。

(3)装载机:使用于松散的、易挖的材料等装车和短距离搬运,一般靠推土机集料。

2.2.1.1 液压挖掘机生产率计算

采用以下公式计算不同工况下各种斗容液压挖掘机的小时生产率:

$$m_g = 3\,600 E_k K_h K_t K_p /T$$

式中 m_g——挖掘机小时生产率,m³/h,自然方;

E_k——铲斗几何斗容,m³;

K_h——铲斗充盈系数,见表2-1、表2-2;

T——挖装一次的工作循环时间,一般取25~35s(斗容小取小值,斗容大则取大值);

K_p——物料可松性系数,详见表2-3;

K_t——时间利用系数,取 $0.75 \sim 0.85$。

公式中的参数取值:

$K_t = 0.8$;$T = 25 \sim 35\text{s}$;$K_h = 1.1$(土料);$K_p = 0.75 \sim 0.9$(土料)。

不同斗容在不同工况下的生产率见表2-4。

表2-1　液压反铲充盈系数

土壤种类	充盈系数(%)
天然壤土或砂黏土	$100 \sim 110$
砂卵石	$95 \sim 110$
爆破良好岩石	$60 \sim 75$
爆破较差岩石	$45 \sim 50$

表2-2　液压正铲充盈系数

土壤种类	充盈系数(%)
土	$100 \sim 105$
土石混合物	$100 \sim 105$
爆破良好岩石	$95 \sim 105$
爆破较差岩石	$85 \sim 95$

表2-3　土石可松性系数

土壤种类	可松性系数
黏土	$0.76 \sim 0.79$
砾质土	0.85
壤土	$0.78 \sim 0.81$
砾石土	$0.85 \sim 0.88$
砂	$0.88 \sim 0.89$
砂砾石	$0.89 \sim 0.91$
爆破良好块石	0.67
页岩与软岩	0.75
固结砾石	0.70
砂卵石	$0.70 \sim 0.85$

表2-4　挖掘机生产率

(单位:L.m^3/h)

序号	斗容 (m^3)	土料	备注
1	1	$126 \sim 90$	
2	5.5	$696 \sim 497$	

2.2.1.2　装载机生产率计算

采用以下公式计算不同工况下各种斗容装载机的生产率:

$$P = 3\,600VK_hK_t / T$$

式中　P——装载机小时生产率,L.m^3/h;

　　　V——铲斗容积,m^3;

　　　K_h——铲斗充盈系数,一般土取 $0.85 \sim 1$,石取 $0.6 \sim 0.8$,见表2-5;

　　　K_t——时间利用系数,一般取 $0.75 \sim 0.85$;

　　　T——挖装一次循环时间,按照设备的基本工作循环时间及受影响因素的影响时间确定,机械基本工作循环时间见表2-6。

公式中的参数取值:

$K_t = 0.8$;

$T = 30 \sim 42\text{s}$;

$K_h = 1$(土料)。

循环时间影响因素见表2-7。

表 2-5　铲斗充盈系数

物　料		充盈系数(%)
松散料	混合湿润骨料	95~100
	粒径≤3mm	95~100
	粒径 3~9mm	90~95
	粒径 12~20mm	85~90
	粒径≥24mm	85~90
爆破料	爆破良好	80~95
	爆破一般	75~90
	爆破较差	60~75
杂项	岩石杂物	100~120
	湿润壤土	100~110
	土、卵石及树根	80~100
	粉状材料	85~95

表 2-6　设备的基本工作循环时间

设备型号	斗容(m³)	基本循环时间(min)
910F~960F	1~3.3	0.45~0.50
966F-Ⅱ~980F	3.7~5	0.50~0.55
988F~990	6~8.4	0.55~0.60
992D~994	10.7~18	0.60~0.70

表 2-7　循环时间影响因素

影响因素		影响时间(min)
(1)设备	带材料处理耙	−0.05
(2)材料种类	混合料	0.02
	粒径≤3mm	0.02
	粒径 3~20mm	−0.02
	粒径 20~150mm	0.00
	粒径≥150mm	0.03
	天然土或爆破渣料	0.04
(3)堆料情况	推土机集料,料堆高度>3m	0.00
	推土机集料,料堆高度<3m	0.01
	汽车卸料	0.02
(4)其他	专用装载运输队	−0.04
	独立运输队	0.04
	固定操作司机	−0.04
	不固定操作司机	0.04
	小批量装运	0.04
	碎散料装运	0.05

不同斗容在不同工况下的生产率见表2-8。

表2-8 轮式装载机生产效率 (单位:L.m³/h)

序号	斗容(m³)	土料	备 注
1	3	205~287	
2	5.5	358~501	

2.2.2 运输机械生产率计算

本模拟工程施工运输机械只考虑自卸汽车(型号参照 Caterpillar 手册)。重型汽车均有自己的性能特性曲线,对路面,厂家也有自己的明确要求。根据不同路面的摩阻和不同的路段坡度计算各路段的行车车速,然后计算其不同运距的重轻车平均行车车速。本参考资料参照小浪底、水口等大型水利工程施工汽车行车情况计算选取车速,结果见表2-9。

表2-9 自卸汽车平均行车车速 (单位:km/h)

车型	重车平均行车车速	轻车平均行车车速	平均行车车速	备注
20~50t	28	32	30	运距在1km以内,表中数值乘以0.8

2.2.2.1 汽车与挖装设备的配套

自卸汽车的容量(或载重吨位)应与挖装机械相匹配。自卸汽车容量一般应为挖装机械铲斗容量的3~6倍。按施工经验,自卸汽车容量为挖装机械铲斗容量的5倍时为最经济。如果挖装斗容不变,汽车容量太大,其生产能力降低,反之则挖装机械生产率减小。

按照上述原则,汽车同挖装机械的配套见表2-10、表2-11。

表2-10 挖掘机与自卸汽车配套

挖掘机斗容(m³)	配套汽车吨位(t)	备注
5.5	32、36、45	

表2-11 轮式装载机与自卸汽车配套

装载机斗容(m³)	配套汽车吨位(t)	备注
3	15、20	
5.5	32	

2.2.2.2 汽车生产率计算

汽车生产率按以下公式计算:

$$Q = 60qK_{ch}K_t/T$$

式中　Q——自卸汽车小时生产率,L.m³/h;

　　　q——每车运载量,一般以车厢堆装容量计,m³,但实际载重不能超过汽车额定载重量;

　　　K_t——时间利用系数,取0.75~0.85;

　　　K_{ch}——汽车装满系数,与挖装机械装满一车厢的铲装次数有关;

　　　T——汽车运载一次循环时间,min,$T = t_1 + t_2 + t_3 + t_4 + t_5$;

· 753 ·

t_1——装车时间,min,$t_1 = nT_装$;

$T_装$——挖装机械挖装一斗的工作循环时间($3m^3$ 装载机取 $40s$,$8m^3$ 装载机取 $42s$,$5.5m^3$ 液压挖掘机取 $30s$);

n——装满一车厢的铲装次数(取整数);

t_2——重车运行时间,min,$t_2 = 60L / v_1$;

L——运输距离,km;

v_1——重车行车速度,km/h,见表2-9;

t_3——卸车时间,一般为 $1.5 \sim 2.5min$;

t_4——空车返回时间,min,$t_4 = 60L / v_e$;

v_e——轻车行车速度,km/h,见表2-9;

t_5——调车、等车及其他因素停车时间,一般为 $1 \sim 2.5min$。

为了简化计算,不同吨位汽车、不同运距时运输各类料的计算参数取值如下:

$K_t = 0.85$;

$t_3 = 1.5min$;

$t_5 = 2.5min$;

$L = 5$、5.5、$6km$;

$v_1 = 28km / h(20 \sim 50t$ 汽车$)$;

$v_e = 32km / h(20 \sim 50t$ 汽车$)$。

不同吨位汽车与不同类型挖装机械配套,在不同运距的条件下,运输各类物料的生产率计算结果见表2-12。

表2-12 汽车生产率计算

序号	汽车吨位 (t)	挖掘机斗容 (m^3)	装载机斗容 (m^3)	材料	运距 (km)	汽车生产率 (L.m^3/h)	汽车生产率 (m^3/h)
1					5.0	45	33
2	32	5.5		土料	5.5	42	31
3					6.0	39	29
4					2.0		29
5	20		3	土料	5.5		
6					6.0		

2.2.3 集、平料机械生产率计算

土石坝工程施工中,土料的集、平料等工作多采用履带式推土机来完成,其施工操作简单,效率高。本专题集、平料施工机械设备只考虑推土机一种施工机械。

推土机的配备是以其小时生产能力为标准的。生产率采用如下公式计算:

$$P = 3\,600QFEKG / C_m$$

式中 P——推土机小时生产率,m^3/h(松方);

Q——铲刀容量,m^3,$Q = 1/2h^2\cot\phi L$;

ϕ——铲刀前土的自然倾角,黏土 35°～40°,壤土为 30°～40°,砂为 25°～35°,砂砾石 35°～40°;

h——铲刀高度,m;

L——铲刀宽度,m;

F——物料可松性系数;

E——时间利用系数,0.75～0.83;

K——铲刀充盈系数,见表 2-13;

G——坡度变化影响系数,见表 2-14;

C_m——每推运一次循环时间,s,C_m = 固定时间(即换挡时间,普通每次 10s) + 变动时间(即推土及卸土时间 + 回程时间)。

推土机行驶速度前进取 3.5～14km/h,后退取 3～12km/h,一般推运取3.5～5 km/h或0.9～1.4m/s,一般回程取5～10km/h或1.6～2.7m/s。

表 2-13　铲刀充盈系数

土壤种类	充盈系数	土壤种类	充盈系数
普通土	1.0	页岩	0.6
硬黏土	0.8	卵石及已爆石渣	0.5

表 2-14　坡度变化影响系数

坡度	上坡 5%～10%	水平 0	下坡 5%～10%	下坡 15%～20%
G	0.6～0.8	1.0	1.3～1.9	1.9～2.7

上述公式计算比较繁杂,且影响因素较多。为简化计算推土机推运物料的生产能力,可采用 Caterpillar 机械性能手册推荐的计算方法计算其小时生产率。计算公式为

$$P = P' \times 工作条件调整系数$$

式中　P'——推土机理论生产率,根据工况在 Caterpillar 机械手册中查得,L.m³/h。

工作条件调整系数等于调整系数表中 7 项系数的乘积。调整系数见表 2-15。

本参考资料推土机的生产率采用 Caterpillar 法计算,推土机的型号选用 D7HXR (215HP)。

设备工作条件调整系数:土料 $K_{土} = 0.6$。

查设备生产率曲线得 $P'_{D7H} = 570$L.m³/h。

设备实际生产率:$P_{D7H} = 570 \times 0.6 = 342$(L.m³/h),取为 250m³/h(自然方)。

2.2.4　选用机械生产率汇总表

选用机械生产率汇总见表 2-16。

2.2.5　机械选型配套

按照选用机械设备的小时生产率,配备各种施工机械设备数量,见表 2-17。

表 2-15　调整系数

序号	条件	分类	系数
1	操作工熟练程度	熟练	1.0
		一般	0.75
		不熟练	0.6
2	材料	散料	1.2
		难铲或冻结	0.7~0.8
		难推移或胶结	0.6
		爆破或经裂土器裂松岩石	0.6~0.8
3	集料方式	槽推法	1.2
		并排法推土	1.15~1.25
4	能见度	雨、雪、大雾及黑天	0.8
5	时间利用率		0.75~0.83
6	直接传动		0.8
7	坡度	上坡 0°~10°	1~0.8
		上坡 10°~20°	0.8~0.55
		上坡 20°~30°	0.55~0.3
		下坡 −0°~−10°	1.0~1.2
		下坡 −10°~−20°	1.2~1.4
		下坡 −20°~−30°	1.4~1.6

表 2-16　选用机械生产率汇总

序号	设备名称	土料(m³/h)	备注
1	5.5m³ 液压挖掘机	410	
2	3m³ 轮式装载机	185	
3	32t 自卸汽车		见表 2-12
4	20t 自卸汽车		见表 2-12
5	215HP 推土机	250	

表 2-17　机械选型配套

坝料	装运	集料	备注
土料开采	5.5m³ 液压挖掘机配 32t 自卸汽车	215HP 推土机	平均运距 5km
耕植土转运	3m³ 装载机配 20t 自卸汽车	215HP 推土机	平均运距 2km

2.3　施工工期及施工强度分析

2.3.1　分析、确定有效施工天数

2.3.1.1　施工天数分析依据

(1)《水利水电工程施工组织设计规范》(试行)SDJ338—89。

(2)星期日停工。

(3)法定节日停工,春节 3 天,元旦 1 天,五一节 1 天,国庆节 2 天,共 7 天。

(4)以中原地区某工程气象资料作为模拟工程的气象资料。

2.3.1.2 停工标准

(1)日降雨<1.0mm,照常施工。

(2)日降雨 1~10mm,雨日停工。

(3)日降雨 10~20mm,雨日停工,雨后停工 1 天。

(4)日降雨 20~50mm,雨日停工,雨后停工 2 天。

(5)日最低气温低于 -10℃ 时停工。

(6)发生 8 级大风时停工。

2.3.1.3 有效施工天数

根据气象资料和停工标准分析确定土料年施工天数,见表 2-18。

表 2-18 土料施工天数

项 目	月 份												全年
	1	2	3	4	5	6	7	8	9	10	11	12	
日历天数	31	28	31	30	31	30	31	31	30	31	30	31	365
节日停工	1	3			1					2			7
星期日停工	5	4	4	4	5	4	4	5	4	5	4	4	52
降雨停工	2	3	4	7	6	8	15	10	9	7	4	1	76
低气温停工	2	1										1	4
大风停工		2	2	2	1	2	1			1	2	2	15
停工重合天数	1	1	1	1	1	1	3	2	1	2	1		15
施工天数	22	16	22	18	19	17	14	18	18	18	21	23	226

2.3.2 开采强度与施工进度计划

不同时段土料开采强度、进度计划与坝体土料填筑强度、进度计划紧密相连。本专题以坝高 100m 土正心墙堆石坝心墙土料施工强度、施工进度计划指标作为土料场开采各项指标的控制数据进行土料场的开采模拟施工设计。

2.3.2.1 土料开采进度计划安排

土料开采进度计划与坝体土料填筑计划一致,并在土料填筑之前完成运输干线及干线接至料场每个开采台阶的支线道路施工工作,完成料场表层耕植土的挖运堆存工作,并形成一定数量的开采台阶,确保土料开采填筑强度。按照坝体施工进度确定的土料上坝强度安排土料场开采进度计划,详见表 2-19。

在安排施工进度计划时考虑每天工作两班,每班工作 10h。

2.3.2.2 料场表层耕植土开挖施工强度及施工机械设备

料场表层耕植土,在料场临时运输施工道路形成后,即进行挖除与清理,待料场料开采结束后,再将耕植土返还回填,当然在不影响土料开采的情况下可尽可能早进行复耕工作。表层耕植土开挖生产率与施工机械配套见表 2-20。

表 2-19 土料场开采施工进度计划

序号	项目	工程量 单位	工程量 数量	工期(月)	第二年 6	7	8	9	10	11	12	第三年 1	2	3	4	5	6	7	8	9	10	11	12	第四年 1	2	3	4	5	6	7	8	9	10	11	12	第五年 1	2
1	准备工程			8.0					8.0																												
2	耕植土开采	万m³	11.25	3.1												5.24 (上) 5.2 (下)																						
3	心墙土料开采	万m³	130.11	22.1																	6.94 (上) 7.2 (下)							9.66 (上) 3.2 (下)				6.93 (上) 5.1 (下)			5.25 (上) 1.4 (下)		
4	耕植土回填																																					

注:1. 横道线上为填筑强度,单位为万 m³/月。
2. 横道线下为填筑工期,单位为月。

· 758 ·

表 2-20 料场表层耕植土开挖施工强度及施工机械设备

项　目	单位	表层耕植土开挖	备　注
施工工程量	m³	112 500	
有效施工天数	天	59	
施工工期	月	3.1	
平均生产率	m³/h	95.2	
小时生产率	m³/h	119	
3m³ 轮式装载机	台	1	
20t 自卸汽车	台	5	
215HP 推土机	台	1	
运距	km	2	

2.3.2.3 开采强度分析及施工机械配备

土料场开采强度、不同时段的开采量均按坝高 100m 土正心墙堆石坝心墙土料施工参数计算。并按计算结果配备相应的施工机械设备,详见表 2-21。

表 2-21 土料开采强度及施工机械设备

坝体填筑部位	EL. −15~10m	EL.10~40m	EL.40~60m	EL.60~90m	EL.90~99m
填筑工程量(m³)（压实方）	234 968	431 045	266 591	305 086	63 374
开采工程量(m³)（自然方）	272 349	499 620	309 003	353 622	73 456
有效开采施工天数（天）	98	135	60	95	26
施工工期(月)	5.2	7.2	3.2	5.1	1.4
平均生产率(m³/h)	139.2	184.8	257.6	186.4	141.6
小时生产率(m³/h)	174	231	322	233	177
5.5m³/h 液压挖掘机（台）	1	1	1	1	1
32t 自卸汽车(台)	6	8	11	9	7
215HP 推土机(台)	1	1	1	1	1
运距(km)	5	5	5.5	6	6

注:1. 平均生产率=施工工程量÷有效填筑工期(天)÷20(h/天)。

2. 小时生产率=平均生产率÷长期工作影响系数。

3 资源计算

3.1 设备台时耗量计算

按照土料开采施工强度分析表中不同施工时段的施工小时生产率、施工机械配备数量配备各种施工机械设备。按照各施工机械设备的小时生产率计算其利用系数,计算每种设备的台时耗量。

设备小时利用系数＝该工作小时生产率/该设备小时生产率

设备台时＝该工作施工工程量／该工作小时生产率×设备数量×该设备利用系数

3.2 人时耗量计算

3.2.1 劳动力配备原则

按土料开采不同的施工工作面定岗定员配备工长及各不同工种的劳动力。同一工种劳动力分 4 个等级:一级工(不熟练工)、二级工(半熟练工)、三级工(熟练工)、四级工(高级熟练工)。根据土料场开采施工特点配备各种专业组及人员,据此拟划分如下工作组。

3.2.1.1 土料挖装运工作组

土料挖装运工作组负责完成土料的开采、装车和从料场至坝面间的运输、卸料等工作。

主要施工人员安排原则如下:

工长:1 人;

挖掘机司机:每台配三级工 1 人;

装载机司机:每台配三级工 1 人;

自卸汽车司机:每台配三级工 1 人;

推土机司机:每台配三级工 1 人;

小型工具车司机:二级工 1 人;

电工:三级工 1 人,二级工 1 人;

料场普工:一级工 4 人。

工作组人员安排详见表 3-1。

表 3-1　土料装运典型工作组　　　　　　　　　　　　　（单位:人）

序号	工　种	数　　量				
		工长	一级工	二级工	三级工	四级工
1	工长	1				
2	装载机司机				1	
3	挖掘机司机				1	
4	自卸汽车司机				1	
5	推土机司机				1	
6	电工			1	1	
7	小型工具车司机			1		
8	普工		4			

3.2.1.2 耕植土装运工作组

耕植土装运工作组负责完成耕植土集料、装车和从料场至临时堆料场间的运输、卸料等工作。

主要施工人员安排原则如下:

工长:1 人;

装载机司机:每台配三级工 1 人;

自卸汽车司机:每台配三级工 1 人;

推土机司机：每台配三级工1人；

小型工具车司机：二级工1人；

电工：三级工1人，二级工1人；

料场普工：一级工4人。

工作组人员安排详见表3-2。

表 3-2　耕植土装运典型工作组　　　　　　　　（单位：人）

序号	工种	数量				
		工长	一级工	二级工	三级工	四级工
1	工长	1				
2	装载机司机				1	
3	自卸汽车司机				1	
4	推土机司机				1	
5	电工			1	1	
6	小型工具车司机			1		
7	普工		4			

3.2.2　人时耗量计算

按照每个工作面的施工强度及配备的各种施工机械设备的数量及劳动力安排原则配备工长及各工种不同级别的劳动力，依据每个工作面的实际工作时间计算人时。

人时 = 施工工程量 / 平均生产率 × 人数 × 利用系数

3.3　材料耗量计算

采用统计、分析、比较等方法计算。本工程所要计算材料主要为坝面洒水。根据假定料场天然含水量的情况，在料场不用采取加水措施即可满足坝体填筑的要求。

3.4　施工机械台时、人时和材料用量

本专题的土料场开挖的施工强度是与100m坝高土正心墙坝的施工强度相对应，故土料场开挖的施工机械台时、人时和材料用量的计算的时段划分亦与其相对应。

土料场表层耕植土的清理、料场开挖和料场复耕的施工机械台时、人时和材料用量见表3-3。

表 3-3　土料挖装运施工机械台时、人时、材料用量

序号	项　目	单位	数量	人时	台时	材料	利用系数	备注
	EL. -15~10m							填筑部位
1	填筑工程量	m³	234 968					
2	开采工程量	m³	272 349					
3	小时生产率	m³/h	174					
4	长期工作影响系数		0.8					
5	平均生产率	m³/h	139.2					
	劳力资源							
6	工长	人	1	1 957			1	

761

序号	项　目	单位	数量	人时	台时	材料	利用系数	备注
7	三级推土机司机	人	1	1 957			1	
8	三级挖掘机操作工	人	1	1 957			1	
9	三级自卸汽车司机	人	6	11 739			1	
10	二级小型工具车司机	人	1	1 957			1	
11	二级电工	人	1	1 957			1	
12	三级电工	人	1	1 957			1	
13	一级普工	人	4	7 826			1	
	设备资源							
14	小型工具车	台	1		391		0.25	
15	5.5m³ 液压挖掘机	台	1		657		0.42	
16	32t 自卸汽车	台	6		8 264		0.88	运距 5km
17	215HP 推土机	台	1		329		0.21	
	材料							
18	其他							
	EL.10~40m							填筑部位
1	填筑工程量	m³	431 045					
2	开采工程量	m³	499 620					
3	小时生产率	m³/h	231					
4	长期工作影响系数		0.8					
5	平均生产率	m³/h	184.8					
	劳力资源							
6	工长	人	1	2 704			1	
7	三级推土机司机	人	1	2 704			1	
8	三级挖掘机操作工	人	1	2 704			1	
9	三级自卸汽车司机	人	8	21 629			1	
10	二级小型工具车司机	人	1	2 704			1	
11	二级电工	人	1	2 704			1	
12	三级电工	人	1	2 704			1	
13	一级普工	人	4	10 814			1	
	设备资源							
14	小型工具车	台	1		541		0.25	
15	5.5m³ 液压挖掘机	台	1		1 211		0.56	
16	32t 自卸汽车	台	8		15 227		0.88	运距 5km
17	215HP 推土机	台	1		606		0.28	
	材料							
18	其他							
	EL.40~60m							填筑部位
1	填筑工程量	m³	266 591					
2	开采工程量	m³	309 003					

序号	项 目	单位	数量	人时	台时	材料	利用系数	备注
3	小时生产率	m³/h	322					
4	长期工作影响系数		0.8					
5	平均生产率	m³/h	257.6					
	劳力资源							
6	工长	人	1	1 200			1	
7	三级推土机司机	人	1	1 200				
8	三级挖掘机操作工	人	1	1 200			1	
9	三级自卸汽车司机	人	11	13 195			1	
10	二级小型工具车司机	人	1	1 200			1	
11	二级电工	人	1	1 200			1	
12	三级电工	人	1	1 200			1	
13	一级普工	人	4	4 798			1	
	设备资源							
14	小型工具车	台	1		240		0.25	
15	5.5m³ 液压挖掘机	台	1		758		0.79	
16	32t 自卸汽车	台	11		9 923		0.94	运距 5.5km
17	215HP 推土机	台	1		384		0.4	
	材料							
18	其他							
	EL.60~90m							填筑部位
1	填筑工程量	m³	305 086					
2	开采工程量	m³	353 622					
3	小时生产率	m³/h	233					
4	长期工作影响系数		0.8					
5	平均生产率	m³/h	186.4					
	劳力资源							
6	工长	人	1	1 897			1	
7	三级推土机司机	人	1	1 897			1	
8	三级挖掘机操作工	人	1	1 897			1	
9	三级自卸汽车司机	人	9	17 074			1	
10	二级小型工具车司机	人	1	1 897			1	
11	二级电工	人	1	1 897			1	
12	三级电工	人	1	1 897			1	
13	一级普工	人	4	7 588			1	

序号	项目	单位	数量	人时	台时	材料	利用系数	备注
	设备资源							
14	小型工具车	台	1		379		0.25	
15	5.5m³ 液压挖掘机	台	1		865		0.57	
16	32t 自卸汽车	台	9		12 157		0.89	运距 6km
17	215HP 推土机	台	1		440		0.29	
	材料							
18	其他							
	EL. 90~99m							填筑部位
1	填筑工程量	m³	63 374					
2	开采工程量	m³	73 456					
3	小时生产率	m³/h	177					
4	长期工作影响系数		0.8					
5	平均生产率	m³/h	141.6					
	劳力资源							
6	工长	人	1	519			1	
7	三级推土机司机	人	1	519			1	
8	三级挖掘机操作工	人	1	519			1	
9	三级自卸汽车司机	人	7	3 631			1	
10	二级小型工具车司机	人	1	519			1	
11	二级电工	人	1	519			1	
12	三级电工	人	1	519			1	
13	一级普工	人	4	2 075			1	
	设备资源							
14	小型工具车	台	1		104		0.25	
15	5.5m³ 液压挖掘机	台	1		178		0.43	
16	32t 自卸汽车	台	7		2 527		0.87	运距 6km
17	215HP 推土机	台	1		91		0.22	
	材料							
18	其他							

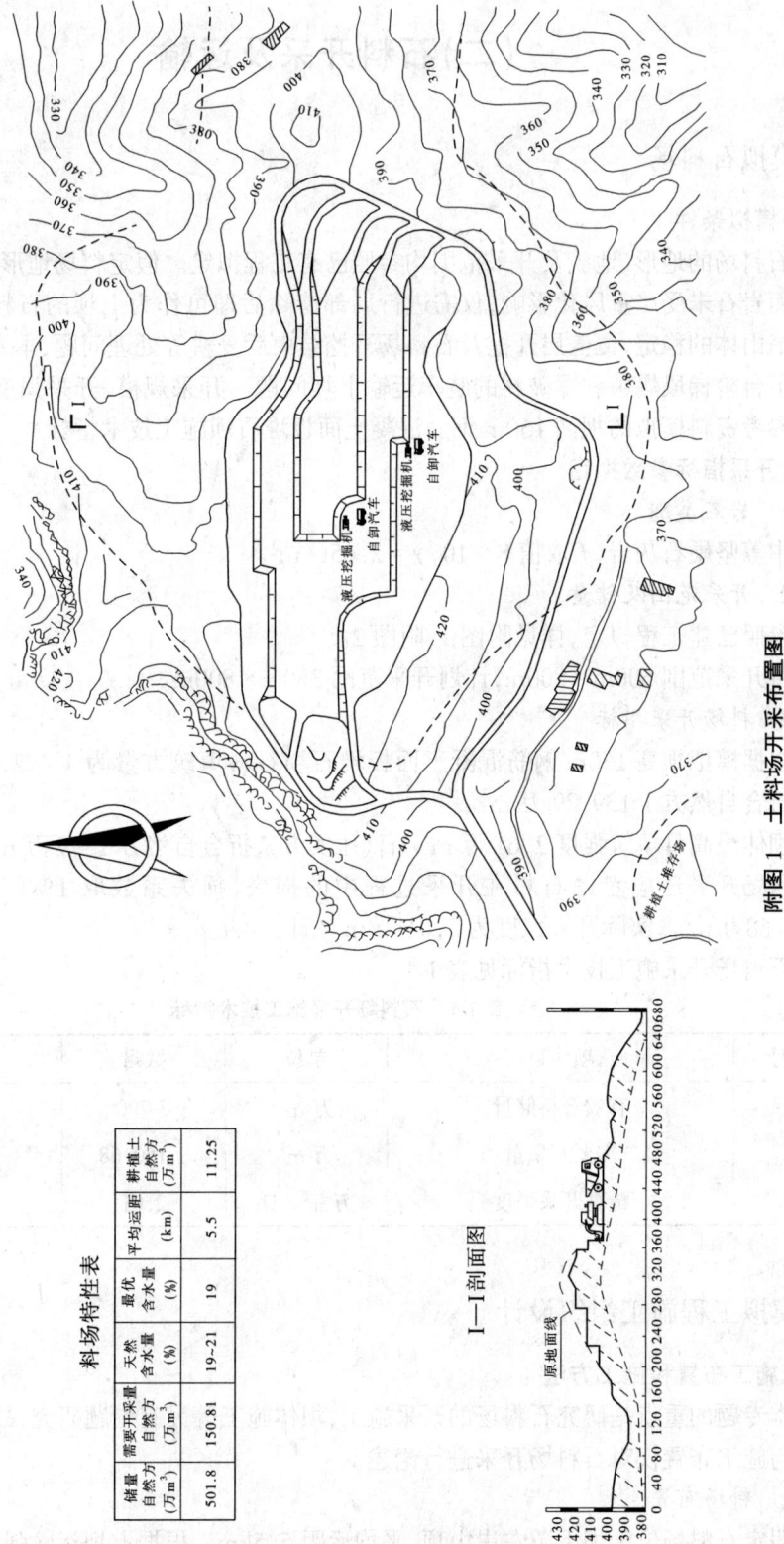

附图 1 土料场开采布置图

I—I 剖面图

料场特性表

储量 自然方 (万 m³)	需要开采量 自然方 (万 m³)	天然 含水量 (%)	最优 含水量 (%)	平均运距 (km)	耕植土 自然方 (万 m³)
501.8	150.81	19~21	19	5.5	11.25

（二）石料开采及运输

1 模拟石料场

1.1 模拟条件

石料场的地形、地貌及开采范围均参照已有工程拟定。假定料场地形比较开阔平坦，且表面岩石未受严重风化影响，仅需进行局部清除后即可作为上坝的石料。开采过程中不考虑山体的稳定、覆盖层开挖及石料场开挖结束后复耕等处理问题，本专题只考虑正常情况下台阶梯段爆破和爆破料的装车运输上坝问题。开采规模、开采强度指标均参照本系列参考资料模拟的坝高150m钢筋混凝土面板堆石坝施工技术指标。

1.2 开采指标参数拟定

1.2.1 岩石类别

中等坚硬石灰岩，f 取值 8～10，$\gamma = 2.65 \text{t}/\text{m}^3$。

1.2.2 开采范围及储量

参照已建工程拟定，详见附图1，附图2。

可开采范围 500m×800m，计划开采范围 350m×800m。

1.2.3 料场开采指标

根据模拟坝高150m钢筋混凝土面板堆石坝石料填筑方量为 1 492.47 万 m³（压实方），折合自然方 1 139.29 万 m³。

坝体最高日填筑强度 2.61 万 m³/日（压实方），折合自然方 1.99 万 m³/日。

料场开采还应考虑石料在开采过程中的损失，损失系数取 1%。实际开采量为 1 150.68万 m³。实际开采强度为 2.01 万 m³/日。

石料场开采施工技术指标见表1-1。

表 1-1　石料场开采施工技术指标

序号	项　　目	单位	数量	备　注
1	有效石料储量	万 m³	3 700	
2	需要开采量	万 m³	1 150.68	
3	最高开采强度	万 m³/日	2.01	

2 模拟工程施工组织设计

2.1 施工布置和施工方法

本专题的重点是研究石料场的开采施工，坝体施工等另有专题研究，故本专题的施工方法与施工布置仅对石料场开采进行论述。

2.1.1 料场布置

假定石料场位于坝下游左岸山顶，平均运距5.5km。根据上坝运输强度和上坝运输机械选型,沿左岸修筑一条石料场至坝区的运输干线,路宽16m。本专题开采支线运输道路按双车道往返复线考虑,根据主干线的位置和高程,每个开采台阶需从干线接运输支线道路,路宽16m,支线总长度3km,详见附图1。每个工作平台最小宽度为61m(60t自卸汽车)。料场计划开采宽度350m,高峰期计划同时开采的台阶数为4个。

2.1.2 施工程序

按照主体工程施工总进度的安排,运输干线施工道路施工完成后,首先进行场区内的施工支线道路修筑,工作面清理、准备,然后根据上坝石料填筑时段、填筑强度的要求,自上而下,分层分台阶梯段毫秒微差爆破开挖。

2.1.3 施工方法

根据料场情况、工程规模和控制级配拟采用深孔台阶爆破法开采石料,台阶高10m,选用atlasROC812H型液压履带钻钻斜孔(75°),钻孔直径89mm,毫秒微差梯段爆破。爆破石渣采用370HP推土机配合集料,Cartarpillar10m³轮式装载机装60t自卸汽车运输上坝,平均运距5.5km。对于料堆中的装载机不宜装车的特大超径石,采用1m³液压反铲挖掘机倒料,就地处理。

2.1.4 爆破参数设计

本专题爆破设计参照《施工组织设计手册》II卷,兰格弗尔斯梯段爆破设计理论方法进行计算设计。设计成果见表2-1。

表2-1　石料场开采爆破设计施工技术指标

序号	项　目	单位	数量	备注
1	梯段高度	m	10	
2	最大底板抵抗线	m	3.2	
3	抵抗线	m	2.8	
4	孔距	m	3.8	
5	钻孔长度	m	11.6	
6	孔底装药长度	m	4.2	
7	孔底装药量	kg	32.2	
8	柱状装药长度	m	4.6	
9	柱状装药量	kg/(kg/m)	15.7/(3.41)	
10	炮孔堵塞长度	m	2.8	
11	每孔装药量	kg	47.9	
12	一次爆破孔数	孔	45	6排
13	一次起爆药量	kg	2 156	
14	一次爆破方量	m³	5 091	
15	平均每孔爆破方量	m³/孔	113.1	
16	单位用药量	kg/m³	0.42	
17	单位钻孔进尺	m/m³	0.103	

爆破网络及炮孔装药结构见附图2。

2.2 施工机械选型配套及生产率计算

按照拟定施工方法及施工机械选型配套,计算所选机械小时生产率。

2.2.1 钻孔设备生产率计算

随着科学技术的发展,液压履带钻在我国水电工程施工当中,得到了越来越广泛的应用,根据目前我国大型水电工程施工工地穿孔设备的使用情况来看,瑞典 Atlas - copco、芬兰 Tamrock、法国 Secoma 三家公司生产的液压履带钻使用最为广泛,且机械穿孔性能好,经济使用寿命长,使用及维修方便。本专题拟选用 Atlas ROC812H 型液压履带钻钻孔爆破,并配备一定数量的手风钻配合创造开挖掌子面。

不同型号的液压履带钻的小时生产率,与凿岩机型号及工况有关,每一种凿岩机厂家均有自己的生产率特性曲线,根据曲线查得所选钻机的理论钻速,再按照有关计算公式计算其实际小时生产率。因缺乏这方面的资料,本专题根据水口、小浪底等工程施工统计资料,ROC812/COP1838 型液压履带钻的理论钻速在 f 为 $8\sim10$ 的情况下为 $1.6\sim1.8$ m／min,实际小时生产率为 $38\sim42$m／h,这里取 40m／h。

2.2.2 装载机生产率计算

采用以下公式计算不同工况下各种斗容装载机的生产率:

$$P = 3\,600VK_hK_t／T$$

式中 P——装载机小时生产率,L.m^3／h;

V——铲斗容积,m^3;

K_h——铲斗充盈系数,一般土取 $0.85\sim1$,石取 $0.6\sim0.8$,详见表 2-2;

K_t——时间利用系数,一般取 $0.75\sim0.85$;

T——挖装一次循环时间,按照设备的基本工作循环时间及受影响因素的影响时间确定,机械基本工作循环时间见表 2-3。

表 2-2 铲斗充盈系数

物 料		充盈系数(%)
松散料	混合湿润骨料	95~100
	粒径≤3mm	95~100
	粒径 3~9mm	90~95
	粒径 12~20mm	85~90
	粒径≥24mm	85~90
爆破料	爆破良好	80~95
	爆破一般	75~90
	爆破较差	60~75
杂项	岩石杂物	100~120
	湿润壤土	100~110
	土、卵石及树根	80~100
	粉状材料	85~95

表 2-3　设备的基本工作循环时间

设备型号	斗容(m³)	基本循环时间(min)
910F～960F	1～3.3	0.45～0.50
966F－Ⅱ～980F	3.7～5	0.50～0.55
988F～990	6～8.4	0.55～0.60
992D～994	10.7～18	0.60～0.70

循环时间影响因素见表 2-4：

表 2-4　循环时间影响因素

影响因素		影响时间(min)
(1)设备	带材料处理耙	−0.05
(2)材料种类	混合料	0.02
	粒径≤3mm	0.02
	粒径 3～20mm	−0.02
	粒径 20～150mm	0.00
	粒径≥150mm	0.03
	天然土或爆破渣料	0.04
(3)堆料情况	推土机集料,料堆高度>3m	0.00
	推土机集料,料堆高度<3m	0.01
	汽车卸料	0.02
(4)其他	专用装载运输队	−0.04
	独立运输队	0.04
	固定操作司机	−0.04
	不固定操作司机	0.04
	小批量装运	0.04
	碎散料装运	0.05

公式中的参数取值：$K_t = 0.8$，$T = 35～45s$，$K_h = 1$(石料)。

不同斗容在不同工况下的生产率见表 2-5。

表 2-5　轮式装载机生产效率　　　　　　　　　(单位:L.m³/h)

序号	斗容(m³)	石料	备注
1	10	514～720	

2.2.3　运输机械生产率计算

本模拟工程施工运输机械只考虑自卸汽车(型号参照 Caterpillar 机械性能手册)。重型汽车均有自己的性能特性曲线,对路面,厂家也有自己的明确要求。根据不同路面的摩阻和不同的路段坡度计算各路段的行车车速,然后计算其不同运距的重轻车平均行车车速。本参考资料参照小浪底、水口等大型水利工程施工汽车行车情况计算选取车速,结果见表 2-6。

表 2-6　自卸汽车平均行车车速　　　　　　（单位:km/h）

车型	重车平均 行车车速	轻车平均 行车车速	平均行 车车速	备注
20~50t	28	32	30	运距在 1km 以内,表中数
50t 以上	22	28	25	值乘以 0.8

2.2.3.1　汽车与挖装设备的配套

自卸汽车的容量(或载重吨位)应与挖装机械相匹配。自卸汽车容量一般应为挖装机械铲斗容量的 3~6 倍。按施工经验,自卸汽车容量为挖装机械铲斗容量的 5 倍时为最经济。如果挖装斗容不变,汽车容量太大,其生产能力降低,反之则挖装机械生产率减小。

按照上述原则汽车同挖装机械的配套见表 2-7。

表 2-7　轮式装载机与自卸汽车配套

装载机斗容(m³)	配套汽车吨位(t)	备注
10	60	

2.2.3.2　汽车生产率计算

汽车生产率按以下公式计算:

$$Q = 60qK_{ch}K_t / T$$

式中　Q——自卸汽车小时生产率,L.m³/h;

q——每车运载量,一般以车厢堆装容量计,m³,但实际载重不能超过汽车额定载重量;

K_t——时间利用系数,取 0.75~0.85;

K_{ch}——汽车装满系数,与挖装机械装满一车厢的铲装次数有关;

T——汽车运载一次循环时间,min,$T = t_1 + t_2 + t_3 + t_4 + t_5$;

t_1——装车时间,min,$t_1 = nT_{装}$;

$T_{装}$——挖装机械挖装一斗的工作循环时间(10m³ 装载机取 42s);

n——装满一车厢的铲装次数(取整数);

t_2——重车运行时间,min,$t_2 = 60L / v_1$;

L——运输距离,km;

v_1——重车行车速度,km/h,见表 2-6;

t_3——卸车时间,一般为 1.5~2.5min;

t_4——空车返回时间,min,$t_4 = 60L / v_e$;

v_e——轻车行车速度,km/h,见表 2-6;

t_5——调车、等车及其他因素停车时间,一般为 1~2.5min。

为了简化计算,不同吨位汽车、不同运距时运输各类料的计算参数取值如下:

$K_t = 0.85$;

$t_3 = 1.5\text{min}$;

$t_5 = 2.5\text{min}$;

$L = 5, 5.5, 6\text{km}$;

$20 \sim 50\text{t}$ 汽车, $v_1 = 28\text{km/h}$, 55t 以上汽车, $v_1 = 22\text{km/h}$;

$20 \sim 50\text{t}$ 汽车, $v_e = 32\text{km/h}$, 55t 以上汽车, $v_e = 28\text{km/h}$。

不同吨位汽车与不同类型挖装机械配套,在不同运距的条件下,运输各类物料的生产率计算结果见表 2-8。

表 2-8　汽车生产率计算

序号	汽车吨位 (t)	装载机斗容 (m³)	材料	运距 (km)	汽车生产率 (L.m³/h)	汽车生产率 (m³/h)
1				5	54	35
2	60	10	石料	5.5	50	33
3				6	47	31

2.2.4　集、平料机械生产率计算

土石坝工程施工中,石料的集、平料等工作多采用履带式推土机来完成,其施工操作简单,效率高。本专题集、平料施工机械设备只考虑推土机一种施工机械。

推土机的配备是以其小时生产能力为标准的。其生产率采用如下公式计算:

$$P = 3\,600QFEKG/C_m$$

式中　P——推土机小时生产率,$L.m^3/h$(松方);

$\quad\quad Q$——铲刀容量,m^3,$Q = 1/2h^2\cot\phi L$;

$\quad\quad \phi$——铲刀前土的自然倾角,黏土为 $35° \sim 40°$,壤土为 $30° \sim 40°$,砂为 $25° \sim 35°$,砂砾石为 $35° \sim 40°$;

$\quad\quad h$——铲刀高度,m;

$\quad\quad L$——铲刀宽度,m;

$\quad\quad F$——物料可松性系数;

$\quad\quad E$——时间利用系数,$0.75 \sim 0.83$;

$\quad\quad K$——铲刀充盈系数,见表 2-9;

$\quad\quad G$——坡度变化影响系数,见表 2-10;

$\quad\quad C_m$——每推运一次循环时间,s,$C_m =$ 固定时间(即换挡时间,普通每次 10s)+ 变动时间(即推土及卸土时间 + 回程时间)。

表 2-9　铲刀充盈系数

土壤种类	充盈系数	土壤种类	充盈系数
普通土	1.0	页岩	0.6
硬黏土	0.8	卵石及已爆石渣	0.5

表 2-10　坡度变化影响系数

坡度	上坡 5%~10%	水平 0	下坡 5%~10%	下坡 15%~20%
G	0.6~0.8	1.0	1.3~1.9	1.9~2.7

推土机行驶速度:前进为 3.5~14km/h;后退为 3~12km/h。一般推运取 3.5~5km/h 或 0.9~1.4m/s;一般回程取 5~10km/h 或 1.6~2.7m/s。

上述公式计算比较繁杂,且影响因素较多。为简化计算推土机推动物料的生产能力,可采用 Caterpillar 机械性能手册推荐的计算方法计算其小时生产率。

计算公式为

$$P = P' \times 工作条件调整系数$$

式中　P'——推土机理论生产率,根据工况在 Caterpillar 机械手册中查得,$L \cdot m^3/h$。

工作条件调整系数等于调整系数表中 7 项系数的乘积。调整系数见表 2-11。

表 2-11　调整系数

序号	条件	分类	系数
1	操作工熟练程度	熟练	1.0
		一般	0.75
		不熟练	0.6
2	材料	散料	1.2
		难铲或冻结	0.7~0.8
		难推移或胶结	0.6
		爆破或经裂土器裂松岩石	0.6~0.8
3	集料方式	槽推法	1.2
		并排法推土	1.15~1.25
4	能见度	雨、雪、大雾及黑天	0.8
5	时间利用率		0.75~0.83
6	直接传动		0.8
7	坡度	上坡 0°~10°	1~0.8
		上坡 10°~20°	0.8~0.55
		上坡 20°~30°	0.55~0.3
		下坡 0°~-10°	1.0~1.2
		下坡 -10°~-20°	1.2~1.4
		下坡 -20°~-30°	1.4~1.6

本参考资料推土机的生产率采用 Caterpillar 法计算,推土机的型号选用 D9N (370HP)。

设备工作条件调整系数:石料 $K_石 = 0.42$。

查设备生产率曲线得 $P'_{D9N} = 770 L \cdot m^3/h$。

设备实际生产率:$P_{D9N} = 770 \times 0.42 = 323 (L \cdot m^3/h)$,取为 $211 m^3/h$(自然方)。

2.2.5　选用机械生产率

选用机械生产率见表 2-12。

表 2-12　选用机械生产率汇总

序号	设备名称	石料	备注
1	$10m^3$ 轮式装载机	$384m^3/h$	
2	60t 自卸汽车		见表 2-8
3	370HP 推土机	$211m^3/h$	
4	ROC812 液压履带钻	$40m/h$	$378m^3/h$

2.2.6　机械选型配套

按照选用机械设备的小时生产率,配备各种施工机械设备数量,见表 2-13。

表 2-13　机械选型配套

序号	项目	机械设备	备注
1	钻孔	ROC812	
2	装运	$10m^3$ 装载机配 60t 自卸汽车	平均运距 5.5km
3	集料	370HP 推土机	

2.3　施工工期及施工强度分析

2.3.1　分析、确定有效施工天数

2.3.1.1　施工天数分析依据

(1)《水利水电工程施工组织设计规范》(试行)SDJ338—89。

(2)星期日停工。

(3)法定节日停工:春节 3 天,元旦 1 天,五一节 1 天,国庆节 2 天,共 7 天。

(4)以中原地区某工程气象资料作为模拟工程的气象资料。

2.3.1.2　停工标准

(1)日降雨≤15mm,照常施工。

(2)日降雨 15～30mm,雨日停工。

(3)日降雨>30mm,雨日停工,雨后停工半天。

(4)发生 8 级大风时停工。

2.3.1.3　有效施工天数

根据气象资料和停工标准,分析确定石料施工天数,见表 2-14。

2.3.2　开采强度与施工进度计划

不同时段石料开采强度、进度计划与坝体石料填筑强度、进度计划紧密相连。本专题以坝高 150m 钢筋混凝土面板堆石坝石料施工强度、施工进度计划指标作为石料场开采各项指标的控制数据进行石料场的开采模拟施工设计。

2.3.2.1　开采强度分析及施工机械配备

石料场开采强度、不同时段的开采量均按坝高 150m 钢筋混凝土面板堆石坝石料施工参数计算。并按计算结果配备相应的施工机械设备,详见表 2-15、表 2-16。

表 2-14　石料施工天数

项 目	月 份												全年
	1	2	3	4	5	6	7	8	9	10	11	12	
日历天数	31	28	31	30	31	30	31	31	30	31	30	31	365
节日停工	1	3		1						2			7
星期日停工	5	4	4	4	5	4	4	5	4	5	4	4	52
降雨停工			1	2	1	2	6	4	3	2	1		22
低气温停工													
大风停工		2	2	2	1	2	1			1	2	2	15
停工重合天数							1			1			2
施工天数	25	19	24	22	23	22	21	22	23	22	23	25	271

表 2-15　一、二期石料开采强度及施工机械设备

坝体填筑部位	EL. -15~5m	EL. 5~10m	EL. 10~30m	EL. 30~60m	EL. 60~80m
填筑工程量(m³) (压实方)	939 200	312 100	1 498 300	1 803 600	605 000
开挖施工工程量(m³) (自然方)	724 100	240 600	1 155 100	1 390 600	466 400
有效开采施工 天数(天)	48	12	58	70	31
施工工期(月)	2.1	0.5	2.6	3.1	1.4
平均生产率(m³/h)	754.4	1 002.4	996.0	993.6	752.0
小时生产率(m³/h)	943	1 253	1 245	1 242	940
ROC812 液压 履带钻(台)	4	5	5	5	4
10m³ 轮式装载机 (台)	4	5	5	5	4
60t 自卸汽车(台)	44	55	55	58	50
370HP 推土机(台)	2	2	2	2	2
运距(km)	5	5	5	5.5	6

表 2-16　三期石料开采强度及施工机械设备

坝体填筑部位	EL.5~20m	EL.20~70m	EL.70~100m	EL.100~130m	EL.130~150m
填筑工程量(m³)(压实方)	695 600	3 545 700	2 976 000	2 069 100	480 400
开挖施工工程量(m³)(自然方)	536 300	2 733 700	2 294 500	1 595 300	370 400
有效开采施工天数(天)	28	138	114	80	57
施工工期(月)	1.2	6.1	5.0	3.6	2.5
平均生产率(m³/h)	957.6	990.4	1 006.4	996.8	324.8
小时生产率(m³/h)	1 197	1 238	1 258	1 246	406
ROC812 液压履带钻(台)	5	5	5	5	2
10m³ 轮式装载机(台)	5	5	5	5	2
60t 自卸汽车(台)	55	55	58	62	24
370HP 推土机(台)	2	2	2	2	1
运距(km)	5	5	5.5	6	6

表 2-15、表 2-16 中:

平均生产率 = 施工工程量 ÷ 有效填筑工期(天) ÷ 20(h/天)

小时生产率 = 平均生产率 ÷ 长期工作影响系数

2.3.2.2　石料开采进度计划安排

石料场开采进度计划与坝体石料填筑计划一致,并在石料填筑之前完成运输干线及干线接至料场每个开采台阶的支线道路施工工作,完成料场覆盖层的清理工作,并形成一定数量的开采台阶,确保石料填筑强度。开采过程中,不考虑山体稳定等因素的影响。石料场开采进度计划见表 2-17。石料场开采计划每天爆破一次,为说明料场开采各工序之间协调关系,选用一个典型开挖掌子面计算一个循环各工序占用时间。典型爆破施工循环时间见表 2-18、表 2-19。典型爆孔布置见附图 2。

在安排施工进度计划时考虑每天工作两班,每班工作 10h。

表 2-17 石料场开采施工进度计划

序号	项目	单位	数量	工期(月)	进度(第三年～第六年)
1	准备工程			8.0	
2	覆盖层清理	万m³		3.0	
3	石料开采	万m³	150.68	28.1	34.48/2.1　48.12　44.43/0.5 2.6　44.86/3.1　33.31/1.4　44.69/1.2　44.81/6.1　45.89/5.0　44.31/3.6
4	整理工作场地	万m³		2.0	14.82/2.5

注:1.横道线上为填筑强度,单位为万m³/月。
2.横道线下为填筑工期,单位为月。

表 2-18 典型台阶开挖循环时间(爆破方量：5 091m³)

序号	工作程序	循环时间(min)		时间(h)
		直线	平行	
1	爆破	30	30	
2	爆破检查	30	30	
3	钻机进、退场	30	30	
4	钻孔	653		
5	装药、连线	98		
6	出渣设备进、退场		30	
7	出渣		663	
8	其他	30	30	
9	循环时间	871	783	
10	小时有效工作时间	50		
11	循环时间(h)	17.4		

表 2-19　典型台阶开挖循环时间计算

序号	项目	单位	设计参数			备注
1	典型台阶开挖参数					
1.1	台阶高度	m	10.0			
1.2	开挖宽度	m	17.2			
1.3	开挖长度	m	29.6			
1.4	开挖方量	m³	5 091			
2	钻爆参数					
2.1	炮孔直径	mm	89			
2.2	炮孔数量	个	45			
2.3	炮孔深度	m	11.6			
2.4	循环钻孔总长度	m	522			
2.5	炮孔密度	m/m³	0.103			
2.6	装药量	kg	2 138			
2.7	装药密度	kg/m³	0.42			
3	钻孔设备参数					
3.1	钻机型号		ROC812H			
3.2	凿岩机型号		COP1838			
3.3	钻杆型号		R64			
3.4	额定钻速	m/min	1.6~1.8			
3.5	设计钻速	m/h	40			
4	钻孔时间计算					
4.1	钻孔长度	m	522			
4.2	ROC812H 钻机	台	1			
4.3	项目		单位时间	工程量	时间	
4.4	钻孔时间(以孔计)	min	14.5	45	653	
4.5	钻机进场及撤退时间(以循环计)	min			30	
4.6	钻孔循环时间	min			683	
5	装药时间计算					
5.1	装药孔数量	个	45			
5.2	装药总长度	m	522			
5.3	循环准备时间	min	30			
5.4	项目		单位时间	工程量	时间	
5.5	装药对孔时间(以孔计)	min	0.5	45	22.5	
5.6	装药时间(以 m 计)	min	1.0	522	522.0	
5.7	需装药时间	min			544.5	
5.8	装药工作组人数	人	8			
5.9	装药时间	min	68			
5.10	装药循环时间	min	98			

序号	项 目	单位	设计参数		备注
6	爆破检查时间计算				
6.1	爆破	min	30		
6.2	爆破检查	min	30		
6.3	循环爆破检查时间	min	60		
7	装渣运输				
7.1	装载机械斗容	m³	10		
7.2	运输方式		自卸汽车		
7.3	车辆型号		60t		
7.4	装运时间计算				
7.5	设计爆破方量(自然方)	m³	5 091		
7.6	装运设备配套				
7.7	装载机	台	1		384m³/(台·h)
7.8	自卸汽车	台	12		运距5.5km
7.9	设备进场及撤退时间(以循环计)	min	30		
7.10	出渣时间	min	663		
7.11	循环装渣运输时间		693		
8	开挖作业循环时间安排		钻孔	出渣	
8.1	设备进退场时间(以循环计)	min	30	30	
8.2	钻孔循环时间	min	653		
8.3	装药循环时间	min	98		
8.4	爆破时间	min	30		
8.5	爆破检查时间	min	30		
8.6	出渣循环时间	min		663	
8.7	其他时间	min	30	30	
8.8	循环时间	min	871	783	
8.9	小时数	h	17.4	15.7	工作时间考
8.10	正常循环时间	h	17.4		虑50min/h
8.11	小时生产率	m³/h	293		
9	工作计划				
9.1	每班工作时间	h	10		
9.2	每天工作班次	班/日	2		
9.3	日工作小时数	h/日	20		
9.4	日爆破次数	次/日	1		
9.5	月工作天数	天/月	22.5		
9.6	长期工作影响系数		0.8		
10	开挖工期		(详见表2-17)		

3 资源计算

3.1 设备台时耗量计算

按照石料开采施工强度分析表中不同施工时段的施工小时生产率、施工机械配备数量配备各种施工机械设备。按照各施工机械设备的小时生产率计算其利用系数,计算每种设备的台时耗量。

设备小时利用系数＝该工作小时生产率／该设备小时生产率

设备台时＝该工作施工工程量／该工作小时生产率×设备数量×该设备利用系数

3.2 人时耗量计算

3.2.1 劳动力配备原则

按石料开采不同的施工工作面定岗定员配备工长及各不同工种的劳动力。同一工种劳动力分4个等级:一级工(不熟练工)、二级工(半熟练工)、三级工(熟练工)、四级工(高级熟练工)。根据石料施工特点配备各种专业组及人员,据此拟划分如下工作组。

3.2.1.1 钻孔爆破工作组

钻孔爆破工作组负责完成石料开采的钻孔、装药连线、检查、爆破等工作。

主要施工人员安排原则如下:

工长:1人;

液压履带钻操作工:每台配三级工1人;

炮工:四级工1人,三级工1人,二级工6人;

电工:三级工1人,二级工1人;

小型工具车司机:每台配二级工1人;

手风钻操作工:每台配二级工1人;

空压机操作工:每台配三级工1人;

普工:一级工5人。

工作组人员安排见表3-1。

表 3-1　钻孔爆破典型工作组　　　　　　　　　　　(单位:人)

序号	工种	数量				
		工长	一级工	二级工	三级工	四级工
1	工长	1				
2	钻机操作工				1	
3	炮工			6	1	1
4	电工			1	1	
5	小型工具车司机			1		
6	手风钻操作工			1		
7	空压机操作工				1	
8	普工		5			

3.2.1.2 石料挖装运工作组

石料挖装运工作组负责完成石料的装车和从料场至坝面间运输、卸料等工作。

主要施工人员安排原则如下：

工长：1人；

装载机司机：每台配三级工1人；

自卸汽车司机：每台配三级工1人；

推土机司机：每台配三级工1人；

挖掘机司机：每台配三级工1人；

小型工具车司机：每台配二级工1人；

料场普工：一级工5人。

工作组人员安排见表3-2。

表3-2   石料装运典型工作组   （单位：人）

序号	工　种	数量				
		工长	一级工	二级工	三级工	四级工
1	工长	1				
2	装载机司机				1	
3	挖掘机司机				1	
4	自卸汽车司机				1	
5	推土机司机				1	
6	小型工具车司机			1		
7	普工		5			

3.2.2   人时耗量计算

按照每个工作面的施工强度及配备的各种施工机械设备的数量及劳动力安排原则配备工长及各工种不同级别的劳动力，依据每个工作面的实际工作时间计算人时。

$$人时 = 施工工程量 / 平均生产率 \times 人数 \times 利用系数$$

3.3   材料耗量计算

采用统计、分析、比较等方法计算。本工程所要计算材料主要为钻孔零部件、炸药、雷管、导火线等。根据钻爆设计参数、1988年概算定额和小浪底、天生桥工程生产情况，确定单位材料用量，见表3-3。

表3-3   主要材料单位用量

序号	材料名称	单耗		用量	
		单位	数量	单位	数量
1	炸药	kg/m³	0.42	t	4 832.86
2	雷管	个/m³	0.011	个	126 575
3	导爆管	m/m³	0.12	m	1 380 816
4	导爆索	m/m³	0.03	m	345 204
5	导火索	m/m³	0.002	m	23 014
6	钻杆	根/m³	0.002	根	23 014
7	钻头	个/m³	0.005	个	57 534

3.4 施工机械台时、人时和材料用量

本专题的石料场开挖的施工强度是与150m坝高钢筋混凝土面板堆石坝的施工强度相对应,故石料场开挖的施工机械台时、人时和材料用量的计算的时段划分亦与其相对应。

石料场开挖施工机械台时、人时和材料用量见表3-4、表3-5。

表3-4 钻孔爆破施工机械台时、人时、材料用量

序号	项 目	单位	数量	人时	台时	材料	利用系数	备注
	EL.−15~5m							一期
1	填筑工程量	m³	939 200					压实方
2	开挖施工工程量	m³	742 100					自然方
3	小时生产率	m³/h	943					
4	长期工作影响系数		0.8					
5	平均生产率	m³/h	754.4					
	劳力资源							
6	工长	人	1	984			1	
7	三级履带钻钻工	人	4	3 935			1	
8	二级手风钻钻工	人	8	7 870			1	
9	四级炮工	人	4	1 967			0.5	
10	三级炮工	人	4	1 967			0.5	
11	二级炮工	人	24	11 804			0.5	
12	二级小型工具车司机	人	1	984			1	
13	三级电工	人	1	984			1	
14	二级电工	人	1	984			1	
15	一级普工	人	5	4 918			1	
16	三级空压机操作工	人	4	3 935			1	
	设备资源							
17	小型工具车	台	1		236		0.3	
18	ROC812H液压履带钻	台	4		1 952		0.62	
19	YT−25手风钻	台	8		3 148		0.5	
20	空压机	台	4		1 574		0.5	
	材料							
21	炸药	kg	0.42			311 682		
22	雷管	个	0.011			8 163		
23	导爆管	m	0.12			89 052		
24	导爆索	m	0.03			22 263		
25	导火索	m	0.002			1 484		
26	钻头	个	0.005			3 711		
27	钻杆	根	0.002			1 484		
28	其他							
注:①按照4个工作面计算;②1~5个工作面配备一级普工5人。								
	EL.5~10m							二期

续表 3-4

序号	项 目	单位	数量	人时	台时	材料	利用系数	备注
1	填筑工程量	m³	312 100					压实方
2	开挖施工工程量	m³	240 600					自然方
3	小时生产率	m³/h	1 253					
4	长期工作影响系数		0.8					
5	平均生产率	m³/h	1 002.4					
	劳力资源							
6	工长	人	1	240			1	
7	三级履带钻钻工	人	5	1 200			1	
8	二级手风钻钻工	人	10	2 400			1	
9	四级炮工	人	5	600			0.5	
10	三级炮工	人	5	600			0.5	
11	二级炮工	人	30	3 600			0.5	
12	二级小型工具车司机	人	1	240			1	
13	三级电工	人	1	240			1	
14	二级电工	人	1	240			1	
15	一级普工	人	5	1 200			1	
16	三级空压机操作工	人	5	1 200			1	
	设备资源							
17	小型工具车	台	1		58		0.3	
18	ROC812H液压履带钻	台	5		634		0.66	
19	YT-25手风钻	台	10		960		0.5	
20	空压机	台	5		480		0.5	
	材料							
21	炸药	kg	0.42			101 052		
22	雷管	个	0.011			2 647		
23	导爆管	m	0.12			28 872		
24	导爆索	m	0.03			7 218		
25	导火索	m	0.002			481		
26	钻头	个	0.005			1 203		
27	钻杆	根	0.002			481		
28	其他							

注:①按照 5 个工作面计算;②1~5 个工作面配备一级普工 5 人。

	EL.10~30m							二期
1	填筑工程量	m³	1 498 300					压实方
2	开挖施工工程量	m³	1 155 100					自然方
3	小时生产率	m³/h	1 245					
4	长期工作影响系数		0.8					
5	平均生产率	m³/h	996.0					
	劳力资源							
6	工长	人	1	1 160			1	

序号	项 目	单位	数量	人时	台时	材料	利用系数	备注
7	三级履带钻钻工	人	5	5 799			1	
8	二级手风钻钻工	人	10	11 597			1	
9	四级炮工	人	5	2 899			0.5	
10	三级炮工	人	5	2 899			0.5	
11	二级炮工	人	30	17 396			0.5	
12	二级小型工具车司机	人	1	1 160			1	
13	三级电工	人	1	1 160			1	
14	二级电工	人	1	1 160			1	
15	一级普工	人	5	5 799			1	
16	三级空压机操作工	人	5	5 799			1	
	设备资源							
17	小型工具车	台	1		278		0.3	
18	ROC812H 液压履带钻	台	5		3 062		0.66	
19	YT-25 手风钻	台	10		4 639		0.5	
20	空压机	台	5		2 319		0.5	
	材料							
21	炸药	kg	0.42			485 142		
22	雷管	个	0.011			12 706		
23	导爆管	m	0.12			138 612		
24	导爆索	m	0.03			34 653		
25	导火索	m	0.002			2 310		
26	钻头	个	0.005			5 776		
27	钻杆	根	0.002			2 310		
28	其他							

注:①按照 5 个工作面计算;②1~5 个工作面配备一级普工 5 人。

	EL.30~60m							二期
1	填筑工程量	m³	1 803 600					压实方
2	开挖施工工程量	m³	1 390 600					自然方
3	小时生产率	m³/h	1 242					
4	长期工作影响系数		0.8					
5	平均生产率	m³/h	993.6					
	劳力资源							
6	工长	人	1	1 400			1	
7	三级履带钻钻工	人	5	6 998			1	
8	二级手风钻钻工	人	10	13 996			1	
9	四级炮工	人	5	3 499			0.5	
10	三级炮工	人	5	3 499			0.5	
11	二级炮工	人	30	20 993			0.5	
12	二级小型工具车司机	人	1	1 400			1	
13	三级电工	人	1	1 400			1	

续表 3-4

序号	项目	单位	数量	人时	台时	材料	利用系数	备注
14	二级电工	人	1	1 400			1	
15	一级普工	人	5	6 998			1	
16	三级空压机操作工	人	5	6 998			1	
	设备资源							
17	小型工具车	台	1		336		0.3	
18	ROC812H 液压履带钻	台	5		3 695		0.66	
19	YT-25 手风钻	台	10		5 598		0.5	
20	空压机	台	5		2 799		0.5	
	材料							
21	炸药	kg	0.42			584 052		
22	雷管	个	0.011			15 297		
23	导爆管	m	0.12			166 872		
24	导爆索	m	0.03			41 718		
25	导火索	m	0.002			2 781		
26	钻头	个	0.005			6 953		
27	钻杆	根	0.002			2 781		
28	其他							

注：①按照5个工作面计算；②1~5个工作面配备一级普工5人。

	EL.60~80m							二期
1	填筑工程量	m³	605 000					压实方
2	开挖施工工程量	m³	466 400					自然方
3	小时生产率	m³/h	940					
4	长期工作影响系数		0.8					
5	平均生产率	m³/h	752.0					
	劳力资源							
6	工长	人	1	620			1	
7	三级履带钻钻工	人	4	2 481			1	
8	二级手风钻钻工	人	8	4 962			1	
9	四级炮工	人	4	1 240			0.5	
10	三级炮工	人	4	1 240			0.5	
11	二级炮工	人	24	7 443			0.5	
12	二级小型工具车司机	人	1	620			1	
13	三级电工	人	1	620			1	
14	二级电工	人	1	620			1	
15	一级普工	人	5	3 101			1	
16	三级空压机操作工	人	4	2 481			1	
	设备资源							
17	小型工具车	台	1		149		0.3	
18	ROC812H 液压履带钻	台	4		1 231		0.62	
19	YT-25 手风钻	台	8		1 985		0.5	

序号	项 目	单位	数量	人时	台时	材料	利用系数	备注
20	空压机	台	4		992		0.5	
	材料							
21	炸药	kg	0.42			195 888		
22	雷管	个	0.011			5 130		
23	导爆管	m	0.12			55 968		
24	导爆索	m	0.03			13 992		
25	导火索	m	0.002			933		
26	钻头	个	0.005			2 332		
27	钻杆	根	0.002			933		
28	其他							

注:①按照 4 个工作面计算;②1~5 个工作面配备一级普工 5 人。

序号	项 目	单位	数量	人时	台时	材料	利用系数	备注
	EL.5~20m							三期
1	填筑工程量	m³	695 600					压实方
2	开挖施工工程量	m³	536 300					自然方
3	小时生产率	m³/h	1 197					
4	长期工作影响系数		0.8					
5	平均生产率	m³/h	957.6					
	劳力资源							
6	工长	人	1	560			1	
7	三级履带钻钻工	人	5	2 800			1	
8	二级手风钻钻工	人	10	5 600			1	
9	四级炮工	人	5	1 400			0.5	
10	三级炮工	人	5	1 400			0.5	
11	二级炮工	人	30	8 401			0.5	
12	二级小型工具车司机	人	1	560			1	
13	三级电工	人	1	560			1	
14	二级电工	人	1	560			1	
15	一级普工	人	5	2 800			1	
16	三级空压机操作工	人	5	2 800			1	
	设备资源							
17	小型工具车	台	1		134		0.3	
18	ROC812H 液压履带钻	台	5		1 411		0.63	
19	YT-25 手风钻	台	10		2 240		0.5	
20	空压机	台	5		1 120		0.5	
	材料							
21	炸药	kg	0.42			225 246		
22	雷管	个	0.011			5 899		
23	导爆管	m	0.12			64 356		
24	导爆索	m	0.03			16 089		
25	导火索	m	0.002			1 073		

序号	项 目	单位	数量	人时	台时	材料	利用系数	备注
26	钻头	个	0.005			2 682		
27	钻杆	根	0.002			1 073		
28	其他							

注：①按照 5 个工作面计算；②1~5 个工作面配备一级普工 5 人。

序号	项 目	单位	数量	人时	台时	材料	利用系数	备注
	EL.20~70m							三期
1	填筑工程量	m³	3 545 700					压实方
2	开挖施工工程量	m³	2 733 700					自然方
3	小时生产率	m³/h	1 238					
4	长期工作影响系数		0.8					
5	平均生产率	m³/h	990.4					
	劳力资源							
6	工长	人	1	2 760			1	
7	三级履带钻钻工	人	5	13 801			1	
8	二级手风钻钻工	人	10	27 602			1	
9	四级炮工	人	5	6 900			0.5	
10	三级炮工	人	5	6 900			0.5	
11	二级炮工	人	30	41 403			0.5	
12	二级小型工具车司机	人	1	2 760			1	
13	三级电工	人	1	2 760			1	
14	二级电工	人	1	2 760			1	
15	一级普工	人	5	13 801			1	
16	三级空压机操作工	人	5	13 801			1	
	设备资源							
17	小型工具车	台	1		662		0.3	
18	ROC812H 液压履带钻	台	5		7 287		0.66	
19	YT-25 手风钻	台	10		11 041		0.5	
20	空压机	台	5		5 520		0.5	
	材料							
21	炸药	kg	0.42			1 148 154		
22	雷管	个	0.011			30 071		
23	导爆管	m	0.12			328 044		
24	导爆索	m	0.03			82 011		
25	导火索	m	0.002			5 467		
26	钻头	个	0.005			13 669		
27	钻杆	根	0.002			5 467		
28	其他							

注：①按照 5 个工作面计算；②1~5 个工作面配备一级普工 5 人。

序号	项 目	单位	数量	人时	台时	材料	利用系数	备注
	EL.70~100m							三期
1	填筑工程量	m³	2 976 000					压实方

序号	项 目	单位	数量	人时	台时	材料	利用系数	备注
2	开挖施工工程量	m³	2 294 500					自然方
3	小时生产率	m³/h	1 258					
4	长期工作影响系数		0.8					
5	平均生产率	m³/h	1 006.4					
	劳力资源							
6	工长	人	1	2 280			1	
7	三级履带钻钻工	人	5	11 400			1	
8	二级手风钻钻工	人	10	22 799			1	
9	四级炮工	人	5	5 700			0.5	
10	三级炮工	人	5	5 700			0.5	
11	二级炮工	人	30	34 199			0.5	
12	二级小型工具车司机	人	1	2 280			1	
13	三级电工	人	1	2 280			1	
14	二级电工	人	1	2 280			1	
15	一级普工	人	5	11 400			1	
16	三级空压机操作工	人	5	11 400			1	
	设备资源							
17	小型工具车	台	1		547		0.3	
18	ROC812H 液压履带钻	台	5		6 110		0.67	
19	YT-25 手风钻	台	10		9 120		0.5	
20	空压机	台	5		4 560		0.5	
	材料							
21	炸药	kg	0.42			963 690		
22	雷管	个	0.011			25 240		
23	导爆管	m	0.12			275 340		
24	导爆索	m	0.03			688 35		
25	导火索	m	0.002			4 589		
26	钻头	个	0.005			11 473		
27	钻杆	根	0.002			4 589		
28	其他							

注:①按照 5 个工作面计算;②1~5 个工作面配备一级普工 5 人。

	EL.100~130m							三期
1	填筑工程量	m³	2 069 100					压实方
2	开挖施工工程量	m³	1 595 300					自然方
3	小时生产率	m³/h	1 246					
4	长期工作影响系数		0.8					
5	平均生产率	m³/h	996.8					
	劳力资源							
6	工长	人	1	1 600			1	
7	三级履带钻钻工	人	5	8 002			1	

续表 3-4

序号	项　目	单位	数量	人时	台时	材料	利用系数	备注
8	二级手风钻钻工	人	10	16 004			1	
9	四级炮工	人	5	4 001			0.5	
10	三级炮工	人	5	4 001			0.5	
11	二级炮工	人	30	24 006			0.5	
12	二级小型工具车司机	人	1	1 600			1	
13	三级电工	人	1	1 600			1	
14	二级电工	人	1	1 600			1	
15	一级普工	人	5	8 002			1	
16	三级空压机操作工	人	5	8 002			1	
	设备资源							
17	小型工具车	台	1		384		0.3	
18	ROC812H液压履带钻	台	5		4 225		0.66	
19	YT-25手风钻	台	10		6 402		0.5	
20	空压机	台	5		3 201		0.5	
	材料							
21	炸药	kg	0.42			670 026		
22	雷管	个	0.011			17 548		
23	导爆管	m	0.12			191 436		
24	导爆索	m	0.03			47 859		
25	导火索	m	0.002			3 191		
26	钻头	个	0.005			7 977		
27	钻杆	根	0.002			3 191		
28	其他							

注：①按照5个工作面计算；②1~5个工作面配备一级普工5人。

	EL.130~150m							三期
1	填筑工程量	m³	480 400					压实方
2	开挖施工工程量	m³	370 400					自然方
3	小时生产率	m³/h	406					
4	长期工作影响系数		0.8					
5	平均生产率	m³/h	324.8					
	劳力资源							
6	工长	人	1	1 140			1	
7	三级履带钻钻工	人	2	2 281			1	
8	二级手风钻钻工	人	4	4 562			1	
9	四级炮工	人	2	1 140			0.5	
10	三级炮工	人	2	1 140			0.5	
11	二级炮工	人	12	6 842			0.5	
12	二级小型工具车司机	人	1	1 140			1	
13	三级电工	人	1	1 140				

续表 3-4

序号	项 目	单位	数量	人时	台时	材料	利用系数	备注
14	二级电工	人	1	1 140			1	
15	一级普工	人	5	5 702			1	
16	三级空压机操作工	人	2	2 281			1	
	设备资源							
17	小型工具车	台	1		274		0.3	
18	ROC812H 液压履带钻	台	2		985		0.54	
19	YT-25 手风钻	台	4		1 825		0.5	
20	空压机	台	2		912		0.5	
	材料							
21	炸药	kg	0.42			155 568		
22	雷管	个	0.011			4 074		
23	导爆管	m	0.12			44 448		
24	导爆索	m	0.03			11 112		
25	导火索	m	0.002			741		
26	钻头	个	0.005			1 852		
27	钻杆	根	0.002			741		
28	其他							

注:①按照 2 个工作面计算;②1~5 个工作面配备一级普工 5 人。

表 3-5 石料装运施工机械台时、人时、材料用量

序号	项 目	单位	数量	人时	台时	材料	利用系数	备注
	EL.-15~5m							一期
1	填筑工程量	m³	939 200					压实方
2	开挖施工工程量	m³	742 100					自然方
3	小时生产率	m³/h	943					
4	长期工作影响系数		0.8					
5	平均生产率	m³/h	754.4					
	劳力资源							
6	工长	人	1	984			1	
7	二级小型工具车司机	人	1	984			1	
8	三级推土机司机	人	2	1 967			1	
9	三级装载机操作工	人	4	3 935			1	
10	三级自卸汽车司机	人	44	43 283			1	
11	三级挖掘机操作工	人	1	984			1	
12	一级普工	人	5	4 918			1	
	设备资源							
13	小型工具车	台			197		0.25	
14	10m³ 轮式装载机	台	4		1 920		0.61	

序号	项 目	单位	数量	人时	台时	材料	利用系数	备注
15	60t 自卸汽车	台	44		21 122		0.61	运距 5km
16	1m³ 液压反铲	台	1		480		0.61	
17	370HP 推土机	台	2		960		0.61	
	材料							
18	其他							

注:①按照 4 个工作面计算;②1~5 个工作面配备一级普工 5 人。

	EL.5~10m							二期
1	填筑工程量	m³	312 100					压实方
2	开挖施工工程量	m³	240 600					自然方
3	小时生产率	m³/h	1 253					
4	长期工作影响系数		0.8					
5	平均生产率	m³/h	1 002.4					
	劳力资源							
6	工长	人	1	240			1	
7	二级小型工具车司机	人	1	240			1	
8	三级推土机司机	人	2	480			1	
9	三级装载机操作工	人	5	1 200			1	
10	三级自卸汽车司机	人	55	13 201			1	
11	三级挖掘机操作工	人	1	240			1	
12	一级普工	人	5	1 200			1	
	设备资源							
13	小型工具车	台	1		58		0.3	
14	10m³ 轮式装载机	台	5		624		0.65	
15	60t 自卸汽车	台	55		6 865		0.65	运距 5km
16	1m³ 液压反铲	台	1		125		0.65	
17	370HP 推土机	台	2		311		0.81	
	材料							
18	其他							

注:①按照 5 个工作面计算;②1~5 个工作面配备一级普工 5 人。

	EL.10~30m							二期
1	填筑工程量	m³	1 498 300					压实方
2	开挖施工工程量	m³	1 155 100					自然方
3	小时生产率	m³/h	1 245					
4	长期工作影响系数		0.8					

序号	项 目	单位	数量	人时	台时	材料	利用系数	备注
5	平均生产率	m³/h	996.0					
	劳力资源							
6	工长	人	1	1 160			1	
7	二级小型工具车司机	人	1	1 160			1	
8	三级推土机司机	人	2	2 319			1	
9	三级装载机操作工	人	5	5 799			1	
10	三级自卸汽车司机	人	55	63 786			1	
11	三级挖掘机操作工	人	1	1 160			1	
12	一级普工	人	5	5 799			1	
	设备资源							
13	小型工具车	台	1		325		0.35	
14	10m³ 轮式装载机	台	5		3 015		0.65	
15	60t 自卸汽车	台	55		33 169		0.65	运距5km
16	1m³ 液压反铲	台	1		603		0.65	
17	370HP 推土机	台	2		1 503		0.81	
	材料							
18	其他							

注:①按照5个工作面计算;②1~5个工作面配备一级普工5人。

	EL. 30~60m							二期
1	填筑工程量	m³	1 803 600					压实方
2	开挖施工工程量	m³	1 390 600					自然方
3	小时生产率	m³/h	1 242					
4	长期工作影响系数		0.8					
5	平均生产率	m³/h	993.6					
	劳力资源							
6	工长	人	1	1 400			1	
7	二级小型工具车司机	人	1	1 400			1	
8	三级推土机司机	人	2	2 799			1	
9	三级装载机操作工	人	5	6 998			1	
10	三级自卸汽车司机	人	60	83 973			1	
11	三级挖掘机操作工	人	1	1 400			1	
12	一级普工	人	5	6 998			1	
	设备资源							
13	小型工具车	台	1		336		0.3	
14	10m³ 轮式装载机	台	5		3 639		0.65	

序号	项 目	单位	数量	人时	台时	材料	利用系数	备注
15	60t 自卸汽车	台	60		42 323		0.63	运距 5.5km
16	1m³ 液压反铲	台	1		952		0.85	
17	370HP 推土机	台	2		1 814		0.81	
	材料							
18	其他							

注:①按照 5 个工作面计算;②1~5 个工作面配备一级普工 5 人。

序号	项 目	单位	数量	人时	台时	材料	利用系数	备注
	EL. 60~80m							二期
1	填筑工程量	m³	605 000					压实方
2	开挖施工工程量	m³	466 400					自然方
3	小时生产率	m³/h	940					
4	长期工作影响系数		0.8					
5	平均生产率	m³/h	752.0					
	劳力资源							
6	工长	人	1	620			1	
7	二级小型工具车司机	人	1	620			1	
8	三级推土机司机	人	2	1 240			1	
9	三级装载机操作工	人	4	2 481			1	
10	三级自卸汽车司机	人	48	29 770			1	
11	三级挖掘机操作工	人	1	620			1	
12	一级普工	人	5	3 101			1	
	设备资源							
13	小型工具车	台	1		149		0.3	
14	10m³ 轮式装载机	台	4		1 211		0.61	
15	60t 自卸汽车	台	48		15 004		0.63	运距 6km
16	1m³ 液压反铲	台	1		273		0.55	
17	370HP 推土机	台	2		605		0.61	
	材料							
18	其他							

注:①按照 4 个工作面计算;②1~5 个工作面配备一级普工 5 人。

序号	项 目	单位	数量	人时	台时	材料	利用系数	备注
	EL. 5~20m							三期
1	填筑工程量	m³	695 600					压实方
2	开挖施工工程量	m³	536 300					自然方
3	小时生产率	m³/h	1 197					

序号	项 目	单位	数量	人时	台时	材料	利用系数	备注
4	长期工作影响系数		0.8					
5	平均生产率	m³/h	957.6					
	劳力资源							
6	工长	人	1	560			1	
7	二级小型工具车司机	人	1	560			1	
8	三级推土机司机	人	2	1 120			1	
9	三级装载机操作工	人	5	2 800			1	
10	三级自卸汽车司机	人	55	30 803			1	
11	三级挖掘机操作工	人	1	560			1	
12	一级普工	人	5	2 800			1	
	设备资源							
13	小型工具车	台	1		112		0.25	
14	10m³ 轮式装载机	台	5		1 389		0.62	
15	60t 自卸汽车	台	55		15 278		0.62	运距 5km
16	1m³ 液压反铲	台	1		278		0.62	
17	370HP 推土机	台	2		699		0.78	
	材料							
18	其他							

注:①按照 5 个工作面计算;②1~5 个工作面配备一级普工 5 人。

	EL.20~70m							三期
1	填筑工程量	m³	3 545 700					压实方
2	开挖施工工程量	m³	2 733 700					自然方
3	小时生产率	m³/h	1 238					
4	长期工作影响系数		0.8					
5	平均生产率	m³/h	990.4					
	劳力资源							
6	工长	人	1	2 760			1	
7	二级小型工具车司机	人	1	2 760			1	
8	三级推土机司机	人	2	5 520			1	
9	三级装载机操作工	人	5	13 801			1	
10	三级自卸汽车司机	人	55	151 811			1	
11	三级挖掘机操作工	人	1	2 760			1	
12	一级普工	人	5	13 801			1	
	设备资源							
13	小型工具车	台	1		662		0.3	

序号	项 目	单位	数量	人时	台时	材料	利用系数	备注
14	10m³ 轮式装载机	台	5		7 066		0.64	
15	60t 自卸汽车	台	55		77 727		0.64	运距 5km
16	1m³ 液压反铲	台	1		1 413		0.64	
17	370HP 推土机	台	2		3 533		0.8	
	材料							
18	其他							

注：①按照 5 个工作面计算；②1~5 个工作面配备一级普工 5 人。

	EL.70~100m							三期
1	填筑工程量	m³	2 976 000					压实方
2	开挖施工工程量	m³	2 294 500					自然方
3	小时生产率	m³/h	1 258					
4	长期工作影响系数		0.8					
5	平均生产率	m³/h	1 006.4					
	劳力资源							
6	工长	人	1	2 280			1	
7	二级小型工具车司机	人	1	2 280			1	
8	三级推土机司机	人	2	4 560			1	
9	三级装载机操作工	人	5	11 400			1	
10	三级自卸汽车司机	人	60	136 795			1	
11	三级挖掘机操作工	人	1	2 280			1	
12	一级普工	人	5	11 400			1	
	设备资源							
13	小型工具车	台	1		547		0.3	
14	10m³ 轮式装载机	台	5		6 019		0.66	
15	60t 自卸汽车	台	60		70 039		0.64	运距 5.5km
16	1m³ 液压反铲	台	1		1 204		0.66	
17	370HP 推土机	台	2		3 028		0.83	
	材料							
18	其他							

注：①按照 5 个工作面计算；②1~5 个工作面配备一级普工 5 人。

	EL.100~130m							三期
1	填筑工程量	m³	2 069 100					压实方
2	开挖施工工程量	m³	1 595 300					自然方
3	小时生产率	m³/h	1 246					
4	长期工作影响系数		0.8					
5	平均生产率	m³/h	996.8					

续表 3-5

序号	项 目	单位	数量	人时	台时	材料	利用系数	备注
	劳力资源							
6	工长	人	1	1 600			1	
7	二级小型工具车司机	人	1	1 600			1	
8	三级推土机司机	人	2	3 201			1	
9	三级装载机操作工	人	5	8 002			1	
10	三级自卸汽车司机	人	60	96 025			1	
11	三级挖掘机操作工	人	1	1 600			1	
12	一级普工	人	5	8 002			1	
	设备资源							
13	小型工具车	台	1		384		0.3	
14	10m³ 轮式装载机	台	5		4 161		0.65	
15	60t 自卸汽车	台	60		51 470		0.67	运距 6km
16	1m³ 液压反铲	台	1		1 088		0.85	
17	370HP 推土机	台	2		2 074		0.81	
	材料							
18	其他							

注:①按照 5 个工作面计算;②1~5 个工作面配备一级普工 5 人。

序号	项 目	单位	数量	人时	台时	材料	利用系数	备注
	EL.130~150m							三期
1	填筑工程量	m³	480 400					压实方
2	开挖施工工程量	m³	370 400					自然方
3	小时生产率	m³/h	406					
4	长期工作影响系数		0.8					
5	平均生产率	m³/h	324.8					
	劳力资源							
6	工长	人	1	1 140			1	
7	二级小型工具车司机	人	1	1 140			1	
8	三级推土机司机	人	1	1 140			1	
9	三级装载机操作工	人	2	2 281			1	
10	三级自卸汽车司机	人	24	27 369			1	
11	三级挖掘机操作工	人	1	1 140			1	
12	一级普工	人	5	5 702			1	
	设备资源							
13	小型工具车	台	1		228		0.25	
14	10m³ 轮式装载机	台	2		967		0.53	
15	60t 自卸汽车	台	24		12 043		0.55	运距 6km
16	1m³ 液压反铲	台	1		502		0.55	
17	370HP 推土机	台	1		484		0.53	
	材料							
18	其他							

注:①按照 2 个工作面计算;②1~5 个工作面配备一级普工 5 人。

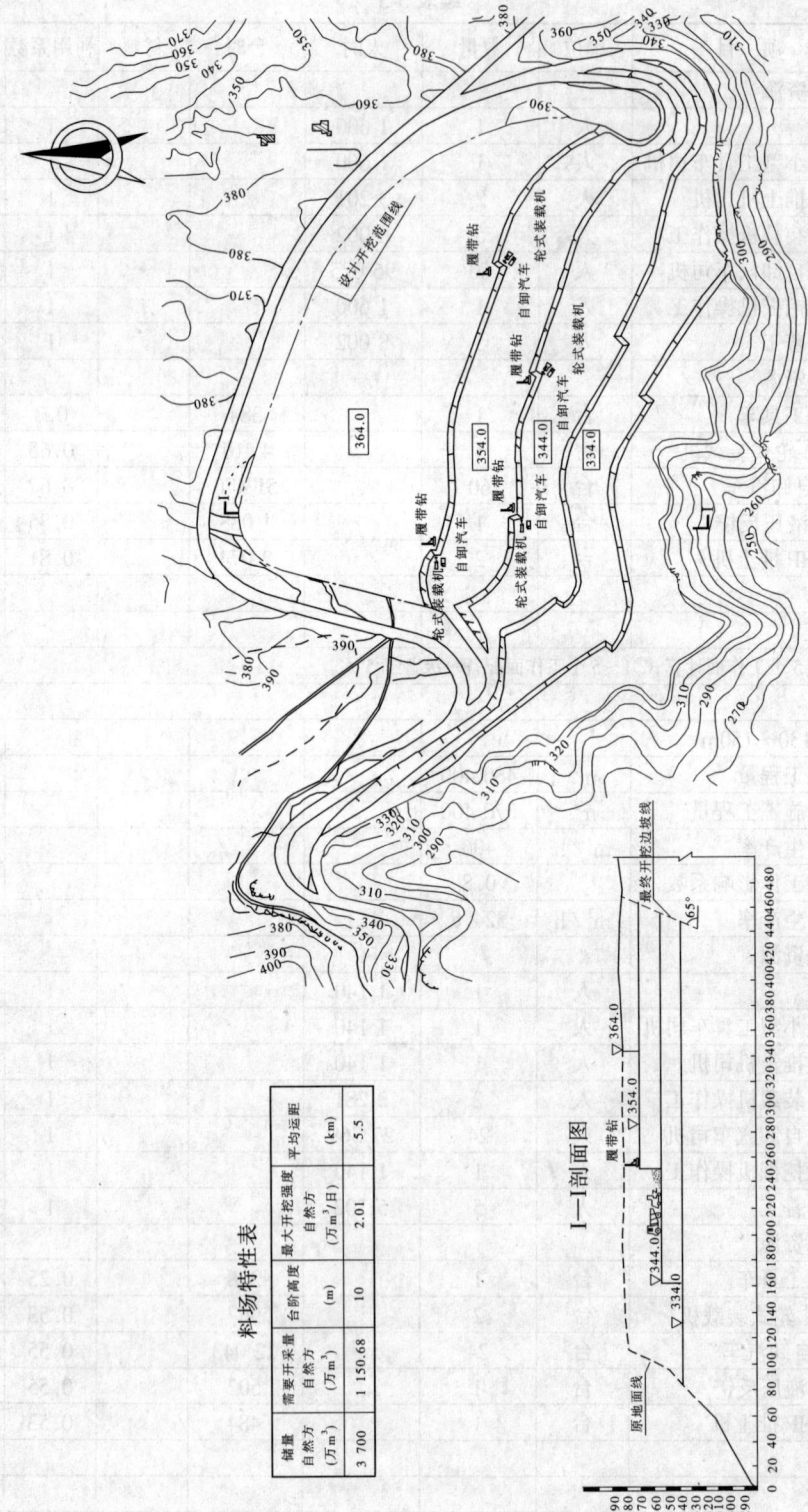

料场特性表

储量 (自然 m³)	需要开采量 自然方 (万 m³)	台阶高度 (m)	最大开挖强度 自然方 (万 m³/日)	平均运距 (km)
3 700	1 150.68	10	2.01	5.5

I—I剖面图

附图 1 石料场开采布置图

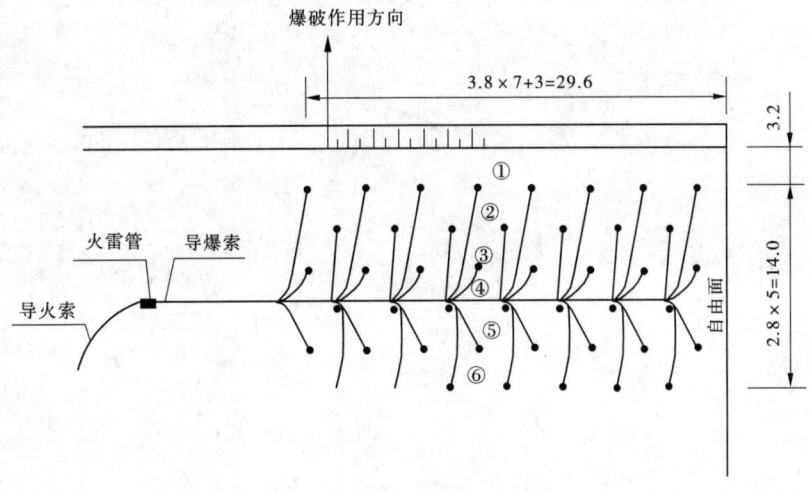

(a)炮孔平面布置示意图

说明：

　　1.①~⑥为起爆先后顺序。

　　2.起爆时差为25ms。

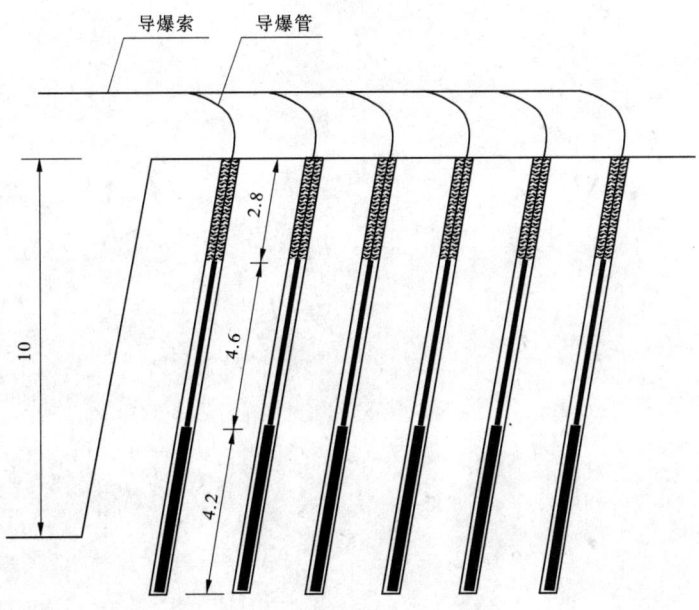

(b)炮孔装药结构示意图

附图2　石料场开采炮孔平面布置、起爆网络及装药结构示意图(单位:m)

八、坝基开挖工程

1 工程模拟

1.1 模拟条件

以坝高100m混凝土重力坝为模拟对象,重力坝的断面尺寸参考已建工程选取,模拟坝型的标准断面见附图2。

假定坝址位于地形相对平整、地质构造相对稳定、无大断层破碎带的石灰岩岩层上。河床为砂卵石覆盖层,覆盖层厚8m,基岩为岩性较均一的石灰岩,开挖风化层厚5m,岩性为中等坚硬石灰岩,f取值为8~10。

1.2 模拟尺寸

模拟尺寸见附图1和附图2。

1.3 设计工程量

坝基覆盖层开挖工程量及坝基岩石开挖工程量见表1-1。

表1-1 坝基开挖工程量

材料类别	开挖部位	厚度 (m)	预裂面面积 (m²)	施工工程量 (m³)
砂卵石	河床	8		166 060
岩石	左岸 EL.190~170m	20	1 465	21 420
	右岸 EL.190~170m	20	1 400	19 992
	河床 EL.170~165m	5	17 630(建基面)	93 026
	小　计		20 495	134 438
合　　计			20 495	300 498

2 模拟工程施工组织设计

2.1 施工布置及施工方法

因本专题的重点是河床常水位以下坝基开挖,而施工导流、料场开采、岸坡开挖、坝体混凝土浇筑等项工程另有专题研究,故本专题的施工布置仅重点对坝基开挖施工进行论述。

2.1.1 出渣道路布置

为简化工作,本工程导流方案仅考虑河床围堰一次断流,围堰布置见附图3。假定本模拟工程堆渣场位于轴线下游左岸2km处的滩地上。根据渣场位置和所选运输机械的技术性能,沿左岸布置一条下基坑的运输主干线,主干线路宽10m,再从主干线接支线至开挖工作面,其布置形式见附图3。

2.1.2 施工排水布置

基坑开挖采用明排方式排水。在进行开挖前,预先开挖排水沟和集水井,将坝基渗水通过排水沟排入布置于左岸下游的集水井中,再由下游排水泵站将集水排入下游河道,排水布置见附图3。

2.1.3 坝基开挖程序

模拟工程河床常水位为 185.00m,为尽可能提前浇筑坝体混凝土,减少截流后坝基开挖量,190.00m 以上岸坡岩石开挖安排在截流前完成(另有专题研究),以下部位的岸坡岩石及河床部位的砂卵石覆盖层、基岩开挖则安排在截流后进行。围堰截流闭气后,即开始基坑抽水,待基坑抽水完成后,首先安排河床砂卵石开挖,再进行两岸岸坡EL.190.00~170.00m 岩石开挖,最后安排河床岩石的开挖。

2.1.4 河床覆盖层开挖施工

河床覆盖层平均开挖厚 8.0m,采用 215HP 推土机辅助集料,3m³ 正铲液压挖掘机挖装,20t 自卸汽车运输出渣,运距 2.0km。

2.1.5 坝基岩石开挖施工方法

2.1.5.1 岸坡岩石开挖施工方法

河床砂卵石覆盖层开挖完成后,即开始两岸岸坡 EL.190.00m 以下岩石开挖。岸坡岩石采用分台阶微差爆破开挖,边坡轮廓采用预裂爆破,台阶高为 10.0m。由 ROC812H 型液压钻机钻孔,215HP 推土机将爆破石渣推至坡脚集料堆,3m³ 正铲液压挖掘机挖装,20t 自卸汽车运输出渣,运距 2.0km。

2.1.5.2 坝基河床岩石开挖施工方法

坝基河床岩石开挖厚 5m,采用分块一次爆破施工,基岩面采用水平预裂法爆破。为创造开挖掌子面,先在坝基中部开挖一宽度为 10m 的先锋槽,待掌子面开挖出后,即进行邻接块的爆破开挖,并按有利于排水、有利于机械施工、有利于出渣、有利于连续作业等原则,依次顺序进行邻接块的爆破开挖。采用 YQ－100 型露天潜孔钻机钻水平预裂孔,ROC812H 型液压钻机钻垂直爆破孔,215HP 推土机辅助集料,3m³ 正铲液压挖掘机挖装,20t 自卸汽车运输出渣,运距 2.0km。

2.1.6 岩石开挖钻爆参数设计

岩石开挖钻爆参数设计参考《水利水电工程施工组织设计手册》第 2 卷第四篇第二节一般钻爆设计和第四节预裂爆破。预裂爆破线装药密度计算公式为

$$Q_x = 2.75 r^{0.38} \sigma^{0.53}$$

式中 Q_x——线装药密度,g/m,孔长不计孔口长度;

r——钻孔半径,mm,适用 $r = d/2 = (46/2 \sim 170/2)$mm;

σ——岩石极限抗压强度,kgf/cm²,适用 100~1 500kgf/cm²。

上述线装药密度经验公式系采用含 40% 的硝化甘油耐冻胶质炸药所得出的,若用其他炸药时,需进行换算。

2.1.6.1 岸坡岩石开挖钻爆参数设计

岸坡岩石开挖爆破选择岸坡典型爆破台阶为研究对象,假定台阶梯段高度为 10m,工作面宽度为 12m,工作面长度为 21.0m,开挖边坡轮廓采用预裂爆破。根据上面的计算理论,参考已建工程的实际经验,计算确定其钻爆参数,钻孔布置、起爆网络及典型装药结构见图 2-1,岸坡典型爆破台阶钻爆参数见表 2-1,典型爆破台阶单耗指标见表 2-4。

2.1.6.2 先锋槽岩石开挖钻爆参数设计

根据坝基开挖施工布置和施工程序安排,在进行坝基岩石开挖前,出渣道路先修至坝

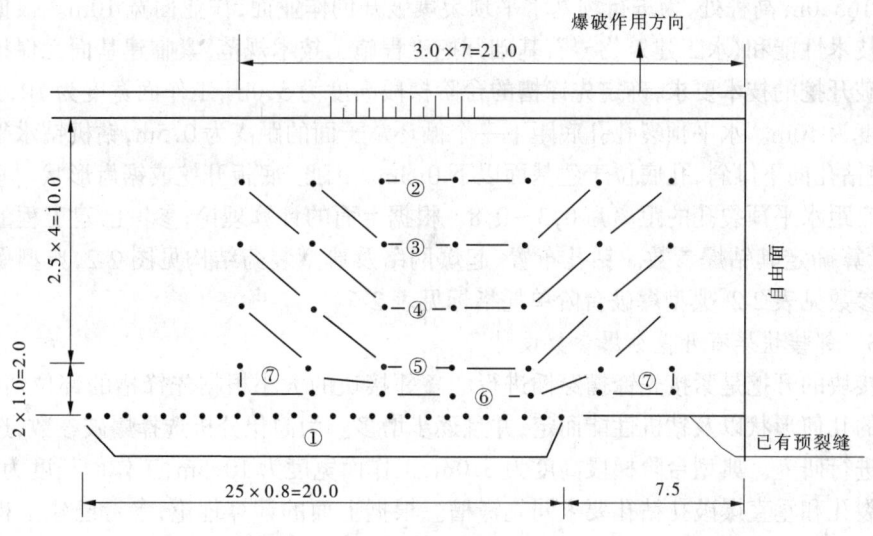

(a)炮孔平面布置示意图

说明：1.①~⑦为起爆先后顺序。

2.起爆时差为25ms。

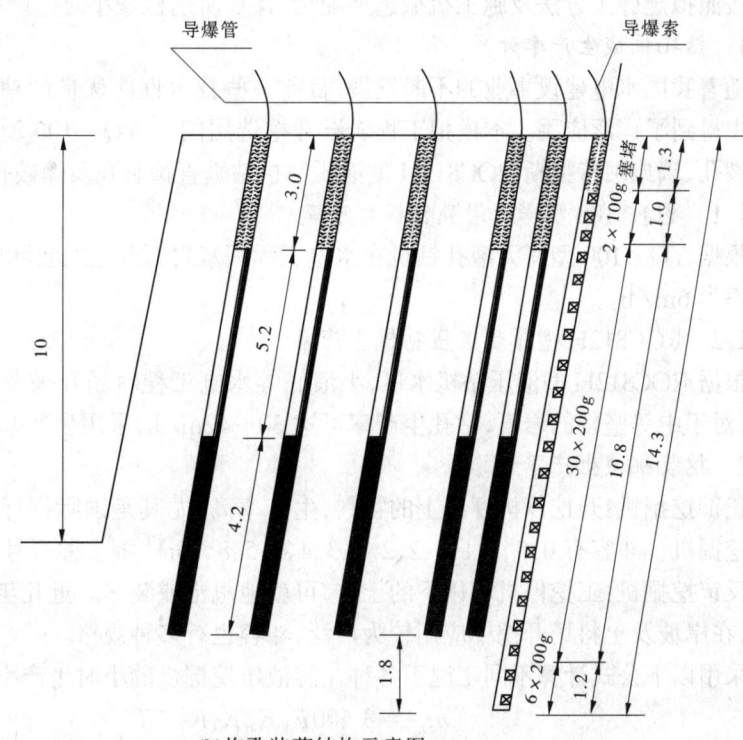

(b)炮孔装药结构示意图

图2-1 岸坡开挖炮孔平面布置、起爆网络及装药结构示意图(单位:m)

基中部 165.0m 高程处,为进行坝基水平预裂爆破开创作业面,作业面宽 10m。根据选用钻机的技术性能和《水工建筑物岩石基础开挖工程施工技术规范》紧临建基面无保护层的一次爆破开挖的技术要求,确定先锋槽的台阶梯段高度为 5.0m,工作面宽度为 10.5m,工作面长度为 10m。水平预裂孔孔底距下一个循环掌子面的距离为 0.5m,钻机钻水平预裂孔时,使钻孔向下倾斜,孔底位于建基面以下 0.3m。因此,底板开挖成锯齿形状。垂直爆破孔孔底距水平预裂孔的距离为 0.3~0.8。根据上面的计算理论,参考已建工程的实际经验,计算确定其钻爆参数。钻孔布置、起爆网络及典型装药结构见图 2-2,典型爆破台阶钻爆参数见表 2-2,典型爆破台阶单耗指标见表 2-5。

2.1.6.3 邻接块岩石开挖钻爆参数设计

邻接块的开挖是紧接先锋槽穿插进行的。邻接块的大小根据先锋槽的部位情况、河床坝基的几何形状以及钻机性能而定,并且逐步增多。为简化分析选择爆破参数,选择一典型块进行研究。典型台阶梯段高度为 5.0m,工作面宽度为 10.5m,工作面长度为 25m。水平预裂孔和垂直爆破孔钻孔要求同先锋槽。根据上面的计算理论,参考已建工程的实际经验,计算确定其钻爆参数。钻孔布置及起爆网络见图 2-3,典型装药结构见图 2-4,典型爆破台阶钻爆参数见表 2-3,典型爆破台阶单耗指标见表 2-6。

2.2 施工机械选型配套及生产率计算

按照拟定施工方法及施工机械选型配套,计算所选机械小时生产率。

2.2.1 钻孔机械生产率计算

随着我国水电建设事业的不断发展,目前一些技术性能优良的钻孔机械在我国水电建设中得到了广泛应用。本模拟工程岩石开挖选用国产 YQ-100 型露天潜孔钻机钻水平预裂孔,瑞典阿特拉斯 ROC812H 型液压钻机钻垂直预裂孔及爆破孔。

2.2.1.1 YQ-100 型露天潜孔钻机生产率

根据 YQ-100 型露天潜孔钻机在水电工程坝基岩石开挖的实际应用情况,确定钻孔生产率为 6m/h。

2.2.1.2 ROC812H 型履带液压钻机生产率

根据 ROC812H 型液压钻机水口、小浪底等水电工程料场开采及坝基开挖中的使用情况,对于中等坚硬的岩石,钻孔生产率可达 30~42m/h,采用生产率为 40m/h。

2.2.2 挖装机械生产率计算

正铲挖掘机:开挖停机坪以上的物料,生产率高,尤其是国际招标工程工地较多采用液压挖掘机。斗容有 0.5、1、1.5、2、2.5、3、4、5.5、8、10m^3 等多种型号。

反铲挖掘机:工挖停机坪以下的土方,可就地甩土或装车。近几年在国际招标工程施工中,在岸坡及土料场开挖中应用较为广泛,斗容也有多种规格。

采用以下公式计算不同工况下各种斗容液压挖掘机的小时生产率:

$$m_g = 3\,600 E_k K_h K_t K_p / T$$

式中 m_g——挖掘机小时生产率,m^3/h(自然方);

E_k——铲斗几何斗容,m^3;

K_h——铲斗充盈系数,见表 2-7、表 2-8;

表 2-1 岸坡岩石开挖典型台阶爆破参数

项目	台阶高度(m)	钻孔坡比	孔径(mm)	孔距(m)	排距(m)	孔深(m)	炸药品种	线装药密度(g/m)	单孔装药量(kg)	炮孔数(个)	装药量(kg)	单耗(kg/m³)	堵塞长度(m)	起爆方式
岸坡预裂孔	10	2.5:1	76	0.8	1.0	14.3	Φ32岩石硝铵炸药	533	7.4	26	192.4		1.2	毫秒微差起爆
预裂孔前排爆破孔	10	2.5:1	76	3.0	1.0	12.4	Φ70岩石硝铵炸药		15.0	7	105.0		3.0	
爆破孔	10	2.5:1	76	3.0	2.5	12.4	Φ70岩石硝铵炸药		30.0	28	840.0		3.0	
合计										61	1 137.4	0.45		

表 2-2 先锋槽岩石开挖典型台阶爆破参数

项目	台阶高度(m)	孔型坡比	孔径(mm)	孔距(m)	排距(m)	孔深(m)	炸药品种	线装药密度(g/m)	单孔装药量(kg)	炮孔数(个)	装药量(kg)	单耗(kg/m³)	堵塞长度(m)	起爆方式
水平预裂孔	5.0	水平	100	1.0	2.0	10.0	Φ32岩石硝铵炸药	590	5.6	10	56		1.2	毫秒微差起爆
垂直爆破孔	5.0	垂直	51	2.5	2.0	4.5	Φ40岩石硝铵炸药		10.0	25	250		2.0	
合计										35	306	0.58		

表 2-3 邻接块岩石开挖典型台阶爆破参数

项目	台阶高度(m)	孔型坡比	孔径(mm)	孔距(m)	排距(m)	孔深(m)	炸药品种	线装药密度(g/m)	单孔装药量(kg)	炮孔数(个)	装药量(kg)	单耗(kg/m³)	堵塞长度(m)	起爆方式
水平预裂孔	5.0	水平	100	1.0	2.0	10.0	Φ32岩石硝铵炸药	590	5.6	20	140		1.2	毫秒微差起爆
垂直爆破孔	5.0	垂直	51	2.5	2.0	4.5	Φ40岩石硝铵炸药		10.0	25	500		2.0	
合计										75	640	0.49		

表 2-4　岸坡典型爆破台阶单耗指标计算

序号	项　目	单位	数量	备注
1	典型台阶梯段高度	m	10.0	
2	典型台阶工作面长	m	21.0	
3	典型台阶工作面宽	m	12.0	
4	预裂孔数量	个	26	
5	预裂孔钻孔深度	m	14.3	
6	预裂孔单孔装药量	kg/孔	7.4	
7	预裂孔单孔导爆索长度	m/孔	15.8	
8	预裂孔总装药量	kg	192.4	
9	预裂孔钻孔长	m	371.8	
10	预裂孔导爆索长度	m	410.8	
11	爆破孔数量	个	28	
12	爆破孔钻孔深度	m	12.4	
13	爆破孔单孔装药量	kg/孔	30.0	
14	爆破孔单孔导爆管长度	m/孔	13.9	
15	爆破孔单孔雷管数	个/孔	1	
16	预裂孔前排爆破孔数	个	7	
17	预裂孔前排爆破孔钻孔深度	m	12.4	
18	预裂孔前排爆破孔单孔装药量	kg/孔	15.0	
19	预裂孔前排爆破单孔导爆管长度	m/孔	13.9	
20	预裂孔前排爆破孔单孔雷管数	个/孔	1	
21	爆破孔总装药量	kg	945.0	
22	爆破孔钻孔长	m	434.0	
23	爆破孔导爆管长度	m	486.5	
24	爆破孔雷管数	个	35	
25	起爆火雷管数	个	1	
26	起爆导爆索长度	m	20	
27	典型台阶钻孔总数	个	61	
28	典型台阶钻孔总长	m	805.8	
29	典型台阶总装药量	kg	1 137.4	
30	典型台阶导爆索总长度	m	430.8	
31	典型台阶导爆管总长度	m	486.5	
32	典型台阶导火索长度	m	20.0	
33	典型台阶雷管总量	个	40	
34	设计工程量	m^3	2 520	
35	周边预裂面面积	m^2	226	
36	预裂爆破单位面积钻孔进尺	m/m^2	1.65	
37	预裂爆破单位面积耗药量	kg/m^2	0.85	
38	单方炸药耗量	kg/m^3	0.38	不计预裂孔装药
39	单方炸药耗量	kg/m^3	0.45	
40	每米钻孔爆破方量	m^3/m	3.13	
41	单方导爆索耗量	m/m^3	0.17	
42	单方导爆管耗量	m/m^3	0.19	
43	单方导火索耗量	m/m^3	0.008	
44	单方雷管耗量	个/m^3	0.016	

表 2-5　先锋槽典型爆破台阶单耗指标计算

序号	项　目	单位	数量	备注
1	典型台阶梯段高度	m	5.0	
2	典型台阶工作面长	m	10.0	
3	典型台阶工作面宽	m	10.5	
4	水平预裂孔数量	个	10	
5	水平预裂孔钻孔深度	m	10.0	
6	水平预裂孔单孔装药量	kg/孔	5.6	
7	水平预裂孔单孔导爆索长度	m/孔	11.5	
8	水平预裂孔总装药量	kg	56.0	
9	水平预裂孔钻孔长	m	100.0	
10	水平预裂孔导爆索长度	m	115.0	
11	爆破孔数量	个	25	
12	爆破孔钻孔深度	m	4.5	
13	爆破孔单孔装药量	kg/孔	10.0	
14	爆破孔单孔导爆索长度	m/孔	4.5	
15	爆破孔单孔导爆管长度	m/孔	6.0	
16	爆破孔单孔雷管数	个/孔	1	
17	爆破孔总装药量	kg	250.0	
18	爆破孔钻孔长	m	112.5	
19	爆破孔导爆索长度	m	112.5	
20	爆破导爆管长度	m	150.0	
21	爆破孔雷管数	个	25	
22	起爆火雷管数	个	1	
23	起爆导爆索长度	m	10	
24	典型台阶钻孔总数	个	35	
25	典型台阶钻孔总长	m	212.5	
26	典型台阶总装药量	kg	306.0	
27	典型台阶导爆索总长度	m	237.5	
28	典型台阶导爆管总长度	m	150.0	
29	典型台阶导火索长度	m	20.0	
30	典型台阶雷管总量	个	29	
31	设计工程量	m^3	525	
32	水平预裂面面积	m^2	105	
33	预裂爆破单位面积钻孔进尺	m/m^2	0.95	
34	预裂爆破单位面积耗药量	kg/m^2	0.53	
35	单方炸药耗量	kg/m^3	0.48	不计预裂孔装药
36	单方炸药耗量	kg/m^3	0.58	
37	每米钻孔爆破方量	m^3/m	2.47	
38	单方导爆索耗量	m/m^3	0.45	
39	单方导爆管耗量	m/m^3	0.29	
40	单方导火索耗量	m/m^3	0.038	
41	单方雷管耗量	$个/m^3$	0.055	

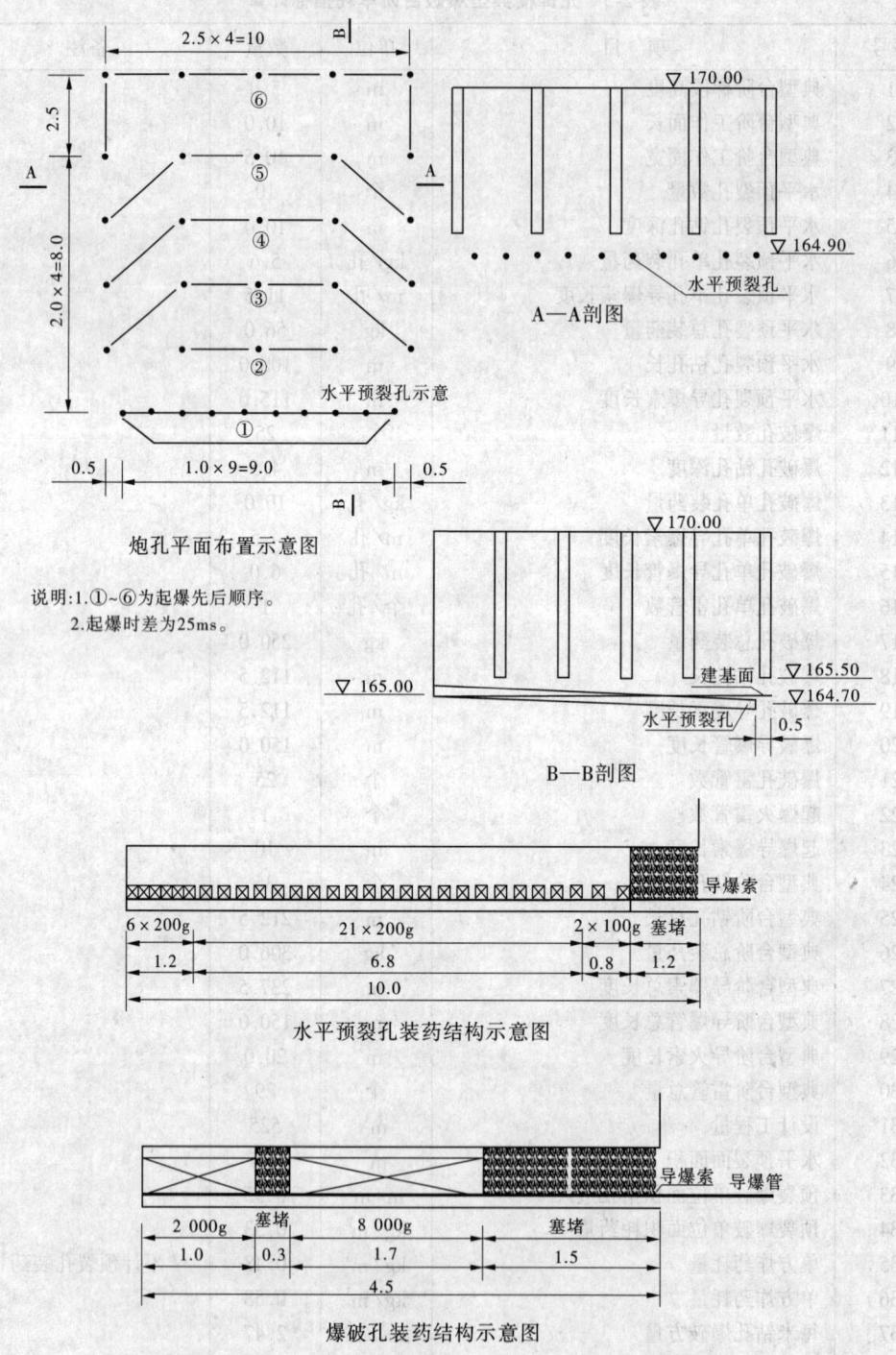

炮孔平面布置示意图

说明:1.①~⑥为起爆先后顺序。
　　　2.起爆时差为25ms。

A—A剖图

B—B剖图

水平预裂孔装药结构示意图

爆破孔装药结构示意图

图2-2　先锋槽开挖炮孔平面布置、起爆网络及装药结构示意图(单位:m)

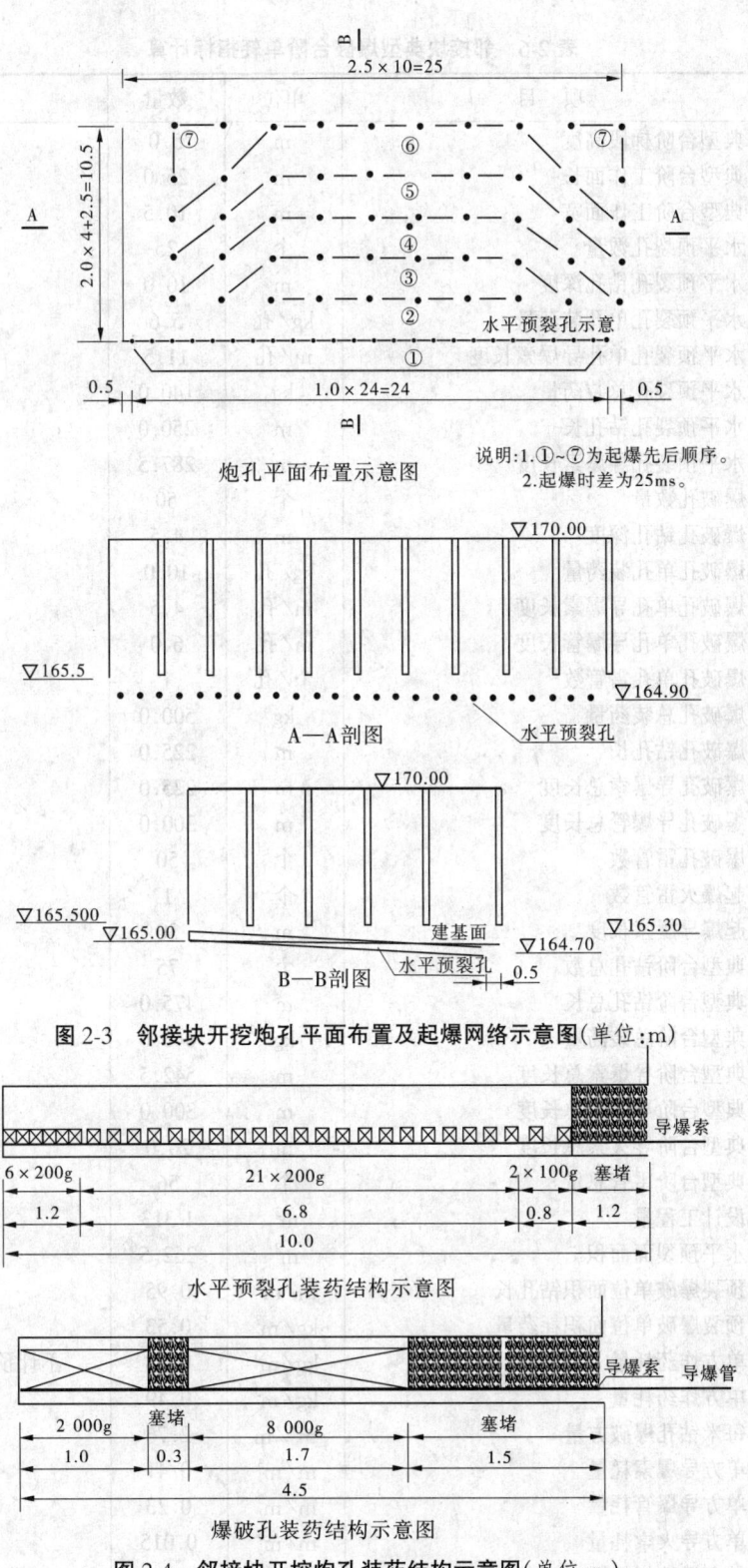

说明:1.①~⑦为起爆先后顺序。
2.起爆时差为25ms。

炮孔平面布置示意图

A—A剖图

水平预裂孔

B—B剖图

图 2-3 邻接块开挖炮孔平面布置及起爆网络示意图(单位:m)

水平预裂孔装药结构示意图

爆破孔装药结构示意图

图 2-4 邻接块开挖炮孔装药结构示意图(单位:m)

表 2-6　邻接块典型爆破台阶单耗指标计算

序号	项　目	单位	数量	备注
1	典型台阶梯段高度	m	5.0	
2	典型台阶工作面长	m	25.0	
3	典型台阶工作面宽	m	10.5	
4	水平预裂孔数量	个	25	
5	水平预裂孔钻孔深度	m	10.0	
6	水平预裂孔单孔装药量	kg/孔	5.6	
7	水平预裂孔单孔导爆索长度	m/孔	11.5	
8	水平预裂孔总装药量	kg	140.0	
9	水平预裂孔钻孔长	m	250.0	
10	水平预裂孔导爆索长度	m	287.5	
11	爆破孔数量	个	50	
12	爆破孔钻孔深度	m	4.5	
13	爆破孔单孔装药量	kg/孔	10.0	
14	爆破孔单孔导爆索长度	m/孔	4.5	
15	爆破孔单孔导爆管长度	m/孔	6.0	
16	爆破孔单孔雷管数	个/孔	1	
17	爆破孔总装药量	kg	500.0	
18	爆破孔钻孔长	m	225.0	
19	爆破孔导爆索总长度	m	225.0	
20	爆破孔导爆管总长度	m	300.0	
21	爆破孔雷管数	个	50	
22	起爆火雷管数	个	1	
23	起爆导爆索长度	m	30	
24	典型台阶钻孔总数	个	75	
25	典型台阶钻孔总长	m	475.0	
26	典型台阶总装药量	kg	640.0	
27	典型台阶导爆索总长度	m	542.5	
28	典型台阶导爆管总长度	m	300.0	
29	典型台阶导火索总长度	m	20.0	
30	典型台阶雷管总量	个	56	
31	设计工程量	m³	1 313	
32	水平预裂面面积	m²	262.5	
33	预裂爆破单位面积钻孔长	m/m²	0.95	
34	预裂爆破单位面积耗药量	kg/m²	0.53	
35	单方炸药耗量	kg/m³	0.38	不计预裂孔装药
36	单方炸药耗量	kg/m³	0.49	
37	每米钻孔爆破方量	m³/m	2.76	
38	单方导爆索耗量	m/m³	0.41	
39	单方导爆管耗量	m/m³	0.23	
40	单方导火索耗量	m/m³	0.015	
41	单方雷管耗量	个/m³	0.043	

T——挖装一次的工作循环时间,一般取 $25\sim35\mathrm{s}$(斗容小取小值,斗容大则取大值);

K_p——物料可松性系数,详见表2-9;

K_t——时间利用系数,取 $0.75\sim0.85$。

公式中的参数取值:

$K_\mathrm{t}=0.8$;

$T=25\sim35\mathrm{s}$;

$K_\mathrm{h}=0.95$(砂卵石),0.78(石渣);

$K_\mathrm{p}=0.7$(砂卵石),$0.65\sim0.75$(石渣)。

不同斗容在不同工况下的生产率见表2-10。

表 2-7　液压反铲充盈系数

土壤种类	充盈系数(%)	土壤种类	充盈系数(%)
天然壤土或砂黏土	100~110	爆破良好岩石	60~75
砂卵石	95~110	爆破较差岩石	45~50

表 2-8　液压正铲充盈系数

土壤种类	充盈系数(%)	土壤种类	充盈系数(%)
土	100~105	爆破良好岩石	95~105
土石混合物	100~105	爆破较差岩石	85~95

表 2-9　土石可松性系数

土壤种类	可松性系数	土壤种类	可松性系数
黏土	0.76~0.79	砂砾石	0.89~0.91
砾质土	0.85	爆破良好块石	0.67
壤土	0.78~0.81	页岩与软岩	0.75
砾石土	0.85~0.88	固结砾石	0.70
砂	0.88~0.89	砂卵石	0.70~0.85

表 2-10　挖掘机生产率　　　　　　　　　　(单位:$\mathrm{m^3/h}$)

斗容($\mathrm{m^3}$)	砂卵石	石渣
1	109~78	90~64
3.0	230~164	175~125

2.2.3　运输机械生产率计算

本模拟工程施工运输机械只考虑自卸汽车(型号参照 Caterpillar 手册)。重型汽车均有自己的性能特性曲线,对路面,厂家也有自己的明确要求。根据不同路面的摩阻和不同的路段坡度计算各路段的行车车速,然后计算其不同运距的重轻车平均行车车速。本参考资料参照小浪底、水口等大型水利工程施工汽车行车情况计算选取车速,结果见表2-11。

表2-11 自卸汽车平均行车车速　　　　　　　　　　（单位:km/h）

车型	重车平均行车车速	轻车平均行车车速	平均行车车速	备注
20~50t	28	32	30	运距在1km以内,表中数值乘以0.8

2.2.3.1 汽车与挖装设备的配套

自卸汽车的容量(或载重吨位)应与挖装机械相匹配。自卸汽车容量一般应为挖装机械铲斗容量的3~6倍。按施工经验,自卸汽车容量为挖装机械铲斗容量的5倍时为最经济。如果挖装斗容不变,汽车容量太大,则汽车生产能力降低,反之则挖装机械生产率减小。

按照上述原则汽车同挖装机械的配套见表2-12。

表2-12 挖掘机与自卸汽车配套

挖掘机斗容(m³)	配套汽车吨位(t)	备注
3	20	

2.2.3.2 汽车生产率计算

汽车生产率按以下公式计算:

$$Q = 60qK_{ch}K_t / T$$

式中　Q——自卸汽车小时生产率,L.m³/h;

q——每车运载量,一般以车厢堆装容量计,m³,但实际载重不能超过汽车额定载重量;

K_{ch}——汽车装满系数;

K_t——时间利用系数,取0.75~0.85;

T——汽车运载一次循环时间,min,$T = t_1 + t_2 + t_3 + t_4 + _5$;

t_1——装车时间,min,$t_1 = nT_{装}$;

$T_{装}$——挖装机械挖装一斗的工作循环时间(3m³液压挖掘机取30s);

n——装满一车厢的铲装次数(取整数);

t_2——重车运行时间,min,$t_2 = 60L / v_1$;

L——运输距离,km;

v_1——重车行车速度,km/h,见表2-11;

t_3——卸车时间,一般为1.5~2.5min;

t_4——空车返回时间,min,$t_4 = 60L / v_e$;

v_e——轻车行车速度,km/h,详见表 2-11;

t_5——调车、等车及其他因素停车时间,一般为 1～2.5min。

为了简化计算,不同吨位汽车,不同运距时运输各类料的计算参数取值如下:

$K_t = 0.85$;

$t_3 = 1.5$min;

$t_5 = 2.5$min;

$L = 1.5, 2, 3, 4, 5, 6, 8, 10, 12$km;

$v_1 = 28$km/h(20～50t 汽车);

$v_e = 32$km/h(20～50t 汽车)。

汽车与挖装机械配套,在不同运距的条件下,运输各类物料的生产率计算结果见表 2-13。

表 2-13　汽车生产率计算

序号	汽车吨位 (t)	挖掘机斗容 (m^3)	材料	运距 (km)	汽车生产率 (L. m^3/h)	汽车生产率 (m^3/h)
1	20	3	砂卵石	2.0	42	35
2	20	3	石渣	2.0	37	25

2.2.4　集料机械生产率计算

在坝基开挖机械化施工中,多采用大功率的履带式推土机辅助集料,以保证挖装机械能充分发挥生产效率。本模拟工程选用 215HP 推土机辅助集料。

推土机生产率计算如下:

推土机的配备是以其小时生产能力为标准,其生产率采用如下公式计算:

$$P = 3\,600QFEKG / C_m$$

式中　P——推土机小时生产率,m^3/h(松方);

Q——铲刀容量,m^3,$Q = 1/2h^2 \cot\phi L$;

ϕ——铲刀前土的自然倾角,黏土为 $35°～40°$,壤土为 $30°～40°$,砂为 $25°～35°$,砂砾石为 $35°～40°$;

h——铲刀高度,m;

L——铲刀宽度,m;

F——物料可松性系数;

E——时间利用系数,0.75～0.83;

K——铲刀充盈系数,见表 2-14;

G——坡度变化影响系数,见表 2-15;

C_m——每推运一次循环时间,s,C_m = 固定时间(即换排挡时间,普通每次 10s) + 变动时间(即推土及卸土时间 + 回程时间)。

表 2-14　铲刀充盈系数

土壤种类	充盈系数	土壤种类	充盈系数
普通土	1.0	页岩	0.6
硬黏土	0.8	卵石及已爆石渣	0.5

表 2-15　坡度变化影响系数

坡度	上坡 5%～10%	水平 0	下坡 5%～10%	下坡 15%～20%
G	0.6～0.8	1.0	1.3～1.9	1.9～2.7

　　推土机行驶速度：前进取 3.5～14km/ h,后退取 3～12km/ h;一般推运取 3.5～5 km/ h或 0.9～1.4m/ s,一般回程取 5～10km/ h 或 1.6～2.7m/ s。

　　上述公式计算比较繁杂,且影响因素较多。为简化计算推土机推运物料的生产能力,可采用 Caterpillar 机械性能手册推荐的计算方法计算其小时生产率。计算公式为

$$P = P' \times \text{工作条件调整系数}$$

式中　P'——推土机理论生产率,根据工况在 Caterpillar 机械手册中查得,L. m³ /h。

　　工作条件调整系数等于调整系数表中 7 项系数的乘积。调整系数见表 2-16。

表 2-16　调整系数

序号	条件	分类	系数
1	操作工熟练程度	熟练	1.0
		一般	0.75
		不熟练	0.6
2	材料	散料	1.2
		难铲或冻结	0.7～0.8
		难推移或胶结	0.6
		爆破或经裂土器裂松岩石	0.6～0.8
3	集料方式	槽推法	1.2
		并排法推土	1.15～1.25
4	能见度	雨、雪、大雾及黑天	0.8
5	时间利用率		0.75～0.83
6	直接传动		0.8
7	坡度	上坡 0°～10°	1～0.8
		上坡 10°～20°	0.8～0.55
		上坡 20°～30°	0.55～0.3
		下坡 0°～-10°	1.0～1.2
		下坡 -10°～-20°	1.2～1.4
		下坡 -20°～-30°	1.4～1.6

本参考资料推土机的生产率采用 Caterpillar 法计算,推土机的型号选用 D7HXR (215HP)。

设备工作条件调整系数:$K_石 = 0.42$;$K_土 = 0.6$。

查设备生产率曲线得 215HP 推土机生产率为 $570L \cdot m^3/h$。

215HP 推土机实际生产率:

砂卵石料 $570 \times 0.6 = 342(L \cdot m^3/h)$;

石料 $570 \times 0.42 = 239(L \cdot m^3/h)$。

2.2.5 选用机械生产率

选用机械生产率详见表 2-17。

表 2-17　选用机械生产率汇总

序号	设备名称	砂卵石	石料	备注
1	YQ-100 型潜孔钻机		6m/h	
2	ROC812H 型履带液压钻机		40m/h	
3	3m³ 液压挖掘机	154m³/h	125m³/h	自然方
4	1m³ 液压反铲	70m³/h	60m³/h	自然方
5	20t 自卸汽车	28m³/h	25m³/h	自然方
6	215HP 推土机	239m³/h	160m³/h	自然方

2.3　施工工期及施工强度分析

2.3.1　分析、确定有效施工天数

2.3.1.1　施工天数分析依据

(1)《水利水电工程施工组织设计规范》(试行)SDJ338—89。

(2)星期日停工。

(3)法定节日停工,春节 3 天,元旦 1 天,五一节 1 天,国庆节 2 天,共 7 天。

(4)以中原地区某工程气象资料作为模拟工程的气象资料。

2.3.1.2　停工标准

施工停工标准:

(1)日降雨≤15mm,照常施工。

(2)日降雨>15mm,雨日停工。

(3)日降雨>30mm,雨日停工,雨后停工半天。

(4)发生 8 级大风时停工。

2.3.1.3　有效施工天数

根据气象资料和停工标准,分析确定石方开挖施工天数如表 2-18。

2.3.2　坝基开挖强度分析及施工机械配备

2.3.2.1　坝基砂卵石开挖强度分析及施工机械配备

坝基砂卵石开挖工程量为 166 060m³。根据施工导截流要求和开挖场面的大小,布置挖掘机的数量,依据挖掘机的生产率,分析确定砂卵石的开挖强度和相应配套机械数量。砂卵石开挖强度分析及施工机械配备见表 2-19。

表 2-18　石方开挖施工天数统计

项　目	月　份												全年
	1	2	3	4	5	6	7	8	9	10	11	12	
日历天数	31	28	31	30	31	30	31	31	30	31	30	31	365
节日停工	1	3			1					2			7
星期日停工	5	4	4	4	5	4	4	5	4	5	4	4	52
降雨停工			1	2	1	2	6	4	3	2	1		22
低气温停工													
大风停工		2	2	2	1	2	1	1		1	2	2	15
停工重合天数							1		1				2
施工天数	25	19	24	22	23	22	21	22	23	22	23	25	271

表 2-19　开挖强度分析及机械设备配套计算

工程量 (m^3)	月平均强度 (m^3/月)	工期 (月)	施工机械数量		
			$3m^3$ 液压挖掘机(台)	20t 自卸汽车(辆)	215HP 推土机(台)
166 060	127 738	1.3	2	10	2

2.3.2.2　岸坡岩石开挖强度分析及施工机械配备

两岸岸坡岩石开挖厚为 20m,工作面宽度约为 12.0m,开挖工程量为 41 412m^3。

为便于分析开挖强度,选择一典型爆破台阶分析其工作循环时间,分析结果详见表 2-20,典型台阶开挖循环时间见表 2-21。岸坡开挖可分为 16 个典型台阶爆破,安排两个爆破作业组施工,依据开挖施工工程量,分析确定施工强度及工期,分析结果详见表 2-20,相应的机械设备配套计算详见表 2-22。

在安排施工进度计划时考虑每天工作 3 班,每班工作 8h。

表 2-20　岸坡典型台阶开挖施工强度及工期计算

序号	项　目	单位	数量	备注
1	典型台阶开挖参数			
1.1	台阶高度	m	10.0	
1.2	开挖长度	m	21.0	
1.3	开挖宽度	m	12.0	
1.4	开挖方量	m^3	2 520.0	
2	钻爆参数			
2.1	炮孔直径	mm	76.0	
2.2	预裂孔数量	个	26	
2.3	预裂孔钻孔深度	m	14.3	
2.4	预裂孔孔距	m	0.8	
2.5	预裂孔钻孔长度	m	371.8	
2.6	爆破孔数量	个	35	
2.7	爆破孔钻孔深度	m	12.4	

序号	项 目	单位	数量			备注
2.8	爆破孔孔距	m	3.0			
2.9	爆破孔排距	m	2.5			
2.10	爆破孔钻孔长度	m	434.0			
2.11	钻孔总数	个	61			
2.12	钻孔总长度	m	805.8			
3	钻孔设备参数					
3.1	钻机型号		ROC812H 型液压钻			
3.2	凿岩机型号		COP1238			
3.3	钻杆型号		T45			
3.4	额定钻速	m/min	1.6～1.8			
3.5	设计钻速	m/min	0.8			
4	钻孔时间计算					
4.1	钻孔总数	个	61			
4.2	钻孔总长度	m	805.8			
4.3	钻机进场及撤退时间	min	30.0			
4.4	项 目		单位时间	工程量	时间	
4.5	钻机移动定位及接钻杆时间	min	3	61	183.0	
4.6	钻孔时间	min	1.25	805.8	1 007.3	
4.7	ROC812H 型液压钻	台	1			
4.8	钻孔循环时间	min	1 220.3			
5	检查清孔及装药连线时间计算					
5.1	炮孔总数	个	61			
5.2	装药总长度	m	806			
5.3	循环准备时间	min	30			
5.4	项 目		单位时间	工程量	时间	
5.5	清孔时间(以孔计)	min	0.5	61	30.5	
5.6	装药时间(以 m 计)	min	1.0	805.8	805.8	
5.7	需装药时间	min			836.3	
5.8	装药工作组人数	人	8			
5.9	装药时间	min	104.5			
5.10	装药循环时间	min	135			
6	起爆及爆后安全检查时间计算					
6.1	爆破	min	30.0			
6.2	爆后安全检查	min	30.0			
6.3	起爆及爆后安全检查循环时间	min	60.0			
7	装渣运输					
7.1	液压挖掘机斗容	m³	3.0			
7.2	运输方式		自卸汽车			
7.3	汽车型号		20t			

序号	项 目	单位	数量		备注
7.4	装运时间计算				
7.5	设计爆破方量	m³	2 520.0		
7.6	装运设备配套				
7.7	挖掘机	台	1		125m³/(台·h)
7.8	自卸汽车	辆	5		运距 2.0km
7.9	设备进场及撤退时间	min	30.0		
7.10	出渣时间	min	1 008.0		
7.11	装渣运输循环时间	min	1 038.0		
	项 目	单位	钻孔	出渣	
8	开挖作业循环时间安排				
8.1	钻孔循环时间	min	1 220		
8.2	装药循环时间	min	135		
8.3	起爆及爆后安全检查循环时间	min	60		
8.4	装渣运输循环时间	min		1 038	
8.5	循环时间	min	1 415	1 038	
8.6	正常循环时间	min	1 415	1 038	
	折合小时数	h	28.3		每小时按 50min 计
8.7	平均生产率	m³/h	89.0		
9	工作计划				
9.1	每班工作时间	h	8		
9.2	每天工作班次	班/日	3		
9.3	日工作小时数	h/日	24		
9.4	月工作天数	天/月	22.5		
9.5	月工作小时数	h/月	540		
9.6	长期工作影响系数		0.80		
9.7	每一典型台阶施工工期	天	1.5		
9.8	一个作业面月开挖典型台阶数	块	16		
10	岸坡开挖施工工期计算				
10.1	设计工程量	m³	40 600		
10.2	施工工程量	m³	41 412		
10.3	岸坡开挖分典型台阶数	个	16		
10.4	每一典型台阶工作面宽度	m	12.0		
10.5	一个作业面月开挖典型台阶数	块	16		
10.6	安排作业组数	个	2		
10.7	施工工期	月	0.5		
10.8	月平均开挖强度	m³/月	82 824		

表 2-21　岸坡典型台阶开挖循环时间

序号	台阶编号	项目	工程量		时间(h)	循环时间(h)												
			单位	数量		10	20	30	40	50	60	70	80	90	100	110	120	130
1	1	钻孔	m	805.8	22.4													
2		检查清孔及装药连线	个	61	2.7													
3		起爆及爆后安全检查			1													
4		出渣	m³	2 520	24.8													

表 2-22　机械设备配套计算

工程量 (m³)	月平均强度 (m³/月)	工期 (月)	施工机械数量			
			ROC812H 型 液压钻(台)	3m³ 液压 挖掘机(台)	20t 自卸 汽车(辆)	215HP 推 土机(台)
41 412	82 824	0.5	2	2	10	3

2.3.2.3　河床岩石开挖强度分析及施工机械配备

坝基河床岩石开挖沿坝轴线长约为 225m,宽约为 79m,平均开挖厚度约为 5.0m,开挖施工工程量为 93 028m³。

为给水平预裂爆破开创作业面,河床岩石开挖分两步进行,首先在河床中间部位从下游向上游开挖宽 10m 的先锋槽,待先锋槽挖出后再依次进行邻接块的开挖。先锋槽开挖施工工程量为 3 749m³,邻接块开挖施工工程量为 89 279m³。为便于分析开挖强度,先锋槽和邻接块各选择一典型爆破台阶分析其各工序施工工期,分析结果详见表 2-23、表 2-24;典型台阶循环详见表 2-25、表 2-26。先锋槽可分为 7 个典型台阶进行爆破开挖,邻接块可分为 67 个典型台阶进行爆破开挖。先锋槽安排 1 个爆破作业组施工,依据其施工工程量,分析确定施工强度及工期,分析结果详见表 2-23,相应的机械设备配套计算详见表 2-27;邻接块安排 2 个爆破作业组施工,依据其施工工程量,分析确定施工强度及工期,分析结果详见表 2-26,相应的机械设备配套计算详见表 2-27。

表 2-23　先锋槽典型台阶开挖施工强度及工期计算

序号	项目	单位	数量	备注
1	典型台阶开挖参数			
1.1	台阶高度	m	5.0	
1.2	开挖长度	m	10.0	
1.3	开挖宽度	m	10.5	

续表 2-23

序号	项 目	单位	数量			备注
1.4	开挖方量	m³	525.0			
2	钻爆参数					
2.1	水平预裂孔直径	mm	100.0			
2.2	水平预裂孔数量	个	10			
2.3	水平预裂孔钻孔深度	m	10.0			
2.4	水平预裂孔孔距	m	1.0			
2.5	水平预裂孔钻孔长度	m	100.0			
2.6	垂直爆破孔直径	mm	51.0			
2.7	垂直爆破孔数量	个	25			
2.8	垂直爆破孔钻孔深度	m	4.5			
2.9	垂直爆破孔孔距	m	2.5			
2.10	垂直爆破孔排距	m	2.0			
2.11	垂直爆破孔钻孔长度	m	112.5			
2.12	钻孔总数	个	35			
2.13	钻孔总长度	m	212.5			
3	钻孔设备参数					
3.1	钻机型号		ROC812H 型液压钻			
3.2	凿岩机型号		COP1238			
3.3	钻杆型号		R32			
3.4	额定钻速	m/min	1.6~1.8			
3.5	设计钻速	m/min	0.8			钻垂直孔
3.6	钻机型号		YQ-100 型潜孔钻			
3.7	设计钻速	m/min	0.12			钻水平孔
4	钻孔时间计算					
4.1	水平预裂孔数量	个	10			
4.2	水平预裂孔钻孔长度	m	100.0			
4.3	垂直爆破孔数量	个	25			
4.4	垂直爆破孔钻孔长度	m	112.5			
4.5	钻孔总数	个	35			
4.6	钻孔总长度	m	212.5			
4.7	钻机进场及撤退时间	min	30.0			
4.8	项 目		单位时间	工程量	时间	
4.9	垂直爆破孔					
4.10	钻机移动定位及接钻杆时间	min	2	25	50.0	
4.11	净钻孔时间	min	1.25	112.5	140.6	
4.12	ROC812H 型液压钻	台	1			
4.13	钻孔时间	min	191			
4.14	水平预裂孔					
4.15	钻机移动定位及接钻杆时间	min	8	10	80.0	
4.16	净钻孔时间	min	8.3	100.0	830.0	
4.17	YQ-100 型潜孔钻	台	2			

· 820 ·

序号	项 目	单位	数量		备注
4.18	钻孔协作系数		0.9		
4.19	钻孔时间	min	506		
4.20	钻孔重叠时间	min	191		
4.21	钻孔循环时间	min	536		
5	检查清孔及装药连线时间计算				
5.1	炮孔总数	个	35		
5.2	装药总长度	m	213		
5.3	循环准备时间	min	30		
5.4	项 目		单位时间	工程量	时间
5.5	清孔时间（以孔计）	min	0.5	35	17.5
5.6	装药时间（以 m 计）	min	1.0	212.5	212.5
5.7	需装药时间	min			230.0
5.8	装药工作组人数	人	4		
5.9	装药时间	min	57.5		
5.10	装药循环时间	min	88		
6	起爆及爆后安全检查时间计算				
6.1	爆破	min	30.0		
6.2	爆后安全检查	min	30.0		
6.3	起爆及爆后安全检查循环时间	min	60.0		
7	装渣运输				
7.1	液压挖掘机斗容	m³	3.0		
7.2	运输方式		自卸汽车		
7.3	汽车型号		20t		
7.4	装运时间计算				
7.5	设计爆破方量	m³	525.0		
7.6	装运设备配套				
7.7	挖掘机	台	1		125m³/(台·h)
7.8	自卸汽车	辆	5		运距 2.0km
7.9	设备进场及撤退时间	min	30.0		
7.10	出渣时间	min	210.0		
7.11	装渣运输循环时间	min	240.0		
	项 目	单位	钻孔		出渣
8	开挖作业生产率				
8.1	钻孔循环时间	min	536		
8.2	装药循环时间	min	88		
8.3	起爆及爆后安全检查循环时间	min	60		
8.4	装渣运输循环时间	min			240
8.5	循环时间	min	684		240
8.6	正常循环时间	min	684		
	折合小时数	h	13.7		每小时按 50min 计
8.7	平均生产率	m³/h	38.3		

续表 2-23

序号	项　目	单位	数量	备注
9	工作计划			
9.1	每班工作时间	h	8	
9.2	每天工作班次	班/日	3	
9.3	日工作小时数	h/日	24	
9.4	月工作天数	天/月	22.5	
9.5	月工作小时数	h/月	540	
9.6	长期工作影响系数		0.80	
9.7	每一典型台阶施工工期	天	0.7	
9.8	一个作业面月开挖典型台阶数	块	32	
10	先锋槽开挖施工工期计算			
10.1	设计工程量	m³	3 675	
10.2	施工工程量	m³	3 749	
10.3	开挖典型台阶数	个	7	
10.4	典型台阶工作面宽度	m	12.0	
10.5	一个作业面月开挖典型台阶数	块	32	
10.6	安排作业组数	个	1	
10.7	施工工期	月	0.2	
10.8	月平均开挖强度	m³/月	18 745	

表 2-24　邻接块典型台阶开挖施工强度及工期计算

序号	项　目	单位	数量	备注
1	典型台阶开挖参数			
1.1	台阶高度	m	5.0	
1.2	开挖长度	m	25.0	
1.3	开挖宽度	m	10.5	
1.4	开挖方量	m³	1 312.5	
2	钻爆参数			
2.1	水平预裂孔直径	mm	100.0	
2.2	水平预裂孔数量	个	25	
2.3	水平预裂孔钻孔深度	m	10.0	
2.4	水平预裂孔孔距	m	1.0	
2.5	水平预裂孔钻孔长度	m	250.0	
2.6	垂直爆破孔直径	mm	51.0	
2.7	垂直爆破孔数量	个	50	
2.8	垂直爆破孔钻孔深度	m	4.5	
2.9	垂直爆破孔孔距	m	2.5	
2.10	垂直爆破孔排距	m	2.0	
2.11	垂直爆破孔钻孔长度	m	225.0	
2.12	钻孔总数	个	75	
2.13	钻孔总长度	m	475.0	
3	钻孔设备参数			

序号	项　目	单位	数量			备注
3.1	钻机型号		ROC812H 型液压钻			
3.2	凿岩机型号		COP1238			
3.3	钻杆型号		R32			
3.4	额定钻速	m/min	1.6～1.8			
3.5	设计钻速	m/min	0.8			钻垂直孔
3.6	钻机型号		YQ－100 型潜孔钻			
3.7	设计钻速	m/min	0.12			钻水平孔
4	钻孔时间计算					
4.1	水平预裂孔数量	个	25			
4.2	水平预裂孔钻孔长度	m	250.0			
4.3	垂直爆破孔数量	个	50			
4.4	垂直爆破孔钻孔长度	m	225.0			
4.5	钻孔总数	个	75			
4.6	钻孔总长度	m	475.0			
4.7	钻机进场及撤退时间	min	30.0			
4.8	项　目		单位时间	工程量	时间	
4.9	垂直爆破孔					
4.10	钻机移动定位及接钻杆时间	min	2	50	100.0	
4.11	净钻孔时间	min	1.25	225.0	281.3	
4.12	ROC812H 型液压钻	台	1			
4.13	钻孔时间	min	381			
4.14	水平预裂孔					
4.15	钻机移动定位及接钻杆时间	min	8	25	200.0	
4.16	净钻孔时间	min	8.3	250.0	2 075.0	
4.17	YQ－100 型潜孔钻	台	3			
4.18	钻孔协作系数		0.9			
4.19	钻孔时间	min	843			
4.20	钻孔重叠时间	min	381			
4.21	钻孔循环时间	min	873			
5	检查清孔及装药连线时间计算					
5.1	炮孔总数	个	75			
5.2	装药总长度	m	475			
5.3	循环准备时间	min	30			
5.4	项　目		单位时间	工程量	时间	
5.5	清孔时间(以孔计)	min	0.5	75	37.5	
5.6	装药时间(以 m 计)	min	1.0	475.0	475.0	
5.7	需装药时间	min			512.5	
5.8	装药工作组人数	人	8			
5.9	装药时间	min	64.1			
5.10	装药循环时间	min	94			
6	起爆及爆后安全检查时间计算					
6.1	爆破	min	30.0			

序号	项目	单位	数量		备注
6.2	爆后安全检查	min	30.0		
6.3	起爆及爆后安全检查循环时间	min	60.0		
7	装渣运输				
7.1	液压挖掘机斗容	m³	3.0		
7.2	运输方式		自卸汽车		
7.3	汽车型号		20t		
7.4	装运时间计算				
7.5	设计爆破方量	m³	1 312.5		
7.6	装运设备配套				
7.7	挖掘机	台	1		125m³/(台·h)
7.8	自卸汽车	辆	5		运距2.0km
7.9	设备进场及撤退时间	min	30.0		
7.10	出渣时间	min	525.0		
7.11	装渣运输循环时间	min	555.0		
	项 目	单位	钻孔	出渣	
8	开挖作业生产率				
8.1	钻孔循环时间	min	873		
8.2	装药循环时间	min	94		
8.3	起爆及爆后安全检查循环时间	min	60		
8.4	装渣运输循环时间	min		525	
8.5	循环时间	min	1 027	525	
8.6	正常循环时间	min	1 027	525	
8.7	平均生产率	m³/h	63.9		
9	工作计划				
9.1	每班工作时间	h	8		
9.2	每天工作班次	班/日	3		
9.3	日工作小时数	h/日	24		
9.4	月工作天数	天/月	22.5		
9.5	月工作小时数	h/月	540		
9.6	长期工作影响系数		0.80		
9.7	每一典型台阶施工工期	天	1.1		
9.8	一个作业面月开挖典型台阶数	块	19		
10	邻接块开挖施工工期计算				
10.1	设计工程量	m³	87 528		
10.2	施工工程量	m³	89 279		
10.3	开挖分典型台阶数	个	67		
10.4	典型台阶工作面宽度	m	12.0		
10.5	一个作业面月开挖典型台阶数	块	19		
10.6	安排作业组数	个	2		
10.7	施工工期	月	1.7		
10.8	月平均开挖强度	m³/月	52 517		

表 2-25　先锋槽典型台阶开挖循环时间

序号	台阶编号	项　目	工程量 单位	工程量 数量	时间 (h)	循环时间(h)
1	1	钻孔	m	212.5	11.4	
2		检查清孔及装药连线	个	35	1.8	
3		起爆及爆后安全检查			1.0	
4		出渣	m³	525	5.6	

循环时间(h) 刻度：5 10 15 20 25 30 35 40 45

表 2-26　邻接块典型台阶开挖循环时间

序号	台阶编号	项　目	工程量 单位	工程量 数量	时间 (h)	循环时间(h)
1	1	钻孔	m	520	15.8	
2		检查清孔及装药连线	个	85	1.9	
3		起爆及爆后安全检查			1.0	
4		出渣	m³	1 312.5	13.2	

循环时间(h) 刻度：10 20 30 40 50 60 70 80 90 100

表 2-27 机械设备配套计算

部位	工程量 (m³)	月平均强度 (m³/月)	工期 (月)	施工机械数量					
				YQ-100型潜孔钻 (台)	ROC812H型液压钻 (台)	空压机 (台)	3m³液压挖掘机 (台)	20t自卸汽车 (辆)	215HP推土机 (台)
先锋槽	3 749	18 745	0.2	2	1	1	1	5	2
邻接块	89 279	52 517	1.7	6	2	2	2	10	2
合计	93 028		1.9						

2.3.3 坝基开挖进度计划

水利枢纽工程的施工,受水文、气象条件的直接影响,汛期往往受到洪水的威胁。因此,混凝土重力坝的施工进度和施工导流方式以及施工期历年度汛方案有着密切关系,不同的导流方案有着不同的施工程序。本模拟工程采用一次拦断河床,第一年汛期由围堰挡水,导流隧洞泄洪的导流方案。枢纽工程的施工安排应先完成导流洞施工,同时进行两岸岸坡的开挖。在导流洞具备过水条件的枯水期,进行河床截流,随即修筑上下游围堰,同时进行基坑抽水、坝基开挖和基础处理,然后进行坝体混凝土的浇筑;根据截流后各年汛期的度汛要求,确定坝体各期混凝土的浇筑高程。根据施工导流专题提供的导流设计资料知,该工程计划于11月中旬截流,截流后第一年汛前由导流隧洞泄流,上下游围堰挡水,上游围堰高程203m。

由于本专题仅涉及混凝土重力坝的基础开挖,而施工导流、岸坡开挖、基础处理、混凝土浇筑和料场开采等专项工程由另外的专题完成,故本施工进度有关截流闭气、基坑抽水、上下游围堰填筑、岸坡土石方开挖等项工程的施工工期只是根据工程的规模估列,仅着重对坝基砂卵石和岩石的开挖施工进度进行分析。根据施工导截流及总进度计划的安排,结合各类开挖料的施工程序,依据各类开挖料的开挖工程量和开挖强度,计算各类开挖料的开挖工期,分析安排坝基开挖进度计划,分析结果详见表2-28。主要施工机械见表2-29。

3 坝基开挖资源计算

3.1 设备台时耗量计算

按照各类开挖料的小时施工强度及选用施工机械的生产效率,配备主要施工机械设备数量;再由各类开挖料的施工工程量,分析确定开挖工期;根据各种机械设备在施工过程中的使用情况,计算各种机械设备的台时耗量。

设备小时利用系数=该工作小时生产率/该设备小时生产率

设备台时=该工作施工工程量/该工作小时生产率×设备数量×该设备利用系数

3.2 人时用量计算

3.2.1 劳动力配备原则

按工作面定岗定员配备工长及各工种的劳动力。同一工种劳动力分4个等级:一级工(不熟练工)、二级工(半熟练工)、三级工(熟练工)、四级工(高级熟练工)。

表 2-28　坝基开挖施工进度计划

序号	项目	工程量 单位	工程量 数量	工期 (月)	第一年 8	9	10	11	12	第二年 1	2	3	4	5	6	7	8	9	10	11	12	第三年 1	2	3	4	5
一	施工准备			14.0								14.0														
二	岸坡土石方开挖 EL.190.0m以上	(万m³)		6.0									6.0													
三	围堰填筑	(万m³)		8.0																			8.0				
四	基坑抽水及排水	(万m³)																									
五	坝基土石方开挖	(万m³)																									
1	河床砂卵石开挖	(万m³)	16.61	1.3				12.78 1.3												8.28 0.5						
	岸坡 EL.190.0-170.0m	(万m³)	4.14	0.5																		0.5 1.25 0.3				
2	坝基岩石开挖	(万m³)	9.30	1.8																			5.95 1.5			

注:1. 横道线上为平均施工强度,单位为万m³/月。
2. 横道线下为施工工期,单位为月。
3. "P" 表示截流。

表 2-29　主要施工机械汇总

序号	设备名称	型号	规格	单位	数量	备注
1	潜孔钻机	YQ－100 型		台	6	
2	液压钻机	ROC812H 型		台	2	
3	手风钻	YT－25 型		台	2	
4	推土机	D7HXR	215HP	台	3	
5	液压反铲	WY100 型	1m^3	台	1	
6	液压挖掘机		3m^3	台	2	
7	自卸汽车		20t	辆	10	
8	空压机		40m^3/min	台	2	

根据概算项目划分的特点,拟按下列工作组安排劳力。

3.2.1.1　坝基砂卵石挖装运输工作组

坝基砂卵石挖装运输工作组负责完成砂卵石开挖工作中的边坡修整、挖装、运输及渣场平整工作。工作组人员安排见表 3-1。

主要施工人员安排原则如下:

工长:1 人;

汽车司机:每辆汽车配三级工 1 人;

挖掘机操作工:每台配三级工 1 人;

反铲挖掘机操作工:每台配三级工 1 人;

推土机司机:每台配三级工 1 人;

小型工具车司机:每辆配二级工 1 人;

挖装现场指挥:一级普工 2 人;

电工:二级工 1 人,三级工 1 人;

堆渣场现场指挥:一级普工 1 人;

普工:一级工 2 人(含修坡辅助工)。

表 3-1　砂卵石开挖装运典型工作组　　　　　　　　　(单位:人)

序号	工　种	数　　量				
		工长	一级工	二级工	三级工	四级工
1	工长	1				
2	挖掘机操作工				1	
3	反铲挖掘机操作工				1	
4	自卸汽车司机				1	
5	推土机司机				1	
6	小型工具车司机			1		
7	电工			1	1	
8	普工		5			

3.2.1.2 坝基岩石开挖钻孔爆破工作组

坝基岩石开挖钻孔爆破工作组负责完成开挖工作中的炮孔布置、钻孔、装药连线、爆破、安全等工作。工作组人员安排见表3-2、表3-3、表3-4。

主要施工人员安排原则如下：

工长：1人；

潜孔钻操作工：二级工1人，四级工1人；

液压钻操作工：四级工1人；

手风钻操作工：二级工1人；

炮工：二级工6人，三级工1人，四级工1人；

小型工具车司机：每辆配二级工1人；

空压机操作工：每台配三级工1人；

电工：三级工1人，二级工1人；

普工：4人。

表 3-2　岸坡开挖钻孔爆破工作组　　　　　　　　　　（单位：人）

序号	工 种	数 量				
		工长	一级工	二级工	三级工	四级工
1	工长	1				
2	液压钻操作工					1
3	手风钻操作工			1		
4	炮工			6	1	1
5	空压机操作工				1	
6	电工			1	1	
7	小型工具车司机			1		
8	普工		4			

表 3-3　先锋槽开挖钻孔爆破工作组　　　　　　　　　　（单位：人）

序号	工 种	数 量				
		工长	一级工	二级工	三级工	四级工
1	工长	1				
2	潜孔钻操作工			1		1
3	液压钻操作工					1
4	手风钻操作工			1		
5	炮工			6	1	1
6	空压机操作工				1	
7	电工			1	1	
8	小型工具车司机			1		
9	普工		4			

表 3-4　邻接块开挖钻孔爆破工作组　　　　　　　　　　　（单位:人）

序号	工　种	数　量				
		工长	一级工	二级工	三级工	四级工
1	工长	1				
2	潜孔钻操作工			1		1
3	液压钻操作工					1
4	手风钻操作工			1		
5	炮工			6	1	1
6	空压机操作工				1	
7	电工			1	1	
8	小型工具车司机			1		
9	普工		4			

3.2.1.3　坝基石渣挖装运输工作组

坝基石渣挖装运输工作组负责完成岩石开挖工作中的边坡修整、挖装、运输及渣场平整工作。工作组人员安排见表3-5。

主要施工人员安排原则如下:

工长:1 人;

自卸汽车司机:每辆汽车配三级工 1 人;

挖掘机操作工:每台配三级工 1 人;

推土机司机:每台配三级工 1 人;

小型工具车司机:每辆配二级工 1 人;

挖装现场指挥:一级普工 1 人;

堆渣场现场指挥:一级普工 1 人;

普工:一级工 3 人(含协助反铲、推土机清理工作面)。

表 3-5　石渣挖装运输工作组　　　　　　　　　　　　（单位:人）

序号	工　种	数　量				
		工长	一级工	二级工	三级工	四级工
1	工长	1				
2	挖掘机操作工				1	
3	自卸汽车司机				1	
4	推土机司机				1	
5	小型工具车司机			1		
6	普工		5			

3.2.2　人时用量计算

按照每种开挖料的施工强度及配备的各种施工机械设备的数量及劳动力安排原则配备工长及各工种不同级别的劳动力,再按照每种开挖料的实际施工时间计算人时。

$$人时 = 施工工程量 / 平均生产率 \times 人数 \times 利用系数$$

3.3 材料用量计算

材料主要包括钻杆、钻头和炸药、雷管、导爆管、导爆索等火工材料。钻杆、钻头消耗采用统计、类比、分析等方法估算确定,而炸药、雷管、导爆管、导爆索等火工材料单耗则根据前面所述爆破设计计算确定。主要材料用量见表3-6。

表 3-6 主要材料用量

序号	材料名称	单耗		用量	
		单位	数量	单位	数量
一	岸坡				
1	炸药	kg/m³	0.45	t	18.64
2	雷管	个/m³	0.016	个	663
3	导爆管	m/m³	0.19	m	7 868
4	导爆索	m/m³	0.17	m	7 040
5	导火索	m/m³	0.008	m	331
6	钻杆	根/m³	0.002	根	83
7	钻头	个/m³	0.005	个	207
二	先锋槽				
1	炸药	kg/m³	0.58	t	2.17
2	雷管	个/m³	0.055	个	206
3	导爆管	m/m³	0.29	m	1 087
4	导爆索	m/m³	0.45	m	1 687
5	导火索	m/m³	0.038	m	142
6	钻杆	根/m³	0.002	根	7
7	钻头	个/m³	0.005	个	19
三	邻接块				
1	炸药	kg/m³	0.49	t	43.75
2	雷管	个/m³	0.043	个	3 839
3	导爆管	m/m³	0.23	m	20 534
4	导爆索	m/m³	0.41	m	36 604
5	导火索	m/m³	0.015	m	1 339
6	钻杆	根/m³	0.002	根	179
7	钻头	个/m³	0.005	个	446

3.4 施工机械台时、人时、材料用量

施工机械台时、人时、材料用量详见表3-7~表3-13。

表 3-7 坝基砂卵石装运施工机械台时、人时、材料用量

序号	项 目	单位	数量	人时	台时	材料	利用系数	备注
1	开挖施工工程量	m³	166 060					自然方
2	小时生产率	m³/h	300					
3	长期工作影响系数		0.8					
4	平均生产率	m³/h	240					
	劳力资源							

续表 3-7

序号	项　目	单位	数量	人时	台时	材料	利用系数	备注
5	工长	人	1	692			1	
6	二级小型工具车司机	人	1	692			1	
7	三级推土机司机	人	2	1 384			1	
8	三级挖掘机操作工	人	2	1 384			1	
9	三级自卸汽车司机	人	10	6 919			1	
10	三级反铲挖掘机操作工	人	1	692			1	
11	三级电工	人	1	692			1	
12	二级电工	人	1	692			1	
13	一级普工	人	10	6 919			1	
	设备资源							
14	小型工具车	台	1		166		0.3	
15	3m³ 液压挖掘机	台	2		1 074		0.97	
16	20t 自卸汽车	台	10		4 760		0.86	运距 2km
17	1m³ 液压反铲	台	1		277		0.5	
18	215HP 推土机	台	2		554		0.5	
	材料							
19	其他							

注:按 2 个工作面计算。

表 3-8　岸坡钻孔爆破施工机械台时、人时、材料用量

序号	项　目	单位	数量	人时	台时	材料	利用系数	备注
	EL.170.0~190.0m							
1	开挖施工工程量	m³	41 412					自然方
2	小时生产率	m³/h	178.0					
3	长期工作影响系数		0.8		1			
4	平均生产率	m³/h	142.4					
	劳力资源							
5	工长	人	1	291			1	
6	四级液压钻操作工	人	2	582			1	
7	二级手风钻操作工	人	2	582			1	
8	四级炮工	人	2	582			1	
9	三级炮工	人	2	582			1	
10	二级炮工	人	12	3 490			1	
11	二级小型工具车司机	人	1	291			1	
12	三级电工	人	1	291			1	
13	二级电工	人	1	291			1	
14	一级普工	人	8	2 327			1	
15	三级空压机操作工	人	2	582			1	
	设备资源							
16	小型工具车	台	1		70		0.3	
17	ROC812H 型液压钻	台	2		330		0.71	

续表 3-8

序号	项 目	单位	数量	人时	台时	材料	利用系数	备注
18	YT-25手风钻	台	2		140		0.3	
19	空压机	台	2		140		0.3	
	材料							
20	炸药	kg	0.45			18 635		
21	雷管	个	0.016			663		
22	导爆管	m	0.19			7 868		
23	导爆索	m	0.17			7 040		
24	导火索	m	0.008			331		
25	钻头	个	0.005			207		
26	钻杆	根	0.002			83		
27	其他							

注：按照2个工作面计算。

表 3-9　先锋槽钻孔爆破施工机械台时、人时、材料用量

序号	项 目	单位	数量	人时	台时	材料	利用系数	备注
1	开挖施工工程量	m³	3 749					自然方
2	小时生产率	m³/h	38.3					
3	长期工作影响系数		0.8					
4	平均生产率	m³/h	30.6					
	劳力资源							
5	工长	人	1	123			1	
6	四级潜孔钻操作工	人	2	245			1	
7	二级潜孔钻操作工	人	2	245			1	
8	四级液压钻操作工	人	1	123			1	
9	二级手风钻操作工	人	1	123			1	
10	四级炮工	人	1	123			1	
11	三级炮工	人	1	123			1	
12	二级炮工	人	2	245			1	
13	二级小型工具车司机	人	1	123			1	
14	三级电工	人	1	123			1	
15	二级电工	人	1	123			1	
16	一级普工	人	4	490			1	
17	三级空压机操作工	人	1	123			1	
	设备资源							
18	小型工具车	台	1		29		0.3	
19	YQ-100型潜孔钻	台	2		155		0.79	
20	ROC812H型液压钻	台	1		38		0.39	
21	YT-25手风钻	台	1		49		0.5	
22	空压机	台	1		77		0.79	
	材料							
23	炸药	kg	0.58			2 174		

序号	项　目	单位	数量	人时	台时	材料	利用系数	备注
24	雷管	个	0.055			206		
25	导爆管	m	0.29			1 087		
26	导爆索	m	0.45			1 687		
27	导火索	m	0.038			142		
28	钻头	个	0.005			19		
29	钻杆	根	0.002			7		
30	其他							

表 3-10　邻接块钻孔爆破施工机械台时、人时、材料用量

序号	项　目	单位	数量	人时	台时	材料	利用系数	备注
1	开挖施工工程量	m^3	89 279					自然方
2	小时生产率	m^3/h	127.8					
3	长期工作影响系数		0.8					
4	平均生产率	m^3/h	102.2					
	劳力资源							
5	工长	人	1	874			1	
6	四级潜孔钻操作工	人	6	5 241			1	
7	二级潜孔钻操作工	人	6	5 241			1	
8	四级液压钻操作工	人	2	1 747			1	
9	二级手风钻操作工	人	2	1 747			1	
10	四级炮工	人	2	1 747			1	
11	三级炮工	人	2	1 747			1	
12	二级炮工	人	12	10 483			1	
13	二级小型工具车司机	人	1	874			1	
14	三级电工	人	1	874			1	
15	二级电工	人	1	874			1	
16	一级普工	人	4	3 494			1	
17	三级空压机操作工	人	2	1 747			1	
	设备资源							
18	小型工具车	台	1		210		0.3	
19	YQ－100 型潜孔钻	台	6		3 605		0.86	
20	ROC812H 型液压钻	台	2		810		0.58	
21	YT－25 手风钻	台	2		699		0.5	
22	空压机	台	2		1 202		0.86	
	材料							
23	炸药	kg	0.49			43 747		
24	雷管	个	0.043			3 839		
25	导爆管	m	0.23			20 534		
26	导爆索	m	0.41			36 604		

序号	项目	单位	数量	人时	台时	材料	利用系数	备注
27	导火索	m	0.015			1 339		
28	钻头	个	0.005			446		
29	钻杆	根	0.002			179		
30	其他							

注:按 2 个工作面计算。

表 3-11 岸坡岩石装运施工机械台时、人时、材料用量

序号	项目	单位	数量	人时	台时	材料	利用系数	备注
	EL.170.0~190.0m							
1	开挖施工工程量	m³	41 412					自然方
2	小时生产率	m³/h	178.0					
3	长期工作影响系数		0.8					
4	平均生产率	m³/h	142.4					
	劳力资源							
5	工长	人	1	291			1	
6	二级小型工具车司机	人	1	291			1	
7	三级推土机司机	人	3	872			1	
8	三级挖掘机操作工	人	2	582			1	
9	三级自卸汽车司机	人	10	2 908			1	
10	三级反铲挖掘机操作工	人	1	291			1	
11	一级普工	人	5	1 454			1	
	设备资源							
12	小型工具车	台	1		70		0.3	
13	3.0m³ 液压挖掘机	台	2		330		0.71	
14	20t 自卸汽车	台	10		1 651		0.71	运距 2km
15	1m³ 液压反铲	台	1		116		0.5	
16	215HP 推土机	台	3		349		0.5	
	材料							
17	其他							

注:按照 2 个工作面计算。

表 3-12 先锋槽岩石装运施工机械台时、人时、材料用量

序号	项目	单位	数量	人时	台时	材料	利用系数	备注
1	开挖施工工程量	m³	3 749					自然方
2	小时生产率	m³/h	38.3					
3	长期工作影响系数		0.8					
4	平均生产率	m³/h	30.6					
	劳力资源							
5	工长	人	1	123			1	
6	二级小型工具车司机	人	1	123			1	
7	三级推土机司机	人	2	245			1	

序号	项 目	单位	数量	人时	台时	材料	利用系数	备注
8	三级挖掘机操作工	人	1	123			1	
9	三级自卸汽车司机	人	5	613			1	
10	三级反铲挖掘机操作工	人	1	123			1	
11	一级普工	人	5	613			1	
	设备资源							
12	小型工具车	台	1		29		0.3	
13	3m³ 液压挖掘机	台	1		30		0.31	
14	20t 自卸汽车	辆	5		152		0.31	运距 2km
15	1m³ 液压反铲	台	1		49		0.5	
16	215HP 推土机	台	2		98		0.5	
	材料							
17	其他							

表 3-13 邻接块岩石装运施工机械台时、人时、材料用量

序号	项 目	单位	数量	人时	台时	材料	利用系数	备注
1	开挖施工工程量	m³	89 279					自然方
2	小时生产率	m³/h	127.8					
3	长期工作影响系数		0.8					
4	平均生产率	m³/h	102.2					
	劳力资源							
5	工长	人	1	874			1	
6	二级小型工具车司机	人	1	874			1	
7	三级推土机司机	人	2	1 747			1	
8	三级挖掘机操作工	人	2	1 747			1	
9	三级自卸汽车司机	人	10	8 736			1	
10	三级反铲挖掘机操作工	人	1	874			1	
11	一级普工	人	5	4 368			1	
	设备资源							
12	小型工具车	台	1		210		0.3	
13	3m³ 液压挖掘机	台	2		713		0.51	
14	20t 自卸汽车	台	10		3 563		0.51	运距 2km
15	1m³ 液压反铲	台	1		349		0.5	
16	215HP 推土机	台	2		699		0.5	
	材料							
17	其他							

注:按照 2 个工作面计算。

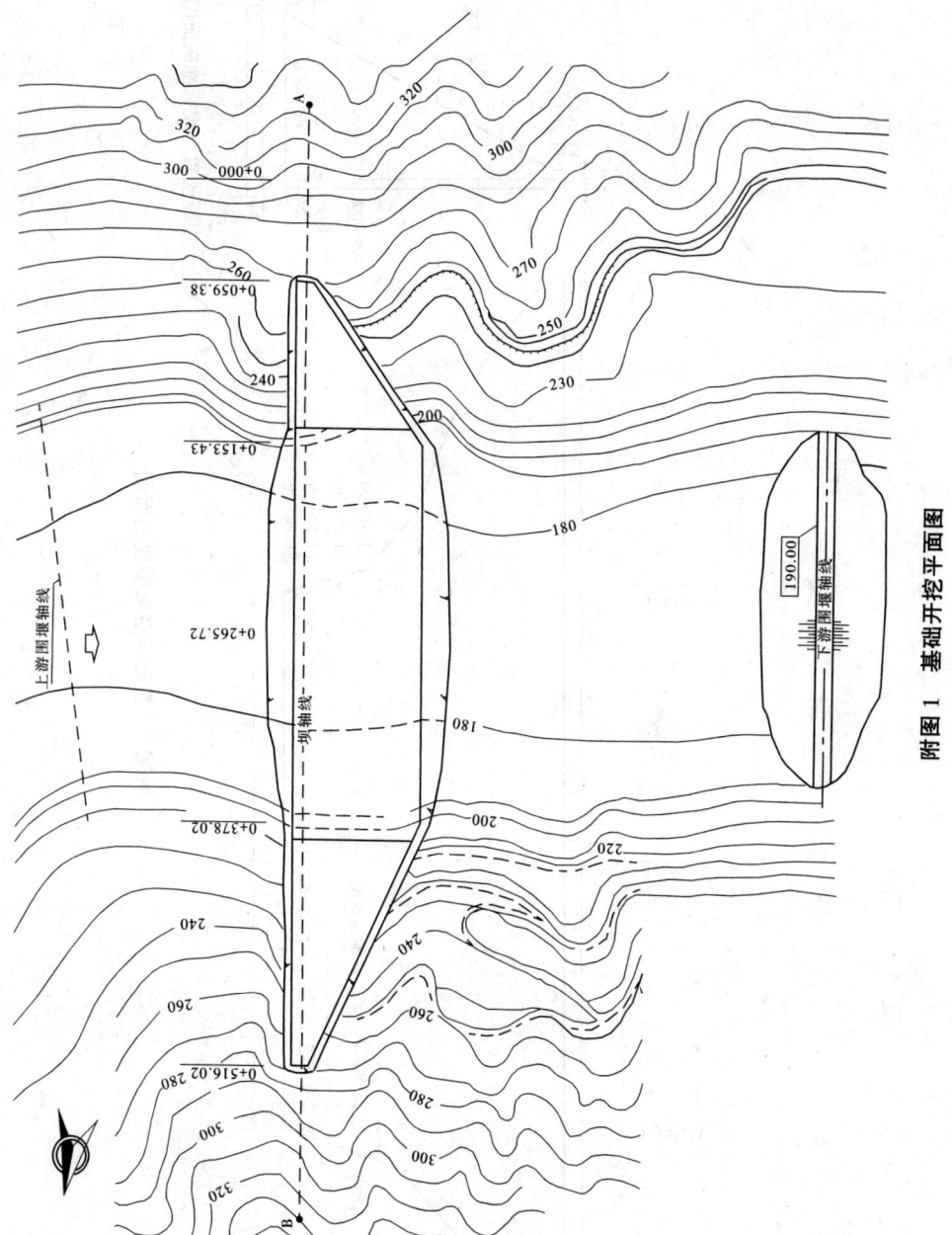

附图1　基础开挖平面图

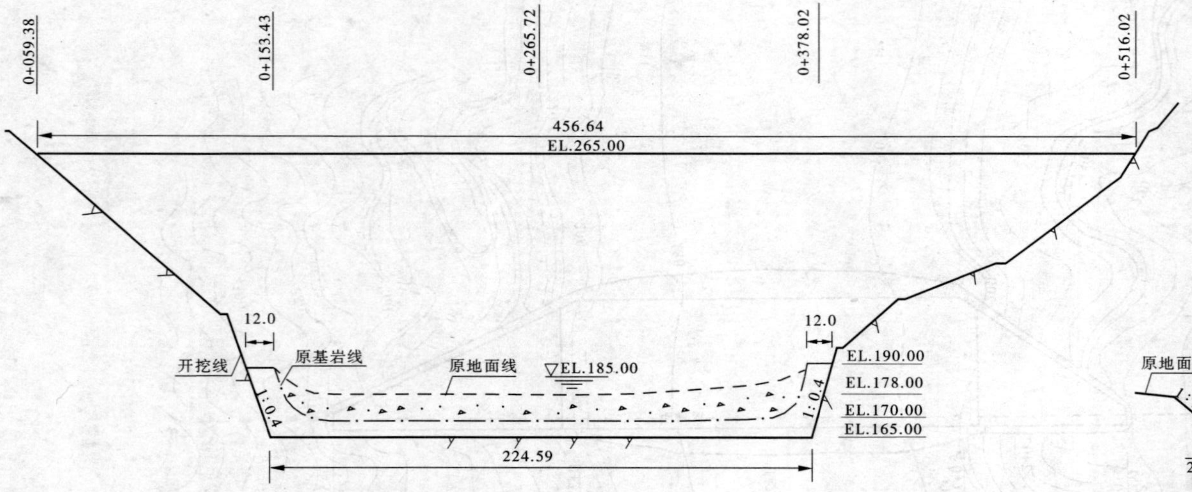

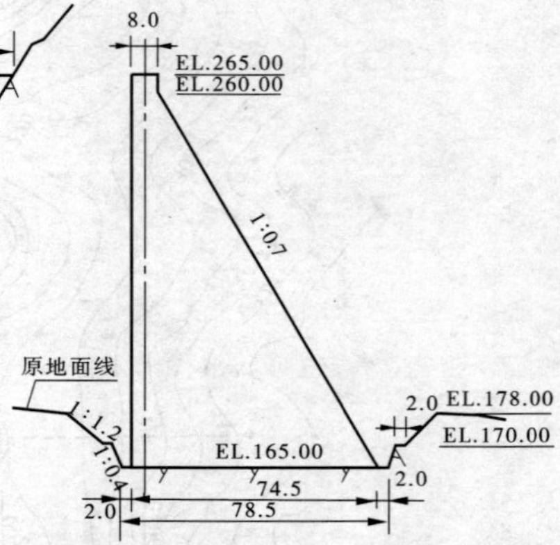

混凝土重力坝标准断面图

EL.265.00
EL.260.00
1:0.7
EL.178.00
EL.170.00
2.0
2.0
EL.165.00
74.5
78.5
8.0
原地面线
1:1.2
1:0.4
2.0

附图 2　基础开挖坝轴线剖面图

456.64
EL.265.00

0+059.38
0+153.43
0+265.72
0+378.02
0+516.02

开挖线
12.0
1:0.4
原基岩线
原地面线
▽EL.185.00
224.59
1:0.4
12.0
EL.190.00
EL.178.00
EL.170.00
EL.165.00

· 838 ·

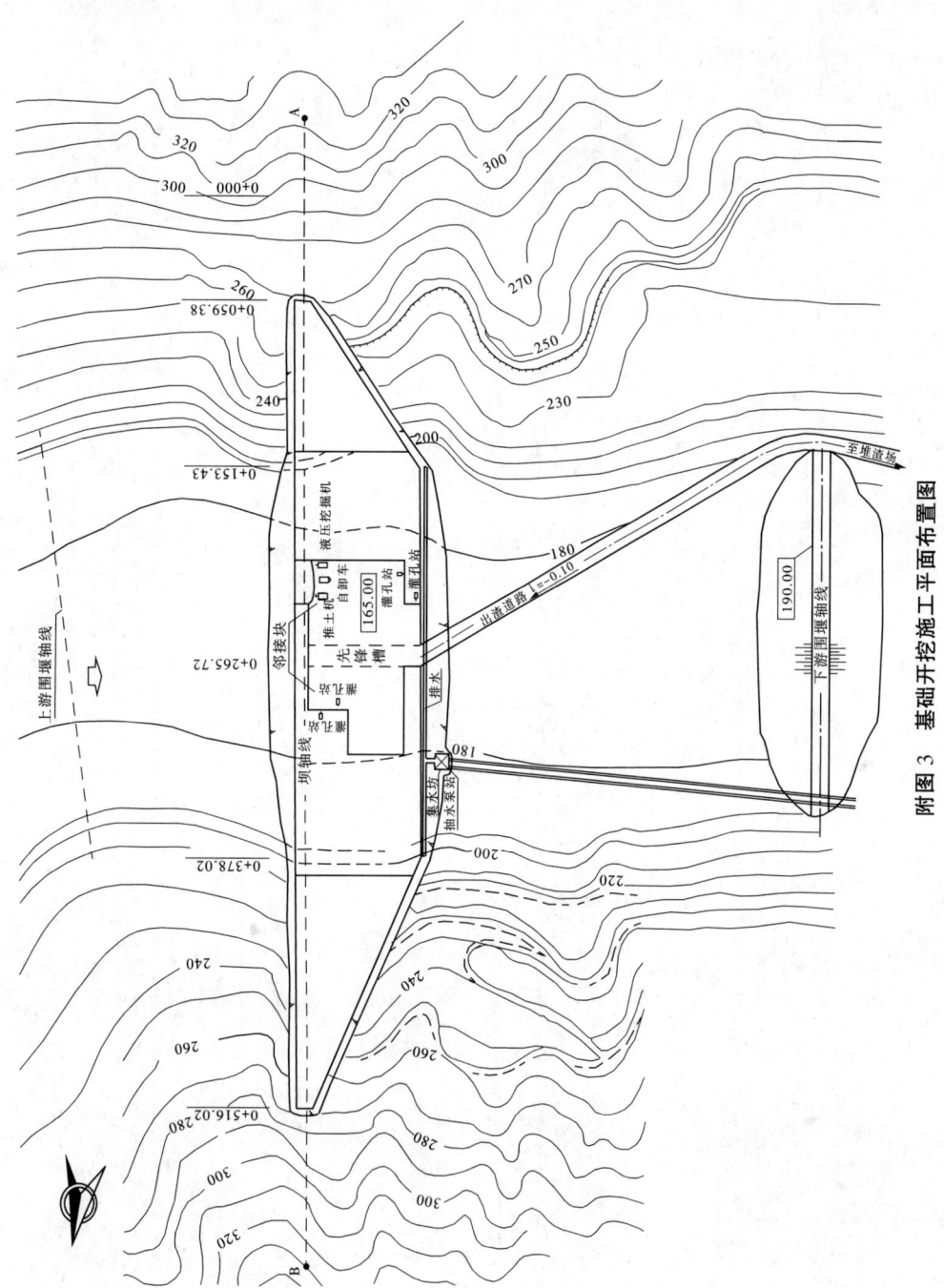

附图 3 基础开挖施工平面布置图